여러분의 [illegible]하는

해커스공무[illegible]별 혜택

FREE 공무원 행정법 **무료 동영상강의**

해커스공무원(gosi.Hackers.com) 접속 후 로그인 ▶ 상단의 [무료강좌] 클릭 ▶
좌측의 [교재 무료특강] 클릭

해커스공무원 온라인 단과강의 **20% 할인쿠폰**

296BE384FA94AXJ7

해커스공무원(gosi.Hackers.com) 접속 후 로그인 ▶ 상단의 [나의 강의실] 클릭 ▶
좌측의 [쿠폰등록] 클릭 ▶ 위 쿠폰번호 입력 후 이용

* 쿠폰 이용 기한: 2022년 12월 31일까지(등록 후 7일간 사용 가능)
* 쿠폰 이용 관련 문의: 1588-4055

해커스 회독증강 콘텐츠 **5만원 할인쿠폰**

D295A89A3E9BC4BD

해커스공무원(gosi.Hackers.com) 접속 후 로그인 ▶ 상단의 [나의 강의실] 클릭 ▶
좌측의 [쿠폰등록] 클릭 ▶ 위 쿠폰번호 입력 후 이용

* 쿠폰 이용 기한: 2022년 12월 31일까지(등록 후 7일간 사용 가능)
* 월간 학습지 회독증강 행정학/행정법총론 개별상품은 할인쿠폰 할인대상에서 제외

해커스공무원

장재혁 행정법총론

기본서 | 1권

해커스공무원

장재혁

약력

연세대학교 법과대학 법학과 졸업
연세대학교 대학원 법학 석사과정

현 | 해커스공무원 행정법 강의
현 | 법무법인 대한중앙 공법 자문위원
현 | 장재혁법학연구소 소장
현 | 한국고시학원, 한국경찰학원 대표강사
전 | 박문각남부학원 대표강사

저서

해커스공무원 장재혁 행정법총론 기본서, 해커스패스
해커스공무원 3개년 최신판례집 행정법총론, 해커스패스
해커스공무원 실전동형모의고사 장재혁 행정법총론, 해커스패스
해커스군무원 15개년 기출복원문제집 행정법총론, 해커스패스
해커스군무원 실전동형모의고사 장재혁 행정법, 해커스패스

해커스공무원

장재혁 행정법총론

기본서 | 1권

초판 1쇄 발행 2021년 7월 16일

지은이	장재혁, 해커스 공무원시험연구소
펴낸곳	해커스패스
펴낸이	해커스공무원 출판팀
주소	서울특별시 강남구 강남대로 428 해커스공무원
고객센터	02-598-5000
교재 관련 문의	gosi@hackerspass.com 해커스공무원 사이트(gosi.Hackers.com) 교재 Q&A 게시판 카카오톡 플러스 친구 [해커스공무원강남역], [해커스공무원노량진]
학원 강의 및 동영상강의	gosi.Hackers.com
ISBN	1권: 979-11-6662-569-5 (14360) 세트: 979-11-6662-568-8 (14360)
Serial Number	01-01-01

공무원 시험 합격을 위한 필수 기본서!

공무원 공부, 어떻게 시작해야 할까?

요즘 하루가 멀다 하고 뉴스에서는 늘어나는 공무원 수험생의 수를 이야기하곤 합니다. 그 속에서 하루라도 빨리 합격하기 위해서는 시행착오 없이 제대로 된 시작을 하는 것이 중요합니다.『2022 해커스공무원 장재혁 행정법총론 기본서』는 수험생 여러분들의 소중한 하루하루가 낭비되지 않도록 올바른 수험생활의 길을 제시하고자 노력하였습니다.

이에『2022 해커스공무원 장재혁 행정법총론 기본서』는 다음과 같은 특징을 가지고 있습니다.

첫째, 행정법의 전반적 체계를 쉽게 이해하면서도 수험적합적 학습을 할 수 있게 구성하였습니다.
상세한 기본 이론 설명과 함께 관련 판례를 수록하여 행정법을 쉽게 이해할 수 있도록 하고, 보조단에 수록된 기출선지를 통해 학습의 깊이를 더할 수 있도록 하였습니다. 이로써 수험에 최적화된 학습을 할 수 있게 될 것입니다.

둘째, 최신 판례 및 개정 법령을 전면 반영하여 효과적 학습이 가능하도록 구성하였습니다.
최신 판례 및 최근 제·개정된 법령을 교재 내 관련 이론에 전면 반영하였습니다. 이를 통해 수험생 여러분들은 이론을 학습하면서 제·개정된 법령과 가장 최신의 판례까지 효과적으로 함께 학습할 수 있습니다.

더불어, 공무원 시험 전문 사이트 해커스공무원(gosi.Hackers.com)에서 교재 학습 중 궁금한 점을 나누고 다양한 무료 학습 자료를 함께 이용하여 학습 효과를 극대화할 수 있습니다.

부디『2022 해커스공무원 장재혁 행정법총론 기본서』와 함께 공무원 행정법총론 시험 고득점을 달성하고 합격을 향해 한걸음 더 나아가시기를 바랍니다

출간하는 데 많은 도움을 주신 김윤조 선생님께 감사드리며,
『2022 해커스공무원 장재혁 행정법총론 기본서』가 공무원 합격을 꿈꾸는 모든 수험생 여러분에게 훌륭한 길잡이가 되기를 바랍니다.

장재혁, 해커스 공무원시험연구소

목차

1권

제2편 행정작용법

제1장 행정상 입법

제2장 행정행위의 종류와 내용

제3장 행정행위의 효력과 하자

제5장 그 밖의 행정의 주요 행위형식

제3편 행정과정

제1장 행정절차

제2장 정보공개와 개인정보 보호

제3장 그 밖의 관련법률

목차

2권

제6편 행정쟁송

제1장 행정심판

제2장 행정소송

이 책의 구성

『2022 해커스공무원 장재혁 행정법총론 기본서』는 수험생 여러분들이 행정법총론 과목을 효율적으로 정확하게 학습할 수 있도록 상세한 내용과 다양한 학습장치를 수록 · 구성하였습니다. 아래 내용을 참고하여 본인의 학습 과정에 맞게 체계적으로 학습 전략을 세워 학습하기 바랍니다.

1 이론의 세부적인 내용을 정확하게 이해하기

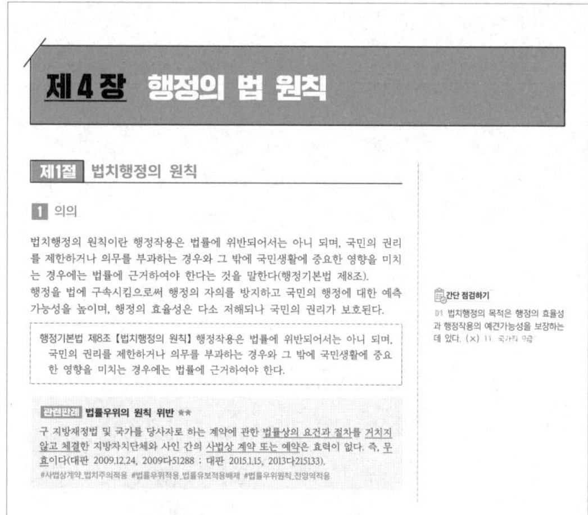

제4장 행정의 법 원칙

제1절 법치행정의 원칙

1 의의

법치행정의 원칙이란 행정작용은 법률에 위반되어서는 아니 되며, 국민의 권리를 제한하거나 의무를 부과하는 경우와 그 밖에 국민생활에 중요한 영향을 미치는 경우에는 법률에 근거하여야 한다는 것을 말한다(행정기본법 제8조).
행정을 법에 구속시킴으로써 행정의 자의를 방지하고 국민의 행정에 대한 예측가능성을 높이며, 행정의 효율성은 다소 저해되나 국민의 권리가 보호된다.

행정기본법 제8조【법치행정의 원칙】행정작용은 법률에 위반되어서는 아니 되며, 국민의 권리를 제한하거나 의무를 부과하는 경우와 그 밖에 국민생활에 중요한 영향을 미치는 경우에는 법률에 근거하여야 한다.

관련판례 법률우위의 원칙 위반 ★★
구 지방재정법 및 국가를 당사자로 하는 계약에 관한 법률상의 요건과 절차를 거치지 않고 체결한 지방자치단체와 사인 간의 사법상 계약 또는 예약은 효력이 없다. 즉, 무효이다(대판 2009.12.24, 2009다51288 ; 대판 2015.1.15, 2013다215133).
#사법상계약_법치주의적용 #법률우위적용_법률유보적용배제 #법률우위원칙_전영역적용

간단 점검하기
01 법치행정의 목적은 행정의 효율성과 행정작용의 예견가능성을 보장하는 데 있다. (×) 11. 국가직 9급

최근 출제 경향 및 개정 법령, 최신 판례를 반영한 이론

1. 최근 출제 경향 반영

철저한 기출분석으로 도출한 최신 출제 경향을 바탕으로 출제가 예상되는 내용 등을 선별하여 이론에 반영 · 수록하였습니다. 이를 통해 방대한 행정법총론 과목의 내용 중 시험에 나오는 이론만을 효과적으로 학습할 수 있습니다.

2. 개정 법령 및 최신 판례 수록

최근 제 · 개정된 법령과 최신 판례, 특히 이슈가 된 핵심 판례들을 수록하고 교재 내 관련 이론에 전면 반영하여 실전에 효율적으로 대비할 수 있습니다.

2 다양한 학습장치를 활용하여 이론 완성하기

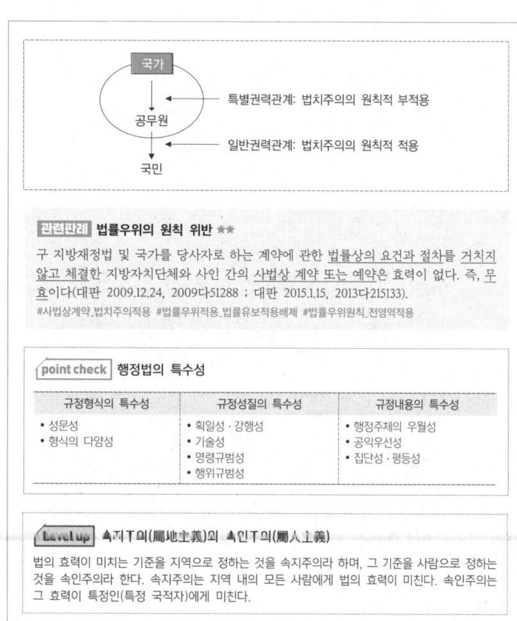

관련판례 법률우위의 원칙 위반 ★★
구 지방재정법 및 국가를 당사자로 하는 계약에 관한 법률상의 요건과 절차를 거치지 않고 체결한 지방자치단체와 사인 간의 사법상 계약 또는 예약은 효력이 없다. 즉, 무효이다(대판 2009.12.24, 2009다51288 ; 대판 2015.1.15, 2013다215133).
#사법상계약_법치주의적용 #법률우위적용_법률유보적용배제 #법률우위원칙_전영역적용

point check 행정법의 특수성

규정형식의 특수성	규정성질의 특수성	규정내용의 특수성
• 성문성 • 형식의 다양성	• 획일성 · 강행성 • 기술성 • 명령규범성 • 행위규범성	• 행정주체의 우월성 • 공익우선성 • 집단성 · 평등성

Level up 속지주의(屬地主義)와 속인주의(屬人主義)
법의 효력이 미치는 기준을 지역으로 정하는 것을 속지주의라 하며, 그 기준을 사람으로 정하는 것을 속인주의라 한다. 속지주의는 지역 내의 모든 사람에게 법의 효력이 미친다. 속인주의는 그 효력이 특정인(특정 국적자)에게 미친다.

한 단계 실력 향상을 위한 다양한 학습 장치

1. 이론 체계도

이론을 정리한 체계도를 수록하여 해당 이론의 전체적인 흐름을 쉽게 파악할 수 있습니다.

2. 관련판례

이론 학습에 필수적인 관련판례의 내용을 그대로 수록하여, 시험에 동일하게 출제되는 판례 내용을 직접 확인할 수 있습니다.

3. point check

출제가능성이 높은 핵심 이론을 일목요연하게 정리하여 행정법총론 과목의 이론 내용을 보다 빠르게 파악하고 전략적으로 학습할 수 있습니다.

4. Level up

개념 이해를 돕는 심화 내용을 수록하여 고난도 행정법총론 문제까지 대비할 수 있습니다.

 기출 문제로 실전 감각 높이기

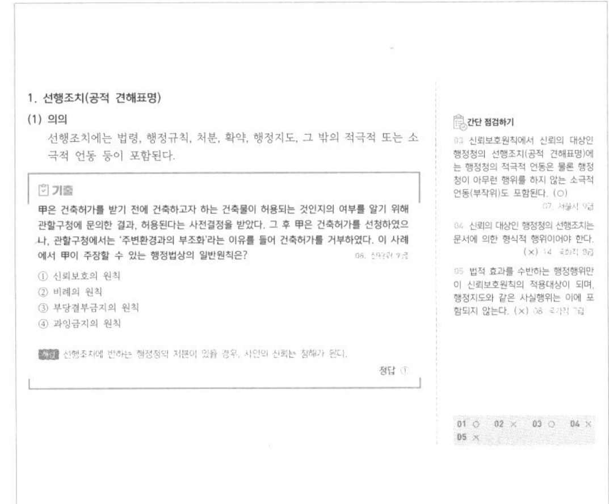

1. 선행조치(공적 견해표명)

(1) 의의

선행조치에는 법령, 행정규칙, 처분, 확약, 행정지도, 그 밖의 적극적 또는 소극적 언동 등이 포함된다.

기출

甲은 건축허가를 받기 전에 건축하고자 하는 건축물이 허용되는 것인지의 여부를 알기 위해 관할구청에 문의한 결과, 허용된다는 사전결정을 받았다. 그 후 甲은 건축허가를 선청하였으나, 관할구청에서는 '주변환경과의 부조화'라는 이유를 들어 건축허가를 거부하였다. 이 사례에서 甲이 주장할 수 있는 행정법상의 일반원칙은?

① 신뢰보호의 원칙
② 비례의 원칙
③ 부당결부금지의 원칙
④ 과잉금지의 원칙

선행조치에 반하는 행정청의 처분이 있을 경우, 사인의 신뢰는 침해가 된다.

정답 ①

간단 점검하기

03 신뢰보호원칙에서 신뢰의 대상인 행정청의 선행조치(공적 견해표명)에는 행정청의 적극적 언동은 물론 행정청이 아무런 행위를 하지 않는 소극적 언동(부작위)도 포함된다. (○) 07. 서울시 9급

04 신뢰의 대상인 행정청의 선행조치는 문서에 의한 형식적 행위이어야 한다. (×) 14. 국회직 8급

05 법적 효과를 수반하는 행정행위만이 신뢰보호원칙의 적용대상이 되며, 행정지도와 같은 사실행위는 이에 포함되지 않는다. (×) 08. 국가직 7급

01 ○ 02 × 03 ○ 04 × 05 ×

취약점을 보완하기 위한 간단한 기출 문제

1. 객관식 기출 문제

이론과 관련된 간단한 기출문제를 수록하여 내용의 흐름에 따라 자연스럽게 이론을 복습하고 점검할 수 있습니다.

2. 간단 점검하기 OX 문제

기출선지를 활용한 OX문제를 통해 본문에서 학습한 내용을 재차 확인한 후 취약점을 파악 · 보완할 수 있습니다.

 새로 도입된 행정기본법 내용 확인하기

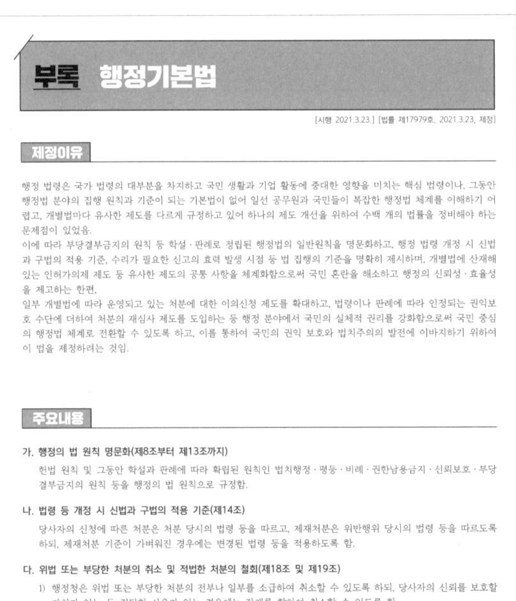

부록 행정기본법

[시행 2021.3.23.] [법률 제17979호, 2021.3.23., 제정]

제정이유

행정 법령은 국가 법령의 대부분을 차지하고 국민 생활과 기업 활동에 중대한 영향을 미치는 핵심 법령이나, 그동안 행정법 분야의 집행 원칙과 기준이 되는 기본법이 없어 일선 공무원과 국민들이 복잡한 행정법 체계를 이해하기 어렵고, 개별법마다 유사한 제도를 다르게 규정하고 있어 하나의 제도 개선을 위하여 수백 개의 법률을 정비해야 하는 문제점이 있었음.
이에 따라 부당결부금지의 원칙 등 학설 · 판례로 정립된 행정법의 일반원칙을 명문화하고, 행정 법령 개정 시 신법과 구법의 적용 기준, 수리가 필요한 신고의 효력 발생 시점 등 법 집행의 기준을 명확히 제시하며, 개별법에 산재해 있는 인허가의제 제도 등 유사한 제도의 공통 사항을 체계화함으로써 국민 혼란을 해소하고 행정의 신뢰성 · 효율성을 제고하는 한편,
일부 개별법에 따라 운영되고 있는 처분에 대한 이의신청 제도를 확대하고, 법령이나 판례에 따라 인정되는 권익보호 수단에 더하여 처분의 재심사 제도를 도입하는 등 행정 분야에서 국민의 실체적 권리를 강화함으로써 국민 중심의 행정법 체계로 전환할 수 있도록 하고, 이를 통하여 국민의 권익 보호와 법치주의의 발전에 이바지하기 위하여 이 법을 제정하려는 것임.

주요내용

가. 행정의 법 원칙 명문화(제8조부터 제13조까지)

헌법 원칙 및 그동안 학설과 판례에 따라 확립된 원칙인 법치행정 · 평등 · 비례 · 권한남용금지 · 신뢰보호 · 부당결부금지의 원칙 등을 행정의 법 원칙으로 규정함.

나. 법령 등 개정 시 신법과 구법의 적용 기준(제14조)

당사자의 신청에 따른 처분은 처분 당시의 법령 등을 따르고, 제재처분은 위반행위 당시의 법령 등을 따르도록 하되, 제재처분 기준이 가벼워진 경우에는 변경된 법령 등을 적용하도록 함.

다. 위법 또는 부당한 처분의 취소 및 적법한 처분의 철회(제18조 및 제19조)

1) 행정청은 위법 또는 부당한 처분의 전부나 일부를 소급하여 취소할 수 있도록 하되, 당사자의 신뢰를 보호할 가치가 있는 등 정당한 사유가 있는 경우에는 장래를 향하여 취소할 수 있도록 함.

행정기본법 전체 조문

부록으로 최근에 제정된 행정기본법의 제정이유 및 주요내용과 함께 전체 조문을 모두 수록하였습니다. 행정기본법을 학습해야 하는 이유와 중점적으로 학습해야 할 부분을 확인한 후 행정기본법의 전체 조문을 학습하여 행정기본법과 관련된 법조문 문제까지 효과적으로 대비할 수 있습니다.

공무원 행정법총론 길라잡이

시험분석

행정법총론 과목을 학습하면 국가직 기준 행정직(일반행정 / 고용노동 / 교육행정 / 선거행정), 출입국관리직의 응시가 가능합니다. 행정법총론은 선택과목으로 진행된 2021년까지 9급 공무원 시험에서 많은 수험생들이 선택하였던 과목이며, 2022년부터는 위 국가직 직렬을 비롯하여 다수의 지방 행정직, 사회복지직, 소방직에서도 필수과목이 되어 중요도가 더욱 높아졌습니다. 최근 3년간 9급 공채 필기시험 응시 현황에 따르면 행정법총론을 선택과목으로 응시한 수험생들이 가장 많이 지원한 직렬은 일반행정직이며, 하단에 지난 3개년 9·7급 일반행정직 합격선 및 관련 정보를 수록하였으니, 참고하시기 바랍니다.

* 사이버국가고시센터 참고 (gosi.kr)

대표 직렬 안내

일반행정직에 합격을 하면 국가직의 경우 행정부의 전체 부처에서, 지방직의 경우 각 지방자치단체에서 근무를 하게 됩니다. 일반행정직 공무원의 담당 업무에는 각종 국가제도의 연구, 법령입안 및 감독 업무, 사무 관리 능력을 바탕으로 한 기획적, 관리적, 지원적인 성격의 업무 등이 있습니다.

7급의 경우에는 2차 필기시험의 필수과목으로 '행정법'이 있습니다. 행정법은 행정법총론에 행정법각론의 범위를 포함한 것으로, 행정직(일반행정 / 인사조직 / 재경 / 고용노동 / 교육행정 / 회계 / 선거행정), 관세직, 통계직, 감사직, 교정직, 검찰직, 출입국관리직을 응시할 경우 학습이 필요한 과목입니다.

합격선 안내

다음 그래프는 최근 3회차 9·7급 국가직 일반행정직의 필기시험 합격선을 나타낸 것입니다. 2013년부터 2021년까지 시행된 9급 공채 시험과목에는 고교 이수과목 등의 선택과목이 포함되었으므로, 난이도 차이 보정을 위해 조정점수제가 적용되어 5개 응시과목의 총득점으로 합격선 및 합격자를 결정하였으며, 9급과 달리 7급의 경우에는 전 과목 평균 점수로 합격선을 결정하고 있습니다. 따라서, 급수에 따른 합격선 기준이 다름을 참고하여 그래프를 확인하시기 바랍니다.

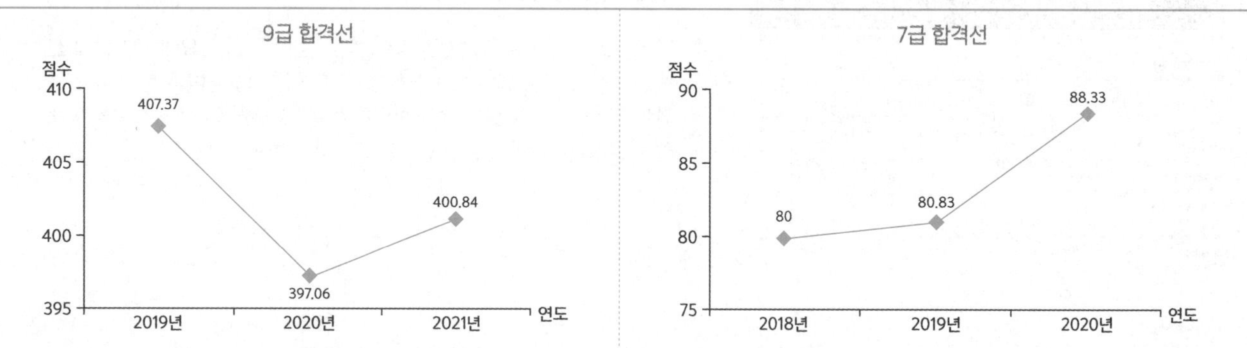

참고

1. 조정점수제란, 서로 다른 선택과목을 응시한 수험생들의 성적을 동일한 척도 상에서 비교할 수 있도록 해당 과목의 평균과 표준편차를 활용하여 과목 간 난이도 차이를 보정할 수 있는 제도입니다.
2. 2022년부터 전 과목이 필수화됨에 따라 조정(표준)점수 제도는 폐지될 예정이며, 이전까지 일반행정직의 선택과목이었던 사회, 과학, 수학은 시험과목에서 제외됩니다.

커리큘럼

* 학습 기간은 개인의 학습 수준과 상황 및 시험 일정에 따라 조절하기 바랍니다.

기본이론
2개월

탄탄한 기본 다지기

행정법총론의 기초를 잡고 큰 골격을 세운다는 느낌으로 접근하여, 행정법총론 이론의 주요 개념들과 익숙해지면서 탄탄하게 기본기를 다지는 단계입니다.

TIP 모든 개념을 암기하려고 하기보다는 전체적인 행정법총론 이론의 흐름을 파악하고 이해하는 것을 목표로 삼고 학습하는 것이 좋습니다. 나아가 조문 · 판례를 응용하거나 이해 능력을 묻는 최신 출제 경향에 철저히 대비하기 위해서는 기본이론 단계에서 개념을 탄탄하게 다지는 것이 좋습니다.

심화이론
2개월

깊이 있는 이론 정립

탄탄한 기본기를 토대로 한층 깊이 있는 심화이론을 학습하여 고득점을 위한 발판을 마련하고, 이론에 대한 이해도를 높임으로써 실력을 확장시키는 단계입니다.

TIP 기본이 되는 주요 개념의 복습과 함께 난도 높은 개념까지 연계하여 학습해보고, 기본서를 단권화하는 등 스스로 정리하며 효과적인 회독을 통해 반복 학습하는 것이 좋습니다.

문제풀이
4개월

단원별 기출문제 및 예상문제 풀이

최근 행정법총론 과목의 빈출유형인 '사례형' 문제에 대비하기 위하여 재출제 가능성이 높은 기출문제와 퀄리티 좋은 예상문제 등 다양한 문제를 풀어보며 주요 이론을 응용하고 문제 풀이 능력을 향상시키는 단계입니다.

TIP 기출문제를 풀어보며 이론이 어떻게 문제화되는지 확인하고, 자주 출제되는 부분을 확실하게 정리하는 것이 좋습니다. 또한, 다양한 유형의 예상문제를 풀어 보며 취약한 개념이나 유형을 확인하고 반복적으로 학습하여 문제 풀이 기술을 늘리는 것이 좋습니다.

실전동형
2개월

실전과 동일한 형태의 전 범위 모의고사 풀이

출제 가능성이 높은 개념과 유형의 문제만을 엄선한 예상문제를 실제와 가장 유사한 형태로 풀어보고, 마지막까지 부족한 부분을 점검하고 확인하여 효율적으로 실전감각을 기르는 단계입니다.

TIP 전 범위를 기출문제와 유사한 형태의 문제로 빠르게 점검하고, 실전처럼 시간 배분까지 연습합니다. 모의고사를 통해 본인의 실력을 마지막까지 확인해서, 자주 틀리거나 취약한 부분은 기본서 등으로 보충하여 대비하는 것이 좋습니다.

학습 플랜

효율적인 학습을 위하여 DAY별로 권장 학습 분량을 제시하였으며, 이를 바탕으로 본인의 학습 진도나 수준에 따라 조절하여 학습하기 바랍니다. 또한 학습한 날은 표 우측의 각 회독 부분에 형광펜이나 색연필 등으로 표시하며 채워나가기 바랍니다.

* 1, 2회독 때에는 60일 학습 플랜을, 3회독 때에는 30일 학습 플랜을 활용하면 좋습니다.

1권

60일 플랜	30일 플랜	학습 플랜		1회독	2회독	3회독
DAY 1	DAY 1	제1편 행정법 서론	제1장 ~ 제2장	DAY 1	DAY 1	DAY 1
DAY 2			제3장	DAY 2	DAY 2	
DAY 3	DAY 2		제4장 제1절 ~ 제4장 제2절	DAY 3	DAY 3	DAY 2
DAY 4			제4장 제3절 ~ 제4장 제5절	DAY 4	DAY 4	
DAY 5	DAY 3		제4장 제6절 ~ 제4장 제7절	DAY 5	DAY 5	DAY 3
DAY 6			제5장 제1절 ~ 제5장 제3절	DAY 6	DAY 6	
DAY 7	DAY 4		제5장 제4절 ~ 제5장 제4절 3	DAY 7	DAY 7	DAY 4
DAY 8			제5장 제4절 4 ~ 제5장 제6절	DAY 8	DAY 8	
DAY 9	DAY 5		제6장 제1절 ~ 제6장 제3절	DAY 9	DAY 9	DAY 5
DAY 10			제6장 제4절	DAY 10	DAY 10	
DAY 11	DAY 6	제2편 행정작용법	제1장 제1절 ~ 제1장 제2절	DAY 11	DAY 11	DAY 6
DAY 12			제1장 제3절	DAY 12	DAY 12	
DAY 13	DAY 7		제2장 제1절 ~ 제2장 제4절	DAY 13	DAY 13	DAY 7
DAY 14			제2장 제5절 1 ~ 제2장 제5절 2	DAY 14	DAY 14	
DAY 15	DAY 8		제2장 제5절 3 ~ 제2장 제6절 2	DAY 15	DAY 15	DAY 8
DAY 16			제2장 제6절 3 ~ 제2장 제7절	DAY 16	DAY 16	
DAY 17	DAY 9		제3장 제1절 ~ 제3장 제2절	DAY 17	DAY 17	DAY 9
DAY 18			제3장 제3절	DAY 18	DAY 18	
DAY 19	DAY 10		제3장 제4절 ~ 제3장 제6절	DAY 19	DAY 19	DAY 10
DAY 20			제4장	DAY 20	DAY 20	
DAY 21	DAY 11		제5장 제1절 ~ 제5장 제4절	DAY 21	DAY 21	DAY 11
DAY 22			제5장 제5절 ~ 제5장 제7절	DAY 22	DAY 22	
DAY 23	DAY 12	제3편 행정절차와 행정공개	제1장 제1절 ~ 제1장 제3절 1	DAY 23	DAY 23	DAY 12
DAY 24			제1장 제3절 2	DAY 24	DAY 24	
DAY 25	DAY 13		제1장 제3절 3 ~ 제1장 제3절 7	DAY 25	DAY 25	DAY 13
DAY 26			제1장 제4절 ~ 제2장 제1절	DAY 26	DAY 26	
DAY 27	DAY 14		제2장 제2절 1 ~ 제2장 제2절 3	DAY 27	DAY 27	DAY 14
DAY 28			제2장 제2절 4 ~ 제3장	DAY 28	DAY 28	
DAY 29	DAY 15	1권 전체복습		DAY 29	DAY 29	DAY 15
DAY 30		1권 전체복습		DAY 30	DAY 30	

- 1회독 때에는 처음부터 완벽하게 학습하려고 욕심을 내는 것보다는 전체적인 내용을 가볍게 익힌다는 생각으로 교재를 읽는 것이 좋습니다.
- 2회독 때에는 1회독 때 확실히 학습하지 못한 부분을 정독하면서 꼼꼼히 교재의 내용을 익힙니다.
- 3회독 때에는 기출 또는 예상문제를 함께 풀어보며 본인의 취약점을 찾아 보완하면 좋습니다.

2권

60일 플랜	30일 플랜	학습 플랜		1회독	2회독	3회독
DAY 31	DAY 16	제4편 행정의 실효성 확보수단	제1장 ~ 제2장 제1절 4	DAY 31	DAY 31	DAY 16
DAY 32			제2장 제1절 5 ~ 제2장 제1절 7	DAY 32	DAY 32	
DAY 33	DAY 17		제2장 제2절	DAY 33	DAY 33	DAY 17
DAY 34			제3장	DAY 34	DAY 34	
DAY 35	DAY 18		제4장	DAY 35	DAY 35	DAY 18
DAY 36		제5편 행정상 손해진보	제1장 ~ 제2장 제1절	DAY 36	DAY 36	
DAY 37	DAY 19		제2장 제2절 1	DAY 37	DAY 37	DAY 19
DAY 38			제2장 제2절 2 ~ 제2장 제2절 4	DAY 38	DAY 38	
DAY 39	DAY 20		제2장 제3절	DAY 39	DAY 39	DAY 20
DAY 40			제2장 제4절 ~ 제3장 제2절	DAY 40	DAY 40	
DAY 41	DAY 21		제2장 제3절	DAY 41	DAY 41	DAY 21
DAY 42			제2장 제4절 ~ 제2장 제7절	DAY 42	DAY 42	
DAY 43	DAY 22	제6편 행정쟁송	제1장 제1절 ~ 제1장 제2절 5	DAY 43	DAY 43	DAY 22
DAY 44			제1장 제2절 6 ~ 제1장 제2절 9	DAY 44	DAY 44	
DAY 45	DAY 23		제2장 제1절 ~ 제2장 제3절	DAY 45	DAY 45	DAY 23
DAY 46			제2장 제4절 3	DAY 46	DAY 46	
DAY 47	DAY 24		제2장 제4절 2 (1)	DAY 47	DAY 47	DAY 24
DAY 48			제2장 제4절 2 (2)	DAY 48	DAY 48	
DAY 49	DAY 25		제2장 제4절 3 (1)	DAY 49	DAY 49	DAY 25
DAY 50			제2장 제4절 3 (2)	DAY 50	DAY 50	
DAY 51	DAY 26		제2장 제4절 4	DAY 51	DAY 51	DAY 26
DAY 52			제2장 제4절 5	DAY 52	DAY 52	
DAY 53	DAY 27		제2장 제4절 6	DAY 53	DAY 53	DAY 27
DAY 54			제2장 제5절	DAY 54	DAY 54	
DAY 55	DAY 28		제2장 제6절 ~ 제8절	DAY 55	DAY 55	DAY 28
DAY 56			부록 행정기본법	DAY 56	DAY 56	
DAY 57	DAY 29	2권 전체 복습		DAY 57	DAY 57	DAY 29
DAY 58		2권 전체 복습		DAY 58	DAY 58	
DAY 59	DAY 30	총 복습		DAY 59	DAY 59	DAY 30
DAY 60		총 복습		DAY 60	DAY 60	

제1편

행정법통론

제1장 행정

제1절 행정관념의 성립

1 개설

행정은 국가작용의 한 부문으로서 입법·사법의 관념과 함께 역사적·제도적으로 성립·발전된 관념이다. 또한 권력분립제도를 채택한 근대입헌국가에 의하여 비로소 확립된 역사적 개념이며, 시대와 장소에 따라 달리 발달하였다.

2 권력분립이론

1. 고전적 권력분립이론

권력분립이론은 시민의 자유를 보장하고, 국가권력이 하나의 기관에 집중되어 남용되는 폐단을 방지하기 위하여 창안된 이론이다.

(1) 제창[존 로크(J. Locke) - 시민정부2론]

① 로크는 '시민정부2론'에서 입법권과 행정권의 분립을 주장하였다.

② 국민주권을 전제로 한 입법권의 우월을 확보하려는 것이다.

(2) 완성[몽테스키외(Montesquieu) - 법의 정신]

① 몽테스키외는 '법의 정신'에서 국가권력을 입법·사법·행정의 3권으로 구분하였다.

② 상호견제와 균형을 통하여 권력의 남용을 방지하고 국민의 자유보장을 목표로 하였다.

2. 권력분립의 현대적 전개

(1) 권력분립의 변화와 전개

구분	도식	내용
입법권 우위	입법 / 사법 / 행정	• 의원내각제(영국) • 행정권의 존립을 의회가 좌우 • 불문헌법체제 → 위헌법률심사제 없음
사법권 우위	사법 / 입법 / 행정	• 대통령중심제(미국) • 행정사건을 사법법원이 관할(사법국가) • 성문헌법체제 → 위헌법률심사제 있음
행정권 우위	행정 / 입법 / 사법	• 대륙법계 국가(독일, 프랑스) • 행정사건을 행정권 내부의 행정재판소에서 관할(행정국가)

(2) 새로운 권력분립론[칼 뢰벤슈타인(K. Löwenstein)]

① 뢰벤슈타인은 권력분립을 동적으로 파악하는 동태적 권력분립론을 제창하였다.

② 동태적 권력분립론은 국가권력의 기능적 분립을 강조한다.

③ 동태적 권력분립론은 국가기능을 정책결정·정책집행·정책통제로 나누며, 이들 기능에 입법·사법·행정이 어떻게 관여하는가에 따라 정치형태를 구분하였다.

제2절 행정의 의의

1 형식적 의미의 행정 - 분장하는 기관에 따른 분류

실정제도 및 조직상 각 기관에 분배된 '권한'을 표준으로 파악한다.❶

1. 형식적 의미의 입법 - 의회에서 담당

(1) 실질적 의미의 입법(법정립 작용)

(2) 실질적 의미의 행정(국회사무총장의 직원임명 등)

(3) 실질적 의미의 사법(의원의 징계 등)

2. 형식적 의미의 행정 - 정부에서 담당

(1) 실질적 의미의 입법(대통령령 및 각 부령의 제정 등)

(2) 실질적 의미의 행정[법집행 작용(영업허가, 특허 등)]

(3) 실질적 의미의 사법(행정심판재결, 통고처분 등)

3. 형식적 의미의 사법 - 법원에서 담당

(1) 실질적 의미의 입법(대법원규칙 제정 등)

(2) 실질적 의미의 행정(일반법관의 임명 등)

(3) 실질적 의미의 사법(재판작용)

❶
- 입법 - 입법기관의 권한사항
- 행정 - 행정기관의 권한사항
- 사법 - 사법기관의 권한사항

2 실질적 의미의 행정 – 국가작용의 성질에 따른 분류

행정의 고유한 '성질'과 '기능'을 표준으로 파악한다.[1]

[1]
• 입법 – 법 정립
• 행정 – 법 집행
• 사법 – 법 선언

1. 학설

<table>
<tr><td rowspan="4">긍정설</td><td colspan="2">소극설(공제설)</td><td>• 국가작용 중 입법과 사법을 제외한 나머지 작용
• 일본의 통설</td></tr>
<tr><td rowspan="2">적극설</td><td>목적실현설</td><td>• 공익의 실현을 목적으로 하며 법으로부터 자유로운 작용
• 법의 실현을 목적으로 하고 법에 구속되는 작용인 사법과 구분됨</td></tr>
<tr><td>결과실현설(양태설, 통설)</td><td>법 아래에서 법의 규제를 받으면서 사법 이외의 국가목적실현을 위하여 구체적으로 행해지는 전체로서의 통일성을 지닌 계속적·형성적 국가활동</td></tr>
<tr></tr>
<tr><td rowspan="2">부정설</td><td colspan="2">법단계설</td><td>• 실정법 질서상에서 단계적 구조를 통해 파악하고자 하는 입장
• 입법은 헌법의 직접적 집행 또는 1차적 단계의 집행
• 행정은 헌법의 간접적 집행 또는 2차적 단계의 집행</td></tr>
<tr><td colspan="2">기관양태설</td><td>• 작용을 담당하는 기관의 양태에 의하여 파악하고자 하는 입장
• 행정은 종속적 기관계층체에 의하여 수행
• 사법은 병렬적 기관복합체(독립체)에 의하여 수행</td></tr>
<tr><td colspan="3">행정의 개념징표설(묘사설) [에른스트 포르스트호프(E. Forsthoff)]</td><td>• "행정은 정의할 수 없고 묘사할 수밖에 없다."
• 행정의 본질적 성격을 특징짓는 개념징표(Merkmal)의 발견을 통하여 행정관념을 기술함
• 행정의 개념징표
① 공익실현을 목적으로 함
② 공동체에 있어서 사회형성을 담당함
③ 행정주체의 작용
④ 적극적·미래지향적 형성활동
⑤ 포괄적인 지도·통제를 받는 반면, 광범위한 활동의 자유도 가짐
⑥ 다양한 법형식에 의함
⑦ 개별적·구체적 사안에 대한 규율</td></tr>
</table>

간단 점검하기

행정은 적극적·미래지향적 형성작용(= 형성활동)이다. ( ) 18. 서울시 9급

○

2. 다른 작용과의 구별

(1) 입법과의 구별

행정	입법
법을 개별적·구체적으로 집행함으로써 국가목적을 실현하는 작용	국가기관이 일반적·추상적인 성문의 법규를 정립하는 작용

(2) 사법과의 구별

구분	행정	사법
목적	구체적인 공익실현	소극적인 법질서유지
본질	능동적인 사회형성작용	수동적 법인식 혹은 법판단작용
역할	행정기관의 일방적 · 능동적 작용(신청이 반드시 필요한 것은 아님)	쟁송제기를 전제로 하는 수동적 · 소극적 작용(신청이 반드시 필요)
기관	계층적 기관	독립적 기관
절차	재량의 여지가 많음	엄격한 법의 규제와 기속

(3) 통치행위와의 구별

행정	통치행위❶
법치주의 · 국민주권주의 원칙상 사법심사의 대상이 되는 작용	정치성 있는 국가의 작용으로서 사법심사에서 제외되는 행위

❶ 통치행위인 비상계엄의 선포는 입법 · 행정 · 사법 어디에도 속하지 않는다고 본다.

point check 실질적 의미의 입법 · 행정 · 사법

입법	행정	사법
• 대통령의 긴급명령 • 대통령령 · 총리령 · 각 부령 제정 • 조약의 체결 • 조례의 제정 • 행정규칙의 제정	• 각종 증명서의 발급 • 공무원의 임명 • 대집행의 계고 • 일반공무원의 징계처분 • 군당국의 징발처분 • 국회사무총장의 직원임명 • 대법관의 임명 • 법원행정처장의 직원임명	• 행정심판의 재결 • 이의신청에 대한 결정 • 소청심사위원회의 결정 • 토지수용위원회의 수용재결 • 국회의원의 징계의결 • 통고처분 • 대통령의 사면

기출

다음 중 실질적 의미의 행정에는 속하지만, 형식적 의미의 행정이 아닌 것은? 10. 경찰행정

① 대통령령의 제정
② 국회사무총장의 직원 임명
③ 행정심판의 재결
④ 지방공무원 임명

해설 국회사무총장의 직원 임명은 형식적 의미로는 입법이나, 실질적 의미로는 행정이다.

정답 ②

간단 점검하기

01 대통령령(시행령) · 부령(시행규칙)과 같은 법규명령의 제정, 조례의 제정은 실질적 의미의 행정에는 속하나 형식적 의미의 행정이 아니다. ( ) 15. 지방직 7급

02 통고처분은 형식적 의미에서는 행정이지만, 실질적 의미에서는 사법으로 보는 것이 일반적이다. ( ) 15. 지방직 7급

03 일반법관의 임명은 실질적 의미에서는 행정이다. ( ) 15. 지방직 7급

01 × 02 ○ 03 ○

3. 형식적 · 실질적 의미의 입법 · 행정 · 사법

형식적 의미의 행정에는 성질상 입법이나 사법으로 볼 수 있는 작용이 포함되어 있으므로, 입법이나 사법과의 성질상 차이를 밝히고 실질적 의미의 행정을 탐구하기 위하여 형식적 의미의 행정과 실질적 의미의 행정을 구별한다.

point check 형식적 의미와 실질적 의미에 따른 구분

실질 \ 형식	입법 (= 입법부)	행정 (= 행정부)	사법 (= 사법부)
입법 (= 법 정립)	법률의 제정	행정입법 (예 긴급명령, 대통령령 등)	대법원규칙의 제정
행정 (= 법 집행)	국회공무원의 임명	행정행위 (예 조세부과, 영업허가, 도로점용허가, 발명특허 등)	일반법관의 임명, 토지의 등기
사법 (= 법 선언)	국회의원의 징계	행정심판의 재결, 통고처분 등	재판작용

제3절 통치행위

1 개설

1. 통치행위의 개념

(1) 통치행위란 고도의 정치성을 가지는 국가기관의 행위로서, 사법심사의 대상으로 하기에 부적절할 뿐만 아니라, 그에 대한 판결이 있다 하더라도 집행이 곤란하므로 사법심사의 대상에서 제외되는 행위를 말한다.

(2) 오토 마이어(O. Mayer)에 의하면 통치행위는 입법도 사법도 보통의 행정도 아니므로 '제4의 국가작용'이라고도 한다.

2. 통치행위의 제도적 전제

(1) 실질적 법치주의

통치행위를 논의하기 위해서는 공권력 행사에 대한 사법적 심사가 고도로 발달되어 있어야 한다.

(2) 개괄주의

통치행위가 성립하기 위한 전제로는 법치주의뿐만 아니라 행정소송에 있어서의 개괄주의도 있다.

Level up 개괄주의(槪括主義)와 열기주의(列記主義)

1. **개괄주의**: 법률상 특히 예외가 인정되는 사항을 제외하고, 일반적으로 모든 사항에 대하여 행정쟁송을 인정하는 제도를 말한다.
2. **열기주의**: 쟁송을 허용하는 사항을 개별적으로 나열하고, 그 특정된 사항만을 행정쟁송의 대상으로 하는 제도를 말한다.

간단 점검하기

01 통치행위는 고도의 정치적 결단에 의한 국가의 행위로 사법심사의 대상으로 할 수 있는가에 대하여 논란이 있다. ( ) 13. 서울시 7급

간단 점검하기

02 행정소송의 대상에 관한 개괄주의는 통치행위 긍정설의 근거가 된다. ( ) 05. 강원 9급

03 통치행위는 행정소송 사항에 대한 열기주의에서만 인정이 가능하다. ( ) 10. 경북교행

01 ○ 02 × 03 ×

2 외국의 사례

1. 프랑스

(1) 통치행위이론의 탄생지로서, 최고행정재판소인 국사원(Conseil d'Etat)의 판례에 의해 발달하였다.

(2) 오늘날에는 정부의 국제관계사항, 의회관계행위 등이 통치행위로 인정되고 있으며 통치행위의 범위가 점차 축소되고 있는 경향이 있다.

2. 영국

(1) "국왕은 제소되지 아니한다."는 원칙하에 판례를 중심으로 통치행위 개념을 인정하여 사법심사에서 제외하고 있다.

(2) 국왕의 대권행사(예 국가승인, 선전포고 및 강화, 사면행위 등)와 의회내부문제(예 의원 징계행위 등) 등에 대하여 인정하고 있다.

3. 미국

(1) 법원이 정치적 문제(Political Question)에 대한 관할권을 부인함으로써 그 개념이 성립하였다.

(2) 외교 · 군사작용 등의 행위에 대하여 인정하고 있으며 권력분립주의를 인정 근거로 삼고 있다.

(3) 정치문제의 이론을 최초로 명백히 한 판례는 '루더 대 보덴' 사건(Luther v. Borden, 1849년)이었다.

Level up '루더 대 보덴' 사건(Luther v. Borden, 1849년)

로드아일랜드(Rhode Island)주에서 반란으로 수립된 정부와 종래의 정부가 서로 합법정부임을 주장한 데 대하여, 연방법원은 "어느 정부가 합법인지에 대한 것은 정치적 문제이므로 법원이 판단할 사항이 아니라 연방의회와 연방정부가 결정할 사항이다."라고 하였다.

4. 독일

(1) 2차대전 이전까지는 열기주의를 채택하였으므로 판례상 통치행위를 인정할 여지는 없었으며 주로 학설상 논의되었다.

(2) 2차대전 이후 개괄주의를 채택하며 이에 관한 활발한 논의가 진행되었다.

(3) 수상의 선거, 연방장관의 임명 · 해임, 국회의 해산, 조약의 비준을 통치행위로 인정하고 있다.

5. 일본

(1) 독일과 마찬가지로 2차대전 이전까지는 열기주의를 채택하여 고도의 정치성을 가진 문제는 열기사항에서 미리 제외되었으므로 통치행위관념은 이론상 논의되었을 뿐 실정법상으로는 문제되지 않았다.

(2) 2차대전 이후 개괄주의가 채택됨에 따라 비로소 실제 문제로서 등장하고 이에 관한 논의가 활발해졌으며 학설 · 판례는 대체적으로 통치행위의 관념을 인정하고 있다.

(3) 사천(砂川)사건에 대한 최고재판소의 판결, 점미지(苫米地)사건에 대한 최고재판소의 판결 등에서 통치행위를 긍정하였다.

3 통치행위의 인정 여부 및 근거

1. 통치행위 부정설(사법심사 긍정설)

(1) 법치주의가 완전히 실시되고 행정소송에서의 개괄주의를 취하는 이상, 국민의 권리를 침해하는 모든 행정작용은 사법심사의 대상이 되어야 한다는 견해이다.

(2) 이론상 명쾌하다는 장점은 있으나 정치문제의 사법화로 인한 현실적 문제점을 간과하고 있다는 비판을 받는다.

2. 통치행위 긍정설(사법심사 제한설)

구분	내용	비판
재량행위설	• 통치행위는 정치적 재량에 의한 행위로서 자유재량행위의 일종이다. • 재량행위는 위법문제가 발생하지 않아 행정소송사항에서 제외된다는 것이다.	통치행위는 처음부터 사법심사에서 제외하고 있으나, 재량행위는 일탈 · 남용시에 사법심사의 대상이 된다는 점에서 양자를 동일하게 볼 수 없다.
대권행위설	영국법상의 대권행위 불심사(不審査) 사상에 근거하여 통치행위를 대권행위로 보고 사법심사의 대상에서 제외시키고 있다.	현대 법치국가하에서 대권에 근거한 행위가 사법심사의 대상에서 제외될 수 있는지 의문이다.
권력분립설 (내재적 한계설)	• 통치행위는 정치문제로서 권력분립의 원칙상 일반법원이 관여할 수 없는 문제로 본다. • 국민의 대표기관인 국회에서 정치적으로 해결하거나 국민의 판단과 감시에 의하여 민주적으로 통제되어야 한다는 것이다.	정치적 중립성이 보장된 사법부가 사법심사를 하는 것이 권력분립원칙에 충실하다. 즉, 통치행위의 인정이 오히려 권력분립에 반한다는 비판을 받는다.
사법자제설❶	• 통치행위도 기본적으로는 사법권이 미치지만 고도의 정치성 있는 행위이다. • 법원이 정치행위에 관여하는 것은 사법이 정치화될 가능성이 있으므로 스스로 통치행위에 대한 심사를 자제한다는 것이다.	고의적인 심사의 기피는 결과적으로 어느 쪽의 입장을 대변하는 것이 되며, 결국은 사법권의 포기가 아닌가라는 비판을 받는다.

간단 점검하기

통치행위에 관한 사법자제설은 사법심사가 가능함에도 사법의 정치화를 방지하기 위하여 법원 스스로 자제한다는 견해이다. ( ) 13. 서울시 7급

❶ 기조(Guizot)는 "만일에 사법권이 정치 간섭을 하게 되면 정치는 아무것도 얻는 것이 없게 되나, 사법은 모든 것을 잃는다."고 말한 바 있는데, 이는 통치행위의 인정근거 중 사법자제설을 대변하는 말이다.

○

독자성설	통치행위는 국가지도적인 최상위의 행위로서 본래적으로 사법권의 판단에 적합한 사항이 아닌 독자적인 정치행위로 보는 입장이다.	독자적인 정치행위라는 의미와 사법심사의 배제가 반드시 논리필연적으로 연결되는 것은 아니다.

3. 제한적 긍정설

통치행위는 정책적 관점에서 국가의 존립에 극도로 혼란을 야기하는 정치적 사안들의 경우 예외적으로 인정될 수밖에 없다는 입장으로 정책설이라고도 한다.

4 우리나라에 있어서의 통치행위

1. 헌법의 규정

(1) 제4공화국 헌법은 대통령의 긴급조치를 사법적 심사의 대상에서 제외하였다.

(2) 통치행위 관념이 인정될 수 있는 실정법상의 근거는 헌법 제64조 제4항의 "국회의원의 자격심사 · 징계 · 제명에 대하여는 법원에 제소할 수 없다."는 규정 이외에 다른 명시적 규정은 없다. 따라서 나머지 국가작용을 통치행위로 인정할 수 있는지 여부는 학설 · 판례로 해결하게 된다.

관련판례 지방의회의원징계 ★

지방자치법 제78조 내지 제81조의 규정에 의거한 지방의회의 의원징계의결은 그로 인해 의원의 권리에 직접 법률효과를 미치는 행정처분의 일종으로서 행정소송의 대상이 된다(대판 1993.11.26, 93누7341).

#지방의회의원징계 #행정처분_통치행위성_부인

2. 학설

통치행위의 관념을 인정하는 긍정설이 지배적이다. 다만, 이론적인 근거로는 권력분립설을 취하고, 정책적인 근거로는 사법자제설을 취하는 것이 일반적이다.

3. 판례

(1) 대법원(대체로 권력분립설의 경향)

관련판례 대법원 - 통치행위 O

1 계엄선포 ★★★

대통령의 계엄선포행위는 고도의 정치적, 군사적 성격을 띠는 행위라고 할 것이어서, 그 선포의 당, 부당을 판단할 권한은 헌법상 계엄의 해제요구권이 있는 국회만이 가지고 있다 할 것이고 그 선포가 당연무효의 경우라면 모르되, 사법기관인 법원이 계엄선포의 요건 구비여부나, 선포의 당 · 부당을 심사하는 것은 사법권의 내재적인 본질적 한계를 넘어서는 것이 되어 적절한 바가 못 된다(대판 1979.12.7, 79초70).

#계엄선포 #당 · 부당_심사_내재적한계 #당연무효_심사가능 #권력분립설

간단 점검하기

01 남북정상회담의 개최는 통치행위이다. ( ) 16. 교육행정직

02 대통령의 특별사면은 통치행위이다. ( ) 16. 교육행정직

03 비상계엄의 선포와 그 확대행위가 국헌문란의 목적을 달성하기 위하여 행하여진 경우에는 법원은 그 자체가 범죄행위에 해당하는지의 여부에 관하여 심사할 수 있다. ( ) 15. 국가직 9급

2 남북정상회담 ★★★

남북정상회담의 개최는 고도의 정치적 성격을 지니고 있는 행위라 할 것이므로 특별한 사정이 없는 한 그 당부를 심판하는 것은 사법권의 내재적·본질적 한계를 넘어서는 것이 되어 적절하지 못하지만, 남북정상회담의 개최과정에서 재정경제부장관에게 신고하지 아니하거나 통일부장관의 협력사업 승인을 얻지 아니한 채 북한측에 사업권의 대가 명목으로 송금한 행위 자체는 헌법상 법치국가의 원리와 법 앞에 평등원칙 등에 비추어 볼 때 사법심사의 대상이 된다(대판 2004.3.26, 2003도7878).

#남북정상회담개최_통치행위 #내재적한계설 #대북송금행위_사법심사대상

3 특별사면 ★★★

특별사면은 사면권자의 고도의 정치적·정책적 판단에 따른 시혜적인 조치이고, 특별사면 진행 여부 및 그 적용 범위는 사전에 예상하기 곤란할 뿐 아니라, 처분청에 처분상대방이 특별사면 대상이 되도록 신속하게 절차를 진행할 의무까지 인정된다고 보기도 어렵다. 따라서 처분이 지연되지 않았다면 특별사면 대상이 될 수 있었다는 사정만으로 입찰참가자격 제한처분이 위법하다고 볼 수는 없다(대판 2018.5.15, 2016두57984).

#특별사면_통치행위 #신속사면_입찰참가_가능 #입찰참가자격제한_정당

4 군사시설보호구역의 설정 등은 통치행위로서 사법심사의 대상이 되지 않는다(대판 1983.6.14, 83누43).

관련판례 **대법원 - 통치행위 ×**

1 비상계엄선포 - 국헌문란 ★★★

대통령의 비상계엄의 선포나 확대 행위는 고도의 정치적·군사적 성격을 지니고 있는 행위라 할 것이므로, 그것이 누구에게도 일견하여 헌법이나 법률에 위반되는 것으로서 명백하게 인정될 수 있는 등 특별한 사정이 있는 경우라면 몰라도, 그러하지 아니한 이상 그 계엄선포의 요건 구비 여부나 선포의 당·부당을 판단할 권한이 사법부에는 없다고 할 것이나, 비상계엄의 선포나 확대가 국헌문란의 목적을 달성하기 위하여 행하여진 경우에는 법원은 그 자체가 범죄행위에 해당하는지의 여부에 관하여 심사할 수 있다(대판 1997.4.17, 96도3376).

#비상계엄선포_통치행위 #국헌문란목적_내란죄_여부판단_가능

2 긴급조치 제1·4호 ★★★

[1] 구 대한민국헌법(1980.10.27. 헌법 제9호로 전부 개정되기 전의 것, 이하 '유신헌법'이라 한다) 제53조에 근거하여 발령된 대통령 긴급조치(이하 '긴급조치'라 한다) 제1호는 그 발동 요건을 갖추지 못한 채 목적상 한계를 벗어나 국민의 자유와 권리를 지나치게 제한함으로써 헌법상 보장된 국민의 기본권을 침해한 것이므로, 긴급조치 제1호가 해제 내지 실효되기 이전부터 유신헌법에 위배되어 위헌이고, 나아가 긴급조치 제1호에 의하여 침해된 각 기본권의 보장 규정을 두고 있는 현행 헌법에 비추어 보더라도 위헌이다. 결국 이 사건 재판의 전제가 된 긴급조치 제1호 제1항, 제3항, 제5항을 포함하여 긴급조치 제1호는 헌법에 위배되어 무효이다(대판 2010.12.16, 2010도5986).

#긴급조치1·4호 #헌법위배_무효 #통치행위_위헌성여부_판단가능 #무효여부_심사가능

01 ○ 02 ○ 03 ○

[2] 기본권 보장의 최후 보루인 법원으로서는 마땅히 긴급조치 제1호에 규정된 형벌법규에 대하여 사법심사권을 행사함으로써, 대통령의 긴급조치권 행사로 인하여 국민의 기본권이 침해되고 나아가 우리나라 헌법의 근본이념인 자유민주적 기본질서가 부정되는 사태가 발생하지 않도록 그 책무를 다하여야 할 것이다(대판 2010.12.16, 2010도5986).
#사법심사권책무 #국민기본권보장_자유민주주의_기본질서유지

3 대북송금행위 ★★★

남북정상회담의 개최과정에서 재정경제부장관에게 신고하지 아니하거나 통일부장관의 협력사업 승인을 얻지 아니한 채 북한측에 사업권의 대가 명목으로 송금한 행위 자체는 헌법상 법치국가의 원리와 법 앞에 평등원칙 등에 비추어 볼 때 사법심사의 대상이 된다(대판 2004.3.26, 2003도7878).
#대북송금행위 #사법심사대상

4 서훈취소 ★★★

구 상훈법(2011.8.4. 법률 제10985호로 개정되기 전의 것) 제8조는 서훈취소의 요건을 구체적으로 명시하고 있고 절차에 관하여 상세하게 규정하고 있다. 그리고 서훈취소는 서훈수여의 경우와는 달리 이미 발생된 서훈대상자 등의 권리 등에 영향을 미치는 행위로서 관련 당사자에게 미치는 불이익의 내용과 정도 등을 고려하면 사법심사의 필요성이 크다. 따라서 기본권의 보장 및 법치주의의 이념에 비추어 보면, 비록 서훈취소가 대통령이 국가원수로서 행하는 행위라고 하더라도 법원이 사법심사를 자제하여야 할 고도의 정치성을 띤 행위라고 볼 수는 없다(대판 2015.4.23, 2012두26920).
#서훈수여_통치행위 #서훈취소_통치행위성_부정

(2) 헌법재판소(대체로 사법자제설의 경향)

관련판례 **헌법재판소 - 통치행위성 O**

1 이라크파견결정 ★★★

국군의 이라크파견결정은 그 성격상 국방 및 외교에 관련된 고도의 정치적 결단을 요하는 문제로서, 헌법과 법률이 정한 절차를 지켜 이루어진 것임이 명백하므로, 대통령과 국회의 판단은 존중되어야 하고 헌법재판소가 사법적 기준만으로 이를 심판하는 것은 자제되어야 한다. 이에 대하여는 설혹 사법적 심사의 회피로 자의적 결정이 방치될 수도 있다는 우려가 있을 수 있으나 그러한 대통령과 국회의 판단은 궁극적으로는 선거를 통해 국민에 의한 평가와 심판을 받게 될 것이다(헌재 2004.4.29, 2003헌마814).
#이라크파병결정 #통치행위 #사법부_심판자제

2 사면 ★★★

사면은 형의 선고의 효력 또는 공소권을 상실시키거나, 형의 집행을 면제시키는 국가원수의 고유한 권한을 의미하며, 사법부의 판단을 변경하는 제도로서 권력분립의 원리에 대한 예외가 된다(헌재 2000.6.1, 97헌바74).
#사면 #통치행위_해당

간단 점검하기

01 기본권보장의 최후 보루인 법원으로서는 사법심사권을 행사함으로써, 대통령의 긴급조치권 행사로 인하여 우리나라 헌법의 근본이념인 자유민주적 기본질서가 부정되는 사태가 발생하지 않도록 그 책무를 다하여야 한다. ( ) 17. 지방직 9급

02 대법원은 남북정상회담의 개최 및 이 과정에서 정부의 승인을 얻지 아니한 채 북한 측에 사업권의 대가 명목으로 송금한 행위 등은 고도의 정치적 성격을 지니고 있는 행위라 할 것이므로 특별한 사정이 없는 한 그 당부를 심판하는 것은 사법권의 내재적·본질적 한계를 넘어서는 것으로서 사법심사의 대상이 될 수 없다고 보았다. ( ) 15. 국가직 9급

03 대통령의 서훈취소는 통치행위이다. ( ) 16. 교육행정직

간단 점검하기

04 외국에의 국군 파견결정은 그 성격상 국방 및 외교에 관련된 고도의 정치적 결단을 요하는 문제로서, 헌법과 법률이 정한 절차가 지켜진 것이라면 대통령과 국회의 판단은 존중되어야 하고 사법적 기준만으로 이를 심판하는 것은 자제되어야 한다. ( ) 17. 지방직 9급

05 사면은 형의 선고의 효력 또는 공소권을 상실시키거나 형의 집행을 면제시키는 국가원수의 고유한 권한을 의미하며, 사법부의 판단을 변경하는 제도로서 권력분립의 원리에 대한 예외가 된다. ( ) 14. 경찰행정

06 대통령의 긴급재정·경제명령도 국가긴급권의 일종으로서 고도의 정치적 결단에 의하여 발동되는 행위이고 그 결단을 존중하여야 할 필요성이 있는 행위라는 의미에서 이른바 통치행위에 속한다. ( ) 15. 지방직 9급

01 ○ 02 × 03 × 04 ○ 05 ○ 06 ○

간단 점검하기

01 대통령의 긴급재정 · 경제명령은 고도의 정치적 결단에 의하여 발동되는 이른바 통치행위에 속하지만 그것이 국민의 기본권 침해와 직접 관련되는 경우에는 헌법재판소의 심판대상이 된다. ( ) 15. 국가직 9급

02 헌법재판소는 긴급재정 · 경제명령 등 모든 국가작용은 마땅히 헌법에 기속되어야 하므로 통치행위의 관념은 인정할 수 없다고 하였다. ( ) 04. 서울시 9급

03 헌법재판소는 고도의 정치성을 띠는 행위일지라도 기본권 침해와 직접 관련되는 경우에는 당연히 헌법재판소의 심판대상이 된다고 보았다. ( ) 11. 국회직 9급

관련판례 **헌법재판소 - 통치행위 ○, 단 기본권침해 직접관련시 사법심사 ○**

1 **금융실명제** ★★★

대통령의 긴급재정경제명령은 국가긴급권의 일종으로서 고도의 정치적 결단에 의하여 발동되는 행위이고 그 결단을 존중하여야 할 필요성이 있는 행위라는 의미에서 이른바 통치행위에 속한다고 할 수 있으나, 통치행위를 포함하여 모든 국가작용은 국민의 기본권적 가치를 실현하기 위한 수단이라는 한계를 반드시 지켜야 하는 것이고, 헌법재판소는 헌법의 수호와 국민의 기본권 보장을 사명으로 하는 국가기관이므로 비록 고도의 정치적 결단에 의하여 행해지는 국가작용이라고 할지라도 그것이 국민의 기본권 침해와 직접 관련되는 경우에는 당연히 헌법재판소의 심판대상이 된다(헌재 1996.2.29, 93헌마186).

#금융실명제 #긴급재정경제명령 #통치행위 #국민_기본권침해 #심판대상

2 **수도이전** ★★★

신행정수도건설이나 수도이전의 문제를 국민투표에 붙일지 여부에 관한 대통령의 의사결정이 사법심사의 대상이 될 경우 위 의사결정은 고도의 정치적 결단을 요하는 문제여서 사법심사를 자제함이 바람직하다고는 할 수 있고, 이에 따라 그 의사결정에 관련된 흠을 들어 위헌성이 주장되는 법률에 대한 사법심사 또한 자제함이 바람직하다고는 할 수 있다. 그러나 대통령의 위 의사결정이 국민의 기본권침해와 직접 관련되는 경우에는 헌법재판소의 심판대상이 될 수 있고, 이에 따라 위 의사결정과 관련된 법률도 헌법재판소의 심판대상이 될 수 있다. … 수도의 이전을 확정함과 아울러 그 이전절차를 정하는 이 사건 법률은 우리나라의 수도가 서울이라는 불문의 관습헌법사항을 헌법개정절차를 이행하지 않은 채 법률의 방식으로 변경한 것이어서 그 법률 전체가 청구인들을 포함한 국민의 헌법개정국민투표권을 침해하였으므로 헌법에 위반된다(헌재 2004.10.21, 2004헌마554).

#수도이전 #관습헌법개정사항 #국민투표부의사항 #수도이전법률 #헌법개정국민투표권_침해 #기본권침해

간단 점검하기

04 대통령의 한미연합 군사훈련의 일종인 2007년 전시증원연습을 하기로 한 결정은 국방에 관련되는 고도의 정치적 결단에 해당하여 사법심사를 자제하여야 하는 통치행위에 해당한다. ( ) 11. 경찰행정

05 고도의 정치성을 띤 행위라 하더라도 헌법상의 국민주권의 원리, 비례성의 원칙 등에 위배되어서는 안 된다. ( ) 04. 서울시 9급

관련판례 **헌법재판소 - 통치행위 ×**

한미연합군사훈련 ★★

한미연합 군사훈련은 1978. 한미연합사령부의 창설 및 1979.2.15. 한미연합연습 양해각서의 체결 이후 연례적으로 실시되어 왔고, 특히 이 사건 연습은 대표적인 한미연합 군사훈련으로서, 피청구인이 2007.3.경에 한 이 사건 연습결정이 새삼 국방에 관련되는 고도의 정치적 결단에 해당하여 사법심사를 자제하여야 하는 통치행위에 해당된다고 보기 어렵다(헌재 2009.5.28, 2007헌마369).

#한미연합군사훈련_2007년전시증원연습 #통치행위_아님

point check 통치행위성이 인정된 구체적인 사례

국정 전반에 관한 것	비상조치, 계엄선포, 국회해산, 국민투표회부
국회에 대한 것	임시국회소집요구, 법률안거부
사법부에 대한 것	사면, 복권
외국에 대한 것	국가승인, 조약체결, 선전포고, 남북회담제의
행정부 자체에 대한 것	영전수여, 국무위원의 임면
국회의 자율권에 관한 것	의원의 자격심사 · 징계, 의사(議事)

※ 단, 대통령 · 국회의원선거, 비정치적 공무원의 파면 등은 통치행위에서 제외된다.

01 ○ 02 × 03 ○ 04 × 05 ○

4. 통치행위의 통제

(1) 법적 구속

① 통치행위가 사법통제로부터 자유롭다 하여도 헌법이나 법률로부터 완전히 자유로운 것을 의미하는 것은 아니며, 헌법 및 법률에 구속된다.

② 통치행위도 헌법에 근거한 작용인 이상 국민주권의 원리, 평등의 원칙, 비례의 원칙, 최소제한의 원칙 등 헌법상의 여러 원칙에 위배될 수 없다. 그러한 의미에서 통치행위는 '법령'으로부터 자유를 뜻하며, '법'으로부터의 자유를 의미하지 않는다.

(2) 한계❶

구분	내용	사법심사 대상여부
절대적 통치행위 (정치적 분쟁)	고도의 정치성을 띤 행위이며, 헌법이나 법률도 그 내용이나 절차를 규제하는 규정을 두고 있지 않을 뿐더러 국민의 기본권 보장과도 직접적인 관련이 없는 것(예 외교작용 등)	×
상대적 통치행위 (정치적 법률분쟁)	비록 고도의 정치적 성격을 띤 집행부의 행위일지라도 헌법 또는 법률에 행사절차와 요건이 구체적으로 규정되어 있거나, 국민의 기본권 보장에 중대한 영향을 미치는 행위(예 긴급재정 · 경제명령 등)	○

(3) 통치행위의 주체와 그 판단주체

① 통치행위의 주체로 대통령 등 행정부뿐 아니라 입법부(국회)의 통치행위도 인정하는 것이 일반적이다. 그러나 사법부는 고도의 정치적 행위를 하는 기관이 아니기 때문에 통치행위의 주체가 될 수 없다.

② 한편 통치행위인지 여부의 판단주체는 1차적으로 사법부가 된다.

관련판례 대북송금 ★★

통치행위의 개념을 인정한다고 하더라도 과도한 사법심사의 자제가 기본권을 보장하고 법치주의 이념을 구현하여야 할 법원의 책무를 태만히 하거나 포기하는 것이 되지 않도록 그 인정을 지극히 신중하게 하여야 하며, 그 판단은 오로지 사법부만에 의하여 이루어져야 한다(대판 2004.3.26, 2003도7878).

#통치행위성여부_판단 #사법부

(4) 손해전보(배상 · 보상)

① 통치행위로 인한 손해배상과 손실보상의 요건은 갖추기가 쉽지 않으므로 손해전보가 인정되기 어렵다. 다만, 각각 요건을 구비하는 경우에는 손해전보가 인정될 수 있다.

② 학설과 판례의 일반적인 견해는 국가배상과 손실보상이 인정되지 않는 것으로 본다.

간단 점검하기

01 통치행위는 사법적 · 정치적인 통제로부터 자유롭다고 보아야 한다. ( ) 10. 경북교행

02 통치행위를 포함하여 모든 국가작용은 국민의 기본권적 가치를 실현하기 위한 수단이라는 한계를 반드시 지켜야 하는 것은 아니다. ( ) 18. 소방직 9급

❶
- 통치행위가 사법심사에서 제외될 수 있다는 것이지 선거와 같은 국민들의 정치적 통제와, 탄핵소추와 같은 국회의 정치적 통제에서 자유로울 수는 없다.
- 통치행위를 포함하여 모든 국가작용은 국민의 기본권적 가치를 실현하기 위한 수단이라는 한계를 반드시 지켜야 하는 것이다(헌재 1996.2.29, 93헌마186).

간단 점검하기

03 통치행위는 정부에 의해 이루어지는 것이 일반적이며, 국회에 의해 이루어질 수도 있다. ( ) 18. 소방직 9급

04 통치행위의 주체는 통상 정부가 거론되나 국회와 사법부에 의한 통치행위를 인정하는 것이 일반적이다. ( ) 13. 서울시 7급

05 통치행위의 개념을 인정한다고 하더라도 과도한 사법심사의 자제가 기본권을 보장하고 법치주의의 이념을 구현하여야 할 법원의 책무를 태만히 하거나 포기하는 것이 되지 않도록 그 인정을 지극히 신중하게 하여야 하며, 그 판단은 오로지 사법부만에 의하여 이루어져야 한다. ( ) 13. 지방직 9급

06 대법원은 통치행위 인정을 지극히 신중하게 하여야 하지만 그 판단은 오로지 사법부만에 의하여 이루어져야 하는 것은 아니라고 보았다. ( ) 11.국회직 9급

01 × 02 × 03 ○ 04 ×
05 ○ 06 ×

③ 비상계엄지역 내에서 계엄사령관이 작전상 부득이한 경우에 국민의 재산을 파괴 또는 소각(燒却)한 경우(계엄법 제9조 제3항), 그로 인해 발생한 손실에 대하여는 원칙적으로 정당한 보상을 하도록 규정하고 있다(계엄법 제9조의2 제1항).

관련판례 검사의 불기소처분★

검사의 불기소처분이 잘못되었다는 사정만으로 곧바로 위법행위에 해당한다고 볼 수 없고 적어도 그 합리성을 도저히 긍정할 수 없을 정도로 그 불기소처분이 잘못되었다고 볼 수 있어야 위법행위에 해당한다고 볼 수 있다(서울지법 1998.6.2, 95가합109826).

#5 · 18사건불기소처분 #위법성_부인

(5) 가분(加分)행위의 이론

① 통치행위로 인한 후속조치, 통치행위로부터 분리가능한 행정작용 등은 통치행위로 볼 수 없으므로 사법심사의 대상이 될 수 있으며 국가배상책임도 인정된다는 이론이다.

② 예를 들어 외국대사관을 짓기 위한 건축허가신청에 대한 건축허가 또는 건축허가의 거부는 국제관계로부터 분리될 수 있는 행정작용이며, 이는 사법심사의 대상이 될 수 있을 것이다.

제4절 행정의 분류

1. 주체에 의한 분류

국가행정	• 국가가 직접 그 기관에 의하여 행하는 행정 • 행정권은 국가의 통치권의 일부이므로 국가행정이 원칙
자치행정	• 지방자치단체 또는 공공단체가 스스로 행정권의 주체로서 행하는 행정 • 헌법 제117조 제1항은 '주민의 복리에 관한 사무'를 지방자치단체의 사무로 규정
위임행정	국가 또는 공공단체가 자기사무를 다른 공공단체 또는 사인에게 위임하여 행하는 행정

2. 임무 또는 목적에 의한 분류

질서행정	• 공공의 안녕과 질서를 유지하기 위한 행정 • 종래에는 형식적인 경찰기관에 의한 작용을 의미하였으나, 현재는 경찰 이외의 기관에서 담당하는 것까지 포함
급부행정	행정주체가 사회국가원리를 실현하기 위하여 개인 또는 단체에게 급부를 제공하여 그들의 이익추구를 촉진시켜 주는 활동

간단 점검하기

국가행정과 자치행정은 행정주체를 기준으로 행정을 구분한 것이다. ( )

18. 서울시 9급

○

유도행정	행정주체가 사회 · 경제 · 문화영역에서 국민의 생활을 일정한 방향으로 이끌어 가며 촉진시키는 활동
계획행정	• 일정한 목적을 달성하기 위하여 국가 · 사회의 모든 활동을 미리 계획 · 형성하는 작용 • 생활배려라는 측면이 강조되는 현대 복지국가에서 중요한 수단으로 등장
공과행정	행정주체가 조세, 분담금 등을 부과 · 징수하여 행정을 위해 필요한 자금을 조달하는 활동
조달행정	• 행정을 위해 필요한 인적 · 물적 수단을 확보하며 관리하는 활동 • 조달행정의 근거법으로서 공무원법, 국가재정법 등이 존재

Level up 로렌츠 폰 슈타인의 분류

분류		내용
국가목적적 행정(광의)	국가목적적 행정(협의)	재무 · 외무 · 군사 · 사법행정 등
	사회목적적 행정	내무행정(경찰 · 복지 · 급부행정 등)

3. 법적 효과에 의한 분류

침해행정 (규제행정)	국민의 자유와 권리를 침해 · 제한하거나 혹은 의무부담을 과하는 행정
수익행정 (급부행정)	개인에 대해 금전이나 편익을 제공하거나 혹은 이미 과해진 의무나 부담을 해제하여 주는 행정
이중효과적 행정 (복효적 행정)	하나의 행정행위로 인하여 한 사람에게는 이익을 주나, 이로 인하여 다른 한 사람에게는 불이익이 발생하는 행정(제3자효 행정)

4. 수단에 의한 분류

권력적 행정	행정주체가 공권력주체로서 개인에 대하여 일방적으로 명령 · 강제하거나, 개인의 법적 지위를 일방적으로 형성 · 변경 · 소멸시키는 행정	
비권력적 행정	행정주체가 공권력주체로서가 아니라 공기업 · 공물 등의 경영 · 관리주체로서 국민과 대등한 지위에서 행하는 작용	
국고행정 (사법형식의 행정작용)	협의의 국고행정	• 행정주체가 사인과 대등한 관계에서 행하는 작용 • 국유일반재산의 임대, 국가의 물품구매 등의 작용
	행정사법 (형식적 의미의 국고행정)	• 형식적으로는 사법형식으로 행하나, 그 목적은 공행정목적을 달성하기 위하여 행해지는 작용 • 자금의 대부, 수급조절을 위한 물자의 매입작용 등

간단 점검하기

행정은 그 법 형식을 기준으로 하여 공법형식의 행정과 사법형식의 행정으로 구분할 수 있다. ( ) 18. 서울시 9급

○

5. 법적 형식에 의한 분류

공법상의 행정	• 공법에 의하거나 공법의 규율을 받으며 행하여지는 행정활동 • 권력행정, 비권력적 행정(관리행정) 등이 이에 해당
사법상의 행정	• 사법의 규율을 받으면서 행하여지는 행정활동 • 행정이 필요로 하는 물자를 조달하는 행정, 즉 협의의 국고행정이 그 전형적인 예 • 급부행정이나 유도행정도 사법의 형식으로 행하여지는 경우가 다수

제 2 장 행정법

제1절 행정법의 의의

1 개설

행정법은 행정에 관한 고유한 법으로서 '행정의 조직과 작용 및 구제에 관한 국내 공법'을 말한다. 이러한 행정법은 크게 행정조직법, 행정작용법, 행정구제법으로 구성되어 있으며, 강학상 총론에서는 주로 일반행정작용법과 행정구제법을 다루고, 각론에서는 행정조직법과 특별행정작용법을 다룬다.

2 행정법의 개념적 요소

1. 행정법은 '행정'에 관한 법

(1) 국가통치권 전반의 기본조직과 작용에 관한 법인 헌법과 구별된다.

(2) 입법권의 조직과 작용에 관한 법인 입법법과 구별된다(예 국회법, 국회사무처법 등).

(3) 사법권의 조직과 작용에 관한 법인 사법법과 구별된다(예 법원조직법 등).

2. 행정법은 행정에 관한 '공법'

(1) 행정법은 행정에 관한 모든 법을 의미하는 것이 아니라 행정에 고유한 법, 즉 공법을 의미한다.

(2) 따라서 행정주체가 재산권의 주체로서 행하는 국고행정에 적용되는 사법은 행정법이 아니다.

3. 행정법은 행정에 관한 '국내법'

(1) 행정법은 행정에 관한 일체의 공법을 의미하는 것이 아니라 그 중에서 국제법을 제외한 국내행정에 관한 법만을 의미한다. 그러나 국제적 규율도 그것이 동시에 국내 행정법으로서 실시되는 한 행정법이 될 수 있다.

(2) 헌법에 의하여 체결·공포된 조약과 일반적으로 승인된 국제법규는 국내법과 같은 효력이 인정되므로 그 한도 내에서는 국제법도 행정법의 일부가 된다(헌법 제6조 제1항).

제2절 행정법의 성립과 발달

1 성립

대륙법계의 행정법은 법치국가사상과 행정제도의 발달을 전제로 성립하였다. 영미법계의 행정법은 법의 지배의 원리를 전제로 하고 있기 때문에 행정법의 독자적 영역이 존재하지 않았으나, 20세기 초부터 행정법이 발달하게 되었다.

간단 점검하기

01 대륙법계는 공법과 사법(私法)의 구별을 강조하면서 행정사건은 사법법원이 아닌 별도의 법원(재판소)의 관할에 속하도록 하고 있다. ( ) 11. 국가직 9급

point check 대륙법계와 영미법계의 비교

대륙법계 국가	영미법계 국가
법치국가사상(Rechtsstaat), 법률의 지배	법의 지배의 원리(Rule of Llaw)
공·사법 이원주의	공·사법 일원주의
행정국가주의	사법국가주의
성문법 중심	불문법 중심
실체법 중심	절차법 중심

2 발달

1. 프랑스

(1) '공역무'❶를 중심개념으로 국사원(Conseil d'Etat, 프랑스의 행정재판소)의 판례를 통해 발전하였다.

(2) 공역무라는 개념은 1873년 블랑코(Blanco) 판결을 통하여 국사원이 국가책임을 최초로 인정함으로써 확립된 개념이다.

❶ '공역무'란 공공단체가 공익을 위하여 행하는 모든 활동을 말한다.

간단 점검하기

02 프랑스에서 행정법원(재판소, Conseil d'Etat)이 출범하게 된 배경은 대혁명 이후 행정사건에 대한 사법법원의 간섭을 배제하기 위한 필요성과 관련이 있다. ( ) 11. 국가직 9급

Level up 블랑코(Blanco) 판결(1873년)

1. 사건의 개요
   '블랑코'라는 어린이가 국영 '보르도' 담배공장의 고용원이 끄는 담배운반수레에 치어 부상을 입자 그 아버지가 '보르도' 민사재판소에 민법 제1382조 이하에 의하여 고용인과 국가를 상대로 손해배상청구소송을 제기하였다. 이에 도지사가 그 관할위반의 항변을 제기하였는데, '보르도' 민사재판소가 소를 각하함으로써 관할쟁의가 되어 관할재판소의 판단을 받게 된 것이다. 관할재판소는 이 사건을 공역무라 하여 행정재판소의 관할로 판결하였다.
2. 판결의 의의
   ① '공역무'의 개념을 최초로 사용
   ② 국가배상 및 행정법의 독자성을 최초로 인정

01 ○ 02 ○

2. 독일

(1) 경찰국가시대의 '국고학파'의 영향으로 국가권위주의에 기초하여 '공권력'을 중심개념으로 발전하였다.

(2) 즉, 국가가 재산권의 주체로서 사경제활동을 하는 경우에는 사법의 적용을 받지만 공권력의 주체로서 국가와 개인 간을 규율하는 경우에는 행정법(공법)의 적용을 받게 된다.

3. 영국 · 미국

(1) 19세기 초까지만 해도 국가와 국민은 대등한 관계에서 보통법(Common Law)의 지배하에 있었으므로 고유한 행정법이 발달할 여지가 없었다.

(2) 그러나 20세기 복리국가의 발전으로 국가기능이 확대되면서 전문기술적 사무담당기관의 필요에 의하여 행정위원회가 설치되었다.

(3) 영미법계 행정법은 이러한 행정위원회에 적용되는 '절차'를 중심으로 발달하였다.

4. 우리나라

우리나라 행정법은 독일법을 계수함으로써 대륙법계의 이론에 따라 공법과 사법을 구별하는 체계이나, 일제강점기 이후 미국의 사법제도를 받아들임으로써 행정재판을 일반사법(司法)법원에서 관할하는 사법국가주의를 취하고 있다.

간단 점검하기

우리나라의 행정법은 전통적으로 대륙법계의 영향을 받아 행정에 특유한 공법으로서의 성격을 강조하고 있으면서도 행정사건은 별도의 행정법원(재판소)이 아닌 사법(司法)법원의 관할에 속한다. ( ) 11. 국가직 9급

○

제3절 행정법의 특수성

1 개설

행정법은 단일법전이 없이 무수한 법령으로 구성되어 있으나, 그 전체를 특징짓는 공통의 기초원리를 가지고 통일적 법체계를 형성하고 있다. 행정법 전체를 규율하고 있는 공통의 원리, 민법 등 다른 사법분야와 비교되는 특수성을 고찰할 필요가 있다.

2 규정형식의 특수성

1. 성문성

(1) 행정법은 국민의 권리 · 의무와 관련된 사항을 일방적으로 규율하는 경우가 많다.

(2) 따라서 장래에 대한 예측가능성 및 법적 생활의 안정성을 도모하기 위하여 원칙적으로 성문의 형식을 취한다.

2. 형식의 다양성

(1) 행정법은 규율대상이 복잡·다기하며 유동적이기 때문에 단일법전화되어 있지 않다.

(2) 따라서 행정법을 구성하는 법의 형식은 타법에 비하여 매우 다양하며, 법률·조례·규칙·공고·고시 등에 의하여 규율된다.

3 규정성질의 특수성

1. 획일성·강행성

(1) 행정법은 일반적으로 다수의 국민을 상대로 한다.

(2) 따라서 개개인의 의사 여하를 불문하고 획일적·강행적으로 규율하고 있다.

(3) 이러한 점에서 사적 자치의 원칙에 따라 개인의 자유의사를 존중하는 사법과 구별된다.

2. 기술성

(1) 행정법은 행정목적을 실현하기 위한 수단을 정한 것으로서, 이러한 목적을 달성하기 위하여 기술적·수단적 성질을 가지는 경우가 많다(예 토지보상법, 국세징수법, 도로교통법 등).

(2) 오토 마이어(O. Mayer)는 "헌법은 변하여도 행정법은 변하지 않는다."라고 하여 행정법의 기술성·비정치성을 강조하였다.

(3) 프리츠 베르너(F. Werner)는 '구체화된 헌법으로서의 행정법'이라고 하여 헌법과 행정법의 밀접성을 강조하였다.

3. 단속규정성

(1) 행정법은 단속규정(명령규정)을, 사법은 효력규정(능력규정)을 주로 규정한다.

(2) 단속규정을 위반하면 처벌이 부과되고, 효력규정을 위반하면 효력이 부인되는 것이 일반적이다.

(3) 따라서 행정법규에 위반한 행위는 처벌을 받게 될 뿐이며, 원칙적으로 그 행위의 효력에는 영향이 없다고 보는 것이 일반적이다.

관련판례

이 사건 각 주택공급계약의 체결 당시 시행되던 구 주택건설촉진법(2000.1.28. 법률 제6250호로 개정되어 2002.8.26. 법률 제6732호로 개정되기 전의 것, 이하 같다) 제32조 제2호는 "사업주체가 건설하는 주택을 사용검사 이전에 공급하고자 하는 경우에는 건설교통부령이 정하는 입주자 모집조건·방법·절차, 입주금의 납부방법·시기·절차, 주택공급계약방법·절차 등에 적합할 것"을 규정하고, 구 주택공급에 관한 규칙(1995.2.11. 건설교통부령 제6호로 전문 개정된 것, 이하 같다) 제27조 제3항 전문은 "사업주체와 계약을 체결한 자가 제26조 제4항 및 제6항의 규정에 의한 중도금과 잔금을 기한 내에 납부하지 아니한 경우에는 계약시 정한 금융기관에서 적용하는 연체금리의 범위 안에서 정한 연체료율에 따라 산출하는 연체료를 납부할 것과 해약조건 등을 정

간단 점검하기

01 행정법은 주로 효력규정으로 되어 있어 이에 위반하면 법적 효력이 없게 된다. ( ) 05. 선관위 9급

간단 점검하기

02 구 주택건설촉진법의 규정을 위반하여 주택을 공급한 자에게 과태료를 부과한다고 하여 그 사법적 효력까지 부인된다고 볼 수는 없다. ( ) 08. 국가직 9급

01 × 02 ○

할 수 있다.", 같은 조 제4항은 "사업주체가 입주자모집공고에서 정한 입주예정일 내에 입주시키지 못한 경우에는 실입주개시일 이전에 납부한 입주금에 대하여 입주시 입주자에게 제3항의 규정에서 정한 연체료율을 적용한 금액을 지체상금으로 지급하거나 주택잔금에서 해당액을 공제하여야 한다."고 규정하고 있으며, 위 법 제52조의3 제1항 제6호는 "제32조 제2호의 규정을 위반하여 주택을 공급한 자"를 과태료에 처하도록 규정하고 있으나, 주택공급계약이 위 법 제32조, 위 규칙 제27조 제4항 · 제3항에 위반하였다고 하더라도 그 사법적 효력까지 부인된다고 할 수는 없다(대판 2007.8.23, 2005다59475 · 59482 · 59499).

4. 행위규범성

(1) 행정법은 법치주의의 원칙에 따라 행정작용의 기준이 되고 국가와 국민 간의 권리 · 의무를 설정하여 주는 측면이 강하므로, 행위규범(사회생활에 있어서 국민이 지켜야 할 규칙)으로서의 성격과 기능이 강하다.

(2) 반면, 사적 자치의 원칙을 기본으로 하는 사법은 당사자 간에 분쟁이 발생된 경우에 적용되는 재판규범(재판의 기준이 되는 규칙)으로서의 성격과 기능이 강하다.

4 규정내용의 특수성

1. 행정주체의 우월성

(1) 명령 · 강제성

행정법은 행정작용의 실효성을 확보하기 위하여 행정주체가 우월한 지위에서 국민에 대해 명령 · 강제하는 법률관계를 주된 규율대상으로 한다.

(2) 지배권의 승인

행정법은 국가 · 공공단체 등의 행정주체에 대하여 국민에게 일방적으로 명령 · 강제하고 법률관계를 발생 · 변경 · 소멸시키는 힘을 인정하고 있다.

(3) 공정력의 승인

행정주체의 지배권의 발동은 법률에 근거를 두고 법률이 정하는 바에 따라 행하여져야 하지만, 그것이 법률에 위반하여 행하여진 경우에도 그 하자가 중대하고 명백하여 당연무효가 아닌 한 권한 있는 기관에 의하여 취소될 때까지는 구속력을 가진다.

(4) 자력강제권의 승인

행정법은 행정권에 자력으로 의무의 이행을 강제하거나(행정상의 강제집행), 행정상 필요한 상태를 실현할 수 있는 권능(행정상의 즉시강제)을 부여하고 있다.

2. 공익우선성

(1) 행정법은 공익실현을 최우선으로 하므로, 공익목적의 달성을 위하여 일반사법과는 다른 특별한 취급을 하는 경우가 많다(예 공물, 공기업관계 등).

(2) 공익실현을 우선으로 한다 하더라도 사익을 완전히 무시하는 것은 아니고 양자의 조화를 강조한다.

3. 집단성 · 평등성

행정법은 일반적으로 다수인을 규율대상으로 하므로 다수인 간에 평등을 보장해 주어야 하며 규율내용이 정형화되고 있다.

point check 행정법의 특수성

규정형식의 특수성	규정성질의 특수성	규정내용의 특수성
• 성문성 • 형식의 다양성	• 획일성 · 강행성 • 기술성 • 명령규범성 • 행위규범성	• 행정주체의 우월성 • 공익우선성 • 집단성 · 평등성

제4절 행정법의 기본원리

1. 지방분권주의

(1) 현행 헌법은 제117조에서 "지방자치단체는 주민의 복리에 관한 사무를 처리하고 재산을 관리하며, 법령의 범위 안에서 자치에 관한 규정을 제정할 수 있다."고 하여 지방분권주의를 채택하고 있다.

(2) 지방의회가 민선의원으로 구성되고, 지방자치단체의 장이 주민의 선거에 의하여 선출되는 것 또한 지방분권주의의 표현이라고 볼 수 있다.

2. 민주행정주의

(1) 대한민국의 주권은 국민에게 있으므로 모든 행정은 국민 전체의 이익을 위하여 수행되어야 하며 이를 위하여 대통령제, 책임행정의 구현, 민주적 · 직업적 공무원제를 채택하고 있다.

(2) 행정의 투명성 확보를 위하여 행정과정에서의 주민의 참여문제가 대두되고 있으며 이에 따라 청문회 및 공청회의 중요성이 부각되고 있다.

(3) 주민참여의 의미를 살리고 행정활동의 투명성을 확보하기 위하여 행정상 입법예고제와 행정예고제와 같은 예고제도가 실시되고 있다.

3. 실질적 법치국가

(1) '실질적 법치주의'를 명문으로 규정하고 있지는 않으나 구체적인 내용을 통하여 우리 헌법이 실질적 법치주의를 채택하고 있다고 본다.

(2) 그 구체적인 내용으로서 기본권 보장, 법률에 의한 행정원리 보장, 행정구제의 강화 등을 실현하고 있다.

4. 복지국가주의(사회국가주의)

(1) 근대 19세기 국가를 질서유지에 중점을 둔 야경국가 · 보안국가라 한다면, 현대국가는 복리증진에 중점을 둔 복지국가 · 사회국가라 할 수 있다.

(2) 우리나라도 이를 구현하기 위하여 사회적 기본권 보장, 국가의 사회보장 · 사회복지 증진의무 규정을 두고 있으며, 자유시장 경제질서를 기본으로 하는 사회적 시장경제(통제적 · 계획적 경제)를 가미하고 있다.

5. 사법국가주의

(1) 우리나라는 행정사건을 사법법원에서 담당하도록 하여 사법국가주의를 채택하고 있다.

(2) 다만, 공법과 사법의 구별을 인정하는 점, 행정사건에 대하여는 민사소송에 대한 많은 특례를 인정하는 점 등 영 · 미의 사법국가주의와는 다른 점이 많다.

제 3 장 행정법의 법원과 효력

제1절 행정법의 법원

1 개설

1. 법원(法源)의 의의

(1) 행정법의 법원이란 행정의 조직과 작용에 관한 실정법의 존재형식(또는 인식근거)을 말한다.

(2) 일반적으로 행정법은 성문법의 형식으로 존재하나, 불문법의 형식으로도 존재한다.

(3) 법원의 인정범위에 대한 학설로는 협의설(법규설)과 광의설(행정기준설)이 있다. 다수설은 행정사무처리의 기준이 되는 모든 법규범이 포함된다는 광의설이며, 광의설에 따르면 행정규칙(행정명령)은 외부적 법규는 아니지만 행정법의 법원에 속한다.

2. 행정법의 성문법주의

행정법의 성문법주의라 함은 행정의 조직과 작용 및 구제에 관한 법규정은 원칙적으로 성문의 형식으로 규율하여야 한다는 원칙으로, 명확한 기준을 성문법으로 정함으로써 예측가능성과 법률생활의 안정성을 도모할 수 있다.

3. 불문법에 의한 보완

행정법관계의 안정성을 도모하기 위하여서는 성문법으로 규정되는 것이 바람직하나, 현대 행정은 복잡하고 다양하여 모든 행정법관계를 성문법으로 규율하기 어렵다. 따라서 불문법(관습법, 판례법, 조리 등)에 의한 보완이 필요하다.

point check 행정법의 법원(법의 존재형식 또는 인식근거)

성문법	• 헌법: 행정법의 최고법원 • 법률: 행정법의 주요 법원 • 조약: 법률 또는 명령과 같은 효력 • 명령: 법규명령과 행정규칙 • 자치법규: 조례와 규칙
불문법	• 관습법: 관행의 반복 + 법적 확신 • 판례법: 판결의 반복 + 일정한 법리 • 조리법: 행정법의 일반원리

2 성문법원

1. 개설

성문법원은 헌법, 법률, 명령, 자치법규의 순서로 통일적 · 단계적 구조를 이루고 있으며 상위법과 하위법 관계에서는 상위법우선원칙이 적용된다. 동일한 단계에서는 신법우선의 원칙과 특별법우선의 원칙의 적용에 따라 신법과 구법이 충돌할 경우에는 신법이 우선 적용되며, 일반법과 특별법이 충돌할 경우에는 특별법이 우선 적용된다. 또한 특별법우선의 원칙과 신법우선의 원칙이 충돌할 경우, 즉 특별법인 구법과 일반법인 신법이 충돌할 경우 특별법우선의 원칙이 적용되어 특별한 구법이 적용되게 된다.

2. 유형

(1) 헌법

헌법은 국가의 기본법으로서 행정조직 · 행정작용 · 행정구제 등 행정에 관한 근본적 사항을 규율하고 있는데, 이러한 규정들은 행정법의 최고법원이 된다.

(2) 법률

① 법률이란 의회가 헌법이 정한 절차에 따라 제정한 법형식(형식적 의미의 법률)으로 행정법의 주요한 법원에 해당한다.

② 형식적 의미의 법률은 아니더라도 법률과 같은 효력을 가지는 긴급명령과 긴급재정 · 경제명령 등도 행정법의 법원에 해당한다.

(3) 조약 및 국제법규

① 헌법상 절차에 따라 체결 · 공포된 조약과 일반적으로 승인된 국제법규는 국내법과 같은 효력을 가지므로(헌법 제6조 제1항), 그것이 국내행정에 관한 사항이면 행정법의 법원이 된다(예 이중과세방지협정, 우호통상항해조약, 지적소유권에 관한 조약 등).

관련판례 남북합의서 ★★

남북 사이의 화해와 불가침 및 교류협력에 관한 합의서는 남북관계가 '나라와 나라 사이의 관계가 아닌 통일을 지향하는 과정에서 잠정적으로 형성되는 특수관계'임을 전제로, 조국의 평화적 통일을 이룩해야 할 공동의 정치적 책무를 지는 남북한 당국이 특수관계인 남북관계에 관하여 채택한 합의문서로서, 남북한 당국이 각기 정치적인 책임을 지고 상호간에 그 성의 있는 이행을 약속한 것이기는 하나 법적 구속력이 있는 것은 아니어서 이를 국가 간의 조약 또는 이에 준하는 것으로 볼 수 없고, 따라서 국내법과 동일한 효력이 인정되는 것도 아니다(대판 1999.7.23, 98두14525).

#남북합의서 #법적구속력_없음 #국내법_동일효력_없음

② 헌법 제6조상의 '국내법과 같은 효력'의 의미

㉠ 국회의 동의를 요하는 조약의 경우 법률과 동일한 효력을 가진다.

㉡ 국회의 동의를 요하지 않는 조약의 경우 명령과 동일한 효력을 가진다.

③ 헌법상 절차에 따라 체결 · 공포된 조약과 일반적으로 승인된 국제법규를 국내에 적용하기 위한 별도의 입법은 불필요하다.

간단 점검하기

01 헌법에 의하여 체결 · 공포된 조약과 일반적으로 승인된 국제법규가 동일한 효력을 가진 국내의 법률, 명령과 충돌하는 경우에는 신법우위의 원칙 및 특별법우위의 원칙이 적용된다. ( ) 11. 지방직 9급

02 신법인 일반법은 특별한 구법에 우선할 수 없다. ( ) 05. 관세사

간단 점검하기

03 법원(法源)을 법의 인식근거로 보면 헌법은 행정법의 법원이 될 수 없다. ( ) 16. 서울시 9급

04 인간다운 생활을 할 권리와 같은 헌법상의 추상적인 기본권에 관한 규정은 행정법의 법원이 되지 못한다. ( ) 19. 서울시 9급

05 대통령의 긴급명령과 긴급재정 · 경제명령은 행정법의 법원이 된다. ( ) 17. 교육행정직

06 헌법에 의하여 체결 · 공포된 조약과 일반적으로 승인된 국제법규는 국내법과 같은 효력을 가진다. ( ) 15. 경찰행정

간단 점검하기

07 남북 사이의 화해와 불가침 및 교류협력에 관한 합의서는 남북한 당국이 각기 정치적인 책임을 지고 상호간에 그 성의 있는 이행을 약속한 것으로 법적 구속력이 인정되는 조약에 해당되어 국내법과 동일한 효력을 갖는다. ( ) 12. 지방직 9급

간단 점검하기

08 일반적으로 승인된 국제법규라도 의회에 의한 입법절차를 거쳐야 행정법의 법원(法源)이 된다. ( ) 15. 경찰행정

01 ○	02 ○	03 ×	04 ×
05 ○	06 ○	07 ×	08 ×

④ 국내법에서 조약이 우선한다는 규정이 있는 경우에는 그에 따르나 이러한 규정이 없을 경우 상위법우선의 원칙, 특별법우선의 원칙, 신법우선의 원칙이 적용된다.

⑤ 신법과 특별법이 상충하는 경우에는 특별법이 우선하게 된다. 즉, 국내의 신법으로 조약이나 국제법규를 폐지 또는 변경시킬 수 없다.

관련판례

1 GATT협정 ★★★

학교급식을 위해 국내 우수농산물을 사용하는 자에게 식재료나 구입비의 일부를 지원하는 것 등을 내용으로 하는 지방자치단체의 조례안이 '1994년 관세 및 무역에 관한 일반협정'(General Agreement on Tariffs and Trade 1994)에 위반되어 그 효력이 없다(대판 2005.9.9, 2004추10 ; 대판 2008.12.24, 2004추72).

#전라북도학교급식조례 #경상남도학교급식조례 #우리농산물 #급식업체_지원 #GATT위반 #무효

2 WTO 협정 ★★★

원고들의 상고이유 중에는, 우리나라가 1994.12.16. 국회의 비준동의를 얻어 1995.1.1. 발효된 '1994년 국제무역기구 설립을 위한 마라케쉬협정'(Marrakesh Agreement Establishing the World Trade Organization, WTO 협정)의 일부인 '1994년 관세 및 무역에 관한 일반협정(General Agreement on Tariffs and Trade, GATT 1994) 제6조의 이행에 관한 협정' 중 그 판시 덤핑규제 관련 규정을 근거로 이 사건 규칙의 적법 여부를 다투는 주장도 포함되어 있으나, 위 협정은 국가와 국가 사이의 권리·의무관계를 설정하는 국제협정으로, 그 내용 및 성질에 비추어 이와 관련한 법적 분쟁은 위 WTO 분쟁해결기구에서 해결하는 것이 원칙이고, 사인(私人)에 대하여는 위 협정의 직접 효력이 미치지 아니한다고 보아야 할 것이므로, 위 협정에 따른 회원국 정부의 반덤핑부과처분이 WTO 협정위반이라는 이유만으로 사인이 직접 국내 법원에 회원국 정부를 상대로 그 처분의 취소를 구하는 소를 제기하거나 위 협정위반을 처분의 독립된 취소사유로 주장할 수는 없다(대판 2009.1.30, 2008두17936).

3 바르샤바협약 ★★

국제항공운송에 관한 법률관계에 대하여는 일반법인 민법에 대한 특별법으로서 우리정부도 가입한 1955년 헤이그에서 개정된 바르샤바협약이 우선 적용되어야 한다(대판 1986.7.22, 82다카1372 ; 대판 2006.4.28, 2005다30184).

#국제항공운송 #일반법_특별법 #바르샤바협약_우선적용

(4) 명령

① 법규명령

㉠ 법규명령은 헌법이나 법률의 위임에 근거하여 행정권에 의해 정립되는 일반적·추상적 규범으로서 법규의 성질을 가지는 것을 말한다.

㉡ 법률의 위임 여부에 따라 위임명령과 집행명령으로 구분하며, 제정주체에 따라 대통령령·총리령·부령, 중앙선거관리위원회규칙, 대법원규칙, 헌법재판소규칙 등으로 구분한다.

간단 점검하기

01 대법원은 초·중·고등학교의 학교급식을 위해 지방자치단체에서 생산되는 우수농산물을 사용하여 식재료를 만드는 자에게 식재료 구입비의 일부를 지원하는 지방자치단체의 조례안이 1994년 관세 및 무역에 관한 일반협정(GATT)에 위반되어 무효라고 판시한 바 있다. ( ) 12. 지방직 9급

02 지방자치단체가 제정한 조례가 1994년 관세 및 무역에 관한 일반협정이나 정부조달에 관한 협정에 위반되는 경우, 그 조례는 무효이다. ( ) 17. 국가직 9급

03 지방자치단체가 제정한 조례가 헌법에 의하여 체결·공포된 조약에 위반되는 경우 그 조례는 효력이 없다. ( ) 21. 국가직 9급

04 국제법규도 행정법의 법원이므로, 사인이 제기한 취소소송에서 WTO협정과 같은 국제협정 위반을 독립된 취소사유로 주장할 수 있다. ( ) 19. 서울시 9급

05 사인(私人)은 반덤핑부과처분이 세계무역기구(WTO)협정 위반이라는 이유로 직접 국내 법원에 회원국 정부를 상대로 그 처분의 취소를 구하는 소를 제기할 수 있다. ( ) 11. 지방직 9급

01 ○ 02 ○ 03 ○ 04 × 05 ×

② 행정규칙

㉠ 행정규칙은 상위법령의 위임 없이 행정조직 내부의 활동을 규율하기 위하여 행정권에 의해 정립된 법형식이다.

㉡ 행정규칙은 일반적으로 행정조직 내부에서만 효력을 가질 뿐, 일반국민을 구속하는 대외적 효력은 인정되지 않으므로 법규성은 인정되지 않는다.

㉢ 행정규칙의 법원성에 대하여서는 학설의 대립이 있으나 행정사무처리의 기준이 된다는 점에서 법원성을 인정하는 것이 다수설이다.

(5) 자치법규

① 자치법규는 지방자치단체가 자치입법권에 근거하여 법령의 범위 내에서 제정하는 자치에 관한 규범을 말한다(헌법 제117조 제1항).❶

② 지방의회의 의결을 거쳐 지방자치단체가 제정하는 조례와 지방자치단체의 장이 제정하는 규칙 및 교육감이 제정하는 교육규칙이 있다.

관련판례

교육부장관이 관할 교육감에게, 甲 지방의회가 의결한 학생인권조례안에 대하여 재의요구를 하도록 요청하였으나 교육감이 이를 거절하고 학생인권조례를 공포하자, 조례안 의결에 대한 효력 배제를 구하는 소를 제기한 사안에서, 위 조례안이 국민의 기본권이나 주민의 권리 제한에서 요구되는 법률유보원칙에 위배된다고 할 수 없고, 내용이 법령의 규정과 모순·저촉되어 법률우위원칙에 어긋난다고 볼 수 없다(대판 2015.5.14, 2013추98).

③ 자치법규에도 단계구조가 적용되어 헌법, 법률, 법규명령을 위반할 수 없다. 예를 들어 서울특별시 조례는 서울특별시 규칙과 종로구 조례보다 우선 적용된다.

3 불문법원

불문법원은 통상적인 법률 제정의 형식 및 절차에 따라 만들어진 법은 아니지만 사회 구성원들이 법으로 인식하는 것으로 관습법, 판례법 조리법 등이 있다.

1. 관습법

(1) 의의

① 관습법이란 일정한 관행이 오랫동안 반복되어 일반국민의 법적 확신을 얻음으로써 성립하는 불문의 법규범을 말한다.

② 관습법은 객관적이고 일반적인 법규범의 하나로서, 실정법의 한 부분이라고 할 수 있다.

③ 일정한 관행은 있으나 일반국민의 법적 확신은 없는 사실인 관습과는 구별된다.

간단 점검하기

01 지방자치단체의 자치에 관한 규정은 행정법의 법원(法源)으로서 헌법이 직접 규정하고 있다. ( ) 18. 소방직 9급

❶ 헌법 제117조 ① 지방자치단체는 주민의 복리에 관한 사무를 처리하고 재산을 관리하며, 법령의 범위 안에서 자치에 관한 규정을 제정할 수 있다.

간단 점검하기

02 지방자치단체의 자치입법 중 지방의회가 제정한 조례는 행정법의 법원이 되지만, 지방자치단체장이 제정하는 규칙과 교육감이 제정하는 교육규칙은 법원이 될 수 없다. ( ) 01. 국가직 7급

03 지방자치단체의 학생인권 조례는 행정법의 법원이 된다. ( ) 16. 교육행정직

04 판례는 지방자치단체의 사무에 관한 조례와 규칙 중 조례가 상위규범이라고 한다. ( ) 13. 서울시 7급

간단 점검하기

05 행정법의 불문법원으로 관습법, 조리 등이 있다. ( ) 14. 경찰행정

06 관습법이란 사회의 거듭된 관행으로 생성한 사회생활규범이 사회의 법적 확신과 인식에 의하여 법적 규범으로 승인 강행되기에 이른 것을 말한다. ( ) 15. 경찰행정

01 ○ 02 × 03 ○ 04 ○ 05 ○ 06 ○

간단 점검하기

01 사회의 거듭된 관행으로 생성된 사회생활규범이 관습법으로 승인되었다고 하더라도 사회 구성원들이 그러한 관행의 법적 구속력에 대하여 확신을 갖지 않게 되었다면 그러한 관습법은 법적 규범으로서의 효력이 부정될 수밖에 없다. ( ) 17. 국가직 9급

간단 점검하기

02 헌법재판소는 신행정수도의 건설을 위한 특별조치법의 위헌확인사건에서 관습헌법은 성문헌법과 같은 헌법개정절차를 통해서 개정될 수 있다고 판시하였다. ( ) 12. 지방직 9급

01 ○ 02 ○

관련판례 관습법의 성립요건 ★★★

관습법이란 사회의 거듭된 관행으로 생성한 사회생활규범이 사회의 법적 확신과 인식에 의하여 법적 규범으로 승인·강행되기에 이르른 것을 말하고, 사실인 관습은 사회의 관행에 의하여 발생한 사회생활규범인 점에서 관습법과 같으나 사회의 법적 확신이나 인식에 의하여 법적 규범으로서 승인된 정도에 이르지 않은 것을 말하는바, 관습법은 바로 법원으로서 법령과 같은 효력을 갖는 관습으로서 법령에 저촉되지 않는 한 법칙으로서의 효력이 있는 것이며, 이에 반하여 사실인 관습은 법령으로서의 효력이 없는 단순한 관행으로서 법률행위의 당사자의 의사를 보충함에 그치는 것이다(대판 1983.6.14, 80다3231).

#관습법 #관행+법적확신 #사실인관습 #관행만

(2) 성립

① **법적 확신설(통설)**: 관행 + 법적 확신

② **국가승인설**: 관행 + 법적 확신 + 국가의 승인

관련판례 관습법의 성립과 소멸

종회회원확인 ★★

사회의 거듭된 관행으로 생성된 사회생활규범이 관습법으로 승인되었다고 하더라도 사회 구성원들이 그러한 관행의 법적 구속력에 대하여 확신을 갖지 않게 되었다거나, 사회를 지배하는 기본적 이념이나 사회질서의 변화로 인하여 그러한 관습법을 적용하여야 할 시점에 있어서의 전체 법질서에 부합하지 않게 되었다면 그러한 관습법은 법적 규범으로서의 효력이 부정될 수밖에 없다(대판 2005.7.21, 2002다1178).

#종회회원_남성만 #사회변화 #종회회원_여성포함

(3) 법원성

① **긍정설(통설)**: 행정의 복잡성·다기성으로 인하여 모든 영역에서의 성문법규가 완비되기는 어려우므로 성문법을 보충하는 관습법의 존재 및 법원성을 인정한다.

② **부정설**: 법률적합성의 원칙에 의하여 명문의 규정이 있는 경우에만 법원성을 인정한다.

관련판례 수도이전 ★★★

관습헌법도 관습법의 성립요건을 갖추어야 한다. … 수도가 서울이라는 점은 관습헌법에 해당하여 그를 변경하기 위해서는 헌법개정절차를 거쳐야 한다. … 이러한 절차(국민투표실시)를 거치지 않고 법률(신행정수도의 건설을 위한 특별조치법)로 수도를 이전하는 사항을 규정한 것은 국민의 참정권을 위반하여 위헌이다(헌재 2005.11.24, 2005헌마579).

#수도_서울_관습헌법 #수도이전_헌법개정 #성문헌법개정_국민투표실시

(4) 효력

① 학설

㉠ **보완적 효력설(통설)**: 제정법우위사상, 성문법주의에 입각하여 관습법은 성문의 법규를 보완하는 효력만을 가진다는 학설이다.

㉡ **개폐적 효력설**: 성문법이 있는 분야에서도 성립할 수 있고 심지어는 성문법을 개폐하는 효력까지 가진다는 학설이다.

② 판례

㉠ **대법원**: 관습법은 성문법에 대하여 보충적 효력을 가진다고 한다.

㉡ **헌법재판소**: 관습헌법의 보충적 효력을 인정하고 그 개정은 성문헌법의 경우와 동일하게 국민투표에 의하여야 한다고 한다.

관련판례 **관습법의 보충적 효력**

가족의례준칙 ★★

가족의례준칙 제13조의 규정과 배치되는 관습법의 효력을 인정하는 것은 관습법의 제정법에 대한 열후적·보충적 성격에 비추어 민법 제1조의 취지에 어긋나는 것이다(대판 1983.6.14, 80다3231).

(5) 종류

① 행정선례법

㉠ 행정선례법은 행정청의 선례가 오랫동안 반복 시행됨으로써 국민의 법적 확신을 얻어 성립되는 관습법이다.

㉡ 행정절차법 제4조 및 국세기본법 제18조 제3항에서 행정선례법의 존재를 명문으로 인정하고 있다.

> 행정절차법 제4조【신의성실 및 신뢰보호】② 행정청은 법령등의 해석 또는 행정청의 관행이 일반적으로 국민들에게 받아들여졌을 때에는 공익 또는 제3자의 정당한 이익을 현저히 해칠 우려가 있는 경우를 제외하고는 새로운 해석 또는 관행에 따라 소급하여 불리하게 처리하여서는 아니 된다.
>
> 국세기본법 제18조【세법 해석의 기준 및 소급과세의 금지】③ 세법의 해석이나 국세행정의 관행이 일반적으로 납세자에게 받아들여진 후에는 그 해석이나 관행에 의한 행위 또는 계산은 정당한 것으로 보며, 새로운 해석이나 관행에 의하여 소급하여 과세되지 아니한다.

㉢ 대법원도 4년 동안 과세를 하지 않다가 소급하여 과세한 것을 다투는 소송에서 해당 비과세의 관행을 국세기본법 제18조 제3항의 국세의 관행에 포함되는 것으로 보고 있으며(대판 1980.6.10, 80누6), 종전의 행정선례에 따라 업무를 처리한 공무원에 대한 징계처분을 위법으로 판시한 바 있다(대판 1986.8.19, 86누359).

간단 점검하기

01 일반적으로 관습법은 성문법에 대하여 개폐적 효력을 가진다. ( ) 18. 교육행정직

간단 점검하기

02 행정절차법 제4조 제2항에서는 행정선례법의 존재를 인정하고 있다. ( ) 10. 경찰행정

03 국세기본법은 조세행정에서 행정선례법의 존재를 인정하는 조항을 두고 있다. ( ) 07. 국가직 9급

01 × 02 ○ 03 ○

간단 점검하기

01 판례는 국세행정상 비과세의 관행을 일종의 행정선례법으로 인정하지 아니한다. ( ) 14. 지방직 9급

관련판례 **비과세관행 성립요건**

1 **면허세비과세** ★★★

국세기본법 제18조 제2항의 규정은 납세자의 권리보호와 과세관청에 대한 납세자의 신뢰보호에 그 목적이 있는 것이므로 이 사건 보세운송면허세의 부과근거이던 지방세법시행령이 1973.10.1. 제정되어 1977.9.20.에 폐지될 때까지 4년 동안 그 면허세를 부과할 수 있는 정을 알면서도 피고가 수출확대라는 공익상 필요에서 한 건도 이를 부과한 일이 없었다면 납세자인 원고는 그것을 믿을 수밖에 없고 그로써 비과세의 관행이 이루어졌다고 보아도 무방하다(대판 1980.6.10, 80누6).

#면허세비과세 #알면서도_4년동안_부과× #비과세관행_성립

2 **해상경계선** ★★★

국가기본도상의 해상경계선은 국토지리정보원이 국가기본도상 도서 등의 소속을 명시할 필요가 있는 경우 해당 행정구역과 관련하여 표시한 선으로서, 여러 도서 사이의 적당한 위치에 각 소속이 인지될 수 있도록 실지측량 없이 표시한 것에 불과하므로, 이 해상경계선을 공유수면에 대한 불문법상 행정구역에 경계로 인정해 온 종전의 결정은 이 결정의 견해와 저촉되는 범위 내에서 이를 변경하기로 한다(헌재 2015.7.30, 2010헌라2).

#해상경계선 #불문법상_인정 #판례로_변경

② 민중적 관습법

㉠ 민중적 관습법은 민중 사이에 공법관계에 관한 일정한 관행이 장기적으로 계속됨으로써 국민의 법적 확신을 얻어 성립되는 관습법이다.

㉡ 주로 공물, 공수 등의 사용관계에서 성립하며, 입어권, 공유수면이용 및 인수·배수권, 하천용수권, 관습법상 유수사용권(지하수용수권, 관개용수권, 음용용수권 등) 등의 성립이 그 예이다.

㉢ 관행어업권인 입어권은 관습법상의 권리이지만, 어업권은 형성적 행정행위로 인하여 인정되는 실정법상의 권리이다.

간단 점검하기

02 수산업법은 민중적 관습법인 입어권의 존재를 명문으로 인정하고 있다. ( ) 14. 지방직 9급

관련판례 **입어권** ★★★

구 수산업법(1990.8.1. 법률 제4252호로 전문 개정되기 전의 것) 제40조 소정의 입어의 관행이라 함은 어떤 어업장에 대한 공동어업권 설정 이전부터 어업의 면허 없이 당해 어업장에서 오랫동안 계속 수산동식물을 채포 또는 채취함으로써 그것이 대다수 사람들에게 일반적으로 시인될 정도에 이른 것을 말한다(대판 1994.3.25, 93다45701).

수산업법 제40조 【입어 등의 제한】 ① 마을어업의 어업권자는 입어자(入漁者)에게 제38조에 따른 어장관리규약으로 정하는 바에 따라 해당 어장에 입어하는 것을 허용하여야 한다.

2. 판례법

(1) 의의

판례법이란 법원 또는 헌법재판소의 재판을 통하여 형성되는 법을 말한다. 판례의 법원성을 인정한다는 것은 행정사건에서 나타난 법원 또는 헌법재판소의 법 해석·적용 기준을 다른 유사사건(동종사건)에도 적용할 수 있다는 것을 의미한다.

01 × 02 ○

(2) 비교법적 관점

영미법계 국가	대륙법계 국가
• 선례구속의 원칙이 인정됨 • 판례가 장래에 향하여 하급법원을 법적으로 구속하는 효력이 인정됨 • 판례는 당연히 법원이 됨	• 선례구속의 원칙이 불인정됨 • 상급법원의 판결은 해당 사건 이외에는 하급법원을 법적으로 구속하는 효력이 인정되지 않음 • 판례의 법원성 여부가 문제됨

(3) 대법원 판례의 경우

법원조직법 제8조는 "상급법원의 재판에서의 판단은 해당 사건에 관하여 하급심을 기속한다."고 규정하고 있으므로 해당 사건에서는 상급심의 판단이 하급심을 구속한다. 그러나 동종 사건에서는 하급심을 구속하지 않으므로 하급심은 상급심의 판례에 구속되지 않고 다른 판결을 하는 것이 가능하다. 따라서 법적·제도적으로 판례의 법원성이 일반적으로 인정되는 것은 아니다.❶

관련판례 **판례는 당해사건만 구속** ★★★

대법원의 판례가 법률해석의 일반적인 기준을 제시한 경우에 유사한 사건을 재판하는 하급심법원의 법관은 판례의 견해를 존중하여 재판하여야 하는 것이나, 판례가 사안이 서로 다른 사건을 재판하는 하급심법원을 직접 기속하는 효력이 있는 것은 아니다(대판 1996.10.25, 96다31307).

#대법원판례 #하급심판결_당해사건구속_동종사건불구속

(4) 헌법재판소 결정의 경우

① 헌법재판소법 제47조는 "법률의 위헌결정은 법원과 그 밖의 국가기관 및 지방자치단체를 기속한다."고 규정하고 있으므로 헌법재판소의 '위헌결정'은 법원으로서의 성질을 가진다.

② 한편 헌법재판소가 하는 변형결정인 '한정위헌결정'의 경우, 대법원에서는 "위헌결정이 아닌 한정위헌결정은 법률해석에 대한 헌법재판소의 의견에 불과하고, 법률해석은 법원의 고유권한이므로 한정위헌결정의 기속력을 인정할 수 없다."는 입장이다.

그러나 헌법재판소는 한정위헌결정도 위헌결정에 포함되는 것으로 당연히 기속력이 인정된다는 전제하에, 한정위헌결정을 받은 법률을 그대로 적용한 대법원 판결에 대해서 재판에 대한 헌법소원이 인정되는 예외적인 경우라고 보아 대법원 판결을 취소한 바 있다(헌재 1997.12.24, 96헌마172).

관련판례 **헌법재판소 한정위헌결정의 구속력** ★★

합헌적 법률해석을 포함하는 법령의 해석·적용 권한은 대법원을 최고법원으로 하는 법원에 전속하는 것이며, 헌법재판소가 법률의 위헌 여부를 판단하기 위하여 불가피하게 법원의 최종적인 법률해석에 앞서 법령을 해석하거나 그 적용 범위를 판단하더라도 헌법재판소의 법률해석에 대법원이나 각급 법원이 구속되는 것은 아니다(대판 2009.2.12, 2004두10289).

#헌재결정_국가기관_자치단체_기속 #헌재법률해석_법원구속_불가

간단 점검하기

01 영·미법계 국가에서는 선례구속의 원칙이 엄격하게 적용되어 유사사건에서 상급심의 판결은 하급심을 구속한다. ( ) 14. 지방직 9급

02 법원조직법에는 상급법원의 재판에 있어서의 판단은 당해 사건에 관하여 하급심을 기속한다는 규정이 있다. ( ) 10. 경찰행정

03 대법원의 판례는 사안이 서로 다른 사건을 재판하는 하급심 법원을 직접 기속하는 효력이 있다. ( ) 15. 경찰행정

04 동종사건에 관하여 대법원의 판례가 있더라도 하급법원은 그 판례와 다른 판단을 하는 것이 가능하다. ( ) 11. 국가직 9급

❶ 대법원 판례는 일반적으로 사실상의 구속력만을 가진다고 본다.

간단 점검하기

05 대법원은 유사사건에 관한 대법원의 판례가 하급심 법원을 직접 기속한다고 판시한 바 있다. ( ) 07. 국가직 9급

간단 점검하기

06 헌법재판소에 의한 법률의 위헌결정은 국가기관과 지방자치단체를 기속한다는 헌법재판소법 제47조에 의해 법원으로서의 성격을 가진다. ( ) 12. 지방직 9급

07 대법원의 판례가 법률해석의 일반적인 기준을 제시한 경우에 유사한 사건을 재판하는 하급심법원의 법관은 판례의 견해를 존중하여 재판하여야 하는 것이나, 판례가 사안이 서로 다른 사건을 재판하는 하급심법원을 직접 기속하는 효력이 있는 것은 아니다. ( ) 17. 경찰행정

08 헌법재판소가 법률의 위헌 여부를 판단하기 위하여 한 법률해석에 대법원이나 각급 법원이 구속되는 것은 아니다. ( ) 10. 국가직 9급

01 ○	02 ○	03 ×	04 ○
05 ×	06 ○	07 ○	08 ○

간단 점검하기

01 법원(法院)은 보충적 법원(法源)으로서의 조리에 따라 재판할 수 있다. ( ) 18. 교육행정직

02 성문법주의를 원칙으로 하기 때문에 조리(법의 일반원칙)는 행정법의 법원이 되지 못한다. ( ) 07. 국가직 9급

03 행정법의 일반원칙은 다른 법원(法源)과의 관계에서 보충적 역할에 그치지 않으며 헌법적 효력을 갖기도 한다. ( ) 16. 서울시 9급

❶
평등원칙, 비례의 원칙, 신뢰보호의 원칙 등 행정법의 일반원칙은 다른 법원과의 관계에서 보충적 역할에 그치지 않으며 헌법적 효력을 갖기도 한다. 또한 행정법의 일반원칙은 반드시 성문법에 근거가 있어야 하는 것은 아니며 조리로서 인정될 수도 있다.

간단 점검하기

04 법률과 대통령령·총리령 및 부령은 특별한 규정이 없는 한 공포한 날부터 14일이 경과함으로써 효력을 발생한다. ( ) 14·09. 국가직 9급

05 국민의 권리 제한과 직접 관련되는 법령은 원칙적으로 공포한 날로부터 20일이 경과한 이후에 시행되어야 한다. ( ) 15. 지방직 9급

01 ○ 02 × 03 ○ 04 ×
05 ×

3. 조리법

(1) 의의

① 조리란 일반사회의 정의감에 비추어 반드시 그러할 것이라고 인정되는 사물의 본질적 법칙 또는 법의 일반원리를 말한다.

② 조리는 행정법 해석의 기본원리를 이루며, 성문법·관습법·판례법이 모두 없는 경우에 적용되는 최후의 보충적 법원이다.

(2) 조리의 내용

조리의 내용은 시대에 따라 변천한다. 전통적으로는 평등의 원칙, 신의성실의 원칙, 비례의 원칙, 기득권존중의 원칙 등이 있었으며, 근래에는 새로운 조리로서 신뢰보호의 원칙, 보충성의 원칙, 과잉금지의 원칙 등이 있다.❶

제2절 행정법의 효력

1 시간적 효력

1. 효력발생시기

(1) 법률, 대통령령·총리령·부령 및 조례·규칙은 특별한 규정이 없는 한 '공포한 날'로부터 20일이 경과함으로써 효력이 발생한다(법령 등 공포에 관한 법률 제13조, 지방자치법 제26조 제8항).

(2) 국민의 권리 제한 또는 의무 부과와 직접 관련되는 법률, 대통령령·총리령 및 부령은 긴급히 시행하여야 할 특별한 사유가 있는 경우를 제외하고는 공포일로부터 '적어도 30일'이 경과한 날로부터 시행되도록 하여야 한다(법령 등 공포에 관한 법률 제13조의2).

(3) 행정기본법상 법령 등 시행일의 기간 계산

① 법령 등을 공포한 날부터 시행하는 경우에는 공포한 날을 시행일로 한다.

② 법령 등을 공포한 날부터 일정 기간이 경과한 날부터 시행하는 경우 법령 등을 공포한 날을 첫날에 산입하지 아니한다.

③ 법령 등을 공포한 날부터 일정 기간이 경과한 날부터 시행하는 경우 그 기간의 말일이 토요일 또는 공휴일인 때에는 그 말일로 기간이 만료한다.

> 행정기본법 제7조【법령 등 시행일의 기간 계산】 법령 등(훈령·예규·고시·지침 등을 포함한다. 이하 이 조에서 같다)의 시행일을 정하거나 계산할 때에는 다음 각 호의 기준에 따른다.
> 1. 법령 등을 공포한 날부터 시행하는 경우에는 공포한 날을 시행일로 한다.
> 2. 법령 등을 공포한 날부터 일정 기간이 경과한 날부터 시행하는 경우 법령 등을 공포한 날을 첫날에 산입하지 아니한다.
> 3. 법령 등을 공포한 날부터 일정 기간이 경과한 날부터 시행하는 경우 그 기간의 말일이 토요일 또는 공휴일인 때에는 그 말일로 기간이 만료한다.

2. 공포 · 공포일

(1) 공포의 방법

① 헌법개정, 법률, 조약, 대통령령 · 총리령 및 부령의 공포와 헌법개정안 · 예산 및 예산 외 국고부담계약의 공고는 관보(官報)에 게재함으로써 한다(법령 등 공포에 관한 법률 제11조 제1항).

② 국회의장의 법률 공포는 서울특별시에서 발행되는 둘 이상의 일간신문에 게재함으로써 한다(동법 제11조 제2항).

③ 관보는 종이로 발행되는 관보(이하 "종이관보"라 한다)와 전자적인 형태로 발행되는 관보(이하 "전자관보"라 한다)로 운영한다(동법 제11조 제3항).

④ 관보의 내용 해석 및 적용 시기 등에 대하여 종이관보와 전자관보는 동일한 효력을 가진다(동법 제11조 제4항).

⑤ 조례와 규칙의 공포는 해당 지방자치단체의 공보에 게재하는 방법으로 한다. 다만, 지방의회의 의장이 공포하는 경우에는 공보나 일간신문에 게재하거나 게시판에 게시한다(지방자치법 시행령 제30조 제1항).

(2) 공포한 날

① 법령 등의 공포일 또는 공고일은 해당 법령 등을 게재한 관보 또는 신문이 발행된 날로 한다(법령 등 공포에 관한 법률 제12조).

② '발행된 날'의 의미에 관하여 통설과 판례는 '최초구독가능시설'의 입장이다. 즉, 도달주의의 입장에서 관보가 서울의 중앙보급소에 도달하여 국민이 구독가능한 상태에 놓인 최초의 시점을 의미한다(대판 1969.11.25, 69누129).

관련판례 **공포한 날**

1 **발행된 날** ★★★

관보 게재일이라 함은 관보에 인쇄된 발행일자를 뜻하는 것이 아니고 관보가 전국의 각 관보보급소에 발송 배포되어 이를 일반인이 열람 또는 구독할 수 있는 상태에 놓이게 된 최초의 시기를 뜻한다(대판 1969.11.25, 69누129).

#발행된_날 #최초구독가능시

2 **관보일자보다 실제 인쇄일이 늦은 경우의 공포일**

관보일자보다 실제 인쇄일이 늦은 경우에는 실제 인쇄일이 발행된 날이 공포일이 된다(대판 1968.12.6, 68다1753).

3. 소급효금지원칙(소급입법 · 소급적용 금지원칙)

(1) 소급효의 구별

① **진정소급효**: 법령이 제정 · 변경된 경우, 그것이 효력을 발생하기 전에 이미 완성(완료)된 사항에 대해 그 법령을 적용하는 것을 말한다. 진정소급효는 원칙적으로 금지되나 예외적으로 허용된다.

② **부진정소급효**: 법령이 제정 · 변경된 경우, 그것이 효력을 발생하는 시점에 아직 진행중인 사항에 대해 그 법령을 적용하는 것을 말한다. 부진정소급효는 원칙적으로 허용되나 예외적으로 금지된다.

간단 점검하기

01 법령 등 공포에 관한 법률상 헌법개정 · 법률 · 조약 · 대통령령 · 총리령 및 부령의 공포와 헌법개정안 · 예산 및 예산 외 국고부담계약의 공고는 관보(官報)에 게재함으로써 한다. ( ) 18. 경찰행정

02 국회의장에 의한 법률 공포는 반드시 관보에 게재할 사항에 해당된다. ( ) 15. 지방직 9급

03 법령 등 공포에 관한 법률상 관보의 내용 해석 및 적용 시기는 전자관보를 우선으로 하며, 종이관보는 부차적인 효력을 가진다. ( ) 18. 경찰행정

04 지방자치단체의 장에 의한 조례와 규칙의 공포는 해당 지방자치단체의 공보에 게재하는 방법으로 한다. ( ) 15. 지방직 9급

05 법령 등 공포에 관한 법률상 법률의 공포일은 해당 법률을 게재한 관보 또는 신문이 발행된 날로 한다. ( ) 18. 경찰행정

간단 점검하기

06 공포일과 시행일이 일치하는 경우, 공포일인 관보발행일은 도달주의에 입각하여 최초 구독 가능시를 기준으로 한다. ( ) 09. 국가직 9급

간단 점검하기

07 법령은 시행일로부터 장래에 향하여 효력을 발생하며, 어떠한 경우에도 시행일 이전으로 소급적용하는 것은 금지된다. ( ) 15. 서울시 9급

08 개정 법령이 기존의 사실 또는 법률관계를 적용대상으로 하면서 국민의 재산권과 관련하여 종전보다 불리한 법률효과를 개정법률이 시행되기 이전에 이미 완성 또는 종결된 것이 아니라면 소급입법금지원칙에 위반된다. ( ) 21. 국가직 9급

01 ○ 02 × 03 × 04 ○
05 ○ 06 ○ 07 × 08 ×

간단 점검하기

01 부진정소급입법은 원칙적으로 허용되지만 소급효를 요구하는 공익상의 사유와 신뢰보호의 요청 사이의 형량과정에서 신뢰보호의 관점이 입법자의 형성권에 제한을 가하게 된다. ( )
17. 국가직 7급

02 일반적으로 국민이 소급입법을 예상할 수 있었거나 법적 상태가 불확실하고 혼란스러워 보호할 만한 신뢰이익이 적은 경우에도 진정소급입법이 허용되지 않는다. ( ) 15. 사회복지직

간단 점검하기

03 법령을 소급적용하더라도 일반국민의 이해에 직접 관계가 없는 경우나 오히려 그 이익을 증진하는 경우, 불이익이나 고통을 제거하는 경우에는 예외적으로 법령의 소급적용이 허용된다.
( ) 15. 사회복지직

간단 점검하기

04 개인의 신뢰보호의 요청에 우선하는 심히·중대한 공익상의 사유가 소급입법을 정당화하는 경우에는 예외적으로 진정소급입법이 허용된다. ( )
16. 교육행정직, 14. 국가직 9급

관련판례

1 소급입법은 새로운 입법으로 이미 종료된 사실관계 또는 법률관계에 작용케 하는 진정소급입법과 현재 진행중인 사실관계 또는 법률관계에 작용케 하는 부진정소급입법으로 나눌 수 있는바, ㉠ 부진정소급입법은 원칙적으로 허용되지만 소급효를 요구하는 공익상의 사유와 신뢰보호의 요청 사이의 교량과정에서 신뢰보호의 관점이 입법자의 형성권에 제한을 가하게 되는 데 반하여, 기존의 법에 의하여 형성되어 이미 굳어진 개인의 법적 지위를 사후입법을 통하여 박탈하는 것 등을 내용으로 하는 ㉡ 진정소급입법은 개인의 신뢰보호와 법적 안정성을 내용으로 하는 법치국가원리에 의하여 특단의 사정이 없는 한 헌법적으로 허용되지 아니하는 것이 원칙이고, 다만 ⓐ 일반적으로 국민이 소급입법을 예상할 수 있었거나, ⓑ 법적 상태가 불확실하고 혼란스러워 보호할 만한 신뢰이익이 적은 경우와, ⓒ 소급입법에 의한 당사자의 손실이 없거나 아주 경미한 경우 그리고, ⓓ 신뢰보호의 요청에 우선하는 심히 중대한 공익상의 사유가 소급입법을 정당화하는 경우 등에는 예외적으로 진정소급입법이 허용된다(헌재 1999.7.22, 97헌바76).

2 법령의 소급적용, 특히 행정법규의 소급적용은 일반적으로는 법치주의의 원리에 반하고, 개인의 권리·자유에 부당한 침해를 가하며, 법률생활의 안정을 위협하는 것이어서, 이를 인정하지 않는 것이 원칙이고(법률불소급의 원칙 또는 행정법규불소급의 원칙), 다만 법령을 소급적용하더라도 일반 국민의 이해에 직접 관계가 없는 경우, 오히려 그 이익을 증진하는 경우, 불이익이나 고통을 제거하는 경우 등의 특별한 사정이 있는 경우에 한하여 예외적으로 법령의 소급적용이 허용된다(대판 2005.5.13, 2004다8630).

3 [1] 국민이 소급입법을 예상할 수 있었거나 신뢰보호의 요청에 우선하는 심히 중대한 공익상의 사유가 소급입법을 정당화하는 경우 등에는 허용될 수 있다 할 것인데, 친일재산의 소급적 박탈은 일반적으로 소급입법을 예상할 수 있었던 예외적인 사안이고, 진정소급입법을 통해 침해되는 법적 신뢰는 심각하다고 볼 수 없는 데 반해 이를 통해 달성되는 공익적 중대성은 압도적이라고 할 수 있으므로 진정소급입법이 허용되는 경우에 해당한다.

[2] 이 사건 친일반민족행위자 재산의 국가귀속조항은 진정소급입법에 해당하지만 진정소급입법이라 하더라도 예외적으로 국민이 소급입법을 예상할 수 있었거나 신뢰보호의 요청에 우선하는 심히 중대한 공익상의 사유가 소급입법을 정당화하는 경우 등에는 허용될 수 있다 할 것인데, 친일재산의 소급적 박탈은 일반적으로 소급입법을 예상할 수 있었던 예외적인 사안이고, 진정소급입법을 통해 침해되는 법적 신뢰는 심각하다고 볼 수 없는 데 반해 이를 통해 달성되는 공익적 중대성은 압도적이라고 할 수 있으므로 진정소급입법이 허용되는 경우에 해당한다. 따라서 이 사건 귀속조항이 진정소급입법이라는 이유만으로 헌법 제13조 제2항에 위배된다고 할 수 없다(대판 2012.2.23, 2010두17557).

#친일반민족행위자재산_국가귀속 #소급입법 #중대_공익상_인정

01 ○ 02 × 03 ○ 04 ○

(2) 소급효금지 원칙의 근거

소급효금지 원칙은 헌법상 법치국가원칙의 내용인 법적 안정성에서 도출된다. 한편 대법원은 헌법상의 소급효금지 원칙에서 말하는 소급효는 진정소급효를 말한다고 본다.

관련판례

1 [1] 행정처분은 근거 법령이 개정된 경우에도 경과규정에서 달리 정함이 없는 한 처분 당시 시행되는 법령과 그에 정한 기준에 의하는 것이 원칙이다. 개정 법령이 기존의 사실 또는 법률관계를 적용대상으로 하면서 국민의 재산권과 관련하여 종전보다 불리한 법률효과를 규정하고 있는 경우에도 그러한 사실 또는 법률관계가 개정 법령이 시행되기 이전에 이미 완성 또는 종결된 것이 아니라면 개정 법령을 적용하는 것이 헌법상 금지되는 소급입법에 의한 재산권 침해라고 할 수는 없다. 다만 개정 전 법령의 존속에 대한 국민의 신뢰가 개정 법령의 적용에 관한 공익상의 요구보다 더 보호가치가 있다고 인정되는 경우에 그러한 국민의 신뢰를 보호하기 위하여 적용이 제한될 수 있는 여지가 있을 따름이다.

[2] 법령불소급의 원칙은 법령의 효력발생 전에 완성된 요건 사실에 대하여 당해 법령을 적용할 수 없다는 의미일 뿐, 계속 중인 사실이나 그 이후에 발생한 요건 사실에 대한 법령적용까지를 제한하는 것은 아니다(대판 2014.4.24, 2013두26552).

2 과세단위가 시간적으로 정해지는 조세에 있어 과세표준기간인 과세연도 진행중에 세율인상 등 납세의무를 가중하는 세법의 제정이 있는 경우에는 이미 충족되지 아니한 과세요건을 대상으로 하는 강학상 이른바 부진정 소급효의 경우이므로 그 과세년도개시시에 소급적용이 허용된다(대판 1983.4.26, 81누423).

3 소급효는 이미 과거에 완성된 사실관계를 규율의 대상으로 하는 이른바 진정소급효와 과거에 시작하였으나 아직 완성되지 아니하고 진행과정에 있는 사실관계를 규율대상으로 하는 이른바 부진정소급효를 상정할 수 있는바, 대학이 성적불량을 이유로 학생에 대하여 징계처분을 하는 경우에 있어서 수강신청이 있은 후 징계요건을 완화하는 학칙개정이 이루어지고 이어 당해 시험이 실시되어 그 개정학칙에 따라 징계처분을 한 경우라면 이는 이른바 부진정소급효에 관한 것으로서 구 학칙의 존속에 관한 학생의 신뢰보호가 대학당국의 학칙개정의 목적달성보다 더 중요하다고 인정되는 특별한 사정이 없는 한 위법이라고 할 수 없다(대판 1989.7.11, 87누1123).

#부진정소급 #신뢰보호위반_아님

4 헌법불합치결정과 소급적용

어떠한 법률조항에 대하여 헌법재판소가 헌법불합치결정을 하여 그 법률조항을 합헌적으로 개정 또는 폐지하는 임무를 입법자의 형성 재량에 맡긴 이상, 그 개선입법의 소급적용 여부와 소급적용의 범위는 원칙적으로 입법자의 재량에 달린 것이다(대판 2008.1.17, 2007두21563).

간단 점검하기

01 개정 법령이 기존의 사실 또는 법률관계를 적용대상으로 하면서 종전보다 불리한 법률효과를 규정하고 있는 경우에도 그러한 사실 또는 법률관계가 개정법률이 시행되기 이전에 이미 종결된 것이 아니라면 이를 헌법상 금지되는 소급입법이라고 할 수는 없다. ( ) 18. 국가직 7급

02 법령의 효력이 시행일 이전에 소급하지 않는다는 것은 시행일 이전에 이미 종결된 사실에 대하여 법령이 적용되지 않는다는 것을 의미하는 것이지, 시행일 이전부터 계속되는 사실에 대하여도 법령이 적용되지 않는다는 의미가 아니다. ( ) 15. 사회복지직

간단 점검하기

03 소득세법이 개정되어 세율이 인상된 경우 법 개정 전부터 개정법이 발효된 후에까지 걸쳐 있는 과세기간(1년)의 전체 소득에 대하여 인상된 세율을 적용하는 것은 재산권에 대한 소급적 박탈이 되므로 위법하다. ( ) 15. 서울시 9급

01 ○ 02 ○ 03 ×

간단 점검하기

새 법령이 시행되기 전에 종결된 사실에 대하여는 당해 법령을 적용하지 않는 것을 원칙으로 한다. ( )

09. 국가직 9급

Level up 법령의 적용 문제

행정기본법 제14조 【법 적용의 기준】 ① 새로운 법령 등은 법령 등에 특별한 규정이 있는 경우를 제외하고는 그 법령 등의 효력 발생 전에 완성되거나 종결된 사실관계 또는 법률관계에 대해서는 적용되지 아니한다.

1. 원칙

법령이 제정 · 변경된 경우, 그것이 효력을 발생하는 시점 이후에 발생한 사항에 대해서만 적용되어야 한다.

2. 예외

① 경과규정이 있는 경우

㉠ 개정법령에 법 적용에 대한 특별한 규정(경과규정)이 있는 경우에는 그에 따른다. 물론 개정법령의 소급효가 헌법 위반이라는 다툼이 있는 경우 법원 혹은 헌법재판소의 심사를 거쳐서 그 효력이 결정될 것이다(그 소급효가 진정소급효에 해당한다면 합헌으로 판단될 여지가 적을 것이고, 부진정소급효에 해당한다면 합헌으로 판단될 여지가 클 것이다).

㉡ 대법원은 구법의 존속에 대한 국민의 신뢰가 신법 적용으로 얻게 되는 공익상의 요구보다 보호가치가 큰 경우에는 경과규정에도 불구하고 신법을 소급적용할 수 없다고 판시한 바 있다.

관련판례

법령의 개정에서 신뢰보호원칙이 적용되어야 하는 이유는, 어떤 법령이 장래에도 그대로 존속할 것이라는 합리적이고 정당한 신뢰를 바탕으로 국민이 그 법령에 상응하는 구체적 행위로 나아가 일정한 법적 지위나 생활관계를 형성하여 왔음에도 국가가 이를 전혀 보호하지 않는다면 법질서에 대한 국민의 신뢰는 무너지고 현재의 행위에 대한 장래의 법적 효과를 예견할 수 없게 되어 법적 안정성이 크게 저해되기 때문이고, 이러한 신뢰보호는 절대적이거나 어느 생활영역에서나 균일한 것은 아니고 개개의 사안마다 관련된 자유나 권리, 이익 등에 따라 보호의 정도와 방법이 다를 수 있으며, 새로운 법령을 통하여 실현하고자 하는 공익적 목적이 우월한 때에는 이를 고려하여 제한될 수 있으므로, 이 경우 신뢰보호원칙의 위배 여부를 판단하기 위해서는 한편으로는 침해된 이익의 보호가치, 침해의 중한 정도, 신뢰가 손상된 정도, 신뢰침해의 방법 등과 다른 한편으로는 새 법령을 통해 실현하고자 하는 공익적 목적을 종합적으로 비교 · 형량하여야 한다.
개정 전 약사법 제3조의2 제2항의 위임에 따라 같은 법 시행령 제3조의2에서 한약사 국가시험의 응시자격을 '필수 한약관련 과목과 학점을 이수하고 대학을 졸업한 자'로 규정하던 것을, 개정 시행령 제3조의2에서 '한약학과를 졸업한 자'로 응시자격을 변경하면서, 개정 시행령 부칙이 한약사 국가시험의 응시자격에 관하여 1996학년도 이전에 대학에 입학하여 개정 시행령 시행 당시 대학에 재학중인 자에게는 개정 전의 시행령 제3조의2를 적용하게 하면서도 1997학년도에 대학에 입학하여 개정 시행령 시행 당시 대학에 재학중인 자에게는 개정 시행령 제3조의2를 적용하게 하는 것은 헌법상 신뢰보호의 원칙과 평등의 원칙에 위배되어 허용될 수 없다(대판 2007.10.29, 2005두4649 전합).

② 위법행위에 대한 형사처벌의 경우

㉠ 범죄의 성립과 처벌은 행위시의 법률에 의한다(형법 제1조 제1항).

㉡ 단, 행위 후 법률 변경으로 그 행위가 범죄를 구성하지 아니하거나 형이 구법보다 경한 때에는 신법에 의한다(형법 제1조 제2항).

○

ⓒ 그러나 판례는 제2항을 제한해석하여 그 법률 변경의 동기가 ⓐ '법적 견해의 변경'에 따른 것이라면 위반행위의 가벌성이 소멸했으므로 신법을 적용하지만, ⓑ '단순한 사실관계의 변화'에 따른 것이라면 위반행위의 가벌성은 소멸하지 않았다고 보아 구법에 따라 처벌해야 한다고 본다.

관련판례

2005.1.27. 법률 제7383호로 개정된 개발제한구역의 지정 및 관리에 관한 특별조치법에서 신설한 제11조 제3항은 "건설교통부령이 정하는 경미한 행위는 허가 또는 신고를 하지 아니하고 행할 수 있다."고 규정하고 있고 그 부칙에 의하여 공포 후 6개월이 경과한 날부터 시행되었으며, 2005.8.10. 건설교통부령 제464호에서 신설한 같은 법 시행규칙 제7조의2와 [별표 3의2]는 그러한 경미한 행위들을 열거하여 규정하고 있으나, 이와 같이 종전에 허가를 받거나 신고를 하여야만 할 수 있던 행위의 일부를 허가나 신고 없이 할 수 있도록 법령이 개정되었다 하더라도 이는 법률 이념의 변천으로 과거에 범죄로서 처벌하던 일부 행위에 대한 처벌 자체가 부당하다는 반성적 고려에서 비롯된 것이라기보다는 사정의 변천에 따른 규제 범위의 합리적 조정의 필요에 따른 것이라고 보이므로, 위 개발제한구역의 지정 및 관리에 관한 특별조치법과 같은 법 시행규칙의 신설 조항들이 시행되기 전에 이미 범하여진 개발제한구역 내 비닐하우스 설치행위에 대한 가벌성이 소멸하는 것은 아니다(대판 2007.9.6, 2007도4197).

Level up 행정처분의 근거법령 문제

1. 신청에 따른 처분

행정기본법 제14조【법 적용의 기준】 ② 당사자의 신청에 따른 처분은 법령 등에 특별한 규정이 있거나 처분 당시의 법령 등을 적용하기 곤란한 특별한 사정이 있는 경우를 제외하고는 처분 당시의 법령 등에 따른다.

① **원칙**: 처분시 시행되는 법령 적용

② **예외**

㉠ 법령 등에 특별한 규정이 있거나, 처분 당시 법령을 적용하기 곤란한 특별한 사정이 있는 경우

㉡ 처분시 법령을 적용하는 것이 신의성실원칙 위반으로 인정되는 경우

관련판례

비록 허가신청 후 허가기준이 변경되었다 하더라도 그 허가관청이 허가신청을 수리하고도 정당한 이유 없이 그 처리를 늦추어 그 사이에 허가기준이 변경된 것이 아닌 이상 변경된 허가기준에 따라서 처분을 하여야 한다(대판 1996.8.20, 95누10877).❶

2. 위법행위에 대한 행정제재처분

행정기본법 제14조【법 적용의 기준】 ③ 법령 등을 위반한 행위의 성립과 이에 대한 제재처분은 법령 등에 특별한 규정이 있는 경우를 제외하고는 법령 등을 위반한 행위 당시의 법령 등에 따른다. 다만, 법령 등을 위반한 행위 후 법령 등의 변경에 의하여 그 행위가 법령 등을 위반한 행위에 해당하지 아니하거나 제재처분 기준이 가벼워진 경우로서 해당 법령 등에 특별한 규정이 없는 경우에는 변경된 법령 등을 적용한다.

간단 점검하기

법령의 개정으로 허가 없이 공작물 설치행위를 할 수 있도록 변경되었다면, 당해 법령의 개정 전에 이미 범하여진 위법한 공작물 설치행위에 대한 가벌성도 소멸된다. ( ) 12. 국회직 9급

❶ 신의성실의 원칙에 위반되는 예외적인 경우에는 구법을 적용한다.

×

① **원칙**: 행위시 시행되던 법령 적용
② **예외**
㉠ 법령 등에 특별한 규정이 있는 경우
㉡ 위법행위 이후 법령 변경으로 그에 대한 제재처분이 가벼워지거나 없어진 경우

간단 점검하기

경과규정 등의 특별규정 없이 법령이 변경된 경우, 그 변경 전에 발생한 사항에 대하여 적용할 법령은 개정 후의 신법령이다. ( ) 15. 서울시 9급, 14. 지방직 7급 · 국가직 9급

관련판례

1 [1] 법령이 변경된 경우 신 법령이 피적용자에게 유리하여 이를 적용하도록 하는 경과규정을 두는 등의 특별한 규정이 없는 한 헌법 제13조 등의 규정에 비추어 볼 때 그 변경 전에 발생한 사항에 대하여는 변경 후의 신 법령이 아니라 변경 전의 구 법령이 적용되어야 한다.

[2] 구 건설업법(1996.12.30. 법률 제5230호 건설산업기본법으로 전문 개정되기 전의 것) 시행 당시에 건설업자가 도급받은 건설공사 중 전문공사를 그 전문공사를 시공할 자격 없는 자에게 하도급한 행위에 대하여 건설산업기본법(1999.4.15. 법률 제5965호로 개정된 것) 시행 이후에 과징금 부과처분을 하는 경우, 과징금의 부과상한은 건설산업기본법 부칙(1999.4.15.) 제5조 제1항에 의하여 피적용자에게 유리하게 개정된 건설산업기본법 제82조 제2항에 따르되, 구체적인 부과기준에 대하여는 처분시의 시행령이 행위시의 시행령보다 불리하게 개정되었고 어느 시행령을 적용할 것인지에 대하여 특별한 규정이 없으므로, 행위시의 시행령을 적용하여야 한다(대판 2002.12.10, 2001두3228).

2 건설업자인 원고가 1973.12.31 소외인에게 면허수첩을 대여한 것이 그 당시 시행된 건설업법 제38조 제1항 제8호 소정의 건설업면허 취소사유에 해당된다면 그 후 동법시행령 제3조 제1항이 개정되어 건설업면허 취소사유에 해당하지 아니하게 되었다 하더라도 건설부장관은 동 면허수첩 대여행위 당시 시행된 건설업법 제38조 제1항 제8호를 적용하여 원고의 건설업면허를 취소하여야 할 것이다(대판 1982.12.28, 82누1).

[참고판례] 행정소송에서 행정처분의 위법 여부는 행정처분이 행하여졌을 때의 법령과 사실상태를 기준으로 하여 판단해야 하고, 이는 독점규제 및 공정거래에 관한 법률에 기한 공정거래위원회의 시정명령 및 과징금 납부명령(이하 '과징금 납부명령 등'이라 한다)에서도 마찬가지이다. 따라서 공정거래위원회의 과징금 납부명령 등이 재량권 일탈·남용으로 위법한지는 다른 특별한 사정이 없는 한 과징금 납부명령 등이 행하여진 '의결일' 당시의 사실상태를 기준으로 판단하여야 한다(대판 2015.5.28, 2015두36256).❶

❶ 본 판결은 위반행위에 대한 과징금 부과(행정제재처분) 자체가 아니라, 과징금 액수를 결정할 때 하자 없는 재량권 행사를 했는지 여부가 문제된 것이다. 국민은 자신의 행위 당시에 시행되던 법률을 위반한 것이 아니라면 위법행위를 한 것이 아니므로 원칙적으로 행정제재처분을 받지 않고, 이에 따라 행정청도 행정제재처분을 가할 수 없다. 그러나 행정청이 과징금 액수 결정에 재량이 있다면 행정청은 과징금 부과시까지의 사실상태와 법률상태를 고려해 과징금 액수를 결정해야 할 의무(하자 없는 재량을 행사해야 할 의무)가 있다. 본 판결은 그 의무를 말한 것이다.

×

3. 과거의 법률관계를 사후에 확인하는 처분의 경우 – 법률관계 확정시

사건 발생시 법령에 따라 법률관계가 확정되고, 행정청이 사후에 이를 확인하는 처분을 하는 경우(예 장해등급결정, 시험불합격처분 등)

관련판례

1 구 국민연금법 등의 규정 내용 및 취지에 비추어 보면, 국민연금법상 장애연금은 국민연금 가입 중에 생긴 질병이나 부상으로 완치된 후에도 신체상 또는 정신상의 장애가 있는 자에 대하여 그 장애가 계속되는 동안 장애 정도에 따라 지급되는 것으로서, 치료종결 후에도 신체 등에 장애가 있을 때 지급사유가 발생하고 그때 가입자는 장애연금 지급청구권을 취득한다. 따라서 장애연금 지급

을 위한 장애등급 결정은 장애연금 지급청구권을 취득할 당시, 즉 치료종결 후 신체 등에 장애가 있게 된 당시의 법령에 따르는 것이 원칙이다. 나아가 이러한 법리는 기존의 장애등급이 변경되어 장애연금액을 변경하여 지급하는 경우에도 마찬가지이므로, 장애등급 변경결정 역시 변경사유 발생 당시, 즉 장애등급을 다시 평가하는 기준일인 '질병이나 부상이 완치되는 날'의 법령에 따르는 것이 원칙이다(대판 2014.10.15, 2012두15135).

2 [1] 산업재해보상보험법상 장해급여는 근로자가 업무상의 사유로 부상을 당하거나 질병에 걸려 치료를 종결한 후 신체 등에 장해가 있는 경우 그 지급사유가 발생하고, 그때 근로자는 장해급여 지급청구권을 취득하므로, 장해급여 지급을 위한 장해등급 결정 역시 장해급여 지급청구권을 취득할 당시, 즉 그 지급 사유 발생 당시의 법령에 따르는 것이 원칙이다.

[2] 개정된 산업재해보상보험법 시행령의 시행 전에 장해급여 지급청구권을 취득한 근로자의 외모의 흉터로 인한 장해등급을 결정함에 있어, 위 개정이 위헌적 요소를 없애려는 반성적 고려에서 이루어졌고 이를 통하여 근로자의 균등한 복지증진을 도모하고자 하는 데 그 취지가 있으며, 당해 근로자에 대한 장해등급 결정 전에 위 시행령의 시행일이 도래한 점 등에 비추어, 예외적으로 위 개정 시행령을 적용하여야 한다(대판 2007.2.22, 2004두12957).

4. 효력의 소멸

(1) 한시법의 경우

① 한시법이란 일정한 효력기간을 미리 법률로써 규정해 놓은 법률을 의미한다.

② 한시법은 한시법에 규정되어 있는 한정된 유효기간이 경과됨으로써 효력이 소멸한다.

③ 법령 등을 공포한 날부터 일정 기간이 경과한 날부터 시행하는 경우 그 기간의 말일이 토요일 또는 공휴일인 때에는 그 말일로 기간이 만료한다(행정기본법 제6조 제2항 제2호).

(2) 한시법 이외의 경우

① 효력의 소멸 시기

㉠ 해당 법령 또는 그와 상위·동위의 법령에 의한 명시적인 개폐가 있는 경우 소멸한다.

㉡ 그와 저촉되는 상위·동위의 후법의 제정이 있는 경우 소멸한다.

② 법률의 개정과 부칙규정의 효력(명시적 규정이 없는 경우)

㉠ **원칙**: 유효

㉡ **전문 개정된 경우**: 실효(부칙 규정도 소멸)

관련판례 부칙규정 ★★★

법률의 개정시에 종전 법률 부칙의 경과규정을 개정하거나 삭제하는 명시적인 조치가 없다면 개정 법률에 다시 경과규정을 두지 않았다고 하여도 부칙의 경과규정이 당연히 실효되는 것은 아니지만, 개정 법률이 전문 개정인 경우에는 기존 법률을 폐지하고 새로운 법률을 제정하는 것과 마찬가지이어서 종전의 본칙은 물론 부칙 규정도 모두

간단 점검하기

01 한시법은 명문으로 정해진 유효기간이 경과하더라도 당연히 그 효력이 소멸되는 것은 아니다. ( )
12. 사회복지직

간단 점검하기

02 법령이 전문 개정된 경우 특별한 사정이 없는 한 종전의 법률 부칙의 경과규정도 모두 실효된다. ( )
08. 국가직 9급

01 × 02 ○

소멸하는 것으로 보아야 할 것이므로 특별한 사정이 없는 한 종전의 법률 부칙의 경과 규정도 모두 실효된다고 보아야 한다(대판 2002.7.26, 2001두11168).
#법률개정_부칙_유효 #법률전문개정_부칙_소멸

2 지역적 효력

1. 원칙

행정법규는 그 법규의 제정권자의 권한이 미치는 지역적 범위 내에서만 효력을 가진다. 예컨대, 대통령령·총리령·부령의 효력은 일반적으로 전국에 미치고, 조례의 효력은 해당 지방자치단체의 구역 내에만 미친다.

간단 점검하기

01 특정지역만을 규율대상으로 하는 법률은 무효이다. ( ) 16. 교육행정직

2. 예외

(1) 국제법상 치외법권을 가지는 외교사절이 사용하는 토지·시설이나 외국군대가 사용하는 시설·구역 등에는 조약 등에 의하여 행정법규의 효력이 미치지 않는 경우가 있다.

(2) 국가의 법령이 영토 내의 일부지역 내에서만 적용되는 경우가 있다. 예컨대 수도권정비계획법, 제주국제자유도시특별법 등이 그것이다.

(3) 행정법규가 그것을 제정한 기관의 본래의 관할구역을 넘어 적용되는 경우가 있다. 예컨대 A지방자치단체의 공공시설에 관한 조례가 B지방자치단체의 구역에도 효력을 미치는 경우가 그것이다(예 과천시에 있는 서울대공원, 경기도에 있는 서울시 벽제화장장 등).

간단 점검하기

02 하나의 지방자치단체의 조례가 다른 지방자치단체의 구역 내에서도 그 효력을 가지는 경우가 있다. ( ) 08. 경기 9급

3 대인적 효력

1. 원칙(속지주의)

행정법규는 원칙적으로 속지주의에 의하여 자연인·법인, 자국인·외국인을 불문하고 영토 또는 구역 내에 있는 모든 사람에게 일률적으로 적용된다.

간단 점검하기

03 행정법령의 대인적 효력은 속지주의를 원칙으로 한다. ( ) 16. 교육행정직

04 행정법령은 속지주의에 의하여 원칙적으로 그 법령이 적용되는 지역 내에 있는 모든 외국인에게 적용된다. ( ) 08. 경기 9급

2. 예외(속인주의)

(1) 외국 원수나 외교관과 같이 치외법권을 향유하는 자에게는 행정법규가 적용되지 않는다.

(2) 미합중국 군대의 구성원에 대하여서는 한미상호방위조약 제4조에 의한 한미행정협정 및 그 시행에 따른 법령이 정하는 바에 따라 각종의 행정법규의 적용이 배제 내지 제한된다.

(3) 외국에 있는 한국인에게도 여권법, 병역법 등 우리나라 행정법이 적용된다.

간단 점검하기

05 국외의 자국민에 대하여 국내법령은 적용되지 않는다. ( ) 12. 국회직 9급

01 × 02 ○ 03 ○ 04 ○ 05 ×

Level up 속지주의(屬地主義)와 속인주의(屬人主義)

법의 효력이 미치는 기준을 지역으로 정하는 것을 속지주의라 하며, 그 기준을 사람으로 정하는 것을 속인주의라 한다. 속지주의는 지역 내의 모든 사람에게 법의 효력이 미친다. 속인주의는 그 효력이 특정인(특정 국적자)에게 미친다.

제4장 행정의 법 원칙

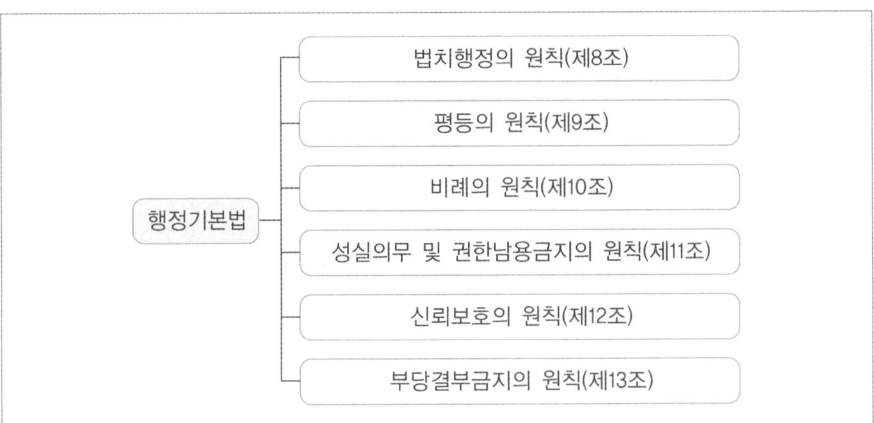

제1절 법치행정의 원칙

1 의의

법치행정의 원칙이란 행정작용은 법률에 위반되어서는 아니 되며, 국민의 권리를 제한하거나 의무를 부과하는 경우와 그 밖에 국민생활에 중요한 영향을 미치는 경우에는 법률에 근거하여야 한다는 것을 말한다(행정기본법 제8조).
행정을 법에 구속시킴으로써 행정의 자의를 방지하고 국민의 행정에 대한 예측가능성을 높이며, 행정의 효율성은 다소 저해되나 국민의 권리가 보호된다.

> 행정기본법 제8조【법치행정의 원칙】행정작용은 법률에 위반되어서는 아니 되며, 국민의 권리를 제한하거나 의무를 부과하는 경우와 그 밖에 국민생활에 중요한 영향을 미치는 경우에는 법률에 근거하여야 한다.

간단 점검하기

01 법치행정의 목적은 행정의 효율성과 행정작용의 예견가능성을 보장하는 데 있다. ( ) 11. 국가직 9급

2 법치주의의 내용[오토 마이어(O. Mayer)]

1. 법률의 법규창조력

(1) 원칙적으로 의회가 정립한 법률만이 법규로서의 구속력을 가진다는 것을 의미한다.

(2) 법규란 국민의 권리·의무에 영향을 미치는 사항을 규율하는 일반적·추상적 규율을 말한다.

(3) 행정권은 입법권에 의한 수권이 없는 한 스스로 법규를 창조할 수 없다.

간단 점검하기

02 법률의 법규창조력이란 국민의 권리·의무관계에 구속력을 가지는 법규(법규범)를 창조하는 것은 국민의 대표기관인 의회에서 제정한 법률만이라고 한다. ( ) 13. 국회직 9급

01 × 02 ○

2. 법률우위의 원칙(법 우위의 원칙)

(1) 법률의 형식으로 표현된 국가의사는 법적으로 다른 모든 국가작용(행정 · 사법)보다 상위에 있는 것이므로 행정도 법률에 위반되어서는 아니 된다는 것을 의미한다.

(2) 법률에 어긋남이 '없어야', 법률에 저촉되지 '않아야' 하는 것이므로 법치행정원칙의 소극적 측면을 나타낸다.

(3) 주로 법률이 있는 경우에 문제된다.

(4) 여기서 '법률'이란 의회가 제정한 형식적 의미의 법률에 한정되지 않고, 법규명령이나 자치법규(조례와 규칙)뿐만 아니라 불문법원인 관습법이나 행정법의 일반원칙도 포함된다.

(5) 행정의 전 영역에 적용되므로 공법형식의 국가작용뿐만 아니라 사법형식으로 이루어지는 국가작용에도 적용된다.❶

(6) 법률우위의 원칙을 위반한 위법한 행정작용의 효력은 행정의 행위형식에 따라 다르다.

관련판례 **법률우위의 원칙 위반** ★★

구 지방재정법 및 국가를 당사자로 하는 계약에 관한 법률상의 요건과 절차를 거치지 않고 체결한 지방자치단체와 사인 간의 사법상 계약 또는 예약은 효력이 없다. 즉, 무효이다(대판 2009.12.24, 2009다51288 ; 대판 2015.1.15, 2013다215133).

#사법상계약_법치주의적용 #법률우위적용_법률유보적용배제 #법률우위원칙_전영역적용

3. 법률유보의 원칙

(1) 일정한 행정활동은 법률의 근거 또는 수권이 있어야만 행할 수 있다는 것을 의미하며 행정활동은 조직법적 · 작용법적 근거하에 행하여져야 한다.❷

Level up **행정조직법과 행정작용법**

행정조직법	• 행정주체와 조직에 관한 법을 총칭하는 개념 • 행정지관의 설치와 폐지, 구성, 권한, 행정기관 상호관계를 정한 법
행정작용법	• 행정주체가 외부적으로 행하는 행정작용을 법치주의 관점에서 규율함 • 행정의 상대방의 권리와 의무에 관한 사항을 정한 법

(2) 법률의 근거가 '있어야' 하고, 법률의 수권이 '있어야' 한다는 것으로 법치행정원칙의 적극적 측면을 나타낸다.

(3) 법률유보의 원칙은 주로 법률이 없는 경우에 문제된다(단, 예산은 법률이 아니다).❸

(4) 여기서 법률이란 의회가 제정한 형식적 의미의 법률에 한정되지 않고 법률의 위임을 받은 법규명령이나 자치법규 등도 포함되나, 불문법인 관습법이나 판례법은 포함되지 않는다.

간단 점검하기

01 법률우위의 원칙이란 국가의 행정은 합헌적 절차에 따라 제정된 법률에 위반되어서는 아니 된다는 것을 말한다. ( ) 18. 교육행정직

02 법우위의 원칙에서 법은 형식적 법률뿐 아니라 법규명령과 관습법 등을 포함하는 넓은 의미의 법이다. ( ) 19. 서울시 7급

03 법률우위의 원칙은 행정의 모든 영역에 적용된다. ( ) 18. 교육행정직

04 법률의 우위원칙에 위반된 행정작용의 법적 효과는 행위형식에 따라 상이하여 일률적으로 말할 수 없다. ( ) 13. 국회직 9급

❶
법률을 위반한 행위는 하자 있는 행위로 무효 또는 취소 사유에 해당한다. 다만, 사법상 계약이 위법한 경우에 우리 판례는 그 효력을 무효로 본다(대판 2015.1.15, 2013다215133 참조).

❷
- **조직규범**: 행정작용을 위한 전제로서 행정을 행하는 조직의 권한을 규정한 규범(예 정부조직법 – 국가의 내국세 징수에 관한 사무권한을 국세청에 부여)
- **작용규범**: 현실적인 행정작용을 할 때 필요한 권한을 규정한 규범(예 소득세법 – 국세청이 국민에게 소득세를 징수할 수 있는 근거를 규정)

❸
예산은 법률이 아니므로 예산에 근거하여 구속력을 발하는 것은 법률유보원칙에 위배된다(헌재 2006.4.25, 2006헌마409).

간단 점검하기

05 법률유보의 원칙에 반하는 행정작용은 위법하다. ( ) 17. 교육행정직

06 법률유보원칙에서의 법률에는 국회가 제정하는 형식적 의미의 법률뿐만 아니라 법률의 위임에 따라 제정된 법규명령도 포함된다. ( ) 16. 서울시 9급

01 ○ 02 ○ 03 ○ 04 ○
05 ○ 06 ○

(5) 법률의 유보를 행정의 어느 영역까지 관철시킬 것인가에 대하여는 학설의 대립이 있다.

point check 법률의 우위와 법률의 유보의 비교

구분	법률의 우위	법률의 유보
의의	모든 행정작용은 법률에 위반되지 않아야 한다는 원칙	일정한 행정작용은 법률의 근거가 있어야 한다는 원칙❶
법치행정	법치행정의 소극적 측면 (법률에 어긋남이 '없어야', 법률에 저촉되지 '않아야')	법치행정의 적극적 측면 (법률의 근거가 '있어야', 법률의 수권이 '있어야')
법률 유무	법률이 있는 경우에 문제됨	법률이 없는 경우에 문제됨
대상	법률 + 법규명령 + 자치법규 + 불문법까지 포함	법률 + 법규명령 + 자치법규 (불문법은 제외)
적용 범위	모든 행정작용에 적용됨	어느 영역까지 적용할 것인지 학설대립

관련판례 **법률유보원칙의 '법률'의 의미 - 기본권 제한의 형식**

1 **법률(법률과 근거법령)** ★★★

기본권 제한에 관한 법률유보원칙은 '법률에 의한 규율'을 요청하는 것이 아니라 '법률에 근거한 규율'을 요청하는 것이므로, 기본권 제한에는 법률의 근거가 필요할 뿐이고 기본권 제한의 형식이 반드시 법률의 형식일 필요는 없으므로 법규명령, 규칙, 조례 등 실질적 의미의 법률을 통해서도 기본권 제한이 가능하다(헌재 2013.7.25, 2012헌마167).

#법률유보 #형식적의미_법률 #실질적의미_법률 #실질적의미_법률_법규명령_조례_규칙

2 법률유보의 원칙은 '법률에 의한' 규율만을 뜻하는 것이 아니라 '법률에 근거한' 규율을 요청하는 것이므로 기본권 제한의 형식이 반드시 법률의 형식일 필요는 없고 법률에 근거를 두면서 헌법 제75조가 요구하는 위임의 구체성과 명확성을 구비하기만 하면 위임입법에 의하여도 기본권 제한을 할 수 있다 할 것이다(헌재 2005.2.24, 2003헌마289).

3 **예산** ★★

예산도 일종의 법규범이고 법률과 마찬가지로 국회의 의결을 거쳐 제정되지만 예산은 법률과 달리 국가기관만을 구속할 뿐 일반국민을 구속하지 않는다(헌재 2006.4.25, 2006헌마409).

❶
법률유보원칙에서 의미하는 법적 근거는 작용법적 근거를 말한다. 조직법적 근거는 모든 행정권 행사에 있어서 당연히 요구된다. 그리고 법률유보원칙에서의 근거는 원칙적으로 개별적 근거를 의미하지만 예외적으로 포괄적 근거도 가능하다.

간단 점검하기

01 법률유보원칙에서 법률의 유보라고 하는 경우의 법률에는 국회에서 법률제정의 절차에 따라 만들어진 형식적 의미의 법률뿐만 아니라 국회의 의결을 거치지 않은 명령이나 불문법원으로서의 관습법이나 판례법도 포함된다. ( ) 19. 서울시 7급

02 법률유보원칙에서 요구되는 법적 근거는 작용법적 근거를 의미하며, 조직법적 근거는 모든 행정권 행사에 있어서 당연히 요구된다. ( ) 18. 서울시 9급

03 법률유보의 원칙은 행정권의 발동에 있어서 조직규범이 근거가 필요하다는 것을 말한다. ( ) 19. 서울시 7급

04 법률우위의 원칙은 행정의 법률에의 구속성을 의미하는 적극적인 성격의 것인 반면에 법률유보의 원칙은 행정은 단순히 법률의 수권에 의하여 행해져야 한다는 소극적 성격의 것이다. ( ) 13. 국회직 9급

05 법률의 우위의 원칙은 법률이 있는 경우에 문제되는 것인 데 대하여, 법률의 유보의 원칙은 법률이 없는 경우에 문제되는 것이다. ( ) 03. 5급

06 헌법재판소는 법률유보의 형식에 대하여 반드시 법률에 의한 규율만이 아니라 법률에 근거한 규율이면 되기 때문에 기본권제한의 형식이 반드시 법률의 형식일 필요는 없다고 하였다. ( ) 17. 지방직 9급

07 헌법재판소는 법률에 근거를 두면서 헌법 제75조가 요구하는 위임의 구체성과 명확성을 구비하는 경우에는 위임입법에 의하여도 기본권을 제한할 수 있다고 한다. ( ) 17. 국가직 9급

01 × 02 ○ 03 × 04 ×
05 ○ 06 ○ 07 ○

3 형식적 법치주의

1. 배경

근대 초기에 성립 · 발달한 법치주의(시민적 법치주의)가 19세기 후반 독일의 나치에 의하여 변질되었으며, 이를 형식적 법치주의라 한다. 형식적 법치주의는 의회에서 제정하는 형식을 취하면 어떠한 내용이라도 통용된다는 원리로, 변질된 법치주의를 말한다.

즉, 형식적 법치주의는 시민적 법치주의가 일정한 한계가 있다는 주장으로 법치주의의 의미를 왜곡시킨 것이다.

2. 법률의 법규창조력원칙의 한계

(1) 법률만이 법규를 창조하는 것이 아니라 행정권도 스스로 법규를 창조하였다(독립명령권 · 긴급명령권 등).

(2) 엄격한 법률유보가 아니며 입법에 의한 행정권에의 포괄적 수권을 부여하였다.

(3) 일반조항에 의한 광범위한 재량권 부여가 인정되었다.

3. 법률우위원칙의 적용한계

(1) 국가가 국민의 권리 · 의무를 규율함에 있어 형식 또는 절차에 대하여만 규율하면 족한 것으로 이해하여 '부당한 내용의 법률의 우위'까지 용납하게 되었다.

(2) 비상조치나 긴급명령에는 이 원칙이 적용되지 않았다.

4. 법률유보원칙의 적용한계

(1) 법률유보원칙의 적용범위를 매우 제한적으로 해석하고 있다.

(2) 침해유보설을 따르며, 국민의 자유권 · 재산권을 제한하거나 침해하는 행정작용만이 법률의 근거를 요하는 것으로 파악하여 그 이외의 영역은 행정이 법률로부터 자유로이 규율할 수 있는 것으로 보았다.

5. 구제제도의 미비

(1) 행정소송사항이 '열기주의'로 되어 있어 국민이 쟁송으로 다툴 수 있는 경우가 제한되어 있었다.

(2) 위법한 행정권 행사에 대한 국가의 손해배상책임이 부인되었다.

(3) 권력의 규제보다는 국민의 준법정신을 강조하게 된다.

4 실질적 법치주의

1. 배경

2차 대전 이후 변질된 법치주의의 폐해를 인식하여 본래의 법치주의로 회귀하게 되었다. 형식보다는 실질에 중점을 두어 국민의 자유와 권리가 헌법에 의하여 보장되는 체제로 확립되었다.

간단 점검하기

법치행정원리의 현대적 의미는 실질적 법치주의에서 형식적 법치주의로의 전환이다. ( ) 19. 서울시 7급

×

2. 법률의 법규창조력원칙의 관철

(1) 원칙적으로 의회가 제정한 형식적 법률만이 국민의 권리 · 의무에 영향을 미치는 사항을 규율하는 법규를 창조할 수 있다.

(2) 예외적으로 행정권에 의한 독립명령이 인정되나, 헌법에 의하여 그 발령요건이 엄격하게 규정되어 있다.

기출

실질적 법치주의를 구현하기 위한 방법으로 옳지 않은 것은? 14. 사회복지직

① 법률의 위임에 의한 법규명령의 제정에 있어서 포괄적 위임금지
② 행정의 내부조직이나 특별행정법관계 내부에까지 법률유보 적용확대
③ 헌법재판소에 의한 위헌법률심사제
④ 행정의 탄력성과 합목적성을 달성하기 위한 행정입법권의 강화

해설 실질적 법치주의에서는 행정권한 등 국가권한의 통제를 강화하여 국민권익보호를 확대하고 있다.

정답 ④

3. 법률우위원칙의 철저

(1) 형식과 절차뿐만 아니라 실질적인 내용도 정당한 법률이어야 우월적 지위를 가질 수 있다.

(2) '합헌적 법률'만이 우월적 지위를 가지게 되며, 위헌법률심사제도는 이를 구현하기 위한 제도이다.

point check 형식적 법치주의와 실질적 법치주의의 비교

구분	형식적 법치주의	실질적 법치주의
시기	근대	현대
국가관	야경국가 · 소극국가	복지국가 · 사회국가
법률의 내용	문제되지 않음 (법률의 형식 · 절차 강조)	문제가 됨 (합헌적 법률의 우위)
법률의 유보	침해유보설	급부행정유보설, 본질성설
법의 구속방향	편면적 구속성(국민만 구속)	양면적 구속성(국가도 구속)
특별권력관계	원칙적으로 법치주의가 적용되지 않음	원칙적으로 법치주의가 적용됨
법으로부터 자유영역	비교적 넓음(광범위한 재량 인정)	비교적 좁음(재량권에 대한 통제중심)
행정절차	중요성 낮음	중요성 높음
국가배상	부정	인정
행정소송	열기주의	개괄주의
헌법재판	부정	인정

간단 점검하기

실질적 법치국가에서는 국회에서 제정된 형식적 법률을 중시하며, 법의 내용적 측면이나 인권은 중요시하지 아니한다 ( ) 08. 관세사

×

4. 법률유보원칙의 적용범위의 확대

(1) 학설

구분	내용	평가
침해 유보설	• 국민의 자유·권리를 제한 또는 침해하거나, 새로운 의무를 부과하는 행정작용은 법률의 근거를 요한다는 견해 • 그 밖의 영역(수익적 행정, 특별권력관계를 포함한 국가내부의 영역)에는 법률유보원칙이 적용되지 않음	• 국가권력이 개인생활영역에 침해하는 것을 방어하는 데 유용하다는 장점 • 그러나 현대의 행정유형 중 중요한 의미를 갖는 급부행정이 법률유보로부터 제외됨으로써 현대복리국가에서 국민의 권익보호에 불충분하다는 비판
권력행정 유보설	• 침해행정이나 수익행정을 막론하고 모든 권력행정은 법률의 근거를 요한다는 견해 • 이 견해는 국민생활에 영향을 주는 일방적 행위에 대한 새로운 규범을 정립하는 것은 입법권의 전권에 속한다고 주장	• 복효적 행정행위의 설명이 용이하며 또한 헌법상의 민주적 통제원리에도 부합한다는 장점 • 유보의 범위를 다소 확대하기는 하였으나, 기본적으로 침해유보설의 틀을 벗어나지 못하고 있다는 비판
신침해 유보설	일반권력관계뿐만 아니라 특별권력관계에서도 국민의 권익을 침해하는 경우에는 반드시 법률에 근거하여야 한다는 견해	침해행정의 경우에만 법률의 수권을 필요로 한다는 점에서 침해유보설의 한 형태라는 비판
급부행정 유보설 (사회유보설)	• 침해행정뿐만 아니라 현대복지국가에서 중요한 의미를 가지는 급부행정에도 법률의 근거를 요한다는 견해 • 침해행정뿐만 아니라 급부행정 중 사회보장행정에만 법률에 근거를 요한다는 견해(사회유보설)	• 급부의 거부나 부당한 배분 등을 방지하여 급부행정에 있어서의 당사자의 법적 청구권을 보장하는 장점 • 오늘날 국가의 급부제공이 예산의 형식으로도 행해지는 점을 간과하였음(현실성이 없음)
전부 유보설	국민주권주의 및 의회민주주의에 입각하여 원칙적으로 행정의 모든 영역에 법률의 근거가 있어야 한다는 견해	• 행정권의 자의를 방지할 수 있다는 장점 • 국민주권주의 및 의회민주주의만을 지나치게 강조한 나머지 권력분립주의를 망각
중요사항 유보설 (본질사항 유보설)	• 본질사항은 반드시 법률의 근거를 요하지만, 비본질사항에 대해서는 법률의 근거 없이도 행정권을 발동할 수 있다는 견해 • 독일의 헌법재판소 판례(칼카르 결정)를 통하여 학설로 정립된 이론	• 본질적 사항에 대한 기준으로 기본권 관련성을 강조함으로써 현실적 타당성 부각 • 개별적인 탄력적 적용을 가능하게 한 장점 • 본질적인 것과 비본질적인 것과의 구별기준이 제시되어 있지 않다는 비판

간단 점검하기

01 급부행정유보설에 따르면 국민의 자유와 재산에 대한 침해행정에 대해서는 법률의 근거가 필요하지 않다고 한다. ( ) 12. 지방직 9급, 10. 지방직 7급

02 급부행정유보설이 행정에 대한 자유를 중요시하는 반면, 침해행정유보설은 행정을 통한 자유를 중요시한다. ( ) 05. 국회직 8급

03 전부유보설은 모든 행정작용이 법률에 근거해야 한다는 입장으로, 행정의 자유영역을 부정하는 견해이다. ( ) 13. 지방직 9급

04 법률유보원칙의 범위에 관한 학설로서 전부유보설은 의회민주주의와 의회의 우월성을 강조한 것이다. ( ) 05. 국회직 8급

05 중요사항유보설은 헌법상의 법치국가원칙·민주주의원칙 및 기본권규정과 관련하여 볼 때, 각 행정부문의 본질적 사항에 관한 규율은 법률에 유보되어야 한다는 학설이다. ( ) 10. 지방직 7급

06 중요사항유보설은 행정작용에 법률의 근거가 필요한지 여부에 그치지 않고 법률의 규율정도에 대해서도 설명하는 이론이다. ( ) 13. 지방직 9급

01 × 02 × 03 ○ 04 ○ 05 ○ 06 ○

(2) 결론(중요사항유보설 ; 다수설)

① 민주주의 요청과 행정의 탄력성을 조화시키면서 국민의 기본권을 고려하여 행위형식과 행정유형별로 개별적으로 결정하여야 한다(중요사항유보설).

② 권력적 행정작용의 경우에는 법률유보원칙이 엄격하게 적용된다.

③ 비권력적 행정작용의 경우에는 법률유보의 범위에 한하여 개별적 · 구체적으로 판단한다.

④ **판례**: 대법원의 입장은 불분명하나, 헌법재판소의 입장은 중요사항유보설을 취하고 있다(예 토지초과이득세법상 기준시가에 관한 판례, KBS 방송수신료결정에 관한 판례).

관련판례 법률유보에 관한 일반적 판례

1 살수차 ★★★

집회나 시위 해산을 위한 살수차 사용은 집회의 자유 및 신체의 자유에 대한 중대한 제한을 초래하므로 살수차 사용요건이나 기준은 법률에 근거를 두어야 하고, 살수차와 같은 위해성 경찰장비는 본래의 사용방법에 따라 지정된 용도로 사용되어야 하며 다른 용도나 방법으로 사용하기 위해서는 반드시 법령에 근거가 있어야 한다. 혼합살수방법(최루액 + 물)은 법령에 열거되지 않은 새로운 위해성 경찰장비에 해당하고 이 사건 지침에 혼합살수의 근거 규정을 둘 수 있도록 위임하고 있는 법령이 없으므로, 이 사건 지침은 법률유보원칙에 위배되고 이 사건 지침만을 근거로 한 이 사건 혼합살수행위 역시 법률유보원칙에 위배된다. 따라서 이 사건 혼합살수행위는 청구인들의 신체의 자유와 집회의 자유를 침해한다(헌재 2018.5.31, 2015헌마476).

#살수차 #집익행위_법령근거 #혼합살수 #법령근거없음_지침규정_위법

2 개인택시운송사업면허취소 ★★★

[1] 개인택시운송사업자에게 운전면허 취소사유가 있으나 그에 따른 운전면허 취소처분이 이루어지지는 않은 경우, 관할관청이 개인택시운송사업면허를 취소할 수 없다.

#법률유보원칙_위반

[2] 구 여객자동차운수사업법(2007.7.13. 법률 제8511호로 개정되기 전의 것) 제76조 제1항 제15호, 같은 법 시행령 제29조에는 관할관청은 개인택시운송사업자의 운전면허가 취소된 때에 그의 개인택시운송사업면허를 취소할 수 있도록 규정되어 있을 뿐 그에게 운전면허 취소사유가 있다는 사유만으로 개인택시운송사업면허를 취소할 수 있도록 하는 규정은 없으므로, 관할관청으로서는 비록 개인택시운송사업자에게 운전면허 취소사유가 있다 하더라도 그로 인하여 운전면허 취소처분이 이루어지지 않은 이상 개인택시운송사업면허를 취소할 수는 없다(대판 2008.5.15, 2007두26001).

#개인택시운송사업면허취소 #개인택시운송사업자 #음주운전사망사건
#개인택시운송사업_상속신고거부_위법

간단 점검하기

개인택시운송사업자의 운전면허가 아직 취소되지 않았더라도 운전면허취소사유가 있다면 행정청은 명문규정이 없더라도 개인택시운송사업면허를 취소할 수 있다. ( ) 19. 국가직 9급

×

간단 점검하기

01 오늘날 법률유보원칙은 단순히 행정작용이 법률에 근거를 두기만 하면 충분한 것이 아니라, 국가공동체와 그 구성원에게 기본적이고도 중요한 의미를 갖는 영역, 특히 국민의 기본권실현과 관련된 영역에 있어서는 국민의 대표자인 입법자가 그 본질적 사항에 대해서 스스로 결정하여야 한다는 요구까지 내포하고 있다는 헌법재판소 결정과 가장 관계가 깊은 것은 의회유보원칙이다. ( )

10. 지방직 7급, 07. 국가직 7급

02 국회가 형식적 법률로 직접 규율하여야 하는 필요성은 규율대상이 기본권 및 기본적 의무와 관련된 중요성을 가질수록, 그에 관한 공개적 토론의 필요성 또는 상충하는 이익 사이의 조정 필요성이 클수록 더 증대된다. ( )

19. 국가직 9급

03 수신료금액 결정은 수신료에 관한 본질적인 사항이 아니므로 국회가 반드시 스스로 행하여야 할 필요는 없다. ( ) 19. 사회복지직

관련판례 중요사항에 해당하는 경우

1 의회유보원칙 ★★★

오늘날 법률유보원칙은 단순히 행정작용이 법률에 근거를 두기만 하면 충분한 것이 아니라, 국가공동체와 그 구성원에게 기본적이고도 중요한 의미를 갖는 영역, 특히 국민의 기본권 실현에 관련된 영역에 있어서는 행정에 맡길 것이 아니라 국민의 대표자인 입법자 스스로 그 본질적 사항에 대하여 결정하여야 한다는 요구, 즉 의회유보 원칙까지 내포하는 것으로 이해되고 있다(헌재 2013.7.25, 2012헌바54).

#국민_기본권 #입법자_스스로_결정 #의회유보

2 납세의무규정과 법률유보 ★★

[1] 어떠한 사안이 국회가 형식적 법률로 스스로 규정하여야 하는 본질적 사항에 해당되는지는, 구체적 사례에서 관련된 이익 내지 가치의 중요성, 규제 또는 침해의 정도와 방법 등을 고려하여 개별적으로 결정하여야 하지만, 규율대상이 국민의 기본권 및 기본적 의무와 관련한 중요성을 가질수록 그리고 그에 관한 공개적 토론의 필요성 또는 상충하는 이익 사이의 조정 필요성이 클수록, 그것이 국회의 법률에 의해 직접 규율될 필요성은 더 증대된다.

[2] 법인세, 종합소득세와 같이 납세의무자에게 조세의 납부의무뿐만 아니라 스스로 과세표준과 세액을 계산하여 신고하여야 하는 의무까지 부과하는 경우에는 신고의무 이행에 필요한 기본적인 사항과 신고의무불이행 시 납세의무자가 입게 될 불이익 등은 납세의무를 구성하는 기본적, 본질적 내용으로서 법률로 정해야 한다(대판 2015.8.20, 2012두23808).

#납세신고의무 #신고의무_이행_기본사항 #신고의무_불이행_불이익 #법률유보사항

3 텔레비전방송수신료 ★★★

텔레비전방송수신료는 대다수 국민의 재산권 보장의 측면이나 한국방송공사에게 보장된 방송자유의 측면에서 국민의 기본권실현에 관련된 영역에 속하고, 수신료금액의 결정은 납부의무자의 범위 등과 함께 수신료에 관한 본질적인 중요한 사항이므로 국회가 스스로 행하여야 하는 사항에 속하는 것임에도 불구하고 한국방송공사법 제36조 제1항에서 국회의 결정이나 관여를 배제한 채 한국방송공사로 하여금 수신료금액을 결정해서 문화관광부장관의 승인을 얻도록 한 것은 법률유보원칙에 위반된다(헌재 1999.5.27, 98헌바70).❶

#텔레비전방송수신료 #기본권실현 #본질적인_중요사항 #의회유보사항 #현행법률_국회승인

❶ 방송법 제65조【수신료의 결정】 수신료의 금액은 이사회가 심의·의결한 후 방송통신위원회를 거쳐 국회의 승인을 얻어 확정되고, 공사가 이를 부과·징수한다.

4 병의 복무기간 ★★

병의 복무기간은 국방의무의 본질적 내용에 관한 것이어서 이는 반드시 법률로 정하여야 할 입법사항에 속한다고 풀이할 것인바 육군본부 방위병소집복무해제규정(육군규정 104-1) 제23조가 질병휴가, 청원휴가, 각종사고(군무이탈, 구속, 영창, 징역, 유계결근), 1일 24시간 이상 지각, 조퇴한 날, 전속 및 보직변경에 따른 출발일자부터 일보변경 전일까지의 기간 등을 복무에서 제외한다고 규정하여 병역법 제25조 제3항이 규정하지 아니한 구속 등의 사유를 복무기간에 산입하지 않도록 규정한 것은 병역법에 위반하여 무효라고 할 것이다(대판 1985. 2.28, 85초13).

#병의복무기간 #본질적_사항 #위반행위_무효 #중요사항_내부규칙규정_무효

01 ○ 02 ○ 03 ×

5 토지초과이득세법상 기준시가 ★★

토지초과이득세법(이하 "토초세법")상의 기준시가는 국민의 납세의무의 성부 및 범위와 직접적인 관계를 가지고 있는 중요한 사항이므로 이를 하위법규에 백지위임하지 아니하고 그 대강이라도 토초세법 자체에서 직접 규정해 두어야만 함에도 불구하고, 토초세법 제11조 제2항이 그 기준시가를 전적으로 대통령령에 맡겨 두고 있는 것은 헌법상의 조세법률주의 혹은 위임입법의 범위를 구체적으로 정하도록 한 헌법 제75조의 취지에 위반된다(헌재 1994.7.29, 92헌바49 · 52).

#기준시가_백지위임_위헌 #토지초과이득세법_기준시가 #중요사항 #법률규율 #대통령령_위임_위헌

6 중학교 의무교육 ★★

교육법 제8조의2는 교육법 제8조에 정한 의무교육으로서 3년의 중등교육의 순차적인 실시에 관하여만 대통령령이 정하도록 하였으므로 우선 제한된 범위에서라도 의무교육을 실시하되 순차로 그 대상을 확대하도록 되어 있음은 교육법의 각 규정상 명백하고, 다만 그 확대실시의 시기 및 방법만을 대통령령에 위임하여 합리적으로 정할 수 있도록 한 것이므로 포괄위임금지를 규정한 헌법 제75조에 위반되지 아니한다(헌재 1991.2.11, 90헌가27).

#중학교의무교육 #법률유보사항 #순차적실시(시기와방법_위임) #포괄위임금지_위임_아님

7 지방의회의원 유급보좌관 ★

지방의회의원에 대하여 유급보좌인력을 두는 것은 지방의회의원의 신분 · 지위 및 그 처우에 관한 현행 법령상의 제도에 중대한 변경을 초래하는 것으로서, 이는 개별 지방의회의 조례로써 규정할 사항이 아니라 국회의 법률로써 규정하여야 할 입법사항이다(국회의원의 입법활동을 지원하기 위한 보좌직원으로서의 보좌관도 국회의원수당 등에 관한 법률 제9조에서 규정하고 있다)(대판 2017.3.30, 2016추5087 ; 대판 2013.1.16, 2012추84).

#유급보좌관 #서울시_부산시의회 #중대한_변경 #법률유보사항

간단 점검하기

지방의회의원에 대하여 유급보좌인력을 두는 것은 개별 지방의회의 조례로써 규정할 사항이 아니라 국회의 법률로써 규정하여야 할 입법사항이다.

( ) 18. 서울시 9급, 17. 국가직 9급

○

8 토지등소유자의 동의, 동의요건결정, 동의정족수 ★★★

도시환경정비사업의 시행자인 토지등소유자가 사업시행인가를 신청하기 전에 얻어야 하는 토지등소유자의 동의요건을 토지등소유자가 자치적으로 정하여 운영하는 규약에 정하도록 한 구 도시 및 주거환경정비법 제28조 제5항 본문의 "사업시행자" 중 제8조 제3항에 따라 도시환경정비사업을 토지등소유자가 시행하는 경우 "정관 등이 정하는 바에 따라" 부분이 법률유보원칙에 위반된다. 토지등소유자가 도시환경정비사업을 시행하는 경우 사업시행인가 신청시 필요한 토지등소유자의 동의는, 개발사업의 주체 및 정비구역 내 토지등소유자를 상대로 수용권을 행사하고 각종 행정처분을 발할 수 있는 행정주체로서의 지위를 가지는 사업시행자를 지정하는 문제로서, 그 동의요건을 정하는 것은 국민의 권리와 의무의 형성에 관한 기본적이고 본질적인 사항이므로 국회가 스스로 행하여야 하는 사항에 속하는 것임에도 불구하고, 사업시행인가 신청에 필요한 동의정족수를 토지등소유자가 자치적으로 정하여 운영하는 규약에 정하도록 한 것은 법률유보원칙에 위반된다(헌재 2011.8.30, 2009헌바128 ; 헌재 2012.4.24, 2010헌바1).

#도시환경정비사업 #토지등소유자_동의_동의요건_동의요건결정(동의정족수) #기본적_본질적_사항 #법률유보사항

간단 점검하기

01 수신료 징수업무를 한국방송공사가 직접 수행할지 제3자에게 위탁할지 여부는 국민의 기본권제한에 관한 본질적인 사항이 아니다. ( )
19. 사회복지직

관련판례 중요사항에 해당하지 않는 경우

1 방송수신료징수업무 ★★

수신료 징수업무를 한국방송공사가 직접 수행할 것인지 제3자에게 위탁할 것인지, 위탁한다면 누구에게 위탁하도록 할 것인지, 위탁받은 자가 자신의 고유업무와 결합하여 징수업무를 할 수 있는지는 징수업무 처리의 효율성 등을 감안하여 결정할 수 있는 사항으로서 국민의 기본권제한에 관한 본질적인 사항이 아니라 할 것이다(헌재 2008.2.28, 2006헌바70).

#방송수신료징수업무 #기본권제한_본질사항_아님 #법률유보사항_아님 #방송수신료금액결정_중요사항

2 공법적 자치단체 ★★★

① 도시정비사업조합 ★★★

[1] 법률이 공법적 단체 등의 정관에 자치법적 사항을 위임한 경우 포괄위임입법금지 원칙의 적용이 없으며, 국민의 권리·의무에 관한 기본적이고 본질적인 사항까지 정관에 위임할 수 없다.

#공법적 단체_법률유보 #자치법적사항_위임

[2] 도시정비법상 사업시행자에게 사업시행계획의 작성권이 있고 행정청은 단지 이에 대한 인가권만을 가지고 있으므로 사업시행자인 조합의 사업시행계획 작성은 자치법적 요소를 가지고 있는 사항이라 할 것이고, 이와 같이 사업시행계획의 작성이 자치법적 요소를 가지고 있는 이상, 조합의 사업시행인가 신청시의 토지 등 소유자의 동의요건 역시 자치법적 사항이라 할 것이며, 따라서 개정 도시정비법 제28조 제4항 본문이 사업시행인가 신청시의 동의요건을 조합의 정관에 포괄적으로 위임하고 있다고 하더라도 헌법 제75조가 정하는 포괄위임입법금지의 원칙이 적용되지 아니하므로 이에 위배된다고 할 수 없다. 그리고 조합의 사업시행인가 신청시의 토지 등 소유자의 동의요건이 비록 토지 등 소유자의 재산상 권리·의무에 영향을 미치는 사업시행계획에 관한 것이라고 하더라도, 그 동의요건은 사업시행인가 신청에 대한 토지 등 소유자의 사전 통제를 위한 절차적 요건에 불과하고 토지 등 소유자의 재산상 권리·의무에 관한 기본적이고 본질적인 사항이라고 볼 수 없으므로 법률유보 내지 의회유보의 원칙이 반드시 지켜져야 하는 영역이라고 할 수 없고, 따라서 개정 도시정비법 제28조 제4항 본문이 법률유보 내지 의회유보의 원칙에 위배된다고 할 수 없다(대판 2013.11.28, 2012두7332 ; 대판 2007.10.12, 2006두14476).

#도시정비사업조합 #소유자동의요건_정관위임 #자치적사항_포괄적위임금지_적용없음
#소유자동의요건_재산권_본질사항_아님

② 입주자대표회의 ★

입주자대표회의는 공법상의 단체가 아닌 사법상의 단체로서, 이러한 특정 단체의 구성원이 될 수 있는 자격을 제한하는 것이 국가적 차원에서 형식적 법률로 규율되어야 할 본질적 사항이라고 보기 어렵다(헌재 2016.7.28, 2014헌바158·174).

#사법상단체_법률규율사항_아님 #입주자대표회의

간단 점검하기

02 판례에 따르면 국가의 통치조직과 작용에 관한 기본적이고 본질적인 사항은 반드시 국회가 정하여야 한다.
( ) 11. 지방직 7급

③ 국가유공자단체(대의원선출) ★★

법률이 자치적인 사항을 정관에 위임할 경우 원칙적으로 헌법상의 포괄위임입법금지원칙이 적용되지 않는다 하더라도, 그 사항이 국민의 권리·의무에 관련되는 것일 경우에는, 적어도 국민의 권리와 의무의 형성에 관한 사항을 비롯하여 국가의 통치조직과 작용에 관한 기본적이고 본질적인 사항은 반드시 국회가 정하여야 할 것인바, 각 국가유공자 단체의 대의원의 선출에 관한 사항은 각 단체의 구성과 운영에 관한 것으로서, 국민의 권리와 의무의 형성에 관한 사항이

01 ○ 02 ○

나 국가의 통치조직과 작용에 관한 기본적이고 본질적인 사항이라고 볼 수 없으므로, 법률유보 내지 의회유보의 원칙이 지켜져야 할 영역이라고 할 수 없다. 따라서 각 단체의 대의원의 정수 및 선임방법 등은 정관으로 정하도록 규정하고 있는 국가유공자 등 단체 설립에 관한 법률 제11조가 법률유보 혹은 의회유보의 원칙에 위배되어 청구인의 기본권을 침해한다고 할 수 없다(헌재 2006.3.30, 2005헌바31).

#국가유공자단체(상이군경회)_대의원선출 #자치적사항 #의회유보사항_아님

Level up **독일 칼카르(Kalkar) 결정(1978년) → 원자력발전소 설치는 중요사항에 해당한다고 하여 중요사항유보설을 취한 판례**

독일연방헌법재판소는 칼카르 결정에서 '원자력발전소의 설치와 같은 국가사회 공동체 내에서 극단의 갈등요소가 존재하는 근본적인 결정'은 전적으로 입법자인 의회의 몫이며, 입법자는 침해라는 특징과는 무관하게 기본적인 규범영역에서, 특히 기본권 실현의 영역에서 국가 전체적인 규율의 필요성을 감안하여 모든 본질적인 결정을 스스로 해야한다고 판시한 것이다. 즉, ① '매우 중요한 사항'에 대하여는 모든 사항을 법률로써 배타적으로 정하여야 하고, ② '보다 덜 중요한 사항'은 행정부에도 입법권이 위임될 수 있고, ③ '중요하지 않은 사항'은 법률의 근거를 요하지 않는다.

point check **행정유보**

행정유보란 행정의 일정영역은 행정의 고유영역으로서 국회 등 다른 기관이 관여할 수 없도록 행정권에 유보되어 있다는 개념이다. 이는 법률유보원칙을 부정하는 것이 아니며, 법률유보원칙의 적용하에서도 공백으로 남게 되는 영역에 대하여 행정기관이 독자적으로 규범적 규율을 할 수 있음을 의미하는 것으로 서로 보충적인 관계라고 볼 수 있다.❶

5. 구제제도의 강화

(1) 법치행정의 원리에도 불구하고 현실적으로 행정이 국민에게 불이익을 주는 경우가 많이 있는바, 이러한 경우에 국민에 대한 권리구제의 길이 마련되어 있어야만 법치주의가 실질적으로 보장되어 있다고 할 수 있다.

(2) 행정상 손해전보제도(손해배상과 손실보상), 행정쟁송제도(행정심판과 행정소송) 등을 인정함으로써 행정구제제도를 완비하였다.

(3) 또한 행정절차법, 공공기관의 정보공개에 관한 법률 등을 제정하여 국민의 권익구제에 한층 진일보하고 있다.

간단 점검하기

법률유보의 적용범위는 행정의 복잡화와 다기화, 재량행위의 확대에 따라 과거에 비해 점차 축소되고 있으며 이러한 경향에 따라 헌법재판소는 행정유보의 입장을 확고히하고 있다 ( )

16. 사회복지직

❶ 행정의 복잡화·다기화, 재량행위의 확대에 따라 법률유보의 적용범위는 점차 확대되고 있다. 또한 헌법재판소는 의회유보의 입장을 취하고 있으므로, 행정유보와 구분해야 한다.

×

제2절 비례의 원칙(과잉금지의 원칙)

1 개설

1. 의의

(1) 비례의 원칙이란 행정주체가 구체적인 행정목적을 실현함에 있어서 '목적실현과 수단선택 사이에 합리적인 비례관계'가 유지되어야 한다는 원칙을 말한다.

(2) 비례의 원칙은 "경찰은 참새를 잡기 위하여 대포를 쏘아서는 아니 된다."는 표현에 비유되기도 한다.

기출

다음 사례에서 법원이 피고 행정청의 처분이 재량을 남용하였다고 판단하면서 인용한 행정법의 일반원칙을 가장 잘 묶은 것은? 13. 서울시 7급

> 원판결이유에 의하면 원심은 원고가 원판시와 같이 부산시 영도구청의 당직근무 대기 중 약 25분간 같은 근무조원 3명과 함께 시민과장실에서 심심풀이로 돈을 걸지 않고 점수따기 화투놀이를 한 사실을 확정한 다음 이것이 국가공무원법 제78조 제1호·제3호 규정의 징계사유에 해당한다 할지라도 당직근무시간이 아닌 그 대기 중에 불과 약 25분간 심심풀이로 한 것이고 또 돈을 걸지 아니하고 점수따기를 한 데 불과하며 원고와 함께 화투놀이를 한 3명(지방공무원)은 부산시 소청심사위원회에서 견책에 처하기로 의결된 사실이 인정되는 점 등 제반 사정을 고려하면 피고가 원고에 대한 징계처분으로 파면을 택한 것은 재량의 범위를 벗어난 위법한 것이다.

① 평등의 원칙, 신뢰보호의 원칙
② 행정의 자기구속의 법리, 법률적합성의 원칙
③ 비례의 원칙, 평등의 원칙
④ 신뢰보호의 원칙, 부당결부금지의 원칙
⑤ 부당결부금지의 원칙, 비례의 원칙

해설 함께 화투놀이를 한 4명 중 3명에게는 견책을 하고, 1명에게는 파면처분을 한 것은 비례의 원칙 및 평등의 원칙에 어긋난다.

정답 ③

2. 성질

(1) 비례의 원칙은 법치국가원리의 파생원칙의 하나로서 헌법적 효력을 가지는 법원칙이다.

(2) 비례의 원칙은 행정법의 전 영역에서 적용되는 것으로서 국민의 권익을 보호하는 최후의 보루가 되는 원칙이다.

관련판례 **비례의 원칙(과잉금지의 원칙)**

1 비례의 원칙(과잉금지의 원칙)이란 어떤 행정목적을 달성하기 위한 수단은 그 목적달성에 유효·적절하고 또한 가능한 한 최소침해를 가져오는 것이어야 하며 아울러 그 수단의 도입으로 인한 침해가 의도하는 공익을 능가하여서는 아니 된다는 헌법상의 원칙을 말한다(대판 1997.9.26, 96누10096).

2 헌법 제37조 제2항에 의하면 … 헌법상 과잉금지원칙이란 국민의 기본권 제한에 있어 국가작용의 한계를 명시한 것으로서 입법 목적의 정당성, 방법의 적정성 또는 상당성, 피해의 최소성, 법익의 균형성 등을 내용으로 하며, 그 어느 하나에도 저촉되면 헌법위반에 해당한다는 헌법상의 원칙을 말한다(헌재 1997.3.27, 95헌가17 ; 대판 2012.9.27, 2012도4637).

2 연혁 및 근거

1. 연혁

(1) 비례의 원칙은 독일 경찰행정의 영역에서 판례를 통하여 발전된 것이다.

(2) 우리나라에서도 개별법에서 직접 규정하지 않은 상태로 판례와 개별 법률 등의 해석에 의해 비례의 원칙이 적용되어 오다 2021년 3월 23일 행정기본법에 개별 조항으로 직접 규정되어 제정되었으며 같은 날 시행되었다.

2. 헌법

헌법에서 명시적으로 비례의 원칙을 규정한 것은 아니나 헌법재판소는 그 근거를 헌법 제37조 제2항에서 찾는다.

> 헌법 제37조 ② 국민의 모든 자유와 권리는 국가안전보장·질서유지 또는 공공복리를 위하여 필요한 경우에 한하여 법률로써 제한할 수 있으며, 제한하는 경우에도 자유와 권리의 본질적인 내용을 침해할 수 없다.

3. 개별법

> 행정기본법 제10조 【비례의 원칙】 행정작용은 다음 각 호의 원칙에 따라야 한다.
> 1. 행정목적을 달성하는 데 유효하고 적절할 것
> 2. 행정목적을 달성하는 데 필요한 최소한도에 그칠 것
> 3. 행정작용으로 인한 국민의 이익 침해가 그 행정작용이 의도하는 공익보다 크지 아니할 것
>
> 경찰관 직무집행법 제1조 【목적】 ② 이 법에 규정된 경찰관의 직권은 그 직무수행에 필요한 최소한도 내에서 행사되어야 하며 남용되어서는 아니 된다.
>
> 행정절차법 제48조 【행정지도의 원칙】 ① 행정지도는 그 목적 달성에 필요한 최소한도에 그쳐야 하며, 행정지도의 상대방의 의사에 반하여 부당하게 강요하여서는 아니 된다.

간단 점검하기

01 과잉금지의 원칙이라 함은 국민의 기본권을 제한함에 있어서 국가작용의 한계를 명시한 것으로서 목적의 정당성, 방법의 적정성, 피해의 최소성, 법익의 균형성 등을 의미하며 그 어느 하나에라도 저촉이 되면 위헌이 된다는 헌법상의 원칙을 말한다. ( )
18. 경찰행정

간단 점검하기

02 비례원칙은 우리 헌법 제37조 제2항에서 근거를 찾을 수 있다. ( )
05. 관세사

01 ○ 02 ○

간단 점검하기

01 행정규제기본법과 행정절차법은 각각 규제의 원칙과 행정지도의 원칙으로 비례의 원칙을 정하고 있다. ( )

17. 서울시 9급

행정규제기본법 제5조【규제의 원칙】③ 규제의 대상과 수단은 규제의 목적 실현에 필요한 최소한의 범위에서 가장 효과적인 방법으로 객관성·투명성 및 공정성이 확보되도록 설정되어야 한다.

식품위생법 제79조【폐쇄조치 등】④ 제1항에 따른 조치는 그 영업을 할 수 없게 하는 데에 필요한 최소한의 범위에 그쳐야 한다.

행정대집행법 제2조【대집행과 그 비용징수】법률(법률의 위임에 의한 명령, 지방자치단체의 조례를 포함한다. 이하 같다)에 의하여 직접명령되었거나 또는 법률에 의거한 행정청의 명령에 의한 행위로서 타인이 대신하여 행할 수 있는 행위를 의무자가 이행하지 아니하는 경우 다른 수단으로써 그 이행을 확보하기 곤란하고 또한 그 불이행을 방치함이 심히 공익을 해할 것으로 인정될 때에는 당해 행정청은 스스로 의무자가 하여야 할 행위를 하거나 또는 제삼자로 하여금 이를 하게 하여 그 비용을 의무자로부터 징수할 수 있다.

간단 점검하기

02 비례의 원칙은 구체적으로 목적적합성의 원칙, 최소침해의 원칙, 협의의 비례의 원칙 등을 내용으로 한다. ( )

05. 관세사

3 내용

1. 적합성의 원칙(수단의 적정성)

(1) 적합성의 원칙은 행정기관이 취하는 조치 또는 수단은 그의 목적을 달성하기에 적합하여야 한다는 것을 의미한다.

(2) 선택된 수단이 가장 적합한 수단일 것까지는 요구하지 않으며, 목적달성에 어느 정도 기여할 수 있는 정도면 충분하다.

관련판례

1 변호사개업지제한 적합성 × ★★★

변호사법 제10조 제2항(변호사개업지제한 ; 변호사의 개업신고전 2년 이내의 근무지가 속하는 지방법원의 관할구역 안에서는 퇴직한 날로부터 3년간 개업할 수 없다)이 변호사의 개업지를 일정한 경우 제한함으로써 직업선택의 자유를 제한한 것은 그 입법취지의 공익적 성격에도 불구하고 선택된 수단이 그 목적에 적합하지 아니할 뿐 아니라, 그 정도 또한 과잉하여 비례의 원칙에 벗어난 것이고, 나아가 합리적 이유 없이 변호사로 개업하고자 하는 공무원을 근속기간 등에 따라 차별하여 취급하고 있다(헌재 1989.11.20, 89헌가102).

#변호사개업지제한(수단) #정실배제(목적) #적합성원칙_위반

2 유해물질배출허가제 적합성 ○ ★★

특정대기유해물질 배출시설 설치에 행정청의 허가를 받도록 한 것은 대기오염으로 인한 국민건강이나 환경에 관한 위해를 예방하고 대기환경을 적정하고 지속가능하게 관리·보전하여 모든 국민이 건강하고 쾌적한 환경에서 생활할 수 있게 하기 위한 구 대기환경보전법의 입법 목적(제1조)에 부합하므로 그 목적의 정당성이 인정되고, 배출시설 설치 허가제는 위 목적을 달성하는 데 적합한 수단이다(대판 2019.10.18, 2018두34497).

#유해물질배출시설설치_허가제 #대기환경보전법_입법목적_적합

01 ○ 02 ○

2. 필요성의 원칙(침해의 최소성)

(1) 의의

필요성의 원칙은 목적달성을 위한 여러 수단 중에서 관계자에게 가장 적은 부담을 주는 수단을 선택하여야 한다는 것을 의미한다.[1] 따라서 비례의 원칙을 최소침해의 원칙 또는 가장 완화된 수단의 원칙이라고도 한다.

(2) 대체수단의 제공

다른 대체수단이 있음에도 불구하고 행정권을 발동하는 것은 비례원칙에 반한다. 예를 들어, ㉠ 행정청의 영업정지처분에 상대방이 영업의 폐업신고를 하는 경우 이를 받아들여야 하는 경우나, ㉡ 행정관청이 위법건축물의 개축을 명한 것에 대하여 건축주가 그 건물을 철거하겠다고 제안한 경우, 행정기관은 이를 받아들일 의무가 있다.

관련판례 경찰권발동과 비례원칙

1 경찰관의 무기 사용

경찰관은 범인의 체포, 도주의 방지, 자기 또는 타인의 생명 · 신체에 대한 방호, 공무집행에 대한 항거의 억제를 위하여 무기를 사용할 수 있으나, 이 경우에도 무기는 목적달성에 필요하다고 인정되는 상당한 이유가 있을 때 그 사태를 합리적으로 판단하여 필요한 한도 내에서 사용하여야 한다(대판 1999.3.23, 98다63445).

#경찰관_무기사용 #목적달성_상당이유_최소한

2 가스총 근접발사 ★★★

[1] 경찰관은 범인의 체포 또는 도주의 방지, 타인 또는 경찰관의 생명·신체에 대한 방호, 공무집행에 대한 항거의 억제를 위하여 필요한 때에는 최소한의 범위 안에서 가스총을 사용할 수 있으나, 가스총은 통상의 용법대로 사용하는 경우 사람의 생명 또는 신체에 위해를 가할 수 있는 이른바 위해성 장비로서 그 탄환은 고무마개로 막혀 있어 사람에게 근접하여 발사하는 경우에는 고무마개가 가스와 함께 발사되어 인체에 위해를 가할 가능성이 있으므로, 이를 사용하는 경찰관으로서는 인체에 대한 위해를 방지하기 위하여 상대방과 근접한 거리에서 상대방의 얼굴을 향하여 이를 발사하지 않는 등 가스총 사용시 요구되는 최소한의 안전수칙을 준수함으로써 장비 사용으로 인한 사고 발생을 미리 막아야 할 주의의무가 있다.

[2] 경찰관이 난동을 부리던 범인을 검거하면서 가스총을 근접 발사하여 가스와 함께 발사된 고무마개가 범인의 눈에 맞아 실명한 경우 국가배상책임을 인정한다(대판 2003.3.14, 2002다57218).

3 2m 실탄발사 ★★

경찰관이 길이 40cm 가량의 칼로 반복적으로 위협하며 도주하는 차량절도혐의자를 추적하던 중, 도주하기 위하여 등을 돌린 혐의자의 몸 쪽을 향하여 약 2m 거리에서 실탄을 발사하여 혐의자를 복부관통상으로 사망케 한 경우, 경찰관의 총기사용은 사회통념상 허용범위를 벗어난 위법행위에 해당한다(대판 1999.3.23, 98다63445).

#2m실탄발사 #위법

[1] 예를 들어, 붕괴위험에 있는 건물에 대하여 적절한 보수(개수명령)로 위험을 막을 수 있음에도 불구하고 철거명령을 내려서는 아니 된다.

간단 점검하기

01 위험한 건물에 대하여 개수명령으로써 목적을 달성할 수 있음에도 불구하고 철거명령을 발령하는 것은 비례원칙의 내용 중 필요성원칙에 반한다. ( ) 08. 국가직 7급

02 경찰관은 범인의 체포 또는 도주의 방지, 타인 또는 경찰관의 생명 · 신체에 대한 방호, 공무집행에 대한 항거의 억제를 위하여 필요한 때에는 최소한의 범위 안에서 가스총을 사용할 수 있으나, 이 경우 가스총 사용시 요구되는 최소한의 안전수칙을 준수함으로써 장비 사용으로 인한 사고 발생을 미리 막아야 할 주의의무가 있다. ( ) 17. 경찰행정

03 경찰관이 난동을 부리던 범인을 검거하면서 가스총을 근접 발사하여 가스와 함께 발사된 고무마개가 범인의 눈에 맞아 실명한 경우 국가배상이 인정된다. ( ) 08. 국회직 8급

01 ○ 02 ○ 03 ○

4 바퀴에 실탄발사 ★★

50cc 소형 오토바이 1대를 절취하여 운전중인 15~16세의 절도 혐의자 3인이 경찰관의 검문에 불응하며 도주하자, 경찰관이 체포 목적으로 오토바이의 바퀴를 조준하여 실탄을 발사하였으나 오토바이에 타고 있던 1인이 총상을 입게 된 경우, 제반 사정에 비추어 경찰관의 총기 사용이 사회통념상 허용범위를 벗어나 위법하다(대판 2004.5.13, 2003다57956).

#50cc소형오토바이 #바퀴조준 #총상 #위법

관련판례 대체수단제공

보존음료수국내판매금지 ★★★

헌법 제35조 제1항은 모든 국민은 건강하고 쾌적한 환경에서 생활할 권리를 가진다고 규정하고 있으므로(구 헌법 제33조도 거의 같은 취지로 규정하고 있다), 국민이 수돗물의 질을 의심하여 수돗물을 마시기를 꺼린다면 국가로서는 수돗물의 질을 개선하는 등의 필요한 조치를 취함으로써 그와 같은 의심이 제거되도록 노력하여야 하고, 만일 수돗물에 대한 국민의 불안감이나 의심이 단시일 내에 해소되기 어렵다면 국민으로 하여금 다른 음료수를 선택하여 마실 수 있게 하는 것이 국가의 당연한 책무이다(대판 1994.3.8, 92누1728).

#생수국내판매금지 #위화감방지 #식수공급행정_혼란 #적합성_필요성_위반 #수돗물_질_의심 #개선노력 #단시간개선_어려움 #대체수단제공

3. 상당성의 원칙(법익의 균형성)

(1) 해당 행정작용에 의하여 침해되는 법익(사익)과 그 행정작용이 추구하는 법익(공익) 사이에 합리적인 균형관계가 있어야 한다.

(2) 행정조치를 취함에 따른 불이익이 그것에 의하여 초래되는 이익보다 큰 경우에는 해당 행정조치를 취해서는 아니 된다는 원칙이다.

(3) 협의의 비례의 원칙 또는 균형성의 원칙이라고도 한다.

4. 적용방법

(1) 적합성 · 필요성 · 상당성의 원칙은 넓은 의미의 비례원칙의 단계구조를 이루므로 일정한 순서에 따라 고려된다.

(2) 다시 말해, 적합한 여러 수단들을 검토한 후 이들 중에서 최소한의 침해를 가져오는 수단들을 선정하고, 그러한 수단 중에서 합리적인 비례관계가 없는 수단을 배제하는 과정을 거친다.

(3) 기본권 제한에 있어서도 비례원칙이 적용된다. 즉, 기본권 제한의 경우에는 '여부'와 '방법'의 제한이 있는바, 방법을 제한함으로써 목적을 달성할 수 있는 경우에는 여부는 제한할 수 없다.

간단 점검하기

협의의 비례원칙인 상당성의 원칙은 재량권행사의 적법성의 기준에 해당한다.
( ) 13. 국가직 9급

○

관련판례

1 기본권제한

기본권을 제한하는 규정은 기본권행사의 '방법'에 관한 규정과 기본권행사의 '여부'에 관한 규정으로 구분할 수 있다. 침해의 최소성의 관점에서, 입법자는 그가 의도하는 공익을 달성하기 위하여 우선 기본권을 보다 적게 제한하는 단계인 기본권행사의 '방법'에 관한 규제로써 공익을 실현할 수 있는가를 시도하고 이러한 방법으로는 공익달성이 어렵다고 판단되는 경우에 비로소 그 다음 단계인 기본권행사의 '여부'에 관한 규제를 선택해야 한다(헌재 1998.5.28, 96헌가5).

#기본권제한 #방법_여부_제한

2 구 기부금품모집금지법 ★★★

구 법이 의도하는 목적인 국민의 재산권보장과 생활안정은 모집목적의 제한보다도 기본권을 적게 침해하는 모집행위의 절차 및 그 방법과 사용목적에 따른 통제를 통해서도 충분히 달성될 수 있다 할 것이므로, 모집목적의 제한을 통하여 모집행위를 원칙적으로 금지하는 법 제3조는 입법목적을 달성하기에 필요한 수단의 범위를 훨씬 넘어 국민의 기본권을 과도하게 침해하는 위헌적인 규정이다(헌재 1998.5.28, 96헌가5).

#기부금품모집금지법 #모집목적제한 #모집절차_방법_사용목적_통제

> 구 기부금품모집금지법 제3조【모집의 금지와 허가】① 누구든지 기부금품의 모집을 할 수 없다. 다만, 좌의 각 호의 1에 해당하는 경우에 한하여 내무부장관과 도지사 또는 서울특별시장은 기부심사위원회의 심의를 거쳐 이를 허가할 수 있다.

3 금고이상 선고유예 당연퇴직 ★★

군무원인사법 제27조(당연퇴직) 등 이 사건 법률조항은 범죄의 종류와 내용을 가리지 않고 금고 이상의 형의 선고유예 판결을 받은 경우를 모두 당연퇴직 사유로 규정함으로써 입법목적을 달성하기 위하여 필요한 최소한의 정도를 넘어 청구인들의 기본권을 과도하게 제한하였고, 공직제도의 신뢰성이라는 공익과 공무원의 기본권이라는 사익을 적절하게 조화시키지 못하고 공무담임권을 침해하였다 할 것이다(헌재 2007.6.28, 2007헌가3).

#군무원인사법 #금고이상_선고유예 #당연퇴직 #공무담임권침해

4 서울광장차벽설치 ★★★

서울광장에의 출입을 완전히 통제하는 경우 일반시민들의 통행이나 여가·문화 활동 등의 이용까지 제한되므로 서울광장의 몇 군데라도 통로를 개설하여 통제 하에 출입하게 하거나 대규모의 불법·폭력 집회가 행해질 가능성이 적은 시간대라든지 서울광장 인근 건물에의 출근이나 왕래가 많은 오전 시간대에는 일부 통제를 푸는 등 시민들의 통행이나 여가·문화활동에 과도한 제한을 초래하지 않으면서도 목적을 상당 부분 달성할 수 있는 수단이나 방법을 고려하였어야 함에도 불구하고 모든 시민의 통행을 전면적으로 제지한 것은 침해의 최소성을 충족한다고 할 수 없다(헌재 2011.6.30, 2009헌마406).

#노무현추모제 #폭력집회가능성 #버스차벽 #출입완전통제 #비례원칙_위반

간단 점검하기

01 비례의 원칙은 침익행정인가 급부행정인가를 가리지 아니하고 행정의 전 영역에 적용된다. ( )

13. 국가직 9급

간단 점검하기

02 비례원칙에 위반한 처분은 위법한 것으로 항고소송의 대상이 된다. ( )

05. 경기 9급

01 ○　02 ○

5. 적용영역

(1) 비례원칙은 원래 경찰 및 질서행정법에서 생성·발전된 것이지만, 오늘날에는 행정법의 전 분야에 적용되는 원칙이다.

(2) 비례원칙은 침익적 작용뿐만 아니라 수익적 작용인 급부행정의 영역에서도 적용되는데, 과잉급부금지의 원칙은 이러한 것을 반영한 것이다.

관련판례

비례의 원칙은 법치국가 원리에서 당연히 파생되는 헌법상의 기본원리로서, 모든 국가작용에 적용된다. 행정목적을 달성하기 위한 수단은 목적달성에 유효·적절하고, 가능한 한 최소침해를 가져오는 것이어야 하며, 아울러 그 수단의 도입에 따른 침해가 의도하는 공익을 능가하여서는 안 된다(대판 2019.7.11, 2017두38874).

4 위반의 효과

1. 위법성

비례원칙은 행정법의 불문법원의 하나로서 행정을 규율하는 법규범인 이상, 이에 위반한 행정작용은 위헌·위법이 된다.

2. 권리구제

비례의 원칙에 위반한 행정작용에 의하여 법률상 이익을 침해받은 자는 행정쟁송, 행정상 손해배상청구소송, 행정상 결과제거청구소송 등에 의하여 구제받을 수 있다.

관련판례

1 **지입제 경영** ★★★

여객운송사업자가 지입제 경영을 한 경우 구체적 사안의 개별성과 특수성을 전혀 고려하지 않고 그 사업면허를 필요적으로 취소하도록 한 여객자동차운송사업법 제76조 제1항 단서 중 제8호 부분이 피해최소성의 원칙에 반한다(헌재 2000.6.1, 99헌가11·12).

#지입제경영 #필요적취소 #최소침해성_위반

2 **유사휘발유** ★★★

주유소 영업의 양도인이 등유가 섞인 유사휘발유를 판매한 바를 모르고 이를 양수한 석유판매영업자에게 전 운영자인 양도인의 위법사유를 들어 사업정지기간 중 최장기인 6월의 사업정지에 처한 영업정지처분이 석유사업법에 의하여 실현시키고자 하는 공익목적의 실현보다는 양수인이 입게 될 손실이 훨씬 커서 재량권을 일탈한 것으로서 위법하다(대판 1992.2.25, 91누13106).

#유사휘발유판매 #석유판매영업_양수인 #최장기_6개월_사업정지

3 **심재륜 사건** ★★★

근무지 무단이탈하여 외부에 자신의 상사를 비판하는 기자회견문을 발표한 검사장에 대하여 면직처분을 한 것에 대하여, 원고가 그에 이르게 된 동기와 경위, 그러한 비행의 내용과 그로 인하여 검찰조직과 국민에게 끼친 영향의 정도, 원고의 직위와 그 동안의 행적 및 근무성적, 징계처분으로 인한 불이익의 정도 등 기록에 나타난 제반 사정 등을 종합해 보면, 이 사건 징계처분은 비례의 원칙에 위반된 재량권 남용으로서 위법하다(대판 2001.8.24, 2000두7704).

#심재륜사건 #기자회견 #면직처분

4 1회 요정 출입 ★★★

단지 1회 훈령에 위반하여 요정 출입을 하다가 적발된 것만으로는 공무원의 신분을 보유케 할 수 없을 정도로 공무원의 품위를 손상케 한 것이라 단정키 어려운 한편, 원고를 면직에 처함으로서만 위와 같은 훈령의 목적을 달할 수 있다고 볼 사유를 인정할 자료가 없고, 오히려 원고의 비행정도라면 이보다 가벼운 징계처분으로서도 능히 위 훈령의 목적을 달할 수 있다고 볼 수 있는 점, 징계처분중 면직 처분은 타 징계처분과 달라 공무원의 신분을 박탈하는 것이므로 그 징계사유는 적어도 공무원의 신분을 그대로 보유케 하는 것이 심히 부당하다고 볼 정도의 비행이 있는 경우에 한하는 점 등에 비추어 생각하면 이 사건 파면처분은 이른바 비례의 원칙에 어긋난 것이다(대판 1967.5.2, 67누24).

#1회요정출입 #파면처분 #비례원칙_위반

5 청소년유해만화 ★★★

청소년유해매체물로 결정 · 고시된 만화인 사실을 모르고 있던 도서대여업자가 그 고시일로부터 8일 후에 청소년에게 그 만화를 대여한 것을 사유로 그 도서대여업자에게 금 700만 원의 과징금이 부과된 경우, 그 도서대여업자에게 청소년유해매체물인 만화를 청소년에게 대여하여서는 아니 된다는 금지의무의 해태를 탓하기는 가혹하다는 이유로 그 과징금부과처분은 재량권을 일탈 · 남용한 것으로서 위법하다(대판 2001.7.27, 99두9490).

#청소년유해만화_섹시보이 #도서대여업자 #700만원과징금

6 미결수용자 ★★★

미결수용자에게 시설 안에서 재소자용 의류를 입게 하는 것은 구금 목적의 달성, 시설의 규율과 안전유지를 위한 필요최소한의 제한으로서 정당성 · 합리성을 갖춘 재량의 범위 내의 조치이다. 수사 및 재판단계에서 유죄가 확정되지 아니한 미결수용자에게 재소자용 의류를 입게 하는 것은 미결수용자로 하여금 모욕감이나 수치심을 느끼게 하고, 심리적인 위축으로 방어권을 제대로 행사할 수 없게 하여 실체적 진실의 발견을 저해할 우려가 있으므로, 도주 방지 등 어떠한 이유를 내세우더라도 그 제한은 정당화될 수 없어 헌법 제37조 제2항의 기본권 제한에서의 비례원칙에 위반되는 것으로서, 무죄추정의 원칙에 반하고 인간으로서의 존엄과 가치에서 유래하는 인격권과 행복추구권, 공정한 재판을 받을 권리를 침해하는 것이다(헌재 1999.5.27, 97헌마137·98헌마5).

#미결수용자 #재소자용의류 #수용시설안_정당 #수사및재판단계_위법

7 수입녹용폐기 ★★★

지방식품의약품안전청장이 수입 녹용 중 전지 3대를 절단부위로부터 5cm까지의 부분을 절단하여 측정한 회분함량이 기준치를 0.5% 초과하였다는 이유로 수입 녹용 전부에 대하여 전량 폐기 또는 반송처리를 지시한 경우, 녹용 수입업자가 입게 될 불이익이 의약품의 안전성과 유효성을 확보함으로써 국민보건의 향상을 기하고 고가의 한약재인 녹용에 대하여 부적합한 수입품의 무분별한 유통을 방지하려는 공익상 필요보다 크다고는 할 수 없으므로 위 폐기 등 지시처분이 재량권을 일탈 · 남용한 경우에 해당하지 않는다(대판 2006.4.14, 2004두3854).

#수입녹용 #회분함량초과 #전량폐기_정당

간단 점검하기

01 비례의 원칙에 의할 때 공무원이 단지 1회 훈령에 위반하여 요정 출입을 하였다는 사유만으로 한 파면처분은 위법하다. ( ) 21 · 18. 소방직 9급

간단 점검하기

02 청소년유해매체물로 결정 · 고시된 만화인 사실을 모르고 있던 도서대여업자가 그 고시일로부터 8일 후에 청소년에게 그 만화를 대여한 것을 사유로 그 도서대여업자에게 금 700만원의 과징금이 부과된 경우, 그 과징금부과처분은 재량권을 일탈 · 남용한 것으로서 위법하다고 판시하였다. ( ) 21. 소방직 9급

01 ○ 02 ○

8 사법시험과락제도 ★★★

사법시험의 제2차시험에서 '매과목 4할 이상'으로 과락 결정의 기준을 정한 것을 두고 과락점수를 비합리적으로 높게 설정하여 지나치게 엄격한 기준에 해당한다고 볼 정도는 아니므로, 비례의 원칙 내지 과잉금지에 위반하였다고 볼 수 없다(대판 2007.1.11, 2004두10432).

9 미국산쇠고기수입 ★★

[1] 국가의 국민 보호의무, '과소보호 금지원칙'
국가가 국민의 생명·신체의 안전에 대한 보호의무를 다하지 않았는지 여부를 헌법재판소가 심사할 때에는 국가가 이를 보호하기 위하여 적어도 적절하고 효율적인 최소한의 보호조치를 취하였는가 하는 이른바 '과소보호 금지원칙'의 위반 여부를 기준으로 삼아, 국민의 생명·신체의 안전을 보호하기 위한 조치가 필요한 상황인데도 국가가 아무런 보호조치를 취하지 않았든지 아니면 취한 조치가 법익을 보호하기에 전적으로 부적합하거나 매우 불충분한 것임이 명백한 경우에 한하여 국가의 보호의무의 위반을 확인하여야 한다.

[2] 소해면상뇌증의 위험성, 미국 내에서의 발병사례, 국내에서의 섭취가능성을 감안할 때 미국산 쇠고기가 수입·유통되는 경우 소해면상뇌증에 감염된 것이 유입되어 소비자의 생명·신체의 안전이라는 중요한 기본권적인 법익이 침해될 가능성을 전적으로 부정할 수는 없으므로, 국가로서는 미국산 쇠고기의 수입과 관련하여 소해면상뇌증의 원인물질인 변형 프리온 단백질이 축적된 것이 유입되는 것을 방지하기 위하여 적절하고 효율적인 조치를 취함으로써 소비자인 국민의 생명·신체의 안전을 보호할 구체적인 의무가 있다(헌재 2008.12.26, 2008헌마419·423·436).

#농림수산식품부고시 #미국산쇠고기수입위생조건_완화 #국민안전보호의무 #과소보호금지

간단 점검하기

01 국가가 국민의 생명·신체의 안전에 대한 보호의무를 다하지 않았는지 여부에 대한 심사는 '과소보호금지원칙'의 위반 여부를 기준으로 삼는다. ( ) 21. 국가직 9급, 17. 국가직 7급

관련판례 면허취소

1 이익형량 ★★★

자동차운수사업법 제31조에 의한 자동차운송사업면허의 취소처분이 재량권의 한계를 벗어났는지를 판단함에 있어서는 자동차운수사업법 제31조에 의하여 달성하려고 하는 공익의 목적과 면허취소처분으로 인하여 상대방이 입게 될 불이익을 비교교량하여, 그 처분으로 인하여 공익상의 필요보다 상대방이 받게 될 불이익 등이 막대한 경우에는 재량권의 한계를 일탈한 것이다(대판 1996.9.6, 96누914).

#면허취소 #이익형량 #최소침해성 #법익균형성

2 자동차범죄행위 ★★★

자동차 등을 이용하여 범죄행위를 하기만 하면 그 범죄행위가 얼마나 중한 것인지, 그러한 범죄행위를 행함에 있어 자동차 등이 당해 범죄 행위에 어느 정도로 기여했는지 등에 대한 아무런 고려 없이 무조건 운전면허를 취소하도록 하고 있으므로 이는 구체적 사안의 개별성과 특수성을 고려할 수 있는 여지를 일체 배제하고 그 위법의 정도나 비난의 정도가 극히 미약한 경우까지도 운전면허를 취소할 수밖에 없도록 하는 것으로 최소침해성의 원칙에 위반된다 할 것이다(헌재 2005.11.24, 2004헌가28).

#자동차범죄행위 #운전면허취소 #최소침해성_위반

간단 점검하기

02 자동차를 이용하여 범죄행위를 한 경우 범죄의 경중에 상관없이 반드시 운전면허를 취소하도록 한 규정은 비례원칙을 위반한 것이다. ( ) 19. 국회직 8급

01 ○ 02 ○

3 2회대리운전 ★★

대리운전금지조건 위배로 1회 운행정지처분을 받은 사실을 알지 못한 채 개인택시운송사업면허를 양수한 원고가 지병인 만성신부전증 등으로 몸이 아파 쉬면서 생계유지를 위하여 일시 대리운전을 하게 하고, 또 전날 과음한 탓으로 쉬면서 대리운전을 하게 하여 2회 적발되었는데, 원고는 그의 개인택시영업에 의한 수입만으로 가족의 생계를 유지하고 있는 사정 등을 참작하면 원고에 대한 자동차운송사업면허취소의 처분이 재량권을 일탈한 위법한 처분이다(대판 1991.11.8, 91누4973).

#2회대리운전 #자동차운송사업면허취소_위법

4 0.129%음주 ★★★

원고가 음주한 시점으로부터 약 5시간 이상 경과한 때에 측정된 혈중알코올농도가 0.129%로서 도로교통법 시행규칙상 취소처분 개별기준을 훨씬 초과하는 점, 원고가 음주운전을 하다가 교통사고를 일으킬 뻔하여 상대방 운전자와 실랑이를 벌이다 신고를 받고 출동한 경찰이 원고에 대하여 음주측정을 한 점을 알 수 있다. 이러한 사정을 앞서 본 법리에 비추어 보면, 원심이 들고 있는 위 사정만으로 이 사건 운전면허취소처분이 재량권의 한계를 일탈하거나 남용한 위법한 처분이라고 할 수 없다(대판 2019.1.17, 2017두59949).

#혈중알코올농도0.129% #운전면허취소처분_정당

5 2차주취운전 ★★★

서울 근교에서 채소재배업에 종사하면서 주취운전으로 인하여 운전면허가 취소된 전력이 있는 자가 혈중알콜농도 0.109%의 주취상태에서 승용차를 운전한 경우, 자동차운전면허취소처분으로 교통사고를 야기하지 않은 음주운전자가 입게 되는 불이익보다는 공익목적의 실현이라는 필요가 더욱 크다고 보아 면허취소사유에 해당한다(대판 1997.11.14, 97누13214).

#1차주취면허취소 #2차주취운전 #면허취소_정당

6 3회 음주운전 ★★★

도로교통법 제148조의2 제1항 제1호에서 정하고 있는 '도로교통법 제44조 제1항(0.03% 이상 술에 취한 상태에서 자동차등 노면전차 또는 자전거를 운전금지)을 2회 이상 위반한' 것에 개정된 도로교통법이 시행된 2011.12.9. 이전에 구 도로교통법(2011.6.8. 법률 제10790호로 개정되기 전의 것) 제44조 제1항을 위반한 음주운전 전과까지 포함되는 것으로 해석하는 것이 형벌불소급의 원칙이나 일사부재리의 원칙 또는 비례의 원칙에 위배된다고 할 수 없다(대판 2012.11.29, 2012도10269).

#음주상태운전금지 #2회이상위반_처벌규정 #개정전위반행위(전과)포함_정당

간단 점검하기

도로교통법 제148조의2 제1항 제1호의 '도로교통법 제44조 제1항을 2회 이상 위반한' 것에 구 도로교통법 제44조 제1항을 위반한 음주운전 전과도 포함된다고 해석하는 것은 비례원칙에 위반된다. ( ) 13. 국가직 9급

×

관련판례 공무원신분관련

1 스스로 사례요구 ★★★

공무원으로 재직하면서 다른 징계를 받은 바 없고, 2회에 걸쳐 장관급 표창을 받은 것과 가정형편을 감안하더라도, 직무와 관련한 부탁을 받거나 때로는 스스로 사례를 요구하여 5차례에 걸쳐 합계 금 3,100,000원을 수수하였다면 이에 대하여 행하여진 해임처분이 징계권의 범위를 일탈한 것이 아니다(대판 1996.5.10, 96누2903).

#공무원사례요구 #해임처분_정당

2 1만원 사례요구 ★★

경찰공무원이 그 단속의 대상이 되는 신호위반자에게 먼저 적극적으로 돈을 요구하고 다른 사람이 볼 수 없도록 돈을 접어 건네주도록 전달방법을 구체적으로 알려주었으며 동승자에게 신고시 범칙금 처분을 받게 된다는 등 비위신고를 막기 위한 말까지 하고 금품을 수수한 경우, 비록 그 받은 돈이 1만원에 불과하더라도 위 금품수수행위를 징계사유로 하여 당해 경찰공무원을 해임처분한 것은 징계재량권의 일탈·남용이 아니다(대판 2006.12.21, 2006두16274).

#1만원사례요구 #해임처분_정당

3 선처명목금품수수 ★★

소매치기 혐의로 수사 중이던 피의자들을 선처하여 준다는 명목으로 금품을 수수한 경찰관에 대한 해임처분에 재량권 남용의 위법이 없다(대판 1990.11.13, 90누1625).

#선처명목금품수수 #해임처분_정당

4 도박행위묵인 ★★

8년여를 경찰관으로 근무하면서 8회에 걸쳐 표창 등을 받은 사정을 참작한다고 하더라도 도박행위를 묵인하여 준 뒤 금 200,000원을 수수한 경찰관에 대한 해임처분을 정당하다(대판 1996.7.12, 96누3302).

#도박행위묵인 #200,000원수수 #해임처분_정당

5 피동적수수 - 비례원칙위반 O ★★★

공정한 업무처리에 대한 사의로 두고 간 돈 30만원을 피동적으로 수수하였다가 돌려 준 20여년 근속의 경찰공무원에 대한 해임처분이 재량권의 남용에 해당한다(대판 1991.7.23, 90누8954).

#공정한업무처리 #피동적수수 #해임처분_위법

제3절 평등의 원칙

1 의의

평등의 원칙이란 행정청은 합리적 이유 없이 국민을 차별하여서는 아니 된다는 원칙을 말하며, 자의금지의 원칙이라고도 한다(행정기본법 제9조).

2 근거

헌법 제11조 제1항은 "모든 국민은 법 앞에 평등하다. 누구든지 성별·종교 또는 사회적 신분에 의하여 정치적·경제적·사회적·문화적 생활의 모든 영역에 있어서 차별을 받지 아니한다."라고 하여 법 앞의 평등원칙을 규정하고 있다.

행정기본법 제9조 【평등의 원칙】 행정청은 합리적 이유 없이 국민을 차별하여서는 아니 된다.

간단 점검하기

평등의 원칙은 행정작용에 있어서 특별히 합리적인 차별사유가 없는 한 국민을 공평하게 처우하여야 한다는 원칙으로 재량권행사의 한계 원리로서 중요한 의미를 갖는다. ( ) 10. 지방직 9급

O

3 내용(상대적 평등)

평등의 의미에 대하여 절대적 평등을 의미하는 것은 아니고 합리적 근거가 있는 차별조치는 허용된다는 상대적 평등을 의미한다고 본다. 이는 상대적 평등은 '같은 것은 같게, 다른 것은 다르게'로 표현되기도 한다.

4 적용요건 및 한계

1. 불평등한 행정기관의 조치가 있고 이에는 합리적인 사유가 없어야 한다.
2. 불법에서의 평등은 인정되지 않는다. 즉, 위법한 행정작용에서 평등원칙을 주장할 수 없다.

5 위반의 효과

평등원칙은 헌법적 차원의 원칙이다. 따라서 평등의 원칙은 모든 행정작용에 적용되며 이에 위반한 행정작용은 위헌 · 위법한 것이 되어 행정구제의 대상이 된다.

관련판례 평등의 원칙 위반 ○

1 **화투놀이** ★★★

부산시 영도구청의 당직 근무 대기중 약 25분간 같은 근무조원 3명과 함께 시민과장실에서 심심풀이로 돈을 걸지않고 점수따기 화투놀이를 한 사실을 확정한 다음 이것이 국가공무원법 제78조 제1호 · 제3호 규정의 징계사유에 해당한다 할지라도 당직 근무시간이 아닌 그 대기중에 불과 약25분간 심심풀이로 한것이고 또 돈을 걸지 아니하고 점수따기를 한데 불과하며 원고와 함께 화투놀이를 한 3명(지방공무원)은 부산시 소청심사위원회에서 견책에 처하기로 의결된 사실이 인정되는 점등 제반 사정을 고려하면 피고가 원고에 대한 징계처분으로 파면을 택한 것은 당직근무 대기자의 실정이나 공평의 원칙상 그 재량의 범위를 벗어난 위법한 것이다(대판 1972.12.26, 72누194).

#화투놀이 #3명_견책 #1명_파면 #평등원칙위반

2 **제대군인가산점제도** ★★★

가산점제도는 제대군인에 비하여, 여성 및 제대군인이 아닌 남성을 부당한 방법으로 지나치게 차별하는 것으로서 헌법 제11조에 위배되며, 이로 인하여 청구인들의 평등권이 침해된다(헌재 1999.12.23, 98헌마363).

#제대군인가산점제도 #여성_남성(신체장애자_등)_차별 #평등권침해

3 **국가유공자가산점제도** ★★★

[1] 국가유공자 등 예우 및 지원에 관한 법률은 명시적인 헌법적 근거 없이 국가유공자의 가족들에게 만점의 10%라는 높은 가산점을 부여하고 있는바, 이 사건 조항은 일반 공직시험 응시자들의 평등권과 공무담임권을 침해한다.

[2] 이 사건 조항의 위헌성은 국가유공자 등과 그 가족에 대한 가산점제도 자체가 입법정책상 전혀 허용될 수 없다는 것이 아니고, 그 차별의 효과가 지나치다는 것에 기인한다. 그렇다면 입법자는 공무원시험에서 국가유공자의 가족에게 부여되는 가산점의 수치를, 그 차별효과가 일반 응시자의 공무담임권 행사를 지나치게 제약하지 않는 범위 내로 낮추고, 동시에 가산점 수혜 대상자의 범위를

간단 점검하기

01 평등원칙은 일체의 차별적 대우를 부정하는 절대적 평등을 의미하는 것이 아니라 입법과 법의 적용에 있어서 합리적인 근거가 없는 차별을 배제하는 상대적 평등을 뜻한다. ( ) 21. 국가직 9급

간단 점검하기

02 국가유공자 등과 그 가족에 대한 가산점제도는 입법정책상 전혀 허용될 수 없다. ( ) 12. 국회직 9급

01 ○ 02 ×

재조정 하는 등의 방법으로 그 위헌성을 치유하는 방법을 택할 수 있을 것이다. 따라서 이 사건 조항의 위헌성의 제거는 입법부가 행하여야 할 것이므로 이 사건 조항에 대하여는 헌법불합치결정을 하기로 한다(헌재 2006.2.23, 2004헌마675 · 981 · 1022).

4 교사우선채용 ★★

국 · 공립사범대학 등 출신자를 교육공무원인 국 · 공립학교 교사로 우선하여 채용하도록 규정한 교육공무원법 제11조 제1항은 사립사범대학졸업자와 일반대학의 교직과정이수자가 교육공무원으로 채용될 수 있는 기회를 제한 또는 박탈하게 되어 결국 교육공무원이 되고자 하는 자를 그 출신학교의 설립주체나 학과에 따라 차별하는 결과가 되는 바, 이러한 차별은 이를 정당화할 합리적 근거가 없으므로 헌법상 평등의 원칙에 어긋난다(헌재 1990.10.8, 89헌마89).

#국 · 공립학교교사_우선채용 #평등원칙_위반

간단 점검하기

지방의회의 감사 또는 조사를 위하여 출석요구를 받은 증인이 출석하지 않을 경우 증인의 사회적 지위에 따라 과태료의 액수에 차등을 두는 것을 내용으로 하는 조례안은 헌법에 규정된 평등의 원칙에 위배된다고 볼 수 없다.

( ) 17. 서울시 9급, 16. 국가직 7급

×

5 과태료차등부과 ★★★

조례안이 지방의회의 감사 또는 조사를 위하여 출석요구를 받은 증인이 5급 이상 공무원인지 여부, 기관(법인)의 대표나 임원인지 여부 등 증인의 사회적 신분에 따라 미리부터 과태료의 액수에 차등을 두고 있는 경우, 그와 같은 차별은 증인의 불출석이나 증언거부에 대하여 과태료를 부과하는 목적에 비추어 볼 때 그 합리성을 인정할 수 없고 지위의 높고 낮음만을 기준으로 한 부당한 차별대우라고 할 것이어서 헌법에 규정된 평등의 원칙에 위배되어 무효이다(대판 1997.2.25, 96추213).

#지방의회 #증인 #신분 #과태료차등부과 #차별대우 #헌법위반

6 청원경찰인원감축 ★★★

청원경찰의 인원감축을 위한 면직처분대상자를 선정함에 있어서 초등학교 졸업 이하 학력소지자 집단과 중학교 중퇴 이상 학력소지자 집단으로 나누어 각 집단별로 같은 감원비율 상당의 인원을 선정한 것은 합리성과 공정성을 결여하고, 평등의 원칙에 위배하여 그 하자가 중대하다 할 것이나, 그렇게 한 이유가 시험문제 출제 수준이 중학교 학력 수준이어서 초등학교 졸업 이하 학력소지자에게 상대적으로 불리할 것이라는 판단 아래 이를 보완하기 위한 것이었으므로 그 하자가 객관적으로 명백하다고 보기는 어렵다(취소사유에 해당함)(대판 2002.2.8, 2000두4057).

#청원경찰인원감축 #면직처분대상자선정 #집단별_동일감원비율 #평등원칙위반

7 사회단체등록 ★

사회단체등록신청에 형식상의 요건불비가 없는데 등록청이 이미 설립목적 및 사업내용을 같이 하는 선 등록단체가 있다 하여 그 단체와 제휴하거나 또는 등록 없이 자체적으로 설립목적을 달성하는 것이 바람직하다는 이유로 원고의 등록신청을 반려하였다면 … 그 반려처분은 헌법이 규정한 평등의 원칙에도 위반된다(대판 1989.12.26, 87누308).

#사회단체등록 #선등록단체존재 #반려처분 # 평등원칙_위반

8 개발제한구역 - 훼손부담금부과 ★

집단에너지공급시설에 대한 훼손부담금의 부과율을 전기공급시설 등에 대한 훼손부담금의 부과율인 100분의 20의 다섯 배에 이르는 100분의 100으로 정한 것은, 집단에너지공급시설과 전기공급시설 등의 사이에 그 공급받는 수요자가 다소 다를 수 있음을 감안하더라도, 부과율에 과도한 차등을 둔 것으로서 합리적 근거 없는 차별에 해당하므로 헌법상 평등원칙에 위배되어 무효이다(대판 2007.10.29, 2005두14417).

#개발제한구역 #훼손부담금 #100분의100 #과도한_차등 #평등원칙_위반

9 플라스틱제품 폐기물부담금 ★★

구 자원의 절약과 재활용촉진에 관한 법률 시행령 제11조 [별표 2] 제7호에서 플라스틱제품의 수입업자가 부담하는 폐기물부담금의 산출기준을 아무런 제한 없이 그 수입가만을 기준으로 한 것은, 합성수지 투입량을 기준으로 한 제조업자에 비하여 과도하게 차등을 둔 것으로서 합리적 이유 없는 차별에 해당하므로, 위 조항 중 '수입의 경우 수입가의 0.7%' 부분은 헌법상 평등원칙을 위반한 입법으로서 무효이다(대판 2008.11.20, 2007두8287).

#플라스틱제품_폐기물부담금_수입가만_기준 #합리성없는_차별

관련판례 평등원칙 위반 ×

1 전화교환직렬 ★★

일반직 직원의 정년을 58세로 규정하면서 전화교환직렬 직원만은 정년을 53세로 규정하여 5년간의 정년차등을 둔 것이 사회통념상 합리성이 있다(대판 1996.8.23, 94누13589).

2 LPG충전소 설치금지 ★★

LPG는 석유에 비하여 화재 및 폭발의 위험성이 훨씬 커서 주택 및 근린생활시설이 들어설 지역에 LPG충전소의 설치금지는 불가피하다할 것이고 석유와 LPG의 위와 같은 차이를 고려하여 연구단지내 녹지구역에 LPG충전소의 설치를 금지한 것은 위와 같은 합리적 이유에 근거한 것이므로 이 사건 시행령 규정이 평등원칙에 위배된다고 볼 수 없다(헌재 2004.7.15, 2001헌마646).

#LPG충전소 #녹지지구설치금지 #평등원칙위반_아님

3 생활수준별소득금액결정 ★

피보험자의 생활수준별로 등급을 구분하여 그 등급에 따라 연간 기타소득이라는 소득금액을 차등 규정한 것은 헌법상의 평등원칙이나 사회보장원리 등에도 합치되고, 그에 따른 이 사건 부과처분은 적법하다고 판단하였다(대판 2001.1.30, 99두11431).

#생활수준별 #보험산정소득금액결정 #적법

4 시도의원개인후원회금지 ★★

국회의원은 개인 후원회를 구성할 수 있도록 하면서 시 · 도의원에 대해서는 후원회 구성을 금지한 정치자금에관한법률 제5조 제1항이 평등의 원칙에 위반되지 않으며, 국회의원의 의정활동 홍보우편물에 대해서는 우편요금을 감액할 수 있도록 하면서, 시 · 도의원은 우편요금 감액대상에서 제외한 우편법시행규칙 제85조 제1호 마목이 평등의 원칙에 위반되지 않는다(헌재 2000.6.1, 99헌마576).

#시도의원개인후원회 #시도의원우편요금감액 #합리성인정

5 청원경찰 ★

청원경찰은 기본적으로 공무원이 아니고 청원주가 임명하는 일반 근로자이므로 공무원과 청원경찰을 동일한 비교집단이라고 보기 어려워 동일한 비교집단임을 전제로 공무원과 비교하여 합리적 이유 없는 차별이 있다고 볼 수 없고, 설령 청원경찰 복무의 공공성만을 취하여 일반 공무원이나 경찰 공무원과 비교하더라도 청원경찰의 징계사유나 종류, 효력, 절차 등이 사업장의 특성에 따라 다르고 경영자가 소요경비를 부담하고 임용 역시 청원주가 결정한다는 점을 고려하면 징계에 관한 규정형식이 일반 공무원과 다르다고 하여 합리적인 이유 없는 차별에 해당한다고 보기 어렵다(헌재 2010.2.25, 2008헌바160).

#청원경찰 #경찰공무원 #징계_차이 #차별_아님

간단 점검하기

일반직 직원의 정년을 58세로 규정하면서 전화교환직렬 직원만은 정년을 53세로 규정하여 5년간의 정년차등을 둔 것은 사회통념상 합리성이 없는 차별로서 평등원칙에 위반된다. ( )

11. 국회직 8급

×

6 별정직채용 ★★

국가보훈처장의 고용명령에 기한 근로자의 별정직 채용과 호봉 부여가 차별대우에 해당하지 않는다. 직종에 따른 정원과 신규채용의 자격, 호봉 산정 등에 관한 규정은 당해 사업장에서 근로자가 제공하는 근로의 성질 · 내용 · 근무형태 · 인력수급상황 등 제반 여건을 고려하여 합리적인 기준을 둔다면 같은 사업장 내에서도 직종과 직급 등에 따라 서로 차이가 있을 수 있는 것이고 이러한 기준에 따라 사용자가 정한 인사규정이 공무원이나 동종회사 근로자에 관한 것과 다르다거나 그보다 다소 불리하다고 하여 이를 법률상 무효라고 할 수 없으며, 국가유공자 등에 대한 채용의무에 따라 채용을 한 근로자라고 하여 그러한 규정의 적용이 배제된다고 할 수도 없다(대판 2002.2.26, 2000다39063).

#별정직채용 #직종별차등 #유효(취소사유)

7 미신고 집회 - 시위 ★★

구 집시법 제19조 제2항이 미신고 옥외집회 주최자와 미신고 시위 주최자를 함께 규율하면서 그 법정형을 같게 정하고 있다고 하더라도, 이것이 평등원칙에 위배된다고 할 수 없다(헌재 2009.5.28, 2007헌바22).

#미신고_옥외집회-주최자 #미신고_시위_주최자 #동일법정형 #평등원칙위반_아님

간단 점검하기

같은 정도의 비위를 저지른 자들 사이에 있어서도 그 직무의 특성 등에 비추어 개정의 정이 있는지 여부에 따라 징계 종류의 선택과 양정에서 차별적으로 취급하는 것은 평등원칙에 반하지 아니한다. ( ) 14. 사회복지직

관련판례 금품수수 관련 판례

1 경찰공무원 금품수수 ★★

[1] 금품을 수수한 경우 그 액수와 횟수 등에 따라 징계의 종류 선택과 양정에서 차별적으로 취급하는 것이 평등의 원칙에 반하는지 않는다.

[2] 경찰공무원 업무의 특성, 금품제공자의 지위, 금품수수의 액수, 횟수, 방법 등에 비추어 유흥업소를 운영하는 사람의 형으로부터 다액의 금전을 수년간에 걸쳐 정기적으로 수수한 경찰공무원에 대한 해임처분이 징계재량권을 남용하였거나 평등의 원칙에 반하지 않는다(대판 2008.6.26, 2008두6387).

#금품수수 #해임처분_정당

2 학습지채택료 ★★

같은 정도의 비위를 저지른 자들 사이에 있어서도 그 직무의 특성 등에 비추어, 개전의 정이 있는지 여부에 따라 징계의 종류의 선택과 양정에 있어서 차별적으로 취급하는 것은, 사안의 성질에 따른 합리적 차별로서 이를 자의적 취급이라고 할 수 없는 것이어서 평등원칙 내지 형평에 반하지 아니한다. 학습지 채택료를 수수하고 담당 경찰관에게 수사무마비를 전달하려고 한 비위를 저지른 사립중학교 교사들 중 잘못을 시인한 교사들은 정직 또는 감봉에, 잘못을 시인하지 아니한 교사들은 파면에 처한 것이 그 직무의 특성 등에 비추어 재량권의 범위를 일탈 · 남용한 것이 아니다(대판 1999.8.20, 99두2611).

#학습지채택료 #개전의정 #차등처분 #합리성인정

3 다른사례 다른결정 ★★

고등학교 교사 甲이 교육전문직 임용시험에 응시하는 과정에서 시험을 주관하는 서울특별시교육청 장학사에게 금품을 건넨 사실로 서울시교육감으로부터 파면처분을 받은 사안에서, 甲에 대한 징계양정이 징계기준의 적용 결과에서 벗어난 것이 아닌 이상 일반적 기준을 따르지 않은 다른 교사의 사례가 있다고 하여 甲에 대한 징계가 평등의 원칙을 위반한 것이 아니다(대판 2012.5.24, 2011두19727).

#고등학교교사 #금품수수 #파면처분 #다른교사_사례 #평등원칙위반_아님

○

관련판례 자격제한 등 관련 판례

1 약사약국개설제한 ★★

변호사, 공인회계사 등 여타 전문직과 의약품제조업자 등 약사법의 규율을 받는 다른 직종들에 대하여는 법인을 구성하여 업무를 수행할 수 있도록 하면서, 약사에게만 합리적 이유 없이 이를 금지하는 것은 헌법상의 평등권을 침해하는 것이다(헌재 2002.9.19, 2000헌바84).

#약사약국개설제한 #평등권침해

2 편입자격제한 ★★

대학·산업대학 또는 원격대학에 편입학할 수 있는 자격을 전문대학을 졸업한 자로 규정하고 있는 고등교육법(2007.10.17. 법률 제8638호로 개정된 것) 제51조(이하 '이 사건 법률조항'이라 한다)가 청구인의 평등권 등을 침해하지 않는다(헌재 2010.11.25, 2010헌마144).

#편입자격제한 #평등권침해_아님

3 16세미만입학자격제한 ★

만 16세 미만의 자들에게 고등학교학력인정의 평생교육시설에 입학자격을 부여하지 아니한 것이 현저하게 불합리한 자의적인 차별이라고 볼 수 없어 평등원칙에 위반되지 아니한다(헌재 2011.6.30, 2010헌마503).

#평생교육시설 #자격제한 #적법

4 변리사소송대리 ★★

심결취소소송에서는 특허권 등 자체에 관한 전문적 내용의 쟁점이 소송의 핵심이 되므로, 이에 대한 전문가인 변리사가 소송당사자의 권익을 도모할 수 있다. 그러나 특허침해소송은 고도의 법률지식 및 공정성과 신뢰성이 요구되는 소송으로, 변호사소송대리원칙(민사소송법 제87조)이 적용되어야 하는 일반 민사소송의 영역이므로, 소송당사자의 권익을 보호하기 위해 변호사에게만 특허침해소송의 소송대리를 허용하는 것은 그 합리성이 인정되며 입법재량의 범위 내라고 할 수 있다(헌재 2012.8.23, 2010헌마740).

#심결취소소송 #변리사_소송대리_허용 #특허침해소송 #변호사만_소송대리_허용

5 정신과의원개설 ★★

정신병원 등의 개설에 관하여는 허가제로, 정신과의원 개설에 관하여는 신고제로 각 규정하고 있는 것은 각 의료기관의 개설 목적 및 규모 등 차이를 반영한 합리적 차별로서 평등의 원칙에 반한다고 볼 수 없다. 또한 신고제 규정으로 사인인 제3자에 의한 개인의 생명이나 신체 훼손의 위험성이 증가한다고 할 수 없어 기본권 보호의무에 위반된다고 볼 수도 없다(대판 2018.10.25, 2018두44302).

#정신병원개설_허가제 #정신과의원_신고제 #합리성_인정

간단 점검하기

판례에 의하면 변호사, 공인회계사 등 다른 직종에 대하여 법인을 구성하여 업무를 수행할 수 있도록 하면서, 약사에게만 법인을 구성하여 약국을 개설할 수 없도록 하는 것은 합리적 이유 없이 차별하는 것으로 평등권을 침해하는 것이다. ( ) 09. 5급

○

제4절 행정의 자기구속의 법리

1 의의

1. 개념

행정의 자기구속의 법리란 재량권의 행사에 있어 행정청은 상대방에 대하여 동종 사안에 있어서 제3자에게 행한 결정에 구속된다는 것을 의미한다.

2. 구별개념

(1) 타자구속과 구별

자기구속의 원칙은 행정청이 스스로 정하여 시행하는 기준에 구속된다는 점에서 법률에 구속되는 것인 타자구속과 구별된다.

(2) 개별적 · 구체적 구속과 구별

자기구속의 원칙은 일반적 · 추상적 구속이므로 개별적 · 구체적 구속인 확약, 계약과 구별된다.

2 근거

1. 학설(자기구속의 원리의 인정 여부)

(1) 긍정설

① 평등원칙에서 구하는 견해가 있으며 다수설이다.

② 신뢰보호 · 신의성실의 원칙에서 구하는 견해가 있다.

(2) 부정설

재량권행사의 통제법리로서 특별히 자기구속의 법리를 인정할 필요는 없고, 직접 평등의 원칙을 적용하면 된다는 견해가 있다.

2. 판례

헌법재판소는 자기구속의 법리의 근거를 명시적으로 '평등원칙 또는 신뢰보호의 원칙'으로 밝히고 있으며(헌재 1990.9.3, 90헌마13), 대법원도 명시적인 근거를 밝히지 않고 있지 않으나 자기구속의 법리를 일반적으로 고려되는 재량권행사의 한계로서 언급하고 있다(대판 1993.6.29, 93누5635).

관련판례

1 재량준칙 ★★★

① 행정규칙이 법령의 규정에 의하여 행정관청에 법령의 구체적 내용을 보충할 권한을 부여한 경우, 또는 재량권행사의 준칙인 규칙이 그 정한 바에 따라 되풀이 시행되어 행정관행이 이룩되게 되면, 평등의 원칙이나 신뢰보호의 원칙에 따라 행정기관은 그 상대방에 대한 관계에서 그 규칙에 따라야할 자기구속을 당하게 되고, 그러한 경우에는 대외적인 구속력을 가지게 된다 할 것이다(헌재 1990.9.3, 90헌마13).

#재량준칙 #행정관행 #대외적구속력

간단 점검하기

01 행정의 자기구속의 원칙은 행정청이 같은 사안이라면 이미 제3자에게 행한 결정과 동일한 결정을 상대방에게 하여야 한다는 원칙을 말한다. ( ) 11. 서울시 9급

간단 점검하기

02 대법원과 헌법재판소는 평등의 원칙과 신뢰보호의 원칙을 행정의 자기구속의 원칙의 근거로 삼고 있다. ( ) 16. 국가직 7급, 13. 국가직 9급

03 행정의 자기구속의 법리는 평등의 원칙에만 적용된다는 것이 판례의 입장이다. ( ) 11. 사회복지직

04 재량권행사의 준칙인 행정규칙이 그 정한 바에 따라 되풀이 시행되어 행정관행이 이루어지게 되면 평등의 원칙이나 신뢰보호의 원칙에 따라 행정기관은 그 상대방에 대한 관계에서 그 규칙에 따라야 할 자기구속을 당하게 되는 경우에는 대외적인 구속력을 가지게 된다. ( ) 17. 경찰행정

01 ○ 02 ○ 03 × 04 ○

② 상급행정기관이 하급행정기관에 대하여 업무처리지침이나 법령의 해석적용에 관한 기준을 정하여 발하는 이른바 '행정규칙이나 내부지침'은 일반적으로 행정조직 내부에서만 효력을 가질 뿐 대외적인 구속력을 갖는 것은 아니므로 행정처분이 그에 위반하였다고 하여 그러한 사정만으로 곧바로 위법하게 되는 것은 아니다. 다만, 재량권 행사의 준칙인 행정규칙이 그 정한 바에 따라 되풀이 시행되어 행정관행이 이루어지게 되면 평등의 원칙이나 신뢰보호의 원칙에 따라 행정기관은 그 상대방에 대한 관계에서 그 규칙에 따라야 할 자기구속을 받게 되므로, 이러한 경우에는 특별한 사정이 없는 한 그를 위반하는 처분은 평등의 원칙이나 신뢰보호의 원칙에 위배되어 재량권을 일탈·남용한 위법한 처분이 된다(대판 2009.12.24, 2009두7967).

2 **사무처리준칙** ★★★

식품위생법시행규칙 제53조에 따른 별표 15의 행정처분기준은 행정기관 내부의 사무처리준칙을 규정한 것에 불과하기는 하지만 규칙 제53조 단서의 식품 등의 수급정책 및 국민보건에 중대한 영향을 미치는 특별한 사유가 없는 한 행정청은 당해 위반사항에 대하여 위 처분기준에 따라 행정처분을 함이 보통이라 할 것이므로, 행정청이 이러한 처분기준을 따르지 아니하고 특정한 개인에 대하여만 위 처분기준을 과도하게 초과하는 처분을 한 경우에는 재량권의 한계를 일탈하였다고 볼 만한 여지가 충분하다(대판 1993.6.29, 93누5635).

#사무처리준칙 #자기구속 #직접외부구속_불가

3 **경주화랑공원 - 지형도수정** ★★★

실제의 공원구역과 다르게 경계측량 및 표지를 설치한 십수년 후 착오를 발견하여 지형도를 수정한 조치가 신뢰보호의 원칙에 위배되거나 행정의 자기구속의 법리에 반하는 것이라 할 수 없다(대판 1992.10.13, 92누2325).

#지형도수정 #사실행위_권리변동없음

3 기능

1. 순기능

(1) 국민의 권리를 보호하는 기능을 한다.

(2) 행정의 재량권행사에 대한 사후적 사법통제가 확대된다.

2. 역기능

(1) 행정규칙을 법규로 전환하는 기능을 한다.❶

(2) 결과적으로 행정의 탄력성을 저해하고, 국회의 입법권을 침해할 수 있다.

4 적용요건

1. 재량성이 인정되는 영역이어야 한다.
2. 동종의 사안이어야 한다.
3. 선례가 존재하여야 한다.

간단 점검하기

01 재량준칙이 정한 바에 따라 되풀이 시행되어 행정관행이 이루어지게 되면 평등의 원칙이나 신뢰보호의 원칙에 따라 행정청은 상대방에 대한 관계에서 그 규칙에 따라야 할 자기구속을 받게 되므로, 이러한 경우에는 특별한 사정이 없는 한 그에 반하는 처분은 평등의 원칙이나 신뢰보호의 원칙에 어긋나 재량권을 일탈·남용한 위법한 처분이 된다. ( ) 18. 서울시 7급

간단 점검하기

02 자기구속원칙은 재량권행사에 있어서 행정권의 자의방지의 의미를 갖는다. ( ) 05. 관세사

03 행정의 자기구속의 원칙은 법적으로 동일한 사실관계, 즉 동종의 사안에서 적용이 문제되는 것으로 주로 재량의 통제법리와 관련된다. ( ) 18. 국가직 9급

04 행정의 자기구속의 법리는 주로 재량준칙과 관련하여 문제가 된다. ( ) 11. 사회복지직

❶ 재량준칙 → 자기구속법리 매개 → 법규에 준하는 효력발생

01 ○ 02 ○ 03 ○ 04 ○

5 한계

1. 불법적인 관행에 적용 배제

행정의 자기구속의 법리는 적법한 행위에 적용되므로 불법한 행위에 있어서 동등한 대우를 주장할 수 없다.

관련판례 **조합설립추진위원회승인처분** ★★★

평등의 원칙은 본질적으로 같은 것을 자의적으로 다르게 취급함을 금지하는 것이고, 위법한 행정처분이 수차례에 걸쳐 반복적으로 행하여졌다 하더라도 그러한 처분이 위법한 것인 때에는 행정청에 대하여 자기구속력을 갖게 된다고 할 수 없다(대판 2009.6.25, 2008두13132).

#날짜기재안된동의서_위법 #반복효력부인선례 #자기구속의무없음

2. 행정선례의 존재(행정규칙의 최초적용 문제)

(1) 선례불요설

특히 재량준칙이 존재하는 경우에는 재량준칙이 가정적 선례, 즉 예기관행이 될 수 있으므로 선례가 없는 경우에도 자기구속의 법리가 적용된다는 견해이다.

(2) 선례필요설(다수견해)

선례 없이도 자기구속의 법리를 인정하면 재량준칙의 법규성을 인정하는 결과가 되므로 선례가 있어야 한다는 견해이다.[1]

관련판례 **건조저장시설** ★★

시장이 '시 · 군별 건조저장시설 개소당 논 면적' 기준을 충족하지 못하였다는 이유로 신규 건조저장시설 사업자 인정신청을 반려한 사안에서, 위 지침이 되풀이 시행되어 행정관행이 이루어졌다거나 그 공표만으로 신청인이 보호가치 있는 신뢰를 갖게 되었다고 볼 수 없고, 쌀 시장 개방화에 대비한 경쟁력 강화 등 우월한 공익상 요청에 따라 위 지침상의 요건 외에 '시 · 군별 건조저장시설 개소당 논 면적 1,000ha 이상' 요건을 추가할 만한 특별한 사정을 인정할 수 있어, 그 처분이 행정의 자기구속의 원칙 및 행정규칙에 관련된 신뢰보호의 원칙에 위배되거나 재량권을 일탈 · 남용한 위법이 없다(대판 2009.12.24, 2009두7967).

#행정규칙 #선례존재 #자기구속 #건조저장시설_논면적 #면적기준 #공익상요청 #요건추가적용가능

3. 사정변경이 있는 경우 적용 배제

자기구속의 법리가 성립하였다 하더라도 중대한 사정변경이 발생한 경우에는 적용이 배제된다.

간단 점검하기

01 반복적으로 행하여진 행정처분이 위법한 것일 경우 행정청은 자기구속 원칙에 구속되지 않는다. ( )
19. 국회직 8급

02 평등의 원칙에 의할 때, 위법한 행정처분이 수차례에 걸쳐 반복적으로 행하여졌다면 설령 그러한 처분이 위법하더라도 행정청에 대하여 자기구속력을 갖게 된다. ( )
18. 서울시 7급, 16. 교육행정직

03 행정청이 조합설립추진위원회의 설립승인 심사에서 위법한 행정처분을 한 선례가 있는 경우에는, 행정청에 대해 자기구속력을 갖게 되어 이후에도 그러한 기준에 따라야 한다. ( )
21. 국가직 9급

04 민간연수원을 소유하고 있는 甲은 용도변경허가를 거치지 아니하고 숙박시설을 관할하는 관청으로부터 곧장 숙박업허가를 받아 상당히 많은 투자를 하여 현재 영업을 하고 있다. 하지만 유사한 연수원을 소유한 乙이 평등원칙을 근거로 자신에게도 용도변경허가 없이 고유 시설에 대한 숙박업을 허가해 줄 것을 요구할 수는 없다. ( )
09. 국회직 8급

간단 점검하기

05 행정의 자기구속의 법리를 적용함에 있어서 행정선례가 필요한지 여부에 대한 학설의 대립이 있으나, 행정선례필요설이 통설이다. ( )
11. 서울시 9급

[1] 그 선례는 1회 이상이면 족하다고 본다.

01 ○ 02 × 03 × 04 ○ 05 ○

Level up 자기구속의 적용

1. 재량영역(재량준칙)에서 문제되고, 기속행위에서는 문제되지 않음(누구나 구속됨)
2. 관행이 존재하고 그것이 위법한 경우, 자기구속 적용 배제
3. 행정선례가 존재하는 경우(기준공표만으로 자기구속 불가)
4. 기준이 존재하고 공익성이 인정되는 경우, 요건보충적용 가능

4. 행정청이 다른 경우

행정의 자기구속의 원칙은 동일한 행정청을 전제로 하는 원칙이다. 즉, 행정청이 다른 경우에는 자기구속의 원칙이 적용되지 않는다.

6 효과

1. 재량영역에서 재량준칙이 법규로 전환되어 이에 구속되어야 한다.
2. 이 원칙에 위반되는 경우 위헌·위법 사유가 되므로 항고소송 및 국가배상소송의 청구가 가능하다.

관련판례

행정규칙이 재량권행사의 준칙으로서 그 정한 바에 따라 되풀이 시행되어 행정관행을 이루게 되어 평등의 원칙이나 신뢰보호의 원칙에 따라 행정기관이 그 상대방에 대한 관계에서 그 규칙에 따라야 할 자기구속을 당하게 되는 경우에는 대외적인 구속력을 갖게 되어 헌법소원의 대상이 된다(헌재 2011.10.25, 2009헌마588).

제5절 신뢰보호의 원칙

1 의의

1. 신뢰보호의 원칙이란 행정기관의 일정한 적극적·소극적 행위의 정당성 또는 존속성에 대한 개인의 보호가치 있는 신뢰는 보호해 주어야 한다는 원칙을 말한다.
2. 영미법상의 금반언(禁反言, Estopel)의 법리도 대체로 신뢰보호원칙과 같은 이념을 가진 것이다. 금반언의 법리란 자기의 선행행위와 모순되는 거동의 주장을 금지하는 원칙을 말한다.

간단 점검하기

01 재량권행사의 준칙인 행정규칙이 있으면 그에 따른 관행이 없더라도 평등의 원칙에 따라 행정기관은 상대방에 대한 관계에서 그 규칙에 따라야 할 자기구속을 받게 된다. ( ) 19. 서울시 7급

02 행정의 자기구속의 원칙은 처분청이 아닌 제3자 행정청에 대해서도 적용된다. ( ) 19. 서울시 9급

간단 점검하기

03 행정기관이 재량준칙에 위반하여 처분을 행하는 때에는 자기구속의 법리에 위반하더라도 당사자는 당해 처분의 위법을 이유로 취소쟁송을 제기할 수 없다. ( ) 09. 국가직 7급

04 자기구속력이 발생한 행정관행을 위반한 행정처분은 위법한 처분이 된다. ( ) 12. 서울시 9급

05 판례에 의하면 법령보충적 행정규칙뿐만 아니라 재량권 행사의 준칙인 행정규칙이 행정의 자기구속원리에 따라 대외적 구속력을 가지는 경우에는 헌법소원의 대상이 될 수 있다. ( ) 16. 서울시 9급, 08. 국가직 7급

01 × 02 × 03 × 04 ○ 05 ○

2 근거

1. 이론적 근거

(1) 신의칙설

독일의 행정재판소는 '미망인(未亡人)사건'(Witwer Urteil)에서 신의성실의 원칙을 근거로 판시한 바 있다.

(2) 법적 안정성설(다수설)

Level up 미망인 사건(Witwer Urteil)

동베를린에 거주하는 원고가 서베를린으로 이주하면 미망인보조금을 받을 수 있다는 관계기관의 지도를 받고 서베를린에 이주하여 보조금을 받아오던 중, 1년 후에 피고 행정청이 원고의 청구권은 기일의 요건을 충족하지 않아 권리가 없는 것이므로 원고에게 보조금반환을 청구하게 됨으로써 발생한 사건이다. 동 판결에서 연방행정법원은 "위법한 행정행위를 취소하는 것은 법치행정의 원칙에 비추어 당연하다. 그러나 수익자가 결정의 적법성을 신뢰할만한 합리적인 이유가 있는 때에는 신의성실의 원칙을 근거로 원칙적으로 일단 확정되어 지급된 부양금의 반환청구는 반대한다."고 판시하여 미망인의 신뢰를 보호하여야 한다고 하여 원고의 청구를 인용하였다.

#미망인판결 #미망인보조금 #위법_급부 #반환부정_신뢰보호

2. 실정법적 근거

행정기본법 제12조【신뢰보호의 원칙】① 행정청은 공익 또는 제3자의 이익을 현저히 해칠 우려가 있는 경우를 제외하고는 행정에 대한 국민의 정당하고 합리적인 신뢰를 보호하여야 한다.

② 행정청은 권한 행사의 기회가 있음에도 불구하고 장기간 권한을 행사하지 아니하여 국민이 그 권한이 행사되지 아니할 것으로 믿을 만한 정당한 사유가 있는 경우에는 그 권한을 행사해서는 아니 된다. 다만, 공익 또는 제3자의 이익을 현저히 해칠 우려가 있는 경우는 예외로 한다.

행정절차법 제4조【신의성실 및 신뢰보호】② 행정청은 법령 등의 해석 또는 행정청의 관행이 일반적으로 국민들에게 받아들여졌을 때에는 공익 또는 제3자의 정당한 이익을 현저히 해칠 우려가 있는 경우를 제외하고는 새로운 해석 또는 관행에 따라 소급하여 불리하게 처리하여서는 아니 된다.

국세기본법 제18조【세법해석의 기준 및 소급과세의 금지】③ 세법의 해석이나 국세행정의 관행이 일반적으로 납세자에게 받아들여진 후에는 그 해석이나 관행에 의한 행위 또는 계산은 정당한 것으로 보며, 새로운 해석이나 관행에 의하여 소급하여 과세되지 아니한다.

간단 점검하기

01 행정절차법과 국세기본법에서는 법령 등의 해석 또는 행정청의 관행이 일반적으로 국민에게 받아들여졌을 때와 관련하여 신뢰보호의 원칙을 규정하고 있다. ( ) 18. 지방직 9급

3. 판례의 입장

대법원과 헌법재판소는 신뢰보호의 원칙의 이론적 근거에 대하여 법치국가의 원칙에 의한 법적 안정성에 두고 있다.

간단 점검하기

02 헌법재판소와 대법원은 신뢰보호 원칙의 이론적 근거를 사회국가원리에서 찾고 있다. ( ) 15. 서울시 9급

01 ○ 02 ×

관련판례 **신뢰보호의 원칙의 근거**

국민이 종전의 법률관계나 제도가 장래에도 지속될 것이라는 합리적인 신뢰를 바탕으로 이에 적응하여 법적 지위를 형성하여 온 경우 국가 등은 법치국가의 원칙에 의한 법적 안정성을 위하여 권리의무에 관련된 법규·제도의 개폐에 있어서 국민의 기대와 신뢰를 보호하지 않으면 안 된다(헌재 2014.4.24, 2010헌마747).

#신뢰보호원칙근거_법적안정성

3 일반적 요건

관련판례 **신뢰보호의 원칙의 요건**

일반적으로 행정상의 법률관계에 있어서 행정청의 행위에 대하여 신뢰보호의 원칙이 적용되기 위해서는, 첫째 행정청이 개인에 대하여 신뢰의 대상이 되는 공적인 견해표명을 하여야 하고, 둘째 행정청의 견해표명이 정당하다고 신뢰한 데에 대하여 그 개인에게 귀책사유가 없어야 하며, 셋째 그 개인이 그 견해표명을 신뢰하고 이에 상응하는 어떠한 행위를 하였어야 하고, 넷째 행정청이 위 견해표명에 반하는 처분을 함으로써 그 견해표명을 신뢰한 개인의 이익이 침해되는 결과가 초래되어야 하며, 마지막으로 위 견해표명에 따른 행정처분을 할 경우 이로 인하여 공익 또는 제3자의 정당한 이익을 현저히 해할 우려가 있는 경우가 아니어야 한다(대판 2001.9.28, 2000두8684 ; 대판 2006.2.24, 2004두13592).

#선행조치(공적 견해표명) #보호가치 #상대방_처리 #선행조치_반하는_처분 #인과관계 #공익침해_없음

1. 선행조치(공적 견해표명)

(1) 의의

선행조치에는 법령, 행정규칙, 처분, 확약, 행정지도, 그 밖의 적극적 또는 소극적 언동 등이 포함된다.

기출

甲은 건축허가를 받기 전에 건축하고자 하는 건축물이 허용되는 것인지의 여부를 알기 위해 관할구청에 문의한 결과, 허용된다는 사전결정을 받았다. 그 후 甲은 건축허가를 선청하였으나, 관할구청에서는 '주변환경과의 부조화'라는 이유를 들어 건축허가를 거부하였다. 이 사례에서 甲이 주장할 수 있는 행정법상의 일반원칙은? 08. 선관위 9급

① 신뢰보호의 원칙
② 비례의 원칙
③ 부당결부금지의 원칙
④ 과잉금지의 원칙

해설 선행조치에 반하는 행정청의 처분이 있을 경우, 사인의 신뢰는 침해가 된다.

정답 ①

간단 점검하기

01 신뢰보호의 원칙은, 국민이 법률적 규율이나 제도가 장래에 지속할 것이라는 합리적인 신뢰를 바탕으로 개인의 법적 지위를 형성해 왔을 때에는 국가에게 그 국민의 신뢰를 되도록 보호할 것을 요구하는 법치국가원리의 파생원칙이다. ( ) 17. 국가직 7급

간단 점검하기

02 행정기관의 선행조치, 보호가치 있는 신뢰, 신뢰에 의한 사인의 처리, 인과관계의 존재와 함께 필요성의 원칙도 신뢰보호원칙의 성립요건이다. ( ) 15. 서울시 9급

간단 점검하기

03 신뢰보호원칙에서 신뢰의 대상인 행정청의 선행조치(공적 견해표명)에는 행정청의 적극적 언동은 물론 행정청이 아무런 행위를 하지 않는 소극적 언동(부작위)도 포함된다. ( ) 07. 서울시 9급

04 신뢰의 대상인 행정청의 선행조치는 문서에 의한 형식적 행위이어야 한다. ( ) 14. 국회직 8급

05 법적 효과를 수반하는 행정행위만이 신뢰보호원칙의 적용대상이 되며, 행정지도와 같은 사실행위는 이에 포함되지 않는다. ( ) 08. 국가직 7급

01 ○ 02 × 03 ○ 04 × 05 ×

(2) 대상

① 선행조치는 명시적·묵시적 행위(위법상태의 장시간 묵인·방치 등) 여부를 불문하고, 적극적·소극적 행위인지 여부도 가리지 않는다.

② 법률행위뿐만 아니라 사실행위도 이에 포함된다.

③ 행정행위의 경우 적법행위·위법행위인지도 묻지 않는다.

(3) 판례

행정청의 선행조치와 관련하여 '공적인 견해표명'이 있어야 한다고 보고 있으므로 학설보다는 선행조치의 인정범위가 좁다고 볼 수 있다.

관련판례

행정청의 공적 견해표명이 있었는지의 여부를 판단함에 있어서는, 반드시 행정조직상의 형식적인 권한분장에 구애될 것은 아니고, 담당자의 조직상의 지위와 임무, 당해 언동을 하게 된 구체적인 경위 및 그에 대한 상대방의 신뢰가능성에 비추어 실질에 의하여 판단하여야 한다(대판 2008.1.17, 2006두10931).

point check 판례가 인정하고 있는 선행조치

1. 구체적 의사표시(단순누락 제외)
2. 일반론적 의사표시 제외(예 국세청 홈페이지, 민원실 안내 등)
3. 조직상의 형식적인 권한분장에 구애됨이 없이 실질에 의해 판단
4. 부작위(객관적 사실존재, 과세할 수 있음을 알면서, 특별사정으로 과세하지 않는 경우에 인정)

관련판례 공적 견해표명 인정

1 대순진리회 ★★★

종교법인이 도시계획구역 내 생산녹지로 답인 토지에 대하여 종교회관 건립을 이용목적으로 하는 토지거래계약의 허가를 받으면서 담당공무원이 관련 법규상 허용된다 하여 이를 신뢰하고 건축준비를 하였으나 그 후 당해 지방자치단체장이 다른 사유를 들어 토지형질변경허가신청을 불허가한 것이 신뢰보호원칙에 반한다(대판 1997.9.12, 96누18380).

#종교회관건립 #담당공무원_허용 #지방자치단체장_거부 #신뢰보호_위반

2 완충녹지지정 ★★★

시의 도시계획과장과 도시계획국장이 도시계획사업의 준공과 동시에 사업부지에 편입한 토지에 대한 완충녹지 지정을 해제함과 아울러 당초의 토지소유자들에게 환매하겠다는 약속을 했음에도, 이를 믿고 토지를 협의매매한 토지소유자의 완충녹지지정해제신청을 거부한 것은, 행정상 신뢰보호의 원칙을 위반하거나 재량권을 일탈·남용한 위법한 처분이다(대판 2008.10.9, 2008두6127).

#담당기관_약속 #거부_신뢰보호_위반

간단 점검하기

01 행정청의 공적 견해표명이 있었는지의 여부를 판단하는 데 있어 반드시 행정조직상의 형식적인 권한분장에 구애될 것이 아니라 담당자의 조직상의 지위와 임무, 당해 언동을 하게 된 구체적인 경위 및 그에 대한 상대방의 신뢰가능성에 비추어 실질에 의하여 판단하여야 한다. ( ) 18. 서울시 7급

02 신뢰보호원칙이 적용되기 위한 행정청의 공적 견해표명이 있었는지 여부는 전적으로 행정조직상의 권한분장에 의해 결정된다. ( ) 16·08. 지방직 9급

03 대법원 판례는 행정기관의 추상적 질의에 대한 일반적 견해표명에 대하여도 신뢰보호원칙이 적용될 수 있다고 보았다. ( ) 06. 관세사

간단 점검하기

04 도시계획구역 내 생산녹지로 답(畓)인 토지에 대하여 종교회관 건립을 이용목적으로 하는 토지거래계약의 허가를 받으면서 담당공무원이 관련법규상 허용된다 하여 이를 신뢰하고 건축준비를 하였으나, 그 후 토지형질변경허가신청을 불허가한 것은 신뢰보호원칙에 반한다. ( ) 18. 경찰행정

05 시의 도시계획과장과 도시계획국장이 도시계획사업의 준공과 동시에 사업부지에 편입한 토지에 대한 완충녹지지정을 해제함과 아울러 당초의 토지소유자들에게 환매하겠다는 약속을 했음에도, 이를 믿고 토지를 협의매매한 토지소유자의 완충녹지 지정해제 신청을 거부한 것은 신뢰보호의 원칙에 위반된다. ( ) 11. 국회직 8급

01 ○ 02 × 03 × 04 ○ 05 ○

관련판례 공적 견해표명 부정

1 총무과 민원팀장 ★★★

병무청 담당부서의 담당공무원에게 공적 견해의 표명을 구하는 정식의 서면질의 등을 하지 아니한 채 총무과 민원팀장에 불과한 공무원이 민원봉사차원에서 상담에 응하여 안내한 것을 신뢰한 경우, 신뢰보호 원칙이 적용되지 아니한다(대판 2003.12.26, 2003두1875).

#병무청_총무과_민원팀장 #민원봉사차원_상담 #신뢰보호적용_안됨

2 민원예비심사 관련부서의견 ★

개발이익환수에 관한 법률에 정한 개발사업을 시행하기 전에, 행정청이 토지 지상에 예식장 등을 건축하는 것이 관계 법령상 가능한지 여부를 질의하는 민원예비심사에 대하여 관련부서 의견으로 개발이익환수에 관한 법률에 '저촉사항 없음'이라고 기재하였다고 하더라도, 이후의 개발부담금부과처분에 관하여 신뢰보호의 원칙을 적용하기 위한 요건인, 개인에 대하여 신뢰의 대상이 되는 공적인 견해표명을 한 것이라고는 보기 어렵다(대판 2006.6.9, 2004두46).

#민원예비심사 #질의_부서응답 #저촉사항_없음 #공적견해표명_아님

3 두 차례 사용허가 ★★★

피고 포항시장이 원고에게 두 차례 항만시설 사용허가를 해주었다는 사실만으로 그 이후로도 계속하여 항만시설 사용허가를 해줄 것이라는 공적인 견해표명을 하였다고 볼 수 없고 달리 피고 포항시장이 원고의 신뢰의 대상이 되는 공적인 견해표명을 하였다고 인정할 증거가 없다는 이유로 이 사건 제1처분(효율적인 관리를 위해 항만시설 사용허가 거부처분)이 신뢰보호의 원칙에 반하지 않는다(대판 2017.11.23, 2014두1628).

#두_차례_사용허가 #공적견해표명_아님

4 추측성 회신 ★★★

관광 숙박시설 지원 등에 관한 특별법(이하 '특별법'이라고 한다)의 유효기간인 2002.12.31. 이전까지 사업계획승인 신청을 한 경우에는 유효기간이 경과한 이후에도 특별법을 적용할 수 있다는 내용의 2002.11.13.자 회신은 문화관광부장관이 피고(서울시장)에게 한 것이어서 이를 원고에 대한 공적인 견해표명으로 보기 어렵고, 위 회신에 앞서 피고의 담당공무원이 원고에게 위와 같은 내용의 회신이 있을 것으로 예상되니 신청을 다소 늦게 하더라도 무방하다고 말했다고 하더라도 이는 위 회신이 있기 전에 담당공무원 자신의 추측을 이야기한 것에 불과하여 이 또한 피고의 공적인 견해표명으로 보기 어려우며, … 원고에게 아무런 귀책사유가 없다고 할 수 없어, 결국 특별법이 실효되었음을 이유로 원고의 사업계획승인신청을 거부한 이 사건 처분이 신뢰보호의 원칙에 위배된다고 볼 수는 없다(대판 2006.4.28, 2005두6539).

#추측성_회신 #공적견해표명_아님

5 회신내용알림 ★★★

관광숙박시설지원 등에 관한 특별법의 유효기간까지 관광호텔업 사업계획 승인신청을 한 경우에는 그 유효기간이 경과한 이후에도 특별법을 적용할 수 있다는 내용의 문화관광부 장관의 지방자치단체장에 대한 회신내용을 담당 공무원이 알려주었다는 사정만으로 위 지방자치단체장의 공적인 견해표명이 있었다고 보기 어렵다(대판 2006.4.28, 2005두9644).

#회신내용_알림 #공적견해표명_아님

간단 점검하기

01 서울지방병무청 총무과 민원팀장이 국외영주권을 취득한 사람의 상담에 응하여 법령의 내용을 숙지하지 못한 채 민원봉사차원에서 현역입영대상자가 아니라고 답변하였다면 그것이 서울지방병무청의 공적인 견해표명이라고 할 수 없다. ( ) 18. 지방직 9급

02 개발이익환수에 관한 법률에 정한 개발사업을 시행하기 전에, 행정청이 민원예비심사로서 관련부서 의견으로 '저촉사항 없음'이라고 기재한 것은 공적인 견해표명에 해당한다. ( ) 16. 경찰행정, 13. 국가직 9급

01 ○ 02 ×

6 행정청이 지구단위계획을 수립하면서 그 권장용도를 판매 · 위락 · 숙박시설로 결정하여 고시한 행위를 당해 지구 내에서는 공익과 무관하게 언제든지 숙박시설에 대한 건축허가가 가능하리라는 공적 견해를 표명한 것이라고 평가할 수는 없다(대판 2005.11.25, 2004두6822 · 6839 · 6846).

7 **재정경제부장관 검토의견** ★★★

고등훈련기 양산참여권의 포기대가와 관련하여 국내에서 세금이 면제될 수 있도록 협조를 구하는 국방부장관의 질의에 대하여 답변한 재정경제부장관의 검토의견은, 외국법인의 국내원천소득에 대한 재정경제부장관의 일반론적인 견해표명에 불과하므로 그에 대하여 신의성실의 원칙이 적용된다고 할 수 없다(대판 2010.4.29, 2007두19447 · 19454).

#재정경제부장관_검토의견 #일반론적_견해표명

간단 점검하기

01 행정청이 지구단위계획을 수립하면서 그 권장용도를 판매 · 위락 · 숙박시설로 결정하여 고시하였다 하더라도 당해 지구 내에서 공익과 무관하게 언제든지 숙박시설에 대한 건축허가가 가능하다는 취지의 공적 견해를 표명한 것으로 볼 수 없다. ( )

17. 지방직 7급, 15. 서울시 7급

관련판례 **세금관련**

1 **단순과세누락** ★★★

국세기본법 제18조 제3항에 규정된 비과세관행이 성립하려면, 상당한 기간에 걸쳐 과세를 하지 아니한 객관적 사실이 존재할 뿐만 아니라, 과세관청 자신이 그 사항에 관하여 과세할 수 있음을 알면서도 어떤 특별한 사정 때문에 과세하지 않는다는 의사가 있어야 하며, 위와 같은 공적 견해나 의사는 명시적 또는 묵시적으로 표시되어야 하지만 묵시적 표시가 있다고 하기 위하여는 단순한 과세누락과는 달리 과세관청이 상당기간의 불과세 상태에 대하여 과세하지 않겠다는 의사표시를 한 것으로 볼 수 있는 사정이 있어야 한다(대판 2003.9.5, 2001두7855).

#비과세관행 #의사표시필요 #단순과세누락 #비과세관행_불성립

2 과세관청이 비과세대상에 해당하는 것으로 잘못 알고 일단 비과세결정을 하였으나 그 후 과세표준과 세액의 탈루 또는 오류가 있는 것을 발견한 때에는, 이를 조사하여 결정할 수 있다(대판 1991.10.22. 90누9360 전합).

3 **지방세법시행기간동안비과세** ★★★

국세기본법 제18조 제2항의 규정은 납세자의 권리보호와 과세관청에 대한 납세자의 신뢰보호에 그 목적이 있는 것이므로 이 사건 보세운송면허세의 부과근거이던 지방세법시행령이 1973.10.1 제정되어 1977.9.20에 폐지될 때까지 4년 동안 그 면허세를 부과할 수 있는 정을 알면서도 피고가 수출확대라는 공익상 필요에서 한 건도 이를 부과한 일이 없었다면 납세자인 원고는 그것을 믿을 수밖에 없고 그로써 비과세의 관행이 이루어졌다고 보아도 무방하다(대판 1980.6.10, 80누6).

#면허세_4년_비과세 #관행성립

4 **간호전문대학병원** ★★

사업소세 도입 이래 20년 이상 간호전문대학의 운영자가 경영하는 병원에 대하여 사업소세를 부과하지 않으면서, 장기간 인근 다른 과세관청의 유사 사례에 대한 사업소세 과세 시도를 보면서도 비과세조치를 계속 유지한 경우, 묵시적으로 사업소세 비과세의 의사를 표시한 것으로 볼 수 있으므로, 국세기본법 제18조 제3항에서 정한 '비과세관행'이 성립하였다고 볼 수 있다(대판 2009.12.24, 2008두15350).

#간호전문대학병원 #20년이상_사업소세_비과세 #비과세관행_성립

간단 점검하기

02 비과세관행이 성립되었다고 하려면 상당한 기간에 걸쳐 과세를 하지 않은 객관적 사실이 존재하여야 한다.

( ) 13. 국가직 7급

03 비과세관행의 성립을 위해서는 과세관청 스스로 과세할 수 있음을 알면서도 어떤 특별한 사정 때문에 과세하지 않는다는 의사가 있고, 이와 같은 의사는 명시적 또는 묵시적으로 표시되어야 한다. ( ) 13. 국가직 7급

04 국세기본법에 따른 비과세관행의 성립요건인 공적 견해나 의사의 묵시적 표시가 있다고 하기 위해서는 과세관청이 상당기간의 불과세 상태에 대하여 과세하지 않겠다는 의사표시를 한 것으로 볼 수 있는 사정이 있어야 한다. ( ) 17. 지방직 7급

05 과세관청이 비과세대상에 해당하는 것으로 잘못 알고 일단 비과세 결정을 하였으나 그 후 과세표준과 세액의 탈루 또는 오류가 있는 것을 발견한 때에는, 이를 조사하여 결정할 수 있다.

( ) 13. 국가직 7급

01 ○ 02 ○ 03 ○ 04 ○
05 ○

5 기숙사건물 ★★★

외교부 소속 전·현직 공무원을 회원으로 하는 비영리 사단법인인 갑 법인이 재외 공무원 자녀들을 위한 기숙사 건물을 신축하면서, 갑 법인과 외무부장관이 과세관청과 내무부장관에게 취득세 등 지방세 면제 의견을 제출하자, 내무부장관이 '갑 법인이 학술연구단체와 장학단체이고 갑 법인이 직접 사용하기 위하여 취득하는 부동산이라면 취득세가 면제된다'고 회신하였고, 이에 과세관청은 약 19년 동안 갑 법인에 대하여 기숙사 건물 등 부동산과 관련한 취득세·재산세 등을 전혀 부과하지 않았는데, 그 후 과세관청이 위 부동산이 학술연구단체가 고유업무에 직접 사용하는 부동산에 해당하지 않는다는 등의 이유로 재산세 등의 부과처분을 한 사안에서, 위 처분은 신의성실의 원칙에 반하는 것으로서 위법하다(대판 2019.1.17, 2018두42559).

#재외공무원자녀기숙사 #내무부장관취득세면제회신 #19년동안비과세 #신뢰보호인정

6 보건복지부장관 비과세발표 ★★

보건사회부장관이 "의료취약지 병원설립운영자 신청공고"를 하면서 국세 및 지방세를 비과세하겠다고 발표하였고, 그 후 내무부장관이나 시·도지사가 도 또는 시·군에 대하여 지방세 감면조례제정을 지시하여 그 조례에 대한 승인의 의사를 미리 표명하였다면, 보건사회부장관에 의하여 이루어진 위 비과세의 견해표명은 당해 과세관청의 그것과 마찬가지로 볼 여지가 충분하다고 할 것이다.
또한 납세자로서는 위와 같은 정부의 일정한 절차를 거친 공고에 대하여서는 보다 고도의 신뢰를 갖는 것이 일반적이다(대판 1996.1.23, 95누13746).

#권한없는관청_약속 #권한관청_구체화지시_승인의사표명 #신뢰보호_인정

7 일반론적 견해표명 ★★★

국세청장의 위 회신(양도소득세부과대상인지 여부)이 일반론적인 견해표명에 불과한 점에 비추어 볼 때 과세관청이 이 사건 부동산의 양도가 비과세 대상이라는 공적견해나 의사를 표명하였고, 비과세 관행이 성립되었다고 볼 수는 없다고 할 것이므로, 이 사건 과세처분이 신의성실의 원칙이나 비과세 관행에 위배된다고 할 수 없다고 판단하였는바, 기록에 의하여 살펴보면 원심의 위와 같은 사실인정 및 판단은 정당하고 거기에 소론과 같은 법리오해, 심리미진 등의 위법이 있다고 할 수 없다(대판 1995.11.14, 95누10181).

#국세청장회신 #일반론적_견해표명 #비과세관행_불성립

8 민원상담직원 ★★★

주택매매에 앞서 과세관청의 민원상담직원으로부터 아무런 세금도 부과되지 아니할 것이라는 말을 들은 바 있고, 매매 후 과세관청이 양도소득세를 비과세처리하였으나 약 5년 후 과세처분을 하였다 하더라도 국세기본법 제15조나 제18조 제3항에 위배된다고 할 수 없다(대판 1993.2.23, 92누12919).

#민원상담직원 #비과세언급 #견해표명_해당×

9 세관장 형식적심사 ★★★

조세법률관계에서 신의성실의 원칙이 적용되기 위한 과세관청의 공적인 견해 표명은 당해 언동을 하게 된 경위와 그에 대한 납세자의 신뢰가능성에 비추어 실질에 의하여 판단하여야 하나, 납세자가 구 자유무역협정의 이행을 위한 관세법의 특례에 관한 법률(2015.12.29. 법률 제13625호로 전부 개정되기 전의 것) 제10조에 따라 수입신고 시 또는 그 사후에 협정관세 적용을 신청하여 세관장이 형식적 심사만으로 수리한 것을 두고 그에 대해 과세하지 않겠다는 공적인 견해 표명이 있었다고 보기는 어렵다(대판 2019.2.14, 2017두63726).

#세관장_형식적심사 #공적견해표명_아님

10 전속계약금 ★★★

국세청의 1990.7.20.자 예규<소득 22601-1539>는 소득세법령상 전속계약금은 기타소득에 해당한다는 일반적인 견해를 표명한 것에 불과하고, 1997.5.20.자 예규<소득 46011-1385>의 제정으로 세법의 해석을 달리하게 된 것이 아니며, 또한 전속계약금은 어느 경우에나 기타소득으로만 과세한다는 관행이 일반적으로 성립하였다고 볼 수 없다. … 탤런트의 전속계약금 소득은 사업소득에 해당한다(대판 2001.4.24, 2000두5203).

#전속계약금 #국세청예규_기타소득 #사업소득부과_정당

관련판례 폐기물 처리업 ★★★

1 폐기물처리업에 대하여 관할 관청의 사전 적정통보를 받고 막대한 비용을 들여 허가요건을 갖춘 다음 허가신청을 하였음에도 청소업자의 난립으로 효율적인 청소업무의 수행에 지장이 있다는 이유로 한 불허가처분이 신뢰보호의 원칙에 반하여 재량권을 남용한 위법한 처분이다(대판 1998.5.8, 98두4061).

#폐기물처리업 #적정통보 #공적견해표명_해당

2 폐기물관리법령에 의한 폐기물처리업 사업계획에 대한 적정통보와 국토이용관리법령에 의한 국토이용계획변경은 각기 그 제도적 취지와 결정단계에서 고려해야 할 사항들이 다르다는 이유로, 폐기물처리업 사업계획에 대하여 적정통보를 한 것만으로 그 사업부지 토지에 대한 국토이용계획변경신청을 승인하여 주겠다는 취지의 공적인 견해표명을 한 것으로 볼 수 없다(대판 2005.4.28, 2004두8828).

#폐기물처리업_사업계획_적정통보 #국토이용계획변경_적정통보_상호별개

3 도시계획구역 안에서의 폐기물처리시설의 결정기준 및 설치기준 등을 규정하고 있는 도시계획법 제2조 제1항 제1호 (나)목, 제16조, 도시계획시설기준에관한규칙 제126조 내지 제128조 및 폐기물관리법령은 도시계획구역 안에서의 토지형질변경의 허가기준을 규정하고 있는 도시계획법 제4조 제1항, 도시계획법시행령 제5조의2 및 토지의형질변경등행위허가기준등에관한규칙 제4조 제1항과 각기 규정대상 및 입법취지를 달리하고 있으므로, 일반적으로 폐기물처리업 사업계획에 대한 적정통보에 당해 토지에 대한 형질변경허가신청을 허가하는 취지의 공적 견해표명이 있는 것으로는 볼 수 없다고 할 것이고, 더구나 토지의 지목변경 등을 조건으로 그 토지상의 폐기물처리업 사업계획에 대한 적정통보를 한 경우에는 위 조건부적정통보에 토지에 대한 형질변경허가의 공적 견해표명이 포함되어 있었다고 볼 수 없다(대판 1998.9.25, 98두6494).

간단 점검하기

01 폐기물처리업에 대하여 관할관청의 사전 적정통보를 받고 막대한 비용을 들여 허가요건을 갖춘 다음 허가신청을 하였음에도 청소업자의 난립으로 효율적인 청소업무의 수행에 지장이 있다는 이유로 한 불허가처분이 신뢰보호의 원칙에 반하여 재량권을 남용한 위법한 처분이다. ( ) 17. 서울시 9급

02 행정청이 폐기물처리업 사업계획에 대하여 적정통보를 한 것만으로 그 사업부지 토지에 대한 국토이용계획변경신청을 승인하여 주겠다는 취지의 공적인 견해표명을 한 것으로 볼 수 없다. ( ) 19. 지방직 9급

03 폐기물처리업 사업계획에 대한 적정통보에는 당해 토지에 대한 형질변경신청을 허가하는 취지의 공적 견해표명이 있다고 볼 수 있다. ( ) 12. 지방직 7급, 17. 서울시 9급

관련판례

1 위헌결정 ★★★

헌법재판소의 위헌결정은 행정청이 개인에 대하여 신뢰의 대상이 되는 공적인 견해를 표명한 것이라고 할 수 없으므로 그 결정에 관련한 개인의 행위에 대하여는 신뢰보호의 원칙이 적용되지 아니한다(대판 2003.6.27, 2002두6965).

#위헌결정 #공적견해표명_아님

간단 점검하기

04 헌법재판소의 위헌결정은 행정청이 개인에 대하여 신뢰의 대상이 되는 공적인 견해를 표명한 것이라고 할 수 있으므로 그 결정에 관련한 개인의 행위에 대하여는 신뢰보호의 원칙이 적용된다. ( ) 19. 지방직 9급

01 ○ 02 ○ 03 × 04 ×

2 **입증책임** ★★

과세관청 자신이 그 사항에 대하여 과세할 수 있음을 알면서 어떤 특별한 사정에 의하여 과세하지 않는다는 의사가 있고 이와 같은 의사가 대외적으로 명시적 또는 묵시적으로 표시될 것임을 요한다고 해석되며, 이는 납세자가 주장·입증하여야 한다(대판 1995.4.21, 94누6574).

#과세하지않는다_의사 #입증책임_주장자

2. 보호가치 있는 신뢰(관계인의 귀책사유가 없을 것)

(1) 선행조치의 정당성 또는 존속성에 대한 관계자의 신뢰가 보호가치 있는 것이어야 한다.

(2) 신뢰하게 된 것에 대하여 관계인에게 귀책사유가 없어야 한다. 따라서 사기·강박·악의·중과실 등에 의하여 선행조치를 받은 경우에는 보호가치 있는 신뢰에 해당하지 않는다.

관련판례

1 [1] 귀책사유라 함은 행정청의 견해표명의 하자가 상대방 등 관계자의 사실은폐나 기타 사위의 방법에 의한 신청행위 등 부정행위에 기인한 것이거나 그러한 부정행위가 없다고 하더라도 하자가 있음을 알았거나 중대한 과실로 알지 못한 경우 등을 의미한다고 해석함이 상당하고, 귀책사유의 유무는 상대방과 그로부터 신청행위를 위임받은 수임인 등 관계자 모두를 기준으로 판단하여야 한다.

[2] 건축주와 그로부터 건축설계를 위임받은 건축사가 상세계획지침에 의한 건축한계선의 제한이 있다는 사실을 간과한 채 건축설계를 하고 이를 토대로 건축물의 신축 및 증축허가를 받은 경우, 그 신축 및 증축허가가 정당하다고 신뢰한 데에 귀책사유가 있다(대판 2002.11.8, 2001두1512).

2 행정행위를 한 처분청은 그 행위에 하자가 있는 경우에는 별도의 법적 근거가 없더라도 스스로 이를 취소할 수 있고, 다만 수익적 행정처분을 취소할 때에는 이를 취소하여야 할 공익상의 필요와 그 취소로 인하여 당사자가 입게 될 기득권과 신뢰보호 및 법률생활 안정의 침해 등 불이익을 비교·교량한 후 공익상의 필요가 당사자가 입을 불이익을 정당화할 만큼 강한 경우에 한하여 취소할 수 있다. 그런데 수익적 행정처분의 하자가 당사자의 사실은폐나 기타 사위의 방법에 의한 신청행위에 기인한 것이라면, 당사자는 처분에 의한 이익을 위법하게 취득하였음을 알아 취소가능성도 예상하고 있었을 것이므로, 그 자신이 처분에 관한 신뢰이익을 원용할 수 없음은 물론, 행정청이 이를 고려하지 아니하였다고 하여도 재량권의 남용이 되지 아니하고, 이 경우 당사자의 사실은폐나 기타 사위의 방법에 의한 신청행위가 제3자를 통하여 소극적으로 이루어졌다고 하여 달리 볼 것이 아니다(대판 2013.2.15, 2011두1870).

관련판례 **관계인의 귀책사유 O**

1 **충전소설치** ★★★

충전소설치예정지로부터 100m 내에 있는 건물주의 동의를 모두 얻지 아니하였음에도 불구하고 이를 갖춘 양 허가신청을 하여 그 허가를 받아낸 것으로서, 처분의 하자가 당사자의 사실은폐 내지 사위의 방법에 의한 신청행위에 기인한 것이라 할

간단 점검하기

01 귀책사유라 함은 행정청의 견해표명의 하자가 상대방 등 관계자의 사실은폐 등 부정행위에 기인한 것이거나 그러한 부정행위가 없다고 하더라도 하자가 있음을 알았거나 중대한 과실로 알지 못한 경우 등을 의미한다. ( ) 14. 국가직 9급

02 신뢰보호의 원칙과 관련하여, 행정청의 선행조치가 신청자인 사인의 사위나 사실은폐에 의해 이뤄진 경우라도 행정청의 선행조치에 대한 사인의 신뢰는 보호되어야 한다. ( ) 17. 서울시 9급

03 공적 견해표명을 신뢰한 자가 사실은폐 등 적극적 부정행위를 하지 않는 한 귀책사유가 인정되지 않는다. ( ) 09. 국회직 8급

04 귀책사유는 신청인과 그로부터 신청행위를 위임받은 수임인 등 관계자 모두를 기준으로 판단하므로 수임인에게 귀책사유가 인정되는 경우 신뢰보호원칙에 의해 보호받을 수 없나. ( ) 11. 국가직 9급

05 행정기관의 선행조치(수익적 행정처분)의 하자가 당사자의 사실은폐나 기타 사위의 방법에 의한 신청행위에 기인한 것이라면, 당사자는 처분에 의한 이익을 위법하게 취득하였음을 알아 취소가능성도 예상하고 있었을 것이므로, 그 자신이 처분에 관한 신뢰이익을 원용할 수 없다. ( ) 13. 서울시 7급

01 ○ 02 × 03 × 04 ○ 05 ○

것이어서 그 처분에 의한 이익이 위법하게 취득되었음을 알아 그 취소가능성도 능히 예상하고 있었다고 보아야 할 것이므로 수익적 행정행위인 액화석유가스충전사업허가처분의 취소에 위법이 없다(대판 1992.5.8, 91누13274).

#액화석유가스충전소사업허가 #건물주동의_갖춘_양(사위) #취소_정당

2 액화석유가스판매업 ★★★

액화석유가스판매사업의 허가신청자격이 없는 사람이 위 사업을 할 수 있도록 하기 위하여 명의만을 빌려주고, 허가기준에 맞지 않았음에도 이에 맞는 양 허가신청을 하여 그 허가를 받은 경우 위 사업허가의 취소처분이 재량권 남용에 해당하지 아니한다(대판 1991.4.12, 90누9520).

#액화석유가스판매사업 #명의대여_허가신청

3 개인택시운송사업면허취소 ★★★

개인택시운송사업면허자격이 없음을 숨기고 면허신청하여 면허를 받은 경우 처분청이 당사자의 신뢰이익을 고려하지 않고 그 면허를 취소할 수 있다(대판 1990.2.27, 89누2189).

#자격없음_숨김_면허신청 #허가취소_정당

4 집합건물 ★★★

집합건물인 사실을 은폐하고 구분소유자의 승낙서류를 첨부하지 아니한 채 옥외광고물표시 허가를 받았다가, 뒤에 행정청으로부터 그 승낙서류의 보완을 지시받고도 제대로 보완하지 아니하여 허가를 취소당하였다면, 수익적 처분의 취소에 관한 재량권 남용이 있다고 할 수 없다(대판 1996.10.25, 95누14190).

#집합건물_은폐 #승낙서류_미첨부 #보완지시_불이행 #옥외광고물표시허가취소

5 졸업증명서 ★★★

허위의 고등학교 졸업증명서를 제출하는 사위의 방법에 의한 하사관 지원의 하자를 이유로 하사관 임용일로부터 33년이 경과한 후에 행정청이 행한 하사관 및 준사관 임용취소처분이 적법하다(대판 2002.2.5, 2001두5286).

#졸업증명서_허위 #하사관임용 #33년후_임용취소_정당

6 동등성시험 ★★

생물학적 동등성 시험 자료 일부에 조작이 있음을 이유로 해당 의약품의 회수 및 폐기를 명한 행정처분이 재량권을 일탈·남용하여 위법하다고 볼 수 없다(대판 2008.11.13, 2008두8628).

#알로피아정 #시험자료조작 #회수_폐기_정당

7 주차장미확보 시정지시처분 ★★

피고는 당초 이 사건 건물에 대한 옥외부설주차장의 부지이던 이 사건 제3토지가 그 주차장의 용도로 사용되지 아니한 채 전전 양도되던 중 이를 양도받은 소외 이상수에게 1988.12.21. 그 토지 위에 주택을 신축하도록 건축허가를 하여 주었고, … 1994.4.9. 다시 이 사건 각 건물에 대하여 건축물관리대장상에 '위법건축물'임을 표기하고서 이 사건 처분을 하기에 이르렀다는 것인바, 사실관계가 그와 같다면 이 사건 각 건물에 대한 부설주차장 설치의무위반 사항과 관련하여 피고가 원고들에 대하여 신뢰의 대상이 되는 공적인 견해표명을 한 것으로 볼 여지가 있으나, 피고의 그 견해표명이 정당하다고 신뢰한 데에 대하여 원고들에게 귀책사유가 없다고 단정할 수 없으므로 결국 이 사건 처분이 신뢰보호의 원칙에 반하는 것으로서 위법하다고 할 수는 없다 할 것이다(대판 1996.2.23, 95누3787).

#옥외부설주차장부지 #건축허가 #건축물관리대장_위법표기 #주차장미확보시정지처분_정당
#건축주_귀책사유_인정

3. 상대방의 처리(견해표명에 상응하는 사인의 행위)

(1) 신뢰보호는 행정기관의 조치를 신뢰하여 그 상대방이 일정한 조치(예 투자·건축개시 등)를 한 경우에만 인정된다.

(2) 신뢰를 원인으로 하는 처리행위는 적극적·소극적 행위에 관계없이 행정기관의 선행행위에 따른 모든 행위를 말한다.

4. 인과관계

(1) 행정청의 선행조치와 그 상대방에 의한 조치 사이에는 인과관계가 성립되어야 한다.

(2) 상대방이 행정청의 선행행위에 대하여 정당성과 계속성을 믿음으로써 일정한 조치를 한 경우이어야 한다.

관련판례 시영아파트입주권 ★★

서울특별시 소속 건설담당직원이 무허가건물이 철거되면 그 소유자에게 시영아파트 입주권이 부여될 것이라고 허위의 확인을 하여 주었기 때문에 그 소유자와의 사이에 처음부터 그 이행이 불가능한 아파트입주권 매매계약을 체결하여 매매대금을 지급한 경우, 매수인이 입은 손해는 그 아파트입주권 매매계약이 유효한 것으로 믿고서 출연한 매매대금으로서 이는 매수인이 시영아파트입주권을 취득하지 못함으로 인하여 발생한 것이 아니라 공무원의 허위의 확인행위로 인하여 발생된 것으로 보아야 하므로, 공무원의 허위 확인행위와 매수인의 손해 발생 사이에는 상당인과관계가 있다(대판 1996.11.29, 95다21709).

#공무원_시영아파트입주권부여_허위확인 #공무원확인_매수인손해_인과관계

5. 선행조치에 반하는 행정작용(견해표명에 반하는 처분)

(1) 행정청이 행한 선행행위에 반하는 후행조치를 하였거나 선행조치에 의하여 약속한 행위를 이행하지 않음으로써 이를 신뢰한 개인의 이익을 침해하여야 한다.

(2) 이를 신뢰보호의 성립요건이 아니라 적용요건으로 보는 견해도 있다.

관련판례

1 운전면허취소 ★★★

운전면허 취소사유에 해당하는 음주운전을 적발한 경찰관의 소속 경찰서장(여수경찰서장)이 사무착오로 위반자에게 운전면허정지처분을 한 상태에서 위반자의 주소지 관할 지방경찰청장(대구지방경찰청장)이 위반자에게 운전면허취소처분을 한 것은 선행처분에 대한 당사자의 신뢰 및 법적 안정성을 저해하는 것으로서 허용될 수 없다(대판 2000.2.25, 99두10520).

#음주운전_면허취소사유 #적발경찰서장_면허정지처분 #주소지경찰청장_면허취소처분_허용불가

간단 점검하기

01 개인이 행정청의 공적 견해표명을 신뢰하고 이에 기초하여 어떠한 행위를 하였어야 한다. ( ) 09. 국회직 8급

간단 점검하기

02 행정청의 선행조치와 무관하게 우연히 행해진 사인의 처리행위도 신뢰보호의 대상이 될 수 있다. ( ) 08. 국회직 8급

간단 점검하기

03 운전면허 취소사유에 해당하는 음주운전을 적발한 경찰관의 소속 경찰서장이 사무착오로 위반자에게 운전면허정지처분을 한 상태에서 위반자의 주소지 관할 지방경찰청장이 위반자에게 운전면허 취소처분을 한 것은 선행처분에 대한 당사자의 신뢰 및 법적 안정성을 저해하는 것으로 볼 수 없다. ( ) 18. 경찰행정

01 ○ 02 × 03 ×

2 산업재해보상보험법(이하 '산재보상법'이라 한다) 제84조 제1항 제3호의 내용과 취지, 사회보장 행정영역에서의 수익적 행정처분 취소의 특수성 등을 종합해 보면, 산재보상법 제84조 제1항 제3호에 따라 보험급여를 받은 당사자로부터 잘못 지급된 보험급여액에 해당하는 금액을 징수하는 처분을 할 때에는 보험급여의 수급에 관하여 당사자에게 고의 또는 중과실의 귀책사유가 있는지, 잘못 지급된 보험급여액을 쉽게 원상회복할 수 있는지, 잘못 지급된 보험급여액에 해당하는 금액을 징수하는 처분을 통하여 달성하고자 하는 공익상 필요의 구체적 내용과 처분으로 당사자가 입게 될 불이익의 내용 및 정도와 같은 여러 사정을 두루 살펴, 잘못 지급된 보험급여액에 해당하는 금액을 징수하는 처분을 해야 할 공익상 필요와 그로 말미암아 당사자가 입게 될 기득권과 신뢰의 보호 및 법률생활 안정의 침해 등의 불이익을 비교·교량한 후, 공익상 필요가 당사자가 입게 될 불이익을 정당화할 만큼 강한 경우에 한하여 보험급여를 받은 당사자로부터 잘못 지급된 보험급여액에 해당하는 금액을 징수하는 처분을 하여야 한다(대판 2014.7.24, 2013두27159).

간단 점검하기

01 산업재해보상보험법상 각종 보험급여 등의 지급결정을 변경 또는 취소하는 처분과 처분에 터 잡아 잘못 지급된 보험급여액에 해당하는 금액을 징수하는 처분이 적법한지를 판단하는 경우, 지급결정을 변경 또는 취소하는 처분이 적법하다면 그에 터 잡은 징수처분도 적법하다고 판단해야 한다. ( ) 19. 지방직 9급

6. 신뢰보호원칙과 제3자의 이익

신뢰보호의 이익과 공익 또는 제3자의 이익이 상호 충돌하는 경우 신뢰보호의 이익이 우선하는 것이 아니라 이익형량을 하여야 한다. 즉, 제3자효 행정행위에 있어서는 신뢰보호 원칙의 적용이 제한될 수 있다.

간단 점검하기

02 공익을 해할 우려가 있는 경우가 아니어야 함은 신뢰보호원칙의 성립 요건이지만, 제3자의 정당한 이익을 해할 우려가 있는 경우가 아니어야 함은 신뢰보호원칙의 성립요건이 아니다. ( ) 14. 국회직 8급, 15. 서울시 9급

03 선행조치의 상대방에 대한 신뢰보호의 이익과 제3자의 이익이 충돌하는 경우에는 신뢰보호원칙이 우선한다. ( ) 19. 국회직 8급

04 신뢰보호의 원칙은 행정의 적법성 원칙과 갈등관계가 형성될 수 있으며, 후자의 원칙을 배제할 만한 우월한 사정이 있을 때 그 효력을 인정할 수 있게 된다. ( ) 09. 국가직 7급

05 신뢰보호의 원칙과 행정의 법률적 합성의 원칙이 충돌하는 경우 법률적 합성의 원칙이 우선한다. ( ) 14. 경찰행정

06 위법한 행정관행에 대해서도 신뢰보호의 원칙이 적용될 수 있다. ( ) 19. 서울시 9급

4 한계

1. 행정의 법률적합성의 원칙과의 관계

(1) 법률적합성우위설

(2) 양자동위설(통설)

(3) 이익형량설(판례)

관련판례 이익형량

1 **레미콘공장** ★★

레미콘공장 설립을 하면 환경에 현저한 위해를 가할 우려가 있고 그러한 사정이 있음에도 불구하고 공장설립을 허가하는 것이 같은 법 제8조와 이 규정에 따른 통상산업부 고시에 위반된다면, 설사 관할 지방자치단체가 토지거래허가시에 이러한 사정을 간과하고 토지거래허가를 하였다고 하더라도 쾌적한 환경에서 생활할 주민들의 권리라는 한 차원 높은 가치를 보호하기 위한 공장입지 조정명령을 신뢰보호의 원칙을 들어 위법하다고 할 수도 없다(대판 1996.7.12, 95누11665).

#레미콘공장 #환경위해 #고시위반 #토지거래허가 #공장입지조정명령 #정당

2 **폐기물처리업** ★★★

폐기물처리업에 대하여 관할 관청의 사전 적정통보를 받고 막대한 비용을 들여 허가요건을 갖춘 다음 허가신청을 하였음에도 청소업자의 난립으로 효율적인 청소업무의 수행에 지장이 있다는 이유로 한 불허가처분이 신뢰보호의 원칙에 반하여 재량권을 남용한 위법한 처분이다(대판 1998.5.8, 98두4061).

#폐기물처리업 #적정통보 #청소업자난립 #불허가처분_위법

01 × 02 × 03 × 04 ○
05 × 06 ○

2. 존속보호와 보상보호

(1) 재산권의 보장이 원칙적으로 존속보장인 점을 고려할 때 기성(旣成) 법상태의 존속보호가 원칙이겠지만, 존속보호가 힘든 경우에는 보충적으로 보상보호를 통한 신뢰보호도 가능하다.

(2) 독일 행정절차법 제48조 또한 일반적으로 존속보호를 우선적으로 고려하되 예외적으로 보상보호를 인정하고 있다.

3. 사정변경(법령변경 등)

(1) 법령변경

① 관련 법률이나 법규명령 등이 변경된 경우 일반적으로 변경된 법률 등이 적용된다. 원칙적으로 법령이 개정된 경우도 아직 완성되지 않고 계속 중인 사항에 적용되는 부진정소급은 인정되나, 이미 완성된 사안에 적용되는 진정소급은 허용되지 않는다.

② 법률 등이 개정된 경우에도 예외적으로 개정 법률을 적용하는 것이 상대방의 이익을 현저히 침해하는 등의 경우에는 공익적 목적과 비교하여 신뢰보호 여부를 결정하여야 한다.

관련판례

1 법령의 개정에서 신뢰보호원칙이 적용되어야 하는 이유는, 어떤 법령이 장래에도 그대로 존속할 것이라는 합리적이고 정당한 신뢰를 바탕으로 국민이 그 법령에 상응하는 구체적 행위로 나아가 일정한 법적 지위나 생활관계를 형성하여 왔음에도 국가가 이를 전혀 보호하지 않는다면 법질서에 대한 국민의 신뢰는 무너지고 현재의 행위에 대한 장래의 법적 효과를 예견할 수 없게 되어 법적 안정성이 크게 저해되기 때문이고, 이러한 신뢰보호는 절대적이거나 어느 생활영역에서나 균일한 것은 아니고 개개의 사안마다 관련된 자유나 권리, 이익 등에 따라 보호의 정도와 방법이 다를 수 있으며, 새로운 법령을 통하여 실현하고자 하는 공익적 목적이 우월한 때에는 이를 고려하여 제한될 수 있으므로, 이 경우 신뢰보호원칙의 위배 여부를 판단하기 위해서는 한편으로는 침해된 이익의 보호가치, 침해의 중한 정도, 신뢰가 손상된 정도, 신뢰침해의 방법 등과 다른 한편으로는 새 법령을 통해 실현하고자 하는 공익적 목적을 종합적으로 비교·형량하여야 한다(대판 2007.10.29, 2005두4649 전합).

2 개인의 신뢰이익에 대한 보호가치는 ① 법령에 따른 개인의 행위가 국가에 의하여 일정방향으로 유인된 신뢰의 행사인지, ② 아니면 단지 법률이 부여한 기회를 활용한 것으로서 원칙적으로 사적 위험부담의 범위에 속하는 것인지 여부에 따라 달라진다. 만일 법률에 따른 개인의 행위가 단지 법률이 반사적으로 부여하는 기회의 활용을 넘어서 국가에 의하여 일정 방향으로 유인된 것이라면 특별히 보호가치가 있는 신뢰이익이 인정될 수 있고, 원칙적으로 개인의 신뢰보호가 국가의 법률개정이익에 우선된다고 볼 여지가 있다(헌재 2007.4.26, 2003헌마947·2004헌마4·156·352·1009·2005헌마414·1009·1263 병합).

간단 점검하기

01 법령 개폐에 있어서 신뢰보호원칙의 위반 여부는 한편으로는 침해받은 신뢰이익의 보호가치, 침해의 중한 정도, 신뢰침해의 방법 등과 다른 한편으로는 새 입법을 통해 실현코자 하는 공익목적을 종합적으로 비교·형량하여 판단하여야 한다. ( ) 19. 지방직 9급

간단 점검하기

02 법령개정에 대한 신뢰와 관련하여, 법령에 따른 개인의 행위가 국가에 의하여 일정한 방향으로 유인된 경우에 특별히 보호가치가 있는 신뢰이익이 인정될 수 있다. ( ) 16. 지방직 9급

03 법률에 따른 개인의 행위가 국가에 의하여 일정 방향으로 유인된 신뢰의 행사가 아니라 단지 법률이 부여한 기회를 활용한 것이라 하더라도 신뢰보호의 이익이 인정된다. ( ) 18. 국가직 7급

01 ○ 02 ○ 03 ×

관련판례 **법령개정, 원칙 - 신법령 적용, 예외 - 구법령 적용(신법령 적용제한)**

1 건축허가 ★★★

건축허가기준에 관한 관계 법령 및 조례(이하 '법령'이라고만 한다)의 규정이 개정된 경우, 새로이 개정된 법령의 경과규정에서 달리 정함이 없는 한 처분 당시에 시행되는 개정 법령에서 정한 기준에 의하여 건축허가 여부를 결정하는 것이 원칙이고, 그러한 개정 법령의 적용과 관련하여서는 개정 전 법령의 존속에 대한 국민의 신뢰가 개정 법령의 적용에 관한 공익상의 요구보다 더 보호가치가 있다고 인정되는 경우에 그러한 국민의 신뢰를 보호하기 위하여 그 적용이 제한될 수 있는 여지가 있을 따름이다(대판 2005.7.29, 2003두3550 ; 대판 2007.11.16, 2005두8092).

#건축허가기준변경 #개정법령적용_원칙 #공익상요구_사익보호_큰경우 #사익보호_예외

2 요양급여대상삭제 ★★

행정청이 약제에 대한 요양급여대상 삭제 처분의 근거 법령으로 삼은 구 국민건강보험 요양급여의 기준에 관한 규칙(2007.7.25. 보건복지부령 제408호로 개정되기 전의 것) 제13조 제4항 제6호가 헌법상 금지되는 소급입법에 해당한다고 볼 수 없고, 개정 전 법령의 존속에 대한 제약회사의 신뢰가 공익상의 요구와 비교·형량하여 더 보호가치 있는 신뢰라고 할 수 없어 경과규정을 두지 않았다고 하여 신뢰보호의 원칙에 위배된다고 볼 수도 없다(대판 2009.4.23, 2008두8918).

#요양급여대상삭제법령 #공익침해형량 #신뢰보호위반_아님

3 의사면허취소 ★

의사가 파산선고를 받고 복권되지 아니한 경우를 임의적 면허취소사유로 규정한 개정 전 의료법하에서 파산선고를 받았으나 같은 경우를 필요적 면허취소사유로 규정한 개정 의료법하에서도 복권되지 아니한 의사에 대하여 개정 의료법을 적용하여 의사면허를 반드시 취소하여야 한다(대판 2001.10.12, 2001두274).

4 개인택시면허 ★★

매년 그 때의 상황에 따라 적절히 면허 숫자를 조절해야 할 필요성이 있는 개인택시 면허제도의 성격상 그 자격요건이나 우선순위의 요건을 일정한 범위 내에서 강화하고 그 요건을 변경함에 있어 유예기간을 두지 아니하였다 하더라도 그러한 점만으로는 행정청의 면허신청 접수거부처분이 신뢰보호의 원칙이나 형평의 원칙, 재량권의 남용에 해당하지 아니한다(대판 1996.7.30, 95누12897).

#개인택시면허_접수거부 #자격요건_우선순위 #유예기간없는결정 #정당

5 의무사관후보 징집면제 ★★

의무사관후보생의 병적에서 제외된 사람의 징집면제연령을 31세에서 36세로 상향조정한 구 병역법 제71조 제1항 단서(이하, "이 사건 법률조항"이라 한다)가 소급입법금지원칙, 신뢰보호원칙 및 평등원칙에 위반되지 않는다(헌재 2002.11.28, 2002헌바45).

#징집면제연령변경 #신뢰보호위반_아님

6 한약사시험 응시자격 - 신법령 적용제한 ★★★

한약사 국가시험의 응시자격에 관하여 개정 전의 약사법 시행령 제3조의2에서 '필수 한약관련 과목과 학점을 이수하고 대학을 졸업한 자'로 규정하고 있던 것을 '한약학과를 졸업한 자'로 응시자격을 변경하면서, 그 개정 이전에 이미 한약자원학과에 입학하여 대학에 재학 중인 자에게도 개정 시행령이 적용되게 한 개정 시행령 부칙은 헌법상 신뢰보호의 원칙과 평등의 원칙에 위배되어 허용될 수 없다(대판 2007.10.29, 2005두4649).
#한약사시험응시자격변경 #대학졸업자_한의학과졸업자 #변경적용_이익형량_신뢰보호위반

7 변리사시험 상대평가제 - 신법령 적용제한 ★★★

변리사 제1차 시험의 상대평가제를 규정한 개정 시행령 제4조 제1항을 2002년의 제1차 시험에 시행하는 것은 헌법상 신뢰보호의 원칙에 비추어 허용될 수 없으므로, 개정 시행령 부칙 중 제4조 제1항을 즉시 2002년의 변리사 제1차 시험에 대하여 시행하도록 그 시행시기를 정한 부분은 헌법에 위반되어 무효이다(대판 2006.11.16, 2003두12899).
#변리사시험 #절대평가_상대평가 #즉시시행_위법

(2) 행정계획의 폐지 · 변경 및 사실관계 변경

① 일반적으로 계획보장청구권이 인정되지 않기 때문에 계획자체의 이행을 청구하는 것은 인정될 수 없다.

② 한편, 종전의 행정계획에 따라 구체적으로 건축을 하였거나 하는 등의 경우가 문제되는데, 이 경우에도 일반적으로 건축허가 등의 명시적 견해를 표명한 것이 아니므로 보호될 수 없다.

③ 행정청의 의사표시가 있었다고 하더라도 사실관계가 변경된 경우 변경된 내용에 따라 신뢰가 보호되지 않는 경우도 있다.

관련판례 계획결정 · 변경 - 신뢰보호 안됨

1 용도지역결정 · 변경 ★★★

행정청이 용도지역을 자연녹지지역으로 지정결정하였다가 그보다 규제가 엄한 보전녹지지역으로 지정결정하는 내용으로 도시계획을 변경한 경우, 행정청이 용도지역을 자연녹지지역으로 결정한 것만으로는 그 결정 후 그 토지의 소유권을 취득한 자에게 용도지역을 종래와 같이 자연녹지지역으로 유지하거나 보전녹지지역으로 변경하지 않겠다는 취지의 공적인 견해표명을 한 것이라고 볼 수 없고, 토지소유자가 당해 토지 지상에 물류창고를 건축하기 위한 준비행위를 하였더라도 그와 같은 사정만으로는 용도지역을 자연녹지지역에서 보전녹지지역으로 변경하는 내용의 도시계획변경결정이 행정청의 공적인 견해표명에 반하는 처분을 함으로써 그 견해표명을 신뢰한 개인의 이익이 침해되는 결과가 초래된 것이라고도 볼 수 없다는 등의 이유로, 신뢰보호의 원칙이 적용되지 않는다(대판 2005.3.10, 2002두5474).
#용도지역결정 #용도지역변경_공적견해표명_아님 #물류창고_준비행위 #신뢰보호_안됨

2 도시계획결정 · 변경 ★★★

당초 정구장시설을 설치한다는 도시계획결정을 하였다가 정구장 대신 청소년 수련시설을 설치한다는 도시계획 변경결정 및 지적승인을 한 경우, 당초의 도시계획결정만으로는 도시계획사업의 시행자 지정을 받게 된다는 공적인 견해를 표명하였다고 할 수 없다는 이유로 그 후의 도시계획 변경결정 및 지적승인이 도시계획사업의 시행자로 지정받을 것을 예상하고 정구장 설계 비용 등을 지출한 자의 신뢰이익을 침해한 것으로 볼 수 없다(대판 2000.11.10, 2000두727).
#도시계획결정 · 변경 #정구장_청소년수련시설 #공적견해표명_아님

간난 점검하기

정구장시설 설치의 도시계획 결정을 청소년수련시설 설치의 도시계획으로 변경한 경우, 사업시행자로 지정받을 것을 예상하고 정구장 설계비용 등을 지출한 자의 신뢰이익을 침해한 것으로 볼 수 없다. ( ) 12. 지방직 7급

○

관련판례 **사실관계 변경 - 변경에 따라 결정**

환지확정 건축허가 ★★

행정청이 환지확정되기 이전의 종전토지에 대하여 건축허가를 한 바 있지만 이는 원고가 소유권을 취득하기 이전의 종전토지를 대상으로 하여 한 것이므로 이것이 원고에 대하여 환지확정된 대지의 건축허가에 관한 공적인 견해표명을 한 것이라고 할 수 없고, 행정청이 당초의 건축허가처분을 할 당시에는 도로에 2m 이상 접하게 되어 있어 적법하게 건축허가를 하였을 것이나, 이 기존의 주택의 존속을 전제로 증축이나 대수선을 하는 경우라면 몰라도, 이 때문에 원고가 그 후 환지확정으로 1.8m만 도로에 접하고 있는 위 대지상에 새로이 건축허가를 받을 수 있다고 신뢰하였다거나 이를 신뢰한 원고에게 귀책사유가 없다고 할 수 없고, 원고가 위 주택을 10년 이상 소유하였다고 하여 신뢰보호의 요건이 갖추어졌다고 할 수 없다(대판 1992.5.26, 91누10091).

#환지이전_건축허가 #사정변경 #환지이후_건축불가_정당

4. 착오 및 무효인 행정행위

(1) 착오에 의한 행정행위

이는 원칙적으로 유효하므로, 착오에 의하여 행해진 행위와 다른 처분을 하였다면 이는 신뢰보호원칙에 반하여 위법하게 될 것이다.

(2) 무효인 행정행위

행정행위가 무효라면 법적 안정성이 문제되지 않으므로 신뢰보호원칙이 적용되지 않는다.[1]

[1] 무효인 행정행위에 대한 신뢰는 보호될 수 없지만 위법한 행정관행에 대해서는 신뢰이익이 크다면 신뢰보호의 원칙이 적용될 수 있다.

관련판례 **착오에 의한 행정행위**

사용료부과처분 ★★★

피고는 허가량을 기준으로 하천수 사용료를 부과하여야 한다는 사실을 알지 못하여 원고에게 그동안 실제 사용량을 기준으로 사용료를 부과해 온 것으로 보이고, 원고가 주장하는 사정들만으로는 피고가 그동안 원고에게 허가량을 기준으로 하천수 사용료를 부과하지 않겠다는 공적 견해를 명시적 또는 묵시적으로 표명하였다고 보기 어렵다(대구지법 2017.5.16, 2016구합22560).

#사용료부과 #사용량_허가량 #사용량_부과_공적견해표명_아님

[비교판례] 행정착오에 의한 사인의 행위

주민등록말소 ★★★

동사무소 직원이 행정상 착오로 국적이탈을 사유로 주민등록을 말소한 것을 신뢰하여 만 18세가 될 때까지 별도로 국적이탈신고를 하지 않았던 사람이, 만 18세가 넘은 후 동사무소의 주민등록 직권 재등록 사실을 알고 국적이탈신고를 하자 '병역을 필하였거나 면제받았다는 증명서가 첨부되지 않았다'는 이유로 이를 반려한 처분은 신뢰보호의 원칙에 반하여 위법하다(대판 2008.1.17, 2006두10931).

#착오_주민등록말소 #직권취소 #국적이탈신고_반려_위법

관련판례 **무효인 행정행위**

공무원임용결격사유 ★★★

국가가 공무원임용결격사유가 있는 자에 대하여 결격사유가 있는 것을 알지 못하고 공무원으로 임용하였다가 사후에 결격사유가 있는 자임을 발견하고 공무원 임용행위를 취소하는 것은 당사자에게 원래의 임용행위가 당초부터 당연무효이었음을 통지하여 확인시켜 주는 행위에 지나지 아니하는 것이므로, 그러한 의미에서 당초의 임용처분을 취소함에 있어서는 신의칙 내지 신뢰의 원칙을 적용할 수 없고 또 그러한 의미의 취소권은 시효로 소멸하는 것도 아니다(대판 1987.4.14, 86누459).

#임용행위_무효 #신뢰보호_안됨

5. 신뢰보호의 적용범위

신뢰보호원칙의 적용영역으로는 수익적 행정행위의 철회, 행정법상의 확약, 실권 등을 들 수 있다.

관련판례

행정청이 상대방에게 장차 어떤 처분을 하겠다고 확약 또는 공적인 의사표명을 하였다고 하더라도, 그 자체에서 상대방으로 하여금 언제까지 처분의 발령을 신청을 하도록 유효기간을 두었는데도 그 기간 내에 상대방의 신청이 없었다거나 확약 또는 공적인 의사표명이 있은 후에 사실적·법률적 상태가 변경되었다면, 그와 같은 확약 또는 공적인 의사표명은 행정청의 별다른 의사표시를 기다리지 않고 실효된다(대판 1996.8. 20, 95누10877).

6. 실권의 법리(실효의 법리)

(1) 의의

실권의 법리 또는 실효의 법리란 행정기관이 위법한 상태를 장기간 방치 또는 묵인하여 개인이 그 존속을 신뢰하게 된 경우, 행정청은 사후에 그 위법성을 이유로 해당 행위를 취소·철회할 수 없다는 법리를 말한다.

(2) 근거

① **이론적 근거**: 실권의 법리의 근거를 신의성실의 원칙에 두는 견해와 법적 안정성과 신의칙 모두에 두는 견해의 대립이 있다.

② **법적 근거**: 현행법상 이에 대한 명문의 규정은 없다. 독일 행정절차법 제84조는 "안 날로부터는 1년, 있은 날로부터 2년이 경과한 경우에는 취소하지 않는다."고 규정하고 있다.

(3) 적용요건

① 행정기관이 권한행사를 할 수 있었을 것

② 비교적 장기간 위법한 상태를 방치하였을 것

③ 특별한 사정에 의해 상대방이 위법상태에 반하는 행정기관의 권한불행사를 신뢰하였을 것

간단 점검하기

01 신뢰보호원칙의 적용영역으로는 수익적 행정행위의 철회, 행정법상 확약, 실권 등을 들 수 있다. ( ) 04. 국가직 9급

02 행정청의 확약 또는 공적 견해표명이 있은 후에 사실적·법률적 상태가 변경되었다면, 그와 같은 확약 또는 공적 의사표명은 행정청의 별다른 의사표시를 기다리지 않고 실효된다. ( ) 15. 서울시 9급

03 신뢰보호의 원칙에서 행정청이 상대방에 대하여 장차 어떤 처분을 하겠다는 공적인 견해를 표명하였다면 공적인 견해 표명 후에 그 전제가 된 사실적·법률적 상태가 변경되었다고 하더라도 그러한 견해 표명은 효력을 유지한다. ( ) 15. 서울시 9급

04 공적 견해의 표명 후에 그 전제로 된 사실적·법률적 상태가 변경되었다면 신뢰보호원칙의 적용에는 제한을 받게 된다. ( ) 09. 관세사

01 ○ 02 ○ 03 × 04 ○

간단 점검하기

01 실권의 법리는 일반적으로 신뢰보호원칙의 적용영역의 하나로 설명되고 있으나, 판례는 신의성실원칙의 파생원칙으로 보고 있다. ( )

15. 사회복지직

02 대법원은 실권의 법리를 신의성실의 원칙에 바탕을 둔 파생원칙으로 보았다. ( ) 10. 지방직 9급

관련판례 실권기간계산 기준 - 발생일, 인지한 날

행정서사허가취소 ★★★

[1] 실권 또는 실효의 법리는 법의 일반원리인 신의성실의 원칙에 바탕을 둔 파생원칙인 것이므로 공법관계 가운데 관리관계는 물론이고 권력관계에도 적용되어야 함을 배제할 수는 없다 하겠으나 그것은 본래 권리행사의 기회가 있음에도 불구하고 권리자가 장기간에 걸쳐 그의 권리를 행사하지 아니하였기 때문에 의무자인 상대방은 이미 그의 권리를 행사하지 아니할 것으로 믿을만한 정당한 사유가 있게 되거나 행사하지 아니할 것으로 추인케 할 경우에 새삼스럽게 그 권리를 행사하는 것이 신의성실의 원칙에 반하는 결과가 될 때 그 권리행사를 허용하지 않는 것을 의미하는 것이다.

[2] 원고가 허가 받은 때로부터 20년이 다되어 피고가 그 허가를 취소(1986.6.7)한 것이기는 하나 피고가 취소사유를 알고서도 그렇게 장기간 취소권을 행사하지 않은 것이 아니고 1985.9. 중순에 비로소 위에서 본 취소사유를 알고 그에 관한 법적 처리방안에 관하여 다각도로 연구검토가 행해졌고 그러한 사정은 원고도 알고 있었음이 기록상 명백하여 이로써 본다면 상대방인 원고에게 취소권을 행사하지 않을 것이란 신뢰를 심어준 것으로 여겨지지 않으니 피고의 처분이 실권의 법리에 저촉된 것이라고 볼 수 있는 것도 아니다(대판 1988.4.27, 87누915).

#행정서사허가_20년전 #허가요건불비 #7개월전_인지 #허가후_20년_취소 #실권기준_취소사유_안_시점

관련판례 발생일부터 3년여 지난 처분 - 실권

택시운전면허취소 ★★★

택시운전사가 1983.4.5 운전면허정지기간중의 운전행위를 하다가 적발되어 형사처벌을 받았으나 행정청으로부터 아무런 행정조치가 없어 안심하고 계속 운전업무에 종사하고 있던 중 행정청이 위 위반행위가 있은 이후에 장기간에 걸쳐 아무런 행정조치를 취하지 않은 채 방치하고 있다가 3년여가 지난 1986.7.7에 와서 이를 이유로 행정제재를 하면서 가장 무거운 운전면허를 취소하는 행정처분을 하였다면 이는 행정청이 그간 별다른 행정조치가 없을 것이라고 믿은 신뢰의 이익과 그 법적안정성을 빼앗는 것이 되어 매우 가혹할 뿐만 아니라 비록 그 위반행위가 운전면허취소사유에 해당한다 할지라도 그와 같은 공익상의 목적만으로는 위 운전사가 입게 될 불이익에 견줄 바 못 된다 할 것이다(대판 1987.9.8, 87누373).

#택시운전_형사처벌 #3년여후_행정제재(면허취소) #법적안정성_침해

간단 점검하기

03 교통사고가 일어난 지 1년 10개월이 지난 뒤 그 교통사고를 일으킨 택시에 대하여 운송사업면허를 취소한 경우, 택시운송사업자로서는 자동차운수사업법의 내용을 잘 알고 있어 교통사고를 낸 택시에 대하여 운송사업면허가 취소될 가능성을 예상할 수 있었으므로 별다른 행정조치가 없을 것으로 자신이 믿고 있었다 하여도 신뢰의 이익을 주장할 수는 없다. ( )

13. 국가직 9급

관련판례 발생일부터 1년 10개월 후 처분 - 정당

택시운송사업면허 ★★★

자동차운수사업법 제31조 제1항 제5호 소정의 "중대한 교통사고"를 이유로 사고로부터 1년 10개월 후 사고택시에 대하여 한 운송사업면허의 취소가 재량권유탈에 해당하지 않는다(대판 1989.6.27, 88누6283).

#중대한_교통사고 #1년10개월후_면허취소 #정당 #실권의_법리_적용_배제

01 ○ 02 ○ 03 ○

5 위반의 효과

1. 원칙

신뢰보호의 원칙은 행정법의 일반원칙일 뿐만 아니라 실정법적으로 효력을 가지므로, 그에 위반한 행정청의 행위는 원칙적으로 위법한 것이 된다.

2. 무효 · 취소사유

위법성의 정도에 대해서는 무효와 취소의 구별기준인 중대명백설에 따라 판단할 것이지만 대체로 취소사유에 해당한다고 보는 것이 일반적이다.

3. 권리구제

신뢰보호의 원칙에 위반되는 행정처분으로 인하여 권리나 이익이 침해된 자는 행정쟁송을 제기하여 구제를 받을 수 있으며, 행정상 손해배상이나 행정상 손실보상을 통하여 구제를 받을 수도 있다.

제6절 성실의무 및 권한남용금지의 원칙

1 개설

1. 의의

행정청은 법령 등에 따른 의무를 성실히 수행하여야 하며(성실의무), 행정권한을 남용하거나 그 권한의 범위를 넘어서는 아니 된다(권한남용금지). 민법의 신의성실의 원칙이 행정법에도 행정기본법과 개별법에 도입되었다.

2. 법적 근거

> 행정기본법 제11조【성실의무 및 권한남용금지의 원칙】① 행정청은 법령 등에 따른 의무를 성실히 수행하여야 한다.
> ② 행정청은 행정권한을 남용하거나 그 권한의 범위를 넘어서는 아니 된다.
>
> 행정절차법 제4조【신의성실 및 신뢰보호】① 행정청은 직무를 수행할 때 신의(信義)에 따라 성실히 하여야 한다.
> ② 행정청은 법령 등의 해석 또는 행정청의 관행이 일반적으로 국민들에게 받아들여졌을 때에는 공익 또는 제3자의 정당한 이익을 현저히 해칠 우려가 있는 경우를 제외하고는 새로운 해석 또는 관행에 따라 소급하여 불리하게 처리하여서는 아니 된다.
>
> 국세기본법 제15조【신의 · 성실】납세자가 그 의무를 이행할 때에는 신의에 따라 성실하게 하여야 한다. 세무공무원이 직무를 수행할 때에도 또한 같다.

2 적용 영역

1. 행정법 전반

행정법 일반원칙으로 행정법 분야 전반에 걸쳐 적용되는 원칙이며, 주로 문제가 되었던 것은 '소멸시효의 적용'에 있었다.

2. 소멸시효와 권리남용

(1) 일반적으로 권리는 시효가 완성되어 소멸되면 보호가치가 인정되지 않는다.

(2) 그러나 국가배상청구 사건에서 국가가 자신의 불법행위의 결과 발생한 손해에 대하여 소멸시효를 주장하면서 배상하지 않겠다는 것이 권리남용금지의 원칙에 위반하는 것이 아닌지 문제된다.

(3) 판례는 원칙적으로 국가가 소멸시효 완성을 이유로 손해배상을 거부한 것이 신의성실의 원칙에 반하지 않는다(대판 2001.7.10, 98다38364)고 하면서도 예외적으로 소멸시효를 주장할 수 없다(대판 1994.12.9, 93다27604)고 하기도 한다.

관련판례 **국가의 소멸시효주장 - 정당**

1 거창사건

[1] 채무자의 소멸시효에 기한 항변권의 행사도 우리 민법의 대원칙인 신의성실의 원칙과 권리남용금지의 원칙의 지배를 받는 것이어서, 채무자가 시효완성 전에 채권자의 권리행사나 시효중단을 불가능 또는 현저히 곤란하게 하였거나, 그러한 조치가 불필요하다고 믿게 하는 행동을 하였거나, 객관적으로 채권자가 권리를 행사할 수 없는 장애사유가 있었거나, 또는 일단 시효완성 후에 채무자가 시효를 원용하지 아니할 것 같은 태도를 보여 권리자로 하여금 그와 같이 신뢰하게 하였거나, 채권자보호의 필요성이 크고, 같은 조건의 다른 채권자가 채무의 변제를 수령하는 등의 사정이 있어 채무이행의 거절을 인정함이 현저히 부당하거나 불공평하게 되는 등의 특별한 사정이 있는 경우에는 채무자가 소멸시효의 완성을 주장하는 것이 신의성실의 원칙에 반하여 권리남용으로서 허용될 수 없다. 그러나 국가에게 국민을 보호할 의무가 있다는 사유만으로 국가가 소멸시효의 완성을 주장하는 것 자체가 신의성실의 원칙에 반하여 권리남용에 해당한다고 할 수는 없으므로, 국가의 소멸시효 완성 주장이 신의칙에 반하고 권리남용에 해당한다고 하려면 앞서 본 바와 같은 특별한 사정이 인정되어야 하고, 또한 위와 같은 일반적 원칙을 적용하여 법이 두고 있는 구체적인 제도의 운용을 배제하는 것은 법해석에 있어 또 하나의 대원칙인 법적 안정성을 해할 위험이 있으므로 그 적용에는 신중을 기하여야 한다.

[2] 1951년 공비토벌 등을 이유로 국군병력이 작전수행을 하던 중에 거창군 일대의 지역주민이 희생된 이른바 '거창사건'으로 인한 희생자와 그 유족들이 국가를 상대로 제기한 손해배상청구소송에서, 국가가 소멸시효 완성의 항변을 하는 것이 신의칙에 반하지 않는다(대판 2008.5.29, 2004다33469).

2 10 · 27 법난 ★★

1980년 10월부터 11월 사이에 일어난 이른바 '10 · 27 법난' 당시 정부 소속 합동수사본부 내 합동수사단 수사관들에 의해 불법구금이 되어 고문과 폭행 등을 당한 피해자가 불법구금 상태에서 벗어난 1980.11.26.부터 5년이 훨씬 경과한 2009.6.5.에야 국가를 상대로 손해배상을 구하는 소를 제기하자 국가가 소멸시효 완성을 주장한 사안에서, 국가의 소멸시효 완성 주장이 신의칙에 반하여 권리남용에 해당한다고 할 수 없다고 본 원심판단을 정당하다(대판 2011.10.27, 2011다54709).

3 과거사 진실규명 ★★★

'진실·화해를 위한 과거사정리 기본법'에 따라 甲 등 망인들에 대하여 진실규명결정이 이루어진 날부터 3년이 지나기 전에 유족들인 乙 등이 국가를 상대로 甲 등 망인들 본인의 위자료만을 구하는 소를 제기하였다가 진실규명결정일부터 3년이 지난 후에야 청구취지 등을 변경하여 乙 등의 고유 위자료를 구한 사안에서, 乙 등의 고유 위자료에 관하여는 국가의 소멸시효 항변이 권리남용에 해당하지 않는다(대판 2013.8.22, 2013다200568).

#과거사정리법 #국가소멸시효주장_불가 #청구가능일_3년경과_소멸시효주장_가능

관련판례 **국가 소멸시효주장 - 부당(배상 등을 주장할 수 없는 사실상 장애 사유 존재)**

1 경찰 수사관들이 甲을 불법구금 상태에서 고문하여 간첩혐의에 대한 허위자백을 받아내는 등의 방법으로 증거를 조작함으로써 甲이 구속 기소되어 유죄판결을 받고 그 형집행을 당하도록 하였으므로, 그 소속 공무원들의 불법행위로 인하여 甲과 그 가족이 입은 일체의 비재산적 손해에 대하여 국가배상법에 따른 위자료배상책임을 인정하면서, 甲이 국가를 상대로 위자료지급청구를 할 수 없는 객관적인 장애사유가 있었고, 피해자인 甲을 보호할 필요성은 심대한 반면 국가의 이행거절을 인정하는 것은 현저히 부당하고 불공평하므로 국가의 소멸시효 완성 항변은 신의성실의 원칙에 반하는 권리남용으로서 허용될 수 없다고 한 원심판단을 수긍한 사례이다(대판 2011.1.13, 2009다103950).

2 요양급여신청 ★★

근로자가 입은 부상이나 질병이 업무상 재해에 해당하는지 여부에 따라 요양급여신청의 승인, 휴업급여청구권의 발생 여부가 차례로 결정되고, 따라서 근로복지공단의 요양불승인처분의 적법 여부는 사실상 근로자의 휴업급여청구권 발생의 전제가 된다고 볼 수 있는 점 등에 비추어, 근로자가 요양불승인에 대한 취소소송의 판결확정시까지 근로복지공단에 휴업급여를 청구하지 않았던 것은 이를 행사할 수 없는 사실상의 장애사유가 있었기 때문이라고 보아야 하므로, 근로복지공단의 소멸시효 항변은 신의성실의 원칙에 반하여 허용될 수 없다(대판 2008.9.18, 2007두2173).

#요양급여신청 #신청행사_사실상장애 #소멸시효주장_불가

관련판례 **정년전 호적정정 - 신의성실위반 아님**

호적정정 ★★★

지방공무원 임용신청 당시 잘못 기재된 호적상 출생연월일을 생년월일로 기재하고, 이에 근거한 공무원인사기록카드의 생년월일 기재에 대하여 처음 임용된 때부터 약 36년 동안 전혀 이의를 제기하지 않다가, 정년을 1년 3개월 앞두고 호적상 출생연월일을 정정한 후 그 출생연월일을 기준으로 정년의 연장을 요구하는 것이 신의성실의 원칙에 반하지 않는다(대판 2009.3.26, 2008두21300).

#잘못_호적_임용 #36년경과 #정정_정년연장_정당

간단 점검하기

지방공무원 임용신청 당시 잘못 기재된 생년월일에 근거하여 36년 동안 공무원으로 근무하다 정년을 1년 3개월 앞두고 생년월일을 정정한 후 그에 기초하여 정년연장을 요구하는 것은 신의성실의 원칙에 반한다. ( )

21. 국가직 9급, 15. 서울시 7급

제7절 부당결부금지의 원칙

1 개설

간단 점검하기

01 부당결부금지의 원칙은 행정작용을 함에 있어서 그와 실체적 관련이 없는 상대방의 반대급부를 조건으로 하여서는 안 된다는 원칙을 말한다. ( )

18. 소방직 9급

1. 의의

(1) 부당결부금지의 원칙은 "행정청은 행정작용을 할 때 상대방에게 해당 행정작용과 실질적인 관련이 없는 의무를 부과하여서는 아니 된다."는 것을 말한다.

(2) 예컨대, 자동차세를 완납할 것을 조건으로 건축허가를 하는 것, 교통법규위반을 이유로 건축허가를 거부하는 것, 주택사업계획승인을 하면서 아무런 관련성이 없는 토지를 기부채납하게 하는 것 등이 이에 해당한다.

2. 근거

(1) 이론적 근거

법치행정의 원칙, 자의금지의 원칙, 행정의 예측가능성, 법적 안정성, 인권존중 등을 들 수 있다.

(2) 법적 근거

> 행정기본법 제13조 【부당결부금지의 원칙】 행정청은 행정작용을 할 때 상대방에게 해당 행정작용과 실질적인 관련이 없는 의무를 부과해서는 아니 된다.

2 내용

간단 점검하기

02 판례에 의하면 주택사업계획을 승인하면서 입주민이 이용하는 진입도로의 개설 및 확장과 이의 기부채납의무를 부담으로 부과하는 것은 부당결부금지의 원칙에 반한다. ( )

16. 국가직 7급, 08. 국가직 9급

1. 요건

(1) 행정기관의 공권력행사가 있어야 한다.

(2) 공권력행사가 상대방의 반대급부와 결부되어 있어야 한다.

(3) 공권력행사와 반대급부 사이에 실질적 관련성이 없어야 한다.

관련판례 실질적 관련 없음 - 부당결부 인정

1 **주택사업계획승인** ★

주택사업계획승인과 관련 없는 토지를 기부채납하게 하는 부관은 부당결부에 해당하여 위법하다(대판 1997.3.11, 96다49650).

2 **도로기부채납** ★★

건축물 인접도로의 기부채납 위반을 이유로 한 건축물준공거부처분은 부당결부금지원칙에 위반된다(대판 1992.11.27, 92누10364).

01 ○ 02 ×

관련판례 **실질적 관련성 있음 - 부당결부 부정**

1 주택사업계획승인

65세대의 공동주택을 건설하려는 사업주체(지역주택조합)에게 주택건설촉진법 제33조에 의한 주택건설사업계획의 승인처분을 함에 있어 그 주택단지의 진입도로 부지의 소유권을 확보하여 진입도로 등 간선시설을 설치하고 그 부지 소유권 등을 기부채납하며 그 주택건설사업 시행에 따라 폐쇄되는 인근 주민들의 기존 통행로를 대체하는 통행로를 설치하고 그 부지 일부를 기부채납하도록 조건을 붙인 경우, 주택건설촉진법과 같은법시행령 및 주택건설기준등에관한규정 등 관련 법령의 관계 규정에 의하면 그와 같은 조건을 붙였다 하여도 다른 특별한 사정이 없는 한 필요한 범위를 넘어 과중한 부담을 지우는 것으로서 형평의 원칙 등에 위배되는 위법한 부관이라 할 수 없다(대판 1997.3.14, 96누16698).

2 송유관매설 ★★★

고속국도 관리청이 고속도로 부지와 접도구역에 송유관 매설을 허가하면서 상대방과 체결한 협약에 따라 송유관 시설을 이전하게 될 경우 그 비용을 상대방에게 부담하도록 하였고, 그 후 도로법 시행규칙이 개정되어 접도구역에는 관리청의 허가 없이도 송유관을 매설할 수 있게 된 사안에서, 위 협약이 효력을 상실하지 않을 뿐만 아니라 위 협약에 포함된 부관이 부당결부금지의 원칙에도 반하지 않는다(대판 2009.2.12, 2005다65500).

#도로접도구역_송유관매설 #송유관시설이전비용_부담 #실질적_관련성_인정

2. 적용 영역

부당결부금지의 원칙은 ① 행정행위의 부관, ② 공법상 계약, ③ 새로운 의무이행확보수단(공급거부, 관허사업의 제한) 등의 영역에서 활용되는 유용한 행정법의 일반원칙이다.

3. 복수의 운전면허 취소

(1) 한 사람이 여러 운전면허를 취득하거나 운전면허를 정지·취소하는 경우에 이를 별개의 것으로 취급하는 것이 원칙이다.

(2) 예외적으로 운전면허 취소 사유가 여러 운전면허와 공통되거나 관련된 경우에 여러 면허가 취소될 수 있다.

관련판례

한 사람이 여러 종류의 자동차운전면허를 취득하는 경우뿐 아니라 이를 취소 또는 정지하는 경우에도 서로 별개의 것으로 취급하는 것이 원칙이고, 다만 취소사유가 특정 면허에 관한 것이 아니고 다른 면허와 공통된 것이거나 운전면허를 받은 사람에 관한 것일 경우에는 여러 면허를 전부 취소할 수도 있다(대판 2012.5.24, 2012두1891).

간단 점검하기

01 판례에 의하면 지방자치단체장이 사업자에게 주택사업계획승인을 하면서 그 주택사업과는 아무런 관련이 없는 토지를 기부채납하도록 하는 부관을 주택사업계획승인에 붙인 경우, 그 부관은 부당결부금지의 원칙에 위반되어 위법하다. ( )
16·07 국가직 7급, 13. 국가직 9급

간단 점검하기

02 한 사람이 여러 종류의 자동차운전면허를 취득하는 경우뿐 아니라 이를 취소 또는 정지함에 있어서도 서로 별개의 것으로 취급하는 것이 원칙이다. ( ) 18. 서울시 9급

03 행정청이 여러 종류의 자동차운전면허를 취득한 자에 대해 그 운전면허를 취소하는 경우, 취소사유가 특정 면허에 관한 것이 아니고 다른 면허와 공통된 것이거나 운전면허를 받은 사람에 관한 것일 경우에는 여러 면허를 전부 취소할 수 있다. ( )
18. 지방직 9급, 16. 서울시 7급

01 ○ 02 ○ 03 ○

운전면허		운전할 수 있는 차량
종별	구분	
제1종	특수면허	• 견인형 특수자동차 • 구난형 특수자동차 • 제2종 보통면허로 운전할 수 있는 차량
	대형면허	• 승용자동차 • 승합자동차 • 화물자동차 • 건설기계(덤프트럭 등) • 특수자동차(견인차 · 구난차 제외) • 원동기장치자전거
	보통면허	• 승용자동차 • 승합자동차(승차정원 15명 이하) • 화물자동차(적재중량 12톤 미만) • 건설기계(3톤 미만) • 특수자동차(10톤 미만, 견인차 · 구난차 제외) • 원동기장치자전거
	소형면허	• 3륜 화물자동차 • 3륜 승용자동차 • 원동기장치자전거
제2종	보통면허	• 승용자동차 • 승합자동차(승차정원 10명 이하) • 화물자동차(적재중량 4톤 이하) • 특수자동차(3.5톤 미만, 견인차 · 구난차 제외) • 원동기장치자전거
	소형면허	• 이륜자동차 • 원동기장치자전거
	원동기장치자전거면허	원동기장치자전거

관련판례 관련 면허 전부 취소

1 제1종 보통면허로 운전할 수 있는 차량을 음주운전한 경우, 이와 관련된 제1종 대형면허와 원동기장치자전거면허까지 취소한 것은 위법이 아니다(대판 1994.11.25, 94누9672).

2 택시의 음주운전을 이유로 하여 제1종 보통면허 및 제1종 특수면허를 모두 취소한 것은 위법이 아니다(대판 1996.6.28, 96누4992).

3 제1종 특수 · 대형 · 보통면허를 가진 자가 제1종 특수면허만으로 운전할 수 있는 차량을 운전하다 운전면허취소사유가 발생한 경우, 제1종 대형 · 보통면허까지 취소하는 것은 부당결부에 해당하여 위법하다(대판 1997.5.16, 97누1310).

4 제1종 보통면허나 제1종 대형면허에 취소사유가 있는 경우, 제1종 특수면허까지 취소하는 것은 부당결부에 해당하여 위법하다(대판 1998.3.24, 98두1031).

간단 점검하기

01 제1종 보통면허로 운전할 수 있는 차량을 음주운전한 경우 제1종 보통면허의 취소 외에 동일인이 소지하고 있는 제1종 대형면허와 원동기장치자전거면허는 취소할 수 없다. ( )
15. 국가직 9급, 10. 국회직 8급

02 대법원은 승합차를 혈중알코올농도 0.1% 이상의 음주상태로 운전한 자에 대하여 제1종 보통운전면허 외에 제1종 대형운전면허까지 취소한 행정청의 처분이 부당결부금지원칙을 위반한 것으로 보았다. ( ) 10. 지방직 9급

01 × 02 ×

5 제2종 소형면허만으로 운전 가능한 이륜자동차를 음주 운전한 경우, 이와 아무런 관련이 없는 제1종 대형면허를 취소한 것은 위법하다(대판 1992.9.22, 91누8289 ; 대판 2012.6.28, 2011두358).

4. 위반의 효과

(1) 위헌 · 위법사유

부당결부금지원칙은 헌법상 법치주의와 자의금지의 원칙에서 도출될 수 있으며, 행정기본법에 근거하므로 이에 위반한 행위는 위헌 · 위법의 사유가 발생한다.

(2) 권리구제

① 부당결부금지의 원칙을 위반한 법률은 헌법소원 등의 대상이 될 수 있다.
② 이에 위반한 행정행위는 행정쟁송으로 다툴 수 있고 행정상 손해배상을 청구할 수 있다.

간단 점검하기

배기량 250cc 이륜자동차인 오토바이를 음주운전 하였음을 이유로 이륜자동차 이외의 다른 차종을 운전할 수 있는 제1종 대형면허를 취소한 처분은 부당결부금지의 원칙에 위배된다.
( ) 10. 국회직 9급

○

제 5 장 행정상 법률관계

제1절 행정상 법률관계의 의의

1 개설

1. 행정상 법률관계의 개념

(1) 행정상 법률관계란 행정주체가 일방당사자인 법률관계를 말한다.

(2) 법률관계는 보통 당사자 간의 권리 · 의무관계로 나타나므로, 행정상 법률관계도 행정에 관련된 당사자 간의 권리 · 의무관계라 할 수 있다.

2. 공법과 사법의 이원적 구조

행정상 법률관계에서는 사법이 지배하는 경우도 있고 공법이 지배하는 경우도 있다. 전자를 통상 사법관계(국고관계)라 하고 후자를 공법관계라고 부른다.[1]

[1] 행정상 법률관계가 모두 행정법관계는 아니며, 행정법관계는 행정상의 법률관계 가운데 공법의 규율을 받는 법률관계를 의미한다.

간단 점검하기

01 행정법관계는 행정상의 법률관계 가운데 공법의 규율을 받는 관계이다. ( ) 11. 사회복지직

02 공법관계와 사법관계는 1차적으로 관계법령의 규정내용과 성질 등을 기준으로 구별한다. ( ) 18. 교육행정직

01 ○ 02 ○

2 공법과 사법

1. 공 · 사법의 구별기준

(1) 제1차적 기준 → 관련 법규정

① 관련 법규가 특정 법률관계가 공법관계라는 것을 전제로 하고 있는 경우에는 그 법률관계는 공법관계이다.

② 어떤 법률관계가 사법형식에 의해 규율되고 있는 것이 명백한 경우에는 그 법률관계는 사법관계가 된다.

(2) 제2차적 기준 → 법률관계의 성질

관련 법규에 의해 공법관계와 사법관계가 명확하게 구별되지 못하는 경우가 있는데 이 경우에는 관련 법규정과 함께 법률관계의 성질을 기준으로 공법관계와 사법관계를 구별하여야 한다.

2. 공 · 사법의 구별에 관한 학설

구분	구별기준	공법	사법	비판
주체설	주체	행정주체가 한쪽 당사자	개인이 양쪽 당사자	• 행정주체의 국고행위는 사법관계에 해당 • 공무수탁사인의 경우는 공법관계에 해당

권력설(성질설)	권력적 속성 유무	권력적 지배 복종관계	비권력적 대등관계	• 공법상 계약은 공법관계이지만 대등관계 • 친족법관계는 사법관계이지만 지배복종관계
이익설	규율 목적	공익의 실현	사익의 실현	공익과 사익의 구별 불분명
생활관계설	생활관계	정치적 · 단체적 생활관계	민사적 · 개인적 생활관계	정치적 생활관계와 민사적 생활관계의 구별곤란
귀속설(신주체설)	권리 · 의무 귀속	공권력주체에만 권리 · 의무 귀속	모든 권리주체에 권리 · 의무 귀속	공권력주체인지 여부는 적용법규가 먼저 결정되어야 가능
부정설	양자구별 부인	• 공법관계도 권리 · 의무관계이므로 본질적으로 사법과 동일 • 공법과 사법의 구별은 상대적인 것		
복수기준설(통설)	• 공법은 국가적 · 공익적 · 윤리적 · 지배적 규율의 성질 • 사법은 개인적 · 사익적 · 경제적 · 평등적 규율의 성질			

3. 우리나라 실정법에 있어서 공 · 사법의 구별

(1) 구별의 필요성

구분		공법	사법
절차법	재판 관할	행정법원 관할	민사법원 관할
	재판 절차	행정소송법	민사소송법
실체법	법 원리	공익실현(공법원리)	사적 자치(사법원리)
	적용 법규	• 공법규정 적용 • 공정력 등 우월한 효력 인정 • 행정절차법 적용 • 자력강제 가능 • 불법행위시 국가배상법 적용 • 원칙상 5년의 소멸시효	• 사법규정 적용 • 공정력 등 우월한 효력 부정 • 특별한 절차법규 없음 • 자력강제 불가능 • 불법행위시 민법 적용 • 원칙상 10년의 소멸시효

(2) 구별의 기준

① **실정법상 명문규정이 있는 경우 → 법규정으로 판단**

법규가 명문으로 사법과 달리 규정하고 있는 경우에 공법관계로 분류할 수 있다.

즉, 법규가 ㉠ 행정상 강제집행, ㉡ 행정벌, ㉢ 행정상의 손해배상 · 손실보상, ㉣ 행정상 쟁송, ㉤ 형법상 공무원에 관한 죄의 성립을 인정하는 특별규정 등이 있는 경우에 공법관계에 해당한다.

간단 점검하기

01 공법과 사법의 구별은 실체법상으로 구체적 사실에 적용할 법규나 법원칙을 결정하기 위하여 필요하다. ( )

06. 광주 9급

02 행정상 법률관계를 공법관계와 사법관계로 구분하는 것은 각각의 소송절차와도 관련된다. ( )

18. 교육행정직

01 ○ 02 ○

② **실정법상 명문규정이 없는 경우 → 법률관계의 성질로 판단**

해당 법규가 규율하고 있는 목적과 내용에 따라 개별적·합리적으로 판단하여야 한다.

예컨대 법규가 ㉠ 법률관계의 실현과정에서 행정주체에 공권력 행사를 인정하거나 우월적 지위를 인정한 경우, ㉡ 공공복리의 실현이라는 행정목적을 달성하기 위해 사법적 규율과 다른 특수한 규율이 있는 경우 등은 공법관계라 할 것이다.

제2절 행정상 법률관계의 종류

1 개설

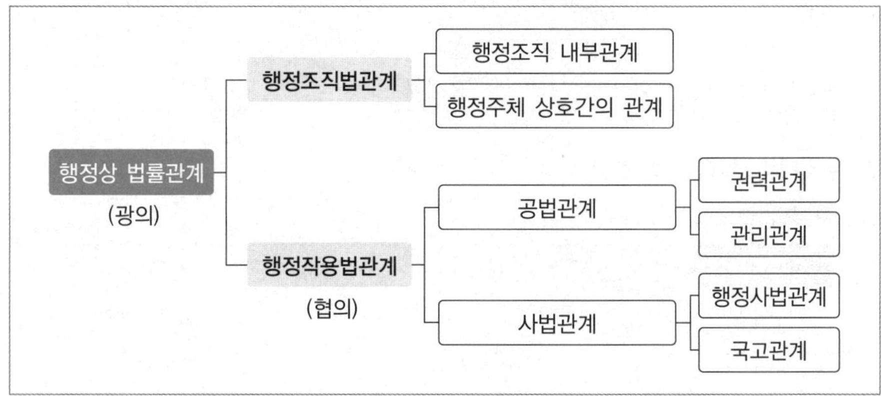

2 행정조직법관계

1. 행정조직 내부관계

2. 행정주체 상호간의 관계

3 행정작용법관계

1. 권력관계

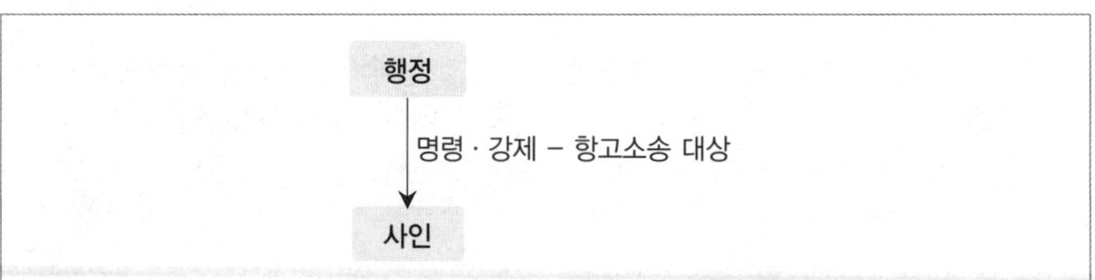

(1) 행정주체가 공권력 주체의 지위에서 개인에게 일방적으로 명령 · 강제하고, 법률관계를 형성 · 변경 · 소멸시키는 등 우월적 지위가 인정되는 법률관계를 말한다(예 행정행위, 행정상 강제집행 등).

(2) 권력관계는 공법적 성질이 강하므로 본래적 의미의 공법관계라고 부르기도 한다.

(3) 권력관계에서는 엄격한 법률유보가 적용되고, 공정력 · 집행력 · 불가쟁력 등 법률상 특별한 효력이 인정된다.

(4) 권력관계에는 특별한 규정이 없는 한 공법규정 및 공법원리가 적용되며 그에 관한 분쟁은 항고소송의 대상이 된다.

간단 점검하기

01 권력관계란 행정주체에게 개인에게는 인정되지 않는 우월적 지위가 인정되는 법률관계이다. ( ) 11. 사회복지직

2. 관리관계(비권력관계)

행정	← 원칙: 사법적용 / 예외: 공법적 규율 →	사인

(1) 행정주체가 공물 · 공기업 등을 관리 · 경영하는 것과 같이 공권력 주체로서가 아니라 사업의 관리주체의 지위에서 국민과 맺는 법률관계를 말한다(예 하천 · 도로 등 공물관리, 철도 · 우편 등 공기업관리 등).

(2) 관리관계는 전래적 의미의 공법관계, 단순고권관계, 비권력관계라고도 한다.

(3) 관리관계에서는 법치주의가 완화되고, 공정력 · 집행력 · 불가쟁력 등이 인정되지 않는다.

(4) 관리관계는 원칙적으로는 사법이 적용되나, 해당 작용은 공행정작용으로서 공익실현과 밀접한 관련이 있으므로 그 범위 내에서는 예외적으로 공법적 규율을 받는다.

(5) 사법관계를 수정하는 특별한 규정을 두고 있거나 공익성 · 윤리성이 인정되는 경우에는 그에 대한 분쟁은 공법상 당사자소송의 대상이 되지만, 그렇지 않은 경우에는 사법에 의해서 규율되고 그에 대한 분쟁은 민사소송에 의한다.

간단 점검하기

02 관리관계는 공법관계에 속하므로 전면적으로 공법규정 내지 공법원리가 적용된다. ( ) 11. 사회복지직

3. 사법관계(광의의 국고관계)

(1) 행정사법관계

① 행정주체가 사법형식에 의해 공행정임무를 수행하면서 국민과 맺는 법률관계를 말한다.

② 행정사법관계는 공법형식의 제약에서 벗어나 사법형식에 의해 규율되는 법률관계이므로 기본적으로 사법에 의해 규율된다.

③ 행정사법관계의 예로는 대표적으로 급부행정(예 전기 · 수도 · 가스 등 공급사업, 우편사업, 하수도관리사업, 쓰레기 처리사업 등)과 자금지원행정(예 보조금의 지급, 융자 등) 영역이 있다.

01 ○ 02 ×

(2) 국고관계

행정	← 대등관계 / 사법적용 →	사인

간단 점검하기

국고관계란 국가 또는 공공단체 등의 행정주체가 우월적인 지위에서가 아니라 재산권의 주체로서 사인과 맺는 법률관계를 말한다. ( ) 11. 국회직 9급

① 행정주체가 일반 사인과 같은 지위(사법상의 재산권의 주체)에서 사법상의 행위를 하면서 사인과 맺는 관계를 말한다.

② 사법관계의 예로는 국·공유재산의 매각, 물품공급계약의 체결, 청사·도로·교량 등의 건설도급계약의 체결 등이 있다.

③ 이 경우 국고주체는 사인과 동등한 지위이며, 사인 상호간의 관계처럼 사법의 적용을 받게 되고, 이에 대한 분쟁은 민사소송의 대상이 된다.

point check 공법관계와 사법관계의 구체적인 판례 정리

구분	공법관계	사법관계
국·공유 재산	• 국·공유재산 사용·수익허가 • 행정재산 사용수익자에 대한 사용료 부과 • 귀속재산의 불하처분 • 국유재산 무단점유자 변상금 부과	• 국유일반재산의 매각·임대 • 일반재산의 대부료 납입고지 • 폐천부지의 양여행위
근무관계	• 농지개량조합과 직원의 복무관계 • 도시재개발조합의 조합원 지위확인 • 지자체에 근무하는 청원경찰의 근무관계 • 서울특별시 시립무용단원의 위촉	• 한국조폐공사 직원의 근무관계 • 서울지하철공사 직원의 근무관계 • 교직원의료보험관리공단 직원의 근무관계 • 종합유선방송위원회 직원의 근무관계
금전·계약	• 공무원 임명 • 회사의 소득세 원천징수 • 공무원 연금관리공단의 급여결정 • 공중보건의사의 채용계약 • 공용부담계약 • 부가가치세환급청구	• 물품매매계약, 건설도급계약 • 지방채 모집 • 입찰보증금 국고귀속조치 • 과·오납조세 반환청구 • 협의 취득 • 환매권의 행사
공공서비스	• 전화요금 강제징수 • 수도요금 부과징수와 납부관계 • 국립병원 강제입원 • 시립도서관 이용관계 • 영조물 경영	• 전화가입 계약·해지 • 국영철도·지자체지하철의 이용 • 국·공립병원 유료입원 • 시영버스·시영식당의 이용
사립대	• 사립대학교의 학위 수여	• 사립대학교의 수업료 납부 • 사립학교교원과 학교법인의 근무관계
기타	• 광업권 허가 • 공유수면매립면허 • 하천관리 • 특별권력관계 • 국가인권위의 성희롱결정 및 시정조치권고 • 손실보상에서 보상금증감청구소송	• 국가가 회사의 주주가 되는 관계 • 지자체가 은행으로부터 일시 차입 • 국가배상청구소송

○

Level up 국유재산법상 국유재산의 종류(국유재산법 제6조)

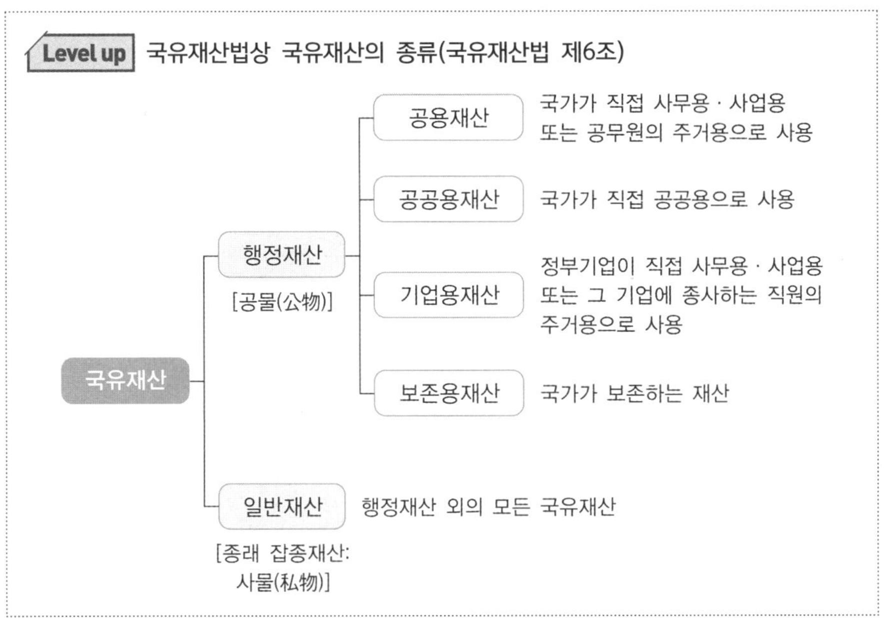

관련판례 국 · 공유재산 - 공법관계

1 행정재산 사용허가 ★★★

행정재산의 사용 · 수익에 대한 허가는 공유재산의 관리청이 공권력을 가진 우월적 지위에서 행하는 행정처분으로 강학상 특허에 해당한다(대판 1998.2.27, 97누1105).

2 행정재산사용허가취소 ★★★

행정재산인 농수산물도매시장 내 점포의 사용허가(행정처분)를 사용료 납부지체만을 이유로 취소한 것은 재량권을 벗어난 위법한 행정처분에 해당한다(대판 1997.4.11, 96누17325).

3 행정재산 사용허가 취소 ★★★

국립의료원 부설 주차장에 관한 위탁관리용역운영계약의 실질은 행정재산에 대한 국유재산법 제24조 제1항의 사용 · 수익 허가(특허)에 해당한다(대판 2006.3.9, 2004다31074).

4 행정재산 사용허가 신청 거부 ★★★

행정재산의 사용 · 수익에 대한 허가 신청을 거부한 행위는 항고소송의 대상인 행정처분이다(국민에게 행정재산의 사용 · 수익 신청권 인정)(대판 1998.2.27, 97누1105).

5 기부채납 행정재산 무상 사용허가 ★★★

구 지방재정법 제75조에 따라 기부채납 받은 행정재산(서울대공원놀이시설)에 대한 공유재산 관리청의 사용 · 수익허가(일정기간 무상사용허가)의 법적 성질은 행정처분이다(대판 2001.6.15, 99두509).

[비교판례] 지방자치단체가 구 지방재정법시행령 제71조에 따라 기부채납 받은 공유재산을 무상으로 기부자에게 사용을 허용하는 행위는 사법상 행위이다(대판 1994.1.25, 93누7365).

간단 점검하기

판례에 의하면 국유 또는 공유의 행정재산에 대한 사용허가는 공법상 계약이 아니라 강학상 특허의 성질을 지니며 그에 의해 형성되는 이용관계는 공법관계이다. ( )

16. 지방직 9급, 12. 국가직 7급, 11. 서울시 9급

○

간단 점검하기

01 국유재산의 관리청이 행정재산의 사용·수익을 허가하는 행위는 강학상 특허에 해당하나, 그 후 사용·수익하는지에 대한 사용료 부과는 사경제주체로서 행하는 사법상의 이행청구이다. ( ) 17. 서울시 7급

02 국유재산법상의 국유재산 무단사용 변상금의 부과처분은 공법관계이다. ( ) 17. 국가직 7급

03 판례에 따르면 귀속재산처리법에 의한 귀속재산의 매각행위는 사법관계이다. ( ) 17. 국가직 7급

6 행정재산 사용료부과 ★★★

국유재산의 관리청이 행정재산의 사용·수익을 허가한 다음 그 사용·수익하는 자에 대하여 하는 사용료 부과는 항고소송의 대상이 되는 행정처분이다(대판 1996.2.13, 95누11023).

7 하천 공유수면 점용료부과 ★★★

하천법 및 공유수면관리법에 규정된 하천 또는 공유수면의 점용료부과처분은 공법상의 의무를 부과하는 공권적인 처분으로 행정처분에 해당한다(대판 2004.10.15, 2002다68485).

8 국유재산 무단점유자 변상금부과 ★★★

국유재산의 무단점유자에 대한 변상금 부과처분은 행정소송의 대상이 되는 처분에 해당한다(대판 1988.2.13, 87누1046·1047).

9 국유일반재산 대부료징수 ★★★

국유일반재산의 대부료 등의 징수는 국세징수법 규정을 준용한 간이하고 경제적인 특별구제절차가 마련되어 있으므로 특별한 사정이 없는 한 공법관계이며 행정소송의 대상이다(대판 2014.9.4, 2014다203588).

10 귀속재산매각 ★★★

귀속재산처리법에 의하여 귀속재산을 매각하는 것은 행정처분에 해당한다. 행정관청이 국유재산을 매각하는 것은 사법상의 매매계약일 수도 있으나, 귀속재산처리법에 의하여 귀속재산을 매각하는 것은 행정처분이지 사법상의 매매가 아니다(대판 1991.6.25, 91다10435).

간단 점검하기

04 국유재산법의 규정에 의하여 총괄청 또는 그 권한을 위임받은 기관이 국유재산을 매각하는 행위는 사경제주체로서 행하는 사법상의 법률행위에 지나지 아니한다. ( ) 15. 국회직 8급

05 국유재산법상 일반재산의 대부는 행정처분이 아니며 그 계약은 사법상 계약이다. ( ) 16. 국가직 9급

06 국유일반재산에 관한 대부료의 납부고지는 공법관계이다. ( ) 17. 교육행정직

관련판례 국·공유재산 - 사법관계

1 국유임야 대부·매각·양여 ★★★

국유임야를 대부하거나 매각 또는 양여하는 행위는 사법상의 행위이고, 국유임야 무상양여거부처분도 사법상의 행위일 뿐이다(대판 1983.9.27, 83누292).

2 공유재산 매각신청거부 ★★

공유재산매각신청을 거부한 서울특별시장의 행위는 사경제의 주체로서의 매매거부의 의사표시에 불과하여 항고소송의 대상인 행정행위라 할 수 없다(대판 1984.4.10, 83누621).

3 국유임야 대부·매각, 대부료부과 ★★★

국유임야를 대부하거나 매각하는 행위는 사경제적 주체로서 행하는 사법상 계약이며, 이 대부계약에 의한 대부료 부과조치 역시 사법상 채무이행을 구하는 것으로 행정처분이 아니다(대판 1993.12.7, 91누11612).

4 국유림 대부, 대부료 납부고지 ★★★

일반재산인 국유림의 대부 및 대부료의 납입고지는 행정소송의 대상이 되지 않는다(대판 2000.2.11, 99다61675).

01 × 02 ○ 03 × 04 ○ 05 ○ 06 ×

5 기부채납 공유재산(일반재산에 해당하는 것) 무상 사용허가 ★★★

지방자치단체가 구 지방재정법 시행령 제71조에 따라 기부채납 받은 공유재산을 무상으로 기부자에게 사용을 허용하는 행위는 사법상 행위이며, 일정기간 사용 후에 한 사용허가기간 연장신청을 거부한 행위도 사법상의 행위에 해당한다(대판 1994.1.25, 93누7365).

6 폐천부지 양여 ★★★

폐천부지의 양여행위는 사법상 행위이다(대판 1985.3.26, 84누736).

7 공유 일반재산의 대부료와 연체료를 납부기한까지 내지 아니한 경우에도 공유재산 및 물품 관리법 제97조 제2항에 의하여 지방세 체납처분의 예에 따라 이를 징수할 수 있다. 이와 같이 공유 일반재산의 대부료의 징수에 관하여도 지방세 체납처분의 예에 따른 간이하고 경제적인 특별한 구제절차가 마련되어 있으므로, 특별한 사정이 없는 한 민사소송으로 공유 일반재산의 대부료의 지급을 구하는 것은 허용되지 아니한다(대판 2017.4.13, 2013다207941).

관련판례 근무관계 - 공법관계

1 청원경찰 국가근무 ★★★

국가나 지방자치단체에서 근무하는 청원경찰의 근무관계는 공법관계에 해당한다(대판 1993.7.13, 92다47564).

2 농지개량조합 징계 ★★★

농지개량조합과 그 직원과의 관계는 공법상 특별권력관계이고, 그 직원에 대한 징계처분취소소송은 행정소송사항에 속한다(대판 1995.6.9, 94누10870).

3 지방소방공무원 근무관계 ★★

지장자치단체와 지방소방공무원의 근무관계는 공법상의 근무관계이고, 초과근무수당 지급청구소송은 공법상 당사자소송의 절차에 따라야 한다(대판 2013.3.28, 2012다102629).

4 시립무용단원위촉

광주광역시문화예술회관장의 단원 위촉은 광주광역시문화예술회관장이 행정청으로서 공권력을 행사하여 행하는 행정처분이 아니라 공법상의 근무관계의 설정을 목적으로 하여 광주광역시와 단원이 되고자 하는 자 사이에 대등한 지위에서 의사가 합치되어 성립하는 공법상 근로계약에 해당한다고 보아야 할 것이다(대판 2001.12.11, 2001두7794).

5 시립무용단원위촉 ★★★

서울시립무용단원의 위촉은 공법상 계약이며 그 해촉에 관한 분쟁은 행정소송인 공법상 당사자소송의 대상이다(대판 1995.12.22, 95누4636).

간단 점검하기

01 구 지방재정법 시행령 제71조의 규정에 따라 기부채납 받은 공유재산을 무상으로 기부자에게 사용을 허용하는 행위는 사법관계에 해당한다.
( ) 15. 서울시 9급

02 국유 일반재산의 대부료 징수에 관하여 국세 체납처분의 예에 따른 간이하고 경제적인 특별한 구제절차가 마련되어 있으므로, 특별한 사정이 없는 한 민사소송으로 일반재산의 대부료 지급을 구하는 것은 허용되지 않는다.
( ) 18. 국가직 7급

간단 점검하기

03 국가나 지방자치단체에 근무하는 청원경찰의 근무관계는 행정소송법상의 행정소송에 해당한다 ( )
18. 지방직 9급

04 농지개량조합의 직원에 대한 징계처분은 처분성이 인정된다. ( )
17. 사회복지직

05 시립합상(무용)단원의 위촉은 공법관계에 해당된다. ( )
16. 지방직 9급, 12. 국가직 7급, 11.서울시 9급

06 시립무용단원의 해촉은 행정소송의 대상이 된다. ( ) 19. 서울시 9급

01 ○ 02 ○ 03 ○ 04 ○ 05 ○ 06 ○

관련판례 **근무관계 - 사법관계**

1 **의료보험관리공단직원 근무관계** ★★★

공무원 및 사립학교교직원 의료보험관리공단직원의 근무관계는 사법관계이다(대판 1993.11.23, 93누15212).

2 **종합유선방송위원회 근무관계** ★★

종합유선방송위원회 직원의 근무관계는 사법상의 계약관계이다(대판 2001.12.24, 2001다54038).

3 **한국조폐공사 직원 근무관계** ★★★

한국조폐공사 직원의 근무관계는 사법관계에 속하고 그 직원의 파면행위도 사법상의 행위이다(대판 1978.4.25, 78다414).

4 **서울지하철공사 직원 근무관계** ★★★

서울지하철공사의 임원과 직원의 근무관계는 사법관계, 지하철공사의 사장의 징계처분은 공권력의 발동이 아니므로 불복은 민사소송에 의한다(대판 1989.9.12, 89누2103).

5 한국마사회가 조교사 또는 기수의 면허를 부여하거나 취소하는 것은 국가 기타 행정기관으로부터 위탁받은 행정권한의 행사가 아니라 일반 사법상의 법률관계에서 이루어지는 단체 내부에서의 징계 내지 제재처분이다(대판 2008.1.31, 2005두8269).

간단 점검하기

01 한국조폐공사의 임원과 직원의 근무관계는 공법관계에 해당한다. ( ) 18. 경찰행정, 14. 서울시 7급

02 서울특별시지하철공사 임직원의 근무관계는 사법관계에 해당한다. ( ) 15. 서울시 9급

관련판례 **금전 · 계약 등 관련 - 공법관계**

1 **공무원연금관리공단 급여결정** ★

공무원연금관리공단의 급여에 관한 결정은 행정처분으로서 공법관계에 해당한다(대판 1996.12.6, 96누6417).

2 **보조금반환청구** ★★

보조사업자의 지방자치단체에 대한 보조금 반환의무는 행정처분인 보조금 지급결정에 부기관 부관상 의무이고, 지방자치단체의 보조금반환청구는 공법상 의무이행을 구하는 청구이다(대판 2011.6.9, 2011다2951).

3 **수신료징수** ★★★

한국전력공사가 한국방송공사로부터 수신료의 징수업무를 위탁받아 자신의 고유업무와 관련된 고지행위와 결합하여 수신료를 징수할 권한이 있는지 여부를 다투는 쟁송은 공법상 당사자소송에 의한다(대판 2008.7.24, 2007다25261).

4 **사립학교 교원**

사립학교 교원은 학교법인 또는 사립학교 경영자에 의하여 임면되는 것으로서 사립학교 교원과 학교법인의 관계를 공법상의 권력관계라고는 볼 수 없으므로 사립학교 교원에 대한 학교법인의 해임처분을 취소소송의 대상이 되는 행정청의 처분으로 볼 수 없고, 따라서 학교법인을 상대로 한 불복은 행정소송에 의할 수 없고 민사소송절차에 의할 것이다(대판 1993.2.12, 92누13707).

간단 점검하기

03 사립학교 교원에 대한 학교법인의 해임처분을 취소소송의 대상이 되는 행정청의 처분으로 볼 수 있으므로 학교법인을 상대로 한 불복은 행정소송에 의한다. ( ) 15. 국가직 9급

01 × **02** ○ **03** ×

5 국가산업단지 입주계약해지통보 ★★

국가산업단지 입주계약해지통보는 행정청이 관리권자로부터 관리업무를 위탁받아 우월적 지위에서 발하는 행정처분이다(대판 2011.6.30, 2010두23859).

6 수도료부과징수 ★★★

수도법에 의한 수도료 부과징수와 그에 따른 수도료 납부관계는 공법상의 권리·의무관계이다(대판 1977.2.22, 76다2517).

7 공공하수도이용관계 ★★★

공공하수도의 이용관계는 공법관계라 할 것이고, 공공하수도 사용료의 부과징수관계 역시 공법사의 권리의무관계라 할 것이다(대판 2003.6.24, 2001두8865).

관련판례 금전·계약 등 관련 - 사법관계

1 입찰보증금 국고귀속 ★★★

예산회계법(현 국가재정법)에 의한 입찰보증금의 국고귀속조치에 관한 분쟁은 민사소송의 대상이다(대판 1983.12.27, 81누366).

2 부당이득반환청구 ★★★

당연무효인 조세부과처분을 이유로 한 부당이득반환청구는 민사소송의 절차에 의한다(대판 1995.4.28, 94다55019).

3 부당이득반환청구 ★★★

개발부담금부과처분의 직권취소를 이유로 한 부당이득반환청구는 민사소송절차에 의한다(대판 1995.12.22, 94다51253).

4 환매권 ★★★

환매권의 행사로 인한 매매는 사법상의 매매에 해당한다(대판 1992.4.24, 92다4673).

5 공익사업 토지 협의취득 ★★★

공익사업을 위하여 공공사업의 시행자가 토지를 협의취득 하는 것은 사법상의 법률행위에 해당한다(대판 2004.7.22, 2002다51586).

6 국가계약법(국가를 당사자로 하는 계약에 관한 법률, 지방재정법, 구 예산회계법) ★★★

국가계약법에 따라 지방자치단체가 당사자가 되는 공공계약은 사경제의 주체로서 상대방과 대등한 위치에서 체결하는 사법상 계약이 원칙이다(대판 2001.12.11, 2001다33604).

7 예산회계법 또는 지방재정법에 따라 지방자치단체가 당사자가 되어 체결하는 계약은 사법상의 계약일 뿐, 공권력을 행사하는 것이거나 공권력 작용과 일체성을 가진 것은 아니라고 할 것이므로 이에 관한 분쟁은 행정소송의 대상이 될 수 없다(대판 1996.12.20, 96누14708).

8 철도운행사업 ★★★

국가의 철도운행사업은 국가가 공권력의 행사로서 하는 것이 아니고 사경제적 작용이라 할 것이며, 민법에 따라 배상하여야 한다(대판 1999.6.22, 99다7008).

간단 점검하기

01 수도법에 의하여 지방자치단체인 수도사업자가 그 수돗물의 공급을 받는 자에게 하는 수도료 부과·징수와 이에 따른 수도료 납부관계는 공법상의 권리의무 관계이므로 이에 관한 분쟁은 행정소송의 대상이다. ( ) 19. 국가직 9급

간단 점검하기

02 판례에 따르면 국가를 당사자로 하는 계약에 관한 법률(구 예산회계법)에 따른 입찰보증금 국고귀속조치는 사법관계로서 이에 관한 분쟁은 민사소송의 대상이 된다. ( ) 14. 지방직 7급

03 구 예산회계법상 입찰보증금의 국고귀속조치는 국가가 공권력을 행사하는 것이라는 점에서, 이를 다투는 소송은 행정소송에 해당한다. ( ) 19. 국가직 9급

04 국가를 당사자로 하는 계약에 관한 법률에 의하여 국가와 사인 간에 체결된 계약은 특별한 사정이 없는 한 사법상의 계약으로서 그 본질적인 내용은 사인 간의 계약과 다를 바가 없다. ( ) 19. 사회복지직

05 대법원은 국가나 지방자치단체가 당사자가 되는 공공계약(조달계약)은 상대방과 대등한 관계에서 체결하는 공법상의 계약으로 본다. ( ) 17. 국회직 8급

06 지방재정법에 따라 지방자치단체가 당사자가 되어 체결하는 계약에 있어 계약보증금이 귀속조치는 행정소송의 대상이 된다. ( ) 19. 서울시 9급

01 ○ 02 ○ 03 × 04 ○
05 × 06 ×

9 전화가입계약 ★★

전화가입계약의 해지는 사법상의 계약관계에 불과하다(대판 1982.12.28, 82누441).

간단 점검하기

초·중등교육법상 사립중학교에 대한 중학교 의무교육의 위탁관계는 사법관계에 속한다. ( ) 18. 교육행정직

관련판례 기타 - 공법관계

중학교의무교육 위탁 ★★★

사립 중학교 의무교육의 위탁관계는 초·중등교육법에 의하여 정해지는 공법적 관계에 해당한다(대판 2015.1.29, 2012두7387).

[비교판례] 사립학교법인 학생, 지방자치단체 위탁 사립학교법인 학생 ★★★

사법인인 학교법인과 학생의 재학관계는 사법상 계약에 해당한다. 지방자치단체가 학교법인이 설립한 사립중학교에 의무교육대상자에 대한 교육을 위탁한 때, 그 학교법인과 해당 사립중학교에 재학 중인 학생의 재학관계도 사법관계에 해당한다(대판 2018.12.28, 2016다33196).

관련판례 국가배상청구소송 ★★★

국가배상법상 손해배상책임은 민사상의 손해배상책임을 특별법인 국가배상법이 정한 것이다. 공무원의 직무상 불법행위로 손해를 받은 국민이 국가 또는 공공단체에 배상을 청구하는 경우 국가 또는 공공단체에 대하여 그의 불법행위를 이유로 손해배상을 구함은 국가배상법이 정한 바에 따른다 하여도 이 역시 민사상의 손해배상책임을 특별법인 국가배상법이 정한 데 불과하다(대판 1972.10.10, 69다701).

point check 입찰참가자격제한조치의 법적 성질(처분성 여부)

구분	내용
학설	• 부정설 • 긍정설(다수견해)
판례	• 국가·지방자치단체의 입찰참가자격제한조치: 처분성 인정(공법관계) • 공기업·준정부기관의 입찰참가자격제한조치: 처분성 인정(공법관계) - 공공기관의 운영에 관한 법률 제39조 적용 ○ • 기타공공기관의 입찰참가자격제한조치: 처분성 부인(사법관계) - 공공기관의 운영에 관한 법률 제39조 적용 ×
구체적 판례	• 공법관계, 행정소송 - 행정기관(조달청)의 입찰참가자격정지는 행정처분이므로 공법관계에 해당, 처분성 인정(대판 1983.12.27, 81누366). - 행정기관(조달청)의 국가종합전자조달시스템인 나라장터 종합쇼핑몰에 대한 거리정지조치는 행정처분에 해당(대판 2018.11.29, 2015두52395) - 한국전력공사가 한 입찰참가자격제한 조치는 공법상 효력을 갖는 통지행위에 해당(대판 2014.11.27, 2013두18964).[1] • 사법관계, 민사소송 - 수도권매립지관리공사의 입찰참가제한조치는 처분성이 인정되지 않음(대결 2010.11.26, 2010무137)

[1] 한국수력원자력 → 공법관계 (대판 2018.10.25, 2016두33537)

×

관련판례 기타

1 **한국형헬기 용역협약** ★★

KAI(한국항공우주산업)와 체결한 '한국형 헬기 개발사업에 대한 물품 · 용역협약'은 물품조달계약으로서 공법상 계약에 해당한다(대판 2017.11.9, 2015다215526).

2 **관리처분계획안** ★★

도시 및 주거환경정비법상 행정주체인 주택재건축정비사업조합을 상대로 관리처분계획안에 대한 조합 총회결의의 효력 등을 다투는 소송은 … 공법상 법률관계에 관한 것이므로, 이는 행정소송법상의 당사자소송에 해당한다(대판 2009.9.17, 2007다2428).

제3절 행정상 법률관계의 당사자

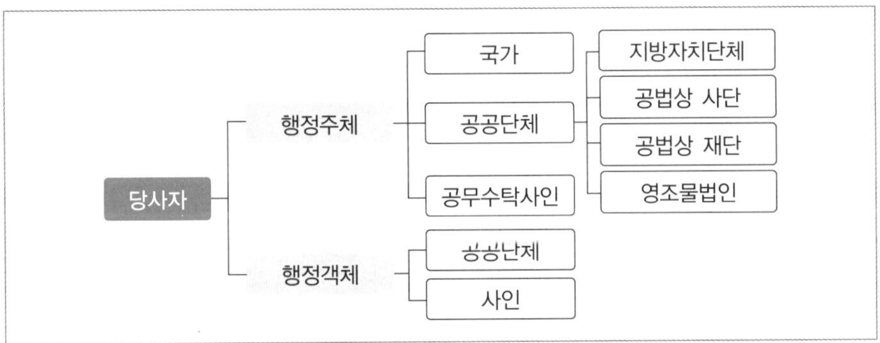

1 행정주체

1. 개설

(1) 행정주체의 의의

행정주체라 함은 행정법관계에 있어서 행정권을 행사하고, 그 법적 효과가 궁극적으로 귀속되는 당사자를 말한다. 행정주체는 권리 · 의무의 귀속주체라는 점에서, 권리 · 의무가 귀속되지 않는 행정기관과 구별된다.

(2) 행정주체와 행정기관의 구별

행정주체와 행정기관은 개념상 구별하여야 한다. 행정주체는 행정기관을 통하여 행정사무를 집행한다. 즉, 행정기관의 지위에서 행하는 공무원의 행위는 행정권의 실제적인 행사에 해당하지만 그 법적 효과는 공무원 개인이 아니라 국가 또는 공공단체 등 행정주체에 귀속하게 된다.

(3) 행정주체의 종류

행정주체의 종류에는 국가, 공공단체, 공무수탁사인 등이 있다. 공공단체는 다시 지방자치단체, 공법상 사단(공공조합), 공법상 재단, 영조물법인 등으로 나누어진다.

간단 점검하기

국가와 지방자치단체(서울특별시, 대구광역시)는 행정주체이다. ( )

16. 서울시 9급

point check 행정주체와 행정청

구분	행정주체	행정청
특징	• 당사자를 의미 • 행정권한의 행사, 법적 효과의 귀속 • 권리 · 의무의 귀속주체 ○ • 당사자소송의 주체, 손해배상책임의 주체	• 행정기관을 의미 • 행정에 관한 의사결정 · 외부표시 • 권리 · 의무의 귀속주체 × • 항고소송의 피고적격
예시	국가	국무총리, 각부 장관
	서울특별시, 부산광역시	서울특별시장, 부산광역시장
	종로구, 이천군	종로구청장, 이천군수
	한국은행	한국은행장

기출

행정주체가 될 수 없는 것은? (다툼이 있는 경우 판례에 의함) 13. 국가직 9급

① 대한민국
② 도시 및 주거환경정비법에 따른 주택재건축정비사업조합
③ 서울특별시
④ 행정안전부장관

정답 ④

Level up 행정청, 의결기관, 집행기관, 보조기관, 보좌기관

1. **행정청**: 행정주체의 의사를 자기의 이름으로 외부에 표시하는 권한을 가진 기관
   ① 독임제 행정청: 정부조직법상의 장관 · 처장 · 청장 및 경찰서장, 소방서장 등, 지방자치단체의 장, 권한의 위임을 받은 행정기관
   ② 합의제 행정청: 행정심판위원회, 국민권익위원회, 감사원, 공정거래위원회, 중앙선거관리위원회 등
2. **의결기관**: 행정주체의 의사를 결정하는 권한만을 가지고 이를 외부에 표시할 권한은 가지지 못하는 기관(예 각종 위원회, 지방의회, 교육위원회, 도시계획위원회 등)
3. **집행기관**: 행정청의 명을 받아 행정청이 발한 의사를 집행하여 행정상 필요한 상태를 실현하는 기관(예 세무공무원, 경찰공무원, 소방공무원 등)
4. **보조기관**: 행정청에 소속되어 행정청의 의사결정을 보조하거나 그 명을 받아 사무에 종사하는 기관(예 행정각부의 차관, 실장, 국장 등, 지방자치단체의 부지사, 부시장 등)
5. **보좌기관**: 행정청 또는 그 보조기관이 기능을 원활히 수행할 수 있도록 보좌하는 기관(예 행정각부의 차관보, 비서실 등)

2. 국가

(1) 시원적 행정주체

국가는 행정권을 다른 자로부터 위임 또는 수권 받은 것이 아닌 시원적(始原的) 행정주체이다.

(2) 행정권의 행사

국가는 대부분 행정권을 직접 행사하지만, 일정한 경우 행정기관과 공공단체를 통하여 행정을 수행시키기도 한다.

3. 공공단체

(1) 지방자치단체

국가영토 내의 일정한 지역 및 그 지역의 주민으로 구성되며 그 지역 내에서 일정한 자치권을 행사하는 공공단체를 말한다.❶

기출

기초지방자치단체의 종류에 속하면서 행정주체의 종류에 해당되는 것은? 04. 서울시 9급

① 안양시 동안구 ② 대전광역시

③ 성남시 수정구 ④ 목포시

정답 ④

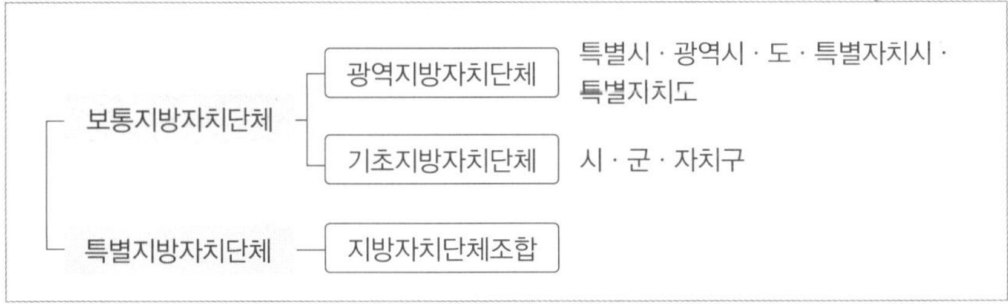

(2) 공공조합(공법상의 사단법인)

① 특수한 사업을 수행하기 위하여 일정한 자격을 가진 사람으로 구성된 사단법인을 말한다.

② 한국농어촌공사(종래 농지개량조합), 도시정비사업조합(종래 도시재개발조합), 도시개발조합(종래 토지구획정리조합), 농업협동조합, 산림조합, 엽연초생산조합, 인삼협동조합, 건설공제조합, 대한변호사협회, 대한의사협회, 대한약사회, 대한교원공제회, 재향군인회, 상공회의소 등이 있다.

(3) 공법상의 재단

① 국가나 지방자치단체가 출연한 재산을 관리하기 위하여 설립된 재단법인을 말한다.

② 한국학술진흥재단, 한국학중앙연구원, 한국교육개발원, 한국과학재단, 공무원연금관리공단, 국립박물관문화재단, 한국장학재단, 국립극단재단 등이 있다.

❶ 기초지방자치단체 안에 있는 구(예 안양시 동안구, 성남시 수정구 등)는 자치구가 아닌 구이며, 제주도는 특별자치도로 전환되면서 기초지방자치단체를 폐지했기 때문에 제주시, 서귀포시 등은 지방자치단체가 아니다.

간단 점검하기

제주특별자치도의 제주시와 서귀포시는 기초지방자치단체이다. ( ) 13. 서울시 7급

×

(4) 영조물법인

① 특정한 행정목적을 수행하기 위하여 설립된 인적·물적 결합체로서 공법상 법인격이 부여된 영조물을 말한다.

② 각종 공사(예 한국방송공사, 한국도로공사, 한국전력공사, 한국조폐공사, 대한주택공사 등), 각종 공단(예 국립공원관리공단, 한국기술검정공단 등), 국책은행(예 한국은행, 한국산업은행 등), 국립병원(예 국립중앙의료원, 적십자병원, 서울대학교병원, 국립대학병원 등), 과학기술원 등이 있다.

③ 국·공립대학교는 법인격을 취득하지 않았기 때문에 영조물일 뿐 영조물법인이 아니며, 국립도서관·교도소 등도 마찬가지로 영조물일 뿐 영조물법인은 아니다.

④ 서울대학교와 인천대학교는 법률에 의해 2012년도에 법인격을 취득하여 영조물법인이 되었다.

4. 공무수탁사인

(1) 의의

① 자신의 이름으로 공행정사무를 처리할 수 있는 권한을 부여받아 이를 처리하는 사인을 말한다.❶

② 공무수탁사인은 신분상으로는 사인이지만, 기능상으로는 그의 권한이 미치는 한도에서 공권력을 행사할 수 있다.

(2) 종류

① 공익사업을 위한 토지 등의 취득 및 보상에 관한 법률상의 사업시행자

② 일정한 경찰사무를 수행하는 상선의 선장·항공기의 기장

③ 별정우체국장

④ 학위를 수여하는 사립대학장

⑤ 국가시험의 출제와 채점을 부탁받은 사립대교수

⑥ 공증업무를 수행하는 공증인

⑦ 변호사등록사무, 징계업무를 수행하는 변호사협회

⑧ 교정업무를 수행하는 교정법인 또는 민영교도소

(3) 구별개념

① **공의무부담사인**

㉠ **개념**: 국가가 법률에 의해 직접 사인에게 직무의무만을 부과하고, 이를 통하여 행정업무를 처리하는 사인을 말한다.

㉡ **구별**: 공의무부담사인은 법률에 의한 의무만 부담함하는 것에 반하여 공무수탁사인은 공무수행권한이 부여된다.

㉢ **예시**: 소득세원천징수의무자, 석유사업자 등의 석유비축의무자가 이에 해당한다.

❶
공무수탁사인은 자연인일 수도 있고, 사법인 또는 법인격 없는 단체일 수도 있다.

간단 점검하기

01 법인격 없는 단체는 공무수탁사인이 될 수 없다. ( ) 17. 서울시 9급

02 공익사업을 위한 토지 등의 취득 및 보상에 관한 법률상 토지수용권을 행사하는 사인은 공무수탁사인에 해당된다. ( ) 18. 서울시 7급

03 항공안전 및 보안에 관한 법률상 경찰임무를 수행하는 항공기의 기장은 공무수탁사인에 해당된다. ( ) 18. 서울시 7급

04 민영교도소 등의 설치·운영에 관한 법률상 교정업무를 수행하는 민영교도소는 공무수탁사인에 해당된다. ( ) 18. 서울시 7급

01 × 02 ○ 03 ○ 04 ○

Level up 소득세원천징수의무자의 행정주체성 여부

1. **학설**: 원천징수의무자의 소득세원천징수가 공무수탁사인으로서 공권력을 행사하는지 여부에 대해 긍정하는 견해와 부정하는 견해(다수)의 다툼이 있다.
2. **판례**: 원천징수의무자를 과세관청과 같은 행정청이라고 보면서도, 그의 원천징수행위는 법령에서 규정된 징수 및 납부의무를 이행하기 위한 것에 불과한 것이지 공권력의 행사로서의 행정처분을 한 경우에 해당되지 아니 한다(대판 1990.3.22, 89누4789).
3. **다수설**: 판례의 해석에 관한 견해가 다양하나 원천징수행위의 행정처분성을 부정하여 소득세원천징수의무자의 행정주체성을 부인하였다는 것이 다수의 견해이다.

② **행정보조인**

㉠ **개념**: 행정임무를 자기 책임 하에 수행함이 없이 단순한 기술적 집행만을 행하는 사인을 말한다.

㉡ **예시**: 아르바이트로 우편업무를 수행하는 사인, 사고현장에서 경찰의 부탁에 의해 경찰을 돕는 자 등이 이에 해당한다.

③ **기타**: 사법상 계약에 의해 경영위탁을 받은 자(경찰과 한 용역계약에 의해 주차위반차량을 견인하는 민간사업자, 쓰레기 수거인), 제한된 공법상 근무관계에 있는 자(국립대학 시간강사), 행정대행자(차량등록의 대행자, 자동차 검사의 대행자) 등과도 구별된다.

(4) 법적 근거

① 공무수탁사인은 행정청에 주어진 권한을 사인에게 이전시키는 것이므로 반드시 법적 근거가 필요하다.

② 일반법적 근거로는 정부조직법 제6조 제3항과 지방자치법 제104조 제3항이 있다.

③ 국가가 업무를 누구에게 어떠한 방법으로 수행할 것인지에 광범위한 입법재량과 형성의 자유가 인정된다.

관련판례 **국가임무 수행방식 선택 - 재량** ★★

국가가 자신의 임무를 그 스스로 수행할 것인지 아니면 그 임무의 기능을 민간부문으로 하여금 수행하게 할 것인지 하는 문제, 즉 국가가 어떤 임무수행방법을 선택할 것인가 하는 문제는 … 입법자에게 광범위한 입법재량 내지 형성의 자유가 인정된다(헌재 2007.6.28, 2004헌마262).

(5) 행정주체와 공무수탁사인의 관계

① **공법상 위임관계**: 행정주체와 공무수탁사인의 관계는 공법상 위임관계이므로 권한범위 내에서 행정주체의 지위를 가진다.

② **특별감독관계**: 공무를 위탁한 행정주체는 공무수탁사인에 대하여 지휘·감독권을 가진다. 특별감독권으로 사무의 합법성뿐만 아니라 합목적성까지 감독할 수 있다.

③ **형식**: 행정권한의 위탁은 행정행위의 형식으로 하는 경우도 있으며 공법상 계약의 형식으로 행해지기도 한다. 한편, 공무수탁사인이 행정권을 행사하는 경우에도 행정절차법의 적용을 받는다.

간단 점검하기

01 소득세법에 의한 원천징수 의무자의 원천징수행위는 법령에서 규정된 징수 및 납부의무를 이행하기 위한 것에 불과한 것이지, 공권력의 행사로서의 행정처분에 해당되지 아니한다고 보는 것이 판례의 입장이다. ( ) 10. 지방직 9급

02 공무수탁사인은 행정임무를 자기 책임하에 수행함이 없이 단순한 기술적 집행만을 행하는 사인인 행정보조인과는 구별된다. ( ) 11. 서울시 9급, 10. 지방직 9급

03 경찰과의 계약을 통해 주차위반차량을 견인하는 민간 사업자도 공무수탁사인에 해당한다. ( ) 17. 서울시 7급

간단 점검하기

04 공무수탁사인은 수탁받은 공무를 수행하는 범위 내에서 행정주체이고, 행정절차법이나 행정소송법에서는 행정청이다. ( ) 17. 사회복지직

01 ○ 02 ○ 03 × 04 ○

간단 점검하기

01 공무수탁사인의 임무수행으로 인한 권리가 침해당한 사인은 행정심판과 행정소송을 제기할 수 있다. 공무수탁사인은 행정청에 해당하는바, 공무수탁사인을 행정심판의 피청구인이나 항고소송의 피고로 할 수 있다. ( )
10. 지방직 9급

02 공무수탁사인의 불법행위에 대해서는 국가를 상대로 손해배상청구를 할 수 있다. ( )
11. 서울시 9급, 05. 국가직 7급

(6) 공무수탁자의 공무수행과 권리구제

① **항고소송**: 공무수탁사인은 위탁받은 범위 내에서 공권력을 행사하므로 이러한 공권력행사에 대해서는 공무수탁사인을 상대로 하여 항고소송으로 다툴 수 있다.

② **당사자소송 또는 민사소송**: 공무수탁자가 계약의 형식으로 법률관계를 형성하는 경우에는 그 계약의 형식이 공법상 계약에 의하는 경우도 있으나, 원칙적으로 사법상 계약에 해당한다. 따라서 공법상 계약인 경우에는 공법상 당사자소송에 의하나, 사법상 계약의 경우에는 민사소송에 의한다.

③ **손해배상**: 국가배상법 제2조의 공무원의 개념에 공무수탁사인을 포함시킴으로써 공무수탁사인의 행위에 대한 배상책임자는 국가나 지방자치단체가 된다.

> 국가배상법 제2조【배상책임】① 국가나 지방자치단체는 공무원 또는 공무를 위탁받은 사인(이하 "공무원"이라 한다)이 직무를 집행하면서 고의 또는 과실로 법령을 위반하여 타인에게 손해를 입히거나, 자동차손해배상 보장법에 따라 손해배상의 책임이 있을 때에는 이 법에 따라 그 손해를 배상하여야 한다.

④ **손실보상**: 공무수탁사인의 적법한 행위로 특별한 희생을 당한 자는 법률이 정하는 바에 따라 공무수탁사인에게 손실보상을 청구할 수 있다.

point check 행정주체의 구체적인 예

행정주체에 해당하는 것	행정주체에 해당하지 않는 것
• 국가 • 서울특별시 · 서울특별시 종로구 • 부산광역시 · 경기도 · 이천군 • 한국은행 · 한국산업은행 · 적십자병원 · 과학기술원 등 • 변호사회 · 상공회의소 · 농지개량조합 · 산림조합 등 • 별정우체국장 • 학위를 수여하는 사립대학장 • 경찰사무를 행하는 선장 • 사인인 사업시행자	• 국무총리, 법무부장관, 행정안전부장관 • 서울시장, 종로구청장 • 부산시장, 경기도지사, 이천군수 • 한국은행장, 산림조합장 • 요식업 · 도축업 · 소개업자조합 • 순찰 중인 순경 • 수업료를 수납하는 사립대학장 • 봉급을 지급하는 선장

간단 점검하기

03 지방자치단체는 행정주체이지 행정권 발동의 상대방인 행정객체는 될 수 없다. ( ) 17. 사회복지직

2 행정객체

1. 의의

행정객체란 행정주체가 행하는 행정작용의 상대방이 되는 자를 말한다. 행정객체로서 사인은 권력관계에서는 공권력에 복종할 지위에 놓이지만, 관리관계나 국고관계에서는 대등한 당사자로서의 지위에 있다.

2. 종류

행정객체에는 자연인(내국인 · 외국인), 법인(사법인 · 공법인), 공공단체가 있으며, 권리능력 없는 사단이나 재단도 이에 포함된다. 그러나 국가는 행정객체가 될 수 없다는 것이 통설이며, 반대설[1]이 있다.

[1] 지방자치단체는 사인과의 관계에서는 행정주체의 지위에 있지만 국가 및 다른 공공단체와의 관계에서는 행정객체가 될 수도 있다는 학설이다.

01 ○ 02 ○ 03 ×

제4절 행정법관계의 내용

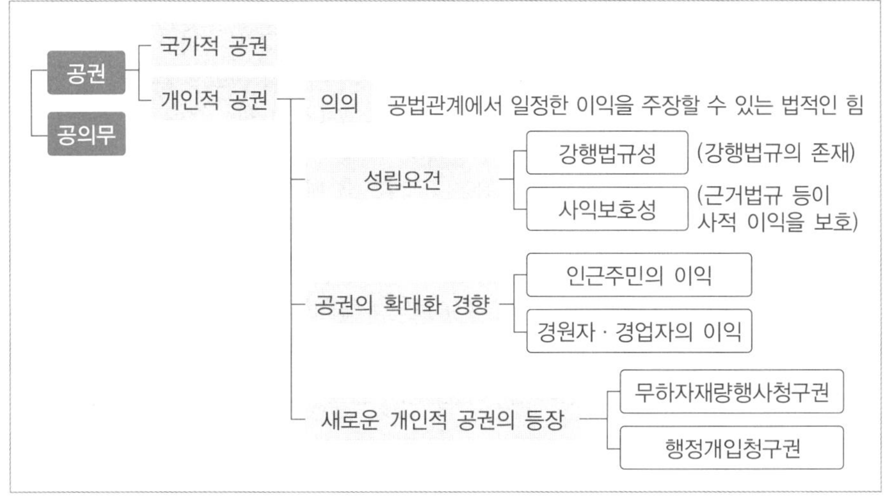

1 공권과 공의무

1. 개설

(1) 행정법관계도 권리 · 의무의 관계라는 점에서 사법관계와 본질적인 차이는 없다. 행정법관계에서의 권리 · 의무를 공권 · 공의무라 하고, 그 귀속주체에 따라 국가에 귀속되는 국가적 공권 · 공의무와 개인에 귀속되는 개인적 공권 · 공의무로 구분할 수 있다.

(2) 이러한 공권(公權)과 공의무(公義務)는 사법상의 권리인 사권(私權)과 사의무(私義務)에 대응하는 개념이다. 사법관계는 사적 자치의 원칙이 인정되어 권리 · 의무의 발생 · 변경 · 소멸이 원칙적으로 사인의 자유로운 의사에 의해 결정된다. 반면 공법관계는 권리 · 의무의 발생 · 변경 · 소멸이 대부분 법률이 정하는 바에 따라 행정주체의 일방적인 행위에 의해 이루어진다.

2. 공권과 그 특수성

(1) 공권의 개념

구분	공권(법률상 이익)	반사적 이익
의의	공법관계에서 직접 자기를 위하여 일정한 이익을 주장할 수 있는 법적인 힘	법이 단순히 작위 · 부작위를 규정한 결과 반사적 효과로서 발생하는 이익
권리구제	침해시 행정소송으로 구제 가능	침해시 행정소송으로 구제 불가

(2) 공권의 종류

구분	국가적 공권	개인적 공권
의의	• 국가 또는 공공단체 그 밖에 국가로부터 공권력을 부여받은 자가 우월적인 의사주체로서 상대방인 개인에 대하여 가지는 권리 • 권리라기보다는 권력·권능이라고 파악하는 견해도 있음	• 행정객체인 개인이 국가 등 행정주체에 대하여 직접 자기를 위하여 일정한 이익을 주장할 수 있는 법률상의 힘 • 행정법에서 일반적으로 공권이라고 하면 개인적 공권을 의미함
종류	• 목적에 따라: 조직권·형벌권·경찰권·통제권·공기업특권·공용부담특권·재정권·군정권 등 • 내용에 따라: 하명권·강제권·형성권·공법상의 물권 등	• 내용에 따라: 자유권·수익권·참정권 등 • 새로운 공권: 무하자재량행사청구권·행정개입청구권 등

(3) 공권의 특수성

① **국가적 공권의 특수성**

㉠ **권리의 자율성**: 권리의 내용을 스스로 결정한다.

㉡ **권리의 자력집행성**: 자력으로 그 내용을 실현할 수 있다.

㉢ **행정의 과벌성**: 그 침해에 대하여 제재를 과할 수 있다.

② **개인적 공권의 특수성**

㉠ **이전성의 제한**

ⓐ 공권은 일반적으로 공익성이 인정되고 일신전속성❶을 가지는 경우가 많으므로, 양도·상속 등 이전성이 제한되는 경우가 많다(예 선거권, 연금청구권, 소권, 국민기초생활수급권 등).

ⓑ 그러나 그 내용이 경제적 가치를 주목적으로 하는 것은 사권과 같이 이전성이 인정되는 경우가 있다(예 재산적 침해로 인한 국가배상청구권, 손실보상청구권 등).

> 국가배상법 제4조 【양도 등 금지】 생명·신체의 침해로 인한 국가배상을 받을 권리는 양도하거나 압류하지 못한다.
>
> 국민연금법 제58조 【수급권 보호】 ① 수급권은 양도·압류하거나 담보로 제공할 수 없다.
>
> 국세징수법 제42조 【급여채권의 압류 제한】 ① 급료, 연금, 임금, 봉급, 상여금, 세비, 퇴직연금, 그 밖에 이와 비슷한 성질을 가진 급여채권에 대해서는 그 총액의 2분의 1에 해당하는 금액은 압류가 금지되는 금액으로 한다.
>
> ② 제1항에도 불구하고 다음 각 호의 경우 압류가 금지되는 금액은 각각 다음 각 호의 구분에 따른 금액으로 한다.
>
> 1. 제1항에 따라 계산한 급여채권 총액의 2분의 1에 해당하는 금액이 표준적인 가구의 국민기초생활 보장법 제2조 제7호에 따른 최저생계비를 고려하여 대통령령으로 정하는 금액에 미달하는 경우: 같은 호에 따른 최저생계비를 고려하여 대통령령으로 정하는 금액

❶ 권리와 권리의 주체가 긴밀하게 연관되어 다른 사람에게 양도·상속될 수 없는 성질

간단 점검하기

01 공권은 양도·상속 등 이전이 제한되는 경우가 많다. ( ) 05. 관세사

02 개인적 공권은 일반적으로 일신전속적 성질을 가지므로 대행이나 위임이 제한되는 경우가 많다. ( ) 09. 국가직 9급

03 국민연금수급권은 이를 타인에게 양도·압류하거나 담보로 제공할 수 있다. ( ) 07. 서울시 9급

01 ○ 02 ○ 03 ×

2. 제1항에 따라 계산한 급여채권 총액의 2분의 1에 해당하는 금액이 표준적인 가구의 생계비를 고려하여 대통령령으로 정하는 금액을 초과하는 경우: 표준적인 가구의 생계비를 고려하여 대통령령으로 정하는 금액

③ 퇴직금이나 그 밖에 이와 비슷한 성질을 가진 급여채권에 대해서는 그 총액의 2분의 1에 해당하는 금액은 압류하지 못한다.

④ 제1항부터 제3항까지의 규정에 따른 총액은 소득세법 제20조 제1항 각 호에 해당하는 근로소득의 금액의 합계액(비과세소득의 금액은 제외한다) 또는 같은 법 제22조 제1항 각 호에 해당하는 퇴직소득의 금액의 합계액(비과세소득의 금액은 제외한다)에서 그 근로소득 또는 퇴직소득에 대한 소득세 및 소득세분 지방소득세를 뺀 금액으로 한다.

관련판례 **공권의 양도 · 압류 불가**

국가유공자와 유족으로 등록되어 보상금을 받고, 교육보호 등 각종 보호를 받을 수 있는 권리는 … 당해 개인에게 부여되는 일신전속적인 권리이어서 다른 사람에게 양도하거나 압류할 수 없으며 이를 담보로 제공할 수 없고 … 상속의 대상도 될 수 없다(대판 2003.8.19, 2003두5037 ; 대판 2003.11.28, 2003두7095 등 참조). 따라서 이 사건 소송은 원고의 사망과 동시에 종료되었고, 원고의 상속인들에 의하여 승계될 여지도 없다(대판 2010.9.30, 2010두12262).

#국가유공자와유족_권리 #일신전속_권리 #양도_압류_담보_상속_불가

ⓛ 포기성의 제한

ⓐ **원칙**: 공권은 공이저 견지에서 인정되는 것이므로 임의로 포기할 수 없는 것이 원칙이다(예 선거권, 연금청구권, 소권 등).

ⓑ **공권의 포기와 불행사의 구별**: 공권은 반드시 행사하지 않아도 되므로 이를 방치함으로써 시효의 완성 또는 제척기간의 경과로 행사할 수 없게 되는 것과 구별하여야 한다.

관련판례 **공권의 포기불가**

소송제기권 ★★

행정소송에 있어서 소권은 개인의 국가에 대한 공권이므로 당사자의 합의로써 이를 포기할 수 없다(대판 1995.9.15, 94누4455).

#소송제기권(개인적공권) #포기불가

ⓒ **대행의 제한**: 공권은 일신전속적인 성질을 가지므로 대행(대리)이나 위임이 제한되는 경우가 많다(예 선거권의 대행금지 등).

ⓔ **보호의 특수성**

ⓐ 개인적 공권도 권리이므로 침해된 경우에 법원에 제소하여 구제를 청구할 수 있다.

ⓑ 이러한 경우에 행정소송법이 정하는 바에 따라 특례가 인정되며, 국가로부터 특별한 보호를 받거나 부담을 지는 경우도 있다(예 특허기업자의 특권 등).

간단 점검하기

01 개인적 공권 중 행정상의 봉급청구권과 행정상의 연금청구권은 이전과 포기가 가능하다. ( )
09. 국가직 9급, 07. 서울시 9급

02 행정소송에 있어서의 소권은 개인의 국가에 대한 공권이므로 당사자의 합의로써 이를 포기할 수 없다. ( )
17. 경찰행정

03 제3자와 소권의 포기에 관한 계약을 체결하더라도 그 계약은 무효이다. ( ) 11. 사회복지직

01 × 02 ○ 03 ○

3. 공의무와 그 특수성

(1) 개념 및 분류

① **개념**: 공의무는 공권에 대응한 개념으로서, 타인의 이익을 위해 의무자에게 가해지는 공법상의 구속을 의미한다.

② **분류**

㉠ **주체에 따라**: 국가적 공의무, 개인적 공의무

㉡ **내용에 따라**: 작위 · 부작위, 수인 · 급부의무

(2) 특수성

① 법령이나 법령에 의한 행정행위에 의하여 발생되는 경우가 많다.

② 의무불이행시 행정권의 자력집행이 인정되며, 의무위반시 행정벌이 가해지기도 한다.

③ 일신전속적인 경우에는 이전이나 포기가 제한되며, 사권과의 상계가 금지되는 경우가 많다.

④ 다만, 순수한 경제적 성질의 의무는 이전 · 상속이 인정된다(예 납세의무 등).

4. 공권 · 공의무의 승계

간단 점검하기

행정주체 간에도 권리 의무 및 지위의 이전 · 승계가 일어난다. ( )

05. 국회직 8급

(1) 행정주체의 승계

행정주체 간에도 권리 · 의무 및 지위의 이전 · 승계가 일어난다.

> 지방자치법 제5조【구역을 변경하거나 폐치 · 분합할 때의 사무와 재산의 승계】① 지방자치단체의 구역을 변경하거나 지방자치단체를 폐지하거나 설치하거나 나누거나 합칠 때에는 새로 그 지역을 관할하게 된 지방자치단체가 그 사무와 재산을 승계한다.
> ② 제1항의 경우에 지역에 의하여 지방자치단체의 사무와 재산을 구분하기 곤란하면 시 · 도에서는 행정안전부장관이, 시 · 군 및 자치구에서는 특별시장 · 광역시장 · 특별자치시장 · 도지사 · 특별자치도지사(이하 "시 · 도지사"라 한다)가 그 사무와 재산의 한계 및 승계할 지방자치단체를 지정한다.

(2) 사인의 권리와 의무의 승계

> 행정절차법 제10조【지위의 승계】① 당사자 등이 사망하였을 때의 상속인과 다른 법령 등에 따라 당사자 등의 권리 또는 이익을 승계한 자는 당사자 등의 지위를 승계한다.

① 법률 규정에 권리 · 의무에 대한 승계조항이 있으면 그에 따른다.

② 법률 규정이 없는 경우 일신전속적인 경우 승계가 인정되지 않지만, 대물적 성질이 있는 경우 승계가 인정될 수 있다.

③ 판례는 양도인과 양수인 사이에서의 제재효과(책임)의 승계를 인정할 뿐만 아니라 그 이전 단계에서의 제재사유의 승계까지 긍정하고 있다.

○

관련판례

1 석유사업법 제12조 제3항, 제9조 제1항, 제12조 제4항 등을 종합하면 석유판매업(주유소)허가는 소위 대물적 허가의 성질을 갖는 것이어서 그 사업의 양도도 가능하고 이 경우 양수인은 양도인의 지위를 승계하게 됨에 따라 양도인의 위 허가에 따른 권리의무가 양수인에게 이전되는 것이므로 만약 양도인에게 그 허가를 취소할 위법사유가 있다면 허가관청은 이를 이유로 양수인에게 응분의 제재조치를 취할 수 있다 할 것이고, 양수인이 그 양수후 허가관청으로부터 석유판매업허가를 다시 받았다 하더라도 이는 석유판매업의 양수도를 전제로 한 것이어서 이로써 양도인의 지위승계가 부정되는 것은 아니므로 양도인의 귀책사유는 양수인에게 그 효력이 미친다(대판 1986.7.22, 86누203).

2 산림을 무단형질변경한 자가 사망한 경우 당해 토지의 소유권 또는 점유권을 승계한 상속인은 그 복구의무를 부담한다고 봄이 상당하고, 따라서 관할 행정청은 그 상속인에 대하여 복구명령을 할 수 있다고 보아야 한다(대판 2005.8.19, 2003두9817 · 9824).

3 회사합병이 있는 경우에는 피합병회사의 권리 · 의무는 사법상의 관계나 공법상의 관계를 불문하고 그의 성질상 이전을 허용하지 않는 것을 제외하고는 모두 합병으로 인하여 존속한 회사에게 승계되는 것으로 보아야 할 것이고, 공인회계사법에 의하여 설립된 회계법인 간의 흡수합병이라고 하여 이와 달리 볼 것은 아니다(대판 2004.7.8, 2002두1946).

식품위생법 제78조【행정 제재처분 효과의 승계】영업자가 영업을 양도하거나 법인이 합병되는 경우에는 제75조 제1항 각 호, 같은 조 제2항 또는 제76조 제1항 각 호를 위반한 사유로 종전의 영업자에게 행한 행정 제재처분의 효과는 그 처분기간이 끝난 날부터 1년간 양수인이나 합병 후 존속하는 법인에 승계되며, 행정 제재처분 절차가 진행 중인 경우에는 양수인이나 합병 후 존속하는 법인에 대하여 행정 제재처분 절차를 계속할 수 있다. 다만, 양수인이나 합병 후 존속하는 법인이 양수하거나 합병할 때에 그 처분 또는 위반사실을 알지 못하였음을 증명하는 때에는 그러하지 아니하다.

먹는물관리법 제49조【행정처분 효과의 승계】먹는물관련영업자가 그 영업을 양도하거나 법인을 합병할 경우에는 제48조 제1항 각 호 및 제2항을 위반한 사유로 종전의 먹는물관련영업자에게 행한 행정처분의 효과는 그 처분 기간이 끝난 날부터 1년간 양수인이나 합병 후 존속하는 법인에 승계되며, 행정처분의 절차가 진행 중일 때에는 양수인이나 합병 후 존속하는 법인에 대하여 그 절차를 계속할 수 있다. 다만, 양수인이나 합병 후 존속하는 법인이 양수 또는 합병할 때 그 처분이나 위반사실을 알지 못했음을 증명하면 그러하지 아니하다.

간단 점검하기

01 대법원은 양도인과 양수인 사이에 책임의 승계는 인정하지만 법적 책임을 부과하기 이전 단계에서의 제재사유의 승계는 현재까지 부정하고 있다. ( ) 16. 국회직 8급

02 구 석유판매업허가는 혼합적 허가의 성질을 갖는 것이므로 양도인의 허가취소사유가 양수인에게 승계되지 않는다. ( ) 11. 국가직 7급

03 대법원은 영업정지 등의 제재처분에 있어서는 양도인에게 발생한 책임이 양수인에게 승계되는 것을 인정하지만 과징금의 부과에 대해서는 이를 인정하지 않고 있다. ( ) 16. 국회직 8급

04 구 산림법상 산림을 무단형질변경한 자가 사망한 경우 당해 토지의 소유권 또는 점유권을 승계한 상속인은 그 복구의무를 부담한다고 봄이 상당하다. ( ) 18. 국회직 8급

01 × 02 × 03 × 04 ○

2 개인적 공권(공권과 반사적 이익)

1. 공권과 반사적 이익의 개설

구분	공권(법률상 이익)	반사적 이익
의의	행정상 법률관계에서 개인이 행정주체에게 자신의 이익을 위하여 작위·부작위·수인·급부 등의 특정한 행위를 요구할 수 있는 법률상의 힘	행정법규가 공익목적을 위하여 국가나 개인의 작위·부작위 등을 규정하고 있는 결과 그 반사적 효과로서 국민이 사실상 받는 이익
성질	법에 의하여 보호되는 이익	법의 보호를 받지 못하는 이익
권리구제	• 공권이 침해된 경우에는 소송에 의하여 구제받을 수 있음 • 원고적격 인정 • 손해전보 인정	• 반사적 이익이 침해된 경우에는 소송에 의하여 구제받지 못함 • 원고적격 부정 • 손해전보 부정

간단 점검하기

행정상 법률관계에 있어 개인적 공권이 인정되는 경우에는 행정소송상 원고적격이 인정된다. ( ) 07. 광주 9급

2. 공권과 반사적 이익의 구별

(1) 구별의 필요성

① **쟁송법적 측면**: 공권과 반사적 이익의 구별은 소송법적 측면에서 어떤 이익이 침해된 경우에 그것이 행정소송에 의하여 구제받을 수 있는지 여부를 가려내는 데 그 필요성이 있다. 즉, 취소소송(행정소송법 제12조)·무효등확인소송(행정소송법 제35조)·부작위위법확인소송(행정소송법 제36조)에서 원고적격을 "법률상 이익이 있는 자만 제기할 수 있다."고 정하고 있기 때문이다.

② **손해전보적 측면**: 공권과 반사적 이익의 구분은 행정상 손해전보적 측면에서도 필요하다. 손실보상은 재산권이라는 권리의 침해에 대한 것이므로, 반사적 이익이나 사실상의 이익의 침해에 대해서는 인정되지 않는다.

(2) 판례의 입장

① 대법원은 행정소송에서의 원고적격을 권리 내지 법적으로 보호되는 이익을 침해당한 자에 대해서만 인정하며, 단순한 반사적 이익이나 사실상의 이익을 침해당한 데 불과한 자에 대해서는 이를 인정하지 않는 입장을 견지하고 있다.

② 처분의 상대방이나 제3자가 법률상 이익이 있는 경우에는 본안에서 인용 여부를 심리하나, 법률상 이익이 없는 경우에는 각하한다.

관련판례 **법률상 이익이 없는 경우 각하**

위생접객업 영업정지처분이 업소의 허가명의인인 회사를 상대방으로 한 경우, 자연인은 처분청의 위 처분으로 인하여 어떠한 법률상의 불이익을 받은 바 없으므로 자연인은 위 처분의 취소를 구하는 소를 제기할 원고적격이 없으므로 소를 각하한다(대판 1995.12.5, 95누1484).

○

3. 공권의 성립요건(공권과 반사적 이익의 구별 기준)

(1) 공권성립의 3요소론[오토마르 뷜러(O. Bühler)]

① 강행법규성(강행법규에 따른 행정청의 의무의 존재)

㉠ 공권도 그에 상응하는 의무를 전제로 하는 것이므로, 공권이 성립하기 위해서는 먼저 행정주체에게 일정한 작위의무를 부과하는 강행법규가 존재하여야 한다.

㉡ 이러한 의무는 일반적으로 기속행위의 경우에 인정되지만, 재량규범으로부터도 '재량권이 영으로 수축될 경우'에는 인정될 수 있다.

㉢ 또한 재량행위의 경우에도 '하자 없는 재량을 행사할 의무'는 인정되므로 재량규범에서도 행정청의 의무를 도출할 수 있다.

② 사익보호성(법규가 그 개인의 이익도 보호)

㉠ 공권이 성립하기 위하여는 강행법규가 단순히 일반 공공의 이익만을 보호하고 있을 것이 아니라 해당 법규의 목적·취지가 적어도 특정 개인이나 특정 다수인의 이익을 적극적으로 보호하고 있어야 한다.

㉡ 어떤 법규가 전적으로 공익의 보호만을 목적으로 하고 있을 뿐 사익의 보호를 의도하고 있지 않다면, 그로 인하여 개인이 이익을 받는다 하더라도 공권이 아니라 단순한 반사적 이익(사실상의 이익)에 지나지 않는다.

㉢ 사익보호성의 존부판단은 해당 처분의 직접적인 근거가 되는 법률규정과 관련 법률의 취지, 그리고 기본권규정도 함께 고려하여야 한다.

관련판례

행정처분의 직접 상대방이 아닌 제3자라 하더라도 당해 행정처분으로 인하여 법률상 보호되는 이익을 침해당한 경우에는 그 처분의 무효확인을 구하는 행정소송을 제기하여 그 당부의 판단을 받을 자격이 있다 할 것이며, 여기에서 말하는 법률상 보호되는 이익이라 함은 당해 처분의 근거 법규 및 관련 법규에 의하여 보호되는 개별적·직접적·구체적 이익이 있는 경우를 말하고, 공익보호의 결과로 국민 일반이 공통적으로 가지는 일반적·간접적·추상적 이익이 생기는 경우에는 법률상 보호되는 이익이 있다고 할 수 없다(대판 2006.3.16, 2006두330 전합).

③ 이익관철 의사력(권리구제의 가능성, 소구가능성): 공권이 성립하기 위하여 개인이 받는 이익을 행정주체에 대하여 궁극적으로 소송을 통하여 관철시킬 수 있는 법규상의 힘이 부여되어 있어야 한다.

(2) 공권성립의 2요소론의 일반화[마우러(Maurer), 바호프(Bachof)]

① 2차 대전 후 독일 기본법 제19조 제4항에서 "누구든지 공권력에 의하여 자기의 권리를 침해 받은 자에게는 제소의 길이 열려 있다."라고 규정하고 있으므로 공권성립의 요소 중 세 번째의 요소는 불필요하다는 견해가 지배적이다.

② 우리 헌법에서도 국민의 재판청구권을 기본권으로 규정하고 있으며(헌법 제27조), 행정소송사항에 관하여도 행정소송법이 개괄주의를 취하고 있으므로(행정소송법 제12조, 제18조) 위의 세 번째 요소(이익관철 의사력)는 독자적인 의의를 갖지 않는다고 보는 것이 일반적이다.

간단 점검하기

01 개인적 공권이 성립되려면 강행법규가 국가 기타 행정주체에게 행위의무를 부과해야 한다. 과거에는 그 의무가 기속행위인 경우에만 인정되었으나 오늘날에는 재량행위에도 인정된다고 보는 것이 일반적이다. ( ) 17. 국가직 9급

02 처분의 근거법규가 공익뿐만 아니라 개인의 이익도 아울러 보호하고 있는 경우에 공권이 인정될 수 있다. ( ) 11. 사회복지직

03 개인적 공권은 강행적인 행정법규에 의하여 행정청을 기속함으로써 비로소 성립하는 것일 뿐 개인의 사익보호성은 성립요건이 아니라는 것이 일반적인 견해이다. ( ) 12. 국가직 9급

간단 점검하기

04 판례에 따르면 처분의 직접적 근거규정은 물론 관련 규정에 의거해서도 공권의 성립요건 충족 여부를 판단한다. ( ) 13. 국가직 7급

01 ○ 02 ○ 03 × 04 ○

간단 점검하기

01 공법상 계약을 통해서는 개인적 공권이 성립할 수 없다. ( )
17. 교육행정직, 12. 국가직 9급

02 헌법상의 기본권 규정으로부터는 개인적 공권이 바로 도출될 수 없다. ( ) 17. 교육행정직

03 국민의 정보공개청구권은 법률상 보호되는 구체적인 권리이다. ( )
08. 국가직 9급

04 개인적 공권은 명확한 법규의 존재를 전제로 하는 것이므로 성문법에 근거하지 않으면 성립할 수 없다. ( )
12. 국가직 9급

01 × 02 × 03 ○ 04 ×

4. 공권의 인정 유형

(1) 공법상 계약

사인에게 특정한 권리를 인정하는 공법상 계약이 체결되면 사인에게 그러한 공법적 권리가 발생한다.

(2) 법령

① **헌법규정**: 공권은 법률에서 도출하는 것이 일반적이다. 그러나 헌법상 기본권 중 일부 규정에서도 공권이 도출된다고 본다. 구체적 내용은 공권의 확대화 경향에서 다룬다.

② **법률**: 공권은 법률에서 도출하는 것이 일반적이다. 법률에서 명시적으로 사인에게 공권을 인정하는 경우도 있고(정보공개법 등), 행정처분의 근거법률에서 그 처분의 상대방 등에게 공권이 인정된다고 해석한 경우도 있다. 최근에는 해석상 공권의 인정범위를 확대해 나가고 있다(반사적 이익의 공권화, 근거법령의 범위 확대 등).

> 공공기관의 정보공개에 관한 법률 제5조【정보공개 청구권자】① 모든 국민은 정보의 공개를 청구할 권리를 가진다.

관련판례

공공기관의 정보공개에 관한 법률 제6조 제1항은 "모든 국민은 정보의 공개를 청구할 권리를 가진다."고 규정하고 있는데, 여기에서 말하는 국민에는 자연인은 물론 법인, 권리능력 없는 사단·재단도 포함되고, 법인, 권리능력 없는 사단·재단 등의 경우에는 설립목적을 불문하며, 한편 정보공개청구권은 법률상 보호되는 구체적인 권리이므로 청구인이 공공기관에 대하여 정보공개를 청구하였다가 거부처분을 받은 것 자체가 법률상 이익의 침해에 해당한다(대판 2003.12.12, 2003두8050).

③ **법규명령**: 공권은 법규명령에서도 도출될 수 있다.

관련판례 법규명령에 의한 공권성립

건축법시행규칙 ★★

건축주명의변경신고에 관한 건축법시행규칙 제3조의2의 규정은 단순히 행정관청의 사무집행의 편의를 위한 것에 지나지 않는 것이 아니라, 허가대상건축물의 양수인에게 건축주의 명의변경을 신고할 수 있는 공법상의 권리를 인정함과 아울러 행정관청에게는 그 신고를 수리할 의무를 지게 한 것으로 봄이 상당하다(대판 1992.3.31, 91누4911).

#건축법시행규칙 #공권성립 #명의변경신고권리

(3) 행정규칙 → 불인정

행정규칙은 원칙적으로 행정부 내부에서만 효력을 가지고 국민에게는 효력을 미치지 않으므로, 여기에서 공권이 도출될 수는 없다고 본다.

관련판례 **행정규칙 - 공권성립 ×**

시영아파트분양지침 ★★★

서울특별시의 "철거민에 대한 시영아파트 특별분양 개선지침"은 서울특별시 내부에 있어서의 행정지침에 불과하며, 그 지침 소정의 사람에게 공법상의 분양신청권이 부여되는 것은 아니다(대판 1991.11.26, 91누3352).

#시영아파트_특별분양_지침 #행정규칙 #분양신청권_부인

간단 점검하기

서울특별시의 '철거민에 대한 시영아파트 특별분양 개선지침'에 의한 무허가 건물 소유자의 시영아파트 특별분양신청권은 개인적 공권이라 할 수 있다. ( ) 10. 국가직 9급

×

(4) 관습법 및 조리

성문법상 공권의 도출 근거가 없더라도 불문법에서 공권을 도출할 수 있다. 판례도 검사임용거부처분취소 사건에서 조리에 의한 공권성립을 인정하고 있다.

3 공권의 확대화 경향

1. 서설

개인적 공권은 그 논의가 시작된 이후부터 여러 측면에서 계속 확대되어 왔다. 반사적 이익의 공권화, 기본권의 공권화, 무하자재량행사청구권 및 행정개입청구권 등이 그것이다.

2. 반사적 이익의 공권화

(1) 반사적 이익의 예와 이의 공권화 경향

① 경칠허가로부터 얻는 이익
- ㉠ 공중목욕장허가
- ㉡ 의사의 진료의무규정으로 환자가 받는 이익
- ㉢ LPG충전소사건(대판 1983.7.12, 83누59)
- ㉣ 약종상영업허가취소사건(대판 1988.6.14, 87누873)

② 공물의 일반사용으로부터 얻는 이익
- ㉠ 도로의 통행
- ㉡ 공원의 산책
- ㉢ 하천에서의 수영
- ㉣ 다수설은 이러한 이익을 권리로 보려는 경향

③ 제3자에 대한 법적 규제로부터 얻는 이익
- ㉠ 환경보전의 규제로 인한 주민의 이익
- ㉡ 독점규제 및 공정거래를 위한 규제로부터 받는 소비자의 이익
- ㉢ 연탄공장허가에 대한 지역주민의 취소청구(대판 1975.5.13, 73누96)

④ 공적 부조에 의하여 얻는 이익
- ㉠ 생활보호대상자의 지정으로 받는 이익
- ㉡ 의료보호대상자의 지정으로 받는 이익
- ㉢ 해석상 요보호자는 생활보호청구권이 있는 것으로 봄

(2) 근거법령의 범위확대

최근 판례는 처분의 근거법령의 범위를 처분의 직접적인 법령에만 한정하지 않고, 법률의 목적과 취지 및 법 전체의 체계적 관련성을 고려해 관련된 모든 법규를 고려하여 법률상 이익을 찾아야 한다는 입장을 취하고 있다.

관련판례 근거법령의 범위를 관련 실체법까지 확대한 경우

공설화장장 ★★★

도시계획시설로 결정된 구역 안에서 공설화장장의 설치를 위하여 상수원보호구역변경처분을 한 경우, 도시계획법(근거법)뿐만 아니라 매장 및 묘지 등에 관한 법률(현 장사 등에 관한 법률) 등(관계법령)도 처분의 근거법률에 해당된다(대판 1995.9.26, 94누14544).

#공설화장장 #도시계획법(직접_근거법) #장사등에관한법률(관계법령) #근거법령_실체법_확대

관련판례 근거법령의 범위를 관련 절차법까지 확대한 경우

속리산 용화집단시설지구개발사업 ★★★

[1] 환경영향평가대상사업인 국립공원 집단시설지구개발사업의 변경승인 및 허가처분의 법적 근거는 자연공원법령뿐만 아니라 환경영향평가법령(관계법령)도 해당된다.

[2] 환경영향평가에 관한 자연공원법령 및 환경영향평가법령의 규정들의 취지는 집단시설지구개발사업이 환경을 해치지 아니하는 방법으로 시행되도록 함으로써 집단시설지구개발사업과 관련된 환경공익을 보호하려는 데에 그치는 것이 아니라 그 사업으로 인하여 직접적이고 중대한 환경피해를 입으리라고 예상되는 환경영향평가대상지역 안의 주민들이 개발 전과 비교하여 수인한도를 넘는 환경침해를 받지 아니하고 쾌적한 환경에서 생활할 수 있는 개별적 이익까지도 이를 보호하려는 데에 있다 할 것이므로, 위 주민들이 당해 변경승인 및 허가처분과 관련하여 갖고 있는 위와 같은 환경상의 이익은 단순히 환경공익 보호의 결과로 국민일반이 공통적으로 가지게 되는 추상적·평균적·일반적인 이익에 그치지 아니하고 주민 개개인에 대하여 개별적으로 보호되는 직접적·구체적인 이익이라고 보아야 한다(대판 1998.4.24, 97누3286).

#용화집단시설지구개발사업 #환경영향평가대상지역안_주민 #환경영향평가법령(관계법령)

간단 점검하기

환경영향평가에 관한 자연공원법령 및 환경영향평가법령들의 취지는 환경공익을 보호하려는 데 있으므로 환경영향평가대상지역 안의 주민들이 수인한도를 넘는 환경침해를 받지 아니하고 쾌적한 환경에서 생활할 수 있는 개별적 이익까지 보호하는 데 있다고 볼 수는 없다. ( ) 17. 국가직 9급

×

3. 제3자 이익의 보호

(1) 문제점

① 처분의 직접 상대방이 아닌 제3자의 보호와 관련하여 제3자에게 개인적 공권이 성립될 수 있는지가 문제된다.

② 제3자의 개인적 공권의 인정문제는 특히 제3자효 있는 행정행위와 관련된다.

③ 제3자에게 개인적 공권이 성립하면 항고소송에서 제3자에 대한 원고적격을 인정할 수 있으므로 논의의 실익이 있다.

(2) 제3자의 개인적 공권(원고적격)

통설·판례는 행정소송법 제12조(원고적격)가 '법률상 이익이 있는 자'라고만 규정하고 있으므로, 처분의 직접 상대방이 아니라도 처분의 근거법률에 의하여 보호되는 법률상 이익이 있는 경우에는 원고적격을 인정할 수 있다고 한다.

(3) 이웃소송

① **의의:** 이웃소송은 이웃하는 주민들 사이에서 특정인에게 주어지는 수익적 행위가 타인에게는 법률상 불이익을 초래하는 경우에 그 타인이 자기의 법률상 이익의 침해를 다투는 소송을 말한다. 이를 '인인소송(隣人訴訟)'이라고도 한다.

② **인근주민의 이익**

㉠ 경찰허가 등으로 얻는 인근주민의 이익은 본래 반사적 이익에 지나지 않았으나, 점차 권리가 확대됨에 따라 인근주민의 이익 중에서 법률상 보호되는 이익에 해당하여 원고적격이 인정된 경우가 점차 늘어나고 있다.

㉡ 행정청과 처분의 상대방과의 법률관계의 근거가 되는 법규범이 제3자인 인근주민의 보호도 목적으로 하고 있는가의 여부에 따라 제3자인 인근주민의 법률상 이익을 인정할 수 있을 것이다.

point check 법률상 이익의 인정 여부에 관한 판례 비교

법률상 이익 인정	법률상 이익 부정
• 연탄공장 건축허가제한으로 얻는 인근주민의 이익 • LPG충전소 설치허가에 대한 인근주민의 이익 • 화장장설치허가취소소송에서 인근주민의 이익 • 원자로시설부지사전승인처분에서 인근주민의 이익 • 도로용도폐지처분에 직접적인 이해관계가 있는 인근주민의 이익 • 환경영향평가대상지역 안의 주민들이 얻는 환경상의 이익 • 자신의 토지에 다른 사람에게 행한 건축허가 철회에 대한 토지소유자의 이익(대판 2017.3.15, 2014두41190)	• 상수원 보호구역 변경처분 취소소송에서 인근주민의 이익 • 문화재 지정으로 인해 지역주민이 이를 활용하고 그로 인하여 얻는 이익 • 횡단보도설치로 인한 지하상가상인의 이익 • 도로의 일반사용에서 인근주민의 이익 • 환경영향평가대상지역 밖의 주민들이 얻는 환경상의 이익

관련판례 **인근주민의 법률상 이익을 인정한 판례**

1 주거지역 안에서는 도시계획법 19조 1항과 개정 전 건축법 32조 1항에 의하여 공익상 부득이하다고 인정될 경우를 제외하고는 거주의 안녕과 건전한 생활환경의 보호를 해치는 모든 건축이 금지되고 있을 뿐 아니라 주거지역 내에 거주하는 사람이 받는 위와 같은 보호이익은 법률에 의하여 보호되는 이익이라고 할 것이므로 주거지역 내에 위 법조 소정 제한면적을 초과한 연탄공장 건축허가처분으로 불이익을 받고 있는 제3거주자는 비록 당해 행정처분의 상대자가 아니라 하더라도 그 행정처분으로 말미암아 위와 같은 법률에 의하여 보호되는 이익을 침해받고 있다면 당해 행정 처분의 취소를 소구하여 그 당부의 판단을 받을 법률상의 자격이 있다(대판 1975.5.13, 73누96 · 97).

간단 점검하기

주거지역 내에서 법령상의 제한면적을 초과하는 연탄공장의 건축허가처분으로 불이익을 받고 있는 인근주민은 당해 처분의 취소를 소구할 법률상 자격이 없다. ( ) 18. 교육행정직

×

2 [1] 행정처분의 직접 상대방이 아닌 제3자라도 당해 행정처분의 취소를 구할 법률상의 이익이 있는 경우에는 원고적격이 인정되는데, 여기서 말하는 법률상의 이익은 당해 처분의 근거법률에 의하여 보호되는 직접적이고 구체적인 이익이 있는 경우를 말하고, 다만 공익보호의 결과로 국민 일반이 공통적으로 가지는 추상적 · 평균적 · 일반적인 이익과 같이 간접적이나 사실적 · 경제적 · 이해관계를 가지는 데 불과한 경우는 여기에 포함되지 않는다.

[2] 상수원보호구역 설정의 근거가 되는 수도법 제5조 제1항 및 동 시행령 제7조 제1항이 보호하고자 하는 것은 상수원의 확보와 수질보전일 뿐이고, 그 상수원에서 급수를 받고 있는 지역주민들이 가지는 상수원의 오염을 막아 양질의 급수를 받을 이익은 직접적이고 구체적으로는 보호하고 있지 않음이 명백하여 위 지역주민들이 가지는 이익은 상수원의 확보와 수질보호라는 공공의 이익이 달성됨에 따라 반사적으로 얻게 되는 이익에 불과하므로 지역주민들에 불과한 원고들에게는 위 상수원보호구역변경처분의 취소를 구할 법률상의 이익이 없다.

[3] 도시계획법 제12조 제3항의 위임에 따라 제정된 도시계획시설기준에관한규칙 제125조 제1항이 화장장의 구조 및 설치에 관하여는 매장및묘지등에관한법률이 정하는 바에 의한다고 규정하고 있어, 도시계획의 내용이 화장장의 설치에 관한 것일 때에는 도시계획법 제12조뿐만 아니라 매장및묘지등에관한법률 및 같은법시행령 역시 그 근거 법률이 된다고 보아야 할 것이므로, 같은법시행령 제4조 제2호가 공설화장장은 20호 이상의 인가가 밀집한 지역, 학교 또는 공중이 수시 집합하는 시설 또는 장소로부터 1,000m 이상 떨어진 곳에 설치하도록 제한을 가하고, 같은법시행령 제9조가 국민보건상 위해를 끼칠 우려가 있는 지역, 도시계획법 제17조의 규정에 의한 주거지역, 상업지역, 공업지역 및 녹지지역 안의 풍치지구 등에의 공설화장장 설치를 금지함에 의하여 보호되는 부근 주민들의 이익은 위 도시계획결정처분의 근거 법률에 의하여 보호되는 법률상 이익이다(대판 1995.9.26, 94누14544).

3 LPG충전소 인근주민 ★★★

LPG충전소의 설치허가에 대한 인근주민의 이익은 법률상 이익에 해당한다(대판 1983.7.12, 83누59).

4 도로용도폐지 직접이해관계인 ★★

도로의 용도폐지처분과 직접적인 이해관계가 있는 사람은 도로의 용도폐지처분을 다툴 법률상의 이익이 있다(대판 1992.9.22, 91누13212).

5 제3자 건축허가철회 ★★

건축주가 토지 소유자로부터 토지사용승낙서를 받아 그 토지 위에 건축물을 건축하는 대물적 성질의 건축허가를 받았다가 착공에 앞서 건축주의 귀책사유로 해당 토지를 사용할 권리를 상실한 경우, 건축허가의 존재로 말미암아 토지에 대한 소유권 행사에 지장을 받을 수 있는 토지 소유자로서는 건축허가의 철회를 신청할 수 있다고 보아야 한다(대판 2017.3.15, 2014두41190).

관련판례 **환경영향평가대상지역(특정구역) 관련 - 환경영향평가대상지역 안 주민**

1 **발전소주변지역 안 주민** ★★★

환경영향평가대상지역 안의 주민의 환경상의 이익은 법률상 이익에 해당한다(상부댐 · 하부댐양수발전소사건)(대판 1998.9.22, 97누19571).

2 **속리산용화지구 안 주민** ★★★

환경영향평가대상지역 안의 주민이 누리는 환경상의 이익은 법률상 이익에 해당한다(속리산 용화지구 BOD사건)(대판 2001.7.27, 99두2970).

3 **원자로시설부지 안 주민** ★★★

환경영향평가대상지역 안에 있는 원자로 시설부지 인근주민들에게는 방사성물질 이외의 원인에 의한 환경침해를 이유로 부지사전승인처분의 취소를 구할 원고적격이 인정된다(대판 1998.9.4, 97누19588).

4 **도시정비구역 내 주민** ★★

도시 및 주거환경정비법상 조합설립추진위원회의 구성에 동의하지 아니한 정비구역 내의 토지등 소유자에게도 조합설립추진위원회 설립승인처분의 취소를 구할 원고적격이 인정된다(대판 2007.1.25, 2006두12289).

관련판례 **환경영향평가대상지역 밖 주민(원칙 - 불가, 단 개별적 긍정)**

1 **환경영향평가대상지역 밖 주민** ★★★

환경영향평가대상지역 밖의 주민과 전원개발사업구역 밖의 주민의 이익은 법률상 이익이 아니라고 보았다(상부댐 · 하부댐양수발전소사건)(대판 1998.9.22, 97누19571 ; 대판 2006.3.16, 2006두330).

2 **새만금간척지 밖 주민** ★★★

환경영향평가대상지역 밖에 있는 주민❶이라 하더라도 일정한 경우(수인가능성이 없는 환경침해, 입증한 경우)에는 법률상 이익을 인정할 수 있다(새만금간척사업판결)(대판 2006.3.16, 2006두330 ; 대판 2006.12.22, 2006두14001).

관련판례 **인근주민의 법률상 이익을 부정한 판례**

1 **상수원보호구역 지역주민** ★★★

상수원보호구역 설정으로 인해 지역주민들이 누리는 이익은 반사적 이익에 불과하여, 상수원보호구역변경처분의 취소를 구할 법률상 이익을 부정하였다(대판 1995.9.26, 94누14544).

2 **문화재보호구역 지역주민** ★★★

문화재보호구역지정에 관한 지역주민의 이익은 법률상 이익이 아니라고 보았다(대판 2001.9.28, 99두8565).

3 **도로 일반사용** ★★★

도로의 일반사용에서 일반국민들이 누리는 이익은 법률상 이익이 아니라고 보았다(대판 1992.9.22, 91누13212).

간단 점검하기

01 환경정책기본법 제6조의 규정 내용 등에 비추어 국민에게 구체적인 권리를 부여한 것으로 볼 수 없더라도 환경영향평가대상지역 밖에 거주하는 주민에게 헌법상의 환경권 또는 환경정책기본법에 근거하여 공유수면매립면허처분과 농지개량사업시행인가처분의 무효확인을 구할 원고적격이 있다. ( ) 17. 지방직 9급

❶ 소위 새만금간척사업판결로서, 환경영향평가대상지역 밖에 있는 주민이라 하더라도 일정한 경우에는 법률상 이익의 침해를 이유로 원고적격이 인정될 수 있다는 점에 의의가 있다. 그러나 실제 사안에서는 환경상 이익에 대한 침해 또는 침해우려가 있다는 것을 입증하지 못하여 원고적격이 부정되었다.

간단 점검하기

02 일반적인 시민생활에 있어 공물인 도로를 이용만 하는 사람은 그 용도폐지를 다툴 법률상 이익이 있다. ( ) 12. 지방직 7급

01 × 02 ×

간단 점검하기

01 대법원은 경업자에게는 개인적 공권을 인정하면서도, 경원자에게는 이를 부인하였다. ( ) 18. 교육행정직

02 인 · 허가 등 수익적 처분을 신청한 여러 사람이 상호 경쟁관계에 있다면, 그 처분이 타방에 대한 불허가 등으로 될 수밖에 없는 때에도 수익적 처분을 받지 못한 사람은 처분의 직접 상대방이 아니므로 원칙적으로 당해 수익적 처분의 취소를 구할 수 없다. ( ) 17. 지방직 9급

간단 점검하기

03 허가를 받은 경업자에게는 원고적격이 인정되나, 특허사업의 경업자는 특별한 사정이 없는 한 원고적격이 부인된다. ( ) 15. 국가직 9급

01 × 02 × 03 ×

(4) 경원자소송

① **경원자소송의 의미**: 경원자소송은 면허나 인 · 허가 등의 행정처분이 타방에 대한 불면허 · 불인가 · 불허가 등으로 귀결될 수밖에 없는 경우 불허가 등으로 인하여 자기의 법률상의 이익이 침해된 자가 다투는 소송을 말한다.

② **경원자의 이익**: 경원자소송에 있어서는 경원관계의 존재만으로 신청이 거부된 경원자에게 수익처분에 대한 거부처분이나 다른 사람에게 행한 수익처분을 다툴 법률상 이익이 있다고 보는 것이 일반적이다.

③ **법률상 이익을 인정한 판례**

㉠ 약종상영업허가취소사건(대판 1988.6.14, 87누873)

㉡ LPG충전소허가에 대한 경원자의 이익(대판 1992.5.8, 91누13274)

㉢ 항만공사시행허가처분에 대한 경원자의 이익(대판 1998.9.8, 98두6272)

㉣ 농어촌버스운송사업계획변경인가에 대한 경원자의 이익(대판 1999.10.12, 99두6026)

㉤ 법학전문대학원설치 예비인가처분에 대한 경원자의 이익(대판 2009.12.10, 2009두8359)

㉥ 주유소 운영사업자선정(허가)에 대한 경원자의 이익(대판 2015.10.29, 2013두27517)

관련판례 법학전문대학원설치예비인가처분 - 탈락신청자

법학전문대학 ★★★

법학전문대학원 설치인가 신청을 한 41개 대학들은 2,000명이라는 총 입학정원을 두고 그 설치인가 여부 및 개별 입학정원의 배정에 관하여 서로 경쟁관계에 있고 이 사건 각 처분이 취소될 경우 원고의 신청이 인용될 가능성도 배제할 수 없으므로, 원고가 이 사건 각 처분의 상대방이 아니라도 그 처분의 취소 등을 구할 당사자적격이 있다고 판단하였다(대판 2009.12.10, 2009두8359).

#법학전문대학원설치인가 #경원관계_탈락자 #처분상대방_아님 #원고적격_인정

(5) 경업자소송

① **경업자소송의 의미**

㉠ 경업자소송이란 서로 경업관계에 있는 자들 사이에서 특정인에게 주어지는 수익적 행위가 제3자에게는 법률상 불이익을 초래하는 경우 그 제3자가 자기의 법률상 이익의 침해를 다투는 소송을 말한다.

㉡ 기존업자가 신규업자에게 행해진 특허나 허가처분을 다투는 경우 또는 경쟁관계에 있는 기존업자들 사이에서 특정업자에게 행해진 특허나 허가처분을 다투는 경우가 그 예이다.

② **경업자의 이익**

㉠ 경업자의 경우 원고적격의 인정 여부는 기존업자가 누리고 있던 영업상 이익이 법적으로 보호되는 이익에 해당하는지 여부에 달려 있다.

㉡ 일반적으로 기존업자가 특허기업인 경우에는 법률상 이익을 인정하여 원고적격을 인정하고, 허가업자인 경우에는 반사적 · 사실적 이익에 불과하다고 보아 원고적격을 부정하는 경향이다.

ⓒ 판례는 수익적 행정처분(여객자동차운송사업면허 계획변경)의 근거가 되는 법률이 해당 업자들 사이의 과다경쟁으로 인한 경영의 불합리를 방지하는 목적도 가지고 있는 경우, 기존업자가 경업자에 대한 면허나 인·허가 등의 수익적 행정처분의 취소를 구할 원고적격을 인정하고 있다(대판 2010.6.10, 2009두10512).

관련판례 **과당경쟁방지 - 원고적격인정**

1 행정처분의 직접 상대방이 아닌 제3자라 하더라도 당해 행정처분으로 인하여 법률상 보호되는 이익을 침해당한 경우에는 그 처분의 취소나 무효확인을 구하는 행정소송을 제기하여 그 당부의 판단을 받을 자격이 있다 할 것이며, 여기에서 말하는 법률상 보호되는 이익이라 함은 당해 처분의 근거 법규 및 관련 법규에 의하여 보호되는 개별적·직접적·구체적 이익이 있는 경우를 말하고, 일반적으로 면허나 인·허가 등의 수익적 행정처분의 근거가 되는 법률이 해당 업자들 사이의 과당경쟁으로 인한 경영의 불합리를 방지하는 것도 그 목적으로 하고 있는 경우, 다른 업자에 대한 면허나 인·허가 등의 수익적 행정처분에 대하여 미리 같은 종류의 면허나 인·허가 등의 수익적 행정처분을 받아 영업을 하고 있는 기존의 업자는 경업자에 대하여 이루어진 면허나 인·허가 등 행정처분의 상대방이 아니라 하더라도 당해 행정처분의 취소를 구할 원고적격이 있다(대판 2006.7.28, 2004두6716).

2 甲 회사의 시외버스운송사업과 乙 회사의 시외버스운송사업이 다 같이 운행계통을 정하여 여객을 운송하는 노선여객자동차 운송사업에 속하고, 甲 회사에 대한 시외버스운송사업계획변경인가 처분으로 기존의 시외버스운송사업자인 乙 회사의 노선 및 운행계통과 甲 회사의 노선 및 운행계통이 일부 같고, 기점 혹은 종점이 같거나 인근에 위치한 乙 회사의 수익감소가 예상되므로, 기존의 시외버스운송사업자인 乙 회사에 위 처분의 취소를 구할 법률상의 이익이 있다(대판 2010.6.10, 2009두10512).

#기존시외버스회사_노선변경시외버스회사 #과당경쟁_경영불합리방지 #기존버스회사_원고적격_인정

관련판례 **경업자의 법률상 이익을 인정한 판례**

1 **선박 운항사업** ★★★

선박운항사업 면허처분에 대하여 기존업자는 처분의 취소를 구할 법률상 이익이 있다(대판 1969.12.30, 69누106).

2 **자동차 운송사업** ★★★

노선연장인가 처분으로 인해 침해되는 기존의 자동차운송사업자의 영업상 이익은 법률상 이익에 해당한다(대판 1974.4.9, 73누173).

3 **화물자동차 운송사업** ★★★

동일한 사업구역 내의 동종의 사업용 화물자동차면허대수를 늘리는 보충인가처분에 대하여 기존업자는 그 처분의 취소를 구할 법률상 이익이 있다(대판 1992.7.10, 91누9107).

4 **시외버스 운송사업** ★★★

기존의 시외버스운송사업자인 乙 회사에 다른 시외버스운송사업자 甲 회사에 대한 시외버스운송사업계획변경인가 처분의 취소를 구할 법률상 이익이 있다(대판 2010.6.10, 2009두10512).

간단 점검하기

01 수익적 행정처분의 근거가 되는 법률이 해당 업자들 사이의 과다경쟁으로 인한 경영의 불합리를 방지하는 목적도 가지고 있는 경우, 기존업자가 경업자에 대한 면허나 인·허가 등의 수익적 행정처분의 취소를 구할 원고적격이 있다. ( ) 13. 국가직 9급

간단 점검하기

02 기존 시내버스업자는 시외버스사업을 하는 자에 대해 시내버스로 전환함을 허용하는 사업계획변경인가처분의 취소를 구할 법률상 이익이 있다. ( ) 15. 국회직 8급

01 ○ 02 ○

5 시내버스 운송사업 ★★★

시외버스의 시내버스로의 전환을 허용하는 사업계획변경인가처분에 대하여 기존의 시내버스업자는 그 처분의 취소를 구할 법률상 이익이 있다(대판 1987.9.22, 85누985).

6 광업 ★★★

광구의 증구에 관한 인접 광업권자의 이익은 법률상 이익에 해당한다(대판 1982.7.27, 81누271).

7 정화조청소업 ★★★

분뇨 등 수집 운반 및 정화조청소업허가에 대한 기존업자의 영업상 이익은 법률상 이익에 해당한다(대판 2006.7.28, 2004두6716).

8 납세병마개 제조업 ★★★

납세병마개의 제조사 지정에 대한 신규업체의 이익은 법률상 이익에 해당한다(헌재 1998.4.30, 97헌마141).

9 담배소매인 - 일반소매인과 일반소매인 간 ★★★

담배 일반소매인으로 지정되어 영업 중인 기존업자의 이익은 법률상 보호되는 이익에 해당한다(대판 2008.3.27, 2007두23811).

[비교판례] 담배소매인 - 일반소매인과 구내소매인 간

담배 일반소매인으로 지정되어 영업을 하고 있는 기존업자의 신규 구내소매인에 대한 이익은 법률상 보호되는 이익이 아니라 단순한 사실상의 반사적 이익이므로, 기존 일반소매인은 신규 구내소매인 지정처분의 취소를 구할 원고적격이 없다(대판 2008.4.10, 2008두402).

관련판례 **경업자의 법률상 이익을 부정한 판례**

1 공중목욕장업 ★★★

공중목욕장거리제한으로부터 얻는 이익은 반사적 이익에 불과하다(대판 1963.8.31, 63누101).

2 양곡가공업 ★★★

신규 양곡가공업 허가처분으로 인하여 침해되는 기존업자의 영업상 이익은 반사적 이익에 불과하다(대판 1981.1.27, 79누433).

3 유기장영업 ★★★

유기장영업허가로 인한 영업상 이익은 반사적 이익에 불과하다(대판 1986.11.25, 84누147).

4 숙박업 ★★★

숙박업구조변경허가로 인한 영업상 이익은 반사적 이익에 불과하다(대판 1990.8.14, 89누7900).

5 석탄가공업 ★★

석탄가공업에 관한 허가로 인한 영업상 이익은 반사적 이익에 불과하다(대판 1980.7.22, 80누33 · 34).

간단 점검하기

01 판례는 목욕탕영업허가에 대하여 기존 목욕탕업자에게는 취소소송의 원고적격을 인정하지 않는다. ( ) 18. 소방직 9급

02 허가를 받은 경업자에게는 원고적격이 인정되나, 특허사업의 경업자는 특별한 사정이 없는 한 원고적격이 부인된다. ( ) 15. 국가직 9급

01 ○ 02 ×

관련판례 **그 밖의 법률상 이익과 관련된 판례**

1 특정 개인의 명예 내지 명예감정은 그 지정처분의 취소를 구할 법률상의 이익에 해당하지 않는다(대판 2001.9.28, 99두8565).❶

2 채석허가를 받은 자에 대한 관할 행정청의 채석허가 취소처분에 대하여 수허가자(受許可者)의 지위를 양수한 양수인(讓受人)에게 그 취소처분의 취소를 구할 법률상 이익이 있다(대판 2003.7.11, 2001두6289).

3 자신이 제조·공급하는 약제의 상한금액이 인하됨에 따른 제약회사의 이익은 법률상 이익에 해당한다(대판 2006.9.22, 2005두2506).

4 도시 및 주거환경정비법상 조합설립추진위원회의 구성에 동의하지 아니한 정비구역 내의 토지 등 소유자는 조합설립추진위원회 설립승인처분의 취소를 구할 원고적격이 인정된다(대판 2007.1.25, 2006두12289).

5 은행의 주주에게는 은행의 업무정지처분 등을 다툴 원고적격이 인정된다(대판 2005.1.27, 2002두5313).

6 자신이 검정신청한 교과서와 다른 교과서의 합격결정처분에 대해서는 그 취소를 구할 법률상 이익이 없다(대판 1992.4.24, 91누6634).

❶
이 사건 '백이정의 묘' 문화재지정 처분으로 인한 자손들의 명예침해는 법률상 이익이 아니다.

4. 공권과 기본권

(1) 기본권의 공권화

① 공권의 성립요건은 원칙적으로 관계 법률을 기준으로 판단하는 것이 일반적이지만, 헌법상의 기본권규정이 직접적 효력을 가진다는 의식이 상해짐에 따라 헌법상의 기본권규정에 입각한 공권의 성립, 나아가 기본권에 의한 공권개념의 대체 등이 활발히 논의되고 있다.

② 헌법에 의해 개인적 공권의 성립을 인정한다면 사인은 헌법상의 기본권의 침해를 이유로 행정소송을 제기할 수 있게 된다.

③ 일반적으로 인정되는 것은 아니나 개별적으로 대법원과 헌법재판소가 기본권의 일부에 대해 공권으로서의 성질을 인정한다.

(2) 기본권에 의한 공권 성립 유형

① 헌법상 기본권은 자체로 직접 구체적 권리성을 가지는 구체적 권리와 구체화하는 법률의 제정으로 권리성을 가지는 추상적 권리가 있다.

② 구체적 권리는 직접 국민의 권리에 영향을 미치므로 피해 당사자는 원고적격이 인정되나 추상적 권리는 이를 구체화하는 법률이 제정된 경우에 비로소 원고적격이 인정된다.

간단 점검하기

01 소극적 방어권인 헌법상의 자유권적 기본권은 법률의 규정이 없다고 하더라도 직접 공권이 성립될 수도 있다 ( ) 17. 지방직 9급

02 헌법상의 모든 기본권은 법률에 의해 구체화되지 않더라도 재판상 주장될 수 있는 구체적 공권이다. ( ) 15. 교육행정직

03 사회권적 기본권의 성격을 가지는 연금수급권은 헌법에 근거한 개인적 공권이므로 헌법규정만으로도 실현할 수 있다. ( ) 17. 지방직 9급

01 ○ 02 × 03 ×

관련판례 **구체적 권리성 긍정**

1 알권리 ★★★

헌법 제21조에 규정된 표현의 자유와 자유민주주의적 기본질서를 천명하고 있는 헌법 전문, 제1조, 제4조의 해석상 국민의 정부에 대한 일반적 정보공개를 구할 권리(청구권적 기본권)로서 인정되는 "알" 권리를 침해한 것이고 위 열람 · 복사 민원의 처리는 법률의 제정이 없더라도 불가능한 것이 아니다(헌재 1989.9.4, 88헌마22).

#알권리 #표현의자유_도출 #구체적_권리

2 접견권 ★★★

만나고 싶은 사람을 만날 수 있다는 것은 인간이 가지는 가장 기본적인 자유 중 하나로서, 이는 헌법 제10조가 보장하고 있는 인간으로서의 존엄과 가치 및 행복추구권 가운데 포함되는 헌법상의 기본권이라고 할 것인바, … 형사소송법 제89조 및 제213조의2가 규정하고 있는 구속된 피고인 또는 피의자의 타인과의 접견권은 위와 같은 헌법상의 기본권을 확인하는 것일 뿐 형사소송법의 규정에 의하여 비로소 피고인 또는 피의자의 접견권이 창설되는 것으로는 볼 수 없다(대판 1992.5.8, 91누7552).

#접견권 #인간의존엄과가치_도출 #구체적_권리

관련판례 **구체적 권리성 부정**

1 환경권 ★★★

환경권은 명문의 법률규정이나 관계 법령의 규정 취지 및 조리에 비추어 권리의 주체, 대상, 내용, 행사 방법 등이 구체적으로 정립될 수 있어야만 인정되는 것이므로, 사법상의 권리로서의 환경권을 인정하는 명문의 규정이 없는데도 환경권에 기하여 직접 방해배제청구권을 인정할 수는 없다(대판 1999.7.27, 98다47528).

#환경권 #추상적_권리 #방해배제청구_불가

2 환경권 – 천성산 도롱뇽 ★★

환경권에 관한 헌법 제35조 제1항이나 자연방위권 등 헌법상의 권리에 의하여 직접 한국철도시설공단에 대하여 고속철도 중 일부 구간의 공사 금지를 청구할 수 없고, 환경정책기본법 등 관계 법령의 규정 역시 그와 같이 구체적인 청구권원을 발생시키는 것으로 해석할 수 없다(대결 2006.6.2, 2004마1148 · 1149).

#천성산_도롱뇽 #환경권근거_공사정지가처분 #추상적_권리

3 근로의 권리, 퇴직급여청구권 ★★★

헌법 제32조 제1항이 규정하는 근로의 권리는 사회적 기본권으로서 국가에 대하여 직접 일자리를 청구하거나 일자리에 갈음하는 생계비의 지급청구권을 의미하는 것이 아니라 고용증진을 위한 사회적 · 경제적 정책을 요구할 수 있는 권리에 그치며, 근로의 권리로부터 국가에 대한 직접적인 직장존속청구권이 도출되는 것도 아니다. 나아가 근로자가 퇴직급여를 청구할 수 있는 권리도 헌법상 바로 도출되는 것이 아니라 퇴직급여법 등 관련 법률이 구체적으로 정하는 바에 따라 비로소 인정될 수 있는 것이므로 계속근로기간 1년 미만인 근로자가 퇴직급여를 청구할 수 있는 권리가 헌법 제32조 제1항에 의하여 보장된다고 보기는 어렵다(헌재 2011.7.28, 2009헌마408).

#근로권리 #퇴직급여청구권 #사회적_기본권 #정책요구권 #추상적_권리

간단 점검하기

헌법 제32조 제1항이 규정하는 근로의 권리는 사회적 기본권으로서 국가에 대하여 직접 일자리를 청구하거나 일자리에 갈음하는 생계비의 지급청구권을 의미하는 것이 아니라 고용증진을 위한 사회적 경제적 정책을 요구할 수 있는 권리에 그치며, 근로의 권리로부터 국가에 대한 직접적인 직장존속청구권이 도출되는 것도 아니다.

( ) 17. 경찰행정

○

4 공무원연금수급권, 사회보장수급권 ★★★

공무원연금 수급권과 같은 사회보장수급권은 "모든 국민은 인간다운 생활을 할 권리를 가지고, 국가는 사회보장·사회복지의 증진에 노력할 의무를 진다."고 규정한 헌법 제34조 제1항 및 제2항으로부터 도출되는 사회적 기본권 중의 하나로서, 이는 국가에 대하여 적극적으로 급부를 요구하는 것이므로 헌법규정만으로는 이를 실현할 수 없어 법률에 의한 형성이 필요하고, 그 구체적인 내용 즉 수급요건, 수급권자의 범위 및 급여금액 등은 법률에 의하여 비로소 확정된다(헌재 2013.9.26, 2011헌바272).

#공무원연금수급권 #사회보장수급권 #법률_구체화 #추상적_권리

5 헌법 제32조 제1항 후단은 "국가는 사회적·경제적 방법으로 근로자의 고용의 증진과 적정임금의 보장에 노력하여야 하며, 법률이 정하는 바에 의하여 최저임금제를 시행하여야 한다."라고 규정하고 있어서 근로자가 최저임금을 청구할 수 있는 권리도 헌법상 바로 도출되는 것이 아니라 최저임금법 등 관련 법률이 구체적으로 정하는 바에 따라 비로소 인정될 수 있다(헌재 2012.10.25, 2011헌마307).

4 무하자재량행사청구권

1. 의의

(1) 행정권에 재량권이 부여된 경우에 행정권에 대하여 재량권을 흠 없이 행사하여 줄 것을 청구하는 권리를 말한다. 다시 말해, 재량의 한계준수를 청구하는 권리를 말한다.

(2) 기속행위에서 인정되는 권리가 특정행위를 청구할 수 있는 권리임에 반하여 본 청구권은 재량의 한계를 준수해 줄 것을 청구하는 권리이다.

2. 무하자재량행사청구권의 법적 성질

(1) 적극적 공권

무하자재량행사청구권은 단순하게 위법한 처분을 배제하는 소극적인 방어권에 그치는 것이 아니라 행정청에 대하여 적법한 재량처분을 할 것을 구하는 적극적 공권이다.

(2) 형식적 공권

무하자재량행사청구권은 그 내용이 재량처분에 있어서 종국처분 형성과정에서 재량권의 법적 한계를 준수하면서 어떠한 처분을 할 것을 구하는 데 그치고 특정처분을 구할 수 있는 권리는 아니라는 점에서 형식적 공권으로 볼 수 있다. 이러한 점에서 특정 처분을 청구할 수 있는 실질적 권리와 다르다.

(3) 사전적 공권

무하자재량행사청구권은 재량처분에 있어서 종국처분 형성과정, 즉 처분 전에 재량권의 한계 준수를 요구하는 권리이므로, 처분 이전에 인정되는 권리이다.

간단 점검하기

01 처분의 근거법규가 재량규정으로 되어 있는 경우에는 공권이 성립될 수 없다. ( ) 15. 교육행정직

간단 점검하기

02 무하자재량행사청구권은 위법한 처분의 배제를 구하는 실체적 권리이다. ( ) 09. 국가직 9급

03 무하자재량행사청구권이 인정되면 행정청은 특정한 처분을 행하여야 할 의무를 지게 된다. ( ) 05. 대구 9급

01 × 02 × 03 ×

(4) 실체적 공권

① **다수설**: 본 청구권은 재량의 법적 한계를 준수한 내용의 행정처분을 구하는 권리라는 점에서 형식적 권리이며, 절차적 공권이라고 표현하는 것은 타당하지 않다고 한다.

② **소수설**: 절차적 공권은 절차에 참가하는 권리, 소송법상 인정되는 권리 등으로 이해해야 하므로 이러한 의미에서 오히려 본 권리를 이와 대비되는 실체적 권리로 보는 견해도 있다(박균성 교수).

> **Level up** 무하자재량청구권의 법적 성질
>
> 무하자재량행사청구권의 법적 성질에 대해서 논란이 있다. 절차적 권리인가 실질적 권리인가 혹은 실체적 권리인가에 대한 논란이다. 일단 적극적 권리와 형식적 권리성에 대해서는 논란의 여지가 없어 보인다. 다만, 절차적 권리로 보는 견해(김동희 교수)가 있으나 이는 과정상의 권리라는 의미로 이해될 수 있으며 절차에 참가하는 권리와 혼돈될 수 있다는 의미에서 절차적 권리라는 용어는 적절하지 않고, 행정결정을 청구하는 권리이므로 절차적 권리로 보는 견해가 있다(박균성 교수). 수험생의 입장에서 종래 기출문제에서 '형식적 권리 또는 절차적 권리'라는 지문이 옳은 답으로 처리된 경우가 있어서 혼란스러울 수 있다.

3. 무하자재량행사청구권의 인정 여부

(1) 부정설(독자성 부정설)

① 무하자재량행사청구권은 독자적인 유용성이 인정되지 않으므로, 하자 없는 재량권행사를 요구하는 형식적 공권을 별도로 인정할 필요가 없다는 입장이다. 따라서 본 청구권은 취소소송의 제기 요구가 되는 소송요건의 하나인 원고적격을 가져다 줄 수 있는 권리가 아니다. 그것은 본안요건에서 재량권 일탈·남용으로서 위법의 문제로 심사된다.

② 논거

㉠ 재량의 하자는 실체적인 권리침해이므로 그것을 근거로 권리구제를 하면 충분하다.

㉡ 이를 인정하면 함부로 소송을 제기하는 경향이 생기고 민중소송화될 우려가 있다.

㉢ 현행법상 무하자재량행사청구권을 인정할 실정법적 근거가 없다.

(2) 긍정설(다수설)

① 무하자재량행사청구권을 일반적·추상적 청구권으로서 인정하는 것은 아니며 재량법규가 공익보호와 아울러 관계인의 사익보호를 규정하고 있는 경우에 한하여 인정하고 있다.

② 논거

㉠ 실체적인 권리하자를 주장하기 어려운 경우에는 이를 주장할 실익이 있다.

㉡ 본 청구권의 전제조건이 충족된 당사자에게만 인정되므로 민중소송화되지 않는다.

㉢ 이 권리는 원칙적으로 해당 재량수권규범의 해석을 통하여 도출될 수 있다.

(3) 판례

① 검사임용거부취소소송과 관련하여 대법원은 명시적으로 무하자재량행사청구권이라는 용어를 사용하지는 않았지만, 무하자재량행사청구권의 법리를 인정하고 있다고 보는 것이 일반적이다.

② 그러나 이 판례가 무하자재량행사청구권 법리와는 무관하고 대상적격과 관련하여 조리상 신청권을 인정한 것이라는 견해와 독자적인 무하자재량행사청구권을 인정한 것은 아니라는 견해도 있다.

관련판례 **검사임용거부처분취소소송**

검사임용거부 응답신청권 ★★★

[1] 검사 지원자 중 한정된 수의 임용대상자에 대한 임용 결정은 한편으로는 그 임용대상에서 제외한 자에 대한 임용거부결정이라는 양면성을 지니는 것이므로 임용대상자에 대한 임용의 의사표시는 동시에 임용대상에서 제외한 자에 대한 임용거부의 의사표시를 포함한 것으로 볼 수 있고, 이러한 임용 거부의 의사 표시는 본인에게 직접 고지되지 않았다고 하여도 본인이 이를 알았거나 알 수 있었을 때에 그 효력이 발생한 것으로 보아야 한다.

[2] 검사의 임용 여부는 임용권자의 자유재량에 속하는 사항이나, 임용권자가 동일한 검사신규임용의 기회에 원고를 비롯한 다수의 검사 지원자들로부터 임용 신청을 받아 전형을 거쳐 자체에서 정한 임용기준에 따라 이들 일부만을 선정하여 검사로 임용하는 경우에 있어서 법령상 검사임용 신청 및 그 처리의 제도에 관한 명문규정이 없다고 하여도 조리상 임용권자는 임용신청자들에게 전형의 결과인 임용여부의 응답을 해줄 의무가 있다고 할 것이며, 응답할 것인지 여부 조차도 임용권자의 편의재량사항이라고는 할 수 없다.

[3] 검사의 임용에 있어서 임용권자가 임용 여부에 관하여 어떠한 내용의 응답을 할 것인지는 임용권자의 자유재량에 속하므로 일단 임용거부라는 응답을 한 이상 설사 그 응답내용이 부당하다고 하여도 사법심사의 대상으로 삼을 수 없는 것이 원칙이나, 적어도 재량권의 한계 일탈이나 남용이 없는 위법하지 않은 응답을 할 의무가 임용권자에게 있고 이에 대응하여 임용신청자로서도 재량권의 한계 일탈이나 남용이 없는 적법한 응답을 요구할 권리가 있다고 할 것이며, 이러한 응답신청권에 기하여 재량권 남용의 위법한 거부처분에 대하여는 항고소송으로서 그 취소를 구할 수 있다고 보아야 하므로 임용신청자가 임용거부처분이 재량권을 남용한 위법한 처분이라고 주장하면서 그 취소를 구하는 경우에는 법원은 재량권남용 여부를 심리하여 본안에 관한 판단으로서 청구의 인용 여부를 가려야 한다(대판 1991.2.12, 90누5825).

#검사임용_재량행위 #재량한계준수_일탈남용없음_응답의무 #임용신청자_응답신청권 #검사임용위법주장_취소소송_일탈남용없음_응답의무

관련판례 **대학교원임용거부처분취소소송**

대학교원임용 공정심사요구권 ★★★

대학교원 기간임용제에 의하여 임용되어 임용기간이 만료된 사립대학 교원으로서는 교원으로서의 능력과 자질에 관하여 합리적인 기준에 의한 공정한 심사를 받아 그 기준에 부합되면 특별한 사정이 없는 한 재임용되리라는 기대를 가지고 재임용 여부에 관하여 합리적인 기준에 의한 공정한 심사를 요구할 권리를 가지며, … 재량권을 일탈·남용한 결과 합리적인 기준에 기초한 공정한 심사가 결여된 것으로 인정되어 그

간단 점검하기

01 다수의 검사 임용신청자 중 일부만을 검사로 임용하는 결정을 함에 있어, 임용신청자들에게 전형의 결과인 임용여부의 응답을 할 것인지는 임용권자의 편의재량사항이다. ( )
15. 국가직 9급

02 검사의 임용 여부는 임용권자의 자유재량에 속하는 사항이고, 임용권자가 동일한 검사신규임용의 기회에 원고를 비롯한 다수의 검사지원자들로부터 임용신청을 받아 전형을 거쳐 자체에서 정한 임용기준에 따라 이들 일부만을 선정하여 검사로 임용하는 경우에 있어서 법령상 검사임용신청 및 그 처리의 제도에 관한 명문규정이 없을 때 조리상 전형결과의 응답을 해 줄 의무는 없다. ( ) 12. 사회복지직

03 검사의 임용에 있어서 임용권자는 적어도 재량권의 일탈이나 남용이 없는 위법하지 않은 응답을 할 의무가 있고, 이에 대응하여 임용신청자는 적법한 응답을 요구할 수 있는 응답신청권을 가지며, 나아가 이를 바탕으로 재량권남용의 임용거부처분에 대하여 항고소송으로 그 취소를 구할 수 있다.
( ) 08. 국가직 7급

01 × 02 × 03 ○

사법상의 효력 자체를 부정하는 것이 사회통념상 타당하다고 인정될 경우에는 그 재임용거부결정을 무효라고 볼 수 있다(대판 2012.11.15, 2011다49707).
#대학교원임용_기간제임용 #재량한계준수_요구권 #재량권_일탈 · 남용_임용거부_무효

4. 무하자재량행사청구권의 성립요건

(1) 강행법규성
행정청의 처분의무가 존재하거나, 조리상 재량권이 영(0)으로 수축되는 경우이다.

(2) 사익보호성
사적 이익을 보호하기 위함이다.

5. 무하자재량행사청구권의 적용범위

(1) 무하자재량행사청구권은 재량권이 인정되는 모든 행정영역에서 인정된다.[1]

(2) 수익적 행정행위뿐만 아니라 부담적 행정행위에도 인정되며, 선택재량뿐만 아니라 결정재량을 가지는 경우에도 인정된다.

[1] 무하자재량행사청구권은 기속규범에서는 인정되지 않는다.

간단 점검하기

01 무하자재량행사청구권은 기속규범에서는 인정되지 않고 재량규범에서 인정된다. ( ) 09. 국가직 9급

02 신청에 따른 행정청의 처분이 기속행위인 때에는 행정청은 신청에 대한 응답의무를 지지만, 재량행위인 때에는 응답의무가 없다. ( ) 14. 지방직 9급

03 무하자재량행사청구권은 수익적 행정행위뿐만 아니라 부담적 행정행위에도 적용될 수 있다. ( ) 18. 교육행정직

01 ○ 02 × 03 ○

6. 무하자재량행사청구권의 행사방법

(1) 취소쟁송
무하자재량행사청구권에 기하여 적법한 재량처분을 구하였으나 행정청이 이를 거부한 경우에 당사자는 거부처분의 위법을 이유로 그 취소심판이나 취소소송을 제기할 수 있다.

(2) 그 밖의 수단
그 밖에 의무이행심판(수익적 처분에 대한 거부 또는 부작위의 경우)이나 부작위위법확인소송(수익적 처분에 대한 부작위의 경우)을 제기할 수 있다.

5 행정개입청구권

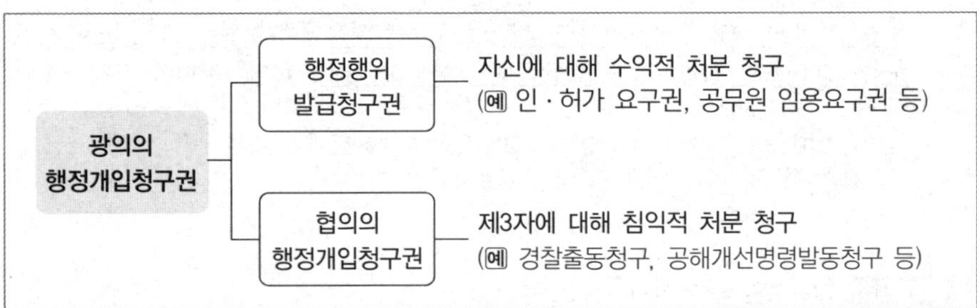

1. 행정개입청구권의 의의

(1) 광의
개인이 자기의 이익을 위해 행정청에 대하여 자기 또는 제3자에게 행정권을 발동해 줄 것을 청구할 수 있는 권리를 말한다.

(2) 협의

자기를 위하여 제3자에 대해서 행정권의 발동을 청구할 수 있는 공권을 말한다. 일반적으로 협의의 행정개입청구권이 통용되고 있다.

2. 행정개입청구권의 인정 여부

(1) 학설

① **부정설**: 행정권의 발동 여부는 행정청의 재량이며, 본 청구권의 발동으로 사인이 이익을 얻더라도 그것은 반사적 이익에 불과하다.

② **긍정설(다수 견해)**

㉠ 행정권의 발동 여부는 일반적으로는 행정청의 재량이지만, 재량권이 영으로 수축하는 경우에는 행정청이 개입할 의무가 있다.

㉡ 행정편의주의는 현대 복리국가에서는 극복되었으며 종래는 반사적 이익에 불과하던 것이 공권화되고 있다.

㉢ 금전으로 배상할 수 없는 손해가 생길 것이 예상되는 경우에는 행정권불행사의 자유가 있다고 할 수 없으므로 행정개입의무가 있다.

(2) 판례

① 우리 대법원은 개인의 경찰개입청구권을 직접적으로 인정하고 있지 않다.

② 그러나 행정상 손해배상사건에서 경찰관의 부작위로 인한 손해에 대하여 국가의 손해배상책임을 인정하고 있는데 이는 간접적으로 행정개입청구권의 법리를 인정한 것으로 볼 수 있다.

3. 행정개입청구권의 법적 성질

(1) 적극적 공권

행정개입청구권은 단순히 행정청의 위법한 작용의 제거를 요구하는 소극적인 권리에 그치는 것이 아니라, 일정한 경우 행정청에 대하여 적극적으로 행정행위 그 밖의 행정작용을 할 것을 요구할 수 있는 적극적 공권이다.

(2) 실체적 공권

① 특정한 행정권의 발동을 청구하는 것을 그 내용으로 한다는 점에서 실체적 공권으로 보는 것이 일반적이다. 그러나 본 청구권을 무하자재량행사청구권과 같이 형식적 공권으로 보는 견해도 있다.

② 본 청구권은 재량권의 영으로의 수축을 전제로 한다는 점에서, 이를 전제로 하지 않는 무하자재량행사청구권과 구별된다.

(3) 사전예방적·사후구제적 권리성

① 행정개입청구권을 예방적 권리로 보아 행정청의 부작위에 대한 사전예방적 행정구제책으로 인정하는 견해도 있다.

② 그러나 행정개입청구권은 사전예방적 성격과 사후구제적 성격(장해발생 후의 구제수단)을 모두 가질 수 있다고 보는 것이 일반적이다.

간단 점검하기

행정개입청구권은 특정한 내용의 처분을 하여 줄 것을 청구하는 권리가 아니고 재량권을 흠 없이 행사하여 처분을 하여 줄 것을 청구하는 권리인 점에서 형식적 권리라고 할 수 있다.
( ) 07. 경북 9급

×

4. 행정개입청구권의 성립요건

(1) 강행법규성(발동의무의 존재)

① **의의**: 행정개입청구권이 성립하기 위해서는 행정기관에 대하여 일정한 행위를 하도록 하는 법적 의무가 존재해야 한다. 이러한 공권은 결정재량이 대상이 되므로 행정기관의 개입의무는 재량권이 영으로 축소되는 경우에 발생하게 된다.

② **개입의무의 배제(보충성의 원칙)**: 행정기관의 개입의무는 법익에 대한 위해를 당사자 스스로 제거하지 못하는 경우일 것이 전제되는 것이다. 따라서 경찰기관은 그 사안이 사소한 경우이거나 보충성의 원리에 의해 당사자가 경찰권의 개입 이외의 방법, 특히 법원에 의한 권리구제의 방법으로 해결할 수 있는 경우인 때에는 개입하지 않는 것이 타당하다.

(2) 사익보호성(사적 이익의 보호)

① 행정개입청구권이 성립하기 위해서는 해당 법규의 취지가 적어도 개인의 이익도 보호하기 위한 것이어야 한다. 다시 말해, 본 청구권이 인정되기 위해서는 관계법규가 사익에 대한 보호규범으로서의 성질을 가져야 한다.

② 예컨대, 경찰관직무집행법 제5조 제1항(위험발생의 방지)과 제6조(범죄의 예방과 제지)의 목적은 공익을 위한 것이기도 하지만 위험에 직면한 개인의 구체적인 사익도 보호하기 위한 것으로 해석된다.

③ 반사적 이익의 공권화 경향에 따라 행정개입청구권의 성립요건이 그만큼 완화되고 있다.

간단 점검하기

01 일반적인 개인적 공권의 성립요건인 사익보호성은 무하자재량행사청구권이나 행정개입청구권에는 적용되지 않는다. ( ) 15. 국가직 9급

5. 재량권의 영(0, 零)으로의 수축

(1) 의의

재량권의 영으로의 수축이라 함은 일정한 예외적인 경우에 재량권이 있는 행정청에게 재량의 여지가 없어지고 특정한 내용의 처분을 하여야 할 의무가 생기는 것을 말한다.

(2) 요건

① 사람의 생명·신체 및 재산 등 중요한 법익에 급박하고 현저한 위험이 존재하고,

② 그러한 위험이 행정권의 발동에 의해 제거될 수 있는 것으로 판단되며,

③ 피해자의 개인적인 노력으로는 권익침해의 방지가 충분하게 이루어질 수 없다고 인정되는 경우가 재량권이 영으로 수축되는 경우이다.

(3) 효과

재량권이 영으로 수축하는 경우 행정청은 특정한 내용의 처분을 하여야 할 의무를 진다. 재량권이 영으로 수축하는 경우 무하자재량행사청구권은 행정개입청구권으로 전환된다.

간단 점검하기

02 재량권의 영(0)으로의 수축이론은 개인적 공권을 확대하는 이론이다. ( ) 17. 교육행정직

03 개인의 신체, 생명 등 중요한 법익에 급박하고 현저한 침해의 우려가 있는 경우 재량권이 영으로 수축된다. ( ) 15. 국가직 9급

04 재량권이 영(0)으로 수축하는 경우 행정개입청구권은 무하자재량행사청구권으로 전환된다. ( ) 11. 사회복지직

01 × 02 ○ 03 ○ 04 ×

6. 행정개입청구권의 적용범위

(1) 행정의 전영역에 인정

행정개입청구권은 연혁적으로 경찰행정을 중심으로 독일의 학설·판례를 통해 발전하였으며, 현재도 여전히 중요한 영역이다. 그러나 현재는 환경권·소비자권·안전권·건축법상 인접권 등 행정의 전 영역에 걸쳐 인정된다고 보는 것이 일반적이다.

(2) 기속행위에도 인정

행정개입청구권은 재량행위와 관련해서 검토되는 경우가 일반적이지만, 기속행위의 경우에도 당연히 인정된다고 볼 것이다. 다만, 기속행위의 경우 행정청은 근거규정에 따라 특정처분을 할 법적 의무가 있으므로 특별히 논의하지 않을 뿐이다.

7. 행정개입청구권의 실행방법

(1) 행정쟁송

① 행정심판으로서 의무이행심판과 행정소송으로서 부작위위법확인소송을 들 수 있다.

② 현행법상으로는 인정하지 않으나, 의무이행소송으로 구제하는 방법도 고려할 수 있다.

(2) 국가배상

행정기관이 개입의무가 존재함에도 개입하지 않음으로써 손해가 발생한 경우에는 항고쟁송의 제기와는 별도로 행정상 손해배상을 청구할 수 있다. 판례도 이를 인정하고 있다.[1] 권리침해가 발생하여 항고쟁송의 제기로 구제될 수 있는 이익(소의 이익)이 존재하지 않는 경우에는 국가배상만이 가능하다.

관련판례 **행정개입청구권을 인정한 경우**

1 **경찰관 재량권불행사 직무의무위반** ★★★

경찰관직무집행법 제5조는 경찰관은 인명 또는 신체에 위해를 미치거나 재산에 중대한 손해를 끼칠 우려가 있는 위험한 사태가 있을 때에는 그 각 호의 조치를 취할 수 있다고 규정하여 형식상 경찰관에게 재량에 의한 직무수행권한을 부여한 것처럼 되어 있으나, 경찰관에게 그러한 권한을 부여한 취지와 목적에 비추어 볼 때 구체적인 사정에 따라 경찰관이 그 권한을 행사하여 필요한 조치를 취하지 아니하는 것이 현저하게 불합리하다고 인정되는 경우에는 그러한 권한의 불행사는 직무상의 의무를 위반한 것이 되어 위법하게 된다(대판 1998.8.25, 98다16890).

#경찰관 #고속도로_트랙터방치 #재량권_불행사_의무위반 #국가배상_인정

2 **트랙터방치** ★★★

경찰관이 농민들의 시위를 진압하고 시위과정에 도로상에 방치된 트랙터 1대에 대하여 이를 도로 밖으로 옮기거나 후방에 안전표지판을 설치하는 것과 같은 위험발생방지조치를 취하지 아니한 채 그대로 방치하고 철수하여 버린 결과, 야간에 그 도로를 진행하던 운전자가 위 방치된 트랙터를 피하려다가 다른 트랙터에 부딪혀 상해를 입은 사안에서 국가배상책임을 인정한 사례이다(대판 1998.8.25, 98다16890).

#트랙터시위 #고속도로_방치 #위험발생방지조치의무_불이행 #국가배상_인정

간단 점검하기

01 규제권한발동에 관해 행정청의 재량을 인정하는 건축법의 규정은 소정의 사유가 있는 경우 행정청에 건축물의 철거 등을 명할 수 있는 권한을 부여한 것일 뿐만 아니라, 행정청에 그러한 의무가 있음을 규정한 것이다. ( )
15. 국가직 9급

[1] 대판 1998.8.25, 98다16890

간단 점검하기

02 경찰관직무집행법상 경찰관에게 재량에 의한 직무수행권한을 부여한 것처럼 되어 있으나, 경찰관에게 권한을 부여한 취지와 목적에 비추어 볼 때 구체적인 사정에 따라 경찰관이 그 권한을 행사하여 필요한 조치를 취하지 않는 것이 현저하게 불합리하다고 인정되는 경우에 권한의 불행사는 직무상 의무를 위반한 것으로 위법하다. ( )
17. 국가직 7급

01 × 02 ○

3 무장공비가 발사한 권총탄에 맞아 사망

무장공비 색출체포를 위한 대간첩작전을 수행하기 위하여 파출소 소장, 순경 및 육군 장교 수명 등이 파출소에서 합동대기하고 있던 중 그로부터 불과 60-70미터 거리에서 약 15분간에 걸쳐 주민들이 무장간첩과 격투하던 주민 중 1인이 무장간첩의 발사 권총탄에 맞아 사망하였다면 위 군경공무원들의 직무유기행위와 위 사망인의 사망 사이에 인과관계가 있다고 봄이 상당하다(대판 1971.4.6, 71다124).

관련판례 **행정개입청구권을 부정한 경우**

구 건축법(1999.2.8. 법률 제5895호로 개정되기 전의 것) 및 기타 관계 법령에 국민이 행정청에 대하여 제3자에 대한 건축허가의 취소나 준공검사의 취소 또는 제3자 소유의 건축물에 대한 철거 등의 조치를 요구할 수 있다는 취지의 규정이 없고, 같은 법 제69조 제1항 및 제70조 제1항은 각 조항 소정의 사유가 있는 경우에 시장·군수·구청장에게 건축허가 등을 취소하거나 건축물의 철거 등 필요한 조치를 명할 수 있는 권한 내지 권능을 부여한 것에 불과할 뿐, 시장·군수·구청장에게 그러한 의무가 있음을 규정한 것은 아니므로 위 조항들도 그 근거 규정이 될 수 없으며, 그 밖에 조리상 이러한 권리가 인정된다고 볼 수도 없다(대판 1999.12.7, 97누17568).

point check **무하자재량행사청구권과 행정개입청구권**

구분	무하자재량행사청구권	행정개입청구권
개념	재량한계준수	특정처분발동
성질	적극적 공권	적극적 공권
	형식적 공권	실체적 공권
특정처분의무	없음	있음
기속행위	부정	인정
재량행위	인정	부정 (재량권이 영으로 수축하는 경우 인정)

제5절 특별행정법관계(특별권력관계)

1 전통적 특별권력관계이론

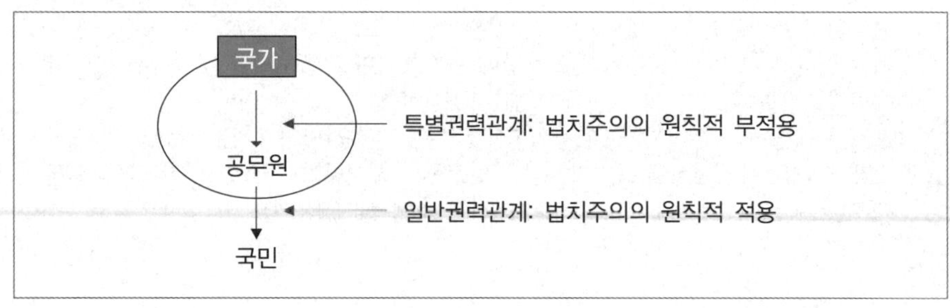

1. 의의

(1) 전통적인 특별권력관계이론은 특별한 법률원인에 의해 성립되며 일정한 행정목적에 필요한 범위 내에서 일방이 상대방을 포괄적으로 지배하고 상대방은 이에 복종하는 권력관계로서, 일정한 행정목적의 능률적이고 효과적인 실현을 위해 법치주의의 적용이 원칙적으로 배제된다고 보는 이론이다.

(2) 특별권력관계에는 법치주의가 원칙적으로 적용되지 않는다는 점에서, 법치주의가 전적으로 적용되며 일반통치권에 복종하는 지위에 있는 일반권력관계와는 구별된다.

2. 특별권력관계이론의 발전

생성	• 19세기 후반의 독일의 입헌군주정을 배경으로 하여, 전통적으로 절대권력을 누려 왔던 군주와 신흥시민세력을 대표하는 의회와의 타협의 산물로 생성 • 군주에게 법률로부터 자유로운 행정영역을 확보하여 주기 위한 이론 • 라반트(P. Laband): 개념 확립 • 마이어(O. Mayer): 법적 이론구성
이론적 기초	"법규란 인격주체 상호간의 의사범위를 정하여 주는 것으로서, 국가도 법인체로서 하나의 인격주체이므로(국가법인설) 국가와 다른 인격주체 간에는 법규가 적용되지만 국가 내부, 즉 특별권력관계에는 법이 침투할 수 없다(법규의 불침투성이론)."고 하는 당시의 법규개념에 그 이론적 기초를 두고 있다.
정립	후기 입헌군주제 아래에서 주장된 특별권력관계론은 바이마르헌법 아래서도 그대로 유지되었으며, 나치시대를 거쳐 2차 대전 후까지 확고한 기반을 쌓고 있었다.
위기	전통적 특별권력관계론은 2차 대전 이후 비판이 집중되었으며, 특히 1972년 독일 연방헌법재판소의 수형자판결을 계기로 비판이 심화되었다.
비고	특별권력관계이론은 독일에 특유한 제도로서 영미법계 국가나 프랑스에는 존재하지 않는다. 다만, 프랑스에서는 학설 · 판례상 이른바 '내부조치'에 대하여는 사법심사가 미치지 않는 것으로 보고 있다.

Level up 독일의 수형자판결(1972년)

본 사안은 수형자가 교도소장과 직원을 비난하고 모욕하는 내용의 편지를 외부로 보내고자 하였으나 교도소 당국의 검열에 의하여 압수되면서 문제가 된 것이다. 이에 대해 연방헌법재판소는 기본권규정은 수형관계에서도 타당하며 법률에 근거하지 않고서는 수형자의 기본권을 제한할 수 없다는 요지로 판시하였다. 수형자판결을 계기로 전통적인 특별권력관계이론은 급격하게 쇠퇴하게 된다.

3. 특징

(1) 법치주의의 원칙적 적용배제

특별권력관계는 법치주의, 특히 법률유보원칙이 적용되지 않으므로 특별권력주체는 그 구성원에게 포괄적 지배권을 행사할 수 있다.

간단 점검하기

전통적인 특별권력관계론은 행정을 국민의 의사인 법률에 의하여 제한하려는 입장과 행정의 특권적 지위를 계속 확보하려는 입장 간의 타협의 산물이었다. ( ) 05. 국회직 8급

○

(2) 수권 없이도 기본권의 제한이 가능

특별권력관계에서는 설정목적에 필요한 한도 내에서 개별적인 법률의 수권 없이도 기본권이 제한될 수 있다.

(3) 사법심사의 제한

특별권력관계에서 발해지는 명령 등은 법규적 성질을 가지지 않으므로 사법심사의 대상이 되지 않는다고 본다.

point check 전통적 특별권력관계이론에 따른 행정법관계

구분	특별권력관계	일반권력관계
권력적 기초	특별권력	일반 통치권
목적	특별한 공행정 목적	일반적 공행정 목적
관계	특별권력주체와 구성원 간의 관계 (내부관계에 중점)	행정주체와 일반국민 간의 관계 (외부관계에 중점)
성질	포괄적 지배·복종관계	일반적 권리·의무관계
성립	법률규정 또는 상대방동의	당연 성립
법치주의	적용배제 또는 제한	전면적 적용
제재	징계벌	행정벌

2 인정 여부에 관한 학설

1. 긍정설

(1) 절대적 구별설

① 일반권력관계는 국가와 개인 간, 즉 법 주체 상호 간의 외부관계인인 것에 비하여, 특별권력관계는 행정의 내부관계라는 차이가 있다.

② 특별권력관계의 특질

㉠ 행정이 개인의 자유와 재산권을 침해할 때에는 법률에 근거하여야 한다는 '법률유보의 원칙'이 적용되지 않는다.

㉡ 해당 특별권력관계의 유지에 필요한 범위 안에서는 법률에 의하지 않고 기본권을 제한할 수 있다.

(2) 상대적 구별설

① 제한적 긍정설

㉠ 일반권력관계와 특별권력관계 사이의 본질적 차이를 부정하면서도, 특별권력관계에서는 특별한 행정목적을 위해 필요한 범위 내에서 법치주의가 완화되어 적용될 수 있다고 본다.

㉡ 특별권력관계에 있어서도 그 구성원의 기본권을 제한하기 위해서는 법률의 근거를 요하지만, 이때에 입법권자는 개괄조항에 의해 특별권력관계의 주체에게 상당한 자유영역을 부여할 수 있다.

② 특별권력관계 수정설

㉠ 울레(C. H. Ule): 특별권력관계를 기본관계와 경영수행관계로 나누어, 기본관계에서의 행위는 행정행위이며 사법심사가 가능하다고 보았다.

㉡ 기본관계

ⓐ 특별권력관계 자체의 성립 · 변경 · 종료 또는 해당 관계 구성원의 법적 지위의 본질적 사항에 관련된 법률관계를 말한다.

ⓑ 공무원의 임면 · 전직, 군인의 입대 · 제대, 국 · 공립학교 학생의 입학허가 · 제적 · 정학, 수형자의 형의 집행 등이 있다.

㉢ 경영수행관계

ⓐ 해당 관계구성원이 특별권력관계 내부에서 가지는 직무관계 또는 영조물관계에서 성립되는 경영수행적 질서에 관련된 법률관계를 말한다.

ⓑ 공무원에 대한 직무명령, 군인의 훈련 · 관리, 학생에 대한 수업행위, 수형자에 대한 행형 등이 있다.

2. 부정설

(1) 개별적 · 실질적 부정설

종래 특별권력관계이론을 모두 일반권력관계와 동일하게 보아, 공법상의 권력관계로 파악하고 있는 점에 문제가 있다고 지적하면서, 이들 관계를 구체적으로 분석하여 그 법적 성격을 개별적으로 판단하여야 한다는 것이다.

(2) 일반적 · 형식적 부정설

① 2차 대전 후 대두된 실질적 법치주의와 기본권존중주의를 바탕으로 모든 공권력의 행사는 법률의 근거를 필요로 한다는 전제하에 특별권력관계에 있어서도 법치주의가 전면적으로 적용된다는 것이다.

② 특별권력과 일반권력은 동일한 것으로 특별권력관계에서도 법치주의의 일반적 · 형식적 타당성을 주장하여 법률에 근거하지 않는 특별권력의 발동은 부인된다.

3. 소결

(1) 오늘날 실질적 법치주의와 기본권존중주의가 확립된 헌법구조하에서는 전통적인 특별권력관계를 인정하여 헌법상 근거 없이 기본권을 제한할 수 없으므로 특별권력관계에서도 법치주의가 원칙적으로 적용되어야 한다.

(2) 그러나 국가 내부관계는 일반권력관계와는 그 목적이나 기능을 달리하는 부분사회가 존재하며, 이러한 부분사회에서는 그 목적 · 기능을 성취하는 범위 내에서는 어느 정도 포괄적인 재량권 및 판단의 여지를 가지므로, 구성원에게 일반 시민이 가지지 않는 권리 · 의무 등을 부여하는 특수성이 인정된다.

(3) 통설은 이러한 입장에서 상대적 구별설(제한적 긍정설)이 타당하다고 본다.

간단 점검하기

01 울레(Ule)의 수정설에 따르면 군인의 입대 · 제대와 같은 기본관계에 대해서는 사법심사가 허용되지 않는다. ( ) 05. 서울시 9급

02 기본관계는 공법관계로서 법치행정원리가 적용된다. ( ) 15. 국가직 7급

01 × 02 ○

3 특별권력관계의 성립과 소멸

1. 성립

(1) 직접 법률의 규정에 의하여 성립하는 경우

징집 · 소집 해당자의 입대, 전염병환자의 강제입원, 수형자의 교도소 수감, 일정한 자격 있는 자의 공공조합의 강제가입 등이 있다.

(2) 상대방의 동의에 의하여 성립하는 경우

① **임의적 동의**: 국 · 공립학교(초 · 중등학교는 제외)의 입학, 공무원관계의 설정 등이 있다.

② **강제적 동의**: 학령아동의 초 · 중등학교의 취학 등이 있다.

2. 소멸

일반적으로 목적의 달성(예 대학의 졸업), 탈퇴(예 공무원의 사임), 권력주체에 의한 일방적인 해제(예 학생의 퇴학처분) 등이 소멸원인에 해당한다.

4 특별권력관계의 종류

1. 공법상의 근무관계

(1) 국가나 지방자치단체에 대하여 포괄적인 근무의무를 지는 관계를 말한다(민사상 고용관계, 공법상의 위임관계와 구별).

(2) 상대방의 동의에 의하여 성립하는 경우(예 공무원 임명), 법률에 근거하여 국가의 일방적 의사로 성립되는 경우(예 병역법에 의한 현역병의 징집) 등이 있다.

관련판례 근무관계

구청장이 동장에게 행한 직권면직처분에서 동장과 구청장의 관계는 특별권력관계에 해당한다(대판 1982.7.27, 80누86).

2. 공법상 영조물이용관계

국 · 공립학교의 재학관계, 국 · 공립도서관의 이용관계, 전염병환자의 국 · 공립병원 입원관계와 교도소의 수용관계가 이에 해당한다.

3. 공법상의 특별감독관계

국가적 목적을 위하여 설립된 공공조합, 특허기업자 또는 국가사무를 위임받은 행정사무수임자(예 별정우체국장) 등과 같이 국가와 특별한 법률관계를 가짐으로써 국가로부터 특별한 감독을 받는 관계를 말한다.

간단 점검하기

01 전통적인 특별권력관계의 성립원인으로는 직접 법률의 규정에 의한 경우와 본인의 동의에 의한 경우를 들 수 있다. ( ) 05. 국회직 8급

02 기본관계가 성립하기 위해서는 상대방의 동의를 필요로 한다. ( ) 15. 국가직 7급

03 특별권력관계의 성립은 직접 법률에 의거하는 경우와 상대방의 동의에 의하는 경우가 있는데, 상대방의 동의는 자유로운 의사에 기한 자발적인 동의만을 인정한다. ( ) 09. 국회직 9급

간단 점검하기

04 특별행정법관계(특별권력관계)의 종류에는 공법상의 근무관계, 공법상의 영조물이용관계, 공법상의 특별감독관계, 공법상의 사단관계가 있다. ( ) 15. 경찰행정

간단 점검하기

05 우리 판례에 의하면 동장과 구청장과의 관계는 공법상 특별권력관계로 인정될 수 없기 때문에 위법 · 부당한 처분에 대하여 행정소송을 제기할 수 없다고 한다. ( ) 05. 국회직 8급

01 ○ 02 × 03 × 04 ○ 05 ×

4. 공법상의 사단관계

공공조합(예 농지개량조합, 산림조합)과 그 조합원과의 관계가 이에 해당한다.

관련판례 **농지개량조합과 직원관계** ★★

농지개량조합과 그 직원과의 관계는 사법상의 근로계약관계가 아닌 공법상의 특별권력관계이고, 그 조합의 직원에 대한 징계처분의 취소를 구하는 소송은 행정소송사항에 속한다(대판 1995.6.9, 94누10870).

#농지개량조합_직원 #특별권력관계

5 특별권력관계에서의 내용 및 그 한계

1. 특별권력관계의 내용

(1) 명령권

① 특별권력의 주체는 해당 특별행정법관계의 목적달성에 필요한 범위 내에서 그 구성원에 대하여 명령·강제할 수 있다.

② 발동형식

㉠ 개별적·구체적 형식을 취하는 직무명령(예 상사의 부하에 대한 지시)

㉡ 일반적·추상적 형식을 취하는 행정규칙(예 훈령·영조물이용규칙)

(2) 징계권

① 징계권은 특별행정법관계의 내부질서를 유지하기 위하여 질서문란자에 대하여 징계벌을 과할 수 있는 권력을 말한다.

② 징계벌과 형사벌·행정벌은 그 성립의 기초가 다르므로 양자를 동시에 병과하더라도 일사부재리의 원칙에 반하지 않으며, 형사소추를 반드시 먼저 행하여야 하는 것도 아니다. 즉, 일사부재리의 원칙이 적용되지 않고, 형사소추선행의 원칙도 적용되지 않는다.

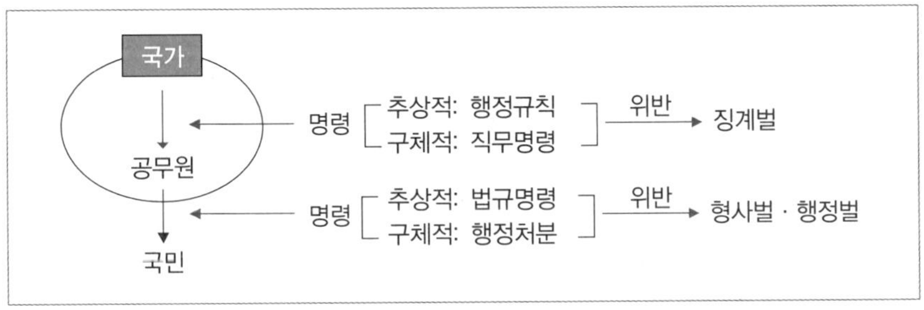

2. 특별권력의 한계

(1) 특별행정법관계에서의 특별권력의 발동은 그 설립목적을 달성하기 위해 필요한 범위 내에서 행사되어야 한다.

(2) 특별행정법관계 내에서의 기본권제한은 법률의 근거 없이는 불가능하며 법규상·조리상의 한계를 준수하여야 한다.

간단 점검하기

특별권력관계에서는 특별권력에 따른 명령권과 형벌권이 인정된다. ( )

09. 국회직 9급

×

6 현대의 특별행정법관계와 법치주의

1. 법률유보의 원칙

(1) 오늘날 특별행정법관계에서도 법률유보의 원칙이 적용되어야 한다는 데 이론(異論)이 없다. 따라서 그 구성원의 권리 · 의무에 관한 명령 · 강제는 법률에 근거가 있어야 한다.

(2) 다만, 특별행정법관계는 그 목적과 기능의 특수성으로 인하여 법치주의가 다소 완화될 수 있으므로 본질적 사항을 제외하고는 어느 정도 개괄조항에 의한 수권도 가능하다고 볼 수 있다.

관련판례 **수형자 권리 자유 제한 ★★★**

법률의 구체적 위임에 의하지 아니한 행형법시행령이나 계호근무준칙 등의 규정은 위와 같은 위법성 판단을 함에 있어서 참고자료가 될 수는 있겠으나 그 자체로써 수형자 또는 피보호감호자의 권리 내지 자유를 제한하는 근거가 되거나 그 제한조치의 위법 여부를 판단하는 법적 기준이 될 수는 없다(대판 2003.7.25, 2001다60392).

#특별행정법관계_기본권제한 #법률유보_적용 #수형자_피보호감호자_권리_제한

2. 기본권제한

(1) 특별행정법관계에서도 그 구성원의 기본권제한은 원칙적으로 법률에 근거가 있어야만 가능하다.

(2) 우리 실정법상으로도 그 구성원의 기본권제한에 관하여는 법률에 근거를 두고 있다. 즉, 정치활동의 제한(헌법 제7조, 국가공무원법 제65조), 근로3권의 제한(헌법 제33조, 국가공무원법 제66조) 등이 있다.❶

관련판례 **특별행정법관계 - 포괄적위임 가능**

1 **군인사법 포괄적위임 ★★★**

군인사법 제47조의2(군인의 복무에 관하여는 이 법에 규정한 것을 제외하고는 따로 대통령령이 정하는 바에 의한다)는 헌법이 대통령에게 부여한 군통수권을 실질적으로 존중한다는 차원에서 군인의 복무에 관한 사항을 규율할 권한을 대통령령에 위임한 것이라 할 수 있고, 대통령령으로 규정될 내용 및 범위에 관한 기본적인 사항을 다소 광범위하게 위임하였다 하더라도 포괄위임금지원칙에 위배된다고 볼 수 없다. 따라서 이 사건 복무규율조항은 이와 같은 군인사법 조항의 위임에 의하여 제정된 정당한 위임의 범위 내의 규율이라 할 것이므로 법률유보원칙을 준수한 것이다(헌재 2010.10.28, 2008헌마638).

#특별행정법관계 #군인복무사항_대통령령_포괄적위임_정당

2 **사관생도 기본권제한 ★★★**

육군3사관학교 사관생도는 군 장교를 배출하기 위하여 국가가 모든 재정을 부담하는 특수교육기관인 육군3사관학교의 구성원으로서, 학교에 입학한 날에 육군 사관생도의 병적에 편입하고 준사관에 준하는 대우를 받는 특수한 신분관계에 있다(육군3사관학교 설치법 시행령 제3조). 따라서 그 존립 목적을 달성하기 위하여 필요한 한도 내에서 일반 국민보다 상대적으로 기본권이 더 제한될 수 있으나, 그러한

간단 점검하기

오늘날 특별권력관계의 특수성은 여전히 인정되므로, 특별권력관계의 목적 달성을 위하여는 법률의 근거가 없는 경우에도 당연히 기본권이 제한된다. ( ) 10. 국가직 9급

❶ 특별권력관계에서도 헌법 제37조 제2항의 기본권 제한의 원칙에 따라 법률의 근거 하에 기본권 제한이 인정된다.

×

경우에도 법률유보원칙, 과잉금지원칙 등 기본권 제한의 헌법상 원칙들을 지켜야 한다(대판 2018.8.30, 2016두60591).
#특별행정법관계 #사관생도_기본권제한_중한제한_가능

3. 사법심사

(1) 특별행정법관계에서의 사법심사의 범위에 대하여는 특별행정법관계의 인정 여부에 대한 학설에 따라 각각 다르다.

(2) 전통적인 특별권력관계이론이 그대로 유지될 수 없다는 견해에는 거의 일치하고 있으므로, 특별행정법관계에서도 소의 이익이 있는 한 사법심사의 대상이 된다고 보아야 할 것이다.

(3) 그러나 특별행정법관계는 전문적 · 기술적 판단을 요하기 때문에 특별권력의 발동주체에 넓은 의미의 재량권이 인정되므로 그 범위 내에서는 사법심사가 제한된다고 할 것이다.

(4) 우리나라의 판례도 어떤 행위가 특별행정법관계에서의 행위라는 이유만으로 사법심사에서 제외될 수 없다고 보고, 공무원의 근무관계나 국 · 공립대학의 재학관계에서도 징계권을 행사한 것에 대하여 사법심사를 허용하고 있다.[1]

관련판례 **특별권력관계 - 사법심사**

1 사관생도 퇴학처분 ★★

육군3사관학교 사관생도인 甲이 4회에 걸쳐 학교 밖에서 음주를 하여 '사관생도 행정예규' 제12조에서 정한 품위유지의무를 위반하였다는 이유로 육군3사관학교장이 교육운영위원회의 의결에 따라 甲에게 퇴학처분을 한 사안에서, 위 금주조항은 사관생도의 일반적 행동자유권, 사생활의 비밀과 자유 등 기본권을 과도하게 제한하는 것으로서 무효이다(대판 2018.8.30, 2016두60591).
#사관생도 #금주조항 #기본권제한_과도 #퇴학처분_무효 #일반원칙_적용

2 육군사관생도 퇴학처분 ★★★

육군사관생도 甲이 여자 친구와 원룸에서 동침하거나 성관계를 맺은 행위가 육군사관학교의 생도생활예규 제35조 제6호에서 정한 동침 및 성관계 금지규정을 위반하였다는 등의 이유로 육군사관학교장이 甲에게 퇴학처분을 한 사안에서, 위 규정은 도덕적 한계를 넘는 동침 및 성관계 행위를 금지하는 것으로 해석해야 하는데, 甲의 행위가 도덕적 한계를 넘은 것으로서 위 규정을 위반한 것으로 볼 수 없다(대판 2014.5.16, 2014두35225).
#육군사관생도_기본권제한_엄격가능 #성관계금지규정_개별적판단

3 서울교육대학학장의 소속학생에 대한 퇴학처분

학생에 대한 징계권의 발동이나 징계의 양정이 징계권자의 교육적 재량에 맡겨져 있다 할지라도 법원이 심리한 결과 그 징계처분에 위법사유가 있다고 판단되는 경우에는 이를 취소할 수 있는 것이고, 징계처분이 교육적 재량행위라는 이유만으로 사법심사의 대상에서 당연히 제외되는 것은 아니다(대판 1991.11.22, 91누2144).

간단 점검하기

01 기본관계에서 이루어지는 법률관계의 변동은 행정처분으로서 행정소송의 대상이 된다. ( ) 15. 국가직 7급

02 특별권력관계에 있어서 권리를 침해당한 자는 행정소송을 제기할 수 있으나, 공무원의 징계처분에 대하여는 사법심사가 인정되지 않고 있다. ( ) 13. 지방직 7급, 11. 사회복지직, 07. 국가직 7급

03 특별행정법관계에서의 행위도 행정소송법상 처분개념에 해당하면 사법심사의 대상이 된다. ( ) 13. 지방직 7급

[1] 특별행정법관계에서의 행위도 행정소송법상 처분개념에 해당하면 사법심사의 대상이 된다.

간단 점검하기

04 국립대학에 재학 중인 대학생이 퇴학처분을 받은 경우 특별권력관계 내에서의 행위이므로 이에 대하여 사법심사를 청구할 수 없다. ( ) 09. 국회직 9급

01 ○ 02 × 03 ○ 04 ×

간단 점검하기

교도소장의 서신검열행위는 법률에 근거함이 없이 행하여졌다면 위법하다. ( ) 11. 지방직 9급

4 수형자 서신검열 ★★★

수형자의 서신을 교도소장이 검열하는 행위는 이른바 권력적 사실행위로서 행정심판이나 행정소송의 대상이 되는 행정처분으로 볼 수 있으나, 위 검열행위가 이미 완료되어 행정심판이나 행정소송을 제기하더라도 소의 이익이 부정될 수 밖에 없으므로 헌법소원심판을 청구하는 외에 다른 효과적인 구제방법이 있다고 보기 어렵기 때문에 보충성의 원칙에 대한 예외에 해당한다(헌재 1998.8.27, 96헌마398).

#수형자_서신검열 #권력적_사실행위 #행정처분 #사법심사_가능

5 김근태접견금지사건

구속된 피고인 · 피의자에 대한 과도한 접견권 제한은 기본권 침해로서 위헌이다(대판 1992.5.8, 91부8).

[비교판례] 서울특별시지하철공사의 임원과 직원의 근무관계의 성질은 지방공기업법의 모든 규정을 살펴보아도 공법상의 특별권력관계라고는 볼 수 없고 사법관계에 속할 뿐만 아니라, 위 지하철공사의 사장이 그 이사회의 결의를 거쳐 제정된 인사규정에 의거하여 소속직원에 대한 징계처분을 한 경우 위 사장은 행정소송법 제13조 제1항 본문과 제2조 제2항 소정의 행정청에 해당되지 않으므로 공권력발동주체로서 위 징계처분을 행한 것으로 볼 수 없고, 따라서 이에 대한 불복절차는 민사소송에 의할 것이지 행정소송에 의할 수는 없다(대판 1989.9.12, 89누2103).

제6절 행정법관계에 대한 사법규정의 적용

1 개설

1. 공법관계에 대하여는 민법과 같은 통칙적 규정이 마련되어 있지 않으므로 다양한 공법관계에 적용될 법규 또는 법원칙이 흠결되는 경우가 많다. 이러한 경우 사법규정이나 사법원리가 어느 정도 적용될 수 있는지에 대해 논의가 있다.[1]

2. 특히 공법과 사법을 구별하는 이원적 법체계를 유지하는 대륙법계 국가에서 주로 문제가 되며, 양자의 구별을 부정하는 일원적 법체계를 가진 영미법계 국가에서는 그다지 문제되지 않는다.

[1] 대법원은 손실보상규정이 없는 경우에 다른 손실보상규정의 유추적용을 인정하는 경우가 있다(대판 1999.10.8, 99다27231).

2 사법규정의 적용

1. 명문의 규정이 있는 경우

행정법관계에 법규정이 흠결된 경우에는 사법규정이 적용된다는 명문규정이 있는 경우도 있다. 국가배상법 제8조에서 "국가나 지방자치단체의 손해배상책임에 관하여는 이 법에 규정한 사항 외에는 민법에 따른다."라고 규정하고 있는 것이 그 예이다.

○

2. 명문의 규정이 없는 경우

(1) 부정설

① 공법과 사법을 엄격하게 구별하는 입장에서, 양자는 성질(부대등관계 · 대등관계) 등 차이가 있으므로 공법관계에 사법규정의 적용을 부인하는 견해이다.

② 이는 종래 국가의사의 우월성을 확립하는 이론적 지주로서 봉사하였으나, 현재에는 주장되지 않는다.

(2) 긍정설

① **직접적용설**

㉠ 이 견해는 법의 일반원리의 존재를 인정하여, 사법규정의 대부분은 법의 일반원리에 속하므로 공법에 일반적이고 직접적으로 적용할 수 있다는 입장이다.

㉡ 그러나 이 학설은 공법과 사법을 현실적으로 구분하고 있는 현실에서 타당하지 않으며, 사법규정에는 이해조절적인 규정도 많아 공익에 관한 공법상의 법률관계에 그대로 적용될 수 없다는 비판이 가해진다.

② **유추적용설(다수설)**

㉠ 이 견해는 공법과 사법의 유사성을 인정함과 동시에 공법의 특수성을 승인하는 입장으로서 통설과 판례의 입장이다.

㉡ 공법과 사법의 차이가 있음을 전제하에 그대로 적용되는 것이 아니라 사법규정이 공법관계에서 일반법원리로서 유추적용(사법규정 속에 들어 있는 원리를 적용)한다는 견해이다. 다만, 죄형법정주의와 관련하여 처벌(행정벌과 징계벌)의 경우에는 유추가 금지된다.

3 사법규정의 유추적용의 한계

1. 일반법원리적 규정

(1) 사법규정 중에서 법의 일반원리적 규정이나 법기술적 규정은 공법관계에도 적용될 수 있다.

(2) 공법관계에 적용되는 사법규정으로 신의성실원칙, 권리남용금지원칙, 자연인 · 법인, 주소 · 거소, 물건, 대리, 부관, 기간, 시효 등 민법총칙규정과 사무관리, 부당이득, 불법행위 등 채권법 중의 일부규정을 들 수 있다.

2. 공법관계의 유형에 따른 적용한계

(1) 권력행정

① 권력관계에는 신의성실의 원칙이나 권리남용금지의 원칙과 같은 일반법원리적 규정을 제외하고는 사법규정이 원칙적으로 유추적용되지 않는다.

② 권력관계는 대체로 행정주체의 우월적 지위가 보장되는 관계로서, 대등한 관계 사이에 형성된 사법과 그 본질을 달리하기 때문이다.

간단 점검하기

01 민법상의 일반법원리적인 규정은 행정법상 권력관계에 대해서도 적용될 수 있다. ( ) 16. 국가직 9급

02 특별한 규정이 없는 경우, 민법의 법률행위에 관한 규정 중 의사표시의 효력발생시기, 대리행위의 효력, 조건과 기한의 효력 등의 규정은 행정행위에도 적용된다. ( ) 17. 지방직 9급

01 ○ 02 ○

(2) 비권력행정

비권력행정에 관하여는 법률관계의 구체적인 성격·기능에 따라 특별히 공법의 적용을 직접 규정하고 있거나, 행정목적의 달성을 위하여 해석상 필요한 경우를 제외하고는 사법규정이 적용된다.

4 공법규정의 유추적용

1. 공법규정의 흠결시 공법규정 가운데 유추적용할 만한 규정이 있는 경우 사법규정에 앞서 공법규정이 유추적용된다. 따라서 행정법규가 흠결되어 유추적용이 문제되는 경우, 우선 헌법과 관련 있는 공법의 규정을 유추적용하고, 관련 공법의 규정이 없거나 미흡한 경우 사법규정의 적용을 검토하여야 할 것이다.
2. 판례도 관세법령에 과오납관세의 환급에 관한 규정이 없을 경우 국세기본법의 관련규정을 유추적용하여야 한다고 판시하여 이를 인정하고 있다.

관련판례

1 **과오납관세환급** ★★

관세법령에 과오납관세의 환급에 관한 규정이 없을 경우에는 국세기본법의 관련규정을 유추적용할 수 있다(대판 1985.9.10, 85다카571).

2 **제외지손실보상** ★★★

하천법상 국유화된 제외지에 대한 손실보상은 이를 인정하는 직접적인 명문규정이 없더라도 관련규정을 유추적용하여 손실을 보상하여야 한다(대판 1987.7.21, 84누126).

3 **어업손실보상** ★★

공유수면매립공사를 시행함으로써 허가어업을 영위하지 못하는 손해를 입게 된 경우의 손실보상은 이를 인정하는 직접적인 명문규정이 없더라도 어업허가가 취소 또는 정지되는 등의 처분을 받았을 때 손실을 입은 자에 대한 보상의무를 규정한 수산업법 제81조 제1항을 유추적용하여 손실을 보상하여야 한다(대판 2004.12.23, 2002다73821).

간단 점검하기

대법원은 손실보상규정이 없는 경우에 다른 손실보상규정의 유추적용을 인정하는 경우가 있다. (　) 18. 국회직 8급

○

제 6 장 행정법상 법률요건과 법률사실

제1절 개설

1 의의

1. 행정법상 법률요건이라 함은 행정법관계의 발생·변경·소멸의 법률효과를 발생시키는 원인이 되는 사실을 말한다.
2. 법률요건을 이루는 개개의 사실을 법률사실이라 한다(예 신청과 허가, 상계, 시효완성 등).
3. 행정법상 법률요건은 1개의 법률사실로 이루어지는 경우도 있고(예 조세부과처분) 여러 개의 법률사실로 이루어지는 경우도 있다(예 영업허가에서 신청과 허가).

2 법률사실의 종류

1. 공법상의 사건

사람의 정신작용을 요소로 하지 아니한 공법상의 법률사실로서 자연적 사실과 사실행위가 있다.

2. 공법상의 용태

사람의 정신작용을 요소로 하는 공법상의 법률사실을 말하며, 내부적 용태와 외부적 용태로 나누어진다.

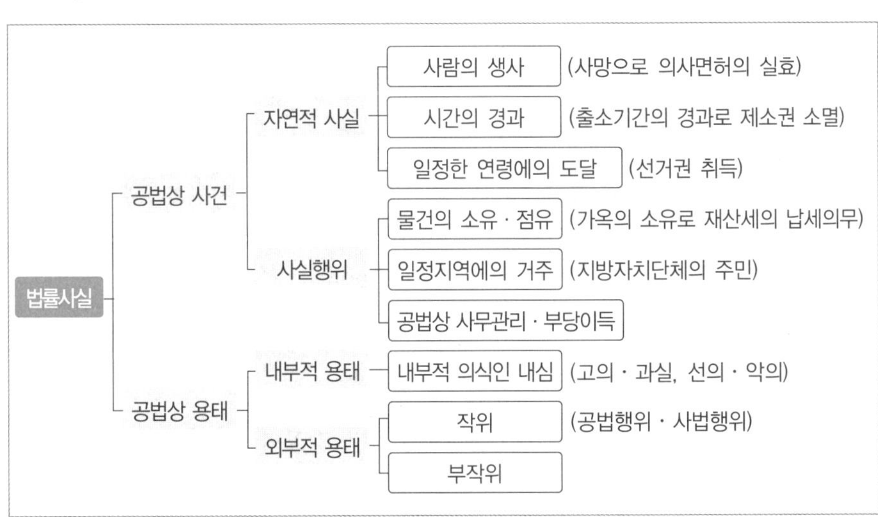

제2절 공법상의 사건

1 기간

> 행정기본법 제6조【행정에 관한 기간의 계산】 ① 행정에 관한 기간의 계산에 관하여는 이 법 또는 다른 법령 등에 특별한 규정이 있는 경우를 제외하고는 민법을 준용한다.
> ② 법령 등 또는 처분에서 국민의 권익을 제한하거나 의무를 부과하는 경우 권익이 제한되거나 의무가 지속되는 기간의 계산은 다음 각 호의 기준에 따른다. 다만, 다음 각 호의 기준에 따르는 것이 국민에게 불리한 경우에는 그러하지 아니하다.
> 1. 기간을 일, 주, 월 또는 연으로 정한 경우에는 기간의 첫날을 산입한다.
> 2. 기간의 말일이 토요일 또는 공휴일인 경우에도 기간은 그 날로 만료한다.

1. 의의

기간이란 한 시점에서 다른 시점까지의 시간적 간격을 말하며, 기한 또는 기일과는 구별된 개념이다. 기간의 계산방법은 법기술적인 규정으로서 공법상 특별규정이 없는 한 민법상의 기간계산에 관한 규정을 적용한다.

간단 점검하기

행정법관계에서 기간의 계산에 관하여 특별한 규정이 없으면 민법의 기간계산에 관한 규정이 적용된다. ( )

16. 국가직 9급

○

2. 기산점

(1) 기간을 일 · 주 · 월 · 년으로 정한 때

① **초일불산입의 원칙**: 초일은 산입하지 않고 다음 날(익일)부터 기산한다(행정기본법 제6조 제1항, 민법 제157조).

② **예외(초일을 산입하는 경우)**

㉠ 법령 등 또는 처분에서 국민의 권익을 제한하거나 의무를 부과하는 경우 권익이 제한되거나 의무가 지속되는 기간의 계산(행정기본법 제6조 제2항 제1호)

㉡ 기간이 오전 0시로부터 시작되는 경우(민법 제157조 단서)

㉢ 연령계산(민법 제158조)

㉣ 민원처리기간(민원 처리에 관한 법률 제19조)

㉤ 가족관계의 등록 등에 관한 법률상 출생 · 사망 등의 신고기간(동법 제37조)

㉥ 국회의 회기(국회법 제168조)

㉦ 공소시효와 구속기간(형사소송법 제66조)

(2) 기간을 시 · 분 · 초로 정한 때에는 즉시로부터 기산한다(민법 제156조).

3. 만료점

(1) 기간을 일 · 주 · 월 · 연으로 정한 때에는 기간 말일의 종료로 기간이 만료한다(민법 제159조).

(2) 기간의 말일이 토요일 또는 공휴일인 때에는 그 다음 날에 만료한다(민법 제161조).

(3) 다만 법령 등 또는 처분에서 국민의 권익을 제한하거나 의무를 부과하는 경우 권익이 제한되거나 의무가 지속되는 기간의 말일이 토요일 또는 공휴일인 경우에는 그 날에 만료한다(행정기본법 제6조 제2항).

4. 역산

(1) 기간을 거꾸로 계산하는 역산에도 초일불산입의 원칙이 적용된다.

(2) '선거일 20일 전'이라는 규정은 초일인 선거일을 빼고 기간을 계산한다.

5. 민원 처리에 관한 법률상 기간계산

(1) 민원의 처리기간을 5일 이하로 정한 경우에는 민원의 접수 시각부터 '시간' 단위로 계산하되, 공휴일과 토요일은 산입(算入)하지 아니한다. 이 경우 1일은 8시간의 근무시간을 기준으로 한다(동법 제19조 제1항).

(2) 민원의 처리기간을 6일 이상으로 정한 경우에는 '일' 단위로 계산하고 첫날을 산입하되, 공휴일과 토요일은 산입하지 아니한다(동조 제2항).

(3) 민원의 처리기간을 주·월·연으로 정한 경우에는 첫날을 산입하되, 민법 제159조부터 제161조까지의 규정을 준용한다(동조 제3항).

2 시효

1. 의의 및 기능

(1) 시효제도란 일정한 사실관계가 일정기간 동안 계속되면 그 사실관계가 진실한 법률관계에 부합하는가를 묻지 않고 그 사실관계를 진실한 법률관계로 인정하는 제도를 말한다.

(2) 시효제도는 공법상 특별한 규정이 없는 한 민법의 시효에 관한 규정이 적용된다.

2. 금전채권의 소멸시효

(1) 시효기간

> 국가재정법 제96조【금전채권·채무의 소멸시효】① 금전의 급부를 목적으로 하는 국가의 권리로서 시효에 관하여 다른 법률에 규정이 없는 것은 5년 동안 행사하지 아니하면 시효로 인하여 소멸한다.
>
> 지방재정법 제82조【금전채권과 채무의 소멸시효】① 금전의 지급을 목적으로 하는 지방자치단체의 권리는 시효에 관하여 다른 법률에 특별한 규정이 있는 경우를 제외하고는 5년간 행사하지 아니하면 소멸시효가 완성한다.

① 국가나 지방자치단체를 당사자로 하는 금전채권은 다른 법률에 특별한 규정이 없는 한 5년간 이를 행사하지 않을 때에는 시효로 인하여 소멸한다(국가재정법 제96조, 지방재정법 제82조). 납세자의 과오납금 또는 그 밖의 관세의 환급청구권은 그 권리를 행사할 수 있는 날부터 5년간 행사하지 아니하면 소멸시효가 완성된다(관세법 제22조 제2항).

간단 점검하기

금전의 급부를 목적으로 하는 국가의 권리로서 시효에 관하여 다른 법률에 규징이 없는 것은 10년 동안 행사하지 아니하면 소멸한다. ( )

16. 교육행정직

② 국가재정법 제96조의 '다른 법률에 특별한 규정'의 의미에 대하여, 판례는 국가재정법 이외의 모든 법률에서 '5년보다 단기'로 규정하고 있는 경우를 의미한다고 판시하였다(예 국가배상청구권 - 3년, 공무원연금법상 단기급여청구권 - 3년 등).

③ 판례는 금전채권의 범위에 관하여 공법상의 채권뿐만 아니라 사법상의 채권까지도 포함한다고 판시하고 있다.

간단 점검하기

01 국가재정법상 5년의 소멸시효가 적용되는 '금전의 급부를 목적하는 국가의 권리'에는 국가의 사법상 행위에서 발생한 국가에 대한 금전채무도 포함된다. ( ) 16. 지방직 9급

관련판례 국가재정법상 금전채권의 범위 ★★★

구 예산회계법(현 국가재정법) 제71조의 금전이 급부를 목적으로 하는 국가의 권리라 함은 금전의 급부를 목적으로 하는 권리인 이상 금전급부의 발생원인에 관하여는 아무런 제한이 없으므로 국가의 공권력의 발동으로 하는 행위는 물론 국가의 사법상의 행위에서 발생한 국가에 대한 금전채무도 포함한다(대판 1967.7.4, 67다751).

#국가재정법_금전급부 #사법상_금전채무_포함

(2) 시효의 중단과 정지

① 시효의 중단이란 소멸시효의 기초를 깨뜨리는 사정이 발생하여 소멸시효의 진행을 중단시키는 것을 말한다. 소멸시효가 중단되면 그때까지 경과한 시효기간은 산입하지 아니하고 중단사유가 종료된 때로부터 새로이 진행한다(민법 제178조 제1항).

② 시효의 정지란 시효가 완성되기 전에 권리자가 시효를 중단하는 행위를 하기 곤란한 사정이 있는 경우 그 권리자를 보호하기 위하여 시효기간의 진행을 일시적으로 멈추게 하고 그러한 사정이 없어졌을 때 다시 나머지 기간을 진행하게 하는 제도를 말한다(민법 제179조 참조).

간단 점검하기

02 공법의 특수성상 소멸시효의 중단·정지에 관하여는 민법의 규정이 적용될 수 없다. ( ) 09. 지방직 9급

> 국가재정법 제96조【금전채권·채무의 소멸시효】③ 금전의 급부를 목적으로 하는 국가의 권리의 경우 소멸시효의 중단·정지 그 밖의 사항에 관하여 다른 법률의 규정이 없는 때에는 민법의 규정을 적용한다. 국가에 대한 권리로서 금전의 급부를 목적으로 하는 것도 또한 같다.
>
> 민법 제168조【소멸시효의 중단사유】소멸시효는 다음 각호의 사유로 인하여 중단된다.
> 1. 청구
> 2. 압류 또는 가압류, 가처분
> 3. 승인

간단 점검하기

03 세무공무원이 국세징수법 제26조에 의하여 체납자의 가옥·선박·창고 기타의 장소를 수색하였으나 압류할 목적물을 찾아내지 못하여 압류를 실행하지 못하고 수색조서를 작성하는 데 그친 경우에도 소멸시효중단의 효력이 있다. ( ) 16. 경찰행정

관련판례 시효중단

1 압류실행 장애사유 ★★★

세무공무원이 국세징수법 제26조에 의하여 체납자의 가옥·선박·창고 기타의 장소를 수색하였으나 압류할 목적물을 찾아내지 못하여 압류를 실행하지 못하고 수색조서를 작성하는 데 그친 경우에도 소멸시효 중단의 효력이 있다(대판 2001.8.21, 2000다12419).

#국세징수 #압류목적물_부재 #압류불가_수색조서작성 #소멸시효_중단

01 ○ 02 × 03 ○

2 납입고지

구 예산회계법 제98조에서 법령의 규정에 의한 납입고지를 시효중단 사유로 규정하고 있고 이러한 납입고지에 의한 시효중단의 효력은 그 납입고지에 의한 부과처분이 취소되더라도 상실되지 않는 터이다(대판 2000.9.8, 98두19933).

#납입고지_시효중단 #부과처분_취소_시효중단_유효

3 복수채권 시효중단 ★★★

채권자가 동일한 목적을 달성하기 위하여 복수의 채권을 갖고 있는 경우, 어느 하나의 청구권을 행사하는 것이 다른 채권에 대한 소멸시효 중단의 효력이 있다고 할 수 없으므로, 이 사건 국가배상청구소송의 제기에 의하여 그 각 법률에 의한 보상금청구권의 시효가 중단되었다고 볼 수도 없다(대판 2002.5.10, 2000다39735).

#손해배상청구권_손실보상청구권 #손해배상청구_손실보상청구_시효중단_아님

4 변상금취소소송 ★★

변상금 부과처분에 대한 취소소송이 진행중이라도 그 부과권자로서는 위법한 처분을 스스로 취소하고 그 하자를 보완하여 다시 적법한 부과처분을 할 수도 있는 것이어서 그 권리행사에 법률상의 장애사유가 있는 경우에 해당한다고 할 수 없으므로, 그 처분에 대한 취소소송이 진행되는 동안에도 그 부과권의 소멸시효가 진행된다(대판 2006.2.10, 2003두5686).

#변상금_취소소송 #취소소송_진행중_법률상_장애사유_아님 #시효정지_안됨

(3) 소멸시효의 기산점

시효는 권리를 행사할 수 있는 때로부터 진행하며 권리를 행사할 수 있을 때란 권리행사의 법률상 장애사유가 없는 경우를 말한다. 권리행사의 장애사유가 발생하면 시효가 중단 또는 정지된다.

관련판례

1 퇴직금 소멸시효 기산점 ★★★

공무원이 형의 선고를 받아 당연퇴직할 당시 발생한 공무원연금법상 퇴직급여 지급청구권의 소멸시효 기산점은 당연퇴직시이다(대판 2011.5.26, 2011두242).

#당연퇴직시_퇴직금_소멸시효 #기산점

2 불법체포 손해배상 소멸시효 기산점 ★★

불법체포구금으로 인한 손해배상청구권의 소멸시효의 기산일은 구속영장발부집행에 의하여 불법상태가 종료된 날이다(무죄판결이 확정된 날 아님에 유의)(대판 2008.11.27, 2008다60223).

#불법체포구금 #손해배상청구권_소멸시효_기산점 #구속영장집행시

(4) 소멸시효완성의 효과

① **절대적 소멸설(다수설, 판례)**: 소멸시효기간이 경과하면 권리는 당사자의 원용(주장) 없이 절대적으로 소멸한다는 견해이다. 또한 소멸시효는 그 기산일에 소급하여 효력이 생긴다(민법 제167조).

② **상대적 소멸설**: 권리자가 그 권리를 주장하는 경우에 이에 대한 항변권을 발생시킨다는 견해이다.

간단 점검하기

01 지방자치단체의 납입의 고지는 시효중단의 효력이 있다. ( ) 11. 국가직 7급

02 납입고지에 의한 소멸시효의 중단은 그 납입고지에 의한 부과처분이 추후 취소되면 효력이 상실된다. ( ) 16. 지방직 9급

03 판례에 의하면, 국가배상청구에 있어서 채권자가 동일한 목적을 달성하기 위하여 복수의 채권을 갖고 있는 경우 어느 하나의 청구권을 행사하는 것이 다른 채권에 대한 소멸시효 중단의 효력이 있다고 할 수 없다. ( ) 08. 지방직 7급

04 변상금 부과처분에 대한 취소소송이 진행 중이라도 처분청은 위법한 처분을 스스로 취소하고 그 하자를 보완하여 다시 적법한 부과처분을 할 수 있다. ( ) 18. 서울시 7급

05 변상금 부과처분에 대한 취소소송이 진행 중이면 변상금부과권의 권리행사에 법률상의 장애사유가 있는 경우에 해당하므로 그 부과권의 소멸시효는 진행되지 않는다. ( ) 17. 국가직 9급

01 ○ 02 × 03 ○ 04 ○ 05 ×

간단 점검하기

판례에 의하면 조세채권의 소멸시효기간이 완성된 후에 부과된 과세처분은 무효이다. ( ) 11. 국가직 7급

○

관련판례

1 소멸시효완성의 효과 ★★★

조세의 소멸시효가 완성되면 납세의무는 당연소멸(절대적 소멸설의 입장)하며, 소멸시효 완성 후 부과된 과세처분은 무효이다(대판 1985.5.14, 83누655 ; 대판 1988.3.22, 87누1018).

2 소멸시효 주장책임 ★★

소멸시효완성으로 권리가 소멸하면 시효의 이익을 받는 자가 소송에서 소멸시효를 주장하여야 하며, 주장하지 않는 것은 판단하지 않는다(대판 1991.7.26, 91다5631).

3 시효중단사유 직권심리 ★★

시효중단사유가 기록상 현출되어 있다면 명시적인 항변이 없더라도 직권심리하여 판단한다(대판 1987.1.20, 86누346).

3. 공물의 취득시효

(1) 개설

민법에서는 부동산은 20년간(등기부취득시효는 10년간), 동산은 10년간(선의·무과실의 경우 5년간) 소유의 의사로 평온·공연하게 점유를 계속하면 점유자는 그 소유물을 취득한다고 규정하고 있다(민법 제245조, 제246조 참조). 이러한 민법의 규정이 공물에도 적용되는가에 대하여 견해가 나뉠 수 있으나 국유재산법에서 행정재산의 시효취득을 제한하고 있으므로 일반재산에 대해서만 시효취득이 인정된다.

(2) 인정 여부

① 현행의 국유재산법(제7조 제2항)과 공유재산 및 물품 관리법(제6조 제2항)은 국·공유공물에 대한 시효취득을 부인하고 있다.

> 국유재산법 제6조 【국유재산의 구분과 종류】 ① 국유재산은 그 용도에 따라 행정재산과 일반재산으로 구분한다.
> ② 행정재산의 종류는 다음 각 호와 같다.
> 1. 공용재산: 국가가 직접 사무용·사업용 또는 공무원의 주거용(직무 수행을 위하여 필요한 경우로서 대통령령으로 정하는 경우로 한정한다)으로 사용하거나 대통령령으로 정하는 기한까지 사용하기로 결정한 재산
> 2. 공공용재산: 국가가 직접 공공용으로 사용하거나 대통령령으로 정하는 기한까지 사용하기로 결정한 재산
> 3. 기업용재산: 정부기업이 직접 사무용·사업용 또는 그 기업에 종사하는 직원의 주거용(직무 수행을 위하여 필요한 경우로서 대통령령으로 정하는 경우로 한정한다)으로 사용하거나 대통령령으로 정하는 기한까지 사용하기로 결정한 재산
> 4. 보존용재산: 법령이나 그 밖의 필요에 따라 국가가 보존하는 재산
>
> ③ "일반재산"이란 행정재산 외의 모든 국유재산을 말한다.

> 제7조【국유재산의 보호】① 누구든지 이 법 또는 다른 법률에서 정하는 절차와 방법에 따르지 아니하고는 국유재산을 사용하거나 수익하지 못한다.
> ② 행정재산은 민법 제245조에도 불구하고 시효취득(時效取得)의 대상이 되지 아니한다.

② 판례는 국·공유의 사물인 일반재산에 대하여는 시효취득을 인정한 바 있다(헌재 1991.5.13, 89헌가97).

③ 다만, 행정재산이 공용폐지(용도폐지)되면 일반재산으로 변경되므로 이 경우 시효취득은 가능하다.

④ 예정공물은 현재는 공물이 아니나 장래 공공목적에 제공되기로 예정된 재산으로 공물의 일종이므로 시효취득의 대상이 아니다.

관련판례 **행정재산의 시효취득**

1 **묵시적 공용폐지 부정 - 시효취득 대상 ×**

오랫동안 도로로서 사용되지 않는 토지가 일부에 건물이 세워져 있으며 그 주위에 담이 둘러져 있어 사실상 대지화되어 있다고 하더라도 관리청의 적법한 의사표시에 의한 것이 아니라 그 인접토지의 소유자들이 임의로 토지를 봉쇄하고 독점적으로 사용해 왔기 때문이라면, 관리청이 묵시적으로 토지의 도로로서의 용도를 폐지하였다고 볼 수는 없다(대판 1994.9.13, 94다12579). 따라서 시효취득의 대상이 아니다.

#도로_사실상_대지화 #공물_용도폐지_안함 #시효취득_불가

2 **묵시적 공용폐지 인정 - 시효취득 대상 ○ ★★★**

대구국도사무소가 폐지되고, 그 이래 위 국도사무소 소장관사로 사용되던 위 부동산이 달리 공용으로 사용된 바 없다면, 그 부동산은 이로 인하여 묵시적으로 공용이 폐지되어 시효취득의 대상이 되었다 할 것이다(대판 1990.11.27, 90다5948).

#국도사무소폐지 #소장관사_공용사용_않음 #묵시적_공용폐지 #시효취득_가능

3 **예정공물 - 시효취득 대상 × ★★★**

이 사건 토지에 관하여 도로구역의 결정, 고시 등의 공물지정행위는 있었지만 아직 도로의 형태를 갖추지 못하여 완전한 공공용물이 성립되었다고는 할 수 없으므로 일종의 예정공물이라고 볼 수 있는데, … 예정공물인 토지도 일종의 행정재산인 공공용물에 준하여 취급하는 것이 타당하다고 할 것이므로 구 국유재산법(1994.1.5. 법률 제4698호로 개정되기 전의 것) 제5조 제2항이 준용되어 시효취득의 대상이 될 수 없다(대판 1994.5.10, 93다23442).

#공물지정행위_도로구역결정 #도로형태_못갖춤 #예정공물_행정재산_준용

3 제척기간

1. 의의

(1) 일정한 권리에 대하여 법률이 정한 '권리의 존속기간'을 말한다(예 행정심판의 청구기간, 행정소송의 제소기간 등). 즉, 제척기간은 재판상 권리를 행사하여야 하는 출소기간을 말한다.

간단 점검하기

01 구 국유재산법 제5조 제2항이 잡종재산에 대하여까지 시효취득을 배제하고 있는 것은 국가만을 우대하여 합리적 사유 없이 국가와 사인을 차별하는 것이므로 평등원칙에 위반된다.
( ) 11. 국회직 8급

02 판례에 의할 때 공공용 또는 공용의 행정재산은 공용폐지를 하지 않는 한 일반재산과 달리 시효취득의 대상이 되지 않는다. ( )
16·09. 지방직 9급

01 ○ 02 ○

(2) 제척기간은 법률관계의 신속한 확정을 목적으로 하는 제도로서 행정법에도 존재한다.

(3) 제척기간이 경과하면 쟁송제기가 불가능하므로 더 이상 다툴 수 없는 불가쟁력이 발생한다.

2. 소멸시효와의 비교

(1) 공통점

제척기간은 정하여진 기간 내에 권리를 행사하지 않을 경우 그 권리를 소멸시키는 법적 효과가 발생한다는 점에서 소멸시효와 공통점이 있다.

(2) 차이점

구분	소멸시효	제척기간
목적	영속된 사실상태의 존중	행정법관계의 신속한 확정
기간의 장단	장기(원칙상 5년)	단기(보통은 1년 이내)
중단·정지제도	인정	부정
주장책임(원용)	소송에서 당사자가 원용(주장)	법원이 직권으로 고려
포기	시효완성 후 포기 가능	포기 불가능
기산점	권리를 행사할 수 있는 때	권리가 발생한 때
효과	소급하여 권리 소멸	장래에 향하여 권리 소멸

(3) 국민의 권익제한·의무부과 등의 경우 말일이 토요일 또는 공휴일이면 기간은 그 날로 만료한다(행정기본법 제6조 제2항 제2호).

4 주소

1. 주소의 의의

민법상 주소는 자연인의 경우 '생활에 근거가 되는 곳'이 되며(제18조), 법인의 경우 '그 주된 사무소의 소재지'가 된다. 행정법관계의 경우 '주민등록지'가 주소지가 된다.

> 주민등록법 제23조【주민등록자의 지위 등】 ① 다른 법률에 특별한 규정이 없으면 이 법에 따른 주민등록지를 공법(公法) 관계에서의 주소로 한다.

2. 주소의 수

(1) 단수주의

민법에서는 주소를 동시에 두 곳 이상을 둘 수 있도록 하고 있다(제18조 제2항)(복수주의). 그러나 행정법에서는 주민등록지를 주소로 하고, 거주지 이동시 신고하도록 하여 주민등록을 이중으로 등록할 수 없도록 하고 있다. 따라서 공법상 주소는 하나만 등록하도록 한다(단수주의).

(2) 형식주의

민법에서는 생활에 근거가 되는 곳을 주소로 하여 실질주의에 따르고 있으나 행정법에서는 주소를 주민등록지로 하여 형식주의를 취하고 있다.

제3절 공법상의 사무관리 및 부당이득

1 공법상 사무관리

> 민법 제734조 【사무관리의 내용】 ① 의무 없이 타인을 위하여 사무를 관리하는 자는 그 사무의 성질에 좇아 가장 본인에게 이익되는 방법으로 이를 관리하여야 한다.
> ② 관리자가 본인의 의사를 알거나 알 수 있는 때에는 그 의사에 적합하도록 관리하여야 한다.
> ③ 관리자가 전2항의 규정에 위반하여 사무를 관리한 경우에는 과실없는 때에도 이로 인한 손해를 배상할 책임이 있다. 그러나 그 관리행위가 공공의 이익에 적합한 때에는 중대한 과실이 없으면 배상할 책임이 없다.

1. 의의

사무관리라 함은 '법률상 의무 없이' 타인을 위하여 그 사무를 관리하는 것을 말한다. 이는 민법상의 제도로서 행정법에도 적용되는지에 대해서는 견해의 대립이 있다.

2. 공법상 사무관리의 가능성

(1) 부정설

공법상 사무관리행위는 법률상 의무가 없음에도 타인의 사무를 관리하는 것인데, 사무관리로 인한 공무원의 행위는 법률 등에서 부과된 의무에 의하여 행하여지므로 사무관리가 성립될 수 없다는 견해이다.

(2) 긍정설(다수설)

사무관리로 인한 공무원의 행위는 법률 등에서 부과된 의무일 뿐 피관리자에 대한 의무가 아니므로 사무관리가 공법상으로도 성립할 수 있다는 견해이다.

3. 종류

(1) 국가에 의한 사인의 사무관리

① **강제관리**: 국가의 특별감독 하에 있는 사업에 대한 강제관리(예 재단에 문제가 있는 사립학교의 강제관리 등), 압수물에 대한 국가의 환가처분 등
② **보호관리**: 재해 시 행하는 구호, 행려병자 등의 보호를 위한 관리 등

(2) 사인에 의한 국가의 사무관리

교통·통신의 두절 그 밖의 비상재난 시에 국가가 하여야 할 조난사무를 사인이 대신하는 경우

4. 적용법규

공법상 사무관리에 대해서는 비용상환 그 밖의 이해조절조치가 강구되어야 할 것인데, 특별한 규정이 없는 한 민법상의 사무관리에 관한 규정이 준용된다.

2 공법상 부당이득

> 민법 제741조 【부당이득의 내용】 법률상 원인없이 타인의 재산 또는 노무로 인하여 이익을 얻고 이로 인하여 타인에게 손해를 가한 자는 그 이익을 반환하여야 한다.

1. 의의

(1) 부당이득제도란 '법률상 원인 없이' 타인의 재산 또는 노무로 인하여 이득을 얻고 타인에게 손해를 가한 자에 대하여 그 이득의 반환의무를 과하는 제도이다. 이는 사법에서 발달된 제도로서 공법에도 일반적으로 적용된다고 볼 수 있다.

(2) 실정법상으로 인정되고 있는 경우도 있으며(예 국세기본법, 지방세법, 관세법, 도로법 등), 판례도 이를 인정하고 있다.

(3) 공법상 부당이득의 예로서, 연금자격 없는 자의 연금수령행위, 과액의 봉급수령, 수수료나 요금의 과오납, 무효인 법령에 근거한 조세부과처분에 따라 납부한 세금, 과오에 의한 도로부지의 국유지편입, 세무공무원의 과오에 의한 제3자의 재산의 압류·공매 등이 있다.

(4) 다만, 최근 대법원 판례는 부가가치세 환급세액 지급청구는 국가의 공법상 의무에 대응하여 청구하는 권리로 이에 대한 쟁송은 공법상 당사자소송에 의해야 한다고 판시하였다.

2. 공법상 부당이득반환청구권의 성질[1]

공권설(다수설)	사권설(판례)
• 공법상 원인에 의하여 발생 • 공법상 당사자소송으로 처리	• 오로지 경제적 이해조정제도 • 민사소송으로 처리

관련판례 부당이득반환청구권 - 사권

1 **개발부담금** ★★★

개발부담금 부과처분이 취소된 이상 그 후의 부당이득으로서의 과오납금 반환에 관한 법률관계는 단순한 민사관계에 불과한 것이고, 행정소송 절차에 따라야 하는 관계로 볼 수 없다(대판 1995.12.22, 94다51253).

#개발부담금 #과오납반환 #민사관계

2 **조세부과처분** ★★★

조세부과처분이 당연무효임을 전제로 하여 이미 납부한 세금의 반환을 청구하는 것은 민사상의 부당이득반환청구로서 민사소송절차에 따라야 한다(대판 1995.4.28, 94다55019).

#조세부과처분_무효 #부당이득반환청구 #민사소송

간단 점검하기

01 조세과오납, 공무원의 봉급과액수령, 처분이 무효 또는 소급 취소된 경우 무자격자의 기초생활보장금의 수령은 공법상 부당이득에 해당한다. ( ) 12. 지방직 9급

02 공법상 부당이득반환에 대한 청구권의 행사는 개별적인 사안에 따라 행정주체도 주장할 수 있다. ( ) 17. 지방직 9급

[1] 공법상 부당이득반환에 대한 청구권의 행사는 개별적인 사안(예 처분이 무효 또는 소급 취소된 무자격자의 기초생활보장금의 수령)에 따라 행정주체도 주장할 수 있다.

간단 점검하기

03 판례는 공법상 부당이득반환청구권은 공권에 해당되며, 그에 관한 소송은 행정소송절차에 따라야 한다고 보고 있다. ( ) 09. 국회직 9급

04 개발이익환수에 관한 법률상 개발부담금 부과처분이 취소된 경우 그 과오납금의 반환을 청구하는 소송은 행정소송법상의 행정소송에 해당한다. ( ) 18. 지방직 9급

01 ○ 02 ○ 03 × 04 ×

3 확정된 과오납부액 ★★★

국세환급금에 관한 국세기본법 및 구 국세기본법(2007.12.31. 법률 제8830호로 개정되기 전의 것) 제51조 제1항은 이미 부당이득으로서 존재와 범위가 확정되어 있는 과오납부액이 있는 때에는 국가가 납세자의 환급신청을 기다리지 않고 즉시 반환하는 것이 정의와 공평에 합당하다는 법리를 선언하고 있는 것이므로, 이미 존재와 범위가 확정되어 있는 과오납부액은 납세자가 부당이득의 반환을 구하는 민사소송으로 환급을 청구할 수 있다(대판 2015.8.27, 2013다212639).

#확정된_과오납부액 #부당이득반환청구_민사소송

[비교판례] 부가가치세환급청구 부당이득반환청구권 아님 – 공권

납세의무자에 대한 국가의 부가가치세 환급세액 지급의무는 그 납세의무자로부터 어느 과세기간에 과다하게 거래징수된 세액 상당을 국가가 실제로 납부받았는지와 관계없이 부가가치세법령의 규정에 의하여 직접 발생하는 것으로서, 그 법적 성질은 정의와 공평의 관념에서 수익자와 손실자 사이의 재산상태 조정을 위해 인정되는 부당이득 반환의무가 아니라 부가가치세법령에 의하여 그 존부나 범위가 구체적으로 확정되고 조세 정책적 관점에서 특별히 인정되는 공법상 의무라고 봄이 타당하다. 그렇다면 납세의무자에 대한 국가의 부가가치세 환급세액 지급의무에 대응하는 국가에 대한 납세의무자의 부가가치세 환급세액 지급청구는 민사소송이 아니라 행정소송법 제3조 제2호에 규정된 당사자소송의 절차에 따라야 한다(대판 2013.3.21, 2011다95564).

#부가가치세환급 #공법상_국가의무 #공법상_당사자소송

간단 점검하기

01 부가가치세법령에 따른 환급세액 지급의무 등의 규정과 그 입법취지에 비추어 볼 때 부가가치세 환급세액반환은 공법상 부당이득반환으로서 민사소송의 대상이다. ( ) 17. 지방직 9급

관련판례 국유재산무단점유 - 변상금부과 · 징수권, 부당이득반환청구권

국유재산무단점유 ★★★

국유재산의 무단점유자에 대한 변상금 부과는 공권력을 가진 우월적 지위에서 행하는 행정처분이고, 그 부과처분에 의한 변상금 징수권은 공법상의 권리인 반면, 민사상 부당이득반환청구권은 국유재산의 소유자로서 가지는 사법상의 채권이다. 또한 변상금은 부당이득 산정의 기초가 되는 대부료나 사용료의 120%에 상당하는 금액으로서 부당이득금과 액수가 다르고, 이와 같이 할증된 금액의 변상금을 부과 · 징수하는 목적은 국유재산의 사용 · 수익으로 인한 이익의 환수를 넘어 국유재산의 효율적인 보존 · 관리라는 공익을 실현하는 데 있다. 그리고 대부 또는 사용 · 수익허가 없이 국유재산을 점유하거나 사용 · 수익하였지만 변상금 부과처분은 할 수 없는 때에도 민사상 부당이득반환청구권은 성립하는 경우가 있으므로, 변상금 부과 · 징수의 요건과 민사상 부당이득반환청구권의 성립 요건이 일치하는 것도 아니다.

이처럼 구 국유재산법 제51조 제1항 · 제4항 · 제5항에 의한 변상금 부과 · 징수권은 민사상 부당이득반환청구권과 법적 성질을 달리하므로, 국가는 무단점유자를 상대로 변상금 부과 · 징수권의 행사와 별도로 국유재산의 소유자로서 민사상 부당이득반환청구의 소를 제기할 수 있다. 그리고 이러한 법리는 구 국유재산법 제32조 제3항, 구 국유재산법 시행령(2009.7.27. 대통령령 제21641호로 전부 개정되기 전의 것) 제33조 제2항에 의하여 국유재산 중 잡종재산(현행 국유재산법상의 일반재산에 해당한다)의 관리 · 처분에 관한 사무를 위탁받은 한국자산관리공사의 경우에도 마찬가지로 적용된다(대판 2014.7.16, 2011다76402).

#국유재산무단점유 #변상금부과_공법관계 #부당이득반환청구_사법관계

간단 점검하기

02 국가는 국유재산의 무단점유자에 대하여 변상금 부과 · 징수권의 행사와는 별도로 민사상 부당이득반환청구의 소를 제기할 수 없다. ( ) 16. 서울시 7급

01 × 02 ×

간단 점검하기

공법상 부당이득에 관한 일반법은 없으므로 특별한 규정이 없는 경우 민법상 부당이득반환의 법리가 준용된다.
( ) 17. 지방직 9급

3. 적용법규

공법상 부당이득에 관한 일반법은 없으므로 특별한 규정이 없는 경우 민법상 부당이득반환의 법리가 준용된다.

4. 공법상 부당이득의 성립

(1) 행정주체의 부당이득

① **행정행위로 인한 경우**: 행정행위가 처음부터 당연무효이거나 행정행위의 흠을 이유로 취소된 경우이어야 한다.

② **행정행위 이외의 행정작용으로 인한 경우**: 행정주체가 정당한 권원 없이 타인의 토지를 도로로 조성·사용하는 경우로서 이러한 경우 법령상 달리 규정되어 있지 않은 한 법률상 원인 없음을 이유로 부당이득반환청구를 할 수 있을 것이다.

관련판례 부당이득반환의 주체

도로점용료가 아닌 하천점용료를 부과함으로써 그 처분이 당연무효로 된다고 하더라도 위 처분에 의하여 납부된 점용료는 하천의 관리청이 속한 지방자치단체의 수입이 될 것이므로, 이를 부당이득으로 반환하여야 할 경우에도 그 반환의무의 주체는 하천의 관리청이 속한 지방자치단체가 되어야지 도로의 관리청이 속한 지방자치단체가 될 수는 없다(대판 2004.10.15, 2002다68485).
#하천점용료_반환주체 #하천관리청_소속지방자치단체

(2) 행정객체의 부당이득

① 공무원의 연금수급, 보조금 교부 등의 경우와 같이 사인이 국가나 지방자치단체 등으로부터 부당이득을 하는 것을 말하므로, 행정객체의 부당이득은 행정주체의 부당이득과 마찬가지로 행정행위를 취소하기 전에는 부당이득이 성립하지 않는다.

관련판례 과세처분의 하자와 부당이득 여부 ★★

조세의 과오납이 부당이득이 되기 위하여는 납세 또는 조세의 징수가 실체법적으로나 절차법적으로 전혀 법률상의 근거가 없거나 과세처분의 하자가 중대하고 명백하여 당연무효이어야 하고, 과세처분의 하자가 단지 취소할 수 있는 정도에 불과할 때에는 과세관청이 이를 스스로 취소하거나 항고소송절차에 의하여 취소되지 않는 한 그로 인한 조세의 납부가 부당이득이 된다고 할 수 없다(대판 1994.11.11, 94다28000).
#부당이득_성립 #무효_취소된_경우

○

관련판례

1 제3자의 체납액 납부 - 부당이득 × ★★★

국세징수법 시행령 제74조 제2항은 제3자가 체납자의 명의로 납부를 한 경우에 국가에 대하여 그 반환을 청구할 수 없도록 규정하고 있다. 이와 같이 제3자가 체납자가 납부하여야 할 체납액을 체납자의 명의로 납부한 경우에는 원칙적으로 체납자의 조세채무에 대한 유효한 이행이 되고, 이로 인하여 국가의 조세채권은 만족을 얻어 소멸하므로, 국가가 체납액을 납부받은 것에 법률상 원인이 없다고 할 수 없고, 제3자는 국가에 대하여 부당이득반환을 청구할 수 없다. 이는 세무서장 등이 체납액을 징수하기 위하여 실시한 체납처분압류가 무효인 경우에도 다르지 아니하다(대판 2015.11.12, 2013다215263).

#제3자_체납액납부 #국가_반환청구_불가(명문규정) #부당이득반환청구_불가

2 잘못 지급된 보상금 등에 해당하는 금액을 징수하는 처분을 해야 할 공익상 필요와 그로 인하여 당사자가 입게 될 기득권과 신뢰의 보호 및 법률생활 안정의 침해 등의 불이익을 비교·교량한 후, 공익상 필요가 당사자가 입게 될 불이익을 정당화할 만큼 강한 경우에 한하여 보상금 등을 받은 당사자로부터 잘못 지급된 보상금 등에 해당하는 금액을 환수하는 처분을 하여야 한다고 봄이 타당하다(대판 2014.10.27, 2012두17186).

② 부당이득이 성립한 경우 민법 제742조의 비채변제의 법리는 적용되지 않는다는 것이 일반적이다. 따라서 채무 없음을 알고(악의) 채무를 이행한 경우에도 그 반환을 청구할 수 있다.

5. 공법상 부당이득의 효과

(1) 부당이득의 요건을 갖추면 부당이득반환의무가 발생한다.

(2) 반환의 범위

① 행정주체의 선의·악의를 판단할 수 없기 때문에 부당이득 전액을 반환하여야 한다.

② 이자의 경우에는 학설의 다툼이 있으나, 우리나라 국세기본법은 조세과오납금에 이자를 붙이도록 하고 있다(국세기본법 제52조).

6. 공법상 부당이득반환청구권과 상계, 양도와 충당

(1) 부당이득이 발생한 경우 명문의 규정에 따라 상계할 수 있다. 국세기본법 제51조와 지방세법 제45조는 조세과오납금 및 그 이자를 다른 국세·가산금과 체납처분비에 충당하도록 하여 부당이득에 대한 상계를 명문으로 규정하고 있다.

(2) 국세환급금에 관한 권리의 양도요구가 있는 경우 지체 없이 양도요구에 따르도록 하고 있다(국세기본법 제53조).

간단 점검하기

01 제3자가 국세징수법에 따라 체납자의 명의로 체납액을 완납한 경우 국가에 대하여 부당이득반환을 청구할 수 있다. ( ) 16. 서울시 7급

02 잘못 지급된 보상금에 해당하는 금액의 징수처분을 해야 할 공익상 필요가 당사자가 입게 될 불이익을 정당화할 만큼 강한 경우, 보상금을 받은 당사자로부터 오지급금액의 환수처분이 가능하다. ( ) 17. 지방직 9급

01 × 02 ○

7. 공법상 부당이득반환청구권의 시효

시효는 공법상에 관련된 사항이므로 특별한 규정이 있는 경우(예 관세법 제22조 제1항의 관세징수권 - 5년, 제2항의 과오납관세반환청구권 - 5년)를 제외하고는 국가재정법이 정하는 바에 따라 소멸시효기간은 5년이다.

관련판례 부당이득반환청구권의 소멸시효 기산점

1 **과세금부당이득반환 기산점 ★★★**

과세처분의 취소를 구하였으나 재판과정에서 그 과세처분이 무효로 밝혀졌다고 하여도 그 과세처분은 처음부터 무효이고 무효선언으로서의 취소판결이 확정됨으로써 비로소 무효로 되는 것은 아니므로 오납시부터 그 반환청구권의 소멸시효가 진행한다(대판 1992.3.31, 91다32053).

#세금부당이득반환_기산점 #오납시

2 **변상금부당이득반환 기산점 ★★★**

지방재정법 제87조 제1항에 의한 변상금부과처분이 당연무효인 경우에 이 변상금부과처분에 의하여 납부자가 납부하거나 징수당한 오납금은 지방자치단체가 법률상 원인 없이 취득한 부당이득에 해당하고, 이러한 오납금에 대한 납부자의 부당이득반환청구권은 처음부터 법률상 원인이 없이 납부 또는 징수된 것이므로 납부 또는 징수시에 발생하여 확정되며, 그 때부터 소멸시효가 진행한다(대판 2005.1.27, 2004다50143).

#변상금부당이득반환_기산점 #납부시_징수시

제4절 공법상의 행위

1 공법행위

1. 의의

공법행위란 공법관계에서의 행위로서, 공법적 효과를 발생 · 변경 또는 소멸시키는 행위를 말한다. 공법행위는 실정법상의 용어가 아니라 학문상의 용어이다.

2. 종류

(1) 행정주체의 공법행위

① **권력행위**: 행정주체가 우월한 지위에서 행하는 것(예 행정입법, 행정행위 등)

② **관리행위**: 행정주체가 대등한 지위에서 행하는 것(예 공법상 계약, 공법상 합동행위 등)

(2) 사인의 공법행위

2 사인의 공법행위

1. 의의

(1) 사인의 공법행위란 공법관계에서 사인이 행하는 행위로서 공법적 효과를 발생·변경·소멸시키는 일체의 행위를 말한다(예 각종 투표행위, 행정심판의 청구, 건축허가의 신청, 여권발급의 신청, 출생신고, 혼인신고, 공무원임명에 대한 동의 등).

(2) 사인의 공법행위는 공법적 효과의 발생을 목적으로 하지만, 공권력의 행사가 아니므로 행정행위와 구별된다. 또한 사인의 행위이기는 하지만 공법적 효과의 발생을 목적으로 하는 점에서 사법행위와 구별된다. 그리고 법적 행위이므로 사실행위와 구별된다.

(3) 사인의 공법행위에는 행정행위가 가지는 공정력 등의 특수한 효력이 인정되지 않고, 사법행위에 관한 규정도 당연히 적용되는 것은 아니다.

2. 종류

(1) 사인의 지위에 의한 분류

① 행정주체의 기관의 지위에서 하는 행위(예 선거에서의 투표 등)
② 행정주체의 상대방의 지위에서 하는 행위(예 각종 신고, 신청 등)

(2) 의사표시의 수에 의한 분류

① **단순행위**: 하나의 의사표시인 행위(예 각종 신고·신청 등)
② **합성행위**: 여러 의사가 모여서 하나의 의사표시를 구성하는 행위(예 투표행위 등)

(3) 구성요소에 의한 분류

① **의사표시행위**: 의사표시를 요소로 하는 행위(예 국적이탈신고, 혼인신고 등)
② **관념 등 통지행위**: 의사표시 이외의 정신적 표시행위를 요소로 하는 행위(예 출생신고, 세법상의 신고 등)

(4) 성질에 의한 분류

① **단독행위**: 일방적인 의사표시에 의하여 법률효과를 발생하게 하는 법률행위(예 허가신청, 쟁송제기 등)
② **쌍방행위**: 2인 이상이 합의하여 법률효과를 발생하게 하는 법률행위(예 공법상 계약과 공법상 합동행위 등)

(5) 효과에 의한 분류

① **자기완결적 공법행위**: 사인의 행위 자체만으로 일정한 법적 효과를 가져오는 행위(예 투표행위, 도시철도사업의 양도·합병의 신고, 도시철도운임의 신고 등)
② **행위요건적 공법행위**: 사인의 행위가 특정한 행위의 전제요건을 구성하는 행위(예 신청, 동의, 승낙, 협의 등)

간단 점검하기

01 사인의 공법행위는 공법적 효과를 가져오는 사인의 행위를 말한다. ( )
14. 서울시 9급

02 사인의 공법행위는 법적 행위인 점에서 공법상 사실행위와 구별된다. ( ) 14. 국가직 7급

03 사인의 공법행위도 행정행위와 마찬가지로 구속력·공정력·집행력 등과 같은 효력이 인정된다. ( )
15. 지방직 7급, 10. 국가직 7급, 07. 서울시 9급

간단 점검하기

04 사인의 공법행위에는 사인의 행위만으로 공법적 효과를 가져오는 것과 국가나 지방자치단체의 행위의 전제요건이 되는 것으로 구분할 수 있다. ( ) 14. 서울시 9급

01 ○ 02 ○ 03 × 04 ○

point check 사인의 공법행위의 종류

<table>
<tr><th>분류기준</th><th colspan="2">종류</th><th>구체적 예</th></tr>
<tr><td rowspan="2">사인의 지위</td><td colspan="2">기관구성자로서의 지위</td><td>투표행위</td></tr>
<tr><td colspan="2">행정의 상대방으로서의 지위</td><td>신고, 신청, 동의 또는 승낙 등</td></tr>
<tr><td rowspan="2">의사표시의 수</td><td colspan="2">단순행위</td><td>신고, 신청, 등록 등</td></tr>
<tr><td colspan="2">합성행위</td><td>선거행위</td></tr>
<tr><td rowspan="2">구성요소</td><td colspan="2">의사표시인 행위</td><td>국적이탈신고, 혼인신고 등</td></tr>
<tr><td colspan="2">관념 또는 사실의 통지행위</td><td>출생신고, 세법상의 신고 등</td></tr>
<tr><td rowspan="3">성질</td><td colspan="2">단독행위</td><td>허가신청, 쟁송제기 등</td></tr>
<tr><td rowspan="2">쌍방적 행위</td><td>공법상 계약</td><td>사인 상호간의 토지수용의 협의</td></tr>
<tr><td>공법상 합동행위</td><td>도시재개발조합 등 공공조합설립행위</td></tr>
<tr><td rowspan="2">효과</td><td colspan="2">자기완결적 공법행위</td><td>투표행위, 신고 등</td></tr>
<tr><td colspan="2">행위요건적 공법행위</td><td>신청, 동의·승낙, 협의 등</td></tr>
</table>

3. 비교

(1) 행정행위와 사인의 공법행위 비교

① **공통점**: 공법적 효과의 발생을 목적으로 한다는 점에서 양자는 차이가 없다.

② **차이점**: 공권력의 행사가 아니므로 행정행위가 가지는 공정력 등의 효력은 인정되지 않는다.

(2) 사법행위와 사인의 공법행위 비교

① **공통점**: 행위주체가 사인이고 비권력적 행위인 점에서는 양자의 차이가 없다.

② **차이점**: 공법적 효과의 발생을 목적으로 하므로 그에 대한 적용법규에 특별한 고려가 필요한 경우도 있다. 특히 그 내용과 형식에 있어 획일적인 정형화가 요구된다.

4. 사인의 공법행위에 대한 적용법규

(1) 개설

① 사인의 공법행위에 적용되는 법규에 관하여 개별법에서 특별한 규정을 두고 있으면 그에 따르지만, 그렇지 않을 경우에 적용되는 일반법은 없다.

② 개별법에서 특별한 규정을 두고 있는 경우(행정절차법, 민원 처리에 관한 법률 등)에는 그에 의한다. 규정이 없는 경우 민법의 규정을 어느 정도까지 적용된다.

간단 점검하기

현재 사인의 공법행위에 관한 전반적인 사항을 규율하는 일반법은 없다. ( ) 14. 서울시 9급

O

(2) 의사능력 · 행위능력

① **의사능력**: 자신의 행위의 의미나 결과를 정상적인 인식력과 예기력을 바탕으로 합리적으로 판단할 수 있는 정신적 능력 내지는 지능을 말하는 것으로서, 의사능력의 유무는 구체적인 법률행위와 관련하여 개별적으로 판단되어야 할 것이다(대판 2002.10.11, 2001다10113).

② **행위능력**: 단독으로 완전하고 유효하게 법률행위를 할 수 있는 능력을 말하는 것으로 행위능력이 없는 자를 제한능력자라 하며, 제한능력자는 민법에서 미성년자(만 19세 미만), 피성년후견인, 피한정후견인 등으로 규정되어 있다.

③ **원칙**: 특별한 배제규정이 없는 한 사인의 공법행위에도 의사능력과 행위능력은 필요하다.

④ **의사능력이 없는 자의 행위**: 민법상의 법률행위와 마찬가지로 무효로 보고 있다.

⑤ **제한능력자의 행위**: 특별한 규정이 없는 경우 민법의 규정이 유추적용 되어 취소사유에 해당한다. 그러나 우편법 제10조와 같이 유효로 인정하는 경우도 있으며, 도로교통법상 운전면허발급신청은 미성년자가 단독으로 할 수 있다.

> 우편법 제10조【제한능력자의 행위에 관한 의제】 우편물의 발송 · 수취나 그 밖에 우편 이용에 관하여 제한능력자가 우편관서에 대하여 행한 행위는 능력자가 행한 것으로 본다.
>
> 도로교통법 제82조【운전면허의 결격사유】 ① 다음 각 호의 어느 하나에 해당하는 사람은 운전면허를 받을 수 없다.
> 1. 18세 미만(원동기장치자전거의 경우에는 16세 미만)인 사람

(3) 대리

① 특별히 대리를 금지하는 규정(예 병역법 제87조 - 징병검사의 대리금지 등), 허용하는 규정(예 행정심판법 제18조 - 행정심판청구의 대리)을 두는 경우도 있으나, 일반적으로는 인격적 개성과의 관련에서 구체적으로 판단해야 할 것이다.

> 병역법 제87조【병역판정검사의 기피 등】 ① 병역판정검사, 재병역판정검사, 신체검사 또는 확인신체검사를 받을 사람을 대리(代理)하여 병역판정검사, 재병역판정검사, 신체검사 또는 확인신체검사를 받은 사람은 1년 이상 3년 이하의 징역에 처한다.
>
> 행정심판법 제18조【대리인의 선임】 ① 청구인은 법정대리인 외에 다음 각 호의 어느 하나에 해당하는 자를 대리인으로 선임할 수 있다.

② 인격적 개성과 밀접한 관련이 있는 경우❶에는 대리가 허용되지 않으나, 밀접한 관련이 없는 경우에는 대리가 가능하다고 볼 것이다. 대리에도 민법의 대리에 관한 규정이 유추적용된다.

간단 점검하기

01 사인의 공법행위에는 행위능력에 관한 민법의 규정이 원칙적으로 적용된다. ( ) 16. 서울시 9급

02 행위무능력자에 의한 사인의 공법행위도 유효한 것이라고 보는 개별법이 있다. ( ) 10. 국가직 7급

❶ **일신전속(一身專屬)의 경우**: 투표, 선거, 사직원제출 등

간단 점검하기

03 명문의 금지규정이 있거나 일신전속적인 행위는 대리가 허용될 수 없으나, 그렇지 않은 사인의 공법행위는 대리에 관한 민법규정이 유추적용될 수 있다. ( )
16. 서울시 9급, 14. 국가직 7급

01 ○ 02 ○ 03 ○

(4) 형식

사인의 공법행위가 반드시 요식행위는 아니지만, 행위의 존재 및 내용을 명확히 하기 위하여 법령 및 내규에 의하여 요식행위(서면주의)에 의할 것을 요구하는 경우가 많다(예 행정절차법 제17조 – 처분의 신청, 행정심판법 제19조 – 행정심판의 대표자 자격 소명 등).

> 행정절차법 제17조 【처분의 신청】 ① 행정청에 처분을 구하는 신청은 문서로 하여야 한다. 다만, 다른 법령등에 특별한 규정이 있는 경우와 행정청이 미리 다른 방법을 정하여 공시한 경우에는 그러하지 아니하다.
>
> 행정심판법 제19조 【대표자 등의 자격】 ① 대표자·관리인·선정대표자 또는 대리인의 자격은 서면으로 소명하여야 한다.

(5) 효력발생시기

① **도달주의(원칙)**: 행위의 존재를 명확히 하고 관계자의 이해조정을 위하여 민법에서와 같이 도달주의에 의한다. 즉, 행정청의 직무장소에 도달하여 행위내용을 알 수 있는 상태에 둔 때 효력을 발생한다(예 음식점의 연회장소에서 사직원을 교부한 것은 도달이 아니다).

② **발신주의(예외)**: 특히 행위자의 입장을 고려하거나 행정의 기술적 필요성에 따라 예외적으로 발신주의를 규정하고 있는 경우도 있다(예 국세기본법 제5조의2의 우편신고 및 전자신고).

> 국세기본법 제5조의2 【우편신고 및 전자신고】 ① 우편으로 과세표준신고서, 과세표준수정신고서, 경정청구서 또는 과세표준신고·과세표준수정신고·경정청구와 관련된 서류를 제출한 경우 우편법에 따른 우편날짜도장이 찍힌 날(우편날짜도장이 찍히지 아니하였거나 분명하지 아니한 경우에는 통상 걸리는 배송일수를 기준으로 발송한 날로 인정되는 날)에 신고되거나 청구된 것으로 본다.

(6) 의사표시의 하자

① 사인의 공법행위에 의사표시의 하자가 발생한 경우 일반적인 규정이 없으므로, 특별한 규정이 없는 한 원칙적으로 민법규정을 유추적용한다[민법 제107조 비진의의사표시, 제108조 통정허위표시, 제109조 착오로 인한 의사표시, 제110조 사기·강박에 의한 의사표시(취소)].

② 사기·강박·착오에 의한 행위는 민법에서와 같이 취소할 수 있으나 투표행위와 같은 합성행위는 집단성·형식성이 중시되므로 착오를 이유로 취소할 수 없다. 다만, 강박의 경우에는 정도에 따라 무효로 보기도 한다.

> 민법 제110조 【사기, 강박에 의한 의사표시】 ① 사기나 강박에 의한 의사표시는 취소할 수 있다.

관련판례 **강박의 취소**

강박 사직서제출 ★★★

사직서의 제출이 감사기관이나 상급관청 등의 강박에 의한 경우에는 그 정도가 의사결정의 자유를 박탈할 정도에 이른 것이라면 그 의사표시가 무효로 될 것이고 그렇지 않고 의사결정의 자유를 제한하는 정도에 그친 경우라면 그 성질에 반하지 아니하는 한 의사표시에 관한 민법 제110조의 규정을 준용하여 그 효력을 따져보아야 할 것이나, 감사담당 직원이 당해 공무원에 대한 비리를 조사하는 과정에서 사직하지 아니하면 징계파면이 될 것이고 또한 그렇게 되면 퇴직금 지급상의 불이익을 당하게 될 것이라는 등의 강경한 태도를 취하였다고 할지라도 그 취지가 단지 비리에 따른 객관적 상황을 고지하면서 사직을 권고·종용한 것에 지나지 않고 위 공무원이 그 비리로 인하여 징계파면이 될 경우 퇴직금 지급상의 불이익을 당하게 될 것 등 여러 사정을 고려하여 사직서를 제출한 경우라면 그 의사결정이 의원면직처분의 효력에 영향을 미칠 하자가 있었다고는 볼 수 없다(대판 1997.12.12, 97누13962).

#강박_사직서제출 #의사결정자유_박탈_무효 #의사결정자유_제한_취소 #권고·종용_사직_유효

③ 비진의의사표시에 관한 민법규정은 사인의 공법행위에는 적용이 없다.

> 민법 제107조【진의 아닌 의사표시】① 의사표시는 표의자가 진의 아님을 알고한 것이라도 그 효력이 있다. 그러나 상대방이 표의자의 진의 아님을 알았거나 이를 알 수 있었을 경우에는 무효로 한다.

관련판례 **비진의 의사표시**

1 여군하사관선역지원 ★★★

군인사정책상 필요에 의하여 복무연장지원서와 전역(여군의 경우 면역임)지원서를 동시에 제출하게 한 방침에 따라 위 양 지원서를 함께 제출한 이상, 그 취지는 복무연장지원의 의사표시를 우선으로 하되, 그것이 받아들여지지 아니하는 경우에 대비하여 원에 의하여 전역하겠다는 조건부 의사표시를 한 것이므로 그 전역지원의 의사표시도 유효한 것으로 보아야 한다. … 위 전역지원의 의사표시가 진의 아닌 의사표시라 하더라도 그 무효에 관한 법리를 선언한 민법 제107조 제1항 단서의 규정은 그 성질상 사인의 공법행위에는 적용되지 않는다 할 것이므로 그 표시된 대로 유효한 것으로 보아야 한다(대판 1997.1.11, 93누10057).

#여군하사관전역 #복무연장지원서_전역지원서_제출 #전역지원서_비진의의표시_유효

2 일괄사표 선별수리 ★★

이른바 1980년의 공직자숙정계획의 일환으로 일괄사표의 제출과 선별수리의 형식으로 공무원에 대한 의원면직처분이 이루어진 경우, 사직원 제출행위가 강압에 의하여 의사결정의 자유를 박탈당한 상태에서 이루어진 것이라고 할 수 없고 민법상 비진의 의사표시의 무효에 관한 규정은 사인의 공법행위에 적용되지 않는다는 등의 이유로 그 의원면직처분을 당연무효라고 할 수 없다(대판 2001.8.24, 99두9971).

#일괄사표_선별수리 #비진의의사표시_적용없음 #사표수리_유효

(7) 부관(조건 · 기한 등)

사인의 공법행위에는 사법행위와는 달리 부관을 붙일 수 없음이 원칙이다. 왜냐하면, 사인의 공법행위는 행정법관계의 변동을 가져오기 때문에 명확성과 신속한 확정을 요하기 때문이다.

간단 점검하기

01 권고사직의 형식을 취하고 있더라도 사직의 권고가 공무원의 의사결정의 자유를 박탈할 정도의 강박에 해당하는 경우에는 당해 권고사직은 무효이다. ( ) 14. 국가직 7급

02 사직원 제출자의 내심의 의사가 사직할 뜻이 없었더라도 민법상 비진의의사표시의 무효에 관한 규정이 적용되지 않으므로 그 사직원을 받아들인 의원면직처분을 당연무효라 볼 수는 없다. ( ) 16. 지방직 7급

간단 점검하기

03 사인의 공법행위에는 원칙적으로 부관을 붙일 수 있다. ( )

10. 국가직 7급

01 ○ 02 ○ 03 ×

간단 점검하기

01 사인의 공법상 행위는 명문으로 금지되거나 성질상 불가능한 경우가 아닌 한, 그에 의거한 행정행위가 행하여질 때까지는 자유로이 철회나 보정이 가능하다. ( ) 14. 지방직 9급

02 공무원이 한 사직의 의사표시는 그에 터잡은 의원면직처분이 있을 때까지 철회나 취소할 수 있는 것이고, 일단 면직처분이 있고 난 이후에는 철회나 취소할 수 없다. ( ) 17. 국가직 9급

03 공무원의 사직의 의사표시는 상대방에게 도달한 후에는 철회할 수 없다. ( ) 14. 국가직 7급

01 ○ 02 ○ 03 ×

(8) 철회 · 보정

① 사인의 공법행위는 그에 근거한 법적 효과가 완성되기까지는 철회 · 보정이 허용되는 것이 원칙이다.

관련판례

사인의 공법상 행위는 명문으로 금지되거나 성질상 불가능한 경우가 아닌 한 그에 따른 행정행위가 행하여질 때까지 자유로이 철회하거나 보정할 수 있다(대판 2014.7.10, 2013두7025).

② 예컨대, 공무원이 한 사직 의사표시의 철회나 취소는 그에 터 잡은 의원면직처분이 있을 때까지 할 수 있다. 그러나 일단 면직처분이 있고 난 이후에는 철회나 취소할 여지가 없다.

③ 제한

㉠ 법률상 제한되는 경우(예 소장의 수정 등)

㉡ **합성행위 및 합동행위**: 집단성 · 형식성때문에 이미 형성된 법질서를 존중해야 하므로 그 적용이 성질상 제한된다. 신의칙상 철회가 제한되는 경우도 있다.

관련판례

1 면직처분 철회 ★★★

공무원이 한 사직 의사표시의 철회나 취소는 그에 터잡은 의원면직처분이 있을 때까지 할 수 있는 것이고, 일단 면직처분이 있고 난 이후에는 철회나 취소할 여지가 없다(대판 2001.8.24, 99두9971).

#면직처분_철회 #면직처분_이전가능

2 의원면직처분 철회 제한 ★★★

공무원이 한 사직의 의사표시는 그에 터잡은 의원면직처분이 있을 때까지는 원칙적으로 이를 철회할 수 있는 것이지만, 다만 의원면직처분이 있기 전이라도 사직의 의사표시를 철회하는 것이 신의칙에 반한다고 인정되는 특별한 사정이 있는 경우에는 그 철회는 허용되지 아니한다(대판 1993.7.27, 92누16942).

#의원면직처분_철회 #신의칙_반_철회불가

5. 사인의 공법행위의 효과

(1) 행정청의 수리 · 처리의무

사인의 공법행위가 있는 경우 행정청은 행위의 적법 · 유효를 심사한 후 수리할 의무가 있다. 그러나 신고 시 형식적 요건을 갖추었더라도 실제와 부합하지 않음이 명백한 경우에는 무효라 할 것이다(예 선거에 즈음하여 방이 두 개뿐인 집에 120세대가 주민등록 전입신고를 한 경우에는 실제와 부합되지 아니함이 명백하므로 무효).

(2) 수정인가의 가부

법률에 특별한 규정이 없는 한 수정인가는 허용되지 않는다.

(3) 재신청의 가부

신청하였다가 거부된 행정행위를 다시 신청할 수 있는지가 문제인데, 해당 행위의 성질에 반하지 않는 한 사정변경을 이유로 재신청을 할 수 있다.

6. 사인의 공법행위의 하자

(1) 단순히 행정행위를 하기 위한 동기에 불과한 경우(단순동기)

사인의 공법행위의 하자는 행정행위의 효력에는 아무런 영향을 미치지 못한다. 예컨대, 통행금지해지신청이 있는 줄 알고 통행금지를 해제하였으나 신청이 없거나 무효인 것으로 판명된 경우 통행금지 해제처분은 그대로 유효하다.

간단 점검하기

사인의 공법행위가 행정행위의 단순한 동기에 불과한 경우에는 그 하자는 행정행위의 효력에 아무런 영향을 미치지 않는다는 것이 일반적인 견해이다.
( ) 16. 서울시 9급

(2) 사인의 공법행위가 행정행위를 하기 위한 전제요건인 경우(전제요건)

사인의 공법행위의 하자가 무효인 수준이 아니라면 그로 인해 이루어진 행정행위는 원칙적으로 유효하다. 그러나 사인의 공법행위가 무효이거나 적법하게 취소·철회되었다면 그로 인해 이루어진 행정행위는 무효이다.

관련판례

1 사인의 공법행위가 무효인 경우 ★★★

행정관청에 대하여 특정사항에 관한 허가신청을 하도록 위임받은 자가 위임자명의의 서류를 위조하여 위임받지 아니한 하자있는 허가신청에 기하여 이루어진 허가처분은 무효다(대판 1974.8.30, 74누168).

#수임자_서류위조_허가신청 #허가처분_무효

2 사인의 공법행위가 취소된 경우 ★★★

처분청인 피고가 당초의 하천공사시행허가와 골재채취 허가의 복합허가 중 골재채취허가부분을 취소한 것이 오로지 피고 자신이 골재의 채취와 반출에 대한 감독을 할 수 없다는 내부적 사정에 따른 것이라면 그와 같은 사정만으로는 골재채취허가를 취소 또는 철회할만한 정당한 사유가 될 수 없고, 상대방인 원고가 이 사건 변경처분에 대하여 한 동의가 피고측의 기망과 강박에 의한 의사표시라는 이유로 이 사건 소장의 송달에 의하여 적법하게 취소되었다면 위 동의는 처음부터 무효인 것으로 되므로 이 사건 변경처분은 위법한 것이다(대판 1990.2.23, 89누7061).

#변경처분_동의 #동의_강박_무효 #변경처분_위법

○

제1편 행정법통론 2022 해커스공무원 장재혁 행정법총론 기본서

3 사인의 공법행위로서 신고

1. 신고의 의의

신고라 함은 사인이 공법적 효과의 발생을 목적으로 행정주체에 대하여 일정한 사실을 알리는 행위를 말한다.

2. 신고의 종류

(1) 정보제공적 신고와 금지해제적 신고

① **정보제공적 신고(사실파악형 신고)**: 효과적인 행정수행을 위해 행정청에게 정보를 제공하는 기능을 갖는 신고를 말하며, 자기완결적 신고와 벌칙규정이 없는 것이 일반적이다. 교통사고신고, 화재신고 등이 이에 해당한다.

② **금지해제적 신고(신고유보부 금지)**: 사인의 영업활동이나 건축활동 등 개인의 사적 활동을 규제하는 기능을 갖는 신고를 말하며, 자기완결적 신고와 행위요건적 신고가 혼재하고, 벌칙규정을 두는 것이 일반적이다. 건축법상 건축신고가 이에 해당한다.

(2) 자기완결적 신고와 행위요건적 신고

① **자기완결적 신고(접수를 요하는 신고)**

㉠ 법령 등에서 행정청에 대하여 일정한 사항을 통지하고 도달함으로써 효과가 발생되는 신고를 말한다(예 호적법상 출생·사망신고 등).❶

㉡ 이는 신고의 요건을 갖춘 신고만 하면 신고의무를 이행한 것이 되는 신고를 말하며, 수리를 요하지 아니하는 신고 또는 접수를 요하는 신고라고도 한다.

관련판례 골프장이용료변경신고 ★★★

체육시설의설치·이용에관한법률 제18조(현 제20조)에 의한 변경신고서는 그 신고 자체가 위법하거나 그 신고에 무효사유가 없는 한 이것이 도지사에게 제출하여 접수된 때에 신고가 있었다고 볼 것이고, 도지사의 수리행위가 있어야만 신고가 있었다고 볼 것은 아니다(대결 1993.7.6, 93마635).

#골프장이용료변경신고_자기완결적신고 #접수_신고 #수리여부_무관_유효

② **행위요건적 신고(수리를 요하는 신고)**

㉠ 법령 등에서 행정청에 대하여 일정한 사항을 통지하고 행정청이 이를 수리함으로써 법적 효과가 발생하는 신고를 말한다(예 수산업법 제47조의 어업신고).❷

㉡ 수리란 사인이 알린 일정한 사실을 행정청이 유효한 행위로 받아들이는 것을 말한다(준법률행위적 행정행위).

㉢ 신고로 타 법상의 인·허가가 의제되는 경우 수리기관이 타 법상의 실질적 요건까지 심사해야 하므로 수리를 요하는 신고에 해당한다(예 인·허가의제효과를 수반하는 건축신고).

---

❶
본래적 신고에 해당한다.

간단 점검하기

01 구 체육시설의 설치·이용에 관한 법률에 의한 골프장이용료 변경신고서는 행정청에 제출하여 접수된 때에 신고가 있었다고 볼 것이고, 행정청의 수리행위가 있어야만 하는 것은 아니다.
( ) 14. 국가직 9급

❷
변형적 신고에 해당한다.

간단 점검하기

02 수리를 요하는 신고란 사인이 행정청에 대하여 일정한 사항을 통지하고 행정청이 이를 수리함으로써 법적 효과가 발생하는 신고를 말하며 실정법상 등록으로 표현되는 경우가 있다.
( ) 11. 국가직 9급

03 수리를 요하는 신고의 경우에는 신고의 요건을 갖춘 신고서가 접수기관에 도달되면 신고의 효력이 발생한다.
( ) 15. 교육행정직

01 ○ 02 ○ 03 ×

관련판례 **납골당설치 신고** ★★★

납골당설치 신고는 이른바 '수리를 요하는 신고'라 할 것이므로, 납골당설치 신고가 구 장사법 관련 규정의 모든 요건에 맞는 신고라 하더라도 신고인은 곧바로 납골당을 설치할 수는 없고, 이에 대한 행정청의 수리처분이 있어야만 신고한 대로 납골당을 설치할 수 있다. 한편 수리란 신고를 유효한 것으로 판단하고 법령에 의하여 처리할 의사로 이를 수령하는 수동적 행위이므로 수리행위에 신고필증 교부 등 행위가 꼭 필요한 것은 아니다(대판 2011.9.8, 2009두6766).

#납골당설치_신고_수리_요하는_신고

point check 자기완결적 신고와 행위요건적 신고

구분	자기완결적 신고	행위요건적 신고
내용	• 해당 행위 자체만으로 법적 효과 • 본래적 의미의 신고	• 행정주체의 공법행위의 요건에 불과 • 완화된 허가제의 성질
효력발생시기	신고(접수)시 법적 효과 발생	수리시 법적 효과 발생
수리여부	수리 불요(접수를 요하는 신고)	수리요(수리를 요하는 신고)
수리거부	수리를 거부하더라도 처분성 ×(예외 있음)	수리를 거부할 경우 처분성 ○
행정절차법	명문규정 있음	명문규정 없음

(3) 행정절차법 제40조의 신고

자기완결적 신고를 규정한 것으로 본다(통설).

> 행정절차법 제40조【신고】① 법령 등에서 행정청에 일정한 사항을 통지함으로써 의무가 끝나는 신고를 규정하고 있는 경우 신고를 관장하는 행정청은 신고에 필요한 구비서류, 접수기관, 그 밖에 법령등에 따른 신고에 필요한 사항을 게시(인터넷 등을 통한 게시를 포함한다)하거나 이에 대한 편람을 갖추어 두고 누구나 열람할 수 있도록 하여야 한다.
> ② 제1항에 따른 신고가 다음 각 호의 요건을 갖춘 경우에는 신고서가 접수기관에 도달된 때에 신고 의무가 이행된 것으로 본다.
> 1. 신고서의 기재사항에 흠이 없을 것
> 2. 필요한 구비서류가 첨부되어 있을 것
> 3. 그 밖에 법령 등에 규정된 형식상의 요건에 적합할 것
> ③ 행정청은 제2항 각 호의 요건을 갖추지 못한 신고서가 제출된 경우에는 지체 없이 상당한 기간을 정하여 신고인에게 보완을 요구하여야 한다.
> ④ 행정청은 신고인이 제3항에 따른 기간 내에 보완을 하지 아니하였을 때에는 그 이유를 구체적으로 밝혀 해당 신고서를 되돌려 보내야 한다.

간단 점검하기

01 납골당 설치신고가 구 장사법 관련 규정의 모든 요건에 맞는 신고라 하더라도 신고인은 곧바로 납골당을 설치할 수는 없고, 이에 대한 행정청의 수리처분이 있어야만 신고한 대로 납골당을 설치할 수 있다. ( )
19. 사회복지직, 13. 국가직 7급

간단 점검하기

02 신고는 사인이 행하는 공법행위로 행정기관의 행위가 아니므로 행정절차법에는 신고에 관한 규정을 두고 있지 않다. ( ) 18. 국가직 9급

03 행정절차법 제40조는 수리를 요하는 신고를 규정하고 있다. ( )
11. 서울시 9급 · 지방직 9급

04 행정절차법에 따르면 형식적인 흠이 있는 신고의 경우에는 지체 없이 상당한 기간을 정하여 보완을 요구하여야 하며, 신고인이 상당한 기간 내에 보완을 하지 아니하였을 때는 이유를 구체적으로 밝혀 해당 신고서를 되돌려 보낸다. ( )
10. 지방직 7급, 06. 국가직 7급

01 ○ 02 × 03 × 04 ○

3. 신고의 요건

(1) 자기완결적 신고

① 자기완결적 신고의 경우 형식적 요건을 갖추어야 한다. 형식적 요건은 행정절차법 제40조 제2항에서 정하고 있는데 신고서 기재사항에 흠이 없고, 필요한 첨부서류가 있으며, 그 밖에 법령 등에 규정된 형식상 요건에 적합하면 된다. 자기완결적 신고의 경우 실질적 요건(신고 내용의 진실함 등)은 신고의 요건이 아니다.

② 형식적 요건을 갖추지 못한 경우 보완을 요구하거나 신고접수를 거부할 수 있다. 그러나 실질적 요건을 갖추지 못했다는 이유로 접수를 거부할 수는 없다.

(2) 행위요건적 신고

행위요건적 신고의 경우 대부분 형식적 요건뿐 아니라 실질적 요건까지 신고의 요건으로 정하고 있다.

관련판례 **유료노인복지주택 신고** ★★★

구 노인복지법의 목적과 노인주거복지시설의 설치에 관한 법령의 각 규정들 및 노인복지시설에 대하여 각종 보조와 혜택이 주어지는 점 등을 종합하여 보면, 노인복지시설을 건축한다는 이유로 건축부지 취득에 관한 조세를 감면받고 일반 공동주택에 비하여 완화된 부대시설 설치기준을 적용받아 건축허가를 받은 자로서는 당연히 그 노인복지시설에 관한 설치신고 당시에도 당해 시설이 노인복지시설로 운영될 수 있도록 조치하여야 할 의무가 있고, 따라서 같은 법 제33조 제2항에 의한 유료노인복지주택의 설치신고를 받은 행정관청으로서는 그 유료노인복지주택의 시설 및 운영기준이 위 법령에 부합하는지와 아울러 그 유료노인복지주택이 적법한 입소대상자에게 분양되었는지와 설치신고 당시 부적격자들이 입소하고 있지는 않은지 여부까지 심사하여 그 신고의 수리 여부를 결정할 수 있다(대판 2007.1.11, 2006두14537).

#유료노인복지주택신고_행위요건적신고_형식 · 실질적요건_심사

(3) 신고를 위해 다른 법령상의 요건까지 갖추어야 하는 경우

신고를 규정한 법령상의 요건 외에 다른 법령상의 요건까지 충족되어야 하는 경우, 그 요건을 갖추지 못하는 한 적법한 신고를 할 수 없다.

관련판례 **다른 법령상 요건을 갖추지 못한 신고**

1 **무허가건물 음식점영업신고** ★★★

식품위생법과 건축법은 그 입법 목적, 규정사항, 적용범위 등을 서로 달리하고 있어 식품접객업에 관하여 식품위생법이 건축법에 우선하여 배타적으로 적용되는 관계에 있다고는 해석되지 않는다. 그러므로 식품위생법에 따른 식품접객업(일반음식점영업)의 영업신고의 요건을 갖춘 자라고 하더라도, 그 영업신고를 한 당해 건축물이 건축법 소정의 허가를 받지 아니한 무허가 건물이라면 적법한 신고를 할 수 없다(대판 2009.4.23, 2008도6829).

#음식점영업허가_요건구비 #식품위생법_건축법_배타적적용관계_아님 #무허가건물 #영업신고_불가

간단 점검하기

01 자기완결적 신고에 있어 적법한 신고가 있는 경우, 행정청은 법 규정에 정하지 아니한 사유를 심사하여 이를 이유로 신고수리를 거부할 수 없다. ( ) 18. 지방직 7급

02 수리를 요하는 신고의 경우 행정청은 형식적 심사를 하는 것으로 족하다. ( ) 13. 국가직 7급

간단 점검하기

03 유료노인복지주택의 설치신고를 받은 행정관청은 그 유료노인복지주택의 시설 및 운용기준이 법령에 부합하는지와 설치신고 당시 부적격자들이 입소하고 있는지 여부를 심사할 수 있다. ( ) 14. 국가직 9급

간단 점검하기

04 자기완결적 신고를 규정한 법률상의 요건 외에 타법상의 요건도 충족하여야 하는 경우, 타법상의 요건을 충족시키지 못하는 한 적법한 신고를 할 수 없다. ( ) 15. 지방직 9급

간단 점검하기

05 식품접객업 영업신고에 대해서는 식품위생법이 건축법에 우선 적용되므로, 영업신고가 식품위생법상의 신고요건을 갖춘 경우라면 그 영업신고를 한 해당 건축물이 건축법상 무허가건축물이라도 적법한 신고에 해당된다. ( ) 16. 국가직 9급

01 ○ 02 × 03 ○ 04 ○ 05 ×

2 위생정화구역 당구장영업신고 ★★★

체육시설의설치 · 이용에관한법률에 따른 당구장업의 신고요건을 갖춘 자라 할지라도 학교보건법 제5조 소정의 학교환경 위생정화구역 내에서는 같은 법 제6조에 의한 별도 요건을 충족하지 아니하는 한 적법한 신고를 할 수 없다고 보아야 한다(대판 1991.7.12, 90누8350).

#위생정화구역_당구장신고 #체육시설법_학교보건법 #체육시설법_요건구비 #학교보건법_요건불비

4. 적법한 신고의 효과

(1) 자기완결적 신고

① 자기완결적 신고는 행정청의 수리여부에 관계없이 신고서가 접수기관에 도달한 때에 신고의무가 이행된 것으로 본다(행정절차법 제40조 제2항).

② 행정청이 다른 사유로 반려한 경우라도 신고의 효과가 발생한다.

③ 실질적 요건으로 수리 거부할 수 없으므로 '공익상 사유'로 수리를 거부할 수 없음이 원칙이다. 그러나 구체적인 사정에 비추어 '중대한 공익상 사유'로 수리를 거부하는 것은 가능하다 할 수 있다.

관련판례

1 수산제조업신고 ★★★

수산제조업의 신고를 하고자 하는 자가 그 신고서를 구비서류까지 첨부하여 제출한 경우 시장 · 군수 · 구청장으로서는 형식적 요건에 하자가 없는 한 수리하여야 할 것이고, 나아가 관할 관청에 신고업의 신고서가 제출되었다면 담당공무원이 법령에 규정되지 아니한 다른 사유를 들어 그 신고를 수리하지 아니하고 반려하였다고 하더라도, 그 신고서가 제출된 때에 신고가 있었다고 볼 것이다(대판 1999.12.24, 98다57419 · 57426).

#수산제조업신고 #자기완결적_신고 #형식구비_제출_효력발생 #거부_신고_유효

2 수산제조업신고 – 도달하지 못한 경우 ★★★

수산제조업을 하고자 하는 사람이 형식적 요건을 모두 갖춘 수산제조업 신고서를 제출한 경우에는 담당 공무원이 관계 법령에 규정되지 아니한 사유를 들어 그 신고를 수리하지 아니하고 반려하였다고 하더라도 그 신고서가 제출된 때에 신고가 있었다고 볼 것이나, 담당 공무원이 관계 법령에 규정되지 아니한 서류를 요구하여 신고서를 제출하지 못하였다는 사정만으로는 신고가 있었던 것으로 볼 수 없다(대판 2002.3.12, 2000다73612).

#수산제조업신고 #자기완결적_신고 #담당자 서류요구 #신고서미제출_미신고

3 침 · 뜸 원격평생교육 ★★★

원격평생교육신고서의 기재사항에 흠결이 없고 소정의 서류가 구비된 때에는 이를 수리하여야 하며, 이러한 형식적 요건을 모두 갖추었음에도 그 신고대상이 된 교육이나 학습이 공익적 기준에 적합하지 않는다는 등의 실체적 사유를 들어 신고의 수리를 거부할 수는 없다고 할 것이다(대판 2011.7.28, 2005두11784).

#실질적_요건 #수리거부 #침 · 뜸_원격평생교육신고_자기완결적신고 #공익적사유_거부불가

간단 점검하기

01 수리를 요하지 않는 신고의 경우, 담당공무원이 법령에 규정되지 아니한 사유를 들어 신고를 반려하였다면 신고의 효력발생시기는 담당공무원이 반려의 의사를 표시한 때이다. ( )

15. 경찰행정

간단 점검하기

02 수산제조업 신고에 있어서 담당공무원이 관계법령에 규정되지 아니한 서류를 요구하여 신고서를 제출하지 못하였다는 사정만으로는 신고가 있었던 것으로 볼 수 없다. ( )

15. 국회직 8급, 08. 국가직 7급

03 불특정 다수인을 대상으로 학습비를 받고 정보통신매체를 이용하여 원격평생교육을 실시하고자 하는 경우에는 누구든지 관계법령에 따라 이를 신고하여야 하나 신고서의 기재사항에 흠결이 없고 소정의 서류가 구비된 때에는 이를 수리하여야 한다. ( )

19. 국회직 8급

01 × 02 ○ 03 ○

4 숙박업신고 ★★

숙박업을 하고자 하는 자가 법령이 정하는 시설과 설비를 갖추고 행정청에 신고를 하면, 행정청은 공중위생관리법령의 위 규정에 따라 원칙적으로 이를 수리하여야 한다. 행정청이 법령이 정한 요건 이외의 사유를 들어 수리를 거부하는 것은 위 법령의 목적에 비추어 이를 거부해야 할 중대한 공익상의 필요가 있다는 등 특별한 사정이 있는 경우에 한한다. 이러한 법리는 이미 다른 사람 명의로 숙박업 신고가 되어 있는 시설 등의 전부 또는 일부에서 새로 숙박업을 하고자 하는 자가 신고를 한 경우에도 마찬가지이다. 기존에 다른 사람이 숙박업 신고를 한 적이 있더라도 새로 숙박업을 하려는 자가 그 시설 등의 소유권 등 정당한 사용권한을 취득하여 법령에서 정한 요건을 갖추어 신고하였다면, 행정청으로서는 특별한 사정이 없는 한 이를 수리하여야 하고, 단지 해당 시설 등에 관한 기존의 숙박업 신고가 외관상 남아있다는 이유만으로 이를 거부할 수 없다(대판 2017.5.30, 2017두34087).

#숙박업영업신고증교부의무부작위 #기존숙박업신고_외관존재 #신고_수리

5 가설건축물 ★★

가설건축물은 건축법상 '건축물'이 아니므로 건축허가나 건축신고 없이 설치할 수 있는 것이 원칙이지만 일정한 가설건축물에 대하여는 건축물에 준하여 위험을 통제하여야 할 필요가 있으므로 신고 대상으로 규율하고 있다. 이러한 신고제도의 취지에 비추어 보면, 가설건축물 존치기간을 연장하려는 건축주 등이 법령에 규정되어 있는 제반 서류와 요건을 갖추어 행정청에 연장신고를 한 때에는 행정청은 원칙적으로 이를 수리하여 신고필증을 교부하여야 하고, 법령에서 정한 요건 이외의 사유를 들어 수리를 거부할 수는 없다. 따라서 행정청으로서는 법령에서 요구하고 있지도 아니한 '대지사용승낙서' 등의 서류가 제출되지 아니하였거나, 대지소유권자의 사용승낙이 없다는 등의 사유를 들어 가설건축물 존치기간 연장신고의 수리를 거부하여서는 아니 된다(대판 2018.1.25, 2015두35116).

#가설건축물존치기간연장신고반려처분 #자기완결적신고 #법정요건_이외_사유_거부불가

(2) 행위요건적 신고

① 행정청이 수리함으로써 신고의 효과가 발생한다. 따라서 수리되기 전에는 효력이 발생하지 않는다.

② 행위요건적 신고에 있어서 행정청은 수리의사표시를 한 후에도 적법성의 하자를 이유로 수리취소처분을 할 수 있다.

③ 신고가 수리되기 이전에 신고대상인 행위를 하면 무신고 행위가 되며, 이는 행정벌의 대상이 된다. 또한 신고의 수리가 거부된다면 법적 효력은 발생하지 않는다.

관련판례

1 주민등록신고 수리 유효 ★★★

주민등록은 단순히 주민의 거주관계를 파악하고 인구의 동태를 명확히 하는 것 외에도 주민등록에 따라 공법관계상의 여러 가지 법률상 효과가 나타나게 되는 것으로서, 주민등록의 신고는 행정청에 도달하기만 하면 신고로서의 효력이 발생하는 것이 아니라 행정청이 수리한 경우에 비로소 신고의 효력이 발생한다. 따라서 주민등록 신고서를 행정청에 제출하였다가 행정청이 이를 수리하기 전에 신고서의 내

간단 점검하기

01 숙박업을 하고자 하는 자가 법령이 정하는 시설과 설비를 갖추고 행정청에 신고를 하면 행정청은 공중위생관리법령의 규정에 따라 원칙적으로 이를 수리하여야 하므로, 새로 숙박업을 하려는 자가 기존에 다른 사람이 숙박업 신고를 한 적이 있는 시설 등의 소유권 등 정당한 사용권한을 취득하여 법령에서 정한 요건을 갖추어 신고하였다면, 행정청으로서는 특별한 사정이 없는 한 이를 수리하여야 하고, 기존의 숙박업 신고가 외관상 남아 있다는 이유로 이를 거부할 수 없다.
( ) 18. 국가직 9급

간단 점검하기

02 甲은 관할 행정청에 법령상 요건을 갖춘 적법한 신고를 하였는데 수리를 요하는 신고라면, 甲의 신고의 수리가 거부되었음에도 당해 신고대상인 행위를 하는 경우 행정벌의 대상이 된다.
( ) 11. 국회직 9급

간단 점검하기

03 주민등록전입신고(주민등록법상 주민등록 신고)는 행정청에 도달하기만 하면 신고로서의 효력이 발생하는 것이 아니라 행정청이 수리한 경우에 비로소 신고의 효력이 발생한다. ( )
19. 사회복지직, 17. 국가직 9급, 15. 지방직 7급

01 ○ 02 ○ 03 ○

용을 수정하여 위와 같이 수정된 전입신고서가 수리되었다면 수정된 사항에 따라서 주민등록 신고가 이루어진 것으로 보는 것이 타당하다(대판 2009.1.30, 2006다17850).

#주민등록신고 #행위요건적_신고 #수리후_발효

2 주민등록전입신고 심사 ★★★

[1] 주민들의 거주지 이동에 따른 주민등록전입신고에 대하여 행정청이 이를 심사하여 그 수리를 거부할 수는 있다고 하더라도, 그러한 행위는 자칫 헌법상 보장된 국민의 거주·이전의 자유를 침해하는 결과를 가져올 수도 있으므로, 시장·군수 또는 구청장의 주민등록전입신고 수리 여부에 대한 심사는 주민등록법의 입법 목적의 범위 내에서 제한적으로 이루어져야 한다. 한편, 주민등록법의 입법 목적에 관한 제1조 및 주민등록 대상자에 관한 제6조의 규정을 고려해 보면, 전입신고를 받은 시장·군수 또는 구청장의 심사 대상은 전입신고자가 30일 이상 생활의 근거로 거주할 목적으로 거주지를 옮기는지 여부만으로 제한된다고 보아야 한다. 따라서 전입신고자가 거주의 목적 이외에 다른 이해관계에 관한 의도를 가지고 있는지 여부, 무허가 건축물의 관리, 전입신고를 수리함으로써 당해 지방자치단체에 미치는 영향 등과 같은 사유는 주민등록법이 아닌 다른 법률에 의하여 규율되어야 하고, 주민등록전입신고의 수리 여부를 심사하는 단계에서는 고려 대상이 될 수 없다.

[2] 무허가 건축물을 실제 생활의 근거지로 삼아 10년 이상 거주해 온 사람의 주민등록 전입신고를 거부한 사안에서, 부동산투기나 이주대책 요구 등을 방지할 목적으로 주민등록전입신고를 거부하는 것은 주민등록법의 입법 목적과 취지 등에 비추어 허용될 수 없다고 한 사례이다(대판 2009.6.18, 2018두10997 전합).

#주민등록전입신고_심사 #입법목적_범위내 #거주목적_이외_심사불가

3 납골시설설치신고 ★★★

장사법령의 관계 규정들에 비추어 보면, 장사법 제14조 제1항에 의한 사설납골시설의 설치신고는, 같은 법 제15조 각 호에 정한 사설납골시설설치 금지지역에 해당하지 아니하고 같은 법 제14조 제3항 및 같은 법 시행령 제13조 제1항의 [별표 3]에 정한 설치기준에 부합하는 한, 수리하여야 하나, 보건위생상의 위해를 방지하거나 국토의 효율적 이용 및 공공복리의 증진(장사법 제1조 참조) 등 중대한 공익상 필요가 있는 경우에는 그 수리를 거부할 수 있다고 봄이 상당하다(대판 2010.9.9, 2008두22631).

#납골시설설치신고 #요건구비_수리의무 #중대한_공익상_수리거부가능

4 어업의 신고에 관하여 유효기간을 설정하면서 그 기산점을 '수리한 날'로 규정하고, 나아가 필요한 경우에는 그 유효기간을 단축할 수 있도록까지 하고 있는 수산업법 제44조 제2항의 규정 취지 및 어업의 신고를 한 자가 공익상 필요에 의하여 한 행정청의 조치에 위반한 경우에 어업의 신고를 수리한 때에 교부한 어업신고필증을 회수하도록 하고 있는 구 수산업법시행령(1996.12.31. 대통령령 제15241호로 개정되기 전의 것) 제33조 제1항의 규정 취지에 비추어 보면, 수산업법 제44조 소정의 어업의 신고는 행정청의 수리에 의하여 비로소 그 효과가 발생하는 이른바 '수리를 요하는 신고'라고 할 것이다(대판 2000.5.26, 99다37382).

간단 점검하기

01 전입신고를 받은 시장·군수 또는 구청장의 심사대상은 전입신고자가 30일 이상 생활의 근거로 거주할 목적으로 거주지를 옮기는지 여부만으로 제한된다. ( ) 12. 국가직 9급, 11. 지방직 9급

02 주민등록전입신고의 수리여부와 관련하여서는, 전입신고자가 거주의 목적 외에 다른 이해관계에 관한 의도를 가지고 있었는지 여부, 무허가건축물의 관리, 전입신고를 수리함으로써 당해 지방자치단체에 미치는 영향 등도 고려하여야 한다. ( ) 17. 지방직 7급

01 ○ 02 ×

5. 부적법한 신고의 효과

(1) 자기완결적 신고

① 보완요구

㉠ 행정청은 제2항 각 호의 요건을 갖추지 못한 신고서가 제출된 경우에는 지체 없이 상당한 기간을 정하여 신고인에게 보완을 요구하여야 한다(행정절차법 제40조 제3항).

㉡ 부적법한 신고의 경우 신고가 보완되기 전까지 신고의 효과가 발생하지 않는다.

㉢ 행정청은 신고인이 보완요구 기간 내에 보완을 하지 아니하였을 때에는 그 이유를 구체적으로 밝혀 해당 신고서를 되돌려 보내야 한다(행정절차법 제40조 제4항).

② 부적법한 신고의 수리

㉠ 부적법한 신고를 행정청이 수리하였더라도 신고의 효과가 발생하지 않는다. 행정청은 적법한 상태를 전제로 도달하면 그 효력을 발생하게 하기 때문이다.

㉡ 부적법한 신고 후 영업을 계속하는 것은 수리 여부와 관계없이 무신고 영업행위에 해당한다. 그러나 적법한 신고 후 행정청의 수리가 있기 전에 영업을 하였다 하여 그 영업행위가 무신고영업이 되는 것은 아니다.

관련판례 부적법한 신고 - 무신고영업

당구장업신고 ★★★

당구장업과 같은 신고체육시설업을 하고자 하는 자는 체육시설업의 종류별로 같은법 시행규칙이 정하는 해당 시설을 갖추어 소정의 양식에 따라 신고서를 제출하는 방식으로 시·도지사에 신고하도록 규정하고 있으므로, 소정의 시설을 갖추지 못한 체육시설업의 신고는 부적법한 것으로 그 수리가 거부될 수밖에 없고 그러한 상태에서 신고체육시설업의 영업행위를 계속하는 것은 무신고 영업행위에 해당할 것이지만, 이에 반하여 적법한 요건을 갖춘 신고의 경우에는 행정청의 수리처분 등 별단의 조처를 기다릴 필요 없이 그 접수시에 신고로서의 효력이 발생하는 것이므로 그 수리가 거부되었다고 하여 무신고 영업이 되는 것은 아니다(대판 1998.4.24, 97도3121 ; 대판 2010.4.29, 2009다97925).

#당구장영업신고_자기완결적신고 #요건구비_신고_효력발생 #수리거부_영업적법
#요건불구비_신고_효력미발생_무신고영업

(2) 행위요건적 신고의 경우

① 보완요구

㉠ 행정절차법 제40조 제3항·제4항의 보완요구는 자기완결적 신고행위뿐 아니라 행위요건적 신고에도 적용된다고 본다.

㉡ 부적법한 신고의 경우 보완을 명할 수 있으며, 보완하지 않은 경우 수리를 거부할 수 있다.

간단 점검하기

01 판례는 자기완결적 신고에서 부적법한 신고에 대하여 행정청이 일단 수리하였다면, 그 후의 영업행위는 무신고영업행위에는 해당하지 않는다고 한다. ( ) 13. 국회직 9급

02 수리를 요하지 아니하는 신고의 경우에 신고에 하자가 있다면 보정되기까지는 신고의 효과가 발생하지 않는다. ( ) 18. 소방직 9급

간단 점검하기

03 판례는 수리를 요하는 신고의 경우 법령상의 신고요건을 충족하지 못하는 경우 행정청은 당해 신고의 수리를 거부할 수 있다고 한다. ( ) 13. 국회직 9급

01 × 02 ○ 03 ○

관련판례

건축물의 소유권을 둘러싸고 소송이 계속중이어서 판결로 소유권의 귀속이 확정될 때까지 건축주명의변경신고의 수리를 거부함이 상당하다(대판 1993.10.12, 93누883).

② 부적법한 신고를 수리한 경우

㉠ 부적법한 신고를 행정청이 수리하였다면 이는 하자 있는 수리행위가 되며 그 수리행위는 일종의 행정행위이다. 하자 있는 행정행위는 무효나 취소사유에 해당하게 되며 그 효력은 개별적으로 판단하여 결정된다.

㉡ 수리행위의 하자가 취소사유에 불과한 경우에는 그를 취소하기 전까지는 일단 유효하다. 그러나 수리행위의 하자가 무효사유에 해당할 경우에는 아무런 효과가 발생하지 않는다.

관련판례 **신고행위의 하자 → 수리행위의 하자**

1 신고행위의 하자 판단기준

신고행위의 하자가 중대하고 명백하여 당연무효에 해당하는지의 여부에 대하여는 신고행위의 근거가 되는 법규의 목적, 의미, 기능 및 하자 있는 신고행위에 대한 법적 구제수단 등을 목적론적으로 고찰함과 동시에 신고행위에 이르게 된 구체적 사정을 개별적으로 파악하여 합리적으로 판단하여야 한다(대판 2002.11.22, 2002다46102).

2 장기요양기관 폐업신고 ★★★

장기요양기관의 폐업신고와 노인의료복지시설의 폐지신고는, 행정청이 관계 법령이 규정한 요건에 맞는지를 심사한 후 수리하는 이른바 '수리를 필요로 하는 신고'에 해당한다. 그러나 행정청이 그 신고를 수리하였다고 하더라도, 신고서 위조 등의 사유가 있어 신고행위 자체가 효력이 없다면, 그 수리행위는 유효한 대상이 없는 것으로서, 수리행위 자체에 중대·명백한 하자가 있는지를 따질 것도 없이 당연히 무효이다(대판 2018.6.12, 2018두33593).

#장기요양기관_폐업신고수리_행정행위 #신고행위_무효 #수리행위_무효

3 채석사업 지위승계신고 ★★

채석사업양도·양수에 따른 허가관청의 지위승계신고의 수리는 적법한 사업의 양도·양수가 있었음을 전제로 하는 것이므로 그 수리대상인 사업양도·양수가 존재하지 아니하거나 무효인 때에는 수리를 하였다 하더라도 그 수리는 유효한 대상이 없는 것으로서 당연히 무효라 할 것이고, 사업의 양도행위가 무효라고 주장하는 양도자는 민사쟁송으로 양도·양수행위의 무효를 구함이 없이 막바로 허가관청을 상대로 하여 행정소송으로 위 신고수리처분의 무효확인을 구할 법률상 이익이 있다(대판 2005.12.23, 2005두3554).

#채석허가수허가변경신고 #채석허가수허가자변경신고수리처분_무효확인소송(행정소송)_가능 #채석사업양도양수_무효

간단 점검하기

01 건축물의 소유권을 둘러싸고 소송이 계속 중이어서 판결로 소유권의 귀속이 확정 될 때까지 건축주 명의변경신고의 수리를 거부함은 상당하다. ( ) 15. 국회직 8급

간단 점검하기

02 신고행위의 하자가 중대·명백하여 당연무효에 해당하는지에 대하여는 신고행위의 근거가 되는 법규의 목적, 의미, 기능 및 하자 있는 신고행위에 대한 법적 구제수단 등을 목적론적으로 고찰함과 동시에 신고행위에 이르게 된 구체적 사정을 개별적으로 파악하여 합리적으로 판단하여야 한다. ( ) 17. 지방직 7급

03 판례는 수리행위의 대상인 기본행위가 존재하지 않거나 무효인 때에는 그 수리행위는 당연무효가 된다고 한다. ( ) 11. 국회직 8급

01 ○ 02 ○ 03 ○

간단 점검하기

01 구 유통산업발전법은 기존의 대규모점포의 등록된 유형 구분을 전제로 대형마트로 등록된 대규모점포 일체를 규제 대상으로 삼고자 하는 것이 그 입법취지이므로 대규모점포의 개설 등록은 이른바 수리를 요하는 신고로서 행정처분에 해당한다. ( )

19. 국회직 8급, 18. 지방직 7급

02 수산업법상의 어업의 신고는 행정청의 수리에 의하여 비로소 그 효과가 발생하는 이른바 수리를 요하는 신고에 해당한다. ( )

19. 사회복지직, 17. 서울시 9급

01 ○ 02 ○

관련판례 **수리행위 자체의 하자**

대규모점포개설등록 ★★★

구 유통산업발전법에 따른 대규모점포의 개설등록 및 구 재래시장법에 따른 시장관리자 지정은 행정청이 실체적 요건에 관한 심사를 한 후 수리하여야 하는 이른바 '수리를 요하는 신고'로서 행정처분에 해당한다. 그러므로 이러한 행정처분에 당연무효에 이를 정도의 중대하고도 명백한 하자가 존재하거나 그 처분이 적법한 절차에 의하여 취소되지 않는 한 구 유통산업발전법에 따른 대규모점포개설자의 지위 및 구 재래시장법에 따른 시장관리자의 지위는 공정력을 가진 행정처분에 의하여 유효하게 유지된다고 봄이 타당하다(대판 2019.9.10, 2019다208953).

#대규모점포개설등록_수리행위_행정행위 #행정행위_하자_무효 · 취소 #취소전_유효

5. 신고필증의 의미

(1) 자기완결적 신고

① **단순 사실확인**: 신고필증은 사인이 일정한 사실을 행정기관에 알렸다는 사실의 단순한 확인행위에 지나지 않는다.

관련판례 **의원개설신고** ★★★

의료법 제30조 제3항에 의하면 의원, 치과의원, 한의원 또는 조산소의 개설은 단순한 신고사항으로만 규정하고 있고 또 그 신고의 수리여부를 심사, 결정할 수 있게 하는 별다른 규정도 두고 있지 아니하므로 의원의 개설신고를 받은 행정관청으로서는 별다른 심사, 결정 없이 그 신고를 당연히 수리하여야 한다.
의료법시행규칙 제22조 제3항에 의하면 의원개설 신고서를 수리한 행정관청이 소정의 신고필증을 교부하도록 되어있다 하여도 이는 신고사실의 확인행위로서 신고필증을 교부하도록 규정한 것에 불과하고 그와 같은 신고필증의 교부가 없다 하여 개설신고의 효력을 부정할 수 없다 할 것이다(대판 1985.4.23, 84도2953).

#자기완결적신고 #신고필증_단순_확인행위

② **말소행위**: 이의 말소행위도 사실행위로서 소의 대상이 되지 않는다.

관련판례 **사업자등록직권말소처분** ★★★

부가가치세법상의 사업자등록은 과세관청으로 하여금 부가가치세의 납세의무자를 파악하고 그 과세자료를 확보케 하려는 데 입법취지가 있는 것으로서, 이는 단순한 사업사실의 신고로서 사업자가 소관 세무서장에게 소정의 사업자등록신청서를 제출함으로써 성립되는 것이고, 사업자등록증의 교부는 이와 같은 등록사실을 증명하는 증서의 교부행위에 불과한 것이며, 부가가치세법 제5조 제5항에 의하면 사업자가 폐업하거나 또는 신규로 사업을 개시하고자 하여 사업개시일 전에 등록한 후 사실상 사업을 개시하지 아니하게 되는 때에는 과세관청이 직권으로 이를 말소하도록 하고 있는데, 사업자등록의 말소 또한 폐업사실의 기재일 뿐 그에 의하여 사업자로서의 지위에 변동을 가져오는 것이 아니라는 점에서 과세관청의 사업자등록 직권말소행위는 불복의 대상이 되는 행정처분으로 볼 수가 없다(대판 2000.12.22, 99두6903).

#사업자등록직권말소처분 #권리변동_없음 #처분성_부인

(2) 행위요건적 신고

① **법적 효과발생**: 신고필증은 사인의 신고를 수리하였음을 증명하는 서면이지만, 그 서면에 나타나고 있는 수리는 신고한 사인들에게 새로운 법적 효과를 발생시키는 직접적인 원인행위가 된다. 따라서 그것은 단순히 사실적인 것이 아니라 법적인 것이다.

② **필증교부**: 반드시 교부해야 하는 것은 아니며 필증을 교부하지 않았다고 하더라도 신고의 효력이 부인되는 것은 아니다.

관련판례 행위요건적 신고 - 신고필증

수리요하는신고 신고필증 ★★★

행정청의 수리처분이 있어야만 신고한 대로 납골당을 설치할 수 있다. 한편 수리란 신고를 유효한 것으로 판단하고 법령에 의하여 처리할 의사로 이를 수령하는 수동적 행위이므로 수리행위에 신고필증 교부 등 행위가 꼭 필요한 것은 아니다(대판 2011.9.8, 2009두6766).

#납골당설치신고_수리요하는_신고 #신고필증_교부_필수_아님

6. 신고의 수리 또는 수리거부행위의 처분성 여부

(1) 자기완결적 신고

① **원칙**: 자기완결적 신고의 경우 사인의 신고가 도달되면 그 자체로서 법적 효과가 발생한다. 따라서 행정청의 수리행위 또는 수리거부행위는 그 효과에 영향을 미칠 수 없으므로, 행정소송법상 처분성이 인정되지 않음이 원칙이다.

관련판례 자기완결적 신고의 수리행위 - 처분성 ×

건축신고수리 ★★★

구 건축법(1996.12.30. 법률 제5230호로 개정되기 전의 것) 제9조 제1항에 의하여 신고를 함으로써 건축허가를 받은 것으로 간주되는 경우에는 건축을 하고자 하는 자가 적법한 요건을 갖춘 신고만 하면 행정청의 수리행위 등 별다른 조치를 기다릴 필요 없이 건축을 할 수 있는 것이므로, 행정청이 위 신고를 수리한 행위가 건축주는 물론이고 제3자인 인근 토지 소유자나 주민들의 구체적인 권리 의무에 직접 변동을 초래하는 행정처분이라 할 수 없다(대판 1999.10.22, 98두18435).[1]

#건축신고수리(증축신고수리)_처분성부인 #건축신고수리거부_처분성인정

② **예외**: 건축법 제14조에 따른 건축신고의 경우와 같이 위법한 건축물에 대한 과태료 처분 등이 행해질 수 있는 금지해제적 신고의 경우에는 최근 판례가 종래의 입장을 변경하여 처분성을 인정하고 있다(대판 2010.11.18, 2008두167).

간단 점검하기

01 수리를 요하는 신고의 경우, 수리행위에 신고필증의 교부가 필수적이므로 신고필증 교부의 거부는 행정소송법상 처분으로 볼 수 있다. ( )
17. 국가직 9급

간단 점검하기

02 행정청의 수리를 요하지 않는 신고의 경우, 행정청이 수리를 거부한다면 수리거부행위에 대해서 항고소송(취소소송)으로 다툴 수 있다. ( )
11. 국가직 9급, 06. 국가직 7급

간단 점검하기

03 신고대상인 건축물의 건축행위를 하고자 할 경우에는 관계법령에 정해진 적법한 요건을 갖춘 신고만을 하면 그와 같은 건축행위를 할 수 있고, 행정청의 수리처분 등 별도의 조처를 기다릴 필요가 없다. ( ) 19. 서울시 7급

[1] 아래 판례의 변경으로 금지해제적 신고의 거부는 처분성이 인정된다.

간단 점검하기

04 건축법 제14조 제2항에 의한 인·허가의제 효과를 수반하는 건축신고에 대한 수리거부는 처분성이 인정되나, 동규정에 의한 인·허가의제 효과를 수반하지 않는 건축신고에 대한 수리거부는 처분성이 부정된다. ( )
19. 국가직 9급

01 × 02 × 03 ○ 04 ×

관련판례 **자기완결적 신고의 거부행위 - 처분성 O**

1 건축신고반려 ★★★

[1] 행정청의 어떤 행위가 항고소송의 대상이 될 수 있는지의 문제는 추상적·일반적으로 결정할 수 없고, 구체적인 경우 행정처분은 행정청이 공권력의 주체로서 행하는 구체적 사실에 관한 법집행으로서 국민의 권리의무에 직접적으로 영향을 미치는 행위라는 점을 염두에 두고, 관련 법령의 내용과 취지, 그 행위의 주체·내용·형식·절차, 그 행위와 상대방 등 이해관계인이 입는 불이익과의 실질적 견련성, 그리고 법치행정의 원리와 당해 행위에 관련한 행정청 및 이해관계인의 태도 등을 참작하여 개별적으로 결정하여야 한다.

[2] 구 건축법 관련 규정의 내용 및 취지에 의하면, 행정청은 건축신고로써 건축허가가 의제되는 건축물의 경우에도 그 신고 없이 건축이 개시될 경우 건축주 등에 대하여 공사 중지·철거·사용금지 등의 시정명령을 할 수 있고(제69조 제1항), 그 시정명령을 받고 이행하지 않은 건축물에 대하여는 당해 건축물을 사용하여 행할 다른 법령에 의한 영업 기타 행위의 허가를 하지 않도록 요청할 수 있으며(제69조 제2항), 그 요청을 받은 자는 특별한 이유가 없는 한 이에 응하여야 하고(제69조 제3항), 나아가 행정청은 그 시정명령의 이행을 하지 아니한 건축주 등에 대하여는 이행강제금을 부과할 수 있으며(제69조의2 제1항 제1호), 또한 건축신고를 하지 않은 자는 200만 원 이하의 벌금에 처해질 수 있다(제80조 제1호, 제9조). 이와 같이 건축주 등은 신고제하에서도 건축신고가 반려될 경우 당해 건축물의 건축을 개시하면 시정명령, 이행강제금, 벌금의 대상이 되거나 당해 건축물을 사용하여 행할 행위의 허가가 거부될 우려가 있어 불안정한 지위에 놓이게 된다. 따라서 건축신고 반려행위가 이루어진 단계에서 당사자로 하여금 반려행위의 적법성을 다투어 그 법적 불안을 해소한 다음 건축행위에 나아가도록 함으로써 장차 있을지도 모르는 위험에서 미리 벗어날 수 있도록 길을 열어 주고, 위법한 건축물의 양산과 그 철거를 둘러싼 분쟁을 조기에 근본적으로 해결할 수 있게 하는 것이 법치행정의 원리에 부합한다. 그러므로 건축신고 반려행위는 항고소송의 대상이 된다고 보는 것이 옳다(대판 2010.11.18, 2010두7321).

2 착공신고반려행위 ★★★

착공신고 반려행위가 이루어진 단계에서 당사자로 하여금 반려행위의 적법성을 다투어 법적 불안을 해소한 다음 건축행위에 나아가도록 함으로써 장차 있을지도 모르는 위험에서 미리 벗어날 수 있도록 길을 열어 주고, 위법한 건축물의 양산과 철거를 둘러싼 분쟁을 조기에 근본적으로 해결할 수 있게 하는 것이 법치행정의 원리에 부합한다. 그러므로 행정청의 착공신고 반려행위는 항고소송의 대상이 된다고 보는 것이 옳다(대판 2011.6.10, 2010두7321).

#착공신고_자기완결적신고_금지해제적신고 #착공신고반려_처분성인정

Level up **건축신고거부의 처분성**

건축법상 건축신고는 자기완결적 신고로 신고거부의 처분성이 인정되지 않았으나, 2010년 11월 18일 대법원 전원합의체의 판례변경으로 제재 등이 수반되는 거부의 경우에는 건축 전에 쟁송의 길을 열어 주는 것이 국민의 권리보호에 유리하다고 판단하였으며, 여러 건축신고거부(증축신고, 착공신고 등)에 대하여 처분성을 인정하여 소송의 길을 열어주고 있다. 단, 처분성을 인정하나 그 성질은 여전히 자기완결적 신고에 해당한다. 또한 대법원은 의제효를 수반하는 건축신고의 법적 성질을 행위요건적 신고로 보고 있다.

간단 점검하기

01 건축법에 따른 건축신고를 반려하는 행위는 장차 있을지도 모르는 위험에서 미리 벗어날 수 있도록 길을 열어주고 위법한 건축물의 양산과 그 철거를 둘러싼 분쟁을 조기에 근본적으로 해결할 수 있게 하여야 한다는 점에서 항고소송의 대상이 된다. ( )
17. 서울시 9급

02 건축신고는 자기완결적 신고이므로 신고반려행위 또는 수리거부행위는 항고소송의 대상이 되지 않는다. ( )
19. 서울시 7급

03 건축법에 따른 착공신고를 반려하는 행위는 당사자에게 당래의 법적 불이익이 예견되지 않아 이를 법적으로 다툴 실익이 없으므로 항고소송의 대상이 될 수 없다. ( ) 17. 서울시 9급

04 수리를 요하는 신고에서 수리는 행정소송의 대상인 처분에 해당한다.
( ) 15. 지방직 9급

05 수리를 요하는 신고의 경우 그 신고에 대한 거부행위는 행정소송의 대상이 되는 처분에 해당한다. ( )
14. 국가직 7급

01 ○ 02 × 03 × 04 ○
05 ○

(2) 행위요건적 신고

① 행위요건적 신고의 경우 사인의 신고가 수리됨으로써 법적 효과가 발생하므로 그 수리행위는 행정소송법상 처분성이 인정된다. 또한 수리가 거부된다면 그 거부행위로써 사인은 권리에 제한을 받게 되므로 그 거부행위 역시 처분성이 인정된다.

② 이 경우에는 보완의 절차는 필요적이라 할 수 없으므로 반드시 거쳐야 하는 것은 아니다.

관련판례 **건축주명의변경신고**

허가대상 건축물의 양수인이 구 건축법 시행규칙에 규정되어 있는 형식적 요건을 갖추어 시장·군수 등 행정관청에 적법하게 건축주의 명의변경을 신고한 때에는 행정관청은 그 신고를 수리하여야지 실체적인 이유를 내세워 신고의 수리를 거부할 수는 없다(대판 2014.10.15, 2014두37658).

관련판례 **행위요건적 신고 - 수리거부의 처분성 ○**

1 **골프장회원권모집계획승인** ★★★

체육시설의 회원을 모집하고자 하는 자는 시·도지사 등으로부터 회원모집계획서에 대한 검토결과 통보를 받은 후에 회원을 모집할 수 있다고 보아야 하고, 따라서 체육시설의 회원을 모집하고자 하는 자의 시·도지사 등에 대한 회원모집계획서 제출은 수리를 요하는 신고에서의 신고에 해당하며, 시·도지사 등의 검토결과 통보는 수리행위로서 행정처분에 해당한다(대판 2009.2.26, 2006두16243).

#골프장회원권모집계획승인신청_수리필요_신고 #승인통보_수리행위_행정처분

2 **체육시설업자의 지위승계신고**

구 관광진흥법(2010.3.31. 법률 제10219호로 개정되기 전의 것) 제8조 제4항에 의한 지위승계신고를 수리하는 허가관청의 행위는 단순히 양도·양수인 사이에 이미 발생한 사법상 사업양도의 법률효과에 의하여 양수인이 그 영업을 승계하였다는 사실의 신고를 접수하는 행위에 그치는 것이 아니라, 영업허가자의 변경이라는 법률효과를 발생시키는 행위이다. 그리고 구 체육시설의 설치·이용에 관한 법률(2010.3.31. 법률 제10219호로 개정되기 전의 것) 제20조, 제27조의 각 규정 등에 의하면 체육시설업자로부터 영업을 양수하거나 문화체육관광부령으로 정하는 체육시설업의 시설 기준에 따른 필수시설을 인수한 자가 관계 행정청에 이를 신고하여 행정청이 수리하는 경우에는 종전 체육시설업자는 적법한 신고를 마친 체육시설업자의 지위를 부인당할 불안정한 상태에 놓이게 되므로, 그로 하여금 이러한 수리행위의 적법성을 다투어 법적 불안을 해소할 수 있도록 하는 것이 법치행정의 원리에 맞는다(대판 2012.12.13, 2011두29144).

3 **액화석유가스충전사업지위승계** ★★★

액화석유가스의안전및사업관리법 제7조 제2항에 의한 사업양수에 의한 지위승계신고를 수리하는 허가관청의 행위는 단순히 양도·양수자 사이에 발생한 사법상의 사업양도의 법률효과에 의하여 양수자가 사업을 승계하였다는 사실의 신고를 접수하는 행위에 그치는 것이 아니라 실질에 있어서 양도자의 사업허가를 취소함과 아울러 양수자에게 적법히 사업을 할 수 있는 법규상 권리를 설정하여 주는 행위로서 사업허가자의 변경이라는 법률효과를 발생시키는 행위이므로 허가관청이 법 제7조

간단 점검하기

01 타인의 행위를 유효한 행위로 받아들이는 행정행위를 수리라 하며, 이러한 수리 중 체육시설업자 등이 제출한 회원모집계획서에 대한 시·도지사의 검토 결과 통보의 경우 대법원은 법적 효과를 발생하지 아니하는 수리행위로서 처분성이 인정되지 않는다고 보았다. ( ) 12. 경찰행정

02 영업양도에 따른 지위승계신고를 수리하는 허가관청의 행위는 영업허가자의 변경이라는 법률효과를 발생시키는 행위로서 항고소송의 대상이 될 수 있다. ( ) 13. 국가직 7급

03 영업을 하던 중 타인에게 영업을 양도하는 계약을 체결하고 관련법에 따라 행정청에 지위승계신고를 하였으나 그 수리가 거부된 경우 양도인은 수리거부에 대해 취소소송으로 다툴 수 있다. ( ) 19. 서울시 9급

04 甲은 영업허가를 받아 영업을 하던 중 자신의 영업을 乙에게 양도하고자 乙과 사업양도양수계약을 체결하고 관련법령에 따라 관할 행정청에 지위승계신고를 하였다. 甲과 乙이 관련법령상 요건을 갖춘 적법한 신고를 하였더라도 A가 이를 수리하지 않았다면 지위승계의 효력이 발생하지 않는다. ( ) 19. 서울시 9급

05 판례에 의할 때 액화석유가스충전사업의 지위승계신고를 수리하는 행위는 사실행위에 해당한다. ( ) 15. 사회복지직

01 × 02 ○ 03 ○ 04 ○ 05 ×

제2항에 의한 사업양수에 의한 지위승계신고를 수리하는 행위는 행정처분에 해당한다(대판 1993.6.8, 91누11544).
#액화석유가스충전사업지위승계신고수리_처분성인정

4 단란주점영업양도 ★★★

구 식품위생법(1997.12.13. 법률 제5453호로 개정되기 전의 것) 제25조 제1항, 제3항에 의하여 영업양도에 따른 지위승계신고를 수리하는 허가관청의 행위는, 단순히 양도·양수인 사이에 이미 발생한 사법상의 사업양도의 법률효과에 의하여 양수인이 그 영업을 승계하였다는 사실의 신고를 접수하는 행위에 그치는 것이 아니라 실질에 있어서 양도자의 사업허가를 취소함과 아울러 양수자에게 적법히 사업을 할 수 있는 권리를 설정하여 주는 행위로서 사업허가자의 변경이라는 법률효과를 발생시키는 행위라고 할 것이다(대판 2001.2.9, 2000도2050).
#단란주점영업양도신고수리_행정처분

5 건축주명의변경신고 ★★★

건축주명의변경신고수리거부행위는 행정청이 허가대상건축물 양수인의 건축주명의변경신고라는 구체적인 사실에 관한 법집행으로서 그 신고를 수리하여야 할 법령상의 의무를 지고 있음에도 불구하고 그 신고의 수리를 거부함으로써, 양수인이 건축공사를 계속하기 위하여 또는 건축공사를 완료한 후 자신의 명의로 소유권보존등기를 하기 위하여 가지는 구체적인 법적 이익을 침해하는 결과가 되었다고 할 것이므로, 비록 건축허가가 대물적 허가로서 그 허가의 효과가 허가대상건축물에 대한 권리변동에 수반하여 이전된다고 하더라도, 양수인의 권리의무에 직접 영향을 미치는 것으로서 취소소송의 대상이 되는 처분이라고 하지 않을 수 없다(대판 1992.3.31, 91누4911).
#건축주명의변경신고거부_처분성인정

간단 점검하기

01 식품위생법에 의한 영업양도에 따른 지위승계신고를 수리하는 허가관청의 행위는 단순히 양도·양수인 사이에 이미 발생한 사법상의 사업양도의 법률효과에 의하여 양수인이 그 영업을 승계하였다는 사실의 신고를 접수하는 행위에 그치는 것이 아니라, 영업허가자의 변경이라는 법률효과를 발생시키는 행위이다. ( ) 19. 지방직 9급

02 판례는 건축대장상의 건축주명의 변경에 대한 신고의 수리거부행위에 대하여 처분성을 인정한다. ( ) 15. 경찰행정, 13. 국회직 9급

01 ○ 02 ○

③ 의제효를 수반하는 건축신고

㉠ 건축법 제14조에서 건축신고는 자기완결적 신고에 해당하므로 이를 거부한 경우에도 원칙적으로 처분성이 인정되지 않는다.

㉡ 건축신고가 위법하다는 판단을 행정청이 행한 경우 철거명령, 이행강제금 등이 부과될 수 있으므로 판례는 건축신고를 자기완결적 신고로 해석하면서도 그 거부의 처분성을 인정하고 있다.

㉢ 의제효를 수반하는 건축신고의 경우 이의 성질을 자기완결적 신고로 보느냐 아니면 행위요건적 신고로 보느냐에 따라 실질적 요건의 심사 여부가 문제된다. 우리 판례는 다수 견해가 의제효를 수반하는 건축신고를 본래의 성질인 자기완결적 신고로 보지 않고 행위요건적 신고로 보아 행정청에게 실질적 심사권을 주고 있다.

관련판례 인·허가의제효 신고 - 행위요건적 신고

건축신고 의제효 ★★★

건축법에서 인·허가의제 제도를 둔 취지는, 인·허가의제사항과 관련하여 건축허가 또는 건축신고의 관할 행정청으로 그 창구를 단일화하고 절차를 간소화하며 비용과 시간을 절감함으로써 국민의 권익을 보호하려는 것이지, 인·허가의제사항 관련 법률에 따른 각각의 인·허가 요건에 관한 일체의 심사를 배제하려는 것으로 보기는 어렵다. 왜냐하면, 건축법과 인·허가의제사항 관련 법률은 각기 고유한 목적이 있고, 건축

신고와 인·허가의제사항도 각각 별개의 제도적 취지가 있으며 그 요건 또한 달리하기 때문이다. 나아가 인·허가의제사항 관련 법률에 규정된 요건 중 상당수는 공익에 관한 것으로서 행정청의 전문적이고 종합적인 심사가 요구되는데, 만약 건축신고만으로 인·허가의제사항에 관한 일체의 요건 심사가 배제된다고 한다면, 중대한 공익상의 침해나 이해관계인의 피해를 야기하고 관련 법률에서 인·허가 제도를 통하여 사인의 행위를 사전에 감독하고자 하는 규율체계 전반을 무너뜨릴 우려가 있다. 또한 무엇보다도 건축신고를 하려는 자는 인·허가의제사항 관련 법령에서 제출하도록 의무화하고 있는 신청서와 구비서류를 제출하여야 하는데, 이는 건축신고를 수리하는 행정청으로 하여금 인·허가의제사항 관련 법률에 규정된 요건에 관하여도 심사를 하도록 하기 위한 것으로 볼 수밖에 없다. 따라서 인·허가의제 효과를 수반하는 건축신고는 일반적인 건축신고와는 달리, 특별한 사정이 없는 한 행정청이 그 실체적 요건에 관한 심사를 한 후 수리하여야 하는 이른바 '수리를 요하는 신고'로 보는 것이 옳다(대판 2011.1.20, 2010두14954).

#개발행위허가(국토계획법) #개발행위허가_건축신고_의제 #건축신고_행위요건적신고
#의제효수반_건축신고_행위요건적신고

point check 건축법상 신고와 허가

구분	법적 근거	내용	성질	거부의 처분성 여부
건축신고	건축법 제14조 제1항	상대적으로 중요하지 않은 건축의 사전 신고	자기완결적 신고	처분성 인정❶
	건축법 제14조 제2항	건축신고는 다른 법률상 신고를 받은 것으로 의제	행위요건적 신고	처분성 인정❷
건축허가	건축법 제11조 제1항	건축물을 건축하거나 대수선하는 경우	• 원칙: 기속행위 • 예외: 재량행위	처분성 인정
	건축법 제11조 제5항	건축허가는 다른 법률상 허가를 받은 것으로 의제	• 원칙: 기속행위 • 예외: 재량행위	처분성 인정

건축법 제11조【건축허가】① 건축물을 건축하거나 대수선하려는 자는 특별자치시장·특별자치도지사 또는 시장·군수·구청장의 허가를 받아야 한다. 다만, 21층 이상의 건축물 등 대통령령으로 정하는 용도 및 규모의 건축물을 특별시나 광역시에 건축하려면 특별시장이나 광역시장의 허가를 받아야 한다.
⑤ 제1항에 따른 건축허가를 받으면 다음 각 호의 허가 등을 받거나 신고를 한 것으로 보며, 공장건축물의 경우에는 산업집적활성화 및 공장설립에 관한 법률 제13조의2와 제14조에 따라 관련 법률의 인·허가 등이나 허가 등을 받은 것으로 본다.

제14조【건축신고】① 제11조에 해당하는 허가 대상 건축물이라 하더라도 다음 각 호의 어느 하나에 해당하는 경우에는 미리 특별자치시장·특별자치도지사 또는 시장·군수·구청장에게 국토교통부령으로 정하는 바에 따라 신고를 하면 건축허가를 받은 것으로 본다.
② 제1항에 따른 건축신고에 관하여는 제11조 제5항 및 제6항을 준용한다.

간단 점검하기

01 건축신고가 수리를 요하지 않는 신고라면 인·허가 의제 효과를 수반하는 경우에도 그러한 건축신고는 특별한 사정이 없는 한 수리를 요하지 않는 신고로 보아야 한다. ( )
16. 국가직 9급

02 구 건축법에 의한 인·허가 의제 효과를 수반하는 건축신고는 일반적인 건축신고와는 달리 특별한 사정이 없는 한 행정청이 그 형식적 요건에 관한 심사를 한 후 수리하여야 한다. ( )
19. 국회직 8급, 17. 지방직 7급

03 판례에 의하면 일반적인 건축신고는 수리를 요하는 신고가 아니므로 수리가 거부되었음에도 건축을 하였다 하여 불법건축이 되지 아니한다. ( )
10. 국가직 7급

❶ 판례변경: 대판 2010.11.18, 2008두167

❷ 대판 2011.1.20, 2010두14954

01 × 02 × 03 ○

point check 자기완결적 신고 및 행위요건적 신고 판례 정리

구분	판례
자기완결적 신고로 본 판례	1. 건축법규상 경미한 건축행위신고(반려행위 또는 수리거부행위 - 처분성인정) ① 대문설치신고(대판 1999.4.27, 97누6780) ② 담장설치신고(대판 1995.3.14, 94누9962) ③ 건축신고(대판 2010.11.18, 2008두167) ④ 행정청의 착공신고 반려행위 → 항고소송의 대상(대판 2011.6.10, 2010두7321) ⑤ 증축신고(대판 1999.10.22, 98두18435) 2. 수산제조업의 신고(대판 1999.12.24, 98다57419) 3. 혼인신고(대판 1991.12.10, 91므344) 4. 부가기치세법상 사업자등록신고(대판 2000.12.22, 99두6903) 5. 축산물판매업 신고(대판 2010.4.29, 2009다97925) 6. 당구장업 신고(대판 1998.4.24, 97도3121) 7. 학습비를 받는 원격평생교육에 관한 신고 → 자기완결적 신고 ; 학습비를 받지 않는 원격평생교육실시는 자유(신고필요 없음)(대판 2011.7.28, 2005두11784) 8. 골프장이용료의 변경신고 → 신고(접수)된 때 법적 효과가 발생(대판 1993.7.6, 93마635)
행위요건적 신고로 본 판례	1. 건축주명의변경신고(대판 1992.3.31, 91누4911) 2. 원·근해 어업시 어선·어구 등의 신고(대판 2000.5.26, 99다37382) 3. 액화석유가스충전사업 지위승계신고(대판 1993.6.8, 91누11544) 4. 식품위생법상 영업자지위승계신고(대판 2001.2.9, 2000도2050) 5. 사회단체등록(대판 1989.12.26, 87누308) 6. 유료노인복지주택의 설치신고(대판 2007.1.11, 2006두14537) 7. 주민등록전입신고(대판 2009.7.9, 2008두19048) 8. 수산업법 제44조 소정의 어업의 신고(대판 2000.5.26, 99다37382) 9. 납골탑설치신고(대판 2011.9.8, 2009두6766) 10. 대규모점포의 개설등록 및 시장관리자 지정(대판 2019.9.10, 2019다208953) 11. 장기요양기관의 폐업신고와 노인의료복지시설의 폐지신고(대판 2018.6.12, 2018두33593) 12. 채석허가수허가변경신고(사업양도·양수지위승계신고)(대판 2005.12.23, 2005두3554) 13. 인·허가의제 효과를 수반하는 건축신고 → 행위요건적 신고 ; 건축허가시 개발행위허가의 내용을 검토하여 판단할 수 있음 ; 개발행위허가의 요건을 갖추지 못한 경우 → 건축허가 거부 정당(대판 2011.1.20, 2010두14954)
참고판례	1. 공동주택의 옥외운동시설의 변동사실 신고(테니스장을 배드민턴장으로 변경한 신고) → 신고의 대상이 아니므로, 이를 거부한 행위는 처분 ×(대판 2000.12.22, 99두455) 2. 종교단체가 설치하는 납골탑 주변시설(관리사무실, 유족편의시설)에 관한 신고 → 신고의 대상이 아니므로, 이를 거부한 행위는 처분 ×(대판 2005.2.25, 2004두4031)

4 신청

1. 신청의 의의

(1) 신청이라 함은 사인이 행정청에 대하여 일정한 조치를 취하여 줄 것을 요구하는 의사표시를 말한다. 신청은 주로 자신에 대한 수익적인 처분을 요구하기 위하여 행하여지는데, 인·허가와 같이 자신에 대하여 직접 이익을 부여하는 처분을 요구하는 경우뿐만 아니라 제3자에 대하여 규제조치를 발동할 것을 요구하는 경우도 있다.

(2) 행정절차법은 제17조에서 처분을 구하는 신청의 절차를 규정하고 있으며, 민원처리에 관한 법률 제8조도 민원사항의 신청에 관한 규정을 두고 있다.

2. 신청의 요건

(1) 신청권의 존재

(2) 법령상 신청요건

법령상 신청에는 구비서류 등 일정한 요건을 요한다.

(3) 신청방법

원칙적으로 문서로 하여야 하며, 전자문서로 신청하는 경우에는 행정청의 컴퓨터 등에 입력된 때에 신청한 것으로 본다(행정절차법 제17조).

관련판례

신청인이 신청에 앞서 행정청의 허가업무 담당자에게 신청서의 내용에 대한 검토를 요청한 것만으로는 다른 특별한 사정이 없는 한 명시적이고 확정적인 신청의 의사표시가 있었다고 하기 어렵다(대판 2004.9.24, 2003두13236).

3. 신청의 효과

(1) 접수의무

(2) 보완조치의무

행정청은 신청에 구비서류의 미비 등 흠이 있는 경우에도 접수를 거부하여서는 아니 되며 보완에 필요한 상당한 기간을 정하여 지체없이 신청인에게 보완을 요구하여야 한다(행정절차법 제17조 제5항). 보완요구는 처분이 아니지만, 보완하지 아니한 것을 이유로 한 신청서 반려조치는 거부처분으로 항고소송의 대상이 된다.

관련판례 **건축불허가처분** ★★

건축불허가처분을 하면서 그 사유의 하나로 소방시설과 관련된 소방서장의 건축부동의 의견을 들고 있으나 그 보완이 가능한 경우, 보완을 요구하지 아니한 채 곧바로 건축허가신청을 거부한 것은 재량권의 범위를 벗어난 것이다(대판 2004.10.15, 2003두6573).

#건축불허가처분 #보완가능_하자 #보완요구_없는_불허가처분_재량권남용

(3) 처리의무(응답의무)

행정청은 처리하려는 행위가 재량행위인지 기속행위인지 여부에 관계없이 상당한 기간 내에 응답하여야 한다. 응답은 신청의 내용대로 처분해야 할 의무가 있는 것이 아니므로 신청에 따른 행정행위를 하거나 거부처분을 하여도 무방하다.

간단 점검하기

01 행정청에 대하여 처분을 구하는 신청은 원칙적으로 문서로 하여야 하며, 특히 전자문서로 하는 경우에는 행정청의 컴퓨터 등에 입력된 때에 신청한 것으로 본다. ( ) 09. 관세사

02 신청인이 신청에 앞서 행정청의 허가업무 담당자에게 신청서의 내용에 대한 검토를 요청한 것만으로는 다른 특별한 사정이 없는 한 명시적이고 확정적인 신청의 의사표시가 있었다고 하기 어렵다. ( ) 16. 국가직 7급

간단 점검하기

03 적법한 신청이 있는 경우에 행정청은 상당한 기간 내에 신청한 내용대로 처분할 의무가 있다. ( ) 09. 관세사

01 ○ 02 ○ 03 ×

4. 신청과 권리구제

(1) 신청에 대한 거부처분

의무이행심판이나 취소심판 또는 거부처분취소소송으로, 부작위에 대하여는 의무이행심판 또는 부작위위법확인소송으로 다툴 수 있다.

(2) 적법한 신청에 대하여 접수를 거부하거나 보완명령을 내린 경우

거부처분으로 보고 항고소송을 제기할 수 있고, 그로 인하여 손해를 입은 경우에 국가배상을 청구할 수 있다.

관련판례 **흠결보완** ★

흠결된 서류의 보완 또는 보정을 하면 이미 접수된 주요서류의 대부분을 새로 작성함이 불가피하게 되어 사실상 새로운 신청으로 보아야 할 경우에는 그 흠결서류의 접수를 거부하거나 그것을 반려할 정당한 사유가 있는 경우에 해당하여 이의 접수를 거부하거나 반려하여도 위법이 되지 않는다(대판 1991.6.11, 90누8862).

#흠결_보완 #서류보완정도_새로작성 #보완_반려사유

제2편

행정작용법

제1장 행정상 입법

제1절 개설

1 행정입법의 의의

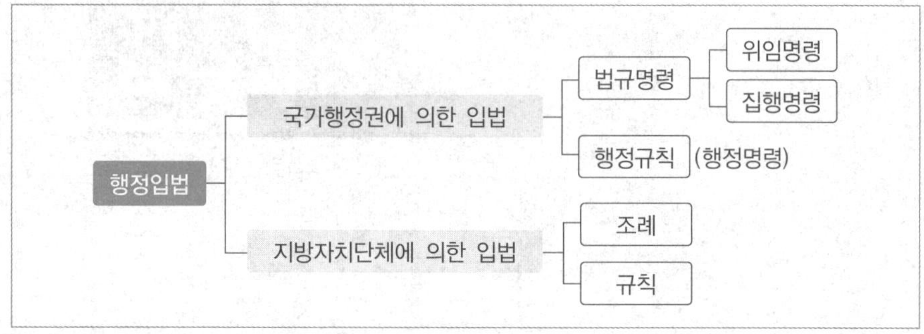

행정입법이란 행정기관이 일반적·추상적인 법규범을 정립하는 작용 또는 그에 의하여 정립된 규범을 말한다.

간단 점검하기

01 법규명령이란 일반적으로 행정권이 정립하는 일반적·추상적 규정으로서 법규의 성질을 가지는 것을 말한다. ( ) 09. 국가직 7급

2 행정입법의 구분 및 필요성

1. 구분

(1) 국가행정권에 의한 입법

국가행정권에 의한 입법은 법규의 성질을 가지는 법규명령과 법규의 성질을 가지지 않는 행정규칙(행정명령)으로 구분한다.

(2) 지방자치단체에 의한 입법

지방자치단체에 의한 입법은 지방의회의 의결을 거쳐 지방자치단체가 제정하는 조례와 지방자치단체의 장이 제정하는 규칙으로 구분한다.

간단 점검하기

02 지방자치단체에 의한 자치입법은 행정입법에 해당되지 않는다. ( ) 12. 서울시 9급

2. 필요성

(1) 행정의 복잡성·다기성, 전문성·기술성에 따라, 실제의 행정을 담당하고 전문적 기관을 갖춘 행정부의 행정입법이 보다 능률적인 것으로 되었다.

(2) 법률로 규율할 대상은 극히 변화가 많고 유동적이지만, 이에 대응하는 의회의 입법은 적응성·임기응변성이 부족하다.

(3) 전시 그 밖의 비상사태의 발생과 국제적 긴장의 장기화로 인해 신속하고 신축성 있는 대처가 필요하게 되었는데, 이를 위해 행정부에 광범위한 수권이 필요하게 되었다.

(4) 법률의 일반적인 규정으로서는 지역별 또는 분야별로 특수한 사정을 고려하는 것이 곤란하게 되었다.

01 ○ 02 ×

3 행정의 입법활동 등

1. 행정의 입법활동

행정기본법 제38조【행정의 입법활동】 ① 국가나 지방자치단체가 법령 등을 제정·개정·폐지하고자 하거나 그와 관련된 활동(법률안의 국회 제출과 조례안의 지방의회 제출을 포함하며, 이하 이 장에서 "행정의 입법활동"이라 한다)을 할 때에는 헌법과 상위 법령을 위반해서는 아니 되며, 헌법과 법령 등에서 정한 절차를 준수하여야 한다.
② 행정의 입법활동은 다음 각 호의 기준에 따라야 한다.
1. 일반 국민 및 이해관계자로부터 의견을 수렴하고 관계 기관과 충분한 협의를 거쳐 책임 있게 추진되어야 한다.
2. 법령등의 내용과 규정은 다른 법령등과 조화를 이루어야 하고, 법령등 상호 간에 중복되거나 상충되지 아니하여야 한다.
3. 법령등은 일반 국민이 그 내용을 쉽고 명확하게 이해할 수 있도록 알기 쉽게 만들어져야 한다.
③ 정부는 매년 해당 연도에 추진할 법령안 입법계획(이하 "정부입법계획"이라 한다)을 수립하여야 한다.
④ 행정의 입법활동의 절차 및 정부입법계획의 수립에 관하여 필요한 사항은 정부의 법제업무에 관한 사항을 규율하는 대통령령으로 정한다.

(1) 기준과 절차

① **법령내용과 절차 준수**: 국가나 지방자치단체가 입법활동[1]을 할 때에는 헌법과 상위 법령을 위반해서는 아니 되며, 헌법과 법령 등에서 정한 절차를 준수하여야 한다(동법 제38조 제1항).

② **입법활동의 기준(동조 제2항)**

1. 일반 국민 및 이해관계자로부터 의견을 수렴하고 관계 기관과 충분한 협의를 거쳐 책임 있게 추진되어야 한다.
2. 법령등의 내용과 규정은 다른 법령등과 조화를 이루어야 하고, 법령등 상호 간에 중복되거나 상충되지 아니하여야 한다.
3. 법령등은 일반 국민이 그 내용을 쉽고 명확하게 이해할 수 있도록 알기 쉽게 만들어져야 한다.

(2) 행정법제의 개선

① **위헌법령의 개선의무**: 정부는 권한 있는 기관에 의하여 위헌으로 결정되어 법령이 헌법에 위반되거나 법률에 위반되는 것이 명백한 경우 등 대통령령으로 정하는 경우에는 해당 법령을 개선하여야 한다(동법 제39조 제1항).

② **개선조치**: 정부는 행정 분야의 법제도 개선 및 일관된 법 적용 기준 마련 등을 위하여 필요한 경우 대통령령으로 정하는 바에 따라 관계 기관 협의 및 관계 전문가 의견 수렴을 거쳐 개선조치를 할 수 있으며, 이를 위하여 현행 법령에 관한 분석을 실시할 수 있다(동조 제2항).

[1] 행정의 입법활동

2. 법령해석

(1) 소관기관에 법령해석요청

누구든지 법령등의 내용에 의문이 있으면 법령을 소관하는 중앙행정기관의 장(이하 "법령소관기관"이라 한다)과 자치법규를 소관하는 지방자치단체의 장에게 법령해석을 요청할 수 있다(동법 제40조 제1항).

(2) 소관기관의 해석 · 집행책임

법령소관기관과 자치법규를 소관 하는 지방자치단체의 장은 각각 소관 법령 등을 헌법과 해당 법령 등의 취지에 부합되게 해석 · 집행할 책임을 진다(동조 제2항).

(3) 전문기관에 법령해석요청

법령소관기관이나 법령소관기관의 해석에 이의가 있는 자는 대통령령으로 정하는 바에 따라 법령해석업무를 전문으로 하는 기관에 법령해석을 요청할 수 있다(동조 제3항).

(4) 절차법정

법령해석의 절차에 관하여 필요한 사항은 대통령령으로 정한다(동조 제4항).

제2절 법규명령

1 개설

1. 의의

(1) 법규명령이란 '행정기관이 정립하는 일반적 · 추상적 규율 중에서 법규의 성질을 가지는 것'을 말한다. 즉, '행정권이 정립하는 일반적 · 추상적 규범으로서, 행정주체와 국민에 대하여 직접적인 효력(구속력)을 가지며, 재판규범이 되는 법규범'이다.

(2) 법규명령의 정립은 형식적 의미에서는 행정에 속하지만 실질적 의미에서는 입법에 속한다.

2. 성질

(1) 법규명령은 법규의 성질을 가지므로 일반적 · 대외적 구속력을 가진다.

(2) 법규명령에 위반한 행정청의 행위는 위법행위로서 무효 또는 취소사유가 된다.

(3) 법규명령에 위반한 행정청의 행위로 인하여 자신의 권익이 침해된 국민은 행정쟁송을 제기하여 그 무효확인 또는 취소를 청구하거나 또는 그 손해의 배상을 청구할 수 있다.

3. 행정규칙과 비교

구분	법규명령	행정규칙
권력적 기초	일반통치권에 근거하여 제정됨	특별권력에 근거하여 제정됨
성질	법규성 인정	법규성 부정
효과의 성질	원칙적으로 외부적 구속력	원칙적으로 내부적 구속력
근거	• 위임명령: 상위법령 수권 필요 • 집행명령: 상위법령 수권 불요	행정권의 당연한 권능으로 수권 불요
규정사항	법률유보사항 (입법사항)	법률유보사항이 아닌 사항 (비유보사항)
형식	• 조문의 형식 • 원칙: 헌법 제75조 · 제95조 등 헌법이 예정한 대통령령 · 총리령 · 부령 형식의 법규명령 • 예외: 행정규제기본법 제4조 제2항 단서에 근거한 훈령형식의 법규명령(법률보충규칙)	• 조문의 형식, 구두로도 가능 • 원칙: 사무관리규정이 예정한 고시, 훈령, 지시, 예규, 일일명령 등의 형식의 행정규칙(형식에 특별한 제한 없음) • 예외: 부령 형식의 행정규칙
수범자	국가기관과 국민 양자 모두에게 적용됨	행정조직 및 특별행정법관계 내부에 적용됨
규범의 내용	새로운 권리 · 의무의 창설 가능	• 기관의 조직, 재량행사의 지침 • 규범해석규칙, 규범구체화규칙 등
종류	위임명령, 집행명령	조직규칙, 행위통제규칙(재량준칙), 영조물이용규칙, 근무규칙 등
제정절차	• 법제처 사전심사(모든 법규명령) • 국무회의 심의(대통령령)	특별한 절차규정 없음
공포	공포를 요함(효력발생요건 ○)	• 공포를 요하지 않음 • 적당한 방법으로 이루어짐
위반의 효과	• 위법 ○ → 위반행위는 무효 또는 취소(구별기준은 중대명백설) • 위반행위에 대한 행정소송 제기 가능	• 위법 × → 위반행위의 효력에 영향이 없음(그러나 징계사유는 될 수 있음) • 위반행위에 대한 행정소송 제기 불가능
한계	법률유보 · 법률우위원칙 적용	법률우위원칙만 적용
통제	입법적 · 행정적 · 사법적 통제	• 원칙: 행정적 통제 • 예외: 사법적 통제
소멸	폐지, 종기의 도래, 해제조건의 성취, 근거법령의 소멸 등	비교적 자유롭게 폐지 · 변경 가능
재판규범성	인정	부정
공통점	• 양자 모두 일반적 · 추상적 규범으로서 행정의 기준이 되는 규범 • 그러므로 행정기관은 양자 모두 준수하여야 할 법적 의무를 부담	

2 법규명령의 종류

1. 효력에 따른 분류

(1) 헌법대위명령(비상명령)

① 비상사태를 수습하기 위하여 행정권이 발하는 헌법적 효력을 지닌 독립명령을 말한다.

② 종래 우리나라 헌법상의 긴급조치(제4공화국), 비상조치(제5공화국)가 그 대표적인 사례이다.

③ 비상명령은 현행 헌법상으로는 인정되지 않는다.

(2) 법률대위적 법규명령(독립명령)

① 헌법적 수권에 의거하여 법률적 효력을 가지는 명령이다.

② 헌법 제76조의 긴급명령, 긴급재정·경제명령(대통령령)이 있다.

③ 헌법에서 직접 수권을 받아 발하는 독립명령이다.

(3) 법률종속적 법규명령

2. 내용에 따른 분류

(1) 위임명령

① 위임명령은 법률 또는 상위명령에서 위임한 사항을 규정하는 사항을 규정하는 명령을 말한다.

② 상위법령에서 "~사항은 법무부장관령으로 정한다."라는 형식으로 구체적 범위를 정하여 행해짐이 일반적이다.

③ 위임된 범위 내에서 새로운 국민의 권리·의무에 관한 사항을 정할 수 있다. 국민의 권리와 의무에 관한 사항은 개별적 근거에 의한 대통령령·총리·부령 및 조례 등 법규명령에 의함이 원칙이나, 전문기술적인 분야에서는 고시 등 행정규칙에 의하는 경우도 있다.

(2) 집행명령

① 집행명령은 법률 또는 상위법령의 집행을 위하여 필요한 세부적·기술적 사항을 규정하는 명령을 말한다.

② 상위법령에서 "이 법률의 시행에 필요한 사항은 법무부장관령으로 정한다."라는 형식으로 행해지나, 위임규정이 없어도 집행명령을 제정할 수 있다.

③ 집행명령은 상위법령의 규정여부에 관련 없이 제정할 수 있지만 새로운 국민의 권리를 제한하거나 의무를 부과할 없다.

point check 위임명령과 집행명령의 비교

구분	위임명령	집행명령
내용	법률에서 위임받은 사항을 내용적으로 보충하는 법규명령(법률보충명령)	법률의 범위 내에서 법률의 시행에 필요한 세부적·기술적 사항을 규율하는 법규명령
근거	상위법령의 수권 필요	상위법령의 수권 없이 가능
규율대상	새로운 권리·의무사항의 규율 가능	새로운 권리·의무사항의 규율 불가

간단 점검하기

01 현행 헌법상 헌법적 효력을 갖는 비상명령이 인정된다. ( )
15. 교육행정직

간단 점검하기

02 헌법 제76조에 규정된 대통령의 긴급재정·경제명령은 법률종속적 법규명령이다. ( ) 05. 서울시 9급

간단 점검하기

03 집행명령은 법률 또는 상위명령에서 정해진 대로 내용을 실현하기 위한 세칙규정이므로 법률 또는 상위명령의 개별수권 없이 발할 수 없다. ( )
11. 사회복지직, 06. 국가직 7급

04 집행명령은 상위법령의 집행을 위하여 필요한 사항을 법률 또는 상위명령의 위임에 의해 직권으로 발하는 명령이다. ( ) 13. 국회직 8급

05 위임명령은 새로운 법규사항을 정할 수 있으나 집행명령은 상위법령의 집행에 필요한 절차나 형식을 정하는 데 그쳐야 하며 새로운 법규사항을 정할 수 없다. ( ) 10. 지방직 9급

06 판례에 의하면 법규명령의 근거법령이 소멸된 경우에는 법규명령도 소멸함이 원칙이나, 근거법령에 개정됨에 그친 경우에는 집행명령은 여전히 그 효력을 유지할 수 있다. ( )
13. 서울시 7급, 09. 국가직 9급, 08. 국가직 7급

01 × 02 × 03 × 04 ×
05 ○ 06 ○

공통점	• 법률종속명령 • 법규성 인정 • 행정기관이 발령권자 • 문서 · 법조형식 · 공포를 요함 • 위임명령과 집행명령은 실제로는 하나의 명령에 함께 제정되는 것이 일반적임

3. 법형식(제정권자)에 따른 분류

(1) 헌법이 인정한 법규명령형식

① 대통령령

㉠ 대통령이 발하는 행정입법에는 긴급명령 또는 긴급재정 · 경제명령(헌법 제76조)과 대통령령(헌법 제75조)이 있다.

㉡ 대통령령은 법률에서 구체적으로 범위를 정하여 위임받은 사항과 법률을 집행하기 위하여 발한다.

㉢ 보통은 '~법 시행령'의 형식으로 발하여지나 권한의 위임 및 위탁에 관한 규정, 경찰공무원임용령과 같은 명칭으로 발하여 지는 경우도 있다.

㉣ 대통령령은 총리령 및 부령보다 우월한 효력을 가진다.

② 총리령 · 부령

㉠ **개념**: 국무총리 또는 각부 장관은 소관사무에 관하여 법률이나 대통령령의 위임 또는 직권으로 총리령과 부령을 발할 수 있다(헌법 제95조).

㉡ **형식**: 통상적으로 '~법 시행규칙'의 형식으로 발해지며, 위임명령과 집행명령이 포함된다.

㉢ **총리령과 부령의 우열**

ⓐ **효력동위설**: 헌법에 부령이 총리령에 종속된다는 규정이 없고, 총리령은 국무총리가 행정각부의 장과 동일한 지위에서 그 소관사무에 관하여 발하는 것이므로 양자의 효력이 동일하다는 견해를 말한다.

ⓑ **총리령우월설(다수설)**: 국무총리는 행정각부를 통할하는 기능을 하므로 총리령이 우월하다는 견해를 말한다.

㉣ **국무총리 직속기관의 법규명령 발포권 - 없음**: 헌법은 부령의 발령권자를 행정각부의 장으로 규정하고 있으므로, 국무총리소속기관의 장인 법제처장, 국가보훈처장 등은 국무총리령을 발한다.

③ 중앙선거관리위원회규칙 등

㉠ 중앙선거관리위원회는 법령의 범위 안에서 선거관리 · 국민투표관리 또는 정당사무에 관한 규칙을 제정할 수 있으며, 법률에 저촉되지 아니하는 범위 안에서 내부규율에 관한 규칙을 제정할 수 있다(헌법 제114조 제6항).

㉡ 이 밖에 대법원규칙(헌법 제108조), 헌법재판소규칙(헌법 제113조 제2항) 등도 헌법에서 인정하는 법규명령이다.

간단 점검하기

01 법규명령은 제정권자를 기준으로 대통령령, 총리령, 부령 등으로 구분할 수 있다. ( ) 14. 서울시 9급

02 대통령령은 총리령 및 부령보다 우월한 효력을 가진다. ( ) 19. 국회직 8급

간단 점검하기

03 시행규칙이라는 이름이 붙여진 명령은 통상 총리령과 부령이다. ( ) 04. 관세사

04 국민안전처장 · 인사혁신처장과 같은 국무총리 식속기관은 부령제정권을 가진다. ( ) 15. 서울시 9급

05 행정각부가 아닌 국무총리 소속의 독립기관은 독립하여 법규명령을 발할 수 있다. ( ) 19. 서울시 9급

간단 점검하기

06 중앙선거관리위원회는 법령의 범위 안에서 선거관리 · 국민투표관리 · 정당사무 등에 관한 규칙을 제정할 수 있는바, 이 규칙은 법규명령의 성질을 가진다. ( ) 13. 지방직 7급

01 ○ 02 ○ 03 ○ 04 × 05 × 06 ○

(2) 헌법이 인정하지 않은 법규명령 형식

① 감사원규칙(법률이 인정한 법형식)

㉠ 감사원은 감사에 관한 절차, 감사원의 내부 규율과 감사사무 처리에 관한 규칙을 제정할 수 있다(감사원법 제52조).

㉡ **법적 성질(법률에서 인정하는 법규명령 여부)**: 헌법에 근거 없이 법률에서 법규명령을 인정할 수 있는지 여부에 학설상 다툼이 있다.

ⓐ **행정규칙설**: 헌법상 규정이 없으므로 행정규칙으로 보아야 한다는 견해이다.

ⓑ **법규명령설(통설, 판례)**: 헌법에서 법규명령을 제정할 수 있도록 한 것을 한정적으로 해석하지 않고 예시적으로 해석해야 한다는 견해이다.

관련판례 헌법상 법규명령 의미 ★★★

헌법 제40조, 제75조, 제95조의 의미를 살펴보면, 국회가 입법으로 행정기관에게 구체적인 범위를 정하여 위임한 사항에 관하여는 당해 행정기관이 법 정립의 권한을 갖게 되고, 입법자가 그 규율의 형식도 선택할 수 있다고 보아야 하므로, 헌법이 인정하고 있는 위임입법의 형식은 예시적인 것으로 보아야 한다. 법률이 일정한 사항을 행정규칙에 위임하더라도 그 행정규칙은 위임된 사항만을 규율할 수 있으므로, 국회입법의 원칙과 상치되지 않는다(헌재 2014.7.24, 2013헌바183).

#헌법_법규명령_예시규정 #법률_법규명령_인정

㉢ **관련문제**: 이와 관련하여 공정거래위원회가 제정하는 공정거래위원회규칙(독점규제 및 공정거래에 관한 법률 제48조 제2항), 중앙노동위원회가 제정하는 중앙노동위원회규칙(노동위원회법 제25조), 금융위원회가 제정하는 금융위원회규칙(금융위원회의 설치 등에 관한 법률 제39조 제1항), 금융통화위원회가 제정하는 금융통화위원회규칙(한국은행법 제30조), 방송통신위원회가 제정하는 방송통신위원회규칙(방송법 제31조 제3항) 등도 같은 성질을 가진다고 할 수 있다.

② **고시**: 행정규제기본법 제4조는 행정규제법정주의를 원칙으로 하면서도 전문적인 사항을 고시에 위임할 수 있도록 하고 있다(행정규제기본법 제4조 제2항).

> 행정규제기본법 제4조【규제 법정주의】① 규제는 법률에 근거하여야 하며, 그 내용은 알기 쉬운 용어로 구체적이고 명확하게 규정되어야 한다.
> ② 규제는 법률에 직접 규정하되, 규제의 세부적인 내용은 법률 또는 상위법령(上位法令)에서 구체적으로 범위를 정하여 위임한 바에 따라 대통령령·총리령·부령 또는 조례·규칙으로 정할 수 있다. 다만, 법령에서 전문적·기술적 사항이나 경미한 사항으로서 업무의 성질상 위임이 불가피한 사항에 관하여 구체적으로 범위를 정하여 위임한 경우에는 고시 등으로 정할 수 있다.
> ③ 행정기관은 법률에 근거하지 아니한 규제로 국민의 권리를 제한하거나 의무를 부과할 수 없다.

간단 점검하기

01 헌법재판소 판례에 의하면 감사원규칙은 헌법에 근거가 없으므로 법규명령으로 인정되지 않는다. ( ) 16. 서울시 9급

02 헌법이 인정하고 있는 위임입법의 형식은 예시적인 것이다. ( ) 19. 서울시 9급

간단 점검하기

03 성질상 위임이 불가피한 전문적·기술적 사항에 관하여 구체적으로 범위를 정하여 법령에서 위임하더라도 고시 등으로는 규제의 세부적인 내용을 정할 수 없다. ( ) 18. 교육행정직

01 × 02 ○ 03 ×

관련판례

1 여성가족부 고시에 위임한 경우 ★★★

이 사건 법률조항이 학교환경위생 정화구역 내에서 금지하는 행위 및 시설의 구체적 내용은 청소년 보호법(2011.9.15. 법률 제11048호로 전부개정된 것) 제2조 제5호 가목 8)(이하 '이 사건 청소년 보호법 조항'이라 한다)에 따라 정해지는데, 이 사건 청소년 보호법 조항은 그 구체적 결정을 여성가족부고시에 위임하고 있다. 그러나 헌법이 인정하고 있는 위임입법의 형식은 예시적인 것으로 보아야 하고, 법률이 일정한 사항을 고시 등 행정규칙에 위임하더라도 국회입법의 원칙과 상치되지 않는다(헌재 2016.10.27, 2015헌바360).

#세부사항_고시위임 #고시규정_신체접촉_유사성행위우려영업금지 #포괄적위임금지_위반_안됨

2 한국표준산업분류 고시에 위임한 경우 ★★★

조세특례제한법 제2조 제3항은 업종의 분류를 통계청장이 고시하는 한국표준산업분류에 의하도록 규정하고 있는바, … 업종의 분류에 관하여 판단자료와 전문성의 한계가 있는 대통령이나 행정각부의 장에게 위임하기보다는 통계청장이 고시한 한국표준산업분류에 위임할 필요성이 인정된다(헌재 2006.12.28, 2005헌바59).

#한국표준산업분류_통계청장_고시_위임_적법

③ 학칙(교육에 관한 기본규칙)

㉠ 학칙의 법적 성질에 대해서는 여러 견해가 있다. 행정규칙(재량준칙)으로 보는 견해, 특별명령으로 보는 견해, 법령보충적 행정규칙으로 보는 견해, 자치법규로 보는 견해 등의 대립이 있다.

㉡ 다수 견해는 학칙을 자치권에 근거한 자치법규로 보고 있다. 따라서 내부적 구속력은 물론 외부적 구속력도 발생한다.

3 법규명령의 근거

1. 긴급재정 · 경제명령, 긴급명령의 경우(헌법 제76조 제1항 및 제2항)

> 헌법 제76조 ① 대통령은 내우 · 외환 · 천재 · 지변 또는 중대한 재정 · 경제상의 위기에 있어서 국가의 안전보장 또는 공공의 안녕질서를 유지하기 위하여 긴급한 조치가 필요하고 국회의 집회를 기다릴 여유가 없을 때에 한하여 최소한으로 필요한 재정 · 경제상의 처분을 하거나 이에 관하여 법률의 효력을 가지는 명령을 발할 수 있다.
> ② 대통령은 국가의 안위에 관계되는 중대한 교전상태에 있어서 국가를 보위하기 위하여 긴급한 조치가 필요하고 국회의 집회가 불가능한 때에 한하여 법률의 효력을 가지는 명령을 발할 수 있다.

2. 위임명령의 경우

(1) 위임명령은 법률 또는 상위명령의 개별적 · 구체적 규정이 있는 경우에만 제정이 가능하다(헌법 제75조, 제95조). 구체적 위임 없이 국민의 권리 · 의무에 관한 사항을 새롭게 규정한 법규명령은 무효이다.

간단 점검하기

01 판례는 고시(告示) 형식의 법규명령을 인정하고 있다. ( )
08. 지방직 7급

02 헌법은 국회입법의 원칙을 천명하면서 법규명령인 대통령령, 총리령과 부령, 대법원규칙, 헌법재판소규칙, 중앙선거관리위원회규칙에 대한 위임입법을 한정적으로 열거하고 있으므로 행정기관의 고시 등과 같은 행정규칙에 입법사항을 위임할 수 없다. ( )
16 · 15. 서울시 9급

03 헌법재판소는 국회입법에 의한 수권이 입법기관이 아닌 행정기관에게 법률 등으로 구체적인 범위를 정하여 위임한 사항에 관하여는 당해 행정기관에게 법정립의 권한이 부여된다고 보고 있다. ( ) 13. 국회직 8급

간단 점검하기

04 법규명령 중 위임명령은 원칙적으로 헌법 제75조와 헌법 제95조에 따라 법률이나 상위명령에 개별적인 수권규범이 있는 경우만 가능하다. ( )
14. 서울시 9급, 04. 국가직 7급

05 위임명령의 경우에는 법률유보원칙이 적용된다. ( ) 15. 서울시 9급

06 위임명령은 헌법상의 일반적 근거만으로는 제정할 수 없다. ( )
06. 경북 9급

01 ○ 02 × 03 ○ 04 ○
05 ○ 06 ○

> 헌법 제75조 대통령은 법률에서 구체적으로 범위를 정하여 위임받은 사항과 법률을 집행하기 위하여 필요한 사항에 관하여 대통령령을 발할 수 있다.
> 제95조 국무총리 또는 행정각부의 장은 소관사무에 관하여 법률이나 대통령령의 위임 또는 직권으로 총리령 또는 부령을 발할 수 있다.

관련판례

1 위임이 없는 시행령 - 무효 ★★★

법률의 시행령은 모법인 법률의 위임 없이 법률이 규정한 개인의 권리·의무에 관한 내용을 변경·보충하거나 법률에서 규정하지 아니한 새로운 내용을 규정할 수 없고, 특히 법률의 시행령이 형사처벌에 관한 사항을 규정하면서 법률의 명시적인 위임 범위를 벗어나 처벌의 대상을 확장하는 것은 죄형법정주의의 원칙에도 어긋나는 것이므로, 그러한 시행령은 위임입법의 한계를 벗어난 것으로서 무효이다(대판 2017.2.16, 2015도16014).

#의료법_당직의료인_수_제한× #시행령_당직의료인_수_구체화_처벌(확장처벌) #위임없는_시행령 #처벌대상_확장 #무효

2 위임근거가 없는 시행규칙 - 무효 ★★★

토지등급이 설정되어 있지 않은 토지에 대하여 유사토지의 등급을 적용하여 기준시가를 결정하도록 한 구 소득세법시행규칙 제82조 제2항(1990.9.1. 재무부령 제1832호로 삭제)이 법령에 위임근거도 없이 과세요건에 관한 사항을 정한 무효의 규정이다(대판 1993.1.19, 92누6983).

3 위임이 없는 시행령 - 유효 ★★★

[1] 법률의 시행령이나 시행규칙의 내용이 모법의 입법 취지와 관련 조항 전체를 유기적·체계적으로 살펴보아 모법의 해석상 가능한 것을 명시한 것에 지나지 않거나 모법 조항의 취지에 근거하여 이를 구체화하기 위한 것인 경우, 모법에 직접 위임하는 규정을 두지 않았다고 하여 무효라고 볼 수 없다.

[2] 시교육감이 '중학교 입학자격 검정고시 규칙'에 근거하여 만 12세 이상인 자를 대상으로 하는 '중학교 입학자격 검정고시 시행계획'을 공고하였는데, 초등학교에 재학하다가 취학의무를 유예받아 정원 외로 관리되던 만 9세인 갑이 응시원서를 제출하였다가 반려처분을 받은 사안에서, 위 '중학교 입학자격 검정고시 규칙' 제14조 제2호가 구 초·중등교육법 시행령 제96조 제2항의 위임 범위에서 벗어났다고 볼 수 없다(대판 2014.8.20, 2012두19526).

#중학교입학자격검정고시응시제한_만12세이상 #해석상_가능한_내용_구체화 #무효_아님

(2) 위임명령에는 법률유보원칙과 법률우위원칙이 적용되나, 집행명령의 경우에는 법률유보원칙이 적용되지 아니하고 법률우위의 원칙만이 적용된다.

(3) 하위법령에서 위임의 근거가 되는 상위법령의 구체적 조항을 명시하지 않아도 된다.

관련판례

법령의 위임관계는 반드시 하위 법령의 개별조항에서 위임의 근거가 되는 상위 법령의 해당 조항을 구체적으로 명시하고 있어야만 하는 것은 아니라고 할 것이다(대판 1999.12.24, 99두5658).

간단 점검하기

01 헌법에 의하면 대통령은 법률에서 구체적으로 범위를 정하여 위임받은 사항과 법률을 집행하기 위하여 필요한 사항에 관하여 대통령령을 발할 수 있다. ( ) 18. 경찰행정

02 헌법에 의하면 국무총리 또는 행정각부의 장은 소관사무에 관하여 법률이나 대통령령의 위임의 경우에만 총리령 또는 부령을 발할 수 있다. ( ) 18. 경찰행정

간단 점검하기

03 법률의 시행령이 형사처벌에 관한 사항을 규정하면서 법률의 명시적인 위임범위를 벗어나 처벌의 대상을 확장하는 것은 죄형법정주의 원칙에 어긋나는 것이므로, 그러한 시행령은 위임입법의 한계를 벗어난 것으로서 무효이다. ( ) 17. 지방직 9급

04 위임명령이 위임내용을 구체화하는 단계를 벗어나 새로운 입법을 한 것으로 평가할 수 있다고 하더라도 이는 위임의 한계를 일탈한 것이 아니다. ( ) 16. 국가직 7급

05 법률의 시행령이나 시행규칙의 내용이 모법의 입법취지와 관련조항 전체를 유기적·체계적으로 살펴보아 모법의 해석상 가능한 것을 명시한 것에 지나지 아니하거나 모법 조항의 취지에 근거하여 이를 구체화하기 위한 것인 때에는, 모법에 이에 관하여 직접 위임하는 규정을 두지 아니하였다고 하더라도 이를 무효라고 볼 수는 없다. ( ) 17. 국가직 9급

간단 점검하기

06 법령의 위임관계는 반드시 하위법령의 개별조항에서 위임의 근거가 되는 상위법령의 해당 조항을 구체적으로 명시하고 있어야 하는 것은 아니다. ( ) 16. 지방직 9급

01 ○ 02 × 03 ○ 04 × 05 ○ 06 ○

(4) 위임 근거에 변동이 있는 경우

법개정으로 위임 근거 유무에 변동이 있는 경우 변동된 시점을 기준으로 법규명령의 효력이 결정된다.

즉, 근거 없이 무효인 법규명령이 사후에 위임의 근거가 부여되면 그때부터 유효한 법규명령이 되며, 위임의 근거가 있어 유효한 법규명령이더라도 사후에 위임의 근거가 없어지면 법규명령도 무효가 된다.

관련판례 **법규명령의 위임근거 유무** ★★★

일반적으로 법률의 위임에 의하여 효력을 갖는 법규명령의 경우, 구법에 위임의 근거가 없어 무효였더라도 사후에 법 개정으로 위임의 근거가 부여되면 그때부터는 유효한 법규명령이 되나, 반대로 구법의 위임에 의한 유효한 법규명령이 법 개정으로 위임의 근거가 없어지게 되면 그때부터 무효인 법규명령이 된다(대판 1995.6.30, 93추83).

#지방의회증인불출석_동행명령장_의장발급_3월이하징역(형벌)_위헌 #지방의회증인불출석_과태료_개정

point check 제정근거의 구분

구분	제정근거
긴급재정 · 경제명령	헌법 제76조 제1항의 요건을 갖추어야 함
긴급명령	헌법 제76조 제2항의 요건을 갖추어야 함
법규명령	헌법 또는 법률, 그 밖의 상위명령의 근거가 필요함
위임명령	법률에서 개별적 수권규정이 있는 경우에 한하여 위임된 범위 내에서 가능
집행명령	반드시 명시적인 수권규정이 없는 경우에도 직권으로 발할 수 있음

4 법규명령의 한계

1. 대통령의 긴급재정 · 경제명령, 긴급명령의 경우(헌법 제76조)

구분	긴급재정 · 경제명령(헌법 제76조 제1항)	긴급명령(헌법 제76조 제2항)
상황적 한계	내우 · 외환 · 천재지변 또는 중대한 재정 · 경제상의 위기에 있어서	국가의 안위에 관계되는 중대한 교전상태에 있어서
목적	국가의 안전보장 또는 공공의 안녕질서를 유지하기 위하여	국가를 보위하기 위하여
긴급성	긴급한 조치가 필요하고	긴급한 조치가 필요하고
보충성	국회의 집회를 기다릴 여유가 없을 때	국회의 집회가 불가능한 때에 한하여

2. 위임명령의 경우

(1) 포괄적 위임의 금지

> 헌법 제75조 대통령은 법률에서 구체적으로 범위를 정하여 위임받은 사항과 법률을 집행하기 위하여 필요한 사항에 관하여 대통령령을 발할 수 있다.
>
> 제95조 국무총리 또는 행정각부의 장은 소관사무에 관하여 법률이나 대통령령의 위임 또는 직권으로 총리령 또는 부령을 발할 수 있다.

① **구체적으로 범위를 정하여**

㉠ 위임의 목적·내용·범위와 그 위임에 따른 행정입법에서 준수하여야 할 목표·기준 등의 요소가 미리 규정되어 있어야 한다.

㉡ '구체적'이라는 것은 일반적·추상적이어서는 안 된다는 의미이며, '범위를 정하여'라는 것은 포괄적·전면적이어서는 안 된다는 것을 의미한다.[1]

② **예측가능성**

㉠ 법률의 수권은 그 내용·목적·범위에 있어서 충분히 확정되고 제한되어 있어서 국민이 행정의 행위를 어느 정도 예측할 수 있어야 한다.

㉡ 이 경우 그 예측가능성의 유무는 해당 위임조항 하나만을 가지고 판단할 것이 아니라 그 위임조항이 속한 법률이나 상위명령의 전반적인 체계와 취지·목적, 해당 위임조항의 규정형식과 내용 및 관련법규를 유기적·체계적으로 종합해서 판단하여야 하고, 나아가 각 규제 대상의 성질에 따라 구체적·개별적으로 검토하여야 한다.

③ **위임의 구체성과 명확성의 정도(규율밀도)**

구체성·명확성이 엄격히 요구	구체성·명확성 요구 완화
㉠ 국민의 기본권을 제한·침해하는 경우 ㉡ 형벌이나 행정상 제재와 관련되는 경우 ㉢ 과세요건 해석의 경우 ㉣ 권력성이 강한 행정권의 행사인 경우 ㉤ 국회전속사항의 경우	㉠ 급부행정이나 의무면제의 경우 ㉡ 위임입법에 대한 절차적 규율이 정비된 경우 ㉢ 현실적 입법기술상 명확한 규율 자체가 곤란한 경우 ㉣ 행정청의 전문적이고 기술적인 판단이 필요한 사항 ㉤ 민주적 정당성 있는 지방의회가 제정한 조례의 경우

관련판례

1 법률유보의 원칙은 '법률에 의한' 규율만을 뜻하는 것이 아니라 '법률에 근거한' 규율을 요청하는 것이므로 기본권 제한의 형식이 반드시 법률의 형식일 필요는 없고 법률에 근거를 두면서 헌법 제75조가 요구하는 위임의 구체성과 명확성을 구비하기만 하면 위임입법에 의하여도 기본권을 제한할 수 있다(헌재 2016.4.28, 2012헌마549·2013헌마865).

---

[1] 대결 1995.12.8, 95카기16

간단 점검하기

01 위임명령에 규정될 내용 및 범위의 기본사항은 구체적으로 규정되어 있어서 누구라도 당해 법령으로부터 위임명령에 규정될 내용의 대강을 예측할 수 있어야 한다. ( ) 04. 입법 5급

간단 점검하기

02 헌법재판소는 법률에 근거를 두면서 헌법 제75조가 요구하는 위임의 구체성과 명확성을 구비하는 경우에는 위임입법에 의하여도 기본권을 제한할 수 있다고 한다. ( ) 17. 국가직 9급

01 ○ 02 ○

2 [1] 위임명령은 법률이나 상위명령에서 구체적으로 범위를 정한 개별적인 위임이 있을 때에 가능하고, 여기에서 구체적인 위임의 범위는 규제하고자 하는 대상의 종류와 성격에 따라 달라지는 것이어서 일률적 기준을 정할 수는 없지만, 적어도 위임명령에 규정될 내용 및 범위의 기본사항이 구체적으로 규정되어 있어서 누구라도 당해 법률이나 상위법령으로부터 위임명령에 규정될 내용의 대강을 예측할 수 있어야 하나, 이 경우 그 예측가능성의 유무는 당해 위임조항 하나만을 가지고 판단할 것이 아니라 그 위임조항이 속한 법률의 전반적인 체계와 취지 및 목적, 당해 위임조항의 규정형식과 내용 및 관련 법규를 유기적·체계적으로 종합하여 판단하여야 하며, 나아가 각 규제 대상의 성질에 따라 구체적·개별적으로 검토함을 요한다.

[2] 또한 법률에서 위임받은 사항을 전혀 규정하지 않고 재위임하는 것은 복위임금지 원칙에 반할 뿐 아니라 위임명령의 제정 형식에 관한 수권법의 내용을 변경하는 것이 되므로 허용되지 않으나 위임받은 사항에 관하여 대강을 정하고 그 중의 특정사항을 범위를 정하여 하위법령에 다시 위임하는 경우에는 재위임이 허용된다.

[3] 이러한 법리는 조례가 지방자치법 제22조 단서에 따라 주민의 권리제한 또는 의무부과에 관한 사항을 법률로부터 위임받은 후, 이를 다시 지방자치단체장이 정하는 '규칙'이나 '고시' 등에 재위임하는 경우에도 마찬가지이다(대판 2015.1.15, 2013두14238).

3 포괄적위임 ★★★

외형상으로는 일반적·포괄적인 위임처럼 보이더라도 실질적인 판단을 통해 위임의 범위나 한계를 객관적으로 확정할 수 있으면 일반적·포괄적 위임은 아니다(대판 1996.3.21, 95누3640).

4 기본권 침해 ★★

국민의 기본권을 침해하는 영역에서는 구체성·명확성의 요구가 강화된다(헌재 2002.8.29, 2000헌바50).

5 급부행정영역 ★★

급부행정의 영역에서는 구체성·명확성의 요건이 완화된다(분만급여의 범위·기준을 보건복지가족부장관이 정하도록 한 사안)(헌재 1997.12.24, 95헌마390).

6 의무면제 ★★

의무면제의 경우에도 구체성·명확성의 정도는 상대적으로 완화된다(방송수신료 등록면제나 감면에 대해 대통령령으로 정하도록 한 사안)(헌재 1999.5.27, 98헌바70).

7 과세요건명확주의 ★★

법관의 해석을 통하여 구체화·명확화가 가능하면 과세요건명확주의에 반하지 않는다(대판 2001.4.27, 2000두9076).

8 행정입법에 위임 ★★

구체적인 범위를 정하면 입법사항을 대통령령뿐만 아니라 총리령이나 부령에도 위임할 수 있다(헌재 1998.2.17, 97헌마64).

간단 점검하기

위임입법의 한계인 예측가능성은 법률에서 이미 하위법규에 규정될 내용 및 범위의 기본사항이 구체적으로 규정되어 있어서 누구라도 당해 법률로부터 하위법규에 규정될 내용의 대강을 예측할 수 있으면 족하다. ( )

12. 국회직 9급

○

④ **예시적 위임:** 예시적 위임의 경우, 포괄적 위임금지원칙에의 위반여부가 문제된다. 판례는 예시적 위임의 경우, 위임할 사항의 내용과 범위가 특정되었다고 해석하여 예측가능성이 주어져 포괄적 위임에 해당하지 않는다는 입장이다(대판 2018.6.28, 2017도13426).

관련판례 예시적 위임

어선검사증서 ★★

구 어선법 제21조 제1항은 어선의 검사에 관한 구체적인 사항을 해양수산부령인 구 어선법 시행규칙(2017.6.28. 해양수산부령 제244호로 개정되기 전의 것, 이하 '시행규칙'이라고 한나)에 위임하고 있고, 법 제27조 제1항 제1호에서 정기검사에 합격된 경우 어선검사증서에 기재할 사항에 관하여 괄호 표시를 하고 그 안에 '어선의 종류 · 명칭 · 최대승선인원 · 제한기압 및 만재흘수선의 위치 등'이라고 정하여 그 대상을 예시하는 형식으로 규정하고 있다. 따라서 법 제21조 제1항은 정기검사에 합격된 경우 어선검사증서에 기재할 사항을 해양수산부령에 위임하고 있고, 그 구체적인 위임의 범위를 법 제27조 제1항 제1호에서 예시적으로 규정하였다고 볼 수 있다(대판 2018.6.28, 2017도13426).

#어선검사증_기재사항 #위임 #예시적_형식

⑤ 포괄적 위임금지의 예외

㉠ **조례:** 조례는 지방의회의 의결로 지방자치단체가 제정하는 것이다. 지방의회는 선거를 통해 지역적인 민주적 정당성을 지니는 주민의 대표기관이다. 지방자치단체에 포괄적인 자치권이 헌법에서 보장되고 있다. 이러한 사정을 종합해보면, 조례에의 위임은 포괄적으로 행해질 수 있다. 다만, 주민의 권리 · 의무에 관한 기본적이고 본질적 사항은 국회가 스스로 정해야 한다.

관련판례 조례와 포괄적 위임

1 담배자판기조례 ★★★

조례의 제정권자인 지방의회는 선거를 통해서 그 지역적인 민주적 정당성을 지니고 있는 주민의 대표기관이고 헌법이 지방자치단체에 포괄적인 자치권을 보장하고 있는 취지로 볼 때, 조례에 대한 법률의 위임은 법규명령에 대한 법률의 위임과 같이 반드시 구체적으로 범위를 정하여 할 필요가 없으며 포괄적인 것으로 족하다(헌재 1995.4.20, 92헌마264).

#부천시_강남구_담배자판기설치금지조례 #전역설치금지_성인출입업소_안_예외 #포괄적_위임금지_위반X

2 하천무단점용 부당이득금 징수 조례 ★★

법률이 주민의 권리의무에 관한 사항에 관하여 구체적으로 아무런 범위도 정하지 아니한 채 조례로 정하도록 포괄적으로 위임하였다고 하더라도, 행정관청의 명령과는 달라 조례도 주민의 대표기관인 지방의회의 의결로 제정되는 지방자치단체의 자주법인 만큼 지방자치단체가 법령에 위반되지 않는 범위 내에서 주민의 권리의무에 관한 사항을 조례로 제정할 수 있으므로, 구 하천법(1999.2.8. 법률 제5893호로 전문 개정되기 전의 것) 제33조 제4항이 부당이득금의 금액과 징수방법 등에 관하여 구체적으로 범위를 정하지 아니한 채 포괄적으로 조례에 위임하고 있고, 위 법률규정에 따라 지방자치단체의 하천 · 공유수면 점용료 및 사용료 징수조례가 부당이득금의 금액과 징수방법 등에 관하여 필요한 사항을 구체적으로 정하였다 하여,

간단 점검하기

01 조례는 법령의 범위 내에서 상위법령의 구체적 위임이 없는 사항도 규율하는 것이 가능하다. ( )
11. 국가직 9급

02 조례에 대한 법률의 위임은 법규명령에 대한 법률의 의임과 같이 반드시 구체적으로 범위를 정하여 하여야 한다. ( ) 14. 지방직 9급

03 자치조례에 대한 위임 등 자치법적 사항의 위임에 있어서는 포괄적 위임도 가능하다. ( )
11. 지방직 7급, 07. 국가직 7급

04 조례에 대한 법률의 위임은 법규명령에 대한 법률의 위임과 같이 반드시 구체적으로 범위를 정하여야 할 필요가 없으며 포괄적인 것으로 족하다.
( ) 17. 경찰행정, 17 · 14. 지방직 9급, 13. 지방직 7급

01 ○ **02** × **03** ○ **04** ○

위 법률규정이 포괄위임금지의 원칙에 반하는 것으로서 헌법에 위반된다고 볼 수 없다(대판 2006.9.8, 2004두947).
#하천무단점용_부당이득금 #금액_징수방법_포괄적위임_정당

㉡ **공법적 단체의 정관**: 공법적 단체의 정관에 자치법적 사항을 위임하는 경우 그 성격상 포괄적 위임이 가능하다. 다만, 구성원의 권리·의무에 관한 기본적이고 본질적 사항은 국회가 스스로 정해야 한다.

관련판례

1 주택재개발사업조합정관 ★★
법률이 공법적 단체 등의 정관에 자치법적 사항을 위임한 경우에는 헌법 제75조가 정하는 포괄적인 위임입법의 금지는 원칙적으로 적용되지 않는다고 봄이 상당하고, 그렇다 하더라도 그 사항이 국민의 권리·의무에 관련되는 것일 경우에는 적어도 국민의 권리·의무에 관한 기본적이고 본질적인 사항은 국회가 정하여야 한다(대판 2007.10.12, 2006두14476).
#주택재개발사업조합 #사업시행계획_작성_자치법적_요소 #사업시행인가_신청시_동의요건 #포괄위임금지원칙_적용없음

2 법률이 자치적인 사항을 정관에 위임할 경우 원칙적으로 헌법상의 포괄위임입법금지원칙이 적용되지 않는다 하더라도, 그 사항이 국민의 권리·의무에 관련되는 것일 경우에는, 적어도 국민의 권리와 의무의 형성에 관한 사항을 비롯하여 국가의 통치조직과 작용에 관한 기본적이고 본질적인 사항은 반드시 국회가 정하여야 할 것인바, 각 국가유공자 단체의 대의원의 선출에 관한 사항은 각 단체의 구성과 운영에 관한 것으로서, 국민의 권리와 의무의 형성에 관한 사항이나 국가의 통치조직과 작용에 관한 기본적이고 본질적인 사항이라고 볼 수 없으므로, 법률유보 내지 의회유보의 원칙이 지켜져야 할 영역이라고 할 수 없다. 따라서 각 단체의 대의원의 정수 및 선임방법 등을 정관으로 정하도록 규정하고 있는 국가유공자등단체설립에관한법률 제11조가 법률유보 혹은 의회유보의 원칙에 위배되어 청구인의 기본권을 침해한다고 할 수 없다(헌재 2006.3.30, 2005헌바31).

(2) 국회 전속적 입법사항의 위임금지(헌법상의 입법사항)

① 헌법에서 국회의 전속적 입법사항으로 규정한 헌법상 입법사항의 경우 그에 관한 입법권은 원칙적으로 위임할 수 없다.
② 헌법은 ㉠ 국적취득요건(제2조 제1항), ㉡ 죄형법정주의(제12조), ㉢ 재산권의 수용 및 보상(제23조 제3항), ㉣ 조세법률주의(제59조), ㉤ 행정각부 설치(제96조), ㉥ 지방자치단체의 종류(제117조 제2항) 등을 법률로 정하도록 하고 있다.
③ 그러나 국회 전속적 입법사항이라 하더라도 모든 것을 법률로 정하라는 의미는 아니라 할 것이므로, 일정한 범위에서 구체적으로 범위를 정하면 위임이 가능하다.

간단 점검하기

01 법률이 공법적 단체 등의 정관에 자치법적 사항을 위임한 경우에는 헌법 제75조가 정하는 포괄적인 위임입법의 금지는 원칙적으로 적용되지 않는다고 봄이 상당하다. ( )
17. 서울시 7급, 15·11. 지방직 9급

02 법률이 공법적 단체 등의 정관에 자치법적 사항을 위임한 경우에도 그 사항이 국민의 권리·의무에 관련되는 것인 경우에는 국민의 권리·의무에 관한 기본적이고 본질적인 사항은 국회가 정하여야 한다. ( )
11. 지방직 9급

03 헌법재판소는 법률이 공법적 단체 등의 정관에 자치법적 사항을 위임하는 경우에는 의회유보원칙이 적용될 여지가 없다고 한다. ( )
19. 서울시 9급

01 ○ 02 ○ 03 ×

관련판례

헌법 제38조, 제59조에서 채택하고 있는 조세법률주의의 원칙은 과세요건과 징수절차 등 조세권행사의 요건과 절차는 국민의 대표기관인 국회가 제정한 법률로써 규정하여야 한다는 것이나, 과세요건과 징수절차에 관한 사항을 명령·규칙 등 하위법령에 위임하여 규정하게 할 수 없는 것은 아니고, 이러한 사항을 하위법령에 위임하여 규정하게 하는 경우 구체적·개별적 위임만이 허용되며 포괄적·백지적 위임은 허용되지 아니하고(과세요건법정주의), 이러한 법률 또는 그 위임에 따른 명령·규칙의 규정은 일의적이고 명확하여야 한다(과세요건명확주의)는 것이다(대결 1994.9.30, 94부18).
#양도가액_기준시가 #대통령_실지거래가액

간단 점검하기

01 형사처벌에 관한 위임입법의 경우, 수권법률이 구성요건의 점에서는 처벌대상인 행위가 어떠한 것인지 이를 예측할 수 있을 정도로 구체적으로 정하고, 형벌의 점에서는 형벌의 종류 및 그 상한과 폭을 명확히 규정하는 것을 전제로 한다. ( ) 13. 지방직 7급

(3) 처벌규정을 위임하는 경우의 한계

① 죄형법정주의의 원칙상 처벌규정을 법규명령에 위임하는 것은 원칙적으로 인정되지 않는다.

② 그러나 죄형법정주의 하에서도 긴급한 필요가 있거나 미리 법률로써 자세히 정할 수 없는 부득이한 사정이 있는 경우에는 위임이 가능하다 할 것이다.

③ 일반적으로 근거법이 ㉠ 범죄의 구성요건은 처벌대상행위가 어떠한 것일 것이라고 이를 예측할 수 있을 정도로 법률에 의해 구체적으로 정하고(범죄의 구성요건의 구체적인 기준을 정하여 위임함), ㉡ 형벌의 종류와 상한과 폭을 법률로 명백히 규정하여 위임하여야 한다는 것이 통설·판례의 입장이다(헌재 1995.10.26, 93헌바62 ; 대판 2010.4.29, 2009도8537).

④ 처벌법규의 위임은 헌법 제75조에 의한 위임의 일반적 한계와 죄형법정주의에 의해 중첩적으로 제한된다.

간단 점검하기

02 처벌규정의 위임은 죄형법정주의로 인하여 어떠한 경우에도 허용되지 않는다. ( ) 11. 지방직 7급

관련판례

위임입법에 관한 헌법 제75조는 처벌법규에도 적용되는 것이지만 처벌법규의 위임은 특히 긴급한 필요가 있거나 미리 법률로써 자세히 정할 수 없는 부득이한 사정이 있는 경우에 한정되어야 하고 이 경우에도 법률에서 범죄의 구성요건은 처벌대상인 행위가 어떠한 것일 것이라고 이를 예측할 수 있을 정도로 구체적으로 정하고 형벌의 종류 및 그 상한과 폭을 명백히 규정하여야 한다(헌재 1991.7.8, 91헌가4).

간단 점검하기

03 처벌법규나 조세법규는 다른 법규보다 구체성과 명확성의 요구가 강화되어야 한다. ( ) 14. 국가직 9급

04 일반적인 급부행정법규는 처벌법규나 조세법규의 경우보다 그 위임의 요건과 범위가 더 엄격하게 제한적으로 규정되어야 한다. ( )
11. 사회복지직, 14. 국가직 9급, 07·04. 국가직 7급

(4) 조세법규을 위임하는 경우의 한계

① 조세법률주의는 헌법 제38조 및 헌법 제59조에 의해 선언되고 있다. 특히 헌법 제59조는 "조세의 종목과 세율은 법률로 정한다."라고 규정하고 있다.

② 조세에 관하여 법률로 정하여야 할 사항은 조세의 종목과 세율 이외에도 조세의 납세의무자, 납세요건사실, 과세표준, 행정구제, 벌칙 등이 있다.

③ 헌법 제59조에서 법률로 정하도록 규정하고 있는 조세의 종목과 세율을 제외한 사항은 조세법률주의와 헌법 제75조의 일반적 위임의 한계원리에 따라 구체적인 위임이 되는 한 명령에 위임하는 것도 가능하다.

01 ○ 02 × 03 ○ 04 ×

(5) 재위임하는 경우의 한계

① **의의:** 재위임이란 법률에 의하여 위임된 입법권의 전부 또는 일부를 다시 위임하는 것을 말한다. 법률 자체가 명시적으로 인정하는 경우에는 재위임이 가능하다.

② **명시적인 규정이 없는 경우**

관련판례 재위임 ★★★

법률에서 위임받은 사항을 전혀 규정하지 아니하고 그대로 재위임하는 것은 허용되지 않으며 위임받은 사항에 관하여 대강을 정하고 그 중의 특정사항을 범위를 정하여 하위법령에 다시 위임하는 경우에만 재위임이 허용된다(헌재 1996.2.29, 94헌마213).

#전면적재위임_불허 #세부적사항_재위임_허용

(6) 위임명령의 내용적 한계

① 위임명령은 상위법령에 저촉될 수 없으며, 그 내용이 객관적으로 명확하고 실현가능하여야 한다.

관련판례

1 하위법령은 그 규정이 상위법령의 규정에 명백히 저촉되어 무효인 경우를 제외하고는 관련 법령의 내용과 입법 취지 및 연혁 등을 종합적으로 살펴서 그 의미를 상위법령에 합치되는 것으로 해석하여야 한다(대판 2013.11.28, 2012두16565).

2 어느 시행령의 규정이 모법에 저촉되는지의 여부가 명백하지 아니하는 경우에는 모법과 시행령의 다른 규정들과 그 입법 취지, 연혁 등을 종합적으로 살펴 모법에 합치된다는 해석도 가능한 경우라면 그 규정을 모법위반으로 무효라고 선언하여서는 안 된다(대판 2001.8.24, 2000두2716).

② 위임명령은 수권범위 내에서 제정되어야 하며, 수권받은 범위를 벗어나서 새로운 권리·의무에 관한 사항을 규정할 수 없다.

관련판례

법령에서 행정처분의 요건 중 일부 사항을 부령으로 정할 것을 위임한 데 따라 시행규칙 등 부령에서 이를 정한 경우에 그 부령의 규정은 국민에 대해서도 구속력이 있는 법규명령에 해당한다고 할 것이지만, 법령의 위임이 없음에도 법령에 규정된 처분 요건에 해당하는 사항을 부령에서 변경하여 규정한 경우에는 그 부령의 규정은 행정청 내부의 사무처리 기준 등을 정한 것으로서 행정조직 내에서 적용되는 행정명령의 성격을 지닐 뿐 국민에 대한 대외적 구속력은 없다고 보아야 한다. 따라서 어떤 행정처분이 그와 같이 법규성이 없는 시행규칙 등의 규정에 위배된다고 하더라도 그 이유만으로 처분이 위법하게 되는 것은 아니라 할 것이고, 또 그 규칙 등에서 정한 요건에 부합한다고 하여 반드시 그 처분이 적법한 것이라고 할 수도 없다. 이 경우 처분의 적법 여부는 그러한 규칙 등에서 정한 요건에 합치하는지 여부가 아니라 일반 국민에 대하여 구속력을 가지는 법률 등 법규성이 있는 관계 법령의 규정을 기준으로 판단하여야 한다(대판 2013.9.12, 2011두10584).

간단 점검하기

01 판례에 의하면 법규명령이 법률에서 위임받은 사항을 전혀 규정하지 아니하고 그대로 하위의 법규명령에 재위임하는 것은 허용되지 않으며, 위임받은 사항에 관하여 대강을 정하고 그 중의 특정사항을 범위를 정하여 하위의 법규명령에 다시 위임하는 경우에만 재위임이 허용된다. ( )
18·14. 국가직 9급, 14. 서울시 9급

간단 점검하기

02 위법한 법규명령은 무효가 아니라 취소할 수 있다. ( ) 17. 교육행정직

03 어느 시행령의 규정이 모법에 저촉되는지 여부가 명백하지 아니하는 경우에는 모법과 시행령의 다른 규정들과 그 입법취지, 연혁 등을 종합적으로 살펴 모법에 합치한다는 해석도 가능한 경우라면 그 규정을 모법위반으로 무효라고 선언하여서는 안 된다.
( ) 17. 지방직 9급

간단 점검하기

04 법령의 위임이 없음에도 법령에 규정된 처분요건에 해당하는 사항을 부령에서 변경하여 규정한 경우에는 그 부령의 규정은 행정청 내부의 사무처리기준 등을 정한 것으로서 행정조직 내에서 적용되는 행정명령의 성격을 지닌다. ( )
19. 사회복지직, 16. 국가직 7급

01 ○ 02 × 03 ○ 04 ○

③ 위임명령은 상위법령에서 정한 형식대로 입법되어야 한다.

관련판례

1 법률 또는 대통령령으로 규정할 사항을 부령으로 규정하였다고 하면 그 부령은 무효이다(대판 1962.1.25, 4294민상9).

2 상위법령에서 세부사항 등을 시행규칙으로 정하도록 위임하였음에도 이를 고시 등 행정규칙으로 정하였다면 그 역시 대외적 구속력을 가지는 법규명령으로서 효력이 인정될 수 없다(대판 2012.7.5, 2010다72076).

간단 점검하기

01 법령상 대통령령으로 규정하도록 되어 있는 사항을 부령으로 정하더라도 그 부령은 유효하다. ( ) 18. 교육행정직

관련판례 위임명령의 한계 ★★★

1 법률의 위임 규정 자체가 그 의미 내용을 정확하게 알 수 있는 용어를 사용하여 위임의 한계를 분명히 하고 있는데도 시행령이 그 문언적 의미의 한계를 벗어났다든지, 위임 규정에서 사용하고 있는 용어의 의미를 넘어 그 범위를 확장하거나 축소함으로써 위임 내용을 구체화하는 단계를 벗어나 새로운 입법을 한 것으로 평가할 수 있다면, 이는 위임의 한계를 일탈한 것으로서 허용되지 않는다(대판 2012.12.20, 2011두30878).
#화물자동차운수사업법 #2인이하_중상 #동시행령_1인이하_중상_무효

2 특정 사안과 관련하여 법률에서 하위 법령에 위임을 한 경우에 모법의 위임범위를 확정하거나 하위 법령이 위임의 한계를 준수하고 있는지 여부를 판단할 때에는, 하위 법령이 규정한 내용이 입법자가 형식적 법률로 스스로 규율하여야 하는 본질적 사항으로서 의회유보의 원칙이 지켜져야 할 영역인지, 당해 법률 규정의 입법 목적과 규정 내용, 규정의 체계, 다른 규정과의 관계 등을 종합적으로 고려하여야 하고, 위임 규정 자체에서 의미 내용을 정확하게 알 수 있는 용어를 사용하여 위임의 한계를 분명히 하고 있는데도 문언적 의미의 한계를 벗어났는지나, 하위 법령의 내용이 모법 자체로부터 위임된 내용의 대강을 예측할 수 있는 범위 내에 속한 것인지, 수권 규정에서 사용하고 있는 용어의 의미를 넘어 범위를 확장하거나 축소하여서 위임 내용을 구체화하는 단계를 벗어나 새로운 입법을 한 것으로 평가할 수 있는지 등을 구체적으로 따져 보아야 한다(대판 2015.8.20, 2012두23808 전합).

3 고시가 법령에 근거를 둔 것이라 하더라도 그 규정 내용이 법령의 위임범위를 벗어난 것일 경우에는 법규명령으로서의 효력을 인정할 수 없다(대결 2006.4.28, 2003마715).

간단 점검하기

02 국회전속입법사항의 위임이 금지된다는 것이 전적으로 법률로 규율되어야 한다는 것을 의미하지는 않는다. ( ) 09. 국가직 9급, 07. 서울시 9급, 06. 국가직 7급

03 국회전속적 입법사항은 반드시 법률에 의하여 규정되어야 하며, 입법자가 법률에서 구체적으로 범위를 정하여도 법규명령에 위임될 수는 없다. ( ) 14. 지방직 9급

3. 집행명령의 경우

(1) 집행명령은 법률에 근거규정이 없더라도 제정할 수 있다. 보통 법률에 "본법 시행에 필요한 사항은 대통령령으로 정한다."는 규정을 두고 있으나, 이 규정은 임의규정에 불과하고 그와 같은 규정이 없는 경우에도 집행명령은 제정할 수 있다.

(2) 집행명령은 상위법령을 집행하기 위하여 필요한 구체적인 절차·형식 등을 규정할 수 있을 뿐 새로운 입법사항을 규정할 수 없다.

01 × 02 ○ 03 ×

5 법규명령의 성립요건 · 효력요건 · 하자 · 소멸

1. 성립요건

주체	정당한 권한을 가진 기관이 그 권한의 범위 내에서 제정
절차	• 대통령령: 법제처의 심사와 국무회의의 심의 • 총리령 · 부령: 법제처의 심사
형식	조문형식, 문서의 형식, 일련번호와 날인을 요함
내용	실현 가능하고 명백하여야 하며 상위법령에 저촉되지 않아야 함
공포	• 관보에 공포해야 함 • 법규명령을 게재한 '관보발행일'을 공포일로 함

2. 효력요건

(1) 성립요건을 갖춘 명령은 시행됨으로써 현실적으로 구속력이 발생한다.

(2) 법규명령은 특별한 규정이 없으면 공포한 날로부터 20일이 경과함으로써 효력을 발생한다(법령 등 공포에 관한 법률 제13조).

(3) 다만, 국민의 권리제한 또는 의무부과와 직접 관련되는 대통령령 · 총리령 및 부령은 긴급히 시행하여야 할 특별한 사유가 있는 경우를 제외하고는 공포일부터 적어도 30일이 경과한 날로부터 시행되도록 하여야 한다(동법 제13조의2).

3. 하자 있는 법규명령의 효력

(1) 법규명령의 하자

법규명령의 성립요건 · 효력요건에 흠이 있으면 위법하게 된다. 판례는 하자 있는 법규명령의 효력은 원칙적으로 무효라고 보나, 그 대외적 구속력만을 부정하는 경우도 있다.

(2) 하자 있는 법규명령에 따른 행정행위의 효과(중대명백설 기준)

① 하자 있는 법규명령에 따른 행정행위는 당연히 하자 있는 행위가 된다.

② 하자 있는 법규명령에 따른 행정행위는 내용상 중대한 하자를 갖는다. 따라서 근거된 법규명령의 하자가 외관상 명백하다면 그에 따른 행정행위는 무효가 되고, 외관상 명백하지 않다면 취소할 수 있는 행위가 된다.

관련판례 당연무효가 되는 하자 있는 행정처분

청소년유해매체물 ★★★

하자 있는 행정처분이 당연무효로 되려면 그 하자가 법규의 중요한 부분을 위반한 중대한 것이어야 할 뿐 아니라 객관적으로 명백한 것이어야 하고, 행정청이 위헌이거나 위법하여 무효인 시행령을 적용하여 한 행정처분이 당연무효로 되려면 그 규정이 행정처분의 중요한 부분에 관한 것이어서 결과적으로 그에 따른 행정처분의 중요한 부분에 하자가 있는 것으로 귀착되고, 또한 그 규정의 위헌성 또는 위법성이 객관적으로 명백하여 그에 따른 행정처분의 하자가 객관적으로 명백한 것으로 귀착되어야 하는바, 일반적으로 시행령이 헌법이나 법률에 위반된다는 사정은 그 시행령의 규정을 위헌

간단 점검하기

01 대통령령을 제정하려면 국무회의의 심의와 법제처의 심사를 거쳐야 한다. ( ) 17. 국가직 9급

02 법규명령은 상위법령에 저촉될 수 없고, 객관적으로 명확하며 실현 가능한 것이어야 한다. ( ) 06. 관세사

01 ○ 02 ○

또는 위법하여 무효라고 선언한 대법원의 판결이 선고되지 아니한 상태에서는 그 시행령 규정의 위헌 내지 위법 여부가 해석상 다툼의 여지가 없을 정도로 명백하였다고 인정되지 아니하는 이상 객관적으로 명백한 것이라 할 수 없으므로, 이러한 시행령에 근거한 행정처분의 하자는 취소사유에 해당할 뿐 무효사유가 되지 아니한다(대판 2007.6.14, 2004두619).

#동성애의 조장_청소년유해매체물_해당여부_심의사유_시행령 #무효사유_아님

관련판례 **당연무효 여부는 개별적 판단**

1 하자 있는 법규명령에 의한 행정행위가 당연무효로 되려면 해당 법규명령의 하자가 외관상 명백해야 한다(대판 1997.5.28, 95다15735).

2 위법 · 무효인 구 개발이익환수에관한법률시행령 제8조 제1항 제2호 및 제9조 제5항을 적용한 개발부담금 부과처분이 당연무효라 할 수 없다(대판 1997.5.28, 95다15735).

4. 소멸

(1) 법규명령의 폐지

(2) 종기의 도래 또는 해제조건의 성취

(3) 근거법령의 효력 상실

관련판례 **근거법령의 효력 변동**

1 **위헌결정** ★★

근거법률이 위헌결정으로 효력을 상실하면 법규명령도 원칙적으로 효력을 상실한다(대판 2001.6.12, 2000다18547).

2 **상위법 개정** ★★★

상위법령의 시행에 필요한 세부적 사항을 정하기 위하여 행정관청이 일반적 직권에 의하여 제정하는 이른바 집행명령은 근거법령인 상위법령이 폐지되면 특별한 규정이 없는 이상 실효되는 것이나, 상위법령이 개정됨에 그친 경우에는 개정법령과 성질상 모순, 저촉되지 아니하고 개정된 상위법령의 시행에 필요한 사항을 규정하고 있는 이상 그 집행명령은 상위법령의 개정에도 불구하고 당연히 실효되지 아니하고 개정법령의 시행을 위한 집행명령이 제정, 발효될 때까지는 여전히 그 효력을 유지한다(대판 1989.9.12, 88누6962).

3 일반적으로 법률의 위임에 따라 효력을 갖는 법규명령의 경우에 위임의 근거가 없어 무효였더라도 나중에 법 개정으로 위임의 근거가 부여되면 그때부터는 유효한 법규명령으로 볼 수 있다. 그러나 법규명령이 개정된 법률에 규정된 내용을 함부로 유추 · 확장하는 내용의 해석규정이어서 위임의 한계를 벗어난 것으로 인정될 경우에는 법규명령은 여전히 무효이다(대판 2017.4.20, 2015두45700 전합).

4 **위임근거부여** ★★★

위임의 근거 없이 제정된 법규명령의 경우에는 사후에 위임근거가 부여되면 그때부터 유효하고, 위임근거규정이 개정되어 위임의 근거가 없어진 경우에는 그때부터 무효이다(대판 1995.6.30, 93추83).

간단 점검하기

01 위임명령은 상위법령의 폐지에 의해 소멸된다. ( ) 07. 국회직 8급

02 법규명령의 위임근거가 되는 법률에 대하여 위헌결정이 선고되더라도 그 법규명령은 특별한 규정이 없는 한 별도의 폐지행위가 있어야 효력을 상실한다. ( ) 08. 지방직 7급

03 판례는 일단 법률에 근거하여 유효하게 성립한 법규명령은 나중에 위임법률이 개정되어 그 근거가 없어지더라도 그 효력에 지장이 없다고 한다. ( ) 13. 서울시 7급

04 법률의 위임에 의하여 효력을 갖는 법규명령은 구법에 위임의 근거가 없어 무효였더라도 사후에 법률개정으로 위임의 근거가 부여되면 소급하여 유효한 법규명령이 된다. ( ) 17. 서울시 7급

01 ○ 02 × 03 × 04 ×

6 법규명령에 대한 통제

1. 의회에 의한 통제

(1) 간접적 통제

① 국정조사 · 감사(헌법 제61조)
② 국무총리 등에 대한 질문(헌법 제62조)
③ 국무총리 · 국무위원의 해임건의(헌법 제63조)
④ 대통령 등에 대한 탄핵소추(헌법 제65조)

(2) 직접적 통제

① **의의:** 법규명령의 성립 · 발효에 대한 동의권 · 승인권이나 일단 유효하게 성립한 법규명령의 효력을 소멸시키는 권한을 의회에 유보하는 방법에 의한 통제를 말한다.
② **외국의 입법례:** 영국의 '의회에의 제출절차', 독일의 '동의권 유보', 미국의 '입법적 거부' 등이 그 대표적 예이다.
③ **우리나라의 경우**

> 헌법 제76조 ① 대통령은 내우 · 외환 · 천재 · 지변 또는 중대한 재정 · 경제상의 위기에 있어서 국가의 안전보장 또는 공공의 안녕질서를 유지하기 위하여 긴급한 조치가 필요하고 국회의 집회를 기다릴 여유가 없을 때에 한하여 최소한으로 필요한 재정 · 경제상의 처분을 하거나 이에 관하여 법률의 효력을 가지는 명령을 발할 수 있다.
> ② 대통령은 국가의 안위에 관계되는 중대한 교전상태에 있어서 국가를 보위하기 위하여 긴급한 조치가 필요하고 국회의 집회가 불가능한 때에 한하여 법률의 효력을 가지는 명령을 발할 수 있다.
> ③ 대통령은 제1항과 제2항의 처분 또는 명령을 한 때에는 지체 없이 국회에 보고하여 그 승인을 얻어야 한다.
> ④ 제3항의 승인을 얻지 못한 때에는 그 처분 또는 명령은 그때부터 효력을 상실한다. 이 경우 그 명령에 의하여 개정 또는 폐지되었던 법률은 그 명령이 승인을 얻지 못한 때부터 당연히 효력을 회복한다.
>
> 국회법 제98조의2【대통령령 등의 제출 등】① 중앙행정기관의 장은 법률에서 위임한 사항이나 법률을 집행하기 위하여 필요한 사항을 규정한 대통령령 · 총리령 · 부령 · 훈령 · 예규 · 고시 등이 제정 · 개정 또는 폐지되었을 때에는 10일 이내에 이를 국회 소관 상임위원회에 제출하여야 한다. 다만, 대통령령의 경우에는 입법예고를 할 때(입법예고를 생략하는 경우에는 법제처장에게 심사를 요청할 때를 말한다)에도 그 입법예고안을 10일 이내에 제출하여야 한다.
> ③ 상임위원회는 위원회 또는 상설소위원회를 정기적으로 개회하여 그 소관 중앙행정기관이 제출한 대통령령 · 총리령 및 부령(이하 이 조에서 "대통령령 등"이라 한다)의 법률 위반 여부 등을 검토하여야 한다.
> ⑦ 상임위원회는 제3항에 따른 검토 결과 부령이 법률의 취지 또는 내용에 합치되지 아니한다고 판단되는 경우에는 소관 중앙행정기관의 장에게 그 내용을 통보할 수 있다.

간단 점검하기

01 긴급명령이나 긴급재정 · 경제명령은 지체 없이 국회의 승인을 받아야 하며 승인을 얻지 못한 때에는 그 명령은 그때부터 효력을 상실한다. ( )
13. 국회직 8급

간단 점검하기

02 중앙행정기관의 장은 법률에서 위임한 사항이나 법률을 집행하기 위하여 필요한 사항을 규정한 대통령령 · 총리령 · 부령 등이 제정 또는 개정된 때에는 14일 이내에 이를 국회에 송부하여 국회에 의한 통제를 받게 된다. ( ) 12. 국회직 8급

03 국회법에 의하면 대통령령의 경우에는 입법예고를 할 때(입법예고를 생략하는 경우에는 법제처장에게 심사를 요청할 때를 말한다)에도 그 입법예고안을 10일 이내에 이를 국회 소관 상임위원회에 제출하여야 한다. ( )
18. 경찰행정

01 ○ **02** × **03** ○

> ⑧ 제7항에 따라 검토내용을 통보받은 중앙행정기관의 장은 통보받은 내용에 대한 처리 계획과 그 결과를 지체 없이 소관 상임위원회에 보고하여야 한다.

2. 행정적 통제

(1) 행정감독권에 의한 통제

① 하급행정청의 법규명령을 감독청이 직접 개정 또는 폐지할 수 없다.

② 하급행정청에 당해 법규명령의 시정·폐지를 지시하거나 명령할 수 있다.

③ 상위법령을 제정하거나 개정하여 하위법령의 효력을 소멸시킬 수 있다.

간단 점검하기

01 상급행정청의 감독권의 대상에는 하급행정청의 행정입법권 행사도 포함되지만, 상급행정청은 하급행정청의 법규명령을 스스로 폐지할 수는 없다. ( ) 12. 국회직 8급

(2) 행정절차적 통제

① **국무회의 심의**: 대통령령(헌법 제89조 3호)

② **법제처 심사**: 대통령령, 총리령, 부령(정부조직법 제23조)

③ **입법예고**: 40일 이상 입법예고(조례는 20일 이상)(행정절차법 제41조)

간단 점검하기

02 국무회의에 상정될 총리령안과 부령안은 법제처의 심사를 받아야 한다. ( ) 18. 지방직 7급

(3) 행정심판에 의한 통제

① 불합리한 법령 등의 시정조치를 요청할 수 있다(행정심판법 제59조 제1항).

② 이러한 시정조치는 구속성이 인정된다(동조 제2항).

> 행정심판법 제59조【불합리한 법령 등의 개선】 ① 중앙행정심판위원회는 심판청구를 심리·재결할 때에 처분 또는 부작위의 근거가 되는 명령 등(대통령령·총리령·부령·훈령·예규·고시·조례·규칙 등을 말한다. 이하 같다)이 법령에 근거가 없거나 상위 법령에 위배되거나 국민에게 과도한 부담을 주는 등 크게 불합리하면 관계 행정기관에 그 명령 등의 개정·폐지 등 적절한 시정조치를 요청할 수 있다. 이 경우 중앙행정심판위원회는 시정조치를 요청한 사실을 법제처장에게 통보하여야 한다.
> ② 제1항에 따른 요청을 받은 관계 행정기관은 정당한 사유가 없으면 이에 따라야 한다.

(4) 국민권익위원회에 의한 통제

① 법령 등에 대한 부패유발요인 검토하여 그 개선을 위하여 필요사항을 권고할 수 있다(부패방지 및 국민권익위원회의 설치와 운영에 관한 법률❶ 제28조).

② 제도개선의 권고 및 의견 표명이 가능하다(동법 제47조).

❶ 약칭: 부패방지권익위법(이하 동일)

> 부패방지권익위법 제28조 【법령 등에 대한 부패유발요인 검토】 ① 위원회는 다음 각 호에 따른 법령 등의 부패유발요인을 분석·검토하여 그 법령 등의 소관 기관의 장에게 그 개선을 위하여 필요한 사항을 권고할 수 있다.
> 1. 법률·대통령령·총리령 및 부령
> 2. 법령의 위임에 따른 훈령·예규·고시 및 공고 등 행정규칙
> 3. 지방자치단체의 조례·규칙

01 ○ 02 ○

4. 공공기관의 운영에 관한 법률 제4조에 따라 지정된 공공기관 및 지방공기업법 제49조, 제76조에 따라 설립된 지방공사·지방공단의 내부규정

② 제1항에 따른 부패유발요인 검토의 절차와 방법에 관하여 필요한 사항은 대통령령으로 정한다.

제47조【제도개선의 권고 및 의견의 표명】 권익위원회는 고충민원을 조사·처리하는 과정에서 법령 그 밖의 제도나 정책 등의 개선이 필요하다고 인정되는 경우에는 관계 행정기관 등의 장에게 이에 대한 합리적인 개선을 권고하거나 의견을 표명할 수 있다.

3. 사법적 통제

(1) 개설

① **추상적 규범통제와 구체적 규범통제**

㉠ **추상적 규범통제**: 입법의 위헌 또는 위법에 대하여 구체적 법적 분쟁을 전제로 하지 않고 공익적 견지에서 직접 다투도록 하는 통제방법을 말한다.

㉡ **구체적 규범통제**: 입법의 위헌 또는 위법 여부가 구체적 법적 분쟁에 관한 소송에서 다투어지는 경우에 이를 심사하도록 하는 통제방법을 말한다.

② **직접적 통제와 간접적 통제**

㉠ **직접적 통제**: 입법 자체가 직접 소송의 대상이 되고, 위헌·위법인 경우 그 효력을 상실시키는 제도를 말한다.

㉡ **간접적 통제**: 입법 자체를 직접 소송의 대상으로 하는 것이 아니라, 구체적인 사건에 관한 재판에서 해당 입법의 위법 여부가 선결문제가 되는 경우 해당 입법의 위법 여부를 판단하는 제도를 말한다.

③ **우리나라의 경우**: 원칙적으로 구체적 규범통제에 의한다.

(2) 일반법원에 의한 통제

헌법 제107조 ② 명령·규칙 또는 처분이 헌법이나 법률에 위반되는 여부가 재판의 전제가 된 경우에는 대법원은 이를 최종적으로 심사할 권한을 가진다.

① **구체적 규범통제(간접적 규범통제)**

㉠ **의의**: 구체적 규범통제란 명령·규칙 또는 처분이 헌법이나 법률에 위반되는 여부가 재판의 전제가 된 경우에 법원에서 이를 심사하는 것을 말한다. '재판의 전제성'이란 특정의 사건을 재판할 때에 그 사건에 적용되는 명령·규칙의 위헌·위법 여부가 문제됨을 의미한다.

㉡ **주체**: 구체적 규범통제의 주체는 각급법원이며, 대법원이 최종심사권을 가진다.

간단 점검하기

01 법규명령에 대한 사법적 통제로 우리나라는 구체적 규범통제를 원칙으로 한다. ( ) 12. 지방직 9급

02 사법적 통제에 있어 우리나라는 추상적 규범통제제도를 취하고 있기 때문에 행정청의 처분 등에 의하지 않는 일반적인 법규명령에 대해서도 규범통제를 할 수 있다. ( ) 07. 국회직 9급, 12. 지방직 9급, 09. 국가직 7급

간단 점검하기

03 명령·규칙 또는 처분이 헌법이나 법률에 위반되는 여부가 재판의 전제가 된 경우에는 대법원은 이를 최종적으로 심사할 권한을 가진다. ( ) 14. 경찰행정

04 법원에 의한 명령 규칙의 위헌·위법심사는 그 위헌 또는 위법의 여부가 재판의 전제가 된 경우에 비로소 가능하다. ( ) 16. 국회직 8급, 12·09. 국가직 9급

01 ○ 02 × 03 ○ 04 ○

ⓒ **대상**: 구체적 규범통제의 대상은 명령과 규칙이다.

ⓐ 명령에는 행정입법으로서의 법규명령과 국회의 동의 없이 행정부가 외국과 체결하는 행정협정이 포함된다.

ⓑ 규칙은 국회규칙 · 대법원규칙 · 헌법재판소규칙 · 중앙선거관리위원회규칙을 의미한다.

ⓒ 행정규칙은 제외되나, 법규적 효력을 가지는 행정규칙(법령보충적 행정규칙 등)은 대상이 된다.

ⓓ 긴급명령과 긴급재정 · 경제명령은 법률적 효력을 가지므로 대상에서 제외된다.

ⓔ 지방자치단체의 조례와 규칙도 법규명령이므로 당연히 대상이 된다.

ⓡ **효력**

ⓐ **개별적 효력**: 구체적 규범통제는 명령 · 규칙 또는 처분이 헌법이나 법률에 위반되는 여부가 재판의 전제가 된 경우에만 가능하므로, 심사권은 해당 사건에 있어서 적용거부만을 그 내용으로 하는 것이며 해당 명령 · 규칙을 무효로 하는 것은 아니다.

ⓑ **공고**: 대법원판결에 의하여 명령 · 규칙이 헌법 또는 법률에 위반된다는 것이 확정된 경우에는 대법원은 지체 없이 그 사유를 행정안전부장관에게 통보하여야 하고, 통보를 받은 행정안전부장관은 지체 없이 이를 관보에 게재하도록 하고 있다(행정소송법 제6조)(명시적 규정은 없지만 행정기관은 대법원에 의해 위법하다고 판정된 명령을 개정 또는 폐지하여야 할 의무를 진다고 본다).

> 행정소송법 제6조【명령 · 규칙의 위헌판결등 공고】① 행정소송에 대한 대법원판결에 의하여 명령 · 규칙이 헌법 또는 법률에 위반된다는 것이 확정된 경우에는 대법원은 지체없이 그 사유를 행정안전부장관에게 통보하여야 한다.
> ② 제1항의 규정에 의한 통보를 받은 행정안전부장관은 지체없이 이를 관보에 게재하여야 한다.

관련판례 **대법원 판결로 법규명령의 위법이 확정된 경우**

[1] 보건사회부장관이 정한 1994년도 노인복지사업지침은 노령수당의 지급대상자의 선정기준 및 지급수준 등에 관한 권한을 부여한 노인복지법 제13조 제2항, 같은법 시행령 제17조, 제20조 제1항에 따라 보건사회부장관이 발한 것으로서 실질적으로 법령의 규정내용을 보충하는 기능을 지니면서 그것과 결합하여 대외적으로 구속력이 있는 법규명령의 성질을 가지는 것으로 보인다.

[2] 보건사회부장관이 정한 1994년도 노인복지사업지침은 노령수당의 지급대상자를 '70세 이상'의 생활보호대상자로 규정함으로써 당초 법령이 예정한 노령수당의 지급대상자를 부당하게 축소 · 조정하였고, 따라서 위 지침 가운데 노령수당의 지급대상자를 '70세 이상'으로 규정한 부분은 법령의 위임한계를 벗어난 것이어서 그 효력이 없다(대판 1996.4.12, 95누7727).

간단 점검하기

01 명령 등이 헌법이나 법률에 위반되어 대법원에서 무효라고 선언하여도 당해 사건에만 적용이 배제될 뿐 형식적으로는 존재하므로 판결확정 후 대법원은 행정안전부장관에게 통보하도록 하고 있다. ( ) 18. 소방직 9급

02 행정소송에 대한 대법원판결에 의하여 명령 · 규칙의 위헌 또는 위법이 확정된 경우에는 대법원은 지체 없이 그 사유를 행정안전부장관에게 통보하여야 하고, 그 통보를 받은 행정안전부장관은 지체 없이 이를 관보에 게재하여야 한다. ( ) 14 · 08. 지방직 7급, 08. 지방직 9급

01 ○ 02 ○

② 추상적 규범통제(직접적 통제)

법규명령은 원칙적으로 일반적·추상적 성격을 가지므로(불특정인·불특정사건을 규율) 행정소송의 대상이 되는 처분으로 인정되지 않는다. 그러나 법규명령이 개별적·구체적 규율의 성격을 가지는 경우(특정인·특정사건을 규율하는 경우)에는 처분성이 인정되어 항고소송의 대상이 된다. 이를 '처분적 법규명령'이라 부른다.

> 행정소송법 제2조【정의】① 이 법에서 사용하는 용어의 정의는 다음과 같다.
> 1. "처분 등"이라 함은 행정청이 행하는 구체적 사실에 관한 법집행으로서의 공권력의 행사 또는 그 거부와 그 밖에 이에 준하는 행정작용(이하 "처분"이라 한다) 및 행정심판에 대한 재결을 말한다.
>
> 제3조【행정소송의 종류】행정소송은 다음의 네가지로 구분한다.
> 1. 항고소송: 행정청의 처분등이나 부작위에 대하여 제기하는 소송
>
> 제4조【항고소송】항고소송은 다음과 같이 구분한다.
> 1. 취소소송: 행정청의 위법한 처분등을 취소 또는 변경하는 소송
> 2. 무효등 확인소송: 행정청의 처분등의 효력 유무 또는 존재여부를 확인하는 소송
> 3. 부작위위법확인소송: 행정청의 부작위가 위법하다는 것을 확인하는 소송

관련판례 **항고소송의 대상이 되는 처분법규**

1 **누빌분교폐교조례 - 처분성 ○ ★★★**

조례가 집행행위의 개입 없이도 그 자체로서 직접 국민의 구체적인 권리의무나 법적 이익에 영향을 미치는 등의 법률상 효과를 발생하는 경우 그 조례는 항고소송의 대상이 되는 행정처분에 해당하고, 이러한 조례에 대한 무효확인소송을 제기함에 있어서 행정소송법 제38조 제1항, 제13조에 의하여 피고적격이 있는 처분 등을 행한 행정청은, 행정주체인 지방자치단체 또는 지방자치단체의 내부적 의결기관으로서 지방자치단체의 의사를 외부에 표시한 권한이 없는 지방의회가 아니라, 구 지방자치법(1994.3.16. 법률 제4741호로 개정되기 전의 것) 제19조 제2항, 제92조에 의하여 지방자치단체의 집행기관으로서 조례로서의 효력을 발생시키는 공포권이 있는 지방자치단체의 장(교육감)이다(대판 1996.9.20, 95누8003).

#조례_처분법규_처분성인정 #항고소송대상_교육감(피고)

2 **의료법시행규칙 - 처분성 × ★★★**

의료기관의 명칭표시판에 진료과목을 함께 표시하는 경우 글자 크기를 제한하고 있는 구 의료법 시행규칙 제31조가 그 자체로서 국민의 구체적인 권리의무나 법률관계에 직접적인 변동을 초래하지 아니하므로 항고소송의 대상이 되는 행정처분이라고 할 수 없다(대판 2007.4.12, 2005두15168).

#의료법시행규칙 #진료과목_글자크기제한 #처분성부인

간단 점검하기

01 일반적·추상적인 법령 그 자체로서 국민의 구체적인 권리·의무에 직접적인 변동을 초래하는 것이 아닌 것은 취소소송의 대상이 될 수 없다.
( ) 15. 지방직 9급

간단 점검하기

02 처분은 행정청이 행한 구체적 사실에 관한 법집행 행위이므로 일반적 추상적 행위는 처분이 아니나, 그 효력이 다른 집행행위의 매개 없이 그 자체로서 직접 국민의 구체적인 권리와 의무나 법률관계를 규율하는 성격을 가지는 처분법규는 처분이 된다. ( )
18. 소방직 9급

간단 점검하기

03 조례가 집행행위의 개입 없이 직접 국민의 구체적 권리·의무에 영향을 미치는 등의 효과를 발생하면 그 조례는 항고소송의 대상이 된다. ( )
18·13. 서울시 7급, 14. 지방직 7급, 08. 국가직 7급

01 ○ 02 ○ 03 ○

(3) 헌법재판소에 의한 통제

① 법규명령에 대한 헌법소원의 인정 여부

㉠ 부정설(대법원)

㉡ 인정설(헌법재판소, 다수설)

ⓐ 헌법 제107조 제2항은 재판의 전제가 된 경우에 한하여 명령과 규칙에 대한 법원의 심사권을 규정하는 것이므로, 재판의 전제가 되지 아니하고 기본권침해가 존재하는 경우에는 헌법소원이 인정된다(헌재 1990.10.15, 89헌마178).

ⓑ 헌법소원의 대상은 법원의 재판을 제외한 공권력의 행사 또는 불행사이므로, 이러한 대상에 명령과 규칙도 포함된다.

관련판례 **법무사시험불실시** ★★★

[1] 헌법 제107조 제2항이 규정한 명령·규칙에 대한 대법원의 최종심사권이란 구체적인 소송사건에서 명령·규칙의 위헌여부가 재판의 전제가 되었을 경우 법률의 경우와는 달리 헌법재판소에 제청할 것 없이 대법원이 최종적으로 심사할 수 있다는 의미이며, 명령·규칙 그 자체에 의하여 직접 기본권이 침해되었음을 이유로 하여 헌법소원심판을 청구하는 것은 위 헌법규정과는 아무런 상관이 없는 문제이다. 따라서 입법부·행정부·사법부에서 제정한 규칙이 별도의 집행행위를 기다리지 않고 직접 기본권을 침해하는 것일 때에는 모두 헌법소원심판의 대상이 될 수 있는 것이다.

[2] 이 사건에서 심판청구의 대상으로 하는 것은 법원행정처장의 법무사시험 불실시 즉 공권력의 불행사가 아니라 법원행정처장으로 하여금 그 재량에 따라 법무사시험을 실시하지 아니해도 괜찮다고 규정한 법무사법시행규칙 제3조 제1항이다. 법령자체에 의한 직접적인 기본권침해 여부가 문제되었을 경우 그 법령의 효력을 직접 다투는 것을 소송물로 하여 일반 법원에 구제를 구할 수 있는 절차는 존재하지 아니하므로 이 사건에서는 다른 구제절차를 거칠 것 없이 바로 헌법소원심판을 청구할 수 있는 것이다.

[3] 법무사법시행규칙 제3조 제1항은 법원행정처장이 법무사를 보충할 필요가 없다고 인정하면 법무사시험을 실시하지 아니해도 된다는 것으로서 상위법인 법무사법 제4조 제1항에 의하여 모든 국민에게 부여된 법무사 자격취득의 기회를 하위법인 시행규칙으로 박탈한 것이어서 평등권과 직업선택의 자유를 침해한 것이다(헌재 1990.10.15, 89헌마178).

#법무사법시행규칙_시험실시_재량 #시험불실시_권리침해_헌법소원 #시험불실시_사실행위_처분성부정

② **행정입법에 대한 헌법소원의 요건:** 다른 구제수단이 없는 경우 헌법소원을 제기한다는 보충성의 요건상, 대법원 판례에 의해 명령의 처분성이 인정되면 헌법소원을 제기할 수 없게 되며, 그 외의 경우에만 헌법소원이 인정될 수 있다.

간단 점검하기

01 헌법재판소는 법규명령이 재판의 전제가 됨이 없이 직접 개인의 기본권을 침해하는 경우에는 헌법소원의 대상이 된다고 하였다. ( )
11. 사회복지직

02 헌법 제107조 제2항이 규정한 명령·규칙에 대한 최종심사권은 대법원에게 있기 때문에, 명령·규칙 그 자체에 의하여 직접 기본권이 침해되었을지라도 헌법소원심판을 청구하는 것은 불가능하다는 것이 헌법재판소의 입장이다. ( )
14·12. 국가직 9급, 11. 지방직 7급

03 헌법재판소는 대법원규칙인 구 법무사법 시행규칙에 대해, 법규명령이 별도의 집행행위를 기다리지 않고 직접 기본권을 침해하는 것일 때에는 헌법 제107조 제2항의 명령·규칙에 대한 대법원의 최종심사권에도 불구하고 헌법소원심판의 대상이 된다고 한다.
( ) 17. 국가직 9급

01 ○ 02 × 03 ○

7 행정입법부작위

1. 의의

행정입법부작위라 함은 행정권에게 명령을 제정·개정 또는 폐지할 법적 의무가 있음에도 불구하고 합리적인 이유 없이 지체하여 명령을 제정·개정 또는 폐지하지 않는 것을 말한다.

관련판례

삼권분립의 원칙, 법치행정의 원칙을 당연한 전제로 하고 있는 우리 헌법 하에서 행정권의 행정입법 등 법집행의무는 헌법적 의무라고 보아야 할 것이다(헌재 2013.5.30, 2011헌마198).

간단 점검하기

삼권분립의 원칙, 법치행정의 원칙을 당연한 전제로 하고 있는 우리 헌법하에서 행정권의 행정입법 등 법집행의무는 헌법적 의무라고 보아야 한다.

( ) 17. 서울시 7급

2. 인정요건

(1) 명령제정·개폐의무

(2) 상당한 기간의 경과

(3) 법령의 제정 또는 개폐가 없을 것

point check 진정입법부작위와 부진정입법부작위

진정입법부작위	부진정입법부작위
입법행위의 흠결	입법행위의 결함
입법권의 불행사(전혀 규율하지 아니함)	하자 있는 입법권의 행사(불완전하게 규율함)
입법부작위 자체를 대상으로 헌법소원 제기 O	불완전하게 규율된 법을 대상으로 헌법소원 등 제기
청구기간 ×	청구기간 O

3. 입법부작위에 대한 권리구제

(1) 행정입법부작위에 대한 항고소송의 가능성

행정소송법 제2조【정의】2. "부작위"라 함은 행정청이 당사자의 신청에 대하여 상당한 기간 내에 일정한 처분을 하여야 할 법률상 의무가 있음에도 불구하고 이를 하지 아니하는 것을 말한다.

제4조【항고소송】항고소송은 다음과 같이 구분한다.

1. 취소소송: 행정청의 위법한 처분등을 취소 또는 변경하는 소송
2. 무효등 확인소송: 행정청의 처분등의 효력 유무 또는 존재여부를 확인하는 소송
3. 부작위위법확인소송: 행정청의 부작위가 위법하다는 것을 확인하는 소송

O

① **부정설(판례)**: 판례는 항고소송의 대상이 되는 부작위는 '처분 부작위'이지 '입법 부작위'가 아니라는 이유로 행정입법부작위는 항고소송(부작위위법확인소송)의 대상이 되지 않는다고 한다.

관련판례 **입법부작위의 처분성** ★★★

행정소송은 구체적인 사건에 대한 법률상 분쟁을 법에 의하여 해결하려는 제도이다. 따라서 행정입법부작위, 즉 추상적인 법령의 제정 여부는 그 자체로서 국민의 권리·의무에 직접 변동을 초래하지는 않으므로 행정소송의 대상이 될 수 없다(대판 1992.5.8, 91누11261).

② **긍정설(일부 견해)**: 시행명령제정청구권을 갖는 국민이 시행명령의 제정을 청구하였고 그로부터 시행명령을 제정할 수 있는 상당한 기간이 경과되었음에도 시행명령을 제정하지 않는 경우에는 부작위위법확인소송을 제기할 수 있다.

(2) 행정입법부작위에 대한 헌법소원의 가능성

행정입법부작위에 대한 항고소송이 인정되지 않으므로 헌법소원의 대상이 된다.

관련판례 **행정입법부작위와 헌법소원**

1 군법무관 보수 ★★★

법률이 군법무관의 보수를 판사, 검사의 예에 의하도록 규정하면서 그 구체적 내용을 시행령에 위임하고 있다면, 이는 군법무관의 보수의 내용을 법률로써 일차적으로 형성한 것이고, 따라서 상당한 수준의 보수청구권이 인정되는 것이라 해석함이 상당하다. 그러므로 이 사건에서 대통령이 법률의 명시적 위임에도 불구하고 지금까지 해당 시행령을 제정하지 않아 그러한 보수청구권이 보장되지 않고 있다면 그러한 입법부작위는 정당한 이유 없이 청구인들의 재산권을 침해하는 것으로써 헌법에 위반된다(헌재 2004.2.26, 2001헌마718).

#군법무관임용등에관한시행령 #보수규정_제정_부작위(진정입법부작위) #헌법위반

2 치과전문의

[1] 치과전문의제도의 시행을 위하여 필요한 사항 중 일부를 누락함으로써 제도의 시행이 불가능하게 되었다면 그 누락된 부분에 대하여는 진정입법부작위에 해당한다고 보아야 한다.

[2] 보건복지부장관이 의료법과 위 규정의 위임에 따라 치과전문의자격시험제도를 실시할 수 있는 절차를 마련하지 아니하는 입법부작위는 헌법에 위반된다(헌재 1998.7.16, 96헌마246).

3 입법작위의무 인정 여부 ★★★

삼권분립의 원칙, 법치행정의 원칙을 당연한 전제로 하고 있는 우리 헌법 하에서 행정권의 행정입법 등 법집행의무는 헌법적 의무라고 보아야 할 것이다. 그런데 이는 행정입법의 제정이 법률의 집행에 필수불가결한 경우로서 행정입법을 제정하지 아니하는 것이 곧 행정권에 의한 입법권 침해의 결과를 초래하는 경우를 말하는 것이므로, 만일 하위 행정입법의 제정 없이 상위 법령의 규정만으로도 집행이 이루어질 수 있는 경우라면 하위 행정입법을 하여야 할 헌법적 작위의무는 인정되지 아니한다(헌재 2005.12.22, 2004헌마66).

#사법시험법 #사법시험법시행령 #사법시험_집행_가능 #사법시험법시행규칙_미제정

간단 점검하기

01 국민의 구체적인 권리·의무에 직접적으로 변동을 초래하지 않는 추상적인 법령의 제정 여부 등은 부작위위법확인소송의 대상이 될 수 없다. ( ) 18. 국가직 9급

02 상위법령의 시행을 위하여 법규명령을 제정하여야 할 의무가 인정됨에도 불구하고 법규명령을 제정하고 있지 않은 경우, 그러한 부작위는 부작위위법확인소송을 통하여 다툴 수 있다. ( ) 17. 국회직 8급

간단 점검하기

03 부진정입법부작위에 대해서는 입법부작위 그 자체를 헌법소원의 대상으로 할 수 있다. ( ) 16. 사회복지직

간단 점검하기

04 치과전문의 시험실시를 위한 시행규칙 규정의 제정 미비로 인해 치과전문의 자격을 갖지 못한 사람은 부작위위법확인소송을 통하여 구제받을 수 있다. ( ) 17. 지방직 9급

05 헌법재판소는 적극적 행정입법은 물론 행정입법의 부작위에 대하여서도 헌법소원심판의 대상성을 인정한다. ( ) 16. 국회직 8급

06 행정입법부작위의 위헌·위법성과 관련하여, 하위 행정입법의 제정 없이 상위법령의 규정만으로 집행이 이루어질 수 있는 경우에도 상위법령의 명시적 위임이 있다면 하위 행정입법을 제정하여야 할 작위의무는 인정된다. ( ) 16. 지방직 9급

01 ○ 02 × 03 × 04 × 05 ○ 06 ×

(3) 국가배상청구의 가능성

행정입법부작위로 인하여 손해가 발생한 경우에 국가배상의 요건, 특히 과실요건이 충족되면 국가배상청구가 가능할 것이다.

관련판례 **입법부작위의 위법성을 인정한 경우 ★★★**

구 군법무관임용법 제5조 제3항과 군법무관임용 등에 관한 법률 제6조가 군법무관의 보수의 구체적 내용을 시행령에 위임했음에도 불구하고 행정부가 정당한 이유 없이 시행령을 제정하지 않은 것이 불법행위에 해당한다(대판 2007.11.29, 2006다3561).
#군법무관보수_시행령_위임 #정부_규정안함_위법_국가배상_인정

간단 점검하기

01 행정입법부작위로 인하여 손해가 발생한 경우에 국가배상청구가 인정될 수 있다. ( ) 15. 서울시 7급

제3절 행정규칙

1 개설

1. 의의

행정규칙이란 행정기관이 정립하는 일반적·추상적 규범 중에서 법규의 성질을 가지지 않는 것을 말한다. 행정규칙은 행정명령이라고도 하는데, 실무에서는 훈령·통첩·예규 등이 행정규칙에 해당한다.

2. 법적 성질

행정규칙은 통상 법적 수권 없이 제정되고, 법규의 성질을 가지지 않으며, 행정조직 내부에서 대내적 구속력만 가진다는 점에서 법규명령과 구별된다.

간단 점검하기

02 행정규칙의 종류로는 훈령, 예규, 지시 등이 있다. ( ) 15. 경찰행정

03 재량권이 인정되는 영역에서 재량권행사의 기준이 되는 지침을 제정하는 것은 행정청이 법률의 근거규정 없이도 할 수 있는 조치이다. ( ) 18. 국가직 9급

2 행정규칙의 종류

1. 내용에 의한 구분

(1) 조직규칙

(2) 근무규칙(행위통제규칙)

(3) 영조물규칙

① 영조물의 관리청이 영조물의 조직·관리·사용을 규율하기 위하여 제정하는 규칙을 말한다.

② 국·공립대학교 학칙, 국·공립도서관 규칙 등이 이에 해당한다.

(4) 기타

① 재량준칙(재량권 행사 기준을 정한 행정규칙)

② 규범해석규칙

③ 법률대위규칙

④ 법령보충규칙

간단 점검하기

04 재량권행사의 기준을 정하는 행정규칙을 재량준칙이라 한다. ( ) 19. 서울시 9급

01 ○ 02 ○ 03 ○ 04 ○

2. 형식에 의한 구분

훈령	훈령	상급기관이 하급기관에 대하여 상당히 장기간에 걸쳐 권한의 행사를 일반적으로 지휘·감독하기 위하여 발하는 명령
	지시	상급기관이 직권 또는 하급기관의 문의나 신청에 대하여 개별적·구체적으로 발하는 명령❶
	예규	법규 이외의 문서로써 반복적 행정사무의 기준을 제시하는 명령
	일일명령	당직, 출장, 휴가 등 일일업무에 관하여 발하는 명령
고시		일정한 사항을 불특정 다수인에게 알리기 위해 제정되는 행정규칙

❶
행정 효율과 협업 촉진에 관한 규정 제4조 【공문서의 종류】 공문서(이하 "문서"라 한다)의 종류는 다음 각 호의 구분에 따른다.
2. 지시문서: 훈령·지시·예규·일일명령 등 행정기관이 그 하급기관이나 소속 공무원에 대하여 일정한 사항을 지시하는 문서

3 행정규칙의 법적 성질(행정규칙의 법규성)

1. 학설

(1) 비법규설

(2) 법규설

① 법규의 개념을 넓게 이해하는 입장이다.
② 특정한 행정규칙에 한정하여 법규성이 인정된다.

(3) 준법규설

① 행정규칙이 시민에 대해 미치는 효과는 직접적인 효과로서의 구속력으로 나타나는 것이 아니라 헌법상의 평등원칙을 매개로 하는 간접적인 법적 효력을 가진다고 보는 견해이다. 다수설과 헌법재판소의 입장(헌재 1990.9.3, 90헌마13)이다.
② 다만, 일부 견해는 준법규설을 비법규설의 일종으로 보기도 하고, 법규설의 일종으로 분류하기도 한다.

2. 대법원 판례

(1) 원칙 → 법규성 부인

원칙적으로 행정규칙의 법규성을 인정하지 않는다(대판 1994.8.9, 94누3414).

(2) 예외 → 법규성 인정(대부분 법령보충적 행정규칙에 해당)

예외적으로 행정규칙의 법규성을 인정하는 경우도 있으나 이는 대부분 법령보충적 행정규칙이 이에 해당한다.

간단 점검하기

01 고시가 일반·추상적 성격을 가질 때는 법규명령 또는 행정규칙에 해당하지만, 고시가 구체적인 규율의 성격을 갖는다면 행정처분에 해당한다. ( ) 18. 경찰행정, 17. 행정사·서울시 7급, 11. 국가직 9급, 10. 지방직 7급

간단 점검하기

02 대법원은 행정적 편의를 도모하기 위해 법령의 위임을 받아 제정된 절차적 규정을 법령보충적 행정규칙으로 본다. ( ) 14. 국가직 9급

01 ○ 02 ×

관련판례

1 구 법인세법(1996.12.30. 법률 제5192호로 개정되기 전의 것) 제26조 제1항·제2항, 같은법시행령(1996.12.31. 대통령령 제15192호로 개정되기 전의 것) 제82조 제1항·제2항·제3항 제5호, 같은법시행규칙(1996.12.31. 총리령 제609호로 개정되기 전의 것) 제45조 제3항 제6호, 제37호에 의하면, 법인은 법인세 신고시 세무조정사항을 기입한 소득금액조정합계표와 유보소득 계산서류인 적정유보초과소득조정명세서(乙) 등을 신고서에 첨부하여 제출하여야 하는데, 위 소득금액조정합계표 작성요령 제4호 단서는 잉여금 증감에 따른 익금산입 및 손금산입 사항의 처분인 경우 익금산입은 기타 사외유출로, 손금산입은 기타로 구분하여 기입한다고 규정하고 있고, 위 적정

유보초과소득조정명세서(乙) 작성요령 제6호는 각 사업연도 소득금액계산상 배당·상여·기타소득 및 기타 사외유출란은 소득금액조정합계표의 배당·상여·기타소득 및 기타 사외유출 처분액을 기입한다고 규정하고 있는바, 위와 같은 작성요령은 법률의 위임을 받은 것이기는 하나 법인세의 부과징수라는 행정적 편의를 도모하기 위한 절차적 규정으로서 단순히 행정규칙의 성질을 가지는 데 불과하다(대판 2003.9.5, 2001두403).

2 구 '부당한 공동행위 자진신고자 등에 대한 시정조치 등 감면제도 운영고시'(2009.5.19. 공정거래위원회 고시 제2009-9호로 개정되기 전의 것) 제16조 제1항, 제2항은 그 형식 및 내용에 비추어 재량권 행사의 기준으로 마련된 행정청 내부의 사무처리 준칙, 즉 재량준칙이라 할 것이고, 구 '독점규제 및 공정거래에 관한 법률 시행령'(2009.5.13. 대통령령 제21492호로 개정되기 전의 것, 이하 '시행령'이라 한다) 제35조 제1항 제4호에 의한 추가감면 신청 시 그에 필요한 기준을 정하는 것은 행정청의 재량에 속하므로 그 기준이 객관적으로 보아 합리적이 아니라든가 타당하지 아니하여 재량권을 남용한 것이라고 인정되지 않는 이상 행정청의 의사는 가능한 한 존중되어야 한다. 이러한 재량준칙은 일반적으로 행정조직 내부에서만 효력을 가질 뿐 대외적인 구속력을 갖는 것은 아니므로 행정처분이 이를 위반하였다고 하여 그러한 사정만으로 곧바로 위법하게 되는 것은 아니고, 다만 그 재량준칙이 정한 바에 따라 되풀이 시행되어 행정관행이 이루어지게 되면 평등의 원칙이나 신뢰보호의 원칙에 따라 행정기관은 상대방에 대한 관계에서 그 규칙에 따라야 할 자기구속을 받게 되므로, 이러한 경우에는 특별한 사정이 없는 한 그에 반하는 처분은 평등의 원칙이나 신뢰보호의 원칙에 어긋나 재량권을 일탈·남용한 위법한 처분이 된다(대판 2013.11.14, 2011두28783).

3 공무원징계양정 등에 관한 규칙은 행정기관 내부의 사무처리준칙에 해당한다(대판 1992.4.14, 91누9954).

4 감정평가사시험위원회의 심의사항이나 회의절차에 관한 시행령❶은 대외적 구속력이 없다(대판 1996.9.20, 96누6882).

5 지방선거를 위하여 중앙선거관리위원회가 배포한 '개표관리요령'은 법규적 효력을 갖지 않는다(대판 1996.7.12, 96우16).

6 하천에 관한 사무처리규정은 행정조직 내부에서 행정명령의 성질을 가진다(대판 1996.7.30, 95누13760).

7 한국전력공사의 전기공급규정에서 체납전기요금을 승계하도록 규정되었더라도 이는 내부의 업무처리지침에 불과하여 대외적인 구속력이 인정되지 않는다(대판 1992.12.24, 92다16669).

8 공정거래위원회의 부당한 지원행위의 심사지침은 행정청 내부의 사무처리준칙에 불과하다(대판 2005.6.9, 2004두7153).

9 2006년 교육공무원 보수업무 등 편람은 교육인적자원부(현재는 교육과학기술부)에서 관련 행정기관 및 그 직원을 위한 업무처리지침 내지 참고사항을 정리해 둔 것에 불과하고 법규명령의 성질을 가진 것이라고는 볼 수 없다고 본 원심판결은 정당하다(대판 2010.12.9, 2010두16349).

간단 점검하기

01 상급행정기관이 하급행정기관에 대하여 업무처리지침이나 법령의 해석적용에 관한 기준을 정하여서 발하는 이른바 행정규칙은 일반적으로 행정조직 내부에서의 효력뿐만 아니라 대외적인 구속력도 갖는다. ( )
12. 서울시 9급, 11. 국가직 9급

02 해석준칙(규범해석규칙)은 계쟁처분의 판단에 있어 법원을 구속한다. ( ) 04. 국가직 9급

03 행정규칙이 재량권행사의 준칙으로서 반복적으로 시행됨으로써 평등원칙이나 신뢰보호원칙에 따라 행정기관이 그 규칙에 따라야 할 자기구속을 당하게 되는 경우에는 그 행정규칙은 대외적인 구속력을 갖게 되어 헌법소원의 대상이 된다. ( ) 08. 국가직 7급

❶ 시행령에 규정되어 있더라도 해당조항은 위원회의 권한·절차를 정한 것에 불과하므로 대외적 구속력이 없다.

01 × 02 × 03 ○

4 행정입법의 형식과 규율내용의 불일치

❶
형식은 '법규명령'이고, 실질은 '행정규칙'의 성질을 가진 행정규칙이다.

1. 법규명령형식의 행정규칙❶

(1) 학설

① 법규명령설(형식설; 다수설)
② 행정규칙설(실질설)
③ 수권여부기준설(절충설)

간단 점검하기

대통령령이나 부령의 형식으로 발령된 제재적 처분기준에 대해서 판례는 그 법규성을 부인하고 있다. ( )
15. 경찰행정

(2) 판례

① **제재적 재량처분의 기준을 정한 시행령(대통령령 형식의 행정규칙) → 법규성 인정**

㉠ 판례는 대통령령인 시행령에 대하여는 법규성, 즉 대외적 구속력을 인정하고 있다(대판 1997.12.26, 97누15418).

㉡ 그러나 해당 시행령에 법규성은 인정하면서도 시행령의 명시적 규정에도 불구하고 그에서 정하고 있는 과징금 수액은 정액이 아니라 최고액이라고 함으로써 해당 시행령에는 결과적으로 신축적 구속력만을 인정하고 있다(대판 2001.3.9, 99두5207).

관련판례 대통령령형식으로 정한 제재적 처분기준 - 법규명령 ○, 기속행위

1 **주택건설촉진법시행령(현 주택법시행령)** ★★★

당해 처분의 기준이 된 주택건설촉진법시행령 제10조의3 제1항 [별표 1]은 주택건설촉진법 제7조 제2항의 위임규정에 터잡은 규정형식상 대통령령이므로 그 성질이 부령인 시행규칙이나 또는 지방자치단체의 규칙과 같이 통상적으로 행정조직 내부에 있어서의 행정명령에 지나지 않는 것이 아니라 대외적으로 국민이나 법원을 구속하는 힘이 있는 법규명령에 해당한다(대판 1997.12.26, 97누15418).
#대통령령형식_제재적처분기준 #금융종합건설_하자보수_불이행 #3개월_영업정지

2 **경찰공무원임용령(시행령)** ★★

경찰공무원임용령 제46조 제1항은 경찰공무원의 채용시험 또는 경찰간부후보생공개경쟁선발시험에서 부정행위를 한 응시자에 대하여는 당해 시험을 정지 또는 무효로 하고, 그로부터 5년간 이 영에 의한 시험에 응시할 수 없도록 규정하고 있는바, 이의 수권형식과 내용에 비추어 이는 행정청 내부의 사무처리기준을 규정한 재량준칙이 아니라 일반 국민이나 법원을 구속하는 법규명령에 해당하고 따라서 위 규정에 의한 처분은 재량행위가 아닌 기속행위라 할 것이다(대판 2008.5.29, 2007두18321).
#경찰공무원임용령 #법규명령 #기속행위

3 **국토의 계획 및 이용에 관한 법률 시행령** ★★

국토의 계획 및 이용에 관한 법률(이하 '국토계획법'이라 한다) 제124조의2 제1항, 제2항 및 국토의 계획 및 이용에 관한 법률 시행령 제124조의3 제3항이 토지이용에 관한 이행명령의 불이행에 대하여 법령 자체에서 토지이용의무 위반을 유형별로 구분하여 이행강제금을 차별하여 규정하고 있는 등 규정의 체계, 형식 및 내용에 비추어 보면, 국토계획법 및 국토의 계획 및 이용에 관한 법률 시행령이 정한 이행강제금의 부과기준은 단지 상한을 정한 것에 불과한 것이 아니라, 위반행위 유형별로 계산된 특정 금액을 규정한 것이므로 행정청에 이와 다른 이행강제금액을 결정할 재량권이 없다고 보아야 한다(대판 2014.11.27, 2013두8653).
#국토의계획및이용에관한법률시행령 #유형별구분_이행강제금_규정 #기속행위

×

관련판례 **대통령령 형식의 제재적 처분기준 - 법규명령 ○, 재량행위**

1 청소년보호법시행령 ★★★

구 청소년보호법(1999.2.5. 법률 제5817호로 개정되기 전의 것) 제49조 제1항, 제2항에 따른 같은법시행령(1999.6.30. 대통령령 제16461호로 개정되기 전의 것) 제40조 [별표 6]의 위반행위의종별에따른과징금처분기준은 법규명령이기는 하나 모법의 위임규정의 내용과 취지 및 헌법상의 과잉금지의 원칙과 평등의 원칙 등에 비추어 같은 유형의 위반행위라 하더라도 그 규모나 기간 · 사회적 비난 정도 · 위반행위로 인하여 다른 법률에 의하여 처벌받은 다른 사정 · 행위자의 개인적 사정 및 위반행위로 얻은 불법이익의 규모 등 여러 요소를 종합적으로 고려하여 사안에 따라 적정한 과징금의 액수를 정하여야 할 것이므로 그 수액은 정액이 아니라 최고한도액이다(대판 2001.3.9, 99두5207).

#청소년보호법시행령_과징금처분기준 #위임명령_법규명령_최고한도액
#유흥업소_청소년2명고용_1600만원부과 #최고한도_부과_재량권일탈 · 남용(위법)

2 국민건강보험법시행령 ★★★

국민건강보험법 제85조 제1항, 제2항에 따른 같은 법 시행령(2001.12.31. 대통령령 제17476호로 개정되기 전의 것) 제61조 제1항 [별표 5]의 업무정지처분 및 과징금부과의 기준은 법규명령이기는 하나 모법의 위임규정의 내용과 취지 및 헌법상의 과잉금지의 원칙과 평등의 원칙 등에 비추어 같은 유형의 위반행위라 하더라도 그 규모나 기간 · 사회적 비난 정도 · 위반행위로 인하여 다른 법률에 의하여 처벌받은 다른 사정 · 행위자의 개인적 사정 및 위반행위로 얻은 불법이익의 규모 등 여러 요소를 종합적으로 고려하여 사안에 따라 적정한 업무정지의 기간 및 과징금의 금액을 정하여야 할 것이므로 그 기간 내지 금액은 확정적인 것이 아니라 최고한도라고 할 것이다(대판 2006.2.9, 2005두11982).

#국민건강보험법시행령 #업무정지_과징금부과_기준 #최고한도

② 제재적 재량처분의 기준을 정한 시행규칙(부령 형식의 행정규칙) → 원칙적으로 법규성 부인

㉠ 부령 형식의 행정규칙에 대하여는 그 법규성을 부인하는 것이 판례의 기본입장이다.

㉡ 처분의 위법성 여부는 당해 시행규칙 규정보다는 그 취지에 적합한가를 기준으로 재량권의 일탈 · 남용이 있는지를 판단한다.

관련판례 **부령형식으로 정한 제재적 재량처분기준의 법적 성질**

1 제재적 행정처분의 일탈 · 남용에 대한 판단 ★★★

제재적 행정처분의 기준이 부령의 형식으로 규정되어 있더라도 그것은 행정청 내부의 사무처리준칙을 정한 것에 지나지 아니하여 대외적으로 국민이나 법원을 기속하는 효력이 없고, 당해 처분의 적법 여부는 위 처분기준만이 아니라 관계 법령의 규정 내용과 취지에 따라 판단되어야 하므로, 위 처분기준에 적합하다 하여 곧바로 당해 처분이 적법한 것이라고 할 수는 없지만, 위 처분기준이 그 자체로 헌법 또는 법률에 합치되지 아니하거나 위 처분기준에 따른 제재적 행정처분이 그 처분사유가 된 위반행위의 내용 및 관계 법령의 규정 내용과 취지에 비추어 현저히 부당하다고 인정할 만한 합리적인 이유가 없는 한 섣불리 그 처분이 재량권의 범위를 일탈하였거나 재량권을 남용한 것이라고 판단해서는 안 된다(대판 2007.9.20, 2007두6946).

#약사_의약품개봉판매 #보건복지부령_과징금부과 #정당성_인정

간단 점검하기

01 판례에 의하면 구 청소년보호법 제49조에 따른 시행령(대통령령) 제40조 [별표 6]의 위반행위의 종별에 따른 과징금처분기준은 법규명령이기는 하나, 사안에 따라 적정한 과징금의 액수를 정하여야 하므로 그 기준에 명시된 수액은 정액이 아니라 최고한도액으로 보아야 한다.
( ) 15 · 11. 지방직 9급, 13. 국가직 9급

02 과징금부과처분의 기준을 규정하고 있는 구 청소년보호법시행령 제40조 [별표 6]은 행정규칙의 성질을 갖는다. ( ) 18. 지방직 9급

간단 점검하기

03 판례는 종래부터 법령의 위임을 받아 부령으로 정한 제재적 행정처분의 기준을 행정규칙으로 보고, 대통령령으로 정한 제재적 행정처분의 기준은 법규명령으로 보는 경향이 있다.
( ) 17. 사회복지직

간단 점검하기

04 제재적 처분기준이 부령의 형식으로 규정되어 있는 경우, 그 처분기준에 따른 제재적 행정처분이 현저히 부당하다고 인정할 만한 합리적인 이유가 없는 한 섣불리 그 처분이 재량권의 범위를 일탈하였거나 재량권을 남용한 것이라고 판단해서는 안 된다. ( )
16. 국가직 7급

01 ○ 02 × 03 ○ 04 ○

간단 점검하기

01 구 식품위생법 시행규칙 제53조가 정한 별표 15의 행정처분기준은 구 식품위생법 제58조에 따른 영업허가의 취소 등에 관한 행정처분의 기준을 정한 것으로 대외적 구속력이 있다. ( )
14. 지방직 9급

02 규정형식상 부령인 시행규칙 또는 지방자치단체의 규칙으로 정한 행정처분의 기준은 행정처분 등에 관한 사무처리기준과 처분절차 등 행정청 내의 사무처리준칙을 규정한 것에 불과하므로 행정조직 내부에 있어서의 행정명령의 성격을 지닐 뿐 대외적으로 국민이나 법원을 구속하는 힘이 없다. ( )
18. 경찰행정

03 구 도로교통법 시행규칙 제53조 제1항이 정한 별표 16의 운전면허행정처분기준은 부령의 형식으로 되어있으나, 그 규정의 성질과 내용이 운전면허의 취소처분 등에 관한 사무처리기준과 처분절차 등 행정청 내부의 사무처리준칙을 규정한 것에 지나지 아니하므로 대외적 구속력이 없다. ( )
14. 지방직 9급, 13·06. 국가직 9급

04 부령의 형식으로 정해진 제재적 처분기준은 법규명령이다. ( )
16. 교육행정직

05 제재적 행정처분의 기준이 부령의 형식으로 규정되어 있는 경우, 이 처분기준에 적합하다 하여 곧바로 당해 처분이 적법한 것이라고 할 수는 없다. ( ) 17. 지방직 9급

01 × 02 ○ 03 ○ 04 × 05 ○

2 식품위생법시행규칙 ★★★

식품위생법시행규칙 제53조에서 [별표 15]로 식품위생법 제58조에 따른 행정처분의 기준을 정하였다고 하더라도, 형식은 부령으로 되어 있으나 성질은 행정기관 내부의 사무처리준칙을 정한 것에 불과한 것으로서, 보건사회부 장관이 관계 행정기관 및 직원에 대하여 직무권한 행사의 지침을 정하여 주기 위하여 발한 행정명령의 성질을 가지는 것이지 같은 법 제58조 제1항의 규정에 보장된 재량권을 기속하는 것이라고 할 수 없고 대외적으로 국민이나 법원을 기속하는 힘이 있는 것은 아니므로, 같은 법 제58조 제1항에 의한 처분의 적법 여부는 같은 법 시행규칙에 적합한 것인가의 여부에 따라 판단할 것이 아니라 같은 법 규정 및 그 취지에 적합한 것인가의 여부에 따라 판단하여야 할 것이며, 따라서 행정처분이 위 기준에 위반되었다는 사정만으로 그 처분이 위법한 것으로 되는 것은 아니다(대판 1994.10.14, 94누4370).

#식품위생법시행규칙_영업정지처분 #일반음식점영업허가 #유흥주점영업_2개월_영업정지 #적법성여부_법_규정×_취지기준

3 도로교통법시행규칙 ★★★

도로교통법시행규칙 제53조 제1항이 정한 [별표 16]의 운전면허행정처분기준은 부령의 형식으로 되어 있으나, 그 규정의 성질과 내용이 운전면허의 취소처분 등에 관한 사무처리기준과 처분절차 등 행정청 내부의 사무처리준칙을 규정한 것에 지나지 아니하므로 대외적으로 국민이나 법원을 기속하는 효력이 없으므로, 자동차운전면허취소처분의 적법 여부는 그 운전면허행정처분기준만에 의하여 판단할 것이 아니라 도로교통법의 규정 내용과 취지에 따라 판단되어야 한다(대판 1997.5.30, 96누5773).

#도로교통법시행규칙_면허취소처분 #교통사고_구호조치×_도주_면허취소 #정당성여부 #이익형량_결정

4 국가를 당사자로 하는 계약에 관한 법률 시행규칙 ★★★

공공기관의 운영에 관한 법률 제39조 제2항·제3항에 따라 입찰참가자격 제한기준을 정하고 있는 구 공기업·준정부기관 계약사무규칙(2013.11.18. 기획재정부령 제375호로 개정되기 전의 것) 제15조 제2항, 국가를 당사자로 하는 계약에 관한 법률 시행규칙 제76조 제1항 [별표 2], 제3항 등은 비록 부령의 형식으로 되어 있으나 규정의 성질과 내용이 공기업·준정부기관(이하 '행정청'이라 한다)이 행하는 입찰참가자격 제한처분에 관한 행정청 내부의 재량준칙을 정한 것에 지나지 아니하여 대외적으로 국민이나 법원을 기속하는 효력이 없다(대판 2014.11.27, 2013두18964).

#부정당업자제재처분 #입찰참가자격제한기준 #부령형식_제재처분기준 #재량준칙

관련판례 부령형식으로 정한 수익적처분기준의 법적 성질

1 개인택시운송사업면허 ★★★

여객자동차운수사업법에 의한 개인택시운송사업면허는 특정인에게 권리나 이익을 부여하는 행정행위, 즉 수익적 행정행위로서 법령에 특별한 규정이 없으면 행정청의 재량에 속하는 것이고, 그 면허를 위하여 정하여진 순위 내에서의 운전경력 인정방법에 관한 기준 설정 및 그 설정된 기준의 변경 역시 행정청의 재량이므로, 그 기준의 설정이나 변경이 객관적으로 합리적이 아니라거나 타당하지 않다고 보이지 아니하는 이상 행정청의 의사는 가능한 한 존중되어야 한다(대판 2005.7.22, 2005두999).

#개인택시운송사업면허_수익적행정행위_재량행위 #개인택시운송사업면허제외처분 #무사고운전경력적용문제_존중

2 구 여객자동차 운수사업법 시행규칙 ★★★

구 여객자동차 운수사업법 시행규칙(2000.8.23. 건설교통부령 제259호로 개정되기 전의 것) 제31조 제2항 제1호 · 제2호 · 제6호는 구 여객자동차 운수사업법(2000.1.28. 법률 제6240호로 개정되기 전의 것) 제11조 제4항의 위임에 따라 시외버스운송사업의 사업계획변경에 관한 절차, 인가기준 등을 구체적으로 규정한 것으로서, 대외적인 구속력이 있는 법규명령이라고 할 것이고, 그것을 행정청 내부의 사무처리준칙을 규정한 행정규칙에 불과하다고 할 수는 없다(대판 2006.6.27, 2003두4355).

#사업변경(운행횟수증감) #부령_조사절차_인가기준_정함 #부령_위임입법_법규명령 #제재적행정처분_무관

2. 행정규칙형식의 법규명령❶

(1) 의의

① 형식적으로는 고시 · 훈령 등 행정규칙의 형식으로 제정되었으나, 내용적으로는 법률의 보충적 성질을 가지는 경우를 의미한다.

관련판례 법령보충적 행정규칙의 개념과 한계

1 법령보충적 행정규칙 개념 ★★★

법령의 규정이 특정 행정기관에 그 법령 내용의 구체적 사항을 정할 수 있는 권한을 부여하면서 그 권한 행사의 절차나 방법을 특정하고 있지 않은 관계로 수임행정기관이 행정규칙인 고시의 형식으로 그 법령의 내용이 될 사항을 구체적으로 정하고 있는 경우에는, 그 고시가 당해 법령의 위임한계를 벗어나지 않는 한, 그와 결합하여 대외적으로 구속력이 있는 법규명령으로서 효력을 가지는 것이다(대판 2008.4.10, 2007두4841).

#상위법령위임 #절차_방법_불특정 #행정규칙형식 #법령내용_구체화 #법규명령

2 산림청고시 ★★★

산지관리법 제18조 제1항 · 제4항, 같은 법 시행령 제20조 제4항에 따라 산림청장이 정한 '산지전용허가기준의 세부검토기준에 관한 규정'(2003.11.20. 산림청 고시 제2003-71호) 제2조 [별표 3] 바목 '가'의 규정은 법령의 내용이 될 사항을 구체적으로 정한 것으로서 당해 법령의 위임 한계를 벗어나지 않으므로, 그와 결합하여 대외적으로 구속력이 있는 법규명령으로서 효력을 가진다(대판 2008.4.10, 2007두4841).

#산지관리법시행령 #산지전용허가기준의세부검토기준에관한규정_산림청고시

3 법률이 입법사항을 고시와 같은 행정규칙의 형식으로 위임하는 것 허용된다(헌재 2006.12.28, 2005헌바59).

② 물가안정에 관한 법률 제2조에 의하여 주무부장관이 긴요물품 등의 최고가를 고시하는 경우, 대외무역법 제19조에 근거한 물품수출입공고 등이 그러한 예에 해당한다.

> 물가안정에 관한 법률 제2조 【최고가격의 지정 등】 ① 정부는 국민생활과 국민경제의 안정을 위하여 필요하다고 인정할 때에는 특히 긴요한 물품의 가격, 부동산 등의 임대료 또는 용역의 대가의 최고가액(이하 "최고가격"이라 한다)을 지정할 수 있다.❷

간단 점검하기

01 대법원은 구 여객자동차 운수사업법 시행규칙 제31조 제2항 제1호 · 제2호 · 제6호는 구 여객자동차 운수사업법 제11조 제4항의 위임에 따라 시외버스운송사업의 사업계획변경에 관한 절차, 인가기준 등을 구체적으로 규정한 것으로서 행정청 내부의 사무처리준칙을 규정한 행정규칙에 불과하다고 할 수는 없다고 한다. ( ) 17. 국가직 9급, 14. 지방직 9급

❶ 법령보충적 행정규칙은 형식이 행정규칙이고, 실질은 법규적 내용인 행정규칙이다.

간단 점검하기

02 행정규칙에서 사용하는 개념이 달리 해석될 여지가 있다 하더라도 행정청이 수권의 범위 내에서 법령이 위임한 취지 및 형평과 비례의 원칙에 기초하여 합목적적으로 기준을 설정하여 그 개념을 해석 · 적용하고 있다면, 개념이 달리 해석될 여지가 있다는 것만으로 이를 사용한 행정규칙이 법령의 위임한계를 벗어났다고는 할 수 없다. ( ) 15. 지방직 7급

❷ 이에 따라 행정부가 고시로 그 구체적 내용을 정한 것이 무연탄 및 연탄의 최고판매가격 지정에 관한 고시(산업통상자원부고시 제2020-213호)이다.

01 ○ 02 ○

(2) 법적 성질

① 학설

㉠ 법규명령설(실질설; 다수설)

㉡ 행정규칙설(형식설)

② 판례

㉠ **대법원**: 국세청훈령인 재산제세 사무처리규정에 대해 소득세법 시행령과 결합하여 대외적 효력을 발생한다고 하여 법규성을 인정(법규명령)한 이래 행정규칙형식의 법규명령에 대해 동일한 태도를 유지하고 있다.

㉡ **헌법재판소**: 대법원과 동일한 입장이다.

③ 실정법규

> 행정규제기본법 제4조【규제 법정주의】① 규제는 법률에 근거하여야 하며, 그 내용은 알기 쉬운 용어로 구체적이고 명확하게 규정되어야 한다.
> ② 규제는 법률에 직접 규정하되, 규제의 세부적인 내용은 법률 또는 상위법령(上位法令)에서 구체적으로 범위를 정하여 위임한 바에 따라 대통령령·총리령·부령 또는 조례·규칙으로 정할 수 있다. 다만, 법령에서 전문적·기술적 사항이나 경미한 사항으로서 업무의 성질상 위임이 불가피한 사항에 관하여 구체적으로 범위를 정하여 위임한 경우에는 고시 등으로 정할 수 있다.
> ③ 행정기관은 법률에 근거하지 아니한 규제로 국민의 권리를 제한하거나 의무를 부과할 수 없다.

(3) 요건 및 한계

① 법령보충적 행정규칙은 법규명령이므로 상위 법령에 근거가 있어야 하며, 상위법령을 근거로 구체적인 기준(고시 등) 규정이 제정되어야 한다. 이러한 기준은 상위법령과 결합하여 외부적 효력을 발생하게 된다. 다만, 행정적 편의를 도모하기 위한 절차만을 위임받아 정하는 경우에는 행정규칙의 성질을 그대로 가진다.

관련판례 법령보충적 행정규칙이 법규명령인지 여부

1 소득세법 - 재산제세사무처리규정 ★★★

[1] 법령의 규정이 특정 행정기관에 그 법령내용의 구체적 사항을 정할 수 있는 권한을 부여하면서 그 권한행사의 절차나 방법을 특정하고 있지 아니한 관계로 수임행정기관이 행정규칙의 형식으로 그 법령의 내용이 될 사항을 구체적으로 정하고 있다면, 그와 같은 행정규칙 규정은 행정규칙이 갖는 일반적 효력으로서가 아니라, 행정기관에 법령의 구체적 내용을 보충하는 기능을 갖게 된다할 것이므로, 이와 같은 행정규칙 규정은 해당 법령의 수임한계를 벗어나지 아니하는 한 그것들과 결합하여 대외적인 구속력이 있는 법규명령으로서의 효력을 갖게 된다.

[2] 비록 위 재산제세사무처리규정이 국세청장의 훈령형식으로 되어 있다 하더라도 이에 의한 거래지정은 소득세법시행령의 위임에 따라 그 규정의 내용을 보충하는 기능을 가지면서 그와 결합하여 대외적 효력을 발생하게 된다(대판 1987.9.29, 86누484).

#소득세법_소득세법시행령_재산제세사무처리규정(국세청훈령) #법규명령

간단 점검하기

국세청장의 훈령형식으로 되어 있는 재산제세사무처리규정은 소득세법 시행령의 위임에 따라 소득세법 시행령의 내용을 보충하는 기능을 가지므로 소득세법 시행령과 결합하여 대외적 효력을 갖는다. ( ) 13. 국가직 9급

○

2 지방공무원법 – 행정안전부예규 ★★★

구 지방공무원보수업무 등 처리지침(2014.8.8. 안전행정부 예규 제104호로 개정되기 전의 것, 이하 '지침'이라 한다) [별표 1] '직종별 경력환산율표 해설'이 정한 민간근무경력의 호봉 산정에 관한 부분은 지방공무원법 제45조 제1항과 구 지방공무원 보수규정(2014.11.19. 대통령령 제25751호로 개정되기 전의 것) 제8조 제2항, 제9조의2 제2항, [별표 3]의 단계적 위임에 따라 행정자치부장관이 행정규칙의 형식으로 법령의 내용이 될 사항을 구체적으로 정한 것이고, 달리 지침이 위 법령의 내용 및 취지에 저촉된다거나 위임 한계를 벗어났다고 보기 어려우므로, 지침은 상위법령과 결합하여 대외적인 구속력이 있는 법규명령으로서의 효력을 갖게 된다(대판 2016.1.28, 2015두53121).

#지방공무원법_동시행령_행정안전부예규 #지방공무원보수업무등처리지침 #행정규칙형식 #구체적 #위임한계 #상위법령_결합 #대외적_구속력 #법규명령

3 산업입지법 – 국토부고시 ★★★

산업입지 및 개발에 관한 법률 제40조 제1항, 제3항, 산업입지 및 개발에 관한 법률 시행령 제45조 제1항의 위임에 따라 제정된 '산업입지의 개발에 관한 통합지침'(2008.1.4.건설교통부 고시 제2007-662호, 환경부 고시 제2007-205호)의 내용, 형식 및 취지 등을 종합하면, '산업입지의 개발에 관한 통합지침'은 위 법령이 위임한 것에 따라 법령의 내용이 될 사항을 구체적으로 정한 것으로서 법령의 위임 한계를 벗어나지 않으므로, 그와 결합하여 대외적으로 구속력이 있는 법규명령의 효력을 가진다(대판 2011.9.8, 2009두23822).

#산업입지및개발에관한법률(산업입지법)_동시행령_국토부고시 #산업입지의개발에관한통합지침 #법규명령

4 신용조합법 – 금융위원회고시 ★★★

신용협동조합법 제83조 제1항 · 제2항, 제84조 제1항 제1호 · 제2호, 제42조, 제99조 제2항 제2호, 신용협동조합법 시행령 제16조의4 제1항, 금융위원회의 설치 등에 관한 법률(이하 '금융위원회법'이라 한다) 제17조 제2호, 제60조, 금융위원회 고시 '금융기관 검사 및 제재에 관한 규정' 제2조 제1항 · 제2항, 제18조 제1항 제1호 가목, 제2항의 규정 체계와 내용, 입법 취지 등을 종합하면, 위 고시 제18조 제1항은 금융위원회법의 위임에 따라 법령의 내용이 될 사항을 구체적으로 정한 것으로서 금융위원회 법령의 위임 한계를 벗어나지 않으므로 그와 결합하여 대외적으로 구속력이 있는 법규명령의 효력을 가진다(대판 2019.5.30, 2018두52204).

#신용조합법_동시행령_금융위원회고시 #금융기관검사및제재에관한규정 #법규명령

5 건축법 – 행정자치부기준 ★★

건축법 제80조 제1항 제2호, 지방세법 제4조 제2항, 지방세법 시행령 제4조 제1항 제1호의 내용, 형식 및 취지 등을 종합하면, '2014년도 건물 및 기타물건 시가표준액 조정기준'의 각 규정들은 일정한 유형의 위반 건축물에 대한 이행강제금의 산정기준이 되는 시가표준액에 관하여 행정자치부장관으로 하여금 정하도록 한 위 건축법 및 지방세법령의 위임에 따른 것으로서 그 법령 규정의 내용을 보충하고 있으므로, 그 법령 규정과 결합하여 대외적인 구속력이 있는 법규명령으로서의 효력을 가지고, 그중 증 · 개축 건물과 대수선 건물에 관한 특례를 정한 '증 · 개축 건물 등에 대한 시가표준액 산출요령'의 규정들도 마찬가지라고 보아야 한다(대판 2017.5.31, 2017두30764).

#건물등시가표준액조정기준_행정자치부령(건축법 · 세법 근거)_법령보충적행정규칙(법규명령)

간단 점검하기

01 법령의 규정이 특정 행정기관에게 법령내용의 구체적 사항을 정할 수 있는 권한을 부여하면서도 권한행사의 절차나 방법을 특정하지 아니한 경우에는 수임행정기관으로서는 행정규칙이나 규정형식으로 법령내용이 될 사항을 구체적으로 정할 수 있다. ( ) 18. 경찰행정

02 법령의 규정이 특정 행정기관에 그 법령내용의 구체적 사항을 정할 수 있는 권한을 부여하면서 그 권한행사의 절차나 방법을 특정하고 있지 아니한 관계로 수임행정기관이 행정규칙의 형식으로 그 법령의 내용이 될 사항을 구체적으로 정하고 있다면 그와 같은 행정규칙은 행정기관에 법령의 구체적 내용을 보충할 권한을 부여한 법령규정의 효력에 의하여 그 내용을 보충하는 기능을 갖게 된다. ( ) 19. 서울시 7급

03 법령의 직접적인 위임에 따라 위임행정기관이 그 법령을 시행하는데 필요한 구체적인 사항을 정한 것이라면, 그 제정형식이 고시, 훈령, 예규 등과 같은 행정규칙이더라도 그것이 상위법령의 위임한계를 벗어나지 아니하는 한, 상위법령과 결합하여 대외적 구속력을 가진다. ( ) 17. 사회복지직

01 ○ 02 ○ 03 ○

간단 점검하기

01 구 식품위생법은 보건복지부장관이 지정하여 고시하는 영업 또는 품목의 경우는 영업허가를 제한할 수 있다고 규정하였고, 이에 따라 보건복지부장관은 그 전량을 수출하거나 주한 외국인에게만 판매한다는 요건을 갖춘 경우에만 보존음료수제조업의 허가를 할 수 있다라는 고시를 발한 바 있었다. 위 고시의 법적 성질을 행정규칙이라고 보는 것이 대법원의 입장이다. ( ) 10. 국가직 9급

02 판례는 주유소의 진출입로는 도로상의 횡단보도로부터 10m 이상 이격되게 설치하여야 한다고 규정한 전라남도 주유소 등록요건에 관한 고시 제2조 제2항 <별표1>에 대하여 법규명령으로서의 효력을 긍정하였다. ( ) 09. 지방직 9급

6 **식품위생법 - 식품제조영업허가기준**

식품제조영업허가기준이라는 고시는 공익상의 이유로 허가를 할 수 없는 영업의 종류를 지정할 권한을 부여한 구 식품위생법 제23조의3 제4호에 따라 보건사회부장관이 발한 것으로서, 실질적으로 법의 규정내용을 보충하는 기능을 지니면서 그것과 결합하여 대외적으로 구속력이 있는 법규명령의 성질을 가진 것이다(대판 1994.3.8, 92누1728).

7 **석유사업법 - 전남도주유등록고시**

석유사업법 제9조 제1항·제3항, 석유사업법시행령 제15조 [별표 2]의 각 규정에 따라 전라남도지사는 전라남도주유소등록요건에관한고시(전라남도 1997-32) 제2조 제2항 [별표 1]에서 주유소의 진출입로는 도로상의 횡단보도로부터 10m 이상 이격되게 설치하여야 한다고 규정하였는바, 위 고시는 석유사업법 및 그 시행령의 위의 규정이 도지사에게 그 법령내용의 구체적인 사항을 정할 수 있는 권한을 부여하면서 그 권한행사의 절차나 방법을 정하지 아니하고 있는 관계로 도지사가 규칙의 형식으로 그 법령의 내용이 될 사항을 구체적으로 규정한 것으로서, 이는 당해 석유사업법 및 그 시행령의 위임한계를 벗어나지 아니하는 한 그 법령의 규정과 결합하여 대외적인 구속력이 있는 법규명령으로서의 효력을 갖게 된다고 할 것이고, 따라서 위 전라남도 고시에 정하여진 등록요건에 맞지 아니하는 석유판매업등록신청에 대하여 그 등록을 거부한 행정처분은 적법하다(대판 1998.9.25, 98두7503).

8 **공장설립법 - 공장입지기준 ★★★**

산업자원부 고시 공장입지기준(1999.12.16. 산업자원부 고시 제1999-147호) 제5조는 산업자원부장관이 공업배치및공장설립에관한법률 제8조의 위임에 따라 공장입지의 기준을 구체적으로 정한 것으로서 법규명령으로서 효력을 가진다 할 것이고, 김포시 고시 공장입지제한처리기준(2000.4.10. 김포시 고시 제2000-28호) 제5조 제1항은 김포시장이 위 산업자원부 고시 공장입지기준 제5조 제2호의 위임에 따라 공장입지의 보다 세부적인 기준을 정한 것으로서 상위명령의 범위를 벗어나지 아니하므로 그와 결합하여 대외적으로 구속력이 있는 법규명령으로서 효력을 가진다(대판 2004.5.28, 2002두4716).

#산업자원부_고시_법률위임_법규명령 #김포시고시_산업자원부고시_위임 #법령보충적_행정규칙

관련판례 **위임명령이 법규명령인지 여부**

공익사업법 - 동법 시행규칙 ★★★

공익사업을 위한 토지 등의 취득 및 보상에 관한 법률(이하 '공익사업법'이라 한다) 제68조 제3항은 협의취득의 보상액 산정에 관한 구체적 기준을 시행규칙에 위임하고 있고, 위임 범위 내에서 공익사업을 위한 토지 등의 취득 및 보상에 관한 법률 시행규칙 제22조는 토지에 건축물 등이 있는 경우에는 건축물 등이 없는 상태를 상정하여 토지를 평가하도록 규정하고 있는데, 이는 비록 행정규칙의 형식이나 공익사업법의 내용이 될 사항을 구체적으로 정하여 내용을 보충하는 기능을 갖는 것이므로, 공익사업법 규정과 결합하여 대외적인 구속력을 가진다(대판 2012.3.29, 2011다104253).[1]

#공익사업법_동시행규칙 #위임명령_법규명령

[1] 본 판결의 내용의 결과는 시행규칙을 법규명령이라고 하여 문제가 없다. 그런데 공익사업법시행규칙을 행정규칙으로 잘못 오해하여 이를 상위법령과 결합하여 대외적인 구속력을 가진다는 것은 논리상 문제가 있다. 법령보충적 행정규칙은 행정규칙의 형식으로 법령의 내용을 보충하는 것인데, 판례는 법률에서 시행령에 위임한 것이므로 법규명령이며, 그 자체로 외부적 구속력을 발생하는 것이다.

01 × 02 ○

② 법령보충적 행정규칙은 위임의 범위 내에서 개별적·구체적으로 정해져야 한다. 왜냐면 이에도 포괄적 위임금지원칙이 당연히 적용되기 때문이다. 위임의 범위를 벗어나면 한계를 일탈한 것으로 보아 허용되지 않는다.

관련판례 법령보충적 행정규칙이 위임 범위를 벗어난 경우

1 위임 범위를 벗어난 것인지 판단기준 ★★★

특정 고시가 위임의 한계를 준수하고 있는지를 판단할 때에는, 법률 규정의 입법목적과 규정 내용, 규정의 체계, 다른 규정과의 관계 등을 종합적으로 살펴야 하고, 법률의 위임 규정 자체가 의미 내용을 정확하게 알 수 있는 용어를 사용하여 위임의 한계를 분명히 하고 있는데도 고시에서 문언적 의미의 한계를 벗어났다든지, 위임 규정에서 사용하고 있는 용어의 의미를 넘어 범위를 확장하거나 축소함으로써 위임 내용을 구체화하는 단계를 벗어나 새로운 입법을 한 것으로 평가할 수 있다면, 이는 위임의 한계를 일탈한 것으로서 허용되지 아니한다(대판 2016.8.17, 2015두51132).

#법령보충적행정규칙 #문언적한계_일탈 #허용불가

2 위임 범위를 벗어난 것인지 판단기준

그 행정규칙이나 규정이 상위법령의 위임범위를 벗어난 경우에는 법규명령으로서 대외적 구속력을 인정할 여지는 없다. 이는 행정규칙이나 규정 '내용'이 위임범위를 벗어난 경우뿐 아니라 상위법령의 위임규정에서 특정하여 정한 권한행사의 '절차'나 '방식'에 위배되는 경우도 마찬가지이므로, 상위법령에서 세부사항 등을 시행규칙으로 정하도록 위임하였음에도 이를 고시 등 행정규칙으로 정하였다면 그 역시 대외적 구속력을 가지는 법규명령으로서 효력이 인정될 수 없다(대판 2012.7.5, 2010다72076).

3 대외적 구속력이 없다고 본 경우 ★★★

일반적으로 행정 각부의 장이 정하는 고시라도 그것이 특히 법령의 규정에서 특정 행정기관에 법령 내용의 구체적 사항을 정할 수 있는 권한을 부여함으로써 법령 내용을 보충하는 기능을 가질 경우에는 형식과 상관없이 근거 법령 규정과 결합하여 대외적으로 구속력이 있는 법규명령으로서의 효력을 가지나 이는 어디까지나 법령의 위임에 따라 법령 규정을 보충하는 기능을 가지는 점에 근거하여 예외적으로 인정되는 효력이므로 특정 고시가 비록 법령에 근거를 둔 것이더라도 규정 내용이 법령의 위임 범위를 벗어난 것일 경우에는 법규명령으로서의 대외적 구속력을 인정할 여지는 없다(대판 2016.8.17, 2015두51132).

#법령보충적행정규칙 #한계일탈 #대외적구속력_부인

4 대외적 구속력이 없다고 본 경우

구 농수산물품질관리법령의 관련 규정에 따라 국내 가공품의 원산지표시에 관한 세부적인 사항을 정하고 있는 구 농수산물품질관리법 시행규칙(2001.6.30. 농림부령 제1389호로 개정되기 전의 것) 제24조 제6항은 "가공품의 원산지표시에 있어서 그 표시의 위치, 글자의 크기·색도 등 표시방법에 관하여 필요한 사항은 농림부장관 또는 해양수산부장관이 정하여 고시한다."고 정하고 있는바, 이는 원산지표시의 위치, 글자의 크기·색도 등과 같은 표시방법에 관한 기술적이고 세부적인 사항만을 정하도록 위임한 것일 뿐, 원산지표시 방법에 관한 기술적인 사항이 아닌 원산지표시를 하여야 할 대상을 정하도록 위임한 것은 아니라고 해석되고, 그렇다면 농산물원산지 표시요령(1999.12.9. 농림부고시 제1999-82호) 제4조 제2항이 "가공품의

간단 점검하기

01 상위법령에서 세부사항 등을 시행규칙으로 정하도록 위임하였음에도 이를 고시 등 행정규칙으로 정하였다면 이때 고시 등 행정규칙은 대외적 구속력을 갖는 법규명령으로서 효력이 인정될 수 없다. ( )
19. 지방직 9급, 17. 서울시 7급

02 법령에 근거를 둔 고시는 상위법령의 위임범위를 벗어난 경우에도 법규명령으로서 기능한다. ( )
18. 서울시 9급

01 ○ 02 ×

간단 점검하기

01 행정규칙은 원칙적으로 그 성격상 대외적 효력을 갖는 것은 아니나, 예외적인 경우에 대외적으로 효력을 가질 수 있다. ( ) 18. 경찰행정

02 행정 각부의 장이 정하는 고시는 법령의 규정으로부터 구체적 사항을 정할 수 있는 권한을 위임받아 그 법령 내용을 보충하는 기능을 가진 경우라도 그 형식상 대외적으로 구속력을 갖지 않는다. ( ) 18. 국가직 9급

03 재량준칙은 행정의 자기구속의 법리에 의거하여 간접적으로 대외적 구속력을 갖는다. ( ) 13. 서울시 7급, 12. 국가직 7급, 10. 지방직 7급

04 대법원은 재량준칙이 되풀이 시행되어 행정관행이 성립된 경우에는 당해 재량준칙에 자기구속력을 인정한다. 따라서 당해 재량준칙에 반하는 처분은 법규범인 당해 재량준칙을 직접 위반한 것으로서 위법한 처분이 된다고 한다. ( ) 17. 국가직 9급

05 행정처분이 법규성이 없는 내부지침 등의 규정에 위배된다고 하더라도 그 이유만으로 처분이 위법하게 되는 것은 아니고, 또 그 내부지침 등에서 정한요건에 부합한다고 하여 반드시 그 처분이 적법한 것이라고 할 수도 없다. ( ) 19. 서울시 7급

01 × 02 × 03 ○ 04 × 05 ○

원료로 가공품이 사용될 경우 원산지표시는 원료로 사용된 가공품의 원료 농산물의 원산지를 표시하여야 한다."고 규정하고 있더라도 이는 원산지표시 방법에 관한 기술적인 사항이 아닌 원산지표시를 하여야 할 대상에 관한 것이어서 구 농수산물 품질관리법 시행규칙에 의해 고시로써 정하도록 위임된 사항에 해당한다고 할 수 없어 법규명령으로서의 대외적 구속력을 가질 수 없다(대결 2006.4.28, 2003마715).

5 대외적 구속력이 없다고 본 경우

공공기관의 운영에 관한 법률(이하 '공공기관법'이라 한다) 제39조 제2항, 제3항 및 그 위임에 따라 기획재정부령으로 제정된 '공기업 · 준정부기관 계약사무규칙' 제15조 제1항(이하 '이 사건 규칙 조항'이라 한다)의 내용을 대비해 보면, 입찰참가자격 제한의 요건을 공공기관법에서는 '공정한 경쟁이나 계약의 적정한 이행을 해칠 것이 명백할 것'을 규정하고 있는 반면, 이 사건 규칙 조항에서는 '경쟁의 공정한 집행이나 계약의 적정한 이행을 해칠 우려가 있거나 입찰에 참가시키는 것이 부적합하다고 인정되는 자'라고 규정함으로써, 이 사건 규칙 조항이 법률에 규정된 것보다 한층 완화된 처분요건을 규정하여 그 처분대상을 확대하고 있다. 그러나 공공기관법 제39조 제3항에서 부령에 위임한 것은 '입찰참가자격의 제한기준 등에 관하여 필요한 사항'일 뿐이고, 이는 그 규정의 문언상 입찰참가자격을 제한하면서 그 기간의 정도와 가중 · 감경 등에 관한 사항을 의미하는 것이지 처분의 요건까지를 위임한 것이라고 볼 수는 없다. 따라서 이 사건 규칙 조항에서 위와 같이 처분의 요건을 완화하여 정한 것은 상위법령의 위임 없이 규정한 것이므로 이는 행정기관 내부의 사무처리준칙을 정한 것에 지나지 않는다(대판 2013.9.12, 2011두10584).

6 무효라고 본 경우 ★★★

보건사회부장관이 정한 1994년도 노인복지사업지침은 노령수당의 지급대상자의 선정기준 및 지급수준 등에 관한 권한을 부여한 노인복지법 제13조 제2항, 같은 법 시행령 제17조, 제20조 제1항에 따라 보건사회부장관이 발한 것으로서 실질적으로 법령의 규정내용을 보충하는 기능을 지니면서 그것과 결합하여 대외적으로 구속력이 있는 법규명령의 성질을 가지는 것으로 보인다. … 보건사회부장관이 정한 1994년도 노인복지사업지침은 노령수당의 지급대상자를 '70세 이상'의 생활보호대상자로 규정함으로써 당초 법령이 예정한 노령수당의 지급대상자를 부당하게 축소 · 조정하였고, 따라서 위 지침 가운데 노령수당의 지급대상자를 '70세 이상'으로 규정한 부분은 법령의 위임한계를 벗어난 것이어서 그 효력이 없다(대판 1996.4.12, 95누7727).

#노인복지법_동시행령_노인복지사업지침 #법규명령 #지급대상자_축소 #무효

7 무효라고 본 경우

국세청장 훈령인 주류유통거래에 관한 규정(1977.6.25 훈령 제585호) 제20조, 제26조는 주류판매업자에 대한 관계에 있어서는 상위법령에 근거가 없어 무효이다(대판 1980.12.23, 79누382).

point check 입법형식과 규율내용의 불일치

<table>
<tr><th>법규명령의 형식을 취하는 행정규칙</th><th>행정규칙의 형식을 취하는 법규명령</th></tr>
<tr><td>부령 형식의 행정규칙 → 법규성 부인</td><td>법령보충적 행정규칙 → 법규성 인정</td></tr>
<tr><td>• 구 식품위생법 시행규칙 제53조에서 [별표 15]로 정한 행정처분의 기준
• 도로교통법 시행규칙 제53조 제1항 별표상의 운전면허 행정처분기준
• 구 여객자동차운수사업법 시행규칙 제17조에 근거한 개인택시운송사업의 면허기준
• 검찰보존사무규칙(법무부령) 제22조 제1항 제2호에 근거한 불기소사건기록 등의 열람·등사 제한 규정(법령 근거 없는 부령 → 행정규칙)

부령 형식의 행정규칙 → 법규성 인정
구 여객자동차운수사업법 시행규칙 제31조 제2항(법 제11조 제4항의 위임에 따라) 시외버스 운송사업의 사업계획변경에 관한 기준(절차, 인가기준 등)

대통령령 형식의 행정규칙 → 법규성 인정
• 주택건설촉진법 시행령 제10조의3 제1항 [별표 1]
• 구 청소년보호법 제49조 제1항·제2항에 따른 같은 법 시행령 제40조 [별표 6]의 과징금 부과처분기준
• 국민건강보험법 제85조 제1항 제1호·제2항의 위임에 따른 구 국민건강보험법 시행령 제61조 제1항 [별표 5] 업무정지처분 및 과징금부과기준</td><td>• 국세청훈령인 재산제세 사무처리규정
• 국세청훈령인 주류면허제도개선업무처리지침
• 국무총리훈령인 개별토지가격합동조사지침
• 보건복지가족부고시인 식품영업허가기준
• 공장입지의 기준을 정한 공장입지기준고시
• 물가안정에 관한 법률상 주무장관의 긴요물품 등의 최고가고시
• 수입다변화품목의 지정 등에 관한 상공부고시
• 시장지배적 지위남용행위의 유형 및 기준
• 청소년유해매체물의 표시방법에 관한 지식경제부고시
• 노령수당지급대상자의 선정기준 및 지급수준 등을 정한 노인복지사업지침
• 신문업에서 불공정거래행위 및 시장지배적 지위남용행위의 유형 및 기준(신문고시)
• 국토교통부훈령인 건축사무소의 등록취소 및 폐쇄처분에 관한 규정
• 지자체장이 제정한 액화석유가스판매업허가기준
• 공정거래위원회의 불공정거래행위 예방을 위한 사업자준수사항
• 석유판매자 비상표제품 판매에 대한 표시의무를 규정한 지식경제부고시
• 식품접객업소영업행위제한기준을 정한 보건복지가족부고시
• 건강보험요양급여행위 및 그 상대가치점수개정에 대한 고시
• 외국인전용 카지노업 신규허가계획에 대한 공고
• 산림청장의 산지전용허가기준의 세부검토기준
• 택지개발업무처리지침
• 산업입지개발 통합지침
• 지방공무원보수업무 등 처리지침
• 2014년도 건물 및 기타물건 시가표준액 조정기준</td></tr>
</table>

Level up 법규성이 인정되지 않은 경우

1. 위임의 범위를 벗어나는 고시
2. 개인택시운송사업면허지침
3. 개발제한구역관리규정
4. 시울시 철거민에 대한 국민주택 특별공급규칙
5. 공정거래위원회의 부당한 지원행위의 심사지침
6. 서울특별시 개인택시운송사업면허 업무처리요령
7. 수산업에 관한 어업면허사무취급규정
8. 국립묘지안장대상심의위원회 운영규정
9. 감정평가협회의 토지보상평가지침
10. 서울시 상수도손괴원인자부담처리지침
11. 교육공무원 보수업무 등 편람
12. 요양급여비용의 심사기준 또는 심사지침

간단 점검하기

01 고시가 법령의 규정을 보충하는 기능을 가지면서 그와 결합하여 대외적인 구속력이 있는 법규명령으로서의 효력을 가지는 경우에도 그 자체가 법령은 아니고 행정규칙에 지나지 않으므로 적당한 방법으로 이를 일반인 또는 관계인에게 표시 또는 통보함으로써 그 효력이 발생한다. ( ) 19. 서울시 7급

02 법령보충적 행정규칙이 법규명령의 효력을 갖기 위해서는 공포되어야 한다. ( ) 08. 관세사

01 ○ 02 ×

(4) 공포가 필요한지 여부

법령보충적 행정규칙은 그 성질은 법규명령이나 그 형식이 행정규칙이므로 형식에 따라 반드시 공포 등의 절차를 거칠 필요가 없음이 원칙이다. 그 효력은 적당한 방법으로 이를 일반인 또는 관계인에게 표시 또는 통보함으로써 발생한다.

관련판례 **법령보충적 행정규칙의 공포** ★★★

수입선다변화품목의 지정 및 그 수입절차 등에 관한 1991.5.13.자 상공부 고시 제91-21호는 그 근거가 되는 대외무역법시행령 제35조의 규정을 보충하는 기능을 가지면서 그와 결합하여 대외적인 구속력이 있는 법규명령으로서의 효력을 가지는 것으로서 그 시행절차에 관하여 대외무역관리규정은 아무런 규정을 두고 있지 않으나, 그 자체가 법령은 아니고 행정규칙에 지나지 않으므로 적당한 방법으로 이를 일반인 또는 관계인에게 표시 또는 통보함으로써 그 효력이 발생한다(대판 1993.11.23, 93도662).
#대외무역법시행령_수입선다변화품목의지정및그수입절차등에관한상공부고시 #공포×_표시_통보

5 성립요건 · 효력요건 · 하자 · 소멸

1. 성립요건

주체	행정규칙을 발할 수 있는 정당한 권한을 가진 행정기관이다.
절차	① 법정의 절차는 없으나 국무총리훈령은 법제처의 사전심사를 거치고, 중앙행정기관의 훈령 · 예규는 법제처의 사후평가를 거친다. ② 행정규칙은 공포라는 형식을 요구하지 않으나, 대부분 관보에 게재하고 있다. 다만, 법령보충규칙은 국민의 권리 · 의무에 영향을 미치므로 원칙적으로 공개되어야 한다.
형식	고시, 훈령, 예규로 발해지나 법정형식은 없으므로 문서나 구술의 형식 모두 가능하다.
내용	그 권한의 범위 내에서 적법하고 가능하며, 타당한 사항이어야 한다.

2. 효력발생요건

특별한 규정이 없는 한 성립요건을 갖춘 때에는 효력을 발생하며, 수명기관에 도달된 때부터 구속력이 발생한다고 볼 수 있다.

관련판례

서울특별시가 정한 개인택시운송사업면허지침은 재량권 행사의 기준으로 설정된 행정청의 내부의 사무처리준칙에 불과하므로, 대외적으로 국민을 기속하는 법규명령의 경우와는 달리 외부에 고지되어야만 효력이 발생하는 것은 아니다(대판 1997.1.21, 95누12941).

3. 하자와 그 효과

(1) 행정규칙은 적법요건에 흠이 있으면 위법한 행정규칙이 되며, 그 법적인 효과는 무효가 된다. 이러한 점에서 행정행위와 다르고, 법규명령과 동일하다.

(2) 행정규칙은 흠의 효과로서 유효와 무효의 중간단계, 즉 취소가능성이란 상태는 존재하지 않는다.

(3) 설정된 재량기준이 객관적으로 합리적이 아니라거나 타당하지 않다고 볼 만한 다른 특별한 사정이 없다면 행정청의 의사는 존중되어야 한다.

관련판례

행정청 내부에서의 사무처리지침이 행정부가 독자적으로 제정한 행정규칙으로서 상위법규의 규정내용을 벗어나 국민에게 새로운 제한을 가한 것이라면 그 효력을 인정할 수 없겠으나, 단순히 행정규칙 중 하급행정기관을 지도하고 통일적 법해석을 기하기 위하여 상위법규 해석의 준거기준을 제시하는 규범해석규칙의 성격을 가지는 것에 불과하다면 그러한 해석기준이 상위법규의 해석상 타당하다고 보여지는 한 그에 따랐다는 이유만으로 행정처분이 위법하게 되는 것은 아니라 할 것이다(대판 1992.5.12, 91누8128).

4. 소멸

행정규칙은 명시적 · 묵시적 폐지, 종기의 도래, 해제조건의 성취 등에 의하여 효력을 상실한다.

6 행정규칙의 효력

1. 내부적 효력

행정규칙을 위반하는 행위는 직무상의 의무위반으로 징계사유에 해당한다.

2. 외부적 효력

(1) 원칙적인 경우 → 법적 구속력 부정

관련판례

행정처분이 법규성이 없는 내부지침 등의 규정에 위배된다고 하더라도 그 이유만으로 처분이 위법하게 되는 것은 아니고, 또 내부지침 등에서 정한 요건에 부합한다고 하여 반드시 그 처분이 적법한 것이라고 할 수도 없다. 처분의 적법 여부는 그러한 내부지침 등에서 정한 요건에 합치하는지 여부가 아니라 일반 국민에 대하여 구속력을 가지는 법률 등 법규성이 있는 관계 법령의 규정을 기준으로 판단하여야 한다(대판 2018.6.15, 2015두40248).

(2) 예외적인 경우 → 법적 구속력 인정

행정규칙 중에서도 법률보충적 행정규칙의 경우에는 예외적으로 직접적인 외부적 효과를 가진다. 다만, 이 경우에도 법률유보의 원리를 침해하지 않는 범위 내에서만 인정되어야 할 것이다.

간단 점검하기

01 설정된 재량기준이 객관적으로 합리적이 아니라거나 타당하지 않다고 볼 만한 다른 특별한 사정이 없다면 행정청의 의사는 존중되어야 한다. ( )
17. 사회복지직

간단 점검하기

02 행정규칙을 위반하는 행위는 직무상의 의무위반으로 징계사유에 해당한다. ( ) 15. 경찰행정

03 상급행정기관이 발한 위법이 의심되는 재량준칙에 불복한 공무원은 정당하므로 징계의 대상이 될 수 없다. ( ) 08. 지방직 9급

01 ○ 02 ○ 03 ×

7 행정규칙의 통제

1. 국회에 의한 통제

현행법은 국회의 행정규칙에 대한 심사라는 직접적 통제수단을 인정하고 있지 않다.

2. 행정내부적 통제

중앙행정기관의 훈령은 대통령령인 법제업무운영규정에 의해 법제처의 사후평가제가 실시되고 있다.

3. 법원에 의한 통제

(1) 행정규칙은 원칙적으로 법규성이 없어 국민의 권리·의무에 영향을 미치지 않으므로 행정소송의 대상이 되는 처분으로 인정되지 않는다.

(2) 그러나 행정규칙이 예외적으로 법규성을 가지고, 또한 국민의 권리·의무에 직접 영향을 미치는 개별적·구체적 성질을 가진다면 행정소송의 대상인 처분성이 인정된다.

관련판례

1 [1] 어떠한 고시가 일반적·추상적 성격을 가질 때에는 법규명령 또는 행정규칙에 해당할 것이지만, 다른 집행행위의 매개 없이 그 자체로서 직접 국민의 구체적인 권리의무나 법률관계를 규율하는 성격을 가질 때에는 항고소송의 대상이 되는 행정처분에 해당한다.

[2] 항정신병 치료제의 요양급여 인정기준에 관한 보건복지부 고시가 다른 집행행위의 매개 없이 그 자체로서 제약회사, 요양기관, 환자 및 국민건강보험공단 사이의 법률관계를 직접 규율하므로 항고소송의 대상이 되는 행정처분에 해당한다(대판 2003.10.9, 2003무23).

2 보건복지부 고시인 약제급여·비급여목록 및 급여상한금액표는 다른 집행행위의 매개 없이 그 자체로서 국민건강보험가입자, 국민건강보험공단, 요양기관 등의 법률관계를 직접 규율하는 성격을 가지므로 항고소송의 대상이 되는 행정처분에 해당한다(대판 2006.9.22, 2005두2506).

4. 헌법재판소에 의한 통제

(1) 위헌법률심사제도에 의한 통제

행정규칙은 위헌법률심사의 대상이 되지 않는다.

(2) 헌법소원에 의한 통제

① 행정규칙으로 직접 기본권침해를 받고 아울러 다른 방법으로는 이러한 침해를 다툴 수가 없어서 결과적으로 권리보호가 불가능한 경우 헌법소원의 방식으로 이를 다툴 수 있다.

② 서울대입시요강을 헌법소원의 대상인 공권력행사로 본 예가 있다(헌재 1992.10.1, 92헌마68).

간단 점검하기

01 행정규칙 자체는 원칙적으로 행정소송법상 처분에 해당되지 않는다. ( ) 14. 경찰행정

02 행정규칙이 직접적으로 국민의 권익을 침해하는 경우에는 처분성이 인정되어 항고소송에 의한 사법적 통제를 받게 된다. ( ) 12. 국회직 8급

간단 점검하기

03 판례에 의하면 보건복지부 고시가 다른 집행행위의 매개 없이 그 자체로서 요양기관, 국민건강보험공단, 국민건강보험가입자 등의 법률관계를 직접 규율하고 있다면 항고소송의 대상이 된다. ( ) 12. 지방직 9급

04 법령보충규칙에 해당하는 고시의 관계규정에 의하여 직접 기본권침해를 받는다고 하여도 이에 대하여 바로 헌법재판소법 제68조 제1항에 의한 헌법소원심판을 청구할 수 없다. ( ) 18. 지방직 7급

01 ○ 02 ○ 03 ○ 04 ×

관련판례

1 경기도교육청의 1999.6.2.자 학교장 · 교사 초빙제 실시는 학교장 · 교사 초빙제의 실시에 따른 구체적 시행을 위해 제정한 사무처리지침으로서 행정조직 내부에서만 효력을 가지는 행정상의 운영지침을 정한 것이어서, 국민이나 법원을 구속하는 효력이 없는 행정규칙에 해당하므로 헌법소원의 대상이 되지 않는다(헌재 2001.5.31, 99헌마413).

2 **공무원임용령 및 총무처예규** ★★★

법령의 직접적인 위임에 따라 위임행정기관이 그 법령을 시행하는데 필요한 구체적 사항을 정한 것이면, 그 제정형식은 비록 법규명령이 아닌 고시, 훈령, 예규 등과 같은 행정규칙이더라도 그것이 상위법령의 위임한계를 벗어나지 아니하는 한, 상위법령과 결합하여 대외적인 구속력을 갖는 법규명령으로서 기능하게 된다고 보아야 할 것인바, 청구인이 법령과 예규의 관계규정으로 말미암아 직접 기본권침해를 받았다면 이에 대하여 바로 헌법소원심판을 청구할 수 있다(헌재 1992.6.26, 91헌마25).
#공무원임용령_제35조의2 #총무처예규_제231호(대우공무원및필수실무요원의선발 · 지정등운영지침)
#상위법_결합_외부효 #기본권침해_헌법소원청구

5. 국민에 의한 통제

국민에 의한 통제에는 여론 · 자문 · 청원 · 압력단체의 활동 등의 방법이 있다.

8 개별적 행정규칙

1. 규범구체하 행정규칙

(1) 의의

규범구체화 행정규칙이란 입법기관이 규율대상의 전문성 등을 이유로 하여 법률에 그 세부적인 사항을 직접 규율하지 못하고 행정기관에 해당 내용의 구체화 권한을 일임한 경우 행정기관이 법령의 명시적인 위임 없이 법령의 내용을 보충하고 구체화하는 행정규칙을 말한다.

(2) 연혁

① 규범구체화 행정규칙은 원자력법의 영역에서 적용되는 '배출공기나 지표수를 통한 방사능의 유출에 있어서 방사선노출에 관한 일반적 산정기준(연방내무부장관의 지침)'과 관련된 독일연방행정법원의 빌(Wyhl)판결(1985년)에서 비롯된 개념이다.

② 동 판결은 연방내무부장관의 지침을 규범구체화 행정규칙으로 이해하고, 이러한 행정규칙에 대해서는 법원도 구속되는 직접적인 외부적 효력을 인정하였다.

(3) 사법통제

① 규범구체화 행정규칙은 법원도 구속되는 직접적인 외부적 효력이 인정되므로 특별한 경우를 제외하고는 사법부도 행정권의 전문적 판단을 존중한다.

② 그러나 행정권의 전문기술상의 문제와 관련된 것이라 하여도 그것이 행정권의 자의적인 평가나 절차상의 하자가 발생한다면 사법통제가 가능할 것이다.

(4) 우리나라에서의 논의

① 국세청훈령인 '재산제세 사무처리규정'과 국무총리훈령인 '개별토지가격합동조시지침'의 법규성을 인정한 우리 판례의 해석과 관련하여 규범구체화 행정규칙을 인정한 것인가에 대하여 학설의 대립이 있다.

② 우리나라에서도 규범구체화 행정규칙을 인정할 필요가 있고 인정할 수 있다는 견해가 있으며, 이러한 입장에서 동 판결이 이러한 규범구체화 행정규칙이론을 받아들인 것으로 보고 있다.

③ 그러나 다수설은 우리나라 판례는 법령보충규칙이론에 입각하여 법규성을 인정한 것이지 독일식의 규범구체화 행정규칙이론을 채택한 것으로는 볼 수 없다하여 부정설을 취하고 있다.

2. 특별명령

(1) 의의

① 특별행정법관계 내부에서 구성원의 지위나 이용관계 등에 관하여 규율하는 법규범이다.

② 학교관계에서의 학칙, 공무원관계에서의 직무명령규정 · 진급규정 등이 이에 해당한다.

③ 독일에서 전통적인 특별권력관계이론이 비판을 받아 새로운 입장에서 특별행정법관계를 규율할 목적으로 만들어진 개념으로서, 특별행정법관계 내부의 질서유지와 기능을 보장하기 위해서 인정되는 것이라고 한다.

(2) 학설

① 특별명령의 인정 여부에 관하여 긍정설과 부정설이 대립하고 있지만, 구성원에 대해 직접적으로 법적 규율을 하기 위해서는 일정한 형식의 법률의 수권을 필요로 하는 법규명령으로 제정되어야 하므로 특별명령이라는 개념을 부정하는 부정설이 타당하다.

② 독일의 통설 · 판례도 행정기관에 의한 법령제정권이 법률로써 근거가 주어져야 한다는 독일기본법 제80조 제1항에 의거하여 특별명령은 인정될 수 없다고 보고 있다.

3. 재량준칙

(1) 의의

일정한 한도에서의 독자적 판단권이 부여되어 있는 재량처분에 있어 행정청이 스스로 그 처분의 일반적 기준을 설정하여 내용적으로는 재량권을 제한하는 의미를 가지는 행정규칙으로서, 행정규칙의 법규성에 대한 논의의 내용은 이러한 재량준칙에 관한 것이다.

(2) 기능

① **통일성**: 재량권 행사가 통일성 있게 행해지는 것을 보장한다.

② **자의방지**: 행정기관의 자의적인 재량권 행사를 방지한다.

③ **공정성**: 행정기관의 재량권 행사가 공정하게 행하여지는 것을 보장한다.

④ **예측가능성**: 국민에 대하여 행정권 행사에 대한 예측가능성을 확보해 준다.

⑤ **사무처리부담경감**: 재량권행사에 있어서 공무원의 행정사무처리의 어려움을 경감시켜 준다.

⑥ **구체적 타당성의 결여**: 재량준칙에 의할 때에는 구체적 타당성 있는 행정을 할 수 없다. 왜냐하면, 재량권이 부여된 취지는 구체적인 사정을 충분히 고려하여 구체적 타당성 있는 행정을 할 수 있도록 하기 위한 것이나, 재량준칙을 정하여 정형적인 기준에 의해 처분을 하게 되면 구체적 사정을 충분히 고려하지 못하여 구체적 타당성 있는 해결을 하지 못하는 결과를 가져올 수 있기 때문이다.

제 2 장 행정행위의 종류와 내용

제1절 행정행위의 개념

1 개설

1. 학문적 관념

(1) 행정의 행위형식의 한 유형인 행정행위의 개념은 실정법상의 개념이 아니라 학문상의 개념이다.

(2) 학문상의 행정행위는 실정법상으로는 허가·인가·특허·면허·재결 등 여러 가지 명칭으로 사용되고 있으며, 행정심판법과 행정소송법에서는 이의 총괄적인 개념으로 '처분'이라는 용어를 사용하고 있다.

간단 점검하기

행정행위의 개념은 실정법상 발전되어 온 개념이다. ( ) 03. 관세사

2. 개념정립의 실익

(1) 다른 행정작용(예 공법상 계약·공법상 사실행위 등)이나 사법행위와는 달리 행정청이 일방적으로 국민의 권리·의무에 구체적 변동을 가져오거나 이를 확정하는 권력적 작용이라는 점에서 공정력·강제력·확정력 등과 같은 우월한 힘이 인정된다.

(2) 그에 대한 구제제도(예 행정쟁송·손해전보 등)에도 사법상의 그것에 비하여 특수성이 인정되고 있다. 이러한 측면에서 행정행위의 개념을 정립할 실익이 있다.

2 행정행위의 개념에 대한 학설

학설	내용	비고
최광의설	행정청이 행하는 일체의 행위	권력행위 + 비권력행위 + 통치행위 + 행정입법 + 사실행위 + 사법행위
광의설	행정청이 행하는 공법행위	권력행위 + 비권력행위 + 통치행위 + 행정입법
협의설	행정청이 구체적 사실에 관한 법집행으로서 행하는 공법행위	권력행위 + 비권력행위 (공법상 계약, 공법상 합동행위)
최협의설 (통설)	행정청이 구체적 사실에 관한 법집행으로서 행하는 권력적·단독적 공법행위	권력행위

×

3 행정행위의 개념에 대한 특질

1. 행정행위는 행정청의 행위이다. 즉, 공무수탁사인의 행위까지도 포함된다.
2. 행정행위는 구체적이고 개별적인 법집행행위이며, 행정입법은 일반적 · 추상적 규범정립작용이므로 행정행위가 아니다.

4 행정쟁송법상 처분과의 관계

1. 행정쟁송법상의 처분의 개념

행정심판법은 제2조 제1항 제1호에서 "처분이라 함은 행정청이 행하는 구체적 사실에 관한 법집행으로서의 공권력의 행사 또는 그 거부와 그 밖에 이에 준하는 행정작용을 말한다."라고 정의하고 있으며, 행정소송법 제2조 제1항 제1호 역시 같은 처분개념을 받아들이는 동시에 그 처분과 행정심판의 재결을 합쳐 '처분 등'이라고 하고 있다.

2. 쟁송법적 처분과 실체법적 행정행위 양자간의 관련성

행정쟁송법에서 규정하고 있는 처분의 개념(쟁송법적 처분)과 강학상 행정행위(실체법적 행정행위)의 개념을 어떻게 볼 것인가에 대하여 견해가 나누어진다.

구분	일원설	이원설(다수설)
내용	양자를 동일한 개념으로 보면서 '처분'과 '행정작용'과의 구별의 징표를 탐구하려는 입장	양자를 다른 것으로 보면서 행정쟁송법상의 처분의 개념을 확대하려고 노력하는 입장
범위	실체법상 행정행위 = 쟁송법상 처분	실체법상 행정행위 < 쟁송법상 처분

3. 차이점

구분	일원설	이원설(다수설)
연혁	독일식 개념	일본에서 주장되기 시작
개념	실체법적으로 행정행위의 개념을 정의하고 이에 해당하는 행위만을 행정쟁송의 대상이 되는 처분으로 보는 견해	처분의 개념을 확대하여, 공권력행사의 실체는 갖지 않으나 일정한 행정목적을 위하여 국민 개인의 법익에 대하여 계속적으로 사실상이 지배력을 미치는 경우❶ 에는 이를 항고소송의 대상으로 삼을 필요가 있다는 견해
범위	대체적으로 권력적 사실행위의 경우에도 처분의 개념으로 인정하는 것이 일반적	관련 행위유형을 형식적 행정행위 개념으로 파악

간단 점검하기

01 행정권한을 위임받은 사인도 행정청으로서 행정행위를 할 수 있다. ( ) 15. 서울시 9급

02 행정행위는 행정청이 행하는 구체적 사실에 관한 법집행작용이라는 점에서 행정청에 의한 법의 제정작용은 행정행위가 아니다. ( ) 07. 국회직 8급

03 상급자가 부하 공무원에 대하여 발하는 직무명령은 행정행위에 해당하지 않는다. ( ) 15. 서울시 9급

04 행정행위는 법적 행위이므로, 행정청이 도로를 보수하는 행위는 행정행위가 아니다. ( ) 15. 교육행정직

05 행정행위가 공법상의 행위라는 것은 그 행위의 근거가 공법적이라는 것이지, 행위의 효과까지 공법적이라는 것을 의미하는 것은 아니다. ( ) 14. 국회직 8급

06 행정행위는 공법상의 행위이므로, 행정청이 특정인에게 어업권과 같이 사권의 성질을 가지는 권리를 설정하는 행위는 행정행위가 아니다. ( ) 15. 교육행정직

07 행정소송법상 처분의 개념과 강학상 행정행위의 개념이 다르다고 보는 견해는 처분의 개념을 강학상 행정행위의 개념보다 넓게 본다. ( ) 17. 국가직 9급

❶ 행정규칙, 행정지도, 사실행위

01 ○ 02 ○ 03 ○ 04 ○ 05 ○ 06 × 07 ○

제2절 행정행위의 종류

간단 점검하기

행정행위는 법률효과의 발생원인을 기준으로 하여 법률행위적 행정행위와 준법률행위적 행정행위로 나눌 수 있다.
( ) 15. 국가직 7급

❶ 양자는 민법상의 법률행위와 준법률행위의 구별을 차용한 것이다. 다만, 오늘날 이에 대해 행정행위는 공무원의 개인적·심리적 의사가 아니라 객관화된 법규내용의 실현이므로 사법상 법률행위에서의 의사요소를 행정행위에 도입하여 분류하는 것은 부당하다는 비판이 있다.

1 법률행위적 행정행위와 준법률행위적 행정행위(법률효과가 발생되는 원인에 따른 분류)❶

구분	법률행위적 행정행위	준법률행위적 행정행위
구성요소	의사표시	의사표시 이외의 정신작용의 표시
법적 효과	표시된 의사의 내용에 따라 법적 효과 발생	의사 여하를 불문하고, 법 규정에 따라 효과 발생
형식	부관 가능, 일반적으로 불요식행위	부관 불가능, 일반적으로 요식행위
종류	• 명령적 행위(하명, 허가, 면제) • 형성적 행위(특허, 인가, 대리)	확인, 공증, 통지, 수리

2 기속행위와 재량행위(법에 구속되는 정도에 따른 분류)

1. 기속행위

행정행위의 발급에 관하여 법이 엄격하게 규율하고 있어서 법이 정한 요건을 갖춘 경우에는 반드시 법이 정한 행위를 하도록 되어 있는 행정행위를 말한다(예 건축법상 허가, 식품위생법상 음식점영업허가 등).

2. 재량행위

법규의 해석상 행정청에 행위 여부나 행위내용에 관한 선택의 가능성을 부여하고 있어 그 중 선택의 자유가 인정되는 행정행위를 말한다(예 강학상 특허, 공무원의 징계행위, 경찰작용 등).

3 수익적·침익적·복효적 행정행위(효과에 따른 분류)

1. 수익적 행정행위

상대방에게 권리·이익을 부여하거나 권리의 제한을 없애 상대방의 법적 지위를 향상시키는 행정행위를 말한다.

2. 침익적 행정행위

의무를 부과하거나 권리·이익을 침해·제한하는 등의 불이익처분을 말한다.

3. 복효적 행정행위

상대방에게는 수익적이지만 제3자에 대하여는 부담적 또는 상대방에게는 침익적이지만 제3자에게는 수익적으로 작용하는 행정행위이다.

○

4 대인적 · 대물적 · 혼합적 행정행위(대상에 따른 분류)

구분	개념	이전성	구체적인 예
대인적 행정행위	오직 사람의 학식 · 기술 · 경험과 같은 주관적 사정에 착안하여 행해지는 행위	부정	의사면허, 자동차운전면허, 인간문화재지정 등
대물적 행정행위	오직 물건의 객관적 사정에 착안하여 행해지는 행위	인정	자동차검사증의 교부, 건축물 준공검사, 자연공원지정 등
혼합적 행정행위	인적 · 주관적 사정과 물적 · 객관적 사정을 모두 고려하여 행해지는 행위	제한	석유사업허가 등

관련판례

건축허가는 대물적 허가의 성질을 가지는 것으로 그 허가의 효과는 허가대상 건축물에 대한 권리변동에 수반하여 이전되고, 별도의 승인처분에 의하여 이전되는 것이 아니며, 건축주 명의변경은 당초의 허가대장상 건축주 명의를 바꾸어 등재하는 것에 불과하므로 행정소송의 대상이 될 수 없다(대판 1979.10.30, 79누190).

5 일방적 행정행위와 쌍방적 행정행위(상대방의 협력 여부에 따른 분류)

구분	개념	구체적인 예
일방적 행정행위	상대방의 협력이 필요 없는 행위	조세부과, 경찰하명, 공무원징계 등
쌍방적 행정행위	상대방의 협력을 필요로 하는 행위	귀화허가, 공기업특허, 공무원임명 등

6 적극적 행정행위와 소극적 행정행위(법률상태의 변동 여부에 따른 분류)

구분	개념	구체적인 예
적극적 행정행위	적극적으로 현재의 법률상태의 변동을 초래하는 내용의 행위	하명, 허가, 특허 등
소극적 행정행위	현재의 법률상태를 그대로 존속시키는 내용의 행위	거부처분, 부작위 등

❶
공무원의 임용(임명 포함)은 임용장 또는 임용통지서의 형식에 의하는 것이 일반적이지만, 임용장 등의 교부는 임용의 유효요건은 아니고 임용을 형식적으로 표시·증명하는 선언적·공증적 효력밖에 없기 때문에, 임용은 요식행위가 아니다.

간단 점검하기

구체적 사실을 규율하는 경우라도 불특정 다수인을 상대방으로 하는 처분이라면 행정행위가 아니다. ( )
16. 서울시 9급

7 요식행위와 불요식행위(형식 여부에 따른 분류)❶

요식행위	내용을 명확히 하기 위해 서면 또는 서명·날인 등 일정한 형식을 요하는 행위
불요식행위	그러한 형식을 요하지 않는 행위

8 일반처분(일반적·구체적 규율)

1. 의의

(1) 일반처분이란 불특정 다수인을 대상으로 하지만 구체적 사실과 관련하여 발하여지는 행정청의 단독적·권력적 규율행위를 말한다.

(2) 일반처분은 규율의 수범자가 불특정 다수인이라는 점에서 일반적이나, 규율대상이 시간·공간 등의 관점에서 특정된다는 점에서 구체적이다.

(3) 이러한 일반처분은 일반·구체성을 띠고 있으므로 집행행위와 입법행위의 중간영역에 속한다고 보는 견해도 있으나, 행정행위의 한 유형으로 보는 것이 다수설·판례의 입장이다.

2. 종류

(1) 대인적 일반처분

① 이는 구체적 사안과 관련하여 일반적 기준에 따라 결정되거나 결정이 될 수 있는 자를 대상으로 하여 발하여지는 행정행위를 말한다.

② 예를 들어, 특정일, 특정시간 및 특정장소에서의 집회행위의 금지조치, 일정지역에서의 일정시간 이후의 통행금지 등이 이에 해당한다.

기출

다음과 같은 규율 내용의 법적 성격은? 09. 지방직 9급

> 2007년 독일에서 개최된 G8 정상회담 당시, 독일정부는 회담기간 중 행사장 주변지역에서의 모든 옥외집회를 금지하였다.

① 개별적·구체적 규율
② 개별적·추상적 규율
③ 일반적·구체적 규율
④ 일반적·추상적 규율

해설 대인적 일반처분으로 일정시간 이후의 일정지역의 통행금지 등이 그 예이다.

정답 ③

×

(2) 대물적 일반처분(물적 행정행위)

① 이는 물건에 대한 규율을 내용으로 하는 처분을 말한다. 물적 행정행위는 행정청의 고권적 조치가 직접 개인의 권리·의무를 규율하거나 개인 상호간의 관계를 규율하는 것이 아니고 물건의 상태를 규율하며 사람들은 그에 의하여 간접적으로 행동의 규율을 받게 된다.

② 물적 행정행위로서의 일반처분에는 공물로서의 도로의 공용개시행위, 도로의 일정 구역에 설치되는 속도제한 또는 일방통행표지판, 주차금지 등이 있다.

관련판례

지방경찰청장이 횡단보도를 설치하여 보행자의 통행방법 등을 규제하는 것은 행정청이 특정사항에 대하여 의무의 부담을 명하는 행위이고 이는 국민의 권리의무에 직접 관계가 있는 행위로서 행정처분이라고 보아야 할 것이다(대판 2000.10.27, 98두8964).

간단 점검하기

01 지방경찰청장이 횡단보도를 설치하여 보행자의 통행방법을 규제하는 것은 행정처분이 아니다. ( )

19. 소방직 9급, 15. 서울시 9급

3. 다른 행위와의 구별

(1) 대인적 일반처분과 법규명령과의 구별

법규명령은 일반적·추상적 규정으로서 상대방이 전혀 특정되어 있지 않으며 구체성이 없는 상태이다. 반면, 대인적 일반처분은 상대방이 특정되어 있지는 않으나 일반적 기준에 따라 특정될 수 있으며 구체적 사안 또는 사건을 규율대상으로 한다는 점에서 구별된다.

(2) 물적 행정행위와 대인적 행정행위와의 구별

대인적 행정행위는 인(人)의 행태를 직접적으로 규율하는 것이고, 반면에 물적 행정행위는 직접적으로는 물건의 상태를 규율하며 인(人)은 그에 의하여 간접적으로 규율받는 것을 말한다.

9 가행정행위 · 예비결정 · 부분허가(의사결정단계에 따른 분류)

1. 가행정행위

(1) 의의

가행정행위란 종행정행위가 있기까지, 즉 행정행위의 법적 효과 또는 구속력이 최종적으로 결정될 때까지 잠정적으로만 행정행위의 구속력을 가지는 행정의 행위형식을 말한다.

간단 점검하기

02 가행정행위는 불가변력이 발생하지 않기 때문에 신뢰보호원칙이 적용된다고 보기 어렵다. ( )

08. 지방직 9급

(2) 적용영역

가행정행위는 조세법의 영역에서 일찍부터 행하여져 왔다.[1] 그러나 가행정행위에 관한 논의가 현실적으로 의미를 갖는 경우는 급부행정의 영역이다. 예컨대, 경제행정에서 보조금교부결정은 그 법적 효과가 본행정행위(보조금의 확정)가 이루어질 때까지 잠정적이고 임시적인 성질을 가지는 가행정행위이다.

[1] 최종적인 세액확정이 어려운 경우, 잠정적인 세액에 의하여 과세처분하고 사후의 경정결정으로 세액을 확정하는 경우 등

01 × 02 ○

(3) **법적 성질**

가행정행위의 법적 성질에 대해 ① 독자적인 특수한 행정행위로 보는 견해도 있으나, ② 시간적으로 잠정적인 효력을 갖는다는 점 이외에는 보통의 행정행위와 같다고 보는 견해가 일반적이다.

(4) 가행정행위도 행정행위이므로 법률상 이익을 침해당한 자는 취소소송을 제기할 수 있다.

간단 점검하기

01 가행정행위는 그 효력발생이 시간적으로 잠정적이라는 것 외에는 보통의 행정행위와 같은 것이므로 가행정행위로 인한 권리침해에 대한 구제도 보통의 행정행위와 다르지 않다. ( )
19. 국회직 8급

관련판례

공정거래위원회가 부당한 공동행위를 행한 사업자로서 구 독점규제 및 공정거래에 관한 법률(2013.7.16. 법률 제11937호로 개정되기 전의 것) 제22조의2에서 정한 자진신고자나 조사협조자에 대하여 과징금 부과처분(이하 '선행처분'이라 한다)을 한 뒤, 독점규제 및 공정거래에 관한 법률 시행령 제35조 제3항에 따라 다시 자진신고자 등에 대한 사건을 분리하여 자진신고 등을 이유로 한 과징금 감면처분(이하 '후행처분'이라 한다)을 하였다면, 후행처분은 자진신고 감면까지 포함하여 처분 상대방이 실제로 납부하여야 할 최종적인 과징금액을 결정하는 종국적 처분이고, 선행처분은 이러한 종국적 처분을 예정하고 있는 일종의 잠정적 처분으로서 후행처분이 있을 경우 선행처분은 후행처분에 흡수되어 소멸한다. 따라서 위와 같은 경우에 선행처분의 취소를 구하는 소는 이미 효력을 잃은 처분의 취소를 구하는 것으로 부적법하다(대판 2015.2.12, 2013두987).

2. 예비결정(사전결정)

(1) **의의**

예비결정(사전결정)이란 최종적인 행정결정을 내리기 전에 사전적인 단계에서 최종적 행정결정의 요건 중 일부의 심사에 대한 종국적인 판단으로서 내려지는 결정을 의미한다. 예컨대 건축허가에서 다수의 요건이 충족되어야 하는 경우❶ 그 개개의 요건에 대한 행정청의 종국적 결정을 말한다.

❶ 건축예정지상의 건축가능성, 건축방식 등

(2) **법적 성질**

예비결정은 확약과는 달리 허가요건의 일부에 대해 미리 결정하는 것으로서 독립된 행정행위이자 확인적 행정행위이다. 예비결정은 그 결정에서 행해진 부분에만 제한적인 효력을 가지지만, 그 자체가 하나의 행정행위이다.

(3) 예비결정도 행정행위이므로 법률상 이익을 침해당한 자는 취소소송을 제기할 수 있다.

간단 점검하기

02 사전결정(예비결정)은 단계화된 행정절차에서 최종적인 행정결정을 내리기 전에 이루어지는 행위이지만, 그 자체가 하나의 행정행위이기도 하다.
( ) 16. 서울시 9급

간단 점검하기

03 구 폐기물관리법 관계법령상의 폐기물처리업허가를 받기 위한 사업계획에 대한 부적정통보는 허가신청 자체를 제한하는 등 개인의 권리 내지 법률상의 이익을 개별적이고 구체적으로 규제하고 있어 행정처분에 해당한다.
( ) 17. 국가직 9급

관련판례 **폐기물처리업 적정통보** ★★★

폐기물관리법 관계 법령의 규정에 의하면 폐기물처리업의 허가를 받기 위하여는 먼저 사업계획서를 제출하여 허가권자로부터 사업계획에 대한 적정통보를 받아야 하고, 그 적정통보를 받은 자만이 일정기간 내에 시설, 장비, 기술능력, 자본금을 갖추어 허가신청을 할 수 있으므로, 결국 부적정통보는 허가신청 자체를 제한하는 등 개인의 권리 내지 법률상의 이익을 개별적이고 구체적으로 규제하고 있어 행정처분에 해당한다(대판 1998.4.28, 97누21086).

#폐기물처리업 #적정_부적정통보 처분성인정

01 ○ 02 ○ 03 ○

관련판례 **주택건설사업계획 사전승인(예외적 판례)** ★★

구 주택건설촉진법 제33조 제1항의 규정에 의한 주택건설사업계획의 승인은 상대방에게 권리나 이익을 부여하는 효과를 수반하는 이른바 수익적 행정처분으로서 행정처분의 요건에 관하여 일의적으로 규정되어 있지 아니한 이상 행정청의 재량행위에 속하고, 그 전 단계인 같은 법 제32조의4 제1항의 규정에 의한 주택건설사업계획의 사전결정이 있다 하여 달리 볼 것은 아니다. 따라서 피고가 이 사건 주택건설사업에 대한 사전결정을 하였다고 하더라도 사업승인 단계에서 그 사전결정에 기속되지 않고 다시 사익과 공익을 비교형량하여 그 승인 여부를 결정할 수 있다(대판 1999.5.25, 99두1052).

#주택건설사업계획_승인_재량행위 #주택건설사업계획_사전승인_제한적효력 #사전승인_승인_구속×

3. 부분허가(일부결정)

(1) 의의

부분허가(일부결정)란 단계화된 행정절차에 있어서 그 일부에 대하여서만 결정을 내리는 행정행위를 말한다. 예를 들어, 다세대건축허가를 신청한 경우에 그 전체에 대한 허가에 대해서는 보다 구체적인 검토가 필요한 경우 그 가분적 일부에 대하여 허가하는 것이 그러한 경우이다.

(2) 법적 성질

① 부분허가는 종국적인 행정행위이다. 즉, 부분허가는 결정의 대상이 되는 행위의 한 부분에 대하여 이루어지는 종국적인 행정행위의 성격을 갖는다.

② 부분허가권은 본허가권에 포함되므로 별도의 법적 근거는 필요 없다.

(3) 부분허가도 행정행위이므로 법률상 이익을 침해당한 자는 취소소송을 제기할 수 있다.

관련판례 **원자로부지사전승인**

원자력법 제11조 제3항 소정의 부지사전승인제도는 원자로 및 관계 시설을 건설하고자 하는 자가 그 계획 중인 건설부지가 원자력법에 의하여 원자로 및 관계 시설의 부지로 적법한지 여부 및 굴착공사 등 일정한 범위의 공사(이하 '사전공사'라 한다)를 할 수 있는지 여부에 대하여 건설허가 전에 미리 승인을 받는 제도로서, 원자로 및 관계 시설의 건설에는 장기간의 준비·공사가 필요하기 때문에 필요한 모든 준비를 갖추어 건설허가신청을 하였다가 부지의 부적법성을 이유로 불허가될 경우 그 불이익이 매우 크고 또한 원자로 및 관계 시설 건설의 이와 같은 특성상 미리 사전공사를 할 필요가 있을 수도 있어 건설허가 전에 미리 그 부지의 적법성 및 사전공사의 허용 여부에 대한 승인을 받을 수 있게 함으로써 그의 경제적·시간적 부담을 덜어 주고 유효·적절한 건설공사를 행할 수 있도록 배려하려는 데 그 취지가 있다고 할 것이므로, 원자로 및 관계 시설의 부지사전승인처분은 그 자체로서 건설부지를 확정하고 사전공사를 허용하는 법률효과를 지닌 독립한 행정처분이기는 하지만, 건설허가 전에 신청자의 편의를 위하여 미리 그 건설허가의 일부 요건을 심사하여 행하는 사전적 부분 건설허가처분의 성격을 갖고 있는 것이어서 나중에 건설허가처분이 있게 되면 그 건설허가처분에 흡수되어 독립된 존재가치를 상실함으로써 그 건설허가처분만이 쟁송의 대상이 되는 것이므로, 부지사전승인처분의 취소를 구하는 소는 소의 이익을 잃게 되고, 따라서 부지사전승인처분의 위법성은 나중에 내려진 건설허가처분의 취소를 구하는 소송에서 이를 다투면 된다(대판 1998.9.4, 97누19588).

간단 점검하기

01 구 주택건설촉진법에 의한 주택건설사업계획 사전결정이 있는 경우 주택건설계획 승인처분은 사전결정에 기속되므로 다시 승인 여부를 결정할 수 없다. ( ) 17. 서울시 9급

간단 점검하기

02 부분허가(부분승인)는 본허가 권한과 분리되는 독자적인 행정행위이기 때문에 부분허가를 위해서는 본허가 이외에 별도의 법적 근거를 필요로 한다. ( ) 16. 서울시 9급

간단 점검하기

03 구 원자력법상 원자로 및 관계시설의 부지사전승인처분은 그 자체로서 건설부지를 확정하고 사전공사를 허용하는 법률효과를 지닌 독립한 행정처분이다. ( ) 17. 국가직 9급

04 원자로 및 관계시설의 부지사전승인처분은 그 자체로서 독립한 행정처분은 아니므로 이의 위법성을 직접 항고소송으로 다툴 수는 없고 후에 발령되는 건설허가처분에 대한 항고소송에서 다투어야 한다. ( ) 17. 국가직 9급, 13. 지방직 9급

05 원자로건설허가처분이 있게 되면 원자로부지사전승인처분에 대한 취소소송은 소의 이익을 잃게 된다. ( ) 13. 지방직 7급

01 × 02 × 03 ○ 04 ×
05 ○

10 자동화된 행정행위(사람이 직접 행하는지 여부에 따른 분류)

> 행정기본법 제20조【자동적 처분】행정청은 법률로 정하는 바에 따라 완전히 자동화된 시스템(인공지능 기술을 적용한 시스템을 포함한다)으로 처분을 할 수 있다. 다만, 처분에 재량이 있는 경우는 그러하지 아니하다.

1. 의의

자동화된 행정행위란 자동기계에 의하여 행정적 결정을 행하는 것을 말한다. 예를 들어, 자동감응장치에 의한 교통신호, 전자장치에 의한 학교배정 등이 이에 해당한다.

2. 법적 성질

(1) 자동화된 행정행위의 법적 성질

자동화된 행정행위는 자동시설의 도움을 빌어 발하여지는 행정처분으로서 일반적으로 행정행위로서의 성질을 갖는다고 본다.

(2) 자동결정프로그램의 법적 성질

자동화된 행정행위의 기준이 되는 전산프로그램은 행정규칙의 성질을 갖는다고 본다.

(3) 법적 근거

행정청은 법률로 정하는 바에 따라 완전히 자동화된 시스템(인공지능 기술을 적용한 시스템을 포함한다)으로 처분을 할 수 있다(행정기본법 제20조).

(4) 한계

① **개별법적 근거**: 자동기계장치에 의한 행정행위는 반드시 개별법에 근거가 있는 경우에만 인정된다.

② **재량행위에 부정**: 자동기계장치에 의한 행정행위는 재량이 있는 경우에는 인정되지 아니하며, 일의적으로 결정될 수 있는 기속행위에만 인정된다(동법 제20조 단서).

11 전자행정행위

1. 의의

전자행정행위란 전자문서에 의한 행정행위를 말한다. 전자문서란 컴퓨터 등 정보처리능력을 가진 장치에 의하여 전자적인 형태로 작성되어 송신·수신 또는 저장된 정보를 말한다(행정절차법 제2조 제8호). 전자적 행정행위는 당사자의 동의를 전제로 전자문서의 교부를 통하여 행해진다.

2. 특징

(1) 처분의 신청: 전자문서로 처분을 신청하는 경우에는 행정청의 컴퓨터 등에 입력된 때에 신청한 것으로 본다(행정절차법 제17조 제2항).

(2) **기명날인**: 전자행정행위에는 기명날인이 생략될 수 있다. 그러나 발령청의 이름은 명기되어야 한다.

(3) **송달과 효력발생**: 전자문서로 송달하는 경우에는 송달받을 자가 지정한 컴퓨터 등에 입력된 때에 도달된 것으로 본다(동법 제15조 제2항).

(4) **인터넷 게시**: 행정청은 신청에 필요한 구비서류 · 접수기관 · 처리기간 그 밖의 필요한 사항을 게시하거나 이에 대한 편람을 비치하여 누구나 열람할 수 있도록 하여야 한다(동법 제17조 제3항).

제3절 복효적 행정행위

복효적 행정행위
- **혼합효 행정행위** 동일인에게 복수의 효과가 발생
- **제3자효 행정행위** 한 사람에게는 이익, 다른 사람에게는 불이익

1 개설

1. 의의

(1) 복효적 행정행위란 하나의 행위가 수익과 침해라는 복수의 효과를 발생하는 행정행위를 말하며, 이중효과적 행정행위라고도 한다.

(2) 복효적 행정행위에는 혼합효 행정행위와 제3자효 행정행위가 있는데, 복효적 행정행위와 관련된 논의는 대부분 제3자효 행정행위에 집중된다.

2. 종류

구분	혼합효 행정행위	제3자효 행정행위
개념	복수의 효과가 동일인에게 발생하는 경우	한 사람에게는 이익, 다른 한 사람에게는 불이익이라고 하는 상반된 효과가 발생하는 경우
구체적인 예	부담부 행정행위	연탄공장신축허가, 공해기업 개선명령 발동 등

2 복효적 행정행위의 실체법상 문제

1. 복효적 행정행위의 직권취소

(1) 복효적 행정행위를 직권취소할 때에는 공익과 상대방의 신뢰보호뿐만 아니라 제3자의 이익도 구체적으로 비교 · 형량하여야 한다.

(2) 수익을 받은 행정행위가 아직 불가쟁력이 발생하고 있지 않은 경우에는 이로 인해 불이익을 받는 제3자는 쟁송절차에 의해 쟁송의 여지가 있기 때문에 수익자의 신뢰를 크게 보호할 필요가 없을 것이므로 직권취소가 가능하다.

(3) 수익을 받은 행정행위가 불가쟁력이 발생한 경우에는 수익자의 신뢰를 보호해야 하므로 직권취소가 제한된다.

2. 복효적 행정행위의 철회

(1) 행위의 존속이 제3자에게 불이익이 되는 경우

① 수익적 행정행위가 제3자의 권리·이익을 침해하는 경우 그 침해의 정도나 해당 이익의 내용, 보호할 필요성의 정도 등을 구체적으로 비교·형량하여 철회 여부를 결정하여야 한다.

② 예를 들어, 연탄공장의 허가를 받은 지역이 시간이 경과함에 따라 주거지역으로 변경됨으로 인하여 연탄공장의 존재가 주거지역 주민의 건강을 위협하는 경우 업주의 영업상 이익과 주민들의 환경상 이익을 구체적으로 비교·형량하여 허가의 철회 여부를 결정하여야 한다.

(2) 행위의 존속이 제3자에게 이익이 되는 경우

① 직접 상대방에 대해서 이익이 되거나 불이익이 되더라도 해당 행위가 제3자의 이익보호도 관련이 되는 경우에는 이에 대한 철회가 제한될 수 있다.

② 예를 들어, 일반국민의 이해관계에 많은 관련을 갖는 자동차운수사업이나 건설업의 경우에 그 면허의 철회사유가 있더라도 일반국민에 대한 불편을 이유로 과징금제도 등으로 의무이행을 대신 확보하며 그 철회가 제한된다.

3. 행정개입청구권(복효적 행정행위의 신청)

행정청에 제3자가 제3자효 행정행위를 해 줄 것을 신청할 수 있는지 문제가 된다. 예를 들어 공해기업에 대한 개선명령으로 인근주민이 이익을 받는 경우 인근주민이 행정청에 대하여 해당 규제행위의 발동을 청구할 수 있는지가 문제된다. 공권의 확대화 경향과 재량권이 영(0)으로 수축하는 등 일정한 요건 하에 행정개입청구권이 인정되므로, 관계법규가 제3자도 보호하는 규범이고 재량권이 영(0)으로 수축되는 경우에 제3자는 행정행위를 신청할 수 있을 것이다.

3 복효적 행정행위의 절차법상 문제

1. 제3자에 대한 통지 및 의견청취

(1) 일반적으로 행정행위는 상대방에 통지되어야 효력이 발생한다. 그런데 현행 행정절차법에서는 이러한 의미의 제3자에 대한 통지에 관한 직접적인 명문 규정은 두지 않고 있다.

(2) 행정절차법 제21조와 제22조에서는 상대방의 권리를 제한하거나 의무를 부과하는 처분에 한하여 '당사자 등'에게 사전통지와 의견청취의무를 정하고 있다.

> 행정절차법 제21조【처분의 사전통지】 ① 행정청은 당사자에게 의무를 부과하거나 권익을 제한하는 처분을 하는 경우에는 미리 다음 각 호의 사항을 당사자 등에게 통지하여야 한다.
>
> 제22조【의견청취】 ③ 행정청이 당사자에게 의무를 부과하거나 권익을 제한하는 처분을 할 때 제1항(청문) 또는 제2항(공청회)의 경우 외에는 당사자 등에게 의견제출의 기회를 주어야 한다.

(3) 당사자 등이라 함은 처분 상대방과 행정청의 직권 또는 신청에 의하여 행정절차에 참여하게 된 이해관계인을 의미한다.

2. 제3자의 행정절차참가

(1) 복효적 행정행위에서는 모든 이해관계인의 행정절차에의 참가가 특히 중요한 의미를 갖는다. 그런데 현행 행정절차법에서는 제3자에 대한 행정절차에 참가하는 권리에 대한 직접적 규정을 두고 있지는 않다.

(2) 다만, 처분 전 의견제출에 관해서는 규정하고 있는데, 신청이나 직권에 의하여 행정절차에 참여하는 제3자를 당사자로 해석하고 있음이 일반적이다.

> 행정절차법 제27조【의견제출】 ① 당사자 등은 처분 전에 그 처분의 관할 행정청에 서면이나 말로 또는 정보통신망을 이용하여 의견제출을 할 수 있다.

4 복효적 행정행위의 쟁송법상 문제

1. 제3자의 쟁송제기기간

(1) 원칙적으로 제3자가 행정심판을 제기하는 경우에도 심판제기기간은 처분이 있음을 안 날로부터 90일, 처분이 있은 날로부터는 180일 이내(행정소송의 경우에는 1년)에 제기하여야 한다.

(2) 복효적 행정행위의 경우 제3자에 대한 기간의 통지의무가 없기 때문에 처분의 직접 상대방이 아닌 제3자는 처분이 있은 날을 알 수 없는 것이 보통이므로, 제3자가 행정쟁송을 제기하는 경우에는 특별한 배려가 필요하다.

(3) 따라서 복효적 행정행위에서 불이익을 입는 제3자가 행정심판을 제기하는 경우에는 일반적으로 처분이 있는 날로부터 180일(행정소송의 경우에는 1년) 이내가 될 것이며, 정당한 사유가 있는 경우에는 180일(행정소송의 경우에는 1년)이 경과하여도 행정심판을 제기할 수 있다고 본다.

2. 제3자의 불이익 권리구제수단

(1) 제3자의 청구인적격 · 원고적격

① 불이익을 받을 제3자는 취소소송을 통하여 권리를 구제받을 수 있다. 그러나 취소소송을 통하여 권리를 구제받기 위해서는 관련법규에 의해 보호되는 이익이 침해되어야 하며, 청구인적격 · 원고적격이 인정되어야 한다. 따라서 복효적 행정행위에서는 어느 범위에서 청구인적격 · 원고적격이 인정되고 법적 이익이 침해된 것으로 볼 것인가 하는 것이 문제된다.

② 판례는 종전에는 소극적인 견해를 취하였으나[1] 원고적격의 범위를 넓혀 가고 있다. 이러한 현상은 주로 인인소송, 경업자소송[2] 등에서 주로 나타난다.

(2) **제3자에 대한 고지(요구받은 경우에 통지)**

① 행정청은 이해관계인으로부터 해당 처분이 행정심판의 대상이 되는 처분인지의 여부와 행정심판의 대상이 되는 경우에 행정심판위원회 및 청구기간에 관하여 알려줄 것을 요구받은 때에는 지체 없이 이를 알려야 한다. 이 경우 서면으로 알려줄 것을 요구받은 때에는 서면으로 알려야 한다(행정심판법 제42조 제2항).

② 여기의 이해관계인은 제3자효 행정행위의 제3자도 포함된다고 보는 것이 일반적이다.

(3) **제3자의 가구제(假救濟)**

제3자효 행정행위에 의해 법률상 이익을 침해받은 제3자는 취소소송을 제기한 경우 소송당사자로서 당연히 행정소송법 제23조에 근거하여 그가 다투는 행정행위의 집행정지를 신청할 수 있다.

제4절 기속행위와 재량행위

1 개설

1. 기속행위

기속행위란 법규상 행정행위의 요건 및 법적 효과가 일의적으로 규정되어 있어서 법이 정한 일정한 요건이 충족되어 있을 때 법이 정한 효과로서의 일정한 행위를 반드시 행하도록 되어 있는 경우의 행정행위를 말한다.

2. 재량행위

(1) 재량행위란 법규의 해석상 행정청에 행위 여부나 행위내용의 선택가능성을 부여하고 있어서 여러 행위 중 하나를 선택할 수 있는 자유가 인정되는 경우의 행정행위를 말한다.

(2) 여기에는 ① 관계 법규상 행정청에 해당 행위를 할 것인가 말 것인가에 대한 재량(결정재량), ② 법적으로 허용된 여러 행위 중 어떠한 행위를 할 것인지에 대한 재량(선택재량)이 포함된다.[3]

[1] 건축법상 건축허가를 받은 사람의 이웃사람의 원고적격 인정

[2] 여객자동차운수사업법상의 사업면허에 대한 기존업자의 원고적격 인정

[3] 행정재량의 본질은 개별적 정의실현에 있다.

3. 기속재량과 자유재량

(1) 양자의 비교

구분	기속재량	자유재량
개념	무엇이 법인가에 대한 재량	무엇이 공익에 적합한가에 대한 재량
성질	법규재량	공익재량 · 편의재량 · 목적재량
재량 위반시	사법심사의 대상 ○	사법심사의 대상 ×

(2) 평가

① 종래 통설과 판례는 양자를 구별하였다.

② 그러나 오늘날 통설은 ㉠ 양자의 구분이 반드시 명백한 것은 아니라는 점, ㉡ 재량권의 일탈 · 남용 시 기속재량이나 재량행위를 불문하고 사법심사의 대상이 된다는 점, ㉢ 양자 모두 법에 기속된다는 점 등을 고려할 때 양자의 구별실익이 없다고 보고 있다.

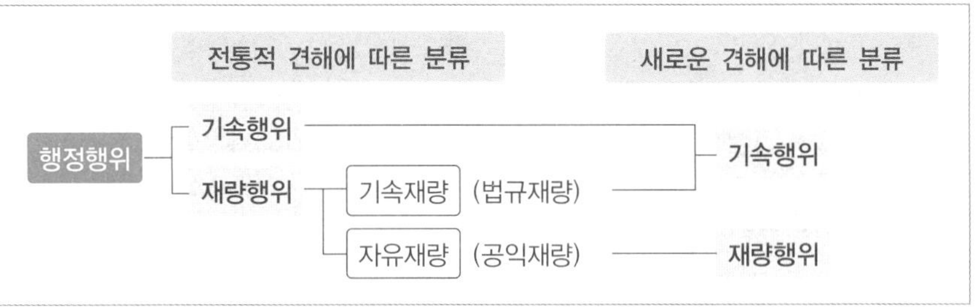

2 기속행위와 재량행위의 구별의 실익

1. 행정쟁송에 있어서 구별실익

(1) 법원의 통제범위

① 기속행위에 있어 행정권 행사에 잘못이 있는 경우에 위법한 행위가 되므로, 기속행위에 대한 법원의 통제에는 특별한 제한이 없다.

② 재량행위는 재량권의 한계 내에서는 행정청이 판단을 그르쳐도 위법의 문제는 생기지 않고 부당한 행위가 되므로, 재량권의 한계를 넘지 않는 한 법원에 의해 통제되지 않는다.

(2) 사법심사 방식

① **기속행위의 경우(완전심사 및 판단대체방식)**: 법원은 행정청의 판단과 결정 모두를 심사대상으로 하여 행정청의 판단이 법원의 판단과 다른 경우 법원의 판단을 행정청의 판단에 대체하여 행정청의 행위를 위법한 것으로 판단할 수 있다. 다시 말해, 기속행위는 결론도출 후 판단하는 것이다.

② **재량행위의 경우(제한심사방식)**: 행정청의 판단이 공익판단인 경우에는 재량권의 일탈 · 남용이 있거나 행정청의 판단이 심히 부당한 경우가 아닌 한 법원은 해당 행정청의 결정을 위법하다고 판단할 수가 없다. 다시 말해, 재량행위는 결론을 도출함이 없이 당행 행위의 재량권의 일탈 · 남용이 있는지 여부만을 심사하는 것이다.

간단 점검하기

01 기속행위와 재량행위는 법원의 심사방식이 다르다는 것이 판례의 입장이다. ( ) 09. 국가직 9급

02 기속행위에 대한 사법심사는 그 법규에 대한 원칙적인 기속성으로 인하여 법원이 사실인정과 관련법규의 해석 · 적용을 통하여 일정한 결론을 도출한 후 그 결론에 비추어 행정청이 한 판단의 적법 여부를 독자의 입장에서 판정하는 방식에 의한다. ( ) 18. 경찰행정

03 대법원은 재량행위에 대한 사법심사를 하는 경우에 법원은 행정청의 재량에 기한 공익판단의 여지를 감안하여 독자적인 판단을 하여 결론을 도출하지 않고, 당해 처분이 재량권의 일탈 · 남용에 해당하는지의 여부만을 심사하여야 한다고 한다. ( ) 18. 국가직 7급, 17. 국가직 9급, 14. 서울시 9급, 13. 지방직 7급, 12. 지방직 9급

01 ○ 02 ○ 03 ○

관련판례 기속행위와 재량행위의 구별실익

행정행위를 기속행위와 재량행위로 구분하는 경우 양자에 대한 사법심사는, 전자의 경우 그 법규에 대한 원칙적인 기속성으로 인하여 법원이 사실인정과 관련 법규의 해석·적용을 통하여 일정한 결론을 도출한 후 그 결론에 비추어 행정청이 한 판단의 적법 여부를 독자의 입장에서 판정하는 방식에 의하게 되나, 후자의 경우 행정청의 재량에 기한 공익판단의 여지를 감안하여 법원은 독자의 결론을 도출함이 없이 당해 행위에 재량권의 일탈·남용이 있는지 여부만을 심사하게 되고 이러한 재량권의 일탈·남용 여부에 대한 심사는 사실오인, 비례·평등의 원칙 위배 등을 그 판단 대상으로 한다(대판 2007.5.31, 2005두1329).

#기속행위_재량행위 #결론도출_여부_기준

2. 부관의 허용성 여부

(1) 전통적 견해와 판례는 기속행위에는 그 성질상 부관을 붙일 수 없고, 재량행위에만 부관을 붙일 수 있다고 보고 있다.

(2) 이에 대하여 재량행위라고 해서 언제나 부관을 붙일 수 있고 기속행위라고 해서 절대로 부관을 붙일 수 없는 것은 아니라는 입장, 즉 부관의 가능성은 입법의 목적·취지·내용 등을 고려하여 정할 문제이지 행위의 재량성 유무와 반드시 직결된 것이라 보기 어렵다는 반대 견해가 있다.

3. 공권의 성립과의 관계

(1) 일반적으로 기속행위에 대해서는 상대방이 실체적인 청구권을 행사할 수 있으나, 재량행위에 대해서는 원칙적으로 상대방에게 이러한 청구권이 인정될 수 없다.

(2) 그러나 재량행위의 경우에도 예외적으로 무하자재량행사청구권이나 행정개입청구권이라는 공권이 인정되므로 이러한 상황에서는 이 기준은 큰 의미를 갖지 못하게 된다.

4. 요건의 충족과 효과의 부여

(1) 기속행위

행정청은 요건이 충족되면 반드시 법에 정해진 효과를 부여하여야 한다.

(2) 재량행위

행정청은 요건이 충족되어도 공익과의 이익형량을 통하여 법에 정해진 효과를 부여하지 않을 수도 있다.

(3) 경원관계

① **기속행위의 경우**: 선원주의[1]가 적용된다.

② **재량행위의 경우**: 특허 등에는 선원주의가 적용되지 않고 가장 적정하게 공익을 실현할 수 있는 자에게 효과가 부여된다.

5. 입증책임의 문제

기속행위의 경우 법위반 사실에 대한 적법성 입증은 원칙적으로 피고인 행정청이 부담하지만, 재량행위의 경우 재량의 일탈남용은 원고가 입증하여야 한다.

[1] 요건을 충족한 자가 여러 명인 경우 먼저 신청한 자에게 효과를 부여하여야 한다는 원칙을 말한다.

point check 기속행위와 재량행위의 구별실익

구분	기속행위	재량행위
위반효과	위법	부당
행정소송	가능	일탈 · 남용시 가능
부관의 가부	불가능	가능
공권의 성립	발생	발생하지 않음(단, 무하자재량행사청구권, 행정개입청구권은 가능)
요건충족시 효과부여	반드시 효과부여를 하여야 함	이익형량의 과정을 거침
입증책임	행정청(처분의 적법성)	원고(재량의 일탈 · 남용)

3 구별의 기준

1. 요건재량설(법규재량설)

(1) 의의

요건재량설은 행정법규가 요건규정과 효과규정으로 구분되는 것임을 전제로 재량이 행정행위의 요건인 사실인정에 대한 판단에 존재한다고 보는 입장이다.

(2) 구분

① **재량행위**: 요건이 공백규정이거나 종국목적만을 규정하고 있는 경우이다(예 "보건복지가족부장관은 공익상 필요하다고 인정할 때에는 …").

② **기속행위**: 종국목적 이외에 중간목적을 규정하고 있는 경우이다(예 "보건복지가족부장관은 선량한 풍속의 유지를 위하여 …").

(3) 비판

① 종국목적과 중간목적의 구별이 애매하다.

② 행정재량은 주로 효과의 선택에서 인정된다.

③ 법규정에 지나치게 편중함으로써 결과적으로 재량행위를 확대시켰다.

④ 법규정형식에서 공백규정 또는 종국목적만을 규정하는 것은 법치행정이 무색하게 될 수 있다.

2. 효과재량설(행위재량설)

(1) 의의

효과재량설은 재량이 행정행위의 요건인정이 아니라 법률효과의 선택에 있다는 것을 전제로 하여 행위의 성질에 중점을 두어 개인에게 권리 · 이익을 부여하는 행위인지, 그것을 제한 · 박탈하는 행위인지에 따라 구별하는 입장이다.

(2) 구분

① **침익적 행위**: 기속행위

② **수익적 행위**: 법규상 또는 해석상 특별한 기속이 없는 한 재량행위

③ **국민의 권리 · 의무와 관련 없는 행위**: 재량행위

(3) 평가

① **장점**: 법률요건에 재량을 부인하여 법률요건에 불확정개념을 사용하고 있는 경우에도 이를 기속행위로 판단함으로써 행정청의 재량개념을 축소하여 재량행위의 통제를 확대한 점에서 그 의의가 있다.

② **비판**

㉠ 오늘날 침해행정의 영역에서도 재량이 인정되는 경우가 많아지고 있으며, 예를 들어 영업정지와 영업취소 중 어느 것을 선택할 것인지에 대한 재량 등이 있다.

㉡ 복리행정작용의 발달로 인해 수익적 행정의 영역에서도 행정이 법적 기속을 받는 경향이 증가되고 있다(예 광업법 제19조 참조).

㉢ 행정재량은 효과의 선택에서뿐만 아니라 요건규정이 없는 경우나 공익만을 요건으로 정하고 있는 경우에 요건의 인정에서도 인정될 수 있다는 것을 간과하고 있다.

3. 종합설

재량은 법적 요건이 아니라 법적 효과와 관련된다는 전제하에 기속행위와 재량행위의 구분은 법령의 규정방식, 그 취지 · 목적, 행정행위의 성질 등을 함께 고려하여 구체적 사안마다 개별적으로 판단하여야 한다는 견해이다(박윤흔 · 정하중 교수).

4. 기본권 기준설

(1) 이는 종합설의 입장을 취하면서도 이에 의하는 경우에도 양자의 구별이 분명하지 아니한 경우에는 '기본권의 최대한 보장'이라는 헌법상 명령과 행정행위의 '공익성'을 기준으로 판단하여 한다는 견해이다.

(2) 즉, 기본권보장과 공익성을 함께 고려하여 결정하여야 한다는 것으로 기본권보장이 우선되면 기속행위로, 공익성이 우선되면 재량행위로 해석한다는 것이다.

5. 소결

(1) 기속행위와 재량행위의 구별은 사법심사와 관련하여서는 거의 의미를 잃었다고 할 수 있다. 왜냐하면 오늘날은 재량권의 일탈 · 남용이라는 재량한계론의 발전에 따라 기속행위 · 재량행위 모두 법원의 심리대상이 되고 일탈 · 남용 여부만을 심리 · 판단하기 때문이다.

(2) 따라서 기속행위와 재량행위의 구별은 법치행정의 원칙에 따라 우선 법규정에서 찾아야 하며 법문상의 표현이 불명한 경우에는 행정의 실질을 고려하여 판단하여야 한다.

(3) **1차적 기준 → 법령의 문언**

법이 '~하여야 한다' 또는 '~한다' 등으로 규정하고 있는 경우 그에 의거한 행정행위는 일반적으로 기속행위이고, 법이 '~할 수 있다'라고 규정하고 있는 경우에는 일단 그에 의거한 행정행위는 재량행위라고 할 수 있다.

(4) **2차적 기준 → 행위의 성질, 기본권 관련성 및 공익 관련성을 종합적으로 고려**

법이 "영업을 하려는 자는 … 특별자치도지사·시장·군수·구청장의 허가를 받아야 한다."(식품위생법 제37조)라는 식으로 행정권의 권한에 관하여 간접적으로 규정하고 있는 경우 법령의 취지, 목적, 행위의 성질, 기본권 관련성 등을 종합적으로 고려하여 기속행위인지 재량행위인지 판단하여야 한다. 일반적으로 자연적 자유의 회복을 내용으로 하는 강학상 허가는 기속행위이고, 상대방에게 특별한 권리를 설정해 주는 강학상 특허는 재량행위로 볼 수 있다. 또한 침익적 행위는 기속행위의 인정에 고려될 수 있고, 수익적 행위는 재량행위의 인정에 고려될 수 있다.

point check 기속행위와 재량행위의 구별기준

구분		기속행위	재량행위
종전의 견해	요건재량설	요건이 일의적	요건이 다의적
	효과재량설	침익적 행정행위	수익적 행정행위
최근의 견해	1차: 문언	'~하여야 한다'	'~할 수 있다'
	2차: 성질	• 강학상 허가 • 주로 침익적 행위 • 기본권 관련성	• 강학상 특허 • 주로 수익적 행위 • 공익 관련성

간단 점검하기

01 강학상 허가는 법령에 특별한 규정이 없는 한 기속행위의 성질을 갖는다는 것이 일반적인 견해이다. ( )
04. 관세사

6. 판례

(1) 기본적으로 해당 처분의 근거가 된 규정의 형식이나 체재 또는 문언에 따라 구별하고 있다.

(2) 그런데 판례는 불이익처분을 기속재량행위로 보거나 특정인에게 권리를 설정하는 행위는 행정청의 재량에 속한다는 취지를 거듭 밝힘으로써 효과재량설을 보충적인 기준으로 활용한다.

관련판례 기속행위와 재량행위 구별 기준

1 기속행위와 재량행위의 판단기준은 규정의 형식이나 체재 또는 문언에 따라 개별적으로 판단하여야 한다(대판 1997.12.26, 97누15418 ; 대판 2013.12.12, 2011두3388).

2 기속행위 내지 기속재량행위와 재량행위 내지 자유재량행위의 구분기준은 관련 법령과 해당 행위의 성질 등을 종합적으로 고려하여야 한다(대판 2001.2.9, 98두17593).

간단 점검하기

02 판례에 따르면 기속행위와 재량행위의 구분은 당해 행위의 근거가 된 법규의 체재·형식과 그 문언, 당해 행위가 속하는 행정 분야의 주된 목적과 특성, 당해 행위 자체의 개별적 성질과 유형 등을 모두 고려하여 판단하여야 한다. ( )
15. 국가직 7급, 10. 국가직 9급

관련판례 기속행위에 해당하는 경우

1 일반음식점 영업허가는 법이 정한 제한사유이외의 사유로 허가거부를 할 수 없으며 기속행위에 해당한다(대판 2000.3.24, 97누12532).

2 지방병무청장의 공익근무요원소집처분은 법규의 체제·문언 등에 따라 기속행위로 볼 수 있다(대판 2002.8.23, 2002두820).

3 음주운전측정거부를 이유로 한 운전면허취소처분은 법문상 명백하여 기속행위에 해당한다(대판 2004.11.12, 2003두12042).

01 ○ 02 ○

4 법무부장관의 난민인정은 난민협약의 요건을 갖춘 경우에 인정되며 기속행위에 해당한다(대판 2008.7.24, 2007두3930).

5 국유재산의 무단점유 등에 대한 변상금 징수의 요건은 국유재산법(1994.1.5. 법률 제4968호로 개정된 것) 제51조 제1항에 명백히 규정되어 있으므로 변상금을 징수할 것인가는 처분청의 재량을 허용하지 않는 기속행위이고, 여기에 재량권 일탈·남용의 문제는 생길 여지가 없다(대판 1998.9.22, 98두7602).

관련판례 **재량행위에 해당하는 경우**

1 마을버스운송사업면허에서 노선설정은 구체적 타당성에 대한 규정이 없으므로 재량행위에 속한다(대판 2001.1.19, 99두3812).

2 방산물자 지정 및 지정취소는 그 규정형식 등에 비춰 재량행위에 해당하며, 법원의 독자적인 결론 도출 없이 재량권의 일탈·남용 여부만을 판단한다(대판 2010.9.9, 2010다39413).

3 개인택시 운송사업면허는 권익을 부여하는 수익적 행정행위이며 재량행위에 속한다(대판 1998.2.13, 97누13061).

4 개인택시운송사업면허 및 그 면허기준 설정행위는 수익적이므로 재량행위에 해당한다(대판 2005.4.28, 2004두8910).

5 여객자동차 운수사업법에 의한 개인택시운송사업의 면허는 특정인에게 권리나 이익을 부여하는 행정청의 재량행위이고, 위 법과 그 시행규칙의 범위 내에서 면허를 위하여 필요한 기준을 정하는 것 역시 행정청의 재량에 속하는 것이다(대판 2009.11.26, 2008두16087).

6 주택건설사업계획 승인처분은 수익적 행정처분이며, 요건에 일의적 규정이 없으므로 재량행위에 해당한다(대판 2007.5.10, 2005두13315).

7 폐기물처리업 허가와 관련된 사업계획 적정 여부에 관한 기준설정은 최소한의 요건만 규정하고 있으므로 행정청의 재량이 인정된다(대판 2004.5.28, 2004두961).

8 국제적 멸종위기종 동물에 해당하는 사육곰인 반달가슴곰의 용도를 화장품 등에서 식가공품 등으로 변경하는 것에 대한 승인 처분은 재량행위에 해당한다(대판 2011.1.27, 2010두23033).

9 자연공원사업의 시행은 국토 및 자연의 유지와 환경의 보전에 영향을 미치는 행위로서 그 공원사업시행허가 여부는 사업장소의 현상과 위치 및 주위의 상황, 사업시행의 시기 및 주체의 적정성, 사업계획에 나타난 사업의 내용, 규모, 방법과 그것이 자연 및 환경에 미치는 영향 등을 종합적으로 고려하여 결정하여야 하는 일종의 재량행위에 속한다(대판 2001.7.27, 99두5092).

10 사위 기타 부정한 방법으로 등록을 마친 경우 제재적 효과가 발생하는 직권말소처분은 공공의 복리 증진목적이 있으며, 그 규정형식 등에 비추어 볼 때 재량행위에 해당한다(대판 2013.5.9, 2010두28748).

11 법무부장관의 난민인정취소는 공익적 요소를 고려하여 결정 가능한 재량행위에 해당한다(대판 2017.3.15, 2013두16333).

간단 점검하기

01 구 국유재산법 제51조 제1항에 의한 국유재산의 무단점유 등에 대한 변상금 징수 여부는 재량행위에 해당한다. ( ) 18. 경찰행정

간단 점검하기

02 구 여객자동차운수사업법령상 마을버스운송사업면허의 허용 여부 및 마을버스 한정면허시 확정되는 마을버스 노선을 정함에 있어서 기존 일반노선버스의 노선과의 중복 허용 정도에 대한 판단은 행정청의 재량에 속한다. ( ) 17. 지방직 9급

03 자동차운수사업법에 의한 개인택시운송사업 면허는 법령에 특별한 규정이 없는 한 재량행위이고, 그 면허를 위하여 필요한 기준을 정하는 것도 행정청의 재량에 속한다. ( ) 19. 서울시 7급

04 행정청이 개인택시운송사업의 면허를 발급함에 있어 개인택시운송사업면허 사무처리지침에 따라 택시 운전경력자를 일정 부분 우대하는 처분을 한 경우, 택시 이외의 운전경력자에게 반사적인 불이익이 초래되는 결과가 되므로 그러한 내용의 지침에 따른 처분은 재량권을 일탈·남용한 처분에 해당된다. ( ) 15. 사회복지직

05 대법원은 주택건설촉진법상의 주택건설사업계획의 승인은 상대방에게 권리나 이익을 부여하는 효과를 수반하는 수익적 행정처분이라는 점에서 재량행위라고 판단하고 있는데 이것은 이른바 요건재량설에 따른 것이다. ( ) 08. 국가직 9급

06 야생동·식물보호법상 곰의 웅지를 추출하여 비누, 화장품 등의 재료를 사용할 목적으로 곰의 용도를 사육곰에서 식·가공품 및 약용 재료로 변경하겠다는 내용의 국제적 멸종위기종의 용도변경승인행위는 재량행위이다. ( ) 17. 지방직 9급

01 × 02 ○ 03 ○ 04 ×
05 × 06 ○

4 재량권의 한계

1. 재량한계론의 의의

행정청은 재량이 있는 처분을 할 때에는 관련 이익을 정당하게 형량 하여야 하며, 그 재량권의 범위를 넘어서는 아니 된다(행정기본법 제21조). 그러므로 행정청이 재량권을 행사함에 있어 그 목적과 한계를 벗어나 일탈·남용한 경우에는 재량하자의 문제로서 사법심사의 대상이 된다.

2. 재량하자의 유형

(1) 재량권의 일탈(유월)

법규가 허용하는 외형적 범위의 한계를 넘어서는 재량권 행사, 즉 재량권의 외적 한계를 벗어난 경우를 의미한다(예 6월 이내의 영업정지처분을 할 수 있다는 규정이 있는 경우에 행정청이 1년의 영업정지처분을 한 경우).

(2) 재량권의 남용

① 법규가 허용한 재량의 범위 안에서도 재량권을 수여한 목적에 적합하여야 하는데, 그에 위반한 재량권 행사는 내적 한계를 벗어난 것으로서 재량권의 남용에 해당한다(예 6월 이내의 영업정지처분이 법문상 재량의 범위 내이지만 구체적 사건과 관련하여 비례원칙 위반이나 평등원칙 위반에 해당하는 경우).

② 재량하자의 구체적 기준으로 ㉠ 목적의 위반, ㉡ 사실의 오인, ㉢ 동기의 부정, ㉣ 행정법의 일반원칙 위반(비례원칙의 위반, 평등원칙의 위반, 신뢰보호원칙의 위반, 부당결부금지원칙의 위반) 등이 있다.

③ 판례는 재량권의 일탈과 재량권의 남용을 명확히 구분하고 있지 않다.

> 행정소송법 제27조【재량처분의 취소】 행정청의 재량에 속하는 처분이라도 재량권의 한계를 넘거나 그 남용이 있는 때에는 법원은 이를 취소할 수 있다.

(3) 재량권의 불행사

① 행정청이 재량권을 전혀 행사하지 아니하거나 불충분하게 행사한 경우를 의미한다.

② 불행사의 유형

㉠ **형량해태**: 이익형량을 전혀 하지 아니한 경우

㉡ **형량흠결**: 이익형량의 고려대상에 포함시켜야 할 사항을 누락한 경우

㉢ **오형량**: 이익형량을 하였으나, 정당성·객관성이 결여된 경우

관련판례 **재량권의 일탈·남용 ○**

1 **재량행위의 일탈·남용의 심사기준**

사실오인, 비례·평등원칙위배, 목적위반·동기의 부정 등을 판단 대상으로 한다(대판 2001.8.24, 2000두7704 ; 대판 2013.11.14, 2011두28783).

간단 점검하기

01 법이 정한 재량권의 외적 한계를 넘어선 경우를 재량의 일탈이라 한다. ( ) 14. 서울시 9급

02 법률에서 정한 액수 이상의 과태료를 부과한 처분은 부당한 처분이다. ( ) 11. 사회복지직

03 재량행위에 있어서도 비례원칙을 위반한 경우에는 위법한 행위가 된다. ( ) 15. 서울시 7급

04 판례는 재량권의 일탈과 재량권의 남용을 명확히 구분하고 있다. ( ) 15. 국가직 9급

05 행정소송법 제27조에 의하면 행정청의 재량에 속하는 처분이라도 재량권의 한계를 넘거나 그 남용이 있는 때에는 법원은 이를 취소하여야 한다. ( ) 17. 경찰행정, 13. 지방직 7급, 12. 지방직 9급, 10. 국가직 9급

간단 점검하기

06 재량권의 일탈·남용 여부에 대한 심사는 사실오인, 비례·평등원칙 위배, 당해 행위의 목적 위반이나 동기의 부정 유무 등을 그 판단 대상으로 한다. ( ) 15. 서울시 7급

01 ○ 02 × 03 ○ 04 ×
05 × 06 ○

2 일반적으로 제재적 행정처분이 사회통념상 재량권의 범위를 일탈한 것인가의 여부는 처분사유인 위반행위의 내용과 당해 처분에 의하여 달성하려는 공익목적 및 이에 따르는 제반사정 등을 객관적으로 심리하여 공익침해의 정도와 그 처분으로 인하여 개인이 입을 불이익을 비교교량하여 판단하여야 한다(대판 1989.4.25, 88누3079).

3 사실오인

임지에서 육지로 항해 도중, 심한 풍랑으로 인한 충격으로 입원하였고, 이러한 병으로 인하여 수로항행을 할 수 없어서 부득이 임지로 돌아가지 못했다고 해서, 정당한 사유 없이 그 직무상의 의무에 위반하거나 직무를 태만한 때에 해당한다고 할 수 없고 이를 이유로 한 면직처분은 징계의 재량범위를 벗어난 것이다(대판 1969.7.22, 69누38).

4 비례원칙위반

① 유흥장소에 미성년자를 출입시켜 주류를 제공하였다는 단 1회의 식품위생법 위반사실을 이유로, 가장 중한 영업취소로 응징한 처분은 책임에 대한 응보의 균형을 잃은 것으로서 행정행위의 재량을 심히 넘은 처분이다(대판 1996.9.6, 96누914).
② 자동차운수사업법 제31조에 의한 자동차운송사업면허의 취소처분이 재량권의 한계를 벗어났는지를 판단함에 있어서는 자동차운수사업법 제31조에 의하여 달성하려고 하는 공익의 목적과 면허취소처분으로 인하여 상대방이 입게 될 불이익을 비교·교량하여, 그 처분으로 인하여 공익상의 필요보다 상대방이 받게 될 불이익 등이 막대한 경우에는 재량권의 한계를 일탈한 것이다(대판 1977.9.13, 77누15).

5 평등원칙위반

① 당직근무대기 중 심심풀이로 돈을 걸지 않고 점수따기 화투놀이를 한 사실이 징계사유에 해당한다 할지라도 징계처분으로 파면을 택한 것은 함께 화투놀이를 한 3명은 견책에 처하기로 된 사실을 고려하면 공평의 원칙상 그 재량의 범위를 벗어난 위법한 것이다(대판 1972.12.26, 72누194).
② 경찰관이 범죄의 피해를 신고하러 온 청구인을 뚜렷한 혐의도 없이 오히려 경범죄처벌법 위반자로 몰아 즉결심판을 청구하고 보호유치의 명목으로 감금하는 과정에서 상처를 입힌 것이 사실이라면, 해당 경찰관이 초범이고, 이미 경고의 징계처분을 받았으며 상해의 정도가 경미하다는 등의 사유만으로 기소를 유예한 검사의 처분은 기소재량권의 내재적 한계를 넘어 헌법상 보장된 청구인의 평등권과 재판절차진술권을 침해한 자의적인 처분이다(헌재 1996.3.28, 95헌마208).

6 민원조정위원회 일정 통보 결여

민원사무를 처리하는 행정기관이 민원 1회방문 처리제를 시행하는 절차의 일환으로 민원사항의 심의·조정 등을 위한 민원조정위원회를 개최하면서 민원인에게 회의일정 등을 사전에 통지하지 아니하였다 하더라도, 이러한 사정만으로 곧바로 민원사항에 대한 행정기관의 장의 거부처분에 취소사유에 이를 정도의 흠이 존재한다고 보기는 어렵다. 다만 행정기관의 장의 거부처분이 재량행위인 경우에, 위와 같은 사전통지의 흠결로 민원인에게 의견진술의 기회를 주지 아니한 결과 민원조정위원회의 심의과정에서 고려대상에 마땅히 포함시켜야 할 사항을 누락하는 등 재량권의 불행사 또는 해태로 볼 수 있는 구체적 사정이 있다면, 거부처분은 재량권을 일탈·남용한 것으로서 위법하다(대판 2015.8.27, 2013두1560).

간단 점검하기

01 사실을 오인하여 재량권을 행사한 처분은 위법하다. ( ) 17. 교육행정직

간단 점검하기

02 민원사무를 처리하는 행정기관이 민원조정위원회를 개최하면서 민원인에게 그 회의일정 등을 사전에 통지하여야 함에도 불구하고 그러하지 아니한 경우에 이러한 사정만으로 곧바로 그 민원사항에 대한 행정기관의 장의 거부처분이 위법하다고 볼 수는 없다. ( ) 19. 사회복지직

03 민원사무를 처리하는 행정기관이 민원1회방문처리제를 시행하는 절차의 일환으로 민원사항의 심의 조정 등을 위한 민원조정위원회를 개최하면서 사전통지의 흠결로 민원인에게 의견진술의 기회를 주지 아니한 결과 민원조정위원회의 심의과정에서 고려대상에 마땅히 포함시켜야 할 사항을 누락하는 등 재량권의 불행사 또는 해태로 볼 수 있는 구체적 사정이 있다면, 그 거부처분은 재량권을 일탈·남용한 것으로서 위법하다. ( ) 18. 경찰행정

01 ○ 02 ○ 03 ○

7 입국금지결정 ★★★

처분의 근거 법령이 행정청에 처분의 요건과 효과 판단에 일정한 재량을 부여하였는데도, 행정청이 자신에게 재량권이 없다고 오인한 나머지 처분으로 달성하려는 공익과 그로써 처분상대방이 입게 되는 불이익의 내용과 정도를 전혀 비교형량하지 않은 채 처분을 하였다면, 이는 재량권 불행사로서 그 자체로 재량권 일탈·남용으로 해당 처분을 취소하여야 할 위법사유가 된다(대판 2019.7.11, 2017두38874).

#입국금지결정 #재량권_불행사_해태 #일탈_남용_위법

8 과징금부과 ★★★

과징금부과처분에 감경사유가 있음에도 이를 전혀 고려하지 않았거나 감경사유에 해당하지 않는다고 오인한 나머지 과징금을 감경하지 않았다면 그 과징금 부과처분은 재량권을 일탈·남용한 위법한 처분이라고 할 수밖에 없다(대판 2010.7.15, 2010두7031).

#부동산실권리자명의등기의무_위반 #과징금부과_감경사유_적용해태 #재량권_일탈_남용

간단 점검하기

01 제재처분에 대한 임의적 감경규정이 있는 경우 감경 여부는 행정청의 재량에 속하므로 존재하는 감경사유를 고려하지 않았거나 일부 누락시켰다 하더라도 이를 위법하다고 할 수 없다. ( ) 15. 국회직 8급

관련판례 재량권의 일탈·남용×

1 임원취임승인취소 ★★★

학교법인의 임원취임승인취소처분에 대한 취소소송에서, 교비회계자금을 법인회계로 부당전출한 위법성의 정도와 임원들의 이에 대한 가공의 정도가 가볍지 아니하고, 학교법인이 행정청의 시정 요구에 대하여 이를 시정하기 위한 노력을 하였다고는 하나 결과적으로 대부분의 시정 요구 사항이 이행되지 아니하였던 사정 등을 참작하여, 위 취소처분이 재량권을 일탈·남용하였다고 볼 수 없다(대판 2007.7.19, 2006두19297).

#임원취임승인취소 #이익형량 #재량권_일탈·남용_아님

간단 점검하기

02 판례에 의하면 학교법인의 임원취임승인취소처분에 대한 취소소송에서, 교비회계자금을 법인회계로 부당전출한 위법서의 정도와 임원들의 이에 대한 가공의 정도가 가볍지 아니하고, 학교법인이 행정청의 대부분의 시정요구사항을 이행하지 아니하였던 사정 등을 참작하더라도, 위 취소처분은 재량권의 일탈·남용에 해당한다. ( ) 09. 지방직 7급

2 선도산 고분발굴불허가 ★★★

행정청은 발굴허가가 신청된 고분 등의 역사적 의의와 현상, 주변의 문화적 상황 등을 고려하여 역사적으로 보존되어 온 매장문화재의 현상이 파괴되어 다시는 회복할 수 없게 되거나 관련된 역사문화자료가 멸실되는 것을 방지하고 그 원형을 보존하기 위한 공익상의 필요에 기하여 그로 인한 개인의 재산권 침해 등 불이익이 훨씬 크다고 여겨지는 경우가 아닌 한 발굴을 허가하지 아니할 수 있다 할 것이고, 행정청이 매장문화재의 원형보존이라는 목표를 추구하기 위하여 문화재보호법 등 관계 법령이 정하는 바에 따라 내린 전문적·기술적 판단은 특별히 다른 사정이 없는 한 이를 최대한 존중하여야 한다. … 신라시대의 주요한 역사·문화적 유적이 다수 소재한 선도산에 위치한 고분에 대한 발굴불허가처분이 재량권의 일탈 또는 남용이 아니다(대판 2000.10.27, 99두264).

#유적발굴허가_재량행위 #공익_원형보존_이익형량 #행정청판단_존중

3 경찰공무원 금품수수 ★★★

경찰공무원이 그 단속의 대상이 되는 신호위반자에게 먼저 적극적으로 돈을 요구하고 다른 사람이 볼 수 없도록 돈을 접어 건네주도록 전달방법을 구체적으로 알려주었으며 동승자에게 신고시 범칙금 처분을 받게 된다는 등 비위신고를 막기 위한 말까지 하고 금품을 수수한 경우, 비록 그 받은 돈이 1만원에 불과하더라도 위 금품수수행위를 징계사유로 하여 당해 경찰공무원을 해임처분한 것은 징계재량권의 일탈·남용이 아니다(대판 2006.12.21, 2006두16274).

#경찰공무원_해임처분 #1만원_금품수수 #재량권_일탈·남용_아님

간단 점검하기

03 경찰공무원이 교통법규 위반 운전자에게 만원권 지폐 한 장을 두 번 접어서 면허증과 함께 달라고 한 경우에 내려진 해임처분은 징계재량권의 일탈남용이 아니다. ( ) 15. 경찰행정

01 × 02 × 03 ○

4 지방공무원 복무조례개정안에 대한 의견을 표명하기 위하여 전국공무원노동조합 간부 10여 명과 함께 시장의 사택을 방문한 위 노동조합 시지부 사무국장에게 지방공무원법 제58조에 정한 집단행위 금지의무를 위반하였다는 등의 이유로 징계권자가 파면처분을 한 사안에서, 그 징계처분이 사회통념상 현저하게 타당성을 잃거나 객관적으로 명백하게 부당하여 징계권의 한계를 일탈하거나 재량권을 남용하였다고 볼 수 없다(대판 2009.6.23, 2006두16786).

5 생물학적 동등성 시험 자료 일부에 조작이 있음을 이유로 해당 의약품의 회수 및 폐기를 명한 행정처분이 재량권을 일탈·남용하여 위법하다고 볼 수 없다(대판 2008.11.13, 2008두8628).

3. 입증책임

법원은 해당 심사기준의 해석에 관한 독자적인 결론을 도출하지 않은 채로 그 기준에 대한 행정청의 해석이 객관적인 합리성을 결여하여 재량권을 일탈·남용하였는지 여부만을 심사하여야 하고, 행정청의 심사기준에 대한 법원의 독자적인 해석을 근거로 그에 관한 행정청의 판단이 위법하다고 쉽사리 단정하여서는 아니 된다. 한편 이러한 재량권 일탈·남용에 관하여는 그 행정행위의 효력을 다투는 사람이 주장·증명책임을 부담한다(대판 2019.1.10, 2017두43319).

5 재량행위에 대한 통제

1. 입법적 통제

(1) 법규적 통제

국회에서 법률을 정함에 있어 요건 등을 더욱 철저하게 규정하여 재량권의 범위를 축소시킬 수 있다.

(2) 정치적 통제

국회가 가지는 국정감사권(헌법 제61조), 출석요구 및 질문권(헌법 제62조), 국무총리 및 국무위원의 해임건의권(헌법 제63조) 등 행정부에 대한 일반적인 감시·비판권은 행정부의 재량권 행사의 정치적 통제수단이 된다.

2. 행정적 통제

(1) 감독권에 의한 통제

상급행정청은 훈령권·승인권·감시권 등을 행사하여 하급행정청의 재량행사에 대한 사전적·사후적 통제를 할 수 있다.

(2) 행정절차에 의한 통제

행정청의 재량권 행사에 있어 고지·청문 등을 통하여 이해관계인의 권리주장·의견진술을 하게 하거나 이유를 부기함으로써 이를 통제할 수 있다.

(3) 행정심판에 의한 통제

행정청의 위법·부당한 재량권 행사에 대해 행정심판을 통해 취소 또는 변경이 가능하므로 사후통제가 가능하다.

간단 점검하기

01 전국공무원노동조합 시지부 사무국장이 지방공무원 복무조례 개정안에 대한 의견을 표명하기 위하여 전국공무원노동조합간부들과 함께 시장의 사택을 방문하였고, 이에 징계권자가 시장 개인의 명예와 시청의 위신을 실추시키고 지방공무원법에서 정한 집단행위 금지의무를 위반하였다는 등의 이유로 사무국장을 파면처분한 것은 재량권의 일탈·남용에 해당되지 않는다. ( ) 15. 사회복지직

02 생물학적 동등성 시험 자료에 조작이 있음을 이유로 해당 의약품의 회수, 폐기를 명한 처분에 어떠한 재량권의 일탈·남용이 있다고 할 수는 없다. ( ) 12. 사회복지직

간단 점검하기

03 재량권의 일탈·남용 여부에 대한 입증책임은 처분청인 행정청에게 있다. ( ) 15. 서울시 7급

01 ○ 02 ○ 03 ×

3. 법원에 의한 통제(행정소송에 의한 통제)

(1) 행정청이 재량권을 행사함에 있어 그 내적·외적 한계를 벗어난 경우에는 위법한 행정작용으로서 행정소송의 대상이 된다.❶ 이러한 경우에 권익을 침해당한 자는 취소소송·부작위위법확인소송을 제기하여 행정청의 재량을 통제할 수 있다.

관련판례

학생에 대한 징계권의 발동이나 징계의 양정이 징계권자의 교육적 재량에 맡겨져 있다 할지라도 법원이 심리한 결과 그 징계처분에 위법사유가 있다고 판단되는 경우에는 이를 취소할 수 있는 것이고, 징계처분이 교육적 재량행위라는 이유만으로 사법심사의 대상에서 당연히 제외되는 것은 아니다(대판 1991.11.22, 91누2144).

(2) 가장 전통적이고 강력한 통제수단이며, 최근에는 무하자재량행사청구권의 법리와 재량권의 영으로의 수축이론의 정립을 통하여 재량통제는 더욱 강화되고 있다.

4. 헌법재판소에 의한 통제(헌법재판에 의한 통제)

(1) 위헌법률심사

재량권 행사를 규정한 법률의 위헌성을 심사하여 간접적으로 행정청의 재량권을 통제할 수 있다.

(2) 헌법소원

재량권 행사로 말미암아 국민의 기본권이 침해된 경우에는 헌법소원에 의한 재량권 행사의 통제도 가능하다.

5. 일반국민에 의한 통제

일반국민의 여론·자문·청원 및 압력단체의 활동 등에 의해 간접적으로 통제할 수 있다. 이는 간접적 수단일 뿐 법적 수단이 아니라는 점에서 한계가 있다.

6 불확정개념과 판단여지

1. 불확정개념의 의의

불확정개념이란 그 의미가 다의적인 것이어서 진정한 의미가 구체적 상황에 따라 판단되는 개념을 말한다. 예를 들어, '중대한 사유', '공공안녕과 질서', '교통의 안전과 원활성' 등의 개념이 이에 해당한다.

2. 불확정개념의 종류

(1) 경험적 개념(기술적 개념)

① 경험적 개념은 객관적인 경험법칙에 의해 확정할 수 있는 개념으로서, 목적물이나 현실적인 사건 또는 경험적 대상과 관련하여 사용된다.

② 예를 들어, 주간, 야간, 쓰레기, 음료수, 차량 등과 같은 것이 이에 해당하며, 이러한 경험적 개념의 해석에 있어서는 특별한 문제가 발생하지 않는다.

간단 점검하기

행정청의 재량이란 언제나 의무에 합당한 재량을 의미하며 재량권의 남용이나 일탈이 있는 때에는 사법심사의 대상이 된다. ( )
14. 국회직 8급, 12. 지방직 9급

❶
재량행위가 위법하다는 이유로 소송이 제기된 경우에 법원은 각하할 것이 아니라 본안심리를 진행하여 일탈·남용이 있으면 인용판결, 그렇지 않으면 청구를 기각한다.

○

(2) 규범적 개념(가치적 개념)

① 규범적 개념은 규범적 가치판단에 의하여 확정될 수 있는 개념인데, 그 개념의 추상성·불분명성 때문에 해석의 단계에서부터 다양한 논의가 전개된다.

② 예를 들어, 공공복지, 공익, 안전, 공적 질서, 삶의 질의 향상 등과 같은 것이 이에 해당하며, 이러한 개념에 있어서 판단여지가 문제된다.

3. 법개념으로서의 불확정개념

(1) 독일의 경우, 과거에는 재량과 판단여지 사이에 구분이 없었고 판단여지를 재량의 한 형태로 보았지만, 오늘날에는 일반석으로 양자를 동일하게 보지 않고 구별하고 있다.

(2) 불확정개념의 해석은 그 개념의 법적 내용의 파악이기 때문에 사실문제가 아니라 법적 문제이다.

(3) 불확정개념의 해석은 다수의 행위 중에서의 선택이 아니라, 사실관계의 평가를 통하여 법률이 의도하는 정당한 결정을 발견하기 위한 인식작용이다.

4. 사법심사의 대상성

(1) 사법심사

불확정개념의 해석·적용은 특정한 사실관계가 요건에 해당하는지 여부에 대한 인식의 문제로서 법적인 문제이기 때문에 사법심사의 대상이 된다.

(2) 행정권의 판단여지

불확정개념은 여러 상황에 따라 다르게 해석할 수 있으므로, 행정기관의 불확정개념에 대한 판단권을 어느 정도 인정할 것인가가 문제된다. 다시 말해 불확정개념의 의미와 내용은 법원이 최종적으로 결정하여야 하나, 예외적으로 행정청도 최종적인 결정자가 될 수 있는지가 문제가 된다. 이와 관련하여 판단여지의 문제가 발생한다.

point check 불확정개념과 행정재량개념 비교

구분		불확정개념	행정재량개념
반대개념		불확정(법)개념 ↔ 확정(법)개념	행정재량행위 ↔ 기속행위
법률상 문제의 소재		• 원칙: 구성요건의 문제 • 예외: 법효과의 문제	언제나 법효과의 문제
존재형식		다의적 내용으로 표현	'할 수 있다', '하여도 좋다'
정당한 해석의 수	원칙	하나의 정당한 해석	다수의 정당한 해석가능
	예외	복수해석가능	하나의 해석만 가능(재량수축)
사법심사	원칙	전면적 심사가능	심사불가(재량영역)
	예외	행정권의 판단여지	심사가능(일탈·남용)

5. 판단여지

(1) 판단여지 이론

원칙적으로 불확정개념의 적용에는 하나의 정당한 결론만이 있고 동시에 그것은 사법심사의 대상이 된다. 그러나 불확정개념과 관련하여 사법심사가 되지 아니하는 행정청의 평가영역·결정영역이 있고, 법원은 다만 행정청이 그 영역의 한계를 준수하였는가의 여부만을 심사할 뿐이라는 견해가 있다. 이를 '판단여지 이론'이라 한다.

(2) 판단여지의 인정 여부(판단여지와 재량의 구별)

① **학설의 대립**: 판단여지와 재량을 구별할 것인지 여부에 대해서는 구별긍정설과 구별부정설이 대립하고 있다.

② **구별긍정설(다수설)**: 구별긍정설은 재량은 입법부가 법률에 의하여 행정청에 부여하는 것이지만, 판단여지는 사법부가 행정청의 판단을 존중하여 인정하는 것을 논거로 한다.[1]

③ **구별부정설**: 구별부정설은 재량과 판단여지의 차이는 긍정하면서도 양자 모두 재판통제의 범위에서 제외된다는 점에서는 차이가 없다는 것을 논거로 한다.

④ **판례(구별부정설)**: 판례는 재량과 판단여지를 구별하지 않고 재량심사의 문제로 보는 것이 일반적이다.

point check 재량과 판단여지의 비교

상이점	재량	판단여지
필요성	구체적으로 타당한 행정영역보장	행정의 책임성, 전문성 보장
인정근거	입법자의 수권(授權)	입법자의 수권(판단수권) 법원에 의한 행정의 책임성, 전문성 존중
내용	행정청의 선택의 자유	행정청의 판단여지
인정기준	법률의 규정, 행정행위의 성질 및 기본권 관련성, 공익관련성	고도의 전문기술적 판단, 고도의 정책적 판단
인정범위	효과의 선택	행위요건 중 일정한 불확정개념적 판단

관련판례 **불확정개념에 대하여 판단여지가 아닌 재량행위로 본 경우**

1 **교과서검정** ★★★

교과서검정이 고도의 학술상, 교육상의 전문적인 판단을 요한다는 특성에 비추어 보면, 교과용 도서를 검정함에 있어서 법령과 심사기준에 따라서 심사위원회의 심사를 거치고, 또 검정상 판단이 사실적 기초가 없다거나 사회통념상 현저히 부당하다는 등 현저히 재량권의 범위를 일탈한 것이 아닌 이상 그 검정을 위법하다고 할 수 없다(대판 1992.4.24, 91누6634).

#중학교2종교과서검정처분 #재량행위 #일탈·남용_위법

간단 점검하기

01 판단여지를 긍정하는 학설은 판단여지는 법률효과 선택의 문제이고 재량은 법률요건에 대한 인식의 문제라는 점, 양자는 그 인정근거와 내용 등을 달리하는 점에서 구별하는 것이 타당하다고 한다. ( ) 17. 국가직 9급

[1] 구별설에 따르면 판단여지의 경우 명문의 근거가 없는 한 법효과를 제한하는 부관을 붙일 수 없지만, 재량행위의 경우에는 법효과를 제한하는 부관을 붙일 수 있다고 한다.

간단 점검하기

02 판례는 재량행위와 판단여지를 구분하지 않고 판단여지가 인정될 수 있는 경우에도 재량권이 인정되는 것으로 본다. ( ) 10. 국회직 9급

간단 점검하기

03 대법원은 교육부장관의 교과서검정에 관한 처분과 관련하여 법원이 교과서의 저술내용이 교육에 적합한지의 여부를 심사할 수 있다고 보았다. ( ) 12. 경찰행정

01 × 02 ○ 03 ×

간단 점검하기

판례는 공무원 임용을 위한 면접전형에서 임용신청자의 능력이나 적격성 등에 관한 판단이 면접위원의 자유재량에 속한다고 보고 있다. ( )

13. 지방직 7급, 10. 지방직 9급, 07. 국가직 7급

○

2 면접전형 ★★★

공무원 임용을 위한 면접전형에 있어서 임용신청자의 능력이나 적격성 등에 관한 판단은 면접위원의 고도의 교양과 학식, 경험에 기초한 자율적 판단에 의존하는 것으로서 오로지 면접위원의 자유재량에 속하고, 그와 같은 판단이 현저하게 재량권을 일탈 내지 남용한 것이 아니라면 이를 위법하다고 할 수 없다(대판 1997.11.28, 97누11911).

#검사임용거부처분 #면접전형 #자유재량

3 액화석유가스충전소사업장지정신청 ★★★

개발제한구역법 및 액화석유가스법 등의 관련 법규에 의하면, 개발제한구역에서의 자동차용 액화석유가스충전사업허가는 그 기준 내지 요건이 불확정개념으로 규정되어 있으므로 그 허가 여부를 판단함에 있어서 행정청에 재량권이 부여되어 있다고 보아야 한다(대판 2016.1.28, 2015두52432).

#액화석유가스충전소사업장지정 #요건_불확정개념_재량행위

4 예방접종장애인정 ★★★

보건복지가족부장관에게 예방접종으로 인한 질병, 장애 또는 사망(이하 '장애 등'이라 한다)의 인정 권한을 부여한 것은, 예방접종과 장애 등 사이에 인과관계가 있는지를 판단하는 것은 고도의 전문적 의학 지식이나 기술이 필요한 점과 전국적으로 일관되고 통일적인 해석이 필요한 점을 감안한 것으로 역시 보건복지가족부장관의 재량에 속하는 것이므로, 인정에 관한 보건복지가족부장관의 결정은 가능한 한 존중되어야 한다(대판 2014.5.16, 2014두274).

#예방접종_장애인정 #고도_전문성 #불확정개념_재량_존중

(3) 판단여지가 인정되는 영역

인정영역	이유	구체적인 예
비대체적 결정	• 원래 상황의 반복이나 재현이 어려움 • 관계자의 특수한 경험과 전문지식이 필요	학생의 시험성적평가, 면접시험의 채점, 공무원의 근무평정 등
구속적 가치평가 결정	해당 분야의 객관적이고 전문적인 중립적 기관의 결정이므로 전문성을 존중	문화재위원회의 보호대상문화재의 지정, 청소년보호위원회의 청소년유해도서선정, 방송윤리위원회의 결정, 간행물윤리위원회의 결정 등
미래예측 결정	• 고도로 전문적이고 기술적 판단을 요함 • 과거사실에 대한 소극적 판단을 주임무로 하는 사법부의 소극성	대한민국의 이익을 해할 우려가 현저하다고 인정되는 자에 대한 법무부장관의 출국금지명령, 환경법 및 경제법분야에 있어 위험의 예측결정 등
형성적 결정	고도로 정치적이고 정책적 판단에 속함	지방자치단체의 주민복지를 위한 공공시설의 설치결정, 자금지원 대상업체의 결정 등

① 비대체적 결정

㉠ **의의:** 사람의 인격 · 적성 · 능력 등에 관한 판단을 의미한다.

㉡ **이유:** ⓐ 해당 전체 과정의 반복이나 재생을 통한 심사 불가능성(사실적 한계), ⓑ 평가 등은 관계자의 특수한 경험과 전문지식을 필요로 한다는 점(규범적 한계)을 든다.

㉢ **구체적인 예:** 학생의 성적평가, 면접시험의 채점, 공무원의 근무평정 등

② 구속적 가치평가결정

㉠ **의의:** 예술 · 문화 등의 분야에 있어 어떤 물건이나 작품의 가치 또는 유해성 등에 대해 독립한 합의제기관이 내린 판단 또는 결정을 말한다.

㉡ **이유:** 이러한 결정은 해당 분야의 객관적이고 전문적인 중립적 기관의 결정이므로 이들의 판단은 가급적 존중되어야 한다는 것을 든다.

㉢ **구체적인 예:** 문화재위원회의 보호대상 문화재 지정, 청소년보호위원회의 청소년 유해도서 선정, 방송윤리위원회의 결정, 간행물윤리위원회의 결정 등

③ 미래예측결정

㉠ **의의:** 환경행정 · 경제행정 등의 분야에서 행하는 미래예측적 성질을 가진 행정결정을 말한다.

㉡ **이유:** 미래지향적인 예측결정은 과거사실에 대한 소극적 판단을 주임무로 하는 법원이 사법적으로 판단하기에는 부적절한 영역이기 때문이다.

㉢ **구체적인 예:** 대한민국의 이익을 해할 우려가 있어 그 출국이 부적당하다고 인정되는 자에 대한 법무부장관의 출국금지명령, 환경법 · 경제법 분야에서 위험의 예측결정 등

④ 형성적 결정

㉠ **의의:** 경제 · 사회 · 문화 등을 일정한 방향으로 유도 · 조정하고자 하는 행정정책적인 성격을 가지는 결정을 말한다.

㉡ **어유:** 이러한 결정들은 법률적 판단의 문제라기보다는 정치적이고 정책적인 문제이기 때문에 사법심사의 대상으로 삼기에는 부적절하다고 보기 때문이다.

㉢ **구체적인 예:** 지방자치단체의 주민복지를 위한 공공시설의 설치결정, 자금지원 대상업체의 결정 등

(4) 판단여지의 한계

① **적용영역에서의 구체적 한계:** 독일에서 판단여지가 인정되는 대표적인 것으로서 시험성적의 채점과 평가(사법시험에서의 면접시험 등)가 있는데, 이러한 경우라도 ㉠ 시험관이 사실오인에 기초하여 결정하지 않았는가, ㉡ 시험절차에 관한 규정들이 준수되었는가, ㉢ 일반적인 평가원칙이 준수되었는가, ㉣ 시험관이 사안과 무관한 고려에 의하여 판정을 내리지 않았는가라는 기준에 따라 사법심사의 대상으로 삼을 수 있다고 본다. 이와 같은 한계는 비대체적 결정뿐만 아니라 구속적 가치평가결정, 미래예측결정, 형성적 결정 등에서도 마찬가지로 적용된다.

② 일반적 한계

㉠ 판단여지를 인정하는 이유는 위에서 본 바와 같이 일정한 범위에서 행정청의 전문적 · 기술적 판단을 우선적으로 존중하는 데 있다. 따라서 판단여지가 인정된다고 하여 사법심사를 전면적으로 배제해서는 안 된다.

㉡ 판단여지가 인정되는 경우에도 명확히 법을 위반(예 절차규정 위반, 다른 법규정 위반 등)하거나 사실의 인정을 잘못했거나 객관적인 기준을 위반하는 것은 위법이 된다. 또한 명백히 판단을 잘못한 경우에도 위법이 된다고 보아야 한다.

㉢ 특히 최근 독일에서는 종래의 판단여지설을 근본적으로 수정하려고 시도하고 있으며, 연방헌법재판소판례도 판단여지의 범위를 기본법 제19조 제4항을 비롯하여 기본권적 관련성의 측면에서 제한하려 한다.

제5절 행정행위의 내용

1 개설

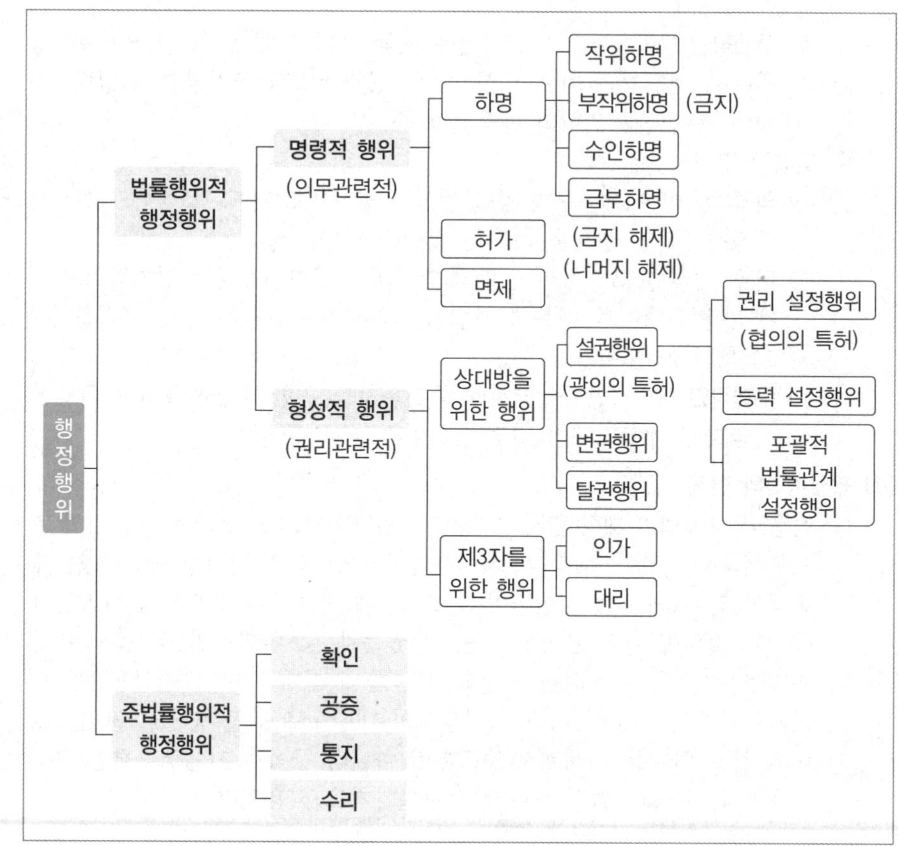

2 법률행위적 행정행위

1. 명령적 행위

(1) 하명

① 의의

㉠ 하명은 작위, 부작위, 수인, 급부를 명하는 등 국민의 자유를 제한하고 의무를 부과하는 행정행위를 말한다.

㉡ 이 중에서 부작위를 명하는 행위를 금지라 하는바, 이에는 어떤 경우에도 이를 해제하지 못하는 절대적 금지(예 미성년자에 대한 음주판매금지 등), 예외적으로 해제 가능한 억제적 금지(예 치료목적 마약류사용허가), 허가를 유보한 상대적 금지(예 건축허가 등)가 있다.

② 형식

㉠ **법규하명**: 직접 법률 · 명령 등의 형식에 의한 하명을 말한다(예 건축법에 의한 일정한 건축금지 등).

㉡ **하명처분**: 근거법규에 의거한 구체적인 행정처분의 형식에 의하는 하명을 말한다.

ⓐ 불특정 다수인에 대하여 행해지는 경우(예 도로통행금지 등)

ⓑ 특정의 상대방에 대하여 개별 · 구체적으로 행해지는 경우(예 개별처분 등)

③ 성질

㉠ 하명은 개인의 자유를 제한하거나 새로이 의무를 과하는 것을 내용으로 행정주체의 일방적 의사표시에 의해 행해지는 부담적 행위이다.

㉡ 하명은 법령의 근거를 필요로 하고, 원칙적으로 기속행위이다.

④ 종류

㉠ **내용에 따라**: 작위하명(예 청소, 소방협력 등), 부작위하명(예 통행금지 등), 수인하명(예 대집행실행의 수인의무 등), 급부하명(예 조세부과 등)이 있다.

㉡ **목적(행정분야)에 따라**: 조직하명(예 선거실시 등), 질서 · 경찰하명(예 통행금지 등), 재정하명(예 조세부과 등), 군정하명(예 징소집영장발부 등), 규제하명(예 양곡관리 등), 공기업하명(예 철도영업에 관한 하명 등), 특별권력관계하명(예 공무원에 대한 직무명령 등)이 있다.

⑤ 대상

㉠ 주로 사실행위가 대상이 된다(예 청소, 교통방해물제거, 무단건축금지 등).

㉡ 법률행위인 경우도 있다(예 무기매매, 고시가격초과판매금지 등).

⑥ **하명의 효과**: 수명자는 하명의 내용에 따라 공법상의 작위, 부작위, 수인, 급부의 의무가 발생한다.

㉠ **대인적 하명**: 수명자에 대한 관계에서만 발생하고 이전이 불가능하다(예 의료업정지처분 등).

㉡ **대물적 하명**: 하명의 대상이 된 물건을 승계한 자에게 그 효과가 미치고 이전이 가능하다(예 검사불합격자동차의 사용금지 등).

⑦ **하명 위반의 효과**: 수명자가 의무를 위반하여도 행정법상 행정강제나 행정벌의 대상이 될 뿐 유효하다.

간단 점검하기

01 하명은 대부분 개별적 · 구체적 규율로서 행하여지나 일반처분으로도 행하여진다. ( ) 08. 지방직 9급

간단 점검하기

02 하명은 법령의 근거를 요하므로 법령이 정한 요건이 갖추어졌을 때에 행하여진다. ( ) 08. 지방직 9급

간단 점검하기

03 하명의 대상은 법률행위뿐만 아니라 사실행위일 수도 있다. ( ) 08. 지방직 9급

01 ○ 02 ○ 03 ○

관련판례 **하명의 효과** ★★★

외국환관리법은 외국환과 그 거래 기타 대외거래를 관리하여 국제수지의 균형, 통화가치의 안정과 외화자금의 효율적인 운용을 기하는 그 특유의 목적을 달성하기 위하여 그에 역행하는 몇 가지 행위를 제한하거나 금지하고 그 제한과 금지를 확실히 하기 위하여 위반행위에 대한 벌칙규정을 두고 있는 바, 위 제한규정에 위반한 행위는 외국환관리법의 목적에 합치되지 않는 행위일 뿐 그것이 바로 민법상의 불법행위나 무효행위가 되는 것은 아니다(대판 1987.2.10, 86다카1288).

#국내증권_질권설정금지 #위반_처벌규정 #질권설정_인도청구소송(민사소송)

⑧ **위법한 하명에 대한 구제**: 위법한 하명으로 권리가 침해된 자는 취소소송이나 무효등확인소송 등 항고소송을 제기하거나 손해배상청구소송의 제기를 통해 위법상태를 제거하거나 손해를 배상받을 수 있다.

(2) 허가

① 의의

㉠ 허가란 법령에 의한 일반적 · 상대적 금지(부작위 의무)를 특정한 경우에 해제하여 자연적 자유를 회복시켜 주는 명령적 행정행위를 말한다(예 건축허가, 음식점영업허가, 총포 · 화약류제조허가, 의사면허, 운전면허 등).

㉡ 허가로서 절대적 금지를 해제하는 것은 불가능하다(예 미성년자의 음주, 흡연금지 등).

㉢ 허가는 실정법상으로는 허가 외에도 인가·면허 등의 여러 가지 용어로 사용되고 있다.

간단 점검하기

01 전통적 견해에 따르면 허가는 일반적 금지를 해제하여 본래의 자유를 회복시켜 주는 명령적 행위라고 할 수 있다. ( ) 11. 국가직 9급

02 허가는 상대적 금지를 해제하여 주는 행위이다. ( ) 05. 관세사

03 지방경찰청장이 운전면허시험에 합격한 사람에게 발급하는 운전면허는 강학상 특허이다. ( ) 19. 서울시 9급

관련판례

한의사 면허는 경찰금지를 해제하는 명령적 행위(강학상 허가)에 해당한다(대판 1998.3.10, 97누4289).

간단 점검하기

04 의사 면허, 한의사 면허의 법적 성질은 경찰금지를 해제하는 명령적 행위로서 강학상 허가이다. ( ) 12. 서울시 9급, 09. 국가직 7 · 9급

② 허가의 법적 근거

㉠ **법령의 개정과 근거법**: 허가의 신청 후 법령이 개정되어 허가기준이 변경된 경우에는 원칙적으로 변경된 기준에 따라 허가를 하여야 한다. 판례도 이와 같은 입장이다.[1] 다만, 허가신청 후 정당한 이유 없이 처리를 늦추어 그 사이에 법령이 개정되었다면 행정청은 신청인이 신법에 따른 보완의 기회를 부여하여야 할 것이다.

[1] 대판 2005.7.29, 2003두3550

관련판례 **원칙적으로 허가기준은 처분시법에 의함**

1 주택건설사업승인 ★★★

허가 등의 행정처분은 원칙적으로 처분시의 법령과 허가기준에 의하여 처리되어야 하고 허가신청 당시의 기준에 따라야 하는 것은 아니며, 비록 허가신청 후 허가기준이 변경되었다 하더라도 그 허가관청이 허가신청을 수리하고도 정당한 이유 없이 그 처리를 늦추어 그 사이에 허가기준이 변경된 것이 아닌 이상 변경된 허가기준에 따라서 처분을 하여야 한다(대판 1996.8.20, 95누10877).

#주택건설사업승인처분_개정법_기준 #법령개정_개정법

01 ○ 02 ○ 03 × 04 ○

2 법령이 폐지된 경우 신법 적용 ★★★

건설회사가 종전 국토이용관리법 시행 당시 주택건설사업계획 승인신청을 하였는데, 그 후 국토의 계획 및 이용에 관한 법률의 시행으로 국토이용관리법이 폐지됨에 따라 시장이 신법에 의하여 위 신청을 반려한 사안에서, 시장이 위 신청을 수리하고도 정당한 이유 없이 그 처리를 늦추었다고 볼 수 없다 하여 위 반려처분 당시 적용될 법률은 종전 국토이용관리법이 아니라 국토의 계획 및 이용에 관한 법률이다(대판 2006.8.25, 2004두2974).

#국토이용관리법_폐지 #국토계획법_시행 #법령폐지_신법적용

ⓛ **행정권에 의한 허가요건의 추가**: 허가의 구체적인 요건은 법률에서 규정되어야 한다. 허가요건의 추가는 기본권의 제한에 해당하므로 법률에 근거 없이 행정권이 독자적으로 허가요건을 추가하는 것은 헌법에 위반된다.

관련판례 양곡시설물거리제한 ★★★

영업의 자유는 헌법상 국민에게 보장된 자유의 범위 내에 포함되는 것이어서 질서유지와 공공복리를 위하여 필요한 경우에 한하여 법률로써 영업의 자유를 예외적으로 제한할 수 있음에 불과한 것이라고 할 것인 바, 양곡관리법 등 관계법령에 논지주장과 같은 사유로서 양곡 가공시설물 설치장소에 대한 거리를 제한할 수 있는 규정을 한 조문이 없으므로 그 제한거리를 규정한 서울특별시의 예규가 헌법상 보장된 이 영업의 자유를 제한할 수도 없을 것이다(대판 1981.1.27, 79누433).

#제분업허가 #영업자유제한_법률유보 #거리제한_법규_없음 #예규_제한_헌법위반

ⓒ **허가의 거부**: 허가를 거부함에 있어 법률의 근거가 필요한가에 대하여 판례는 일률적으로 판단하지 않고 있다. 즉, 관계법령에서 정한 거부사유 이외의 사유를 들어 허가를 거부할 수 있는지에 대하여 다음과 같이 판단하고 있다.

ⓐ **법률의 근거 없이 거부할 수 없다는 판례**: '일반음식점영업허가'의 경우 관계법령에서 정한 제한사유 외에 공공복리 등의 사유를 들어 허가신청을 거부할 수 없고, '건축허가'의 경우 공익상 필요가 없음에도 불구하고 관계법령에서 정하는 제한사유 이외의 사유를 들어 거부할 수는 없다고 보았다(예 자연경관의 훼손, 주변환경의 오염, 농촌지역의 퇴폐분위기조성, 인근주민들의 민원 등).

ⓑ **법률의 근거가 없는 경우에도 공익상 거부할 수 있다는 판례**: '주유소설치허가'의 경우 공익상의 필요가 없음에도 불구하고 관계법령에서 정하는 제한사유 이외의 사유를 들어 거부할 수 없는 것이 원칙이지만 심사결과 관계법령상의 제한사유 이외의 중대한 공익상의 필요가 있는 경우에는 허가를 거부할 수 있으며, '산림훼손허가신청'의 경우에는 명문의 규정이 없어도 공공복리 등의 사유로 거부할 수 있다고 보고 있다.

간단 점검하기

허가의 요건은 법령으로 규정되어야 하며, 법령의 근거 없이 행정권이 독자적으로 허가요건을 추가하는 것은 허용되지 아니한다. ( )

15. 경찰행정, 08. 국가직 7급

○

ⓒ 기타: 하나의 신청에 여러 법률이 적용되는 경우 모든 법률요건을 구비하는 경우가 아니라면 거부될 수도 있다는 판례도 있다.❶

관련판례 관계법령에서 정하는 제한사유 외의 사유로 허가를 거부하지 못함

1 음식점영업허가의 경우 관계법령에서 정하는 제한사유 외의 사유로 허가를 거부 못한다(대판 2000.3.24, 97누12532).

2 건축허가의 경우 관계법령에서 정하는 제한사유 외의 사유로 허가를 거부하지 못한다.

① 건축허가권자는 건축허가신청이 관계법규에서 정하는 어떠한 제한에 배치되지 않는 이상 당연히 건축허가를 하여야 하므로 (중대한)공익상 필요가 없음에도 불구하고 요건을 갖춘 자에 대한 허가를 관계법령에서 정하는 제한사유 이외의 사유를 들어 거부할 수는 없다(대판 1992.12.11, 92누3038).

② 가설건축물 존치기간을 연장하려는 건축주 등이 법령에 규정되어 있는 제반 서류와 요건을 갖추어 행정청에 연장신고를 한 경우, 행정청이 법령에서 요구하지 않은 '대지사용승낙서' 등의 서류가 제출되지 아니하였거나, 대지소유권자의 사용승낙이 없다는 등의 사유를 들어 연장신고의 수리를 거부할 수 없다(대판 2018.1.25, 2015두35116).

관련판례 인근주민들의 민원이 있다는 것을 이유로 허가를 거부하지 못함

1 장례식장의 건축을 인근 주민들의 민원이 있다는 사정만으로 반려하는 것은 위법하다(대판 2002.7.26, 2002두9762).

2 인근 주민들의 동의서를 제출하지 않았다는 이유로 주유소설치허가 거부하는 것은 위법하다(대판 1996.7.12, 96누5292).

관련판례 제한사유 이외의 사유로 허가를 거부할 수 없으나, 예외적으로 중대한 공익상 필요가 있는 경우에는 거부 가능

1 주유소설치허가의 경우 원칙적으로 제한사유 이외의 사유로 허가를 거부하지 못하지만, 예외적으로 제한사유 이외의 중대한 공익상의 필요가 있는 경우에는 허가를 거부할 수 있다(대판 1996.7.12, 96누5292 ; 대판 1999.4.23, 97누14378).

2 대기환경보전법상의 배출시설설치허가는 강학상 허가이므로, 대기환경보전법 제23조 제6항, 같은 법 시행령 제12조에서 정한 허가제한사유에 해당하지 아니하는 한 원칙적으로 허가를 하여야 한다. 다만, 배출시설의 설치가 주민의 건강·재산, 동식물의 생육에 심각한 위해를 끼칠 우려가 있다고 인정되는 등 중대한 공익상의 필요가 있을 때에는 허가를 거부할 수 있다고 보는 것이 타당하다(대판 2013.5.9, 2012두22799).

3 산림훼손행위는 국토의 유지와 환경의 보전에 직접적으로 영향을 미치는 행위이므로 법령이 규정하는 산림훼손 금지 또는 제한지역에 해당하는 경우는 물론 금지 또는 제한지역에 해당하지 않더라도 허가관청은 산림훼손허가신청 대상토지의 현상과 위치 및 주위의 상황 등을 고려하여 국토 및 자연의 유지와 환경의 보전 등 중대한 공익상 필요가 있다고 인정될 때에는 허가를 거부할 수 있고, 그 경우 법규에 명문의 근거가 없더라도 거부처분을 할 수 있으며, 산림훼손허가를 함에 있어서

---

❶ 대판 2006.9.8, 2005두8191

간단 점검하기

01 식품위생법상 일반음식점영업허가는 성질상 일반적 금지의 해제에 불과하므로 허가권자는 허가신청이 법에서 정한 요건을 구비한 때에는 원칙적으로 허가를 하여야 하나, 다만 예외적으로 관계법령에서 정하는 제한사유 외에 공공복리 등의 사유를 들어 허가신청을 거부할 수 있다. ( ) 18. 경찰행정

02 건축허가권자는 중대한 공익상의 필요가 없음에도 관계법령에서 정하는 제한사유 이외의 사유를 들어 건축허가요건을 갖춘 자에 대한 허가를 거부할 수 있다. ( ) 19. 국가직 9급

03 건축허가는 원칙상 기속행위이지만 중대한 공익상 필요가 있는 경우 예외적으로 건축허가를 거부할 수 있다. ( ) 19. 서울시 7급

간단 점검하기

04 산림형질변경허가 시 법령상의 금지 또는 제한 지역에 해당하지 않더라도 국토 및 자연의 유지와 상수원 수질과 같은 환경의 보전 등을 위한 중대한 공익상의 필요가 있을 경우 그 허가를 거부할 수 있다. ( ) 12·11·08. 국가직 7급

01 × 02 × 03 ○ 04 ○

고려하여야 할 공익침해의 정도 예컨대 자연경관훼손정도, 소음·분진의 정도, 수질오염의 정도 등에 관하여 반드시 수치에 근거한 일정한 기준을 정하여 놓고 허가·불허가 여부를 결정하여야 하는 것은 아니고, 산림훼손을 필요로 하는 사업계획에 나타난 사업의 내용, 규모, 방법과 그것이 환경에 미치는 영향 등 제반 사정을 종합하여 사회관념상 공익침해의 우려가 현저하다고 인정되는 경우에 불허가할 수 있다(대판 1997.9.12, 97누1228).

4 허가관청은 입목굴채 허가신청 대상 토지의 현상과 위치 및 주위의 상황 등을 고려하여 국토 및 자연의 유지와 환경의 보전 등 중대한 공익상 필요가 있다고 인정될 때에는 허가를 거부할 수 있다(대판 2001.11.30, 2001두5866).

5 [1] 구 건축법(2014.1.14. 법률 제12246호로 개정되기 전의 것) 제11조 제7항은 건축허가를 받은 자가 허가를 받은 날부터 1년 이내에 공사에 착수하지 아니한 경우에 허가권자는 허가를 취소하여야 한다고 규정하면서도, 정당한 사유가 있다고 인정되면 1년의 범위에서 공사의 착수기간을 연장할 수 있다고 규정하고 있을 뿐이며, 건축허가를 받은 자가 착수기간이 지난 후 공사에 착수하는 것 자체를 금지하고 있지 아니하다.

[2] 이러한 법 규정에는 건축허가의 행정목적이 신속하게 달성될 것을 추구하면서도 건축허가를 받은 자의 이익을 함께 보호하려는 취지가 포함되어 있으므로, 건축허가를 받은 자가 건축허가가 취소되기 전에 공사에 착수하였다면 허가권자는 그 착수기간이 지났다고 하더라도 건축허가를 취소하여야 할 특별한 공익상 필요가 인정되지 않는 한 건축허가를 취소할 수 없다. 이는 건축허가를 받은 자가 건축허가가 취소되기 전에 공사에 착수하려 하였으나 허가권자의 위법한 공사중단명령으로 공사에 착수하지 못한 경우에도 마찬가지이다(대판 2017.7.11, 2012두22973).

③ 성질

㉠ 명령적 행위성

ⓐ **명령적 행위설(전통적 통설·판례)**: 허가는 금지된 자연적 자유를 회복시켜 주는 행위일 뿐 특별한 법적 힘을 새로이 부여하는 것은 아니라는 점에서 전통적인 통설과 판례는 허가를 명령적 행위의 일종으로 본다(대판 1963.8.31, 63누101).

관련판례 건축허가(명령적 행위)

1 건축허가 명령적행위 ★★★

건축허가는 행정관청이 건축행정상 목적을 수행하기 위하여 수허가자에게 일반적으로 행정관청의 허가 없이는 건축행위를 하여서는 안된다는 상대적 금지를 관계법규에 적합한 일정한 경우에 해제하여 줌으로써 일정한 건축행위를 하여도 좋다는 자유를 회복시켜 주는 행정처분일 뿐 수허가자에게 어떤 새로운 권리나 능력을 부여하는 것이 아니고, 건축허가서는 허가된 건물에 관한 실체적 권리의 득실변경의 공시방법이 아니며 추정력도 없으므로 건축허가서에 건축주로 기재된 자가 건물의 소유권을 취득하는 것은 아니므로, 자기 비용과 노력으로 건물을 신축한 자는 그 건축허가가 타인의 명의로 된 여부에 관계없이 그 소유권을 원시취득한다(대판 2002.4.26, 2000다16350).

#건축허가_명령적행위 #상대적금지_해제 #권리설정_아님 #형식적_건축주_실질적권리_취득_아님 #실질적_건축주_소유권_원시취득

간단 점검하기

건축허가는 수허가자에게 어떤 새로운 권리나 능력을 부여하는 것이 아니다. ( ) 19. 사회복지직

○

2 건축허가 건축주 ★★★

건축허가서는 허가된 건물에 관한 실체적 권리의 득실변경의 공시방법이 아니며 그 추정력도 없으므로 건축허가서에 건축주로 기재된 자가 그 소유권을 취득하는 것은 아니며, 건축중인 건물의 소유자와 건축허가의 건축주가 반드시 일치하여야 하는 것도 아니다(대판 2009.3.12, 2006다28454).

#건축허가_건축주_실질적_소유권_무관 #건물_소유자 #건축허가서_소유자 #일치불요

ⓑ **형성적 행위설**: 허가는 형성적 행위에 해당하므로 명령적 행위로 볼 수 없다는 견해이다. 즉, 허가는 단순히 자연적 자유를 회복시켜 주는 데 그치는 것이 아니라 적법하게 일정한 행위를 할 수 있는 법적 지위를 창설하여 주는 형성적 행위라고 한다. 이 견해는 허가를 형성적 행위라고 하여도 이는 본래의 특허와는 달리 새로운 권리를 창설하는 것은 아니라는 것이다.

ⓒ **양면성설(병존설)(현재의 다수설)**: 허가는 명령적 행위성과 형성적 행위성을 동시에 가진다는 견해로 근래의 다수 견해이다. 즉, 허가는 금지를 해제해 준다는 점에서 명령적 행위이나 경영할 수 있는 법적 지위를 창설해 준다는 점에서는 형성적 행위이다. 예를 들어, 단란주점영업허가의 경우 금지의 해제라는 소극적인 관점에서 보면 단란주점영업허가는 명령적 행위이나(판례의 입장), 단란주점영업을 경영할 수 있는 법적 지위가 창설된다는 적극적 관점에서 보면 단란주점영업허가는 형성적이라는 것이다.

간단 점검하기

판례는 허가의 성격을 기속행위로 본 경우도 있고, 재량행위로 본 경우도 있다.
( ) 12. 국회직 9급

ⓛ **기속행위성**

ⓐ **원칙 → 기속행위**: 허가를 할 것인가의 여부를 결정하는 것은 원칙적으로 기속행위 또는 기속재량행위이다. 왜냐하면, 허가는 개인의 자연적 자유를 회복시키는 행위이므로 허가요건에 해당함에도 불구하고 허가를 하지 않는 것은 필요 이상으로 개인의 자연적 자유를 더 제한한다는 것을 의미하는데, 이는 행정청이 자유로이 결정할 것이 아니기 때문이다.

ⓑ **예외 → 재량행위**: 그러나 예외적으로 허가 여부가 자유재량인 경우도 있다. 예를 들어, 자연보호와 관련 있는 개발허가(자연공원법 제23조) 등의 경우에는 미관보호를 위하여 일반적으로 개발이 금지되는 지역에서 특별한 사정이 있는 경우에 개발금지를 해제하여 개발을 허용하는 것이므로 허가 여부 결정에 있어서 행정청에 자유재량이 인정된다고 할 것이다(일종의 예외적 승인).

관련판례 기속행위와 재량행위

1 음식점영업허가 대중음식점 ★★★

식품위생법상 대중음식점영업허가는 기속행위에 해당한다(대판 1993.5.27, 93누2216).

○

2 **음식점영업허가 일반음식점** ★★★

식품위생법상 일반음식점영업허가는 기속행위이다(대판 2000.3.24, 97누12532).

3 **기부금품모집허가** ★★

기부금품모집규제법상의 기부금품모집허가는 강학상 허가이므로 기속행위이다(대판 1999.7.23, 99두3690).

4 **주류판매면허** ★★★

주류판매면허는 강학상의 허가로 해석되므로 면허관청으로서는 임의로 그 면허를 거부할 수 없다(대판 1995.11.10, 95누5714).

5 **건축허가** ★★★

건축법에 의한 건축허가의 법적 성질은 기속행위이다(대판 1995.6.13, 94다56883).

6 **건축허가 개발제한구역** ★★★

개발제한구역 내의 건축허가기준 설정은 재량행위이다(예외적 승인)(대판 1998.9.8, 98두8759).

7 **건축허가 숙박용건물**

일단 대규모 숙박업소가 집단적으로 형성되어 향락단지화된다면 그 허가를 함부로 취소할 수도 없고 인근의 다른 숙박업소의 허가신청도 거부하기 어려워 그 영업이 장기간 계속될 것이 예상되므로, 이로 인한 교육환경과 주거환경의 침해는 인근 주민과 학생들의 수인한도를 넘게 될 것으로 보일 뿐 아니라 일단 침해된 사회적 환경은 그 회복이 사실상 불가능하다는 점 등에 비추어 보면, 이 사건 처분에 의하여 피고가 달성하려는 학생들의 교육환경과 인근 주민들의 주거환경 보호라는 공익은 이 사건 처분으로 인하여 원고들이 입게 되는 불이익을 정당화할 만큼 강한 경우에 해당한다고 할 것이므로, 같은 취지에서 원고들의 각 숙박시설 건축허가신청을 반려한 이 사건 처분이 신뢰보호의 원칙에 위배되지 않는다(재량행위)(대판 2005.11.25, 2004두6822, 6839, 6846).

8 **건축허가 인허가의제** ★★★

도시지역 안에서 토지의 형질변경행위를 수반하는 건축허가는 재량행위이다(대판 2005.7.14, 2004두6181).

ⓒ **쌍방적 행정행위성**: 허가는 일반적으로 출원에 의하여 행해지나, 예외적으로 출원 없이도 행하여진다(예 통행금지해제 · 보도관제의 해제 등 – 일방적 행정행위).

ⓔ **선원주의**: 허가는 기속행위이므로 출원이 경합하는 경우에는 먼저 출원한 것부터 심사하여 신청이 법정요건을 갖춘 때에는 허가하여야 하는 선원주의에 의하여야 한다.

④ **형식**: 하명의 경우와는 달리 허가는 성질상 항상 행정행위(행정처분)의 형식으로 행하여지며, 직접 법령에 의하여 행하여지는 경우는 없다. 즉, 법규허가는 허용되지 않는다.

간단 점검하기

01 구 도시계획법상 개발제한구역 내에서의 건축허가는 원칙적으로 기속행위이다. ( )
17. 교육행정직, 10 · 07. 국가직 7급, 07. 국가직 9급

02 개발제한구역 내의 건축물의 용도변경허가는 공공의 질서를 위하여 잠정적으로 금지하고, 법상의 요건을 갖춘 경우에 그 금지를 해제하여 본래의 자유를 회복시켜 주는 행위로 기속행위이다. ( ) 14. 국가직 7급

03 숙박용 건물의 건축허가는 기속행위이므로 중대한 공익상의 이유가 있다 할지라도 그 허가를 거부할 수 없다. ( ) 16. 교육행정직

04 국토의 계획 및 이용에 관한 법률에 의해 지정된 도시지역 안에서 토지의 형질변경행위를 수반하는 건축허가는 재량행위에 속한다. ( )
19. 국가직 9급

05 토지의 형질변경행위를 수반하는 건축허가처럼 기속행위인 허가가 재량행위인 허가를 포함하는 경우에는 재량행위가 된다. ( ) 14. 사회복지직

01 × 02 × 03 × 04 ○ 05 ○

⑤ 종류

㉠ 심사대상에 따라

구분	대상	이전성	구체적인 예
대인적 허가	사람의 능력, 지식 등 주관적 요소 기준	불가능	의사면허, 운전면허, 약사면허 등
대물적 허가	물건의 내용, 상태 등 객관적 요소 기준	가능	차량검사합격처분, 건축허가, 음식점영업허가, 유기장영업허가, 석유판매업(주유소)허가 등
혼합적 허가	인적, 물적 요소 기준	제한	총포화약류제조허가, 석유정제업 허가, 가스사업허가 등

㉡ **목적에 따라**: 허가는 목적에 따라 조직허가, 경찰허가, 규제허가, 재정허가, 군정허가 등으로 나누어진다.

⑥ **대상**: 허가의 대상은 일반적으로 사실행위가 원칙이나(예 건축허가 등), 예외적으로 법률행위인 경우도 있다(예 무기양도허가 등).

⑦ **출원(허가의 신청)**

㉠ 허가는 출원에 의함이 일반적이나, 예외적으로 출원 없이도 행하여진다(예 통행금지해제, 보도관제해제 등).

㉡ 판례는 신청한 것과 다른 내용의 허가도 당연무효는 아니라고 판시한 바 있다.

관련판례 **신청과 다른 내용의 허가** ★★★

개축허가신청에 대하여 행정청이 착오로 대수선 및 용도변경 허가를 하였다 하더라도 취소 등 적법한 조치없이 그 효력을 부인할 수 없음은 물론 더구나 이를 다른 처분(즉, 개축허가)으로 볼 근거도 없다(대판 1985.11.26, 85누382).❶

#수정허가_유효

⑧ 효과

㉠ **자연적 자유의 회복**: 허가가 주어지면 본래 가지고 있던 자유(자연적 자유)가 회복된다. 그러므로 허가를 받은 자는 적법하게 일정한 행위(영업 혹은 건축 등)를 할 수 있게 된다.

㉡ **이익의 향유**

ⓐ 허가로부터 얻는 영업상 이익은 상대적으로 금지되었던 자연적 자유의 회복으로부터 얻는 이익이므로 반사적 이익에 불과하다.

ⓑ 공권의 확대화 경향에 비추어 볼 때 거리제한규정 또는 영업구역 제한규정에 의해 기존업자가 독점적 이익을 누리고 있는 경우에 그 이익은 법률상 이익에 해당할 수도 있다.

간단 점검하기

01 허가의 대상은 사실행위뿐만 아니라 법률행위일 경우도 있다. ( )
05. 관세사

02 대법원 판례에 의하면 허가신청과 다른 내용의 허가는 효력이 없다. ( )
05. 관세사

03 개축허가신청에 대해 착오로 행한 용도변경허가는 무효가 아니다. ( )
11. 국가직 7급

04 전통적 견해에 따르면 이미 허가한 영업시설과 동종의 영업허가를 함으로써 기존업자의 영업이익에 피해가 발생한 경우 기존업자는 동종의 신규영업허가의 취소소송을 제기할 수 있는 원고적격이 인정된다. ( )
11. 국가직 9급

05 甲은 강학상 허가에 해당하는 식품위생법상 영업허가를 신청하였다. 甲에게 허가가 부여된 이후 乙에게 또 다른 신규허가가 행해진 경우, 甲에게는 특별한 규정이 없더라도 乙에 대한 신규허가를 다툴 수 있는 원고적격이 인정되는 것이 원칙이다. ( )
19. 지방직 9급

❶
개축허가는 없는 것이므로 행위자의 개축은 허가없는 행위에 해당하여 위법하다는 취지의 판결이다.

01 ○ 02 × 03 ○ 04 × 05 ×

관련판례 **허가로부터 얻는 이익을 반사적 이익으로 본 경우**

1 양곡가공업허가 ★★★

강학상 허가로서 영업상 누리는 이익은 반사적 이익에 불과하다(대판 1990.11.13, 89누756).

2 숙박업구조변경허가 ★★★

숙박업구조변경허가를 받은 건물의 인근에서 여관영업을 하는 자들의 영업상 이익은 반사적 이익에 불과하다(대판 1990.8.14, 89누7900).

3 장의자동차운송사업면허 ★★★

면허받은 장의자동차운송사업구역에 위반하였음을 이유로 한 행정청의 과징금부과처분에 의하여 동종업자의 영업이 보호되는 결과는 사업구역제도의 반사적 이익에 불과하기 때문에 그 과징금부과처분을 취소한 재결에 대하여 처분의 상대방 아닌 제3자는 그 취소를 구할 법률상 이익이 없다(대판 1992.12.8, 91누13700).

4 한의사면허 ★★★

한의사 면허는 경찰금지를 해제하는 명령적 행위(강학상 허가)에 해당하고, 한약조제시험을 통하여 약사에게 한약조제권을 인정함으로써 한의사들의 영업상 이익이 감소되었다고 하더라도 이러한 이익은 사실상의 이익에 불과하다(대판 1998.3.10, 97누4289).

5 유기장영업허가 ★★

유기장영업허가는 유기장 경영권을 설정하는 설권행위가 아니고 일반적 금지를 해제하는 영업자유의 회복이라 할 것이므로 그 영업상의 이익은 반사적 이익에 불과하고 행정행위의 본질상 금지의 해제나 그 해제를 다시 철회하는 것은 공익성과 합목적성에 따른 당해 행정청의 재량행위라 할 것이다(대판 1986.11.25, 84누147).

관련판례 **허가로부터 얻는 이익을 법률상 이익으로 본 경우**

1 주류제조면허 ★★★

주류제조면허를 얻은 자의 영업상 이익은 반사적 이익이 아니라 주세법의 규정에 따라 보호되는 법률상 보호되는 이익이다(대판 1989.12.22, 89누46).

2 분뇨관련영업허가 ★★★

정화조청소업 등 분뇨관련 영업허가로 인한 기존업자의 이익은 법률상 이익에 해당한다(대판 2006.7.28, 2004두6716).

ⓒ **타법상의 제한**: 허가의 효과는 상대적이어서 그 허가의 전제가 되는 특정목적을 위한 법적 제한을 해제하여 줄 뿐 모든 금지를 해제하는 것은 아니다. 다시 말해, 허가로 다른 법령에 의한 금지까지 해제되지는 않는다(예 공무원의 음식점 영업허가는 가능하나, 공무원법상 영리행위의 금지까지 해제되는 것은 아니므로 영업행위는 불가).

간단 점검하기

허가의 경우 특별한 규정이 없는 한 관계법상의 금지가 해제될 뿐이고, 타법상의 제한까지 해제되는 것은 아니다. ( ) 15. 경찰행정

○

관련판례

1 도로법, 건축법 ★★★

도로법과 건축법상의 건축허가는 각 허가권자의 허가를 각각 받아야 한다(대판 1991.4.12, 91도218).

2 산림법, 국토계획법 ★★★

산림 내에서의 건축용 토석채취허가는 여러 법률이 적용되므로 관련법상의 모든 요건을 갖추어야 한다(대판 2006.9.8, 2005두8191).

3 장사법, 국토계획법 ★★★

장사법 제14조 제1항에 의한 사설납골시설 설치신고의 수리와 국토의 계획 및 이용에 관한 법률(이하 '국토계획법'이라고 한다) 제56조 제1항 제2호에 의한 토지형질변경의 개발행위허가는 그 입법목적, 수리권자 또는 허가권자, 요건 등을 서로 달리하고 있어 어느 법률이 다른 법률에 우선하여 배타적으로 적용된다고 풀이되지 아니한다(대판 2010.9.9, 2008두22631).

㉣ **지역적 효과**: 허가의 효과는 해당 허가관청의 관할구역 내에서만 미치는 것이 원칙이다. 그러나 법령의 규정이 있거나 허가의 성질상 관할구역에 국한시킬 것이 아닌 경우에는 관할구역 내에 한하지 않고 제한 없이 효과가 미친다(예 운전면허 등).

⑨ 무허가행위의 효과

㉠ 허가받아야 할 행위를 허가 없이 한 경우에는, 원칙적으로 행정상 강제집행이나 제재의 대상이 된다.

㉡ 무허가 행위의 민사법상 또는 상사법상 효력이 당연히 부정되는 것은 아니므로 유효하다. 즉, 허가는 적법요건일 뿐 효력발생요건은 아니다.

㉢ 무허가행위가 공무원의 과실에 기한 것이라면 처벌할 수 없는 경우도 있다(대판 1992.5.22, 91도2525).

관련판례 **공무원의 과실에 의하여 착오가 발생한 경우**

허가를 담당하는 공무원이 허가를 요하지 않는다고 잘못 알려 준 것을 믿은 경우 자기의 행위가 죄가 되지 않는 것으로 오인한 데 정당한 이유가 인정되며, 허가를 받지 않더라도 죄가 되지 않는 것으로 착오를 일으킨 데 대하여 정당한 이유가 있는 경우에 해당하여 처벌할 수 없다(대판 1992.5.22, 91도2525).

⑩ 허가의 변동

㉠ 허가의 갱신

ⓐ 이미 행하여진 허가의 기간에 제한이 있는 경우 기간경과 전에 종전 허가의 효력을 지속시키기 위해서 행해지는 것이 허가의 갱신이다. 따라서 갱신기간이 경과되면 허가처분은 효력을 상실하게 된다.

ⓑ 갱신 전의 법위반사유는 갱신 이후에는 치유되는 것이 아니라 갱신이후에도 그대로 승계된다.

ⓒ 행정청은 갱신 전의 법위반사실을 이유로 갱신 이후에도 일정한 제재처분을 할 수 있다.

간단 점검하기

01 접도구역 안에서 건축을 하기 위해서는 건축허가청으로부터 건축법상 건축허가를 받는 것으로 충분하다. ( ) 06. 국가직 7급

간단 점검하기

02 허가의 효과는 당해 허가행정청의 관할구역 내에서만 미치는 것이 원칙이지만 법령의 규정이 있거나 허가의 성질상 관할구역에 국한시킬 것이 아닌 경우에는 관할구역 외에까지 그 효과가 미치게 된다. ( ) 07. 국회직 8급

03 허가는 행위의 유효요건이므로 허가를 받아야 할 행위를 허가받지 아니하고 행한 경우, 그 행위는 행정강제나 행정벌의 대상은 되지 않고 무효로 되는 것이 원칙이다. ( ) 14. 사회복지직 · 국가직 9급, 06. 국가직 7급

간단 점검하기

04 허가기간이 연장되기 위하여는 그 종기가 도래하기 전에 그 허가기간의 연장에 관한 신청이 있어야 하며, 만일 그러한 연장신청이 없는 상태에서 허가기간이 만료하였다면 그 허가의 효력은 상실된다. ( ) 14. 경찰행정

05 허가의 갱신은 허가취득자에게 종전의 지위를 계속 유지시키는 효과를 갖게 하는 것으로 갱신 후라도 갱신 전 법위반사실을 근거로 허가를 취소할 수 있다. ( ) 17. 국가직 7급

01 × 02 ○ 03 × 04 ○ 05 ○

관련판례 **허가의 갱신**

1 허가갱신 지위유지 ★★

유료직업 소개사업의 허가갱신은 허가취득자에게 종전의 지위를 계속 유지시키는 효과를 갖는 것에 불과하고 갱신 후에는 갱신 전의 법위반사항을 불문에 붙이는 효과를 발생하는 것이 아니므로 일단 갱신이 있은 후에도 갱신 전의 법위반사실을 근거로 허가를 취소할 수 있다(대판 1982.7.27, 81누174).

#직업소개소허가_갱신 #지위_유지 #갱신전_사유_갱신후_허가취소

2 허가갱신의 위법성 치유불가 ★★

건설업면허의 갱신이 있으면 기존 면허의 효력은 동일성을 유지하면서 장래에 향하여 지속한다 할 것이고 갱신에 의하여 갱신전의 면허는 실효되고 새로운 면허가 부여된 것이라고 볼 수는 없으므로 면허갱신에 의하여 갱신전의 건설업자의 모든 위법사유가 치유된다거나 일정한 시일의 경과로서 그 위법사유가 치유된다고 볼 수 없다(대판 1984.9.11, 83누658).

#건설면허_갱신 #갱신전위법_갱신_치유불가

ⓛ 허가기간 경과 후 갱신

ⓐ 허가기간 경과 후에 이루어진 갱신은 허가갱신이 아니라 신규허가에 해당한다.

ⓑ 허가가 반드시 행해지는 것은 아니며 갱신 여부는 행정청이 새로이 판단하여 결정한다.

ⓒ 허가조건의 존속기간 내에 적법한 갱신신청이 있었음에도 갱신 가부의 결정이 없다 하더라도 주된 행정행위는 효력이 상실되는 것은 아니나.

관련판례 **허가기간 경과 후 갱신**

1 갱신기간 경과 후의 갱신 ★★

종전의 허가가 기한의 도래로 실효한 이상 원고가 종전 허가의 유효기간이 지나서 신청한 이 사건 기간연장신청은 그에 대한 종전의 허가처분을 전제로 하여 단순히 그 유효기간을 연장하여 주는 행정처분을 구하는 것이라기보다는 종전의 허가처분과는 별도의 새로운 허가를 내용으로 하는 행정처분을 구하는 것이라고 보아야 할 것이어서, 이러한 경우 허가권자는 이를 새로운 허가신청으로 보아 법의 관계 규정에 의하여 허가요건의 적합 여부를 새로이 판단하여 그 허가 여부를 결정하여야 할 것이다(대판 1995.11.10, 94누11866).

#갱신기간경과후_갱신_신규허가

2 유효기간경과로 인한 효력 소멸 ★★

어업에 관한 허가 또는 신고의 경우에는 어업면허와 달리 유효기간연장제도가 마련되어 있지 아니하므로 그 유효기간이 경과하면 그 허가나 신고의 효력이 당연히 소멸하며, 재차 허가를 받거나 신고를 하더라도 허가나 신고의 기간만 갱신되어 종전의 어업허가나 신고의 효력 또는 성질이 계속된다고 볼 수 없고 새로운 허가 내지 신고로서의 효력이 발생한다고 할 것이다(대판 2011.7.28, 2011두5728).

#유효기간경과_허가효력소멸 #새로운허가 · 신고_신규효력발생

간단 점검하기

01 판례에 의하면 유료직업 소개사업의 허가 갱신은 허가취득자에게 종전의 지위를 유지시키는 효과를 갖는 것에 불과하고, 갱신 후에는 갱신 전의 법 위반사항을 불문에 붙이는 효과를 발생하는 것이 아니므로 일단 갱신이 있은 후에도 갱신 전의 법 위반사실을 근거로 허가를 취소할 수 있다. ( ) 16. 서울시 9급

02 건설업면허의 갱신은 기존면허의 효력의 동일성을 유지하면서 장래에 향하여 지속시키는 데 그친다. ( ) 06. 국회직 8급, 12. 서울시 9급, 11. 지방직 9급

간단 점검하기

03 허가조건의 존속기간 내에 적법한 갱신신청이 있었음에도 갱신 가부의 결정이 없으면 주된 행정행위는 효력이 상실된다. ( ) 11. 지방직 9급

간단 점검하기

04 종전의 허가가 기한의 도래로 실효되었다고 하여도 종전 허가의 유효기간이 지나서 기간연장을 신청하였다면 그 신청은 종전 허가의 유효기간을 연장하여 주는 행정처분을 구한 것으로 보아야 하지 종전 허가와는 별개로 새로운 허가를 내용으로 하는 행정처분을 구한 것으로 보아서는 아니 된다. ( ) 16. 지방직 9급, 11 · 10. 국가직 9급

05 허가의 유효기간이 지난 후에 그 허가의 기간연장이 신청된 경우, 허가권자는 특별한 사정이 없는 한 유효기간을 연장해 주어야 한다. ( ) 16. 지방직 9급

01 ○ 02 ○ 03 × 04 × 05 ×

ⓒ **허가에 붙은 기간이 허가된 사업의 성질상 부당히 짧은 경우**: 판례는 이 경우 당사자 보호를 위해 그 기간을 '허가 자체의 존속기간'이 아니라 '허가조건의 존속기간'으로 해석한다.

관련판례 **허가에 붙은 기간이 그 성질상 부당히 짧은 경우** ★★★

1 일반적으로 행정처분에 효력기간이 정하여져 있는 경우에는 그 기간의 경과로 그 행정처분의 효력은 상실되고, 다만 허가에 붙은 기한이 그 허가된 사업의 성질상 부당하게 짧은 경우에는 이를 그 허가 자체의 존속기간이 아니라 그 허가조건의 존속기간으로 보아 그 기한이 도래함으로써 그 조건의 개정을 고려한다는 뜻으로 해석할 수는 있지만, 그와 같은 경우라 하더라도 그 허가기간이 연장되기 위하여는 그 종기가 도래하기 전에 그 허가기간의 연장에 관한 신청이 있어야 하며, 만일 그러한 연장신청이 없는 상태에서 허가기간이 만료하였다면 그 허가의 효력은 상실된다(대판 2007.10.11, 2005두12404).

2 당초에 붙은 기한을 허가 자체의 존속기간이 아니라 허가조건의 존속기간으로 보더라도 그 후 당초의 기한이 상당 기간 연장되어 연장된 기간을 포함한 존속기간 전체를 기준으로 볼 경우 더 이상 허가된 사업의 성질상 부당하게 짧은 경우에 해당하지 않게 된 때에는 관계 법령의 규정에 따라 허가 여부의 재량권을 가진 행정청으로서는 그 때에도 허가조건의 개정만을 고려하여야 하는 것은 아니고 재량권의 행사로서 더 이상의 기간연장을 불허가할 수도 있는 것이며, 이로써 허가의 효력은 상실된다(대판 2004.3.25, 2003두12837).

⑪ **허가의 소멸**

ⓐ **허가기간의 경과**

ⓑ **허가의 철회**: 철회사유가 발생하면 철회가 가능하다. 그러나 철회함에 있어서는 철회의 법적 근거·사유 등을 명확히 하여야 한다(행정절차법 제23조 제1항). 철회로 허가는 소멸된다. 다만, 일부철회가 가능한가에 대하여 판례는 가분성(可分性) 또는 특정성이 있는 처분의 경우에는 일부철회도 가능하다고 한다(대판 1995.11.16, 95누8850 등).

⑫ **허가의 양도나 지위승계**

ⓐ 허가가 일신전속적인 경우가 아닌 한, 특히 대물적인 경우에는 양도나 지위의 승계가 가능하다고 본다. 따라서 양도인의 법령위반 사실을 이유로 양수인에게 제재처분을 할 수 있다는 것이 통설과 판례의 태도이다.

관련판례 **이전성을 긍정한 경우**

1 석유판매업(주유소)허가는 소위 대물적 허가의 성질을 갖는 것이어서 그 사업의 양도도 가능하고 이 경우 양수인은 양도인의 지위를 승계하게 됨에 따라 양도인의 위 허가에 따른 권리의무가 양수인에게 이전되는 것이므로 만약 양도인에게 그 허가를 취소할 위법사유가 있다면 허가관청은 이를 이유로 양수인에게 응분의 제재조치를 취할 수 있다 할 것이고, 양수인이 그 양수 후 허가관청으로부터 석유판매업허가를 다시 받았다 하더라도 이는 석유판매업의 양수도를 전제로 한 것이어서 이로써 양도인의 지위승계가 부정되는 것은 아니므로 양도인의 귀책사유는 양수인에게 그 효력이 미친다(대판 1986.7.22, 86누203).

#주유소허가_대물적허가 #권리의무_승계 #양수후_허가_지위승계

간단 점검하기

01 허가에 붙은 기한이 그 허가된 사업의 성질상 부당하게 짧은 경우에는 이를 그 허가 자체의 존속기간이 아니라 그 허가조건의 존속기간으로 본다. ( ) 18. 지방직 7급

02 허가에 붙은 기한이 그 허가된 사업의 성질상 부당하게 짧은 경우에 그 기한은 허가조건의 존속기간이 아니라 허가 자체의 존속기간으로 보아야 한다. ( ) 18. 지방직 9급

03 판례는 허가처분에 기간이 부당히 짧은 경우에는 그 기간은 허가 자체의 존속기간이 아니라 허가조건의 존속기간으로 보아 종기가 도래하기 전에 반드시 연장에 관한 신청이 있어야 하는 것은 아니라고 본다. ( ) 11. 지방직 9급

04 허가에 붙은 기한이 그 허가된 사업의 성질상 부당하게 짧아 이 기한을 그 허가조건의 존속기간으로 해석할 수 있더라도, 그 후 당초의 기한이 상당기간 연장되어 연장된 기간을 포함한 존속기간 전체를 기준으로 보면 더 이상 허가된 사업의 성질상 부당하게 짧은 경우에 해당하지 않게 된 때에는, 관계 법령상 허가 여부의 재량권을 가진 행정청은 허가조건의 개정만을 고려하여야 하는 것은 아니고, 재량권의 행사로서 더 이상의 기간연장을 불허가하여 허가의 효력을 상실시킬 수 있다. ( ) 16. 지방직 7급

간단 점검하기

05 판례에 의하면 석유판매업허가는 혼합적 허가의 성질을 갖는 것이므로 양도인의 허가취소사유가 양수인에게 승계되지 않는다. ( ) 12. 서울시 9급, 11. 국가직 7급

01 ○ 02 × 03 × 04 ○ 05 ×

2 사업정지 등의 제재처분은 사업자 개인의 자격에 대한 제재가 아니라 사업의 전부나 일부에 대한 것으로서 대물적 처분의 성격을 갖고 있으므로, 위와 같은 지위승계에는 종전 석유판매업자가 유사석유제품을 판매함으로써 받게 되는 사업정지 등 제재처분의 승계가 포함되어 그 지위를 승계한 자에 대하여 사업정지 등의 제재처분을 취할 수 있다(대판 2003.10.23, 2003두8005).

3 만일 어떠한 공중위생영업에 대하여 그 영업을 정지할 위법사유가 있다면, 관할 행정청은 그 영업이 양도·양수되었다 하더라도 그 업소의 양수인에 대하여 영업정지처분을 할 수 있다(대판 2001.6.29, 2001두1611).

4 사실상 영업이 양도·양수되었지만 아직 승계신고 및 그 수리처분이 있기 이전에는 여전히 종전의 영업자인 양도인이 영업허가자이고, 양수인은 영업허가자가 되지 못한다 할 것이어서 행정제재처분의 사유가 있는지 여부 및 그 사유가 있다고 하여 행하는 행정제재처분은 영업허가자인 양도인을 기준으로 판단하여 그 양도인에 대하여 행하여야 할 것이고, 한편 양도인이 그의 의사에 따라 양수인에게 영업을 양도하면서 양수인으로 하여금 영업을 하도록 허락하였다면 그 양수인의 영업 중 발생한 위반행위에 대한 행정적인 책임은 영업허가자인 양도인에게 귀속된다고 보아야 할 것이다(대판 1995.2.24, 94누9146).

5 구 산림법령상 채석허가를 받은 자가 사망한 경우, 상속인이 그 지위를 승계하므로 … 산림을 무단형질변경한 자가 사망한 경우, 당해 토지의 소유권 또는 점유권을 승계한 상속인이 그 복구의무를 부담한다(대판 2005.8.19, 2003두9817·9824).
#채석허가_대물적허가 #무단형질변경_상속인_복구의무

6 국토의 계획 및 이용에 관한 법률에 의한 개발행위허가를 받은 자가 사망한 경우, 상속인이 그 지위를 승계하므로 이러한 지위를 승계한 상속인이 같은 법 제133조 제1항 제5의2호에서 정한 개발행위허가기간 만료에 따른 원상회복명령의 수범자가 된다(대판 2014.7.24, 2013도10605).
#개발행위허가_지위승계 #원상회복명령수범자_상속인

관련판례 이전성을 부정한 경우

1 공중목욕장 허가★★★

공중목욕장의 영업허가를 받은 자가 그 허가를 타인에게 양도하는 경우에는 영업의 시설이나 영업상의 이익 등만이 이전될 뿐 허가권자체가 이전되는 것은 아니므로 양수인은 공중목욕장업법에 의한 영업허가를 새로이 받아야 하는 것이다(대판 1981.1.13, 80다1126).
#공중목욕장 영업허가 #영업시설 영업이득 승계 #허가권자체 이전불가

2 분할 전 회사의 법 위반행위★★★

신설회사 또는 존속회사가 승계하는 것은 분할하는 회사의 권리와 의무라 할 것인바, 분할하는 회사의 분할 전 법 위반행위를 이유로 과징금이 부과되기 전까지는 단순한 사실행위만 존재할 뿐 그 과징금과 관련하여 분할하는 회사에게 승계의 대상이 되는 어떠한 의무가 있다고 할 수 없고, 특별한 규정이 없는 한 신설회사에 대하여 분할하는 회사의 분할 전 법 위반행위를 이유로 과징금을 부과하는 것은 허용되지 않는다(대판 2007.11.29, 2006두18928).
#회사분할_분할계획서_권리의무_승계 #과징금부과_전_단순_사실존재 #분할회사_과징금부과_불가

간단 점검하기

01 양도인의 위법행위로 양도인에게 이미 제재처분이 내려진 경우에 영업정지 등 그 제재처분의 효력은 양수인에게 당연히 이전된다. ( )
17. 서울시 9급

02 판례는 대물적 영업의 양도의 경우 명시적인 규정이 없는 경우에도 양도 전에 존재하는 영업정지사유를 이유로 양수인에 대해서도 영업정지처분을 할 수 있다고 보고 있다. ( )
18. 소방직 9급, 13. 국가직 7급

01 ○ 02 ○

ⓛ 판례는 사업의 양도행위가 무효임을 이유로 사업양도 · 양수에 따른 허가관청의 지위승계 신고수리처분의 무효를 주장할 수 있다고 한다(대판 2005.12.23, 2005두3554).

관련판례 사업양도 · 양수에 따른 허가관청의 지위승계신고의 수리

사업양도 · 양수에 따른 허가관청의 지위승계신고의 수리는 적법한 사업의 양도 · 양수가 있었음을 전제로 하는 것이므로 그 수리대상인 사업양도 · 양수가 존재하지 아니하거나 무효인 때에는 수리를 하였다 하더라도 그 수리는 유효한 대상이 없는 것으로서 당연히 무효라 할 것이고, 사업의 양도행위가 무효라고 주장하는 양도자는 민사쟁송으로 양도 · 양수행위의 무효를 구함이 없이 막바로 허가관청을 상대로 하여 행정소송으로 위 신고수리처분의 무효확인을 구할 법률상 이익이 있다(대판 2005.12.23, 2005두3554).

#채석허가수허가자변경 #채석허가양도양수계약_무효 #채석허가양도양수_신고_무효

ⓒ 인 · 허가의제제도

ⓐ **의의**: 인 · 허가 의제제도는 하나의 인 · 허가를 받으면 다른 허가, 인가, 특허, 신고 또는 등록 등을 받은 것으로 보는 제도를 말하며, 복합민원의 일종으로 민원인에게 편의를 제공하는 원스톱 서비스의 기능을 수행하게 된다.

ⓑ **법적 근거**: 인 · 허가 의제는 관계기관의 권한행사에 제약을 가할 수 있으므로 법령상 명문의 근거규정을 필요로 한다.

ⓒ **신청**: 주된 인 · 허가 및 의제되는 인 · 허가에 필요한 서류를 갖추어 주된 허가 담당관청에만 신청하면 된다.

ⓓ **협의**: 인 · 허가 의제제도의 경우 다른 관계인이나 허가기관의 인 · 허가를 받지 않는 대신 다른 관계인이나 인 · 허가 기관의 협의를 거치도록 하는 경우가 보통이며, 인 · 허가와 관련 있는 행정기관 간에 협의가 모두 완료되기 전이라도 일정한 경우 인 · 허가에 대한 협의를 완료할 것을 조건으로 각종의 사업시행승인이나 시행인가를 할 수 있다.

ⓔ **절차의 집중 인정**: 인 · 허가가 의제되는 법률에 주민의 의견청취 등 일정한 절차가 규정되어 있더라도, 주된 인 · 허가에 규정된 절차만 거치면 된다(절차집중효설).

관련판례

건설부장관이 구 주택건설촉진법 제33조에 따라 관계기관의 장과의 협의를 거쳐 사업계획승인을 한 이상 같은 조 제4항의 허가 · 인가 · 결정 · 승인 등이 있는 것으로 볼 것이고, 그 절차와 별도로 도시계획법 제12조 등 소정의 중앙도시계획위원회의 의결이나 주민의 의견청취 등 절차를 거칠 필요는 없다(대판 1992.11.10, 92누1162).

간단 점검하기

01 인 · 허가 의제제도는 하나의 인 · 허가를 받으면 다른 허가, 인가, 특허, 신고 또는 등록 등을 받은 것으로 보는 제도를 말한다. ( ) 13. 서울시 9급

02 인 · 허가 의제는 의제되는 행위에 대하여 본래적으로 권한을 갖는 행정기관의 권한행사를 보충하는 것이므로 법령의 근거가 없는 경우에도 인정된다. ( ) 16. 서울시 7급, 14. 지방직 9급

03 주된 인 · 허가거부처분을 하면서 의제되는 인 · 허가거부사유를 제시한 경우, 의제되는 인 · 허가거부를 다투려는 자는 주된 인 · 허가거부 외에 별도로 의제되는 인 · 허가거부에 대한 쟁송을 제기해야 한다. ( ) 16. 지방직 7급

04 인 · 허가 의제가 인정되는 경우 민원인은 하나의 인 · 허가 신청과 더불어 의제를 원하는 인 · 허가 신청을 각각의 해당 기관에 제출하여야 한다. ( ) 13. 서울시 9급

05 인 · 허가 의제제도의 경우 다른 관계인이나 허가기관의 인 · 허가를 받지 않는 대신 다른 관계인이나 인 · 허가 기관의 협의를 거치도록 하는 경우가 보통이다. ( ) 13. 서울시 9급

06 주된 인 · 허가처분이 관계기관의 장과 협의를 거쳐 발령된 이상 의제되는 인 · 허가에 법령상 요구되는 주민의 의견청취 등의 절차는 거칠 필요가 없다. ( ) 16. 지방직 7급

07 집중효의 범위는 절차적 집중에까지 미치므로 법령상 다른 규정이 없는 한 계획행정청은 의제되는 인 · 허가에 관한 모법상의 행정절차를 거칠 필요는 없다. ( ) 16. 서울시 7급

01 ○ 02 × 03 × 04 ×
05 ○ 06 ○ 07 ○

ⓕ **실체의 집중 부정**: 주된 인·허가 요건뿐 아니라 의제되는 인·허가 요건까지 모두 구비한 경우에 주된 신청에 대한 인·허가를 할 수 있다. 따라서 주된 인·허가에 대한 요건을 결여한 경우뿐 아니라 의제되는 인·허가에 대한 요건을 결여한 경우에도 주된 인·허가 신청에 대한 거부가 가능하다.

관련판례

채광계획이 중대한 공익에 배치된다고 할 때에는 인가를 거부할 수 있고, 채광계획을 불인가 하는 경우에는 정당한 사유가 제시되어야 하며 자의적으로 불인가를 하여서는 아니 될 것이므로 채광계획인가는 기속재량행위(기속행위)에 속하는 것으로 보아야 할 것이나, 구 광업법 제47조의2 제5호에 의하여 채광계획인가를 받으면 공유수면 점용허가를 받은 것으로 의제되고, 이 공유수면 점용허가는 공유수면 관리청이 공공 위해의 예방 경감과 공공 복리의 증진에 기여함에 적당하다고 인정하는 경우에 그 자유재량에 의하여 허가의 여부를 결정하여야 할 것이므로, 공유수면 점용허가를 필요로 하는 채광계획 인가신청에 대하여도, 공유수면 관리청이 재량적 판단에 의하여 공유수면 점용을 허가 여부를 결정할 수 있고, 그 결과 공유수면 점용을 허용하지 않기로 결정하였다면, 채광계획 인가관청은 이를 사유로 하여 채광계획을 인가하지 아니할 수 있는 것이다(대판2002.10.11, 2001두151).

ⓖ **인·허가 신청이 거부된 경우**: 주된 인·허가에 대한 요건을 다투는 경우 뿐 아니라 의제되는 인·허가에 대한 요건을 다투는 경우에도 주된 인·허가신청에 대한 거부를 소송대상으로 하여야 한다.

관련판례

구 건축법 제8조 제1항, 제3항, 제5항에 의하면, 건축허가를 받은 경우에는 구 도시계획법 제4조에 의한 토지의 형질변경허가나 농지법 제36조에 의한 농지전용허가 등을 받은 것으로 보며, 한편 건축허가권자가 건축허가를 하고자 하는 경우 당해 용도·규모 또는 형태의 건축물을 그 건축하고자 하는 대지에 건축하는 것이 건축법 관련 규정이나 같은 도시계획법 제4조, 농지법 제36조 등 관계 법령의 규정에 적합한지의 여부를 검토하여야 하는 것일 뿐, 건축불허가처분을 하면서 그 처분사유로 건축불허가 사유뿐만 아니라 형질변경불허가 사유나 농지전용불허가 사유를 들고 있다고 하여 그 건축불허가처분 외에 별개로 형질변경불허가처분이나 농지전용불허가처분이 존재하는 것이 아니므로, 그 건축불허가처분을 받은 사람은 그 건축불허가처분에 관한 쟁송에서 건축법상의 건축불허가 사유뿐만 아니라 같은 도시계획법상의 형질변경불허가 사유나 농지법상의 농지전용불허가 사유에 관하여도 다툴 수 있는 것이지, 그 건축불허가처분에 관한 쟁송과는 별개로 형질변경불허가처분이나 농지전용불허가처분에 관한 쟁송을 제기하여 이를 다투어야 하는 것은 아니며, 그러한 쟁송을 제기하지 아니하였어도 형질변경불허가 사유나 농지전용불허가 사유에 관하여 불가쟁력이 생기지 아니한다(대판 2001.1.16, 99두10988).

간단 점검하기

01 공유수면 점용허가를 필요로 하는 채광계획 인가신청에 대하여 공유수면 관리청이 공유수면 점용을 허용하지 않기로 결정한 경우, 채광계획 인가관청은 이를 사유로 채광계획 인가신청을 반려할 수 없다. ( ) 16. 국회직 8급

간단 점검하기

02 A허가에 대해 B허가가 의제되는 것으로 규정된 경우, A불허가처분을 하면서 B불허가사유를 들고 있으면 A불허가처분과 별개로 B불허가처분도 존재한다. ( ) 18. 국가직 7급

03 판례에 의하면 건축허가를 받은 경우에 토지형질변경허가나 농지전용허가를 받은 것으로 보는 인·허가 의제의 경우, 건축허가권자가 건축불허가처분을 하면서 그 처분사유로 건축불허가사유뿐만 아니라 형질변경불허가사유나 농지전용불허가사유를 들고 있다면, 그 건축불허가처분에 대한 쟁송과는 별개로 형질변경불허가처분이나 농지전용불허가처분에 대한 쟁송도 제기하여야 한다. ( ) 11. 지방직 7급

01 × 02 × 03 ×

ⓗ **인 · 허가 신청이 승인된 경우**: 이 경우 주된 인 · 허가를 다투려면 주된 인 · 허가처분을 소송대상으로 하고, 의제되는 인 · 허가를 다투려면 의제되는 인 · 허가처분을 소송대상으로 하여야 한다.

관련판례

구 주택법 제17조 제1항에 따르면, 주택건설사업계획 승인권자가 관계 행정청의 장과 미리 협의한 사항에 한하여 승인처분을 할 때에 인허가 등이 의제될 뿐이고, 각호에 열거된 모든 인허가 등에 관하여 일괄하여 사전협의를 거칠 것을 주택건설사업계획 승인처분의 요건으로 규정하고 있지 않다. 따라서 인허가 의제 대상이 되는 처분에 어떤 하자가 있더라도, 그로써 해당 인허가 의제의 효과가 발생하지 않을 여지가 있게 될 뿐이고, 그러한 사정이 주택건설사업계획 승인처분 자체의 위법사유가 될 수는 없다. 또한 의제된 인허가는 통상적인 인허가와 동일한 효력을 가지므로, 적어도 '부분 인허가 의제'가 허용되는 경우에는 그 효력을 제거하기 위한 법적 수단으로 의제된 인허가의 취소나 철회가 허용될 수 있고, 이러한 직권 취소 · 철회가 가능한 이상 그 의제된 인허가에 대한 쟁송취소 역시 허용된다.
따라서 주택건설사업계획 승인처분에 따라 의제된 인허가가 위법함을 다투고자 하는 이해관계인은, 주택건설사업계획 승인처분의 취소를 구할 것이 아니라 의제된 인허가의 취소를 구하여야 하며, 의제된 인허가는 주택건설사업계획 승인처분과 별도로 항고소송의 대상이 되는 처분에 해당한다(대판 2018.11.29, 2016두38792).

관련판례

1 구 택지개발촉진법(2002.2.4. 법률 제6655호로 개정되기 전의 것) 제11조 제1항 제9호에서는 사업시행자가 택지개발사업 실시계획승인을 받은 때 도로법에 의한 도로공사시행허가 및 도로점용허가를 받은 것으로 본다고 규정하고 있는바, 이러한 인허가 의제제도는 목적사업의 원활한 수행을 위해 행정절차를 간소화하고자 하는 데 그 취지가 있는 것이므로 위와 같은 실시계획승인에 의해 의제되는 도로공사시행허가 및 도로점용허가는 원칙적으로 당해 택지개발사업을 시행하는 데 필요한 범위 내에서만 그 효력이 유지된다고 보아야 한다. 따라서 원고가 이 사건 택지개발사업과 관련하여 그 사업시행의 일환으로 이 사건 도로예정지 또는 도로에 전력관을 매설하였다고 하더라도 사업시행완료 후 이를 계속 유지 · 관리하기 위해 도로를 점용하는 것에 대한 도로점용허가까지 그 실시계획 승인에 의해 의제된다고 볼 수는 없다(대판 2010.4.29, 2009두18547).

2 주된 인허가에 관한 사항을 규정하고 있는 법률에서 주된 인허가가 있으면 다른 법률에 의한 인허가를 받은 것으로 의제한다는 규정을 둔 경우, 주된 인허가가 있으면 다른 법률에 의한 인허가가 있는 것으로 보는 데 그치고, 거기에서 더 나아가 다른 법률에 의하여 인허가를 받았음을 전제로 하는 그 다른 법률의 모든 규정들까지 적용되는 것은 아니다(대판 2016.11.24, 2014두47686).

3 하나의 민원 목적을 실현하기 위하여 관계 법령 등에 의하여 다수 관계기관의 허가 · 인가 · 승인 · 추천 · 협의 · 확인 등의 인 · 허가를 받아야 하는 복합민원에 있어서 필요한 인 · 허가를 일괄하여 신청하지 아니하고 그 중 어느 하나의 인 · 허가만을 신청한 경우에도 그 근거 법령에서 다른 법령상의 인 · 허가에 관한 규정을 원용하고 있거나 그 대상 행위가 다른 법령에 의하여 절대적으로 금지되고 있어 그 실현이 객관적으로 불가능한 것이 명백한 경우에는 이를 고려하여 그 인 · 허가 여부를 결정할 수 있다(대판 2000.3.24, 98두8766).

간단 점검하기

주된 인 · 허가에 의해 의제되는 인 · 허가는 원칙적으로 주된 인 · 허가로 인한 사업을 시행하는 데 필요한 범위 내에서만 그 효력이 유지되는 것은 아니므로, 주된 인 · 허가로 인한 사업이 완료된 이후에도 효력이 있다. ( )
16. 지방직 7급

×

⑬ 유사제도와의 비교

㉠ 예외적 승인

ⓐ **의의:** 예외적 승인이란 일정행위가 유해하거나 사회적으로 바람직하지 않은 것으로서 법령상 원칙적으로 금지(억제적 금지)되고 있으나, 예외적인 경우에는 이러한 금지를 해제하여 해당 행위를 적법하게 할 수 있게 하여 주는 행위를 말한다. 구체적인 예로는 개발제한구역 내의 건축허가를 들 수 있다.

ⓑ 허가와의 구별

구분	허가	예외적 승인
개념	일반적 · 상대적 금지의 해지	억제적 · 진압적 금지의 해지
기능	자연적 자유의 회복	법적용 면제로 인한 이익
성질	원칙적으로 기속행위	원칙적으로 재량행위
규율 대상	정형적 사태의 효과적 규율	비정형적 사태의 효과적 규율
구체적인 예	일반적인 건축허가	개발제한구역 내의 건축허가

ⓒ **예외적 승인의 구체적인 예:** 학교환경위생정화구역 내의 유흥음식점허가, 개발제한구역 내의 건축허가, 자연공원구역 내에서의 개발허가, 카지노업 허가 등 사행행위영업허가, 치료목적이 마약류사용허가 등

기출

강학상 예외적 승인에 해당하지 않는 것은? 15. 국가직 9급

① 치료목적의 마약류사용허가
② 재단법인의 정관변경허가
③ 개발제한구역 내의 용도변경허가
④ 사행행위 영업허가

해설 재단법인의 정관변경허가는 그 법적 성격을 인가라고 보아야 한다(대판 1996.5.16, 95누4810).

정답 ②

ⓓ **성질:** 예외적 승인은 억제적 금지를 해제하는 행위로 보통의 허가와는 달리 재량행위이다.

관련판례 예외적 승인

1 개발제한구역 내에서의 건축허가는 예외적 허가로서 재량행위에 해당한다(대판 2004.7.22, 2003두7606).

2 개발제한구역 내에서 구역지정의 목적에 위배되지 않는 용도변경은 예외적 허가로서 재량행위에 해당한다(대판 2001.2.9, 98두17593).

3 학교환경위생정화구역 내에서 유흥주점 영업행위 금지처분에 대해 재량권을 인정한다(대판 1996.10.29, 96누8253).

간단 점검하기

01 허가는 공익침해의 우려가 있어 잠정적으로 금지된 행위를 적법하게 수행하도록 하는 행위인 데 반하여, 예외적 승인은 그 자체가 사회적으로 유해하여 법령에 의해 일반적으로 금지된 행위를 예외적으로 적법하게 수행할 수 있도록 하는 것이다. ( ) 08. 선관위 9급

02 예외적 승인은 위험방지를 대상으로 하고 허가는 사회적으로 유해한 행위를 대상으로 한다. ( ) 13. 국회직 8급

03 일반적으로 허가는 기속행위라 할 수 있으나 예외적 승인은 재량행위라 할 수 있다. ( ) 12. 서울시 9급

04 예외적 승인은 일반적 · 추상적 법률의 적용에 있어서 비정형적 사태에 대한 효과적 규율을 가능케 한다. ( ) 10. 국가직 7급

간단 점검하기

05 개발제한구역 내에서의 건축물의 건축 등에 대한 예외적 허가는 재량행위에 속하는 것이며, 그에 관한 행정청의 판단이 비례 · 평등의 원칙 위배, 목적 위반 등에 해당하지 아니하는 이상 이를 재량권의 일탈 · 남용에 해당한다고 할 수 없다. ( ) 14. 지방직 7급

01 ○ 02 × 03 ○ 04 ○
05 ○

㉡ **신고·등록과 구별**: 신고는 단순한 신고와 수리를 요하는 신고의 경우로 나눌 수 있다. 단순한 신고는 신고행위로서 금지가 해제되지만, 수리를 요하는 신고(일종의 등록)는 행정청의 수리행위가 있어야만 금지가 해제된다.

구분	차이점
신고	사인의 신고만으로 효력이 발생
등록	• 형식적·외형적 심사만 가능 • 실질적 내용을 이유로 거부할 수 없음이 원칙
허가	형식적·외형적 심사뿐만 아니라 실질적 심사도 함께 함

간단 점검하기

01 의무해제라는 점에서 허가와 면제는 같으나 허가는 부작위의무의 해제인데 반하여 면제는 작위, 급부 및 수인의무의 해제라는 점에서 다르다. ( ) 13. 국회직 8급

(3) 면제

① **의의**: 면제는 법령에 의하여 일반적으로 과하여진 작위, 수인, 급부의무를 특정한 경우에 해제하는 행위를 말한다(예 예방접종면제, 조세면제 등).

② **허가와의 구별**: 면제는 의무를 면제한다는 점에서는 허가와 동일하지만, 면제는 작위의무의 해제인 반면 허가는 부작위의무의 해제라는 점에서 서로 다르다.

간단 점검하기

02 형성적 행정행위는 명령적 행정행위와 함께 법률행위적 행정행위에 속하며, 이에는 특허·인가·대리가 속한다. ( ) 15. 국가직 7급

2. 형성적 행위

형성적 행위는 상대방에게 권리·능력 또는 포괄적 법률관계 그 밖의 법률상의 힘을 발생·변경·소멸시키는 행정행위를 말한다. 상대방에게 권리·능력 등을 부여하는 특허, 타인의 법률적 행위를 보충하여 효력을 발생시키는 인가, 제3자를 대리하여 행위하는 공법상 대리 등이 있다.

point check 형성적 행위의 구별

1. **협의의 특허**: 권리를 설정하는 행위
2. **변권행위**: 기존의 특허의 내용을 변경시키는 행위(예 광구변경, 공무원전보, 징계종류변경 등)
3. **탈권행위(박권행위)**: 기존의 특허의 내용을 소멸시키는 행위(예 광업허가취소, 공법인의 해산, 공무원의 파면·해임 등)

간단 점검하기

03 전기·가스 등의 공급사업이나 철도·버스 등의 운송사업에 대한 허가는 강학상의 특허로 보는 것이 일반적이다. ( ) 13. 지방직 7급

(1) 특허

① **의의**: 광의의 특허는 특정의 상대방에게 권리, 능력, 포괄적 법률관계를 설정하는 행위를 말한다. 그 중 권리설정행위를 협의의 특허라고 한다.

권리설정행위 (협의의 특허)	• 공권: 공기업특허, 특허기업의 특허(버스운송사업면허, 선박운송사업면허, 화물자동차운송사업면허, 국제항공운송사업면허, 통신사업허가 등), 도로점용허가, 주택사업계획의 승인, 개인택시면허, 토지수용권설정, 도로통행료징수권설정 등 • 사권: 광업허가, 어업면허, 공유수면점용허가 등
능력설정행위	공법인의 설립행위, 선거일시의 지정고시 등
포괄적 법률관계 설정행위	공무원임명(특별권력관계설정), 귀화허가(일반권력관계설정) 등

01 ○ 02 ○ 03 ○

② 성질

㉠ **형성적 행위성**: 일정한 공익상의 필요에 따라 특정인에게 권리를 부여하는 설권행위이다.

㉡ **재량행위성**: 특정인에게 일정한 공익상의 필요에 따라 권리를 부여하는 설권행위이므로, 원칙적으로 재량행위에 해당한다. 그러나 법령이 일정한 사유가 있으면 특허하도록 규정하는 경우에는 기속행위에 해당한다. 또한 특허의 요건규정이 불확정개념으로 규정되어 있는 경우가 많은데 그 중에서 판단여지가 인정되는 경우가 있다.

㉢ **쌍방적 행정행위성**: 특허는 출원을 필요요건으로 하는 쌍방적 행정행위에 해당한다. 따라서 출원 없이 이루어진 특허는 무효이다. 또한 신청한 내용과는 다르게 수정특허하는 것은 인정되지 않는다.

㉣ **감독의 정도**: 특허의 대상은 대부분 대규모 공익사업에 해당하므로 국가의 적극적인 감독을 받는다. 반면 허가의 대상은 주로 개인의 영리사업으로서 국가의 소극적인 감독을 받는다.

관련판례 **특허(설권행위)**

1 공유수면 점용 사용허가 ★★★

구 공유수면관리법(2002.2.4. 법률 제6656호로 개정되기 전의 것)에 따른 공유수면의 점·사용허가는 특정인에게 공유수면 이용권이라는 독점적 권리를 설정하여 주는 처분으로서 그 처분의 여부 및 내용의 결정은 원칙적으로 행정청의 재량에 속한다(대판 2004.5.28, 2002두5016).

2 하천점용허가 ★★★

하천의 점용허가권은 특허에 의한 공물사용권의 일종으로서 하천의 관리주체에 대하여 일정한 특별사용을 청구할 수 있는 채권에 지나지 아니하고 대세적 효력이 있는 물권이라 할 수 없다(대판 2015.1.29, 2012두17404).

3 도로점용허가 ★★★

도로점용 허가는 특정인에게 일정한 내용의 공물사용권을 설정하는 설권행위로서 재량행위에 속한다(대판 2010.12.23, 2010두21204).

4 공유수면매립면허 ★★★

공유수면매립면허는 강학상 특허에 해당하므로 원칙적으로 자유재량행위에 해당한다(대판 1989.9.12, 88누9206).

5 개인택시운송사업면허 ★★★

개인택시운송사업면허는 특허에 해당하므로 원칙적으로 재량행위에 해당한다(대판 1996.10.11, 96누6172).

간단 점검하기

01 하천점용허가는 성질상 일반적 금지의 해제에 불과하여 허가의 일정한 요건을 갖춘 경우 기속적으로 판단하여야 한다. ( ) 18. 지방직 9급

02 도로법상 도로점용허가는 특정인에게 일정한 내용의 공물사용권을 설정하는 설권행위로서 공물관리자가 신청인의 적격성, 사용목적 및 공익상의 영향 등을 참작하여 허가를 할 것인지의 여부를 결정하는 재량행위이다. ( ) 14. 국가직 7급

03 판례에 의하면 공유수면매립면허는 강학상 허가의 성질을 갖는 것이므로 원칙적으로 행정청의 기속행위에 속한다. ( ) 13. 지방직 7급, 10·09. 지방직 9급

04 개인택시운송사업면허의 법적 성질은 강학상 허가에 해당한다. ( ) 17. 지방직 9급

01 × 02 ○ 03 × 04 ×

6 대기오염물질 총량관리사업장 설치허가 ★★

대기오염물질 총량관리사업장 설치의 허가 또는 변경허가는 수도권 대기관리권역에서 총량관리대상 오염물질을 일정량을 초과하여 배출할 수 있는 특정한 권리를 설정하여 주는 행위로서 그 처분의 여부 및 내용의 결정은 행정청의 재량에 속한다(대판 2013.5.9, 2012두22799).

7 보세구역 설영특허 ★★★

관세법 제78조 소정의 보세구역의 설영특허는 보세구역의 설치, 경영에 관한 권리를 설정하는 이른바 공기업의 특허로서 그 특허의 부여여부는 행정청의 자유재량에 속하며, 특허기간이 만료된 때에 특허는 당연히 실효되는 것이어서 특허기간의 갱신은 실질적으로 권리의 설정과 같으므로 그 갱신여부도 특허관청의 자유재량에 속한다(대판 1989.5.9, 88누4188).

8 지구개발사업 실시계획승인 ★★★

지구개발사업에서 지정권자의 실시계획승인처분은 시행자에게 구 지역균형개발법상 지구개발사업을 시행할 수 있는 지위를 부여하는 일종의 설권적 처분의 성격을 가진 독립된 행정처분이다(대판 2014.9.26, 2012두5619).

9 공익사업법 사업인정 ★★★

사업인정이란 공익사업을 토지 등을 수용 또는 사용할 사업으로 결정하는 것으로서 공익사업의 시행자에게 그 후 일정한 절차를 거칠 것을 조건으로 일정한 내용의 수용권을 설정하여 주는 형성행위이다(대판 2011.1.27, 2009두1051).

10 귀화허가 ★★★

귀화허가는 외국인에게 대한민국 국적을 부여함으로써 국민으로서의 법적 지위를 포괄적으로 설정하는 행위이며, … 귀화요건을 갖추었더라도 귀화여부결정은 재량행위에 해당한다(대판 2010.7.15, 2009두19069).

11 체류자격변경허가 ★★

체류자격 변경허가는 일종의 설권적 처분의 성격, 관계 법령에서 정한 요건을 충족하였더라도, 허가 여부를 결정할 수 있는 재량을 가진다(대판 2016.7.14, 2015두48846).

③ 형식

㉠ **법규특허도 가능**: 특허는 원칙적으로 구체적인 처분의 형식으로 행하여지지만, 예외적으로 법규에 의하여 행하여지는 경우도 있다(예 한국도로공사법에 의한 도로공사의 설립 등).

㉡ **특허의 상대방**: 특허는 언제나 특정인에게 행하여지는 것이며, 불특정 다수인에 대하여 행할 수는 없다.

④ 신청

㉠ 특허는 상대방의 출원을 반드시 필요로 하는 쌍방적 행정행위이므로 출원 없는 특허는 무효이다. 다만, 법규특허는 법이 정하는 바에 따라 행해지므로 출원을 필요적 요건으로 하지 않는다.

㉡ 수정특허는 허용되지 않는다.

간단 점검하기

01 관세법 소정의 보세구역 설영특허는 공기업의 특허로서 그 특허의 부여 여부는 행정청의 자유재량에 속하고, 설영특허에 특허기간이 부가된 경우 그 기간의 갱신 여부도 행정청의 자유재량에 속한다. ( ) 15. 사회복지직

간단 점검하기

02 행정행위는 국민에 대하여 법적 효과를 발생시키는 행위이므로, 행정청이 귀화신청인에게 귀화를 허가하는 행위는 행정행위가 아니다. ( ) 15. 교육행정직

03 출입국관리법상 체류자격 변경허가는 신청인에게 당초의 체류자격과 다른 체류자격에 해당하는 활동을 할 수 있는 권한을 부여하는 일종의 설권적 처분이다. ( ) 19. 사회복지직

간단 점검하기

04 특허는 주로 특정인을 대상으로 행해지나 이에 한정되지 않으며 불특정다수인에게 행해지기도 한다. ( ) 19. 서울시 7급

05 특허는 출원이 없거나 그 취지에 반하는 경우에도 효력이 발생한다. ( ) 12. 서울시 9급

01 ○ 02 × 03 ○ 04 × 05 ×

⑤ 효과

㉠ **법률상의 이익**: 특허에 의해 설정되는 권리는 단순한 반사적 이익이 아닌 법률상의 이익이다. 따라서 특허를 받은 자는 특허된 법률상의 힘은 제3자에 대하여 법적으로 주장할 수 있다. 특허로 인하여 인정된 권리를 제3자가 침해하면 권리침해가 된다

㉡ **사권의 설정 여부**: 특허에 의하여 설정되는 권리는 공권인 것이 일반적이나, 사권인 경우도 있다(예 광업권, 어업권 등).

㉢ **이전성 여부**: 특허는 대인적인 경우에는 이전성이 인정되지 않으며(예 귀화허가, 공무원임명 등), 대물적 특허인 경우에는 이전성이 인정된다(예 광업허가, 어업면허 등).

관련판례 **개인택시운송사업 이전** ★★★

개인택시 운송사업을 양수한 사람은 양도인의 운송사업자로서의 지위를 승계하는 것이므로, 관할관청은 개인택시 운송사업의 양도·양수에 대한 인가를 한 후에도 그 양도·양수 이전에 있었던 양도인에 대한 운송사업면허 취소사유를 들어 양수인의 사업면허를 취소할 수 있는 것이다(대판 2010.4.8, 2009두17018).

#개인택시운송사업_양도가능 #양도인_면허취소사유 #양수인_면허취소_정당

⑥ 허가와 특허의 구별

㉠ 허가는 원칙적으로 기속행위, 특허는 원칙적으로 재량행위로 본다.

㉡ 강학상 허가와 특허는 의사표시를 요소로 한다는 점에서 공통점이 있지만, 허가의 경우 반드시 신청을 전제로 하지 않지만 특허의 경우 신청을 전제로 한다.

(2) 인가

① 개념

㉠ 인가란 제3자의 법률적 행위를 보충하여 그의 법률상의 효과를 완성시키는 행위를 말한다(예 토지거래허가구역 내의 토지거래허가, 공공조합의 설립인가, 사립대학의 설립인가, 비영리법인의 설립인가, 재단법인정관의 변경허가, 하천점유권양도허가 등).

㉡ 강학상 인가는 실정법상으로는 인가·허가 또는 승인이라는 용어가 사용된다. 이는 민법상 무능력자의 행위에 대한 후견인의 동의제도와 비슷하다.

간단 점검하기

당사자의 법률적 행위를 보충하여 그 법률적 효력을 완성시키는 행정청의 보충적 의사표시를 인가라고 한다. ( ) 14. 서울시 9급

○

② 성질

㉠ **보충적 행위·형성적 행위**: 인가는 사인간의 법률행위에 대하여 행정청이 인가함으로써 그 효력을 완성시켜 주는 보충적 행위이며 형성적 행위이다.

관련판례 **인가를 보충행위로 본 경우**

재단법인정관변경허가 ★★★

1 민법 제45조와 제46조에서 말하는 재단법인의 정관변경허가는 법률상의 표현이 허가로 되어 있기는 하나, 그 성질에 있어 법률행위의 효력을 보충해 주는 것이지 일반적 금지를 해제하는 것이 아니므로, 그 법적 성격은 인가라고 보아야 한다(대판 1996.5.16, 95누4810 전합).

2 **토지거래허가** ★★★

토지거래허가는 규제지역 내에서도 토지거래의 자유가 인정되나 다만 위 허가를 허가 전의 유동적 무효 상태에 있는 법률행위의 효력을 완성시켜 주는 인가적 성질을 띤 것이라고 보는 것이 타당하다(대판 1991.12.24, 90다12243).

3 **정비사업조합설립추진위원회 구성승인** ★★★

도시 및 주거환경정비법상 정비사업조합설립 추진위원회 구성승인은 조합의 설립을 위한 주체인 추진위원회의 구성행위를 보충하여 그 효력을 부여하는 처분이다(대판 2014.2.27, 2011두2248).

㉡ **기속행위인지 여부**: 인가의 법적 성질이 기속행위인가 재량행위인가에 대해서는 견해의 대립이 있지만, 원칙적으로 법규정에 의하여 결정되어야 할 것이다. 판례도 법적 요건을 갖춘 경우의 인가는 원칙적으로 기속행위이지만, 인가에 구체적인 기준이 없거나 행정청이 정책적으로 판단하여 행하는 인가는 재량행위로 보고 있다.

관련판례 **인가를 기속행위로 본 경우**

1 **사립학교법인 이사회소집신청** ★★★

사립학교법인의 이사회소집신청에 대한 감독청의 승인행위는 기속행위에 해당한다(대판 1988.4.27, 87누1106).

2 **학교법인 이사취임승인** ★★★

이사취임승인은 학교법인의 임원선임행위를 보충하여 법률상의 효력을 완성시키는 보충적 행정행위로서 기속행위에 해당한다(대판 1992.9.22, 92누5461).

3 **채광계획인가** ★★★

채광계획인가는 기속재량행위에 해당한다(대판 1993.5.27, 92누19477).

관련판례 **인가를 재량행위로 본 경우**

1 **사회복지법인 정관변경허가** ★★★

구체적 기준이 없어서 행정청이 정책적으로 판단하여 행하는 사회복지법인의 정관변경허가(강학상 인가)는 재량행위에 해당한다(대판 2002.9.24, 2000두5661).

간단 점검하기

01 허가는 형성적 행정행위의 일종이며, 인가는 명령적 행정행위이다. ( ) 10. 서울시 9급

간단 점검하기

02 재단법인의 정관변경허가는 그 법적 성격을 인가라고 보아야 한다. ( ) 16. 지방직 9급, 15. 국가직 9급

03 토지거래계약허가는 규제지역 내 토지거래의 자유를 일반적으로 금지하고 일정한 요건을 갖춘 경우에만 그 금지를 해제하여 계약체결의 자유를 회복시켜 주는 성질의 것이다. ( ) 18. 교육행정직

간단 점검하기

04 사회복지사업법상 사회복지법인의 정관변경을 허가할 것인지 여부는 주무관청의 정책적 판단에 따른 재량에 맡겨져 있다. ( ) 18. 국가직 7급

01 × 02 ○ 03 × 04 ○

2 재단법인 임원취임승인 ★★★

재단법인의 임원취임승인 신청에 대한 주무관청의 인가행위는 재량행위에 해당한다(대판 2000.1.28, 98두16996).

ⓒ **효력발생요건**: 인가는 법률적 행위가 효력을 발생하기 위한 효력요건이다. 따라서 인가를 받아야 할 행위를 인가받지 않고 행한 경우 그 행위는 무효가 되지만, 행정강제나 처벌의 대상은 아니다.

관련판례 **무인가행위는 무효**

공유수면매립면허 양도약정 ★★★

면허관청의 인가를 받지 않은 공유수면매립면허의 권리의무양도약정은 법률상 무효이다(대판 1991.6.25, 90누5184).

ⓓ **처분의 형식**: 인가는 언제나 처분의 형식으로 행하므로 법령에 의한 일반적인 인가는 허용되지 않는다.

③ **대상**: 인가의 대상이 되는 행위는 반드시 법률적 행위이어야 하며 사실행위는 제외된다. 다만, 법률적 행위이기만 하면 공법상의 행위 · 사법상의 행위 여부는 가리지 않는다.

구분	구체적인 예
공법상의 행위	토지구획정리조합의 설립인가, 공공조합의 정관변경인가 등
사법상의 행위	공기업의 사업양도인가, 하천점유권의 양도인가 등

④ **신청(출원)**

㉠ 인가는 신청을 필요적 요소로 하는 협력을 요하는 행정행위이다.

㉡ 인가는 보충행위이므로 특별한 규정이 없는 한 수정인가는 할 수 없다.

⑤ **인가와 기본적 법률행위와의 관계**

㉠ **인가의 보충성**

ⓐ 인가는 신청에 따라 기본행위의 효력을 완성시켜 주는 보충적 행위이다.

ⓑ 인가의 대상이 되는 행위의 내용을 수정하여 인가하는 수정인가는 인정되지 않는다.

ⓒ 인가의 대상이 되는 행위는 인가가 있어야 비로소 효력을 발생한다(효력발생요건). 인가의 대상이 됨에도 인가를 받지 않은 무인가행위는 효력을 발생하지 않는다.

간단 점검하기

01 무인가행위는 원칙적으로 무효이다. ( ) 04. 국회직 8급

간단 점검하기

02 공유수면매립면허로 인한 권리 · 의무의 양도 · 양수약정은 이에 대한 면허관청의 인가를 받지 않은 이상 법률상 효력이 발생하지 않는다. ( ) 17. 국가직 9급

03 인가의 대상이 되는 기본행위는 법률적 행위일 수도 있고, 사실행위일 수도 있다. ( ) 17. 국가직 9급

04 인가의 대상인 법률행위에는 공법상 행위도 있고 사법상 행위도 있다. ( ) 14. 서울시 9급

간단 점검하기

05 인가는 보충적 행위이므로 신청을 전제로 한다. ( ) 14. 서울시 9급

06 다수설에 의하면 법령에 명문의 규정이 없는 한 수정인가를 할 수 없다. ( ) 11. 국가직 7급

01 ○ 02 ○ 03 × 04 ○ 05 ○ 06 ○

간단 점검하기

01 기본행위가 적법·유효하고 보충행위인 인가처분 자체에만 하자가 있다면 그 인가처분의 무효나 취소를 주장할 수 있다고 할 것이지만 인가처분에 하자가 없다면 기본행위에 하자가 있다 하더라도 따로 그 기본행위의 하자를 다투는 것은 별론으로 하고 기본행위의 무효를 내세워 바로 그에 대한 인가처분의 취소 또는 무효확인을 구할 법률상 이익은 없다. ( )
14. 국가직 7급, 13. 지방직 7급

02 인가는 제3자의 법률행위(기본행위)에 대한 보충행위이므로 본체인 법률행위에 하자가 있는 경우에 그 하자를 이유로 인가처분의 취소 또는 무효확인을 구할 수 있다. ( )
13. 지방직 7급

03 기본행위는 적법하고 인가 자체에만 하자가 있다면 그 인가의 무효나 취소를 주장할 수 있다. ( )
17. 국가직 9급

04 관할청의 구 사립학교법에 따른 학교법인의 이사장 등 임원취임승인행위는 강학상 특허이다. ( )
19. 서울시 9급

05 기본행위가 성립하지 않거나 무효인 경우에 인가가 있어도 당해 인가는 무효가 된다. ( ) 15. 국가직 9급

06 인가의 대상이 되는 행위에 취소원인이 있더라도 일단 인가가 있는 때에는 그 흠은 치유된다. ( )
18. 국회직 8급

07 기본행위에 취소원인이 있더라도 인가가 있은 후에는 기본행위를 취소할 수 없다. ( ) 07. 국가직 9급

08 인가의 대상인 기본행위가 불성립 또는 무효라 하더라도 인가 자체에 하자가 없다면 그 인가는 유효하다. ( )
12. 서울시 9급, 10. 지방직 9급

09 무효인 기본행위에 대해 인가가 있더라도 그 기본행위가 유효하게 되지 않는다. ( )
14. 서울시 9급, 11. 국가직 7급, 10. 지방직 9급

01 ○ 02 × 03 ○ 04 ×
05 ○ 06 × 07 × 08 ×
09 ○

ⓛ 기본행위와 인가행위의 하자의 효과

기본행위	인가행위	효과
적법	적법	유인가행위
적법	위법·무효	무인가행위
적법	위법·취소	취소시까지 유인가행위
위법·무효	적법	인가행위도 당연무효
위법·취소	적법	기본행위가 유효행위로 되지 아니함

관련판례 **인가의 기본행위에 하자가 있는 경우**

1 **권리의무양수도허가** ★★★

피고가 한 하천공사 권리의무양수도에 관한 허가는 기본행위인 위의 양수도행위를 보충하여 그 법률상의 효력을 완성시키는 보충행위라고 할 것이니 그 기본행위인 위의 권리의무양수도계약이 무효일 때에는 그 보충행위인 위의 허가처분도 별도의 취소조치를 기다릴 필요 없이 당연무효라고 할 것이다(대판 1980.5.27, 79누196).
#기본행위(양수도행위)_무효 #인가(양수도허가)_당연무효

2 **학교법인 임원취임승인** ★★★

기본행위인 학교법인의 임원선임행위가 불성립 또는 무효인 경우에는 비록 그에 대한 감독청의 취임승인이 있었다 하여도 이로써 무효인 그 선임행위가 유효한 것으로 될 수는 없다(대판 1987.8.18, 86누152).
#기본행위(임원선임행위)_무효 #인가(취임승인)_유효 #인가_기본행위하자_치유불가

⑥ 하자에 대한 쟁송

㉠ 기본행위는 적법하나 인가에 하자가 있는 경우

ⓐ 기본행위는 적법하나 인가가 무효인 경우에는 무인가행위로서 기본행위는 무효이다.

ⓑ 기본행위는 적법한데 인가에 취소사유가 있는 경우에는 인가행위가 취소되기 전까지는 유효한 행위가 된다.

ⓒ 인가 자체에 대하여 취소 또는 무효확인을 구할 법률상 이익이 있다.

ⓛ 기본행위에 하자가 있고 인가 자체에는 하자가 없는 경우

ⓐ 인가는 보충적 행위이므로 기본행위가 무효인 경우에는 인가도 당연무효가 된다.

ⓑ 기본행위에 취소원인이 있는 경우에는 인가가 있은 후에도 이를 취소할 수 있다. 즉, 인가는 기본행위의 하자를 치유하는 효력을 가지는 것은 아니다.

ⓒ 소송의 대상은 기본행위이지 인가행위는 아니다. 기본행위의 무효를 내세워 바로 그에 대한 인가처분의 취소 또는 무효확인을 구할 법률상의 이익은 없다.

관련판례 **인가의 하자에 대한 쟁송**

1 인가는 기본행위인 재단법인의 정관변경에 대한 법률상의 효력을 완성시키는 보충행위로서, 그 기본이 되는 정관변경 결의에 하자가 있을 때에는 그에 대한 인가가 있었다 하여도 기본행위인 정관변경 결의가 유효한 것으로 될 수 없으므로 기본행위인 정관변경 결의가 적법 유효하고 보충행위인 인가처분 자체에만 하자가 있다면 그 인가처분의 무효나 취소를 주장할 수 있지만, 인가처분에 하자가 없다면 기본행위에 하자가 있다 하더라도 따로 그 기본행위의 하자를 다투는 것은 별론으로 하고 기본행위의 무효를 내세워 바로 그에 대한 행정청의 인가처분의 취소 또는 무효확인을 소구할 법률상의 이익이 없다(대판 1996.5.16, 95누4810 전합).

2 기본행위인 사법상의 임원선임행위에 하자가 있다 하여 기본행위의 불성립 또는 무효를 내세워 바로 그에 대한 감독청의 취임승인처분의 취소 또는 무효확인을 구하는 것은 특단의 사정이 없는 한 소구할 법률상의 이익이 있다고 할 수 없다(대판 1987.8.18, 86누152).
#학교법인_임원선임행위(이사장,이사선임)(기본행위)_무효 #교육부_임원취임승인처분_인가
#기본행위_무효 #인가_무효_소구불가

⑦ **인가의 실효**: 인가 당시에는 유효하게 성립된 인가라 하더라도 뒤에 기본행위가 적법하게 취소되거나 실효되면 인가도 그 효력을 잃는다고 할 것이다.

간단 점검하기
유효한 기본행위를 대상으로 인가가 행해진 후에 기본행위가 취소되거나 실효된 경우에는 인가도 실효된다.
( ) 15. 국가직 9급

point check 허가 · 특허 · 인가의 비교

구분	허가	특허	인가
의의	일반적 · 추상적 금지의 해제, 자연적 자유의 회복	특정인에게 권리 · 능력 · 포괄적 법률관계를 설정	제3자의 법률행위를 보충하여 그 법률효과를 완성
성질	• 명령적 행위(이설 있음) • 기속행위	• 형성적 행위(설권행위) • 재량행위	• 형성적 행위(보충행위) • 기속행위 · 재량행위
출원	• 원칙적으로 신청을 요함 • 무출원허가 · 수정허가 가능 • 선원주의 적용	• 반드시 신청을 요함 • 무출원특허 · 수정특허 불가 • 선원주의 부적용	• 반드시 신청을 요함 • 무출원인가 · 수정인가 불가
상대방	특정인 또는 불특정인	언제나 특정인	언제나 특정인
대상	• 원칙적으로 사실행위 • 법률행위도 가능	• 사실행위 • 법률행위	오로지 법률행위
형식	• 언제나 처분의 형식 • 법규허가는 불허	• 원칙적으로 처분의 형식 • 법규특허도 가능	• 언제나 처분의 형식 • 법규인가는 불허
효과	• 자연적 자유의 회복 • 반사이익에 불과(쟁송 불가) • 대물적 – 이전 가능 • 대인적 – 이전 불가 • 공법적 효과만 발생	• 권리 · 능력 등의 설정 • 권리 발생(쟁송 가능) • 대물적 – 이전 가능 • 대인적 – 이전 불가 • 공법적 또는 사법적 효과	• 제3자의 법률행위효력의 보충 · 완성 • 이전 불가
위반행위의 효력	• 적법요건 → 행위 자체는 유효 • 행정강제나 행정벌의 대상 ○	• 효력요건 → 행위 자체가 무효 • 행정강제나 행정벌의 대상 ×	• 효력요건 → 행위 자체가 무효 • 행정강제나 행정벌의 대상 ×

○

대상사업	주로 소규모 영리사업	대규모 공익사업	-
국가의 감독	소극적 감독(경찰목적)	적극적 감독(복리목적)	-
구체적인 예	• 건축허가 • 영업허가 • 도로사용허가 • 의사면허 • 자동차운전면허 • 주류판매업면허 • 차량검사합격처분 • 연초소매인 지정 • 통행금지의 해제	• 광업허가 • 귀화허가 • 도로·하천점용허가 • 어업면허 • 운수사업면허 • 공유수면매립면허 • 개인택시운송사업면허 • 공기업특허 • 공용수용권 설정	• 토지거래허가 • 외국인토지취득허가 • 법인설립 인가 • 사업양도의 인가 • 지방채 기채 승인 • 공공조합정관 승인 • 사립대학설립 인가 • 수도공급규정 인가 • 공기업양도허가 • 임시이사 선임승인

간단 점검하기

공법상 대리는 법률의 규정에 의한 법정대리가 아니라 본인의 의사에 따른 대리행위이다. ( ) 07. 국가직 9급

×

(3) 공법상 대리

공법상 대리는 제3자가 행할 행위를 행정주체가 대신하여 행하고 그 법적 효과는 제3자에게 귀속시키는 행정행위를 말한다. 이는 법률의 규정에 의하여 행해지는 법정대리이다(행정조직 내부의 대리는 제외).

구분	구체적인 예
감독상의 대리	감독청에 의한 공법인의 정관작성·임원임명, 교육부장관의 관선이사임명 등
협의불성립의 경우 조정	토지수용위원회의 재결, 광구양도통합에 관한 산업통상자원부장관의 재정 등
사무관리	체납처분 중 압류재산의 공매처분, 행려병사자의 유류품 처분 등

3 준법률행위적 행정행위

1. 확인

(1) 의의

① 확인이란 특정한 사실 또는 법률관계에 대하여 의문이 있거나 다툼이 있는 경우에 공적인 권위로서 그 존부·정부를 확인하는 판단의 표시행위이다(예 당선인 결정, 국가시험합격자 결정, 발명권 특허, 교과서 검·인정, 도로구역 또는 하천구역의 결정, 소득금액의 결정, 이의신청의 재결, 행정심판의 재결 등).

② 교과서 검·인정의 경우, 다수설은 확인이라고 보고 있지만 헌법재판소는 특허라고 보고 있다(헌재 1992.11.12, 89헌마88).

③ 확인은 실정법상으로는 재결, 결정, 사정, 검정 등의 용어가 혼용되고 있다.

관련판례 **친일재산국가귀속결정** ★★★

친일재산은 친일반민족행위자재산조사위원회가 국가귀속결정을 하여야 비로소 국가의 소유로 되는 것이 아니라 특별법의 시행에 따라 그 취득·증여 등 원인행위시에 소급하여 당연히 국가의 소유로 되고, 위 위원회의 국가귀속결정은 당해 재산이 친일재산에 해당한다는 사실을 확인하는 이른바 준법률행위적 행정행위의 성격을 가진다(대판 2008.11.13, 2008두13491).

#친일재산_국가귀속결정_확인행위

(2) 성질

① **준사법적 행위**: 확인은 기존의 사실 또는 법률관계를 유권적으로 확정하는 판단의 표시이므로 법선언적 행위이며 준사법적 행위이다.

② **기속행위**: 확인은 판단작용이므로 일정한 사실 또는 법률관계가 존재하거나 정당한 경우에는 반드시 확인하여야 하는 기속행위이다.

(3) 종류

분야	구체적인 예
조직법상 확인	당선인결정, 국가시험합격자결정 등
복리행정법상 확인	도로구역결정, 발명특허, 교과서의 검·인정 등
재정법상 확인	소득금액결정, 친일재산국가귀속결정 등
행정쟁송법상 확인	이의신청, 행정심판재결 등

(4) 형식

① 확인은 항상 구체적 처분형식으로 행하여지므로 법령에 의한 일반적 확인은 있을 수 없다.

② 확인은 일반적으로 요식행위이다(예 자동차검사증의 교부·행정심판의 재결서 등).

(5) 효과

① 확인행위는 사실 또는 법률관계의 존부 또는 정부를 공적으로 확인하는 효과를 갖는다.

② 확인행위는 의문이 있거나 다툼이 있는 사실 또는 법률관계를 공권적으로 확인하는 행위인 점에서 법원의 판결과 유사하다. 그러므로 확인이 이루어진 후에는 그것을 임의로 변경할 수 없는 불가변력이 발생한다.

2. 공증

(1) 의의

① 공증이란 특정한 사실 또는 법률관계의 존부를 공적으로 증명하여 공적 증거력을 부여하는 인식의 표시행위이다(예 각종 공부에의 등기·등록·등재, 각종 증명서의 발급 등).

② 공증은 효과의사의 표시도 아니고 어떠한 사항에 대한 확정적인 판단의 표시도 아니다. 다만, 어떠한 사실 또는 법관계가 진실이라고 인식하여 그것을 공적으로 증명하는 행위일 뿐이다.

간단 점검하기

01 판례에 의하면 친일반민족행위자재산조사위원회의 친일재산 국가귀속결정에 대한 법적 성격은 확인행위로서 준법률행위적 행정행위의 성질을 가진다. ( )
12. 서울시 9급, 10. 국가직 9급

02 친일반민족행위자 재산의 국가귀속에 관한 특별법에 따른 친일재산은 친일반민족행위자 재산조사위원회가 국가귀속결정을 하여야 비로소 국가의 소유로 된다. ( ) 18. 교육행정직

간단 점검하기

03 당선인의 결정은 확인이다. ( )
11. 국가직 9급

04 공증행위는 특정한 사실 또는 법률관계의 존재를 공적으로 증명하는 행위로서 발명특허가 이에 해당한다. ( ) 11. 국회직 8급

05 도로구역의 결정은 준법률행위적 행정행위이다. ( )
11·09. 국가직 9급

06 납세의무의 확정은 이미 발생되어 있는 조세채권을 확정하는 것이므로 그 법적 성질은 확인행위이다. ( )
14. 지방직 7급

07 행정심판의 재결은 강학상 공증행위에 해당한다. ( ) 17. 지방직 9급

08 확인은 의문·분쟁이 있음을 전제로 하는 데 반해, 공증은 의문·분쟁이 있음을 전제로 하지 않는다. ( )
06. 광주 9급

01 ○ 02 × 03 ○ 04 ×
05 ○ 06 ○ 07 × 08 ○

(2) 성질

① 확인은 특정한 사실 또는 법률관계에 관한 의문이나 다툼을 전제로 하지만, 공증은 의문이나 다툼이 없는 것을 전제한다.
② 확인은 판단의 표시행위이지만, 공증은 인식의 표시행위이다.
③ 공증은 원칙적으로 기속행위이고, 일반적으로 요식행위이다.
④ 공증은 언제나 구체적 처분의 형식으로 행하여진다.

point check 확인과 공증의 비교

구분	확인	공증
개념	판단의 표시	인식의 표시
대상	의문이나 다툼이 있는 행위를 대상	의문이나 다툼이 없는 행위를 전제
성질	기속행위	기속행위
형식	일반적으로 요식행위	일반적으로 요식행위
효과	불가변력 발생	공적 증거력 발생(공정력 부인)
구체적인 예	발명특허, 당선인 결정, 행정심판 재결	등기부상 등기, 여권발급, 각종 대장상 기재

(3) 종류(형식)

① 등록(예 외국인등록, 광업권등록 등)
② 등재(예 토지대장에 등재 등)
③ 기재(예 의사록, 회의록에 기재 등)
④ 발명서발급, 합격증서발급, 자격증서발급(예 의료유사업자 자격증 갱신발급 등)
⑤ 영수증, 면허증 교부
⑥ 여권 등의 발급
⑦ 검인 등의 날인

관련판례

1 서울특별시장 또는 도지사의 의료유사업자 자격증 갱신발급행위는 유사의료업자의 자격을 부여 내지 확인하는 것이 아니라 특정한 사실 또는 법률관계의 존부를 공적으로 증명하는 소위 공증행위에 속하는 행정행위라 할 것이다(대판 1977.5.24, 76누295).

2 건설업면허증 및 건설업면허수첩의 재교부는 그 면허증 등의 분실, 헐어 못쓰게 된 때, 건설업의 면허이전 등 면허증 및 면허수첩 그 자체의 관리상의 문제로 인하여 종전의 면허증 및 면허수첩과 동일한 내용의 면허증 및 면허수첩을 새로이 또는 교체하여 발급하여 주는 것으로서, 이는 건설업의 면허를 받았다고 하는 특정사실에 대하여 형식적으로 그것을 증명하고 공적인 증거력을 부여하는 행정행위(강학상의 공증행위)이다(대판 1994.10.25, 93누21231).

3 구 상표법(1990.1.13. 법률 제4210호로 전문개정되기 전의 것) 제29조 제1항 · 제3항, 제31조 제1항 · 제2항, 구 상표등록령(1990.8.28. 대통령령 제13085호로 개정되기 전의 것) 제6조, 제7조, 제10조, 구 특허등록령(1990.8.28. 대통령령 제13082호로 개정되기 전의 것) 제34조 1항의 규정내용을 종합하면, 상표사용권설정등록신청서가 제출된 경우 특허청장은 신청서와 그 첨부서류만을 자료로 형식적으로 심사하여 그

간단 점검하기

01 확인은 특정한 사실 또는 법률관계에 관하여 의문이 있는 경우에 행정청이 그 존부 또는 정부를 판단하는 준법률행위적 행정행위이며, 그 예로는 합격증서의 발급 및 영수증의 교부 등을 들 수 있다. ( ) 15. 국가직 7급

간단 점검하기

02 서울특별시장의 의료유사업자 자격증 갱신발급은 의료유사업자의 자격을 부여 내지 확인하는 행위의 성질을 가진다. ( ) 18. 교육행정직

03 건설업면허증의 재교부는 강학상 공증행위에 해당한다. ( ) 17. 지방직 9급

간단 점검하기

04 상표사용권설정등록행위는 강학상 공증행위에 해당한다. ( ) 17. 지방직 9급

01 × 02 × 03 ○ 04 ○

등록신청을 수리 할 것인지의 여부를 결정하여야 되는 것으로서, 특허청장의 상표사용권설정등록행위는 사인간의 법률관계의 존부를 공적으로 증명하는 준법률행위적 행정행위임이 분명하다(대판 1991.8.13, 90누9414).

(4) 효과

① 공증의 공통적 효과는 공증된 사항에 공적 증거력이 생긴다는 것이다. 다만, 그에 대한 반증이 있는 때에는 행정청의 취소를 기다리지 않고 이를 번복할 수 있다(공정력의 부인).

② 공증은 법령에 정하여진 바에 따라 권리설정요건(예 광업원부에의 등록), 권리성립요건(예 부동산등기부에의 등기), 권리행사요건(예 선거인명부 등록) 등이 된다.

(5) 공증의 처분성 문제

① 학설

㉠ **긍정설(다수설)**: 공증은 실질적으로 당사자의 이해관계에 매우 밀접한 관계를 맺는 것이므로 처분성을 긍정할 필요가 있다고 본다.

㉡ **부정설**: 공증은 반증에 의하여 번복이 가능하므로 공정력이 인정되지 않는다. 따라서 공정력이 가지지 않는 행위인 공증에 대하여 그 처분성이 부인된다고 본다.

② 판례

㉠ 판례는 원칙적으로 공증의 처분성을 부정한다. 왜냐하면, 일정한 공적 장부에의 등재행위는 행정사무집행의 편의와 사실증명의 자료일 뿐 그것 자체로 실체법상의 권리관계에 변동을 가져오는 것은 아니라고 보기 때문이다.

㉡ 그러나 개별적 판단으로 국민의 권리관계에 영향을 미치는 것으로 보아 처분성을 인정하기도 한다.

관련판례 **처분성을 부정한 경우**

1 건축물관리대장 등재정정 ★★

건축물관리대장의 등재사항에 대한 정정신청을 거부한 행정행위는 항고소송의 대상이 되는 행정처분에 해당하지 않는다(대판 1989.12.12, 89누5348).

2 토지대장 지번복구 ★★

토지대장상의 지번복구신청을 거부한 처분이 토지에 대한 실체상 권리관계에 아무런 변동이 없는 것이므로 항고소송의 대상인 행정처분이 아니다(대판 1984.4.24, 82누308).

3 토지대장 소유자명의변경 ★★★

행정청이 토지대장의 소유자명의변경신청을 거부한 행위가 토지에 대한 실체상 권리관계에 아무런 변동이 없는 것이므로 항고소송의 대상이 되는 행정처분이 아니다(대판 2012.1.12, 2010두12354).

간단 점검하기

01 공증은 반증에 의하지 아니하고는 전복될 수 없는 공적 증거력을 발생한다. ( ) 04. 국회직 8급

간단 점검하기

02 판례에 의하면 소관청이 토지대장상의 소유자명의변경신청을 거부한 행위는 처분성이 부정된다. ( ) 14. 서울시 7급

01 ○ 02 ○

4 무허가건물관리대장 등재 삭제 ★★★

무허가건물관리대장의 등재를 삭제한 행위는 항고소송의 대상인 처분이 아니다(대판 2009.3.12, 2008두11525).

5 가옥대장등재 ★★★

가옥대장의 등재행위는 행정처분이 아니므로 등재의 말소를 구하는 행정소송은 부적법하다(대판 1982.10.26, 82누411).

6 자동차운전면허대장등재 ★★★

자동차운전면허대장의 등재행위는 행정처분이 아니므로 운전경력증명서에 한 등재의 말소를 구하는 행정소송은 부적법하다(대판 1991.9.24, 91누1400).

7 하천대장등재 ★★★

하천대장 등재행위는 하천구역의 지정처분(행정처분)으로 볼 수 없다(대판 1991.11.26, 91누5150).

8 인감증명 ★★

인감증명행위는 인감증명청이 적법한 신청이 있는 경우에 인감대장에 이미 신고된 인감을 기준으로 출원자의 현재 사용하는 인감을 증명하는 것으로서 구체적인 사실을 증명하는 것일 뿐, 나아가 출원자에게 어떠한 권리가 부여되거나 변동 또는 상실되는 효력을 발생하는 것이 아니다(대판 2001.7.10, 2000두2136).

9 위장사업자 사업자명의 직권정정 ★★★

과세관청이 사업자등록을 관리하는 과정에서 위장사업자의 사업자명의를 직권으로 실사업자의 명의로 정정하는 행위가 항고소송의 대상이 되는 행정처분이 아니다(대판 2011.1.27, 2008두2200).

10 위장사업자 사업자등록 직권말소 ★★★

과세관청의 사업자등록 직권말소행위도 폐업사실의 기재일 뿐 그에 의하여 사업자로서의 지위에 변동을 가져오는 것이 아니라는 점에서 항고소송의 대상이 되는 행정처분이 아니다(대판 2011.1.27, 2008두2200).

11 상표권말소등록 ★★

상표권자인 법인에 대한 청산종결등기가 되었음을 이유로 한 상표권의 말소등록행위가 항고소송의 대상이 될 수 없다(대판 2015.10.29, 2014두2362).

[비교판례] 상표권회복등록거부 ★★★

상표권 설정등록이 말소된 경우에도 등록령 제27조에 따른 회복등록의 신청이 가능하고, 회복신청이 거부된 경우에는 거부처분에 대한 항고소송 가능하다(대판 2015.10.29, 2014두2362).

관련판례 처분성을 인정한 경우

1 토지분할 ★★★

토지분할신청의 거부행위에 대해서는 국민의 권리관계에 영향을 미치는 것으로 보아 제한적으로나마 처분성을 인정하고 있다(대판 1992.12.8, 92누7542).

간단 점검하기

01 무허가건물을 무허가건물관리대장에서 삭제하는 행위는 항고소송의 대상이 되는 행정처분에 해당한다. ( ) 19. 국회직 8급

간단 점검하기

02 판례에 의하면 자동차운전면허대장상 등재행위는 처분성이 인정되지 않는다. ( ) 18. 서울시 7급

간단 점검하기

03 판례에 의하면 인감증명행위는 처분성이 인정되지 않는다. ( ) 18. 서울시 7급

간단 점검하기

04 지적 소관청의 토지분할신청 거부행위는 행정처분에 해당한다. ( ) 15. 지방직 9급

01 × 02 ○ 03 ○ 04 ○

2 **토지지목변경** ★★★

지적공부상의 지목변경신청반려행위에 대해, 지목은 토지소유권을 제대로 행사하기 위한 전제요건으로서 토지소유자의 실체적 권리관계에 밀접하게 관련되어 있으므로 항고소송의 대상이 되는 행정처분에 해당한다고 보아 판례를 변경하였다(대판 2004.4.22, 2003두9015).

3 **지적공부 토지면적등록정정** ★★★

평택~시흥간 고속도로 건설공사 사업시행자인 한국도로공사가 토지소유자들을 대위하여 토지면적등록 정정신청을 하였으나 화성시장이 이를 반려한 사안에서, 반려처분은 항고소송 대상이 되는 행정처분에 해당한다(대판 2011.8.25, 2011두3371).

4 **토지지적공부정정** ★★★

지적공부등록사항 정정신청을 반려한 행위는 헌법소원의 대상이 되는 공권력의 행사에 해당한다(헌재 1999.6.24, 97헌마315).

5 **토지대장직권말소** ★★★

토지대장은 토지에 대한 공법상의 규제, 개발부담금의 부과대상, 지방세의 과세대상, 공시지가의 산정, 손실보상가액의 산정 등 토지행정의 기초자료로서 공법상의 법률관계에 영향을 미칠 뿐만 아니라, 토지에 관한 소유권보존등기 또는 소유권이전등기를 신청하려면 이를 등기소에 제출해야 하는 점 등을 종합해 보면, 토지대장은 토지의 소유권을 제대로 행사하기 위한 전제요건으로서 토지 소유자의 실체적 권리관계에 밀접하게 관련되어 있으므로, 이러한 토지대장을 직권으로 말소한 행위는 국민의 권리관계에 영향을 미치는 것으로서 항고소송의 대상이 되는 행정처분에 해당한다(대판 2013.10.24, 2011두13286).

6 **건축물대장작성** ★★★

건축물대장의 작성은 건축물의 소유권을 제대로 행사하기 위한 전제요건으로서 건축물 소유자의 실체적 권리관계에 밀접하게 관련되어 있으므로 건축물대장 소관청의 작성신청 반려행위는 국민의 권리관계에 영향을 미치는 것으로서 항고소송의 대상이 되는 행정처분에 해당한다(대판 2009.2.12, 2007두17359).

7 **건축물대장 용도변경** ★★★

구 건축법(2005.11.8. 법률 제7696호로 개정되기 전의 것) 제14조 제4항의 규정은 건축물의 소유자에게 건축물대장의 용도변경신청권을 부여한 것이고, 한편 건축물의 용도는 토지의 지목에 대응하는 것으로서 건물의 이용에 대한 공법상의 규제, 건축법상의 시정명령, 지방세 등의 과세대상 등 공법상 법률관계에 영향을 미치고, 건물소유자는 용도를 토대로 건물의 사용·수익·처분에 일정한 영향을 받게 된다. 이러한 점 등을 고려해 보면, 건축물대장의 용도는 건축물의 소유권을 제대로 행사하기 위한 전제요건으로서 건축물 소유자의 실체적 권리관계에 밀접하게 관련되어 있으므로, 건축물대장 소관청의 용도변경신청 거부행위는 국민의 권리관계에 영향을 미치는 것으로서 항고소송의 대상이 되는 행정처분에 해당한다(대판 2009.1.30, 2007두7277).

간단 점검하기

01 지적공부 소관청의 지목변경신청 반려행위는 지목의 변경이 토지소유자의 실체적 권리관계에 직접 영향을 미치지 아니하기 때문에 항고소송의 대상이 되는 행정처분에 해당하지 아니한다. ( )

16. 서울시 9급, 10. 지방직 7급

02 고속도로 건설공사에 편입되는 토지소유자들을 대위하여 토지면적등록 정정신청을 하였으나 행정청이 이를 반려하였다면 이는 항고소송의 대상이 되는 행정처분에 해당한다. ( )

12. 국회직 9급

간단 점검하기

03 판례에 의하면 지적공부 소관청이 토지대장을 직권으로 말소한 행위는 처분성이 인정된다. ( )

14. 서울시 7급

간단 점검하기

04 판례에 의하면 소관청의 건축물대장작성신청의 반려행위는 항고소송의 대상이 된다. ( )

19. 소방직 9급, 18. 서울시 7급

간단 점검하기

05 판례에 의하면 건축물대장 소관청이 용도변경신청을 거부한 행위는 처분성이 인정된다. ( )

17. 국가직 7급, 14. 서울시 7급

01 × 02 ○ 03 ○ 04 ○ 05 ○

간단 점검하기

01 특허출원의 공고는 강학상 공증행위에 해당한다. ( ) 17. 지방직 9급

❶
특허출원의 공고는 통지의 예이다.

간단 점검하기

02 정년에 달한 공무원에 대한 정년퇴직발령은 정년퇴직 사실을 알리는 이른바 관념의 통지에 불과하여 행정소송의 대상이 될 수 없다. ( )
18. 교육행정직

01 × 02 ○

3. 통지

(1) 의의

① **통지**: 특정인 또는 불특정다수에게 특정사실을 알리는 행위를 말한다(예 대집행의 계고, 납세의 독촉, 사업인정의 고시, 특허출원의 공고 등).❶

② **통지행위**: 의사의 표시가 아니며 특정한 사실에 대한 관념 또는 의사를 알리는 행위이다.

기출

행정작용과 그 성격을 연결한 것으로 옳지 않은 것을 모두 고르면? 16. 서울시 7급

ㄱ. 특허출원의 공고 - 확인
ㄴ. 운전면허 - 허가
ㄷ. 국가시험합격자 결정 - 통지
ㄹ. 한의사 면허 - 특허
ㅁ. 선거 당선인 결정 - 확인

① ㄱ, ㄴ, ㄹ ② ㄱ, ㄷ, ㄹ
③ ㄱ, ㄷ, ㅁ ④ ㄷ, ㄹ, ㅁ

해설 ㄱ. 특허출원의 공고 - 통지, ㄷ. 국가시험합격자 결정 - 확인, ㄹ. 한의사 면허 - 허가

정답 ②

(2) 종류

구분	의의	구체적인 예
관념의 통지	어떤 사실을 통지하는 사법상의 행위	사업인정의 고시, 특허출원의 공고, 귀화의 고시 등
의사의 통지	자기의 의사를 타인에게 통지하는 사법상의 행위	납세독촉, 대집행계고 등

(3) 효과

통지의 구체적인 효과는 개별법규가 정한 바에 따른다. 예컨대 납세의 독촉이 있음에도 납세자가 체납하면 체납처분이 가능하게 된다.

(4) 대법원 판례

임용기간이 만료된 국·공립대학 조교수에 대한 임용기간만료통지는 행정소송의 대상이 되는 처분에 해당한다고 보아 기존의 판례를 변경하였다.

관련판례 처분성을 부정한 경우

1 **정년퇴직발령** ★★★

국가공무원법 제74조에 의하면 공무원이 소정의 정년에 달하면 그 사실에 대한 효과로서 공무담임권이 소멸되어 당연히 퇴직되고 따로 그에 대한 행정처분이 행하여져야 비로소 퇴직되는 것은 아니라 할 것이며 피고(영주지방철도청장)의 원고에 대한 정년퇴직 발령은 정년퇴직 사실을 알리는 이른바 관념의 통지에 불과하므로 행정소송의 대상이 되지 아니한다(대판 1983.2.8, 91누263).

2 당연퇴직발령 ★★★

국가공무원법 제69조에 의하면 공무원이 제33조 각 호의 1에 해당할 때에는 당연히 퇴직한다고 규정하고 있으므로, 국가공무원법상 당연퇴직은 결격사유가 있을 때 법률상 당연히 퇴직하는 것이지 공무원관계를 소멸시키기 위한 별도의 행정처분을 요하는 것이 아니며, 당연퇴직의 인사발령은 법률상 당연히 발생하는 퇴직사유를 공적으로 확인하여 알려주는 이른바 관념의 통지에 불과하고 공무원의 신분을 상실시키는 새로운 형성적 행위가 아니므로 행정소송의 대상이 되는 독립한 행정처분이라고 할 수 없다(대판 1995.11.14, 95누2036).

3 공익근무요원소집통지 ★★★

공익근무요원의 소집통지를 한 이후 기일을 연기한 다음 다시 소집통지를 한 행위는 단순한 기일의 연기통지에 불과하므로 처분성이 인정되지 않는다(대판 2005.10.28, 2003두14550).[1]

관련판례 **처분성을 인정한 경우 ★★★**

임용기간이 만료된 조교수에 대하여 재임용을 거부하는 취지로 한 임용기간만료의 통지는 행정소송의 대상이 되는 처분에 해당한다(서울대미대김민수교수사건)(대판 2004.4.22, 2000두7735).

4. 수리

(1) 의의

① 수리란 행정청이 사인의 행위를 유효한 행위로서 받아들이는 행위를 말한다.

② 수리는 행정청의 인식표시행위라는 점에서 단순한 문서의 도달·접수와는 구별된다.

(2) 성질

① 법이 정하는 특별한 사정이 없는 한, 법정의 요건을 갖춘 신고는 수리되어야 하므로 기속행위의 성질을 가진다. 여기서 신고란 수리를 요하는 신고를 말한다.

② 수리를 요하는 신고에서의 수리와 허가제의 허가는 구별되는 개념이다. 수리를 요하는 신고에서의 수리는 준법률행위적 행정행위이고, 허가제의 허가는 법률행위적 행정행위이다.

관련판례 **건축주명의변경신고수리 ★★**

[1] 허가대상 건축물의 양수인이 구 건축법시행규칙(1992.6.1. 건설부령 제504호로 전문 개정되기 전의 것)에 규정되어 있는 형식적 요건을 갖추어 시장·군수에게 적법하게 건축주의 명의변경을 신고한 때에는 시장·군수는 그 신고를 수리하여야지 실체적인 이유를 내세워 신고의 수리를 거부할 수 없다.

[2] 건축물의 소유권을 둘러싸고 소송이 계속 중이어서 판결로 소유권의 귀속이 확정될 때까지 건축주명의변경신고의 수리를 거부함이 상당하다(대판 1993.10.12, 93누883).

#건축주명의변경신고수리_기속행위 #소유권분쟁_중_수리거부_정당

간단 점검하기

01 국가공무원 당연퇴직의 인사발령은 판례상 행정처분으로 인정된다. ( ) 19. 소방직 9급

[1] 최초의 소집통지만이 처분이라는 판례

간단 점검하기

02 수리는 행정청이 타인의 행위를 유효한 것으로서 수령하는 의사작용인 점에서 사실행위인 도달 또는 접수와 구별된다. ( ) 06. 관세사

03 신고의 수리는 타인의 행위를 유효한 행위로 받아들이는 행정행위를 말하며, 이는 강학상 법률행위적 행정행위에 해당한다. ( ) 18. 국가직 9급

04 수리를 요하는 신고에서의 수리와 허가제의 허가는 구별되는 개념이다. ( ) 14. 서울시 9급

01 × 02 ○ 03 × 04 ○

(3) 종류

사직서의 수리, 행정심판청구서의 수리, 주민등록전입신고 등이 있다.

(4) 효과

① 수리의 효과는 각 개별법이 정하는 바에 따라 달리 발생한다.

㉠ 사법상의 효과 발생(건축주명의변경수리)

㉡ 공법상의 효과 발생(공무원의 사직원 수리)

㉢ 행정청에 의무 발생(행정심판의 수리 후 재결의무)

관련판례 건축주명의변경신고 수리의무발생 ★★★

건축주명의변경신고는 공법상 인정되는 권리이므로 행정관청의 수리의무가 있다(대판 1992.3.31, 91누4911).

② 수리를 요하는 신고의 수리거부는 행정쟁송의 대상인 처분성이 인정된다.

관련판례 처분성 인정

1 **사회단체등록거부 ★★★**

사회단체등록신청에 대한 수리거부행위는 행정소송의 대상이 되는 처분에 해당한다(대판 1989.12.26, 87누308).

2 **출생등록 될 권리 인정 ★★★**

대한민국 국민으로 태어난 아동에 대하여 국가가 출생신고를 받아주지 않거나 절차가 복잡하고 시간도 오래 걸려 출생신고를 받아주지 않는 것과 마찬가지 결과가 발생한다면 이는 아동으로부터 사회적 신분을 취득할 기회를 박탈함으로써 인간으로서의 존엄과 가치, 행복추구권 및 아동의 인격권을 침해하는 것이다(헌법 제10조)(대결 2020.6.8, 2020스575).

③ 기본행위가 존재하지 않는 경우 이에 대한 수리는 당연무효이다.

관련판례 골재채취업양도 · 양수 지위승계수리 ★★★

사업양도 · 양수에 따른 허가관청의 지위승계신고의 수리는 적법한 사업의 양도 · 양수가 있었음을 전제로 하는 것이므로 그 수리대상인 사업양도 · 양수가 존재하지 아니하거나 무효인 때에는 수리를 하였다 하더라도 그 수리는 유효한 대상이 없는 것으로서 당연히 무효라 할 것이고, 사업의 양도행위가 무효라고 주장하는 양도자는 민사쟁송으로 양도 · 양수행위의 무효를 구함이 없이 막바로 허가관청을 상대로 하여 행정소송으로 위 신고수리처분의 무효확인을 구할 법률상 이익이 있다(대판 2005.12.23, 2005두3554).

#채석허가수허가자변경신고수리 #채석허가수허가자변경_무효 #행정청_수리_무효

point check 확인 · 공증 · 통지 · 수리의 비교

구분	확인	공증	통지	수리
의의	의문 · 다툼이 있는 사실에 대하여 공적 권위로써 그 존부 · 정부를 확인하는 행위	의문 · 다툼이 없는 사실을 공적으로 증명하는 행위	특정사실 또는 의사를 알리는 행위	개인의 행정청에 대한 행위를 유효한 행위로 받아들이는 행위
성질	판단의 표시	인식의 표시	통지행위	인식의 표시
효과	불가변력	공적 증거력	각 법령에 따라	각 법령에 따라
종류	• 조직법(예 당선인결정, 국가시험합격자 결정) • 복리행정법(예 도로구역결정, 발명특허, 교과서의 검 · 인정) • 재정법(예 소득금액 결정) • 행정쟁송법(예 이의신청 · 행정심판재결)	• 등록(예 외국인등록, 광업권등록) • 등재(예 토지대장에 등재) • 기재(예 의사록, 회의록에 기재) • 발명서발급, 합격증서 발급 • 영수증교부 • 여권, 감찰 등의 발급 • 검인, 증인 등의 날인	• 관념의 통지(예 토지세목의 공고, 특허출원의 공고, 귀화의 고시) • 의사의 통지(예 납세독촉, 대집행계고)	원서 · 신고서 · 행정심판청구서 · 소장 등의 수리

제6절 행정행위의 부관

1 개설

1. 부관의 의의❶

구분	협의설(전통적 견해)	광의설(최근의 다수설)
효과	행정행위의 효과를 제한	행정행위의 효과를 제한 또는 요건을 보충
성질	주된 의사표시에 붙여진 종된 의사표시	주된 행정행위에 부가된 종된 규율
대상	법률행위적 행정행위에만 부관 기능	준법률행위적 행정행위에도 부관 기능

❶ 부관도 행정행위의 내용을 이루는 것이므로 외부에 표시되어야 한다.

2. 부관의 기능

(1) 순기능(필요성)

① 행정행위에 신축성 부여, ② 절차경제의 도모, ③ 공익의 보호, ④ 행정목적의 유도 등을 들 수 있다.

(2) 역기능(문제점)

① 행정편의에 치우칠 우려, ② 부관을 남용하는 경우 국민의 권익에 장애, ③ 반대급부획득수단으로 악용될 우려 등의 문제점이 있다.

간단 점검하기

01 부관은 행정행위의 법률효과를 제한하거나 보충하는 기능을 수행한다. ( ) 09. 국가직 9급

02 행정행위의 부관은 행정청이 부관이 없으면 전면적인 거부를 할 것을 제한적인 긍정을 행하게 한다는 점에서, 탄력성 있는 행정을 가능하게 하지만, 동시에 과도한 규제와 간섭의 위험을 내포하고 있다. ( ) 05. 국회직 8급

01 ○ 02 ○

간단 점검하기

법정부관에 대해서는 행정행위에 부관을 붙일 수 있는 한계에 관한 일반적인 원칙이 적용되지 않는다. ( )

10. 국가직 9급

○

3. 법정부관과의 구별

(1) 행정행위의 부관은 행정청의 의사에 의해 부과되는 것이므로, 법령에서 직접 행정행위의 조건·기한 등을 정하고 있는 경우인 법정부관과 구별된다.

(2) 법정부관은 여기서 말하는 부관이 아니라 법규 그 자체이다. 따라서 법정부관이 위법한 경우 규범통제(위헌법률심사 또는 위헌위법명령규칙심사)에 의해 통제되며, 그 자체가 처분성을 갖는 경우에는 항고소송이나 헌법소원의 대상이 된다.

(3) 법정부관의 예로는 광업허가의 효과발생이 등록을 조건으로 하는 경우(광업법 제39조), 광업권의 존속기간(광업법 제12조), 자동차검사증의 유효기간, 공무원의 조건부임용, 수렵면허의 법정기한 등이 있다.

(4) 판례는 법정부관에 대해서는 행정행위의 부관의 한계에 관한 일반원칙은 적용되지 않는다고 보고 있다.

관련판례 **식품위생법제조영업허가기준** ★★★

식품제조영업허가기준이라는 고시에 정한 허가기준에 따라 보존음료수 제조업 허가에 붙여진 전량수출 또는 주한 외국인에 대한 판매에 한한다는 내용의 조건은 이른바 법정부관으로서 행정청의 의사에 기하여 붙여지는 본래의 의미에서의 행정행위의 부관은 아니다. 따라서 이와 같은 법정부관에 대하여는 행정행위에 부관을 붙일 수 있는 한계에 관한 일반적인 원칙이 적용되지는 않지만, 위 고시가 헌법상 보장된 기본권을 침해하는 것으로서 헌법에 위반될 때에는 그 효력이 없는 것으로 볼 수밖에 없다(대판 1995.11.14, 92도496).

#식품위생법제조영업허가기준_법정부관 #행정법_일반원칙_적용없음 #헌법위반_무효

Level up **법정부관의 한계**

1. 법정부관에 대해서는 행정행위의 부관의 한계에 관한 일반원칙이 적용되지 않으나, 헌법에 위반되면 효력이 없다(대판 1995.11.14, 92도496).
2. **생수판매금지 위반에 대한 과징금부과처분 취소사건(대판 1994.3.8, 92누1728)**
   ① 식품제조영업허가기준(보건복지부장관의 고시)의 법적 성질: 법규명령
   ② 보존음료수제조업허가 + 제품전량수출(부관, 조건의 의미: 법정부관; 일반원칙 적용 ×)
   ③ 고시가 기본권을 침해하여 무효: 불이행을 이유로 한 과징금부과 무효
   ④ 직업의 자유 제한 위헌: 비례원칙 등 위반
   ⑤ 계층 간의 위화감 방지와 수돗물에 대한 불신감 방지 등을 위한 판매금지 정당성 ×
   ⑥ 행복추구권에 자유로운 음료수 선택권 등 포함, 제한의 필요와 비교: 제한 비례원칙 위반

2 부관의 종류

1. 조건

행정행위의 효력의 발생 또는 소멸을 장래 성취가 불확실한 사실에 의존시키는 부관을 말한다.

구분	내용	구체적인 예
정지조건	효력발생에 관한 조건	시설완성조건의 학교법인 설립인가, 도로확장조건의 자동차운수사업면허, 재해시설 완비조건의 도로점용허가, 주차시설완비를 조건으로 하는 건축허가 등
해제조건	효력소멸에 관한 조건	면허일부터 '3월 내에 공사에 착수할 것'을 조건으로 하는 공유수면매립면허, '월내 공사착수조건'의 특허기업특허 등

관련판례

행정청이 객관적으로 처분상대방이 이행할 가능성이 없는 조건을 붙여 행정처분을 하는 것은 법치행정의 원칙상 허용될 수 없으므로, 건축행정청은 신청인의 건축계획상 하나의 대지로 삼으려고 하는 '하나 이상의 필지의 일부'가 관계 법령상 토지분할이 가능한 경우인지를 심사하여 토지분할이 관계 법령상 제한에 해당되어 명백히 불가능하다고 판단되는 경우에는 토지분할 조건부 건축허가를 거부하여야 한다(대판 2018.6.28, 2015두47737).

2. 기한

(1) 행정행위의 효력의 발생 또는 소멸을 장래 도래가 확실한 사실에 의존시키는 부관을 말한다.

구분	내용	구체적인 예
시기	효력발생에 관한 기한	공무원의 발령을 특정일자로 하는 경우
종기	효력소멸에 관한 기한	부동산중개업의 허가기간을 5년으로 정하는 경우
확정기한	도래시기가 언제인지 분명한 기한	내년 2월 1일
불확정기한	도래시기가 언제인지 불분명한 기한	'근속기간 중', '종신', '사망 시까지' 등

(2) 기한의 법적 성질

① 원칙적으로 종기가 도래하면 행정청의 별도의 행정행위가 없더라도 행정행위의 효력은 당연히 소멸된다.

② 그러나 음식점 영업허가와 같이 내용상 장기계속성이 예정되어 있는 행정행위에 부당하게 짧은 종기가 붙여진 경우에는 행정행위의 효력의 존속기간이 아니라 조건의 존속기간(갱신기간)으로 보아야 한다는 것이 통설·판례의 입장이다.

간단 점검하기

01 조건은 행정행위의 효력의 발생·소멸을 장래에 발생 여부가 객관적으로 확실한 사실에 의존시키는 부관이다. ( ) 14. 서울시 7급·국가직 7급

02 정지조건부 허가의 경우 조건이 성취되지 않아도 허가의 대상이 되는 행위를 할 수 있다. ( ) 08. 관세사

03 정지조건부 행정행위는 조건의 성취 여부가 정해지지 않은 동안에는 그 효력이 불확정한 상태에 있지만, 해제조건부 행정행위는 조건성취에 의해 그 효력을 상실한다. ( ) 10. 국회직 8급

간단 점검하기

04 '기한'은 행정행위의 시간상의 효력범위를 정하는 점에서 조건과 같으나, 확정기한이든 불확정기한이든 그 도래가 확실하다는 점에서 조건과 구별된다. ( ) 12. 국회직 9급

01 × 02 × 03 ○ 04 ○

③ 갱신의 효과

㉠ 유효기간이 도과하기 전에 당사자의 갱신신청이 있는 경우에는 조건의 개정을 고려할 수 있으나 특별한 사정이 없는 한 행정행위의 유효기간을 갱신해 주어야 한다.

㉡ 갱신허가 시 허가요건의 변경 등 사정변경이 있는 경우, 신뢰보호이익과 공익을 비교·형량하여야 한다(대판 2000.3.10, 97누13818).

㉢ 갱신기간 내에 적법한 갱신신청이 있었음에도 갱신가부의 결정이 없는 경우에는 유효기간이 지나도 주된 행정행위는 효력이 상실되지 않는다.

㉣ 그러나 갱신신청 없이 유효기간이 지나면 주된 행정행위는 효력이 상실되므로 갱신기간이 지나 신청한 경우에는 기간연장신청이 아니라 새로운 허가신청으로 보아야 한다(대판 1995.11.10, 94누11866).

3. 철회권의 유보

(1) 의의

행정청이 일정한 경우에 행정행위를 철회하여 그 효력을 소멸시킬 수 있음을 정한 부관을 말한다(예 노래방영업허가를 하면서 소음으로 인근주민의 수면을 방해하면 허가를 철회한다, 인가조건을 정하고 이에 위반하면 인가를 취소한다 등).❶

관련판례 **철회권의 유보** ★★

행정청이 종교단체에 대하여 기본재산전환인가를 함에 있어 인가조건을 부가하고 그 불이행시 인가를 취소할 수 있도록 한 경우, 인가조건의 의미는 철회권을 유보한 것이다(대판 2003.5.30, 2003다6422).

(2) 해제조건과 철회권의 유보

해제조건은 조건사실이 발생하면 당연히 행정행위의 효력이 소멸되지만, 철회권 유보는 유보된 사실이 발생하더라도 그 효력을 소멸시키려면 행정청의 별도의 의사표시(철회)가 필요하다.

(3) 기능 및 효과

철회권의 유보는 상대방의 의무이행을 강제할 수 있고, 주된 행정행위가 철회될 때 상대방이 신뢰보호를 주장할 수 없도록 하는 기능이 있다. 또한 철회시 인정되어야 하는 신뢰보호에 근거한 손실보상도 철회권이 유보된 경우에는 원칙적으로 인정되지 않는다.

(4) 근거

철회권이 유보된 경우 별도의 근거 없이 철회가 가능하다.

(5) 한계

철회권이 유보되어 있다 하더라도 철회권의 행사가 언제나 자유로운 것은 아니고, 행정행위의 철회의 제한에 관한 일반원칙(이익형량의 원칙)의 제한이 따른다(대판 1962.2.22, 4293행상42).

❶
철회권 유보의 부관을 붙이는 데 별도의 법적 근거가 필요한 것은 아니다.

간단 점검하기

01 철회권의 유보는 일정한 사실의 발생시에 행정행위를 철회할 수 있는 권한을 유보하는 부관을 말한다. ( ) 10. 국가직 9급

02 숙박영업허가를 함에 있어 윤락행위를 알선하면 허가를 취소한다는 부관을 붙인 경우에는 철회권의 유보이다. ( ) 10. 국가직 9급

03 행정청이 종교단체에 대하여 기본재산전환인가를 함에 있어 인가조건을 부가하고 그 불이행시 인가를 취소할 수 있도록 한 경우, 인가조건의 의미는 인가처분에 대한 철회권을 유보한 것이다. ( ) 18. 지방직 7급, 14. 지방직 9급

04 해제조건은 조건사실이 발생하면 당연히 행정행위의 효력이 소멸되지만, 철회권 유보는 유보된 사실이 발생하더라도 그 효력을 소멸시키려면 행정청의 별도의 의사표시(철회)가 필요하다. ( ) 13. 국회직 9급

05 수익적 행정행위에 대한 철회권유보의 부관은 그 유보된 사유가 발생하여 철회권이 행사된 경우 상대방이 신뢰보호원칙을 원용하는 것을 제한한다는 데 실익이 있다. ( ) 16. 서울시 9급

06 철회권이 유보된 경우라도 철회권의 행사는 그 자체만으로는 정당화되지 않고 그 외에 철회의 일반적 요건이 충족되어야 한다. ( ) 12. 사회복지직, 10. 국가직 9급

07 철회권이 유보된 경우의 철회에는 이익형량의 원칙이 적용되지 않는다. ( ) 19. 소방직 9급

01 ○ 02 ○ 03 ○ 04 ○
05 ○ 06 ○ 07 ×

4. 법률효과의 일부배제

(1) 법률효과의 일부배제란 행정행위의 주된 내용에 부가하여 법률이 예정하고 있는 효과의 일부를 배제하는 부관을 말한다(예 택시의 격일제 운행, 버스노선의 지정, 도로점용허가 시 야간만 사용, 공유수면매립면허시 소유권 취득효과의 일부배제 등).

(2) 법령상 규정되어 있는 효과를 일부배제하는 것이라는 점에서 법령상 명시적 근거가 있는 경우에만 가능하다. 법률효과를 전부배제하는 것은 허용되지 않는다.

(3) 전통적 견해와 판례는 법률효과의 일부배제를 부관의 일종으로 보고 있다. 그러나 법률효과의 일부배제는 부관이 아니라 행정행위의 효과의 내용적 제한으로 보아야 한다는 견해도 있다.

관련판례 **매립지 소유권취득제한** ★★

행정청이 한 공유수면매립준공인가 중 매립지 일부에 대하여 한 국가귀속처분은 매립준공인가를 함에 있어서 매립의 면허를 받은 자의 매립지에 대한 소유권취득을 규정한 공유수면매립법 제14조의 효과 일부를 배제하는 부관을 붙인 것이므로 이러한 행정행위의 부관에 대하여는 독립하여 행정소송의 대상으로 삼을 수 없다(대판 1991.12.13, 90누8503).

#공유수면매립준공인가_소유권취득제한 #법률효과_일부배제_부관 #독립쟁송불가

기출

행정행위와 이에 대한 부관의 종류가 바르게 연결되지 않은 것은? 11. 사회복지직

① 공유수면매립준공인가 중 매립지 일부에 대하여 한 국가귀속처분 – 법률효과의 일부배제
② 일정기간 내에 공사에 착수할 것을 조건으로 한 공유수면매립면허 – 정지조건
③ 어업면허처분을 함에 있어 그 면허의 유효기간을 1년으로 정한 경우 – 종기
④ 공장건축허가를 부여하면서 근로자의 정기건강진단의무를 부과하는 것 – 부담

해설 기간 내 공사에 착수하지 않으면 면허의 효력이 소멸하므로 해제조건에 해당한다(대판 1993.10.8, 93누2032).

정답 ②

5. 부담

(1) 의의

① 부담이란 행정행위의 주된 내용에 부가하여 그 행정행위의 상대방에게 작위, 부작위, 급부, 수인 등의 의무를 부과하는 부관을 말한다.
② 주로 허가, 특허 등과 같은 수익적 행정행위에 붙여진다(예 영업허가 시 각종 준수의무의 부과, 도로점용허가시 점용료의 부과, 건축허가시 또는 특허기업허가시 각종 의무의 부과 등).

간단 점검하기

01 법률효과의 일부배제는 법률에 근거가 있어야 한다. ( ) 15. 교육행정직

02 판례에 따르면 법률효과의 일부배제는 행정행위의 내용상의 제한으로서, 행정행위와 독립하여 행정소송의 대상으로 삼을 수 없다. ( ) 08. 국가직 7급

간단 점검하기

03 공유수면매립준공인가처분을 하면서 매립지 일부에 대하여 한 국가 및 지방자치단체에의 귀속처분은 부관 중 부담에 해당하므로 독립하여 행정소송 대상이 될 수 있다. ( ) 19. 지방직 9급, 16. 국가직 7급

04 법률행위적 행정행위에는 부관을 붙일 수 있는 것이 원칙이므로 귀화허가 및 공무원의 임명행위 등과 같은 신분설정행위에는 부관을 붙일 수 있다. ( ) 10. 국가직 9급

01 ○ 02 × 03 × 04 ×

간단 점검하기

01 부담은 주된 행정행위에 부가하여 상대방에게 의무를 부과하는 것이므로, 주된 행정행위가 효력을 발생하지 않더라도 부담으로 부과된 의무는 이에 영향을 받지 아니하고 효력을 발생한다. ( ) 10. 국가직 9급

02 부담부 행정행위의 경우 부담에서 부과하고 있는 의무의 이행이 없어도 주된 행정행위는 효력을 가진다. ( ) 17. 지방직 9급 변형

03 부담은 부담의무의 불이행으로 행정행위의 효력이 저절로 상실되는 것이 아니라 행정청이 별도로 철회, 강제집행 또는 행정벌 등을 부과할 수 있을 뿐이라는 점에서 해제조건과 구별된다. ( ) 08. 국가직 7급

04 부담과 조건의 구분이 명확하지 않을 경우, 조건이 당사자에게 부담보다 유리하기 때문에 원칙적으로 조건으로 추정해야 한다. ( ) 15. 사회복지직

05 영업허가를 발급하면서 일정한 시설설치의무를 부가하는 것을 '정지조건'으로 본다면, 시설설치의무를 불이행한 상태에서 한 영업일지라도 적법하다. ( ) 12. 국회직 9급

01 × 02 ○ 03 ○ 04 ×
05 ×

(2) 성질

① **종속성**: 부담도 부관이기 때문에 주된 행정행위의 존속을 전제로 한다. 따라서 주된 행정행위가 효력을 발생할 수 없을 때에는 부담도 당연히 효력을 상실한다.

② **독립성**: 부담은 다른 부관과는 달리 본행정행위의 일부가 아니라 독립된 행정행위이며 하명의 성질을 가진다. 따라서 그 자체로서 처분성이 인정되고 부담불이행의 경우에는 강제집행을 할 수 있다.

(3) 조건과의 구별

구분	조건	부담
효력발생	(정지조건) 조건성취시에 효력발생	처음부터 효력발생, 특별한 의무부과
효력소멸	(해제조건) 조건성취시에 당연히 효력소멸 → 별도의 행정행위가 불필요	• 부담을 이행하지 않아도 당연히 소멸하지는 않음 → 별도의 행정행위가 있어야 소멸 • 부담불이행은 행정행위의 철회사유가 됨
강제집행	조건 그 자체는 강제집행대상이 아님	부담 그 자체가 행정행위의 성질을 가짐 → 독립하여 강제집행의 대상
양자의 구별기준	• 1차적 기준: 행정청의 객관화된 법효과의사를 기준 • 2차적 기준: 행정청의 의사가 불분명할 경우에는 상대방에 대한 침익성이 적은 부담으로 해석(통설의 입장) • 판례: 부관의 필요성, 행정청의 객관화된 의사, 행정관행 등을 종합적으로 고려하여 구별	

(4) 영업허가를 발급하면서 일정한 '시설설치의무'를 부가한 경우, 이를 정지조건으로 본다면 조건성취시에 영업허가의 효력이 발생하므로 시설설치의무를 불이행한 상태에서의 영업은 무허가영업으로 위법하다. 그러나 이를 부담으로 본다면 부담의 이행 여부와 관계없이 영업허가는 효력이 발생하므로 시설설치의무를 불이행한 상태에서의 영업은 무허가영업이 아니게 된다.

관련판례 **부관을 '조건'으로 본 원심을 파기하고 '부담'으로 본 판례**

변상금부과 ★★★

"사업시행자에게 무상양도 되지 않는 구역 내 국·공유지는 착공신고 전까지 매입하고 착공신고시 관련 서류를 제출할 것"이라는 … 이 사건 부관은 이 사건 정비사업구역 내 전체 토지 중 이 사건 토지에 관해서만 사업시행인가의 효력 발생을 저지하는 조건으로서의 부관이 아니라 원고에게 이 사건 국유토지를 유상으로 매수하도록 하는 작위의무를 부과하는 부담으로서의 부관이라고 봄이 상당하다(대판 2008.11.27, 2007두24289).

#착공전_국공유지매입 #조건_부담 #조건불이행_변상금부과(원심) #부담해석_변상금부과_취소(대법원)

(5) 부담의 불이행에 대한 사후적 통제

부담부 행정행위에 있어서 부담에 대한 불이행이 있다면 강제집행 또는 행정제재처분을 할 수 있으며, 이를 이유로 하여 본체인 행정행위의 철회가 가능하고(대판 1989.10.24, 89누2431), 후행 행정처분이 예정되어 있었다면 이를 거부할 수 있을 것이다(대판 1985.2.8, 83누625).

관련판례

1 **토지형질변경허가취소** ★★★

부담부 행정처분에 있어서 처분의 상대방이 부담(의무)을 이행하지 아니한 경우에 처분행정청으로서는 이를 들어 당해 처분을 취소(철회)할 수 있는 것이다(대판 1989.10.24, 89누2431).

#토지형질변경허가_떼붙임공사와조경공사(부담) #부담불이행_토지형질변경허가취소(정당)

2 **개간준공인가거부** ★★★

개간허가기간 경과 후라 할지라도, 허가기간 내의 개간공사로 인하여 조성된 토지의 상태가 개간허가의 용도에 적합하고 이에 부수하여 부과된 부관이 이행되었느냐의 여부를 검토 확인하여 준공인가를 할 것인가를 판단하여야 할 것이며 … 본건 개간허가의 부관인 건물철거 등의 부담을 아직 이행하지 아니하였다는 사유는 본 건 개간 준공인가를 거부할 사유에 해당된다(대판 1985.2.8, 83누625).

#개간허가_건물철거_준공인가 #건물철거불이행_준공인가거부_정당

(6) 법령개정과 부담의 이행

① 부담의 하자를 판단하는 기준은 처분 당시의 법령을 기준으로 판단한다. 부담을 부가한 근거 법령이 개정된 경우에는 그 구체적인 사항에 따라 판단하나 판례는 법령의 개정으로 부담자체가 소멸되는 것은 아니라고 보고 있다.

관련판례 **송유관매설** ★★★

[1] 행정청이 수익적 행정처분을 하면서 부가한 부담의 위법 여부는 처분 당시 법령을 기준으로 판단하여야 하고, 부담이 처분 당시 법령을 기준으로 적법하다면 처분 후 부담의 전제가 된 주된 행정처분의 근거 법령이 개정됨으로써 행정청이 더 이상 부관을 붙일 수 없게 되었다 하더라도 곧바로 위법하게 되거나 그 효력이 소멸하게 되는 것은 아니다.

[2] 고속국도 관리청이 고속도로 부지와 접도구역에 송유관 매설을 허가하면서 상대방과 체결한 협약에 따라 송유관 시설을 이전하게 될 경우 그 비용을 상대방에게 부담하도록 하였고, 그 후 도로법 시행규칙이 개정되어 접도구역에는 관리청의 허가 없이도 송유관을 매설할 수 있게 된 사안에서, 위 협약이 효력을 상실하지 않을 뿐만 아니라 위 협약에 포함된 부관이 부당결부금지의 원칙에도 반하지 않는다(대판 2009.2.12, 2005다65500).

#송유관매설허가 #이전비용부담 #법령개정_부담_유효

간단 점검하기

01 부담불이행은 후행행위 발령의 거부사유가 될 수 있다. ( ) 08. 관세사

02 부담에 의해 부과된 의무의 불이행이 있는 경우에 당해 의무의 불이행은 독립하여 강제집행의 대상이 된다. ( ) 05. 서울시 9급

03 부담의 불이행을 이유로 행정행위를 철회하는 경우라면 이익형량에 따른 철회의 제한이 적용되지 않는다. ( ) 16. 서울시 9급

간단 점검하기

04 행정청이 수익적 행정처분을 하면서 부가한 부담의 위법 여부는 처분 당시 법령을 기준으로 판단하여야 한다. ( ) 15. 지방직 9급

05 부담이 처분 당시 법령을 기준으로 적법하다면, 처분 후 부담의 전제가 된 주된 행정처분의 근거법령이 개정됨으로써 행정청이 더 이상 부관을 붙일 수 없게 되었다 하더라도 곧바로 위법하게 되거나 그 효력이 소멸하게 되는 것은 아니다. ( ) 19·15. 지방직 9급, 15. 서울시 7급

06 처분 전에 미리 상대방과 협의하여 부담의 내용을 협약의 형식으로 정한 다음 처분을 하면서 해당 부관을 붙이는 것도 가능하다. ( ) 19. 서울시 9급, 15. 국회직 8급

01 ○ 02 ○ 03 × 04 ○
05 ○ 06 ○

기출

다음 사례에 대한 판례의 입장으로 옳지 않은 것은? 17. 국가직 9급

> 고속국도 관리청이 고속도로 부지와 접도구역에 송유관 매설을 허가하면서 상대방인 甲과 체결한 협약에 따라 송유관 시설을 이전하게 될 경우 그 비용을 甲이 부담하도록 하였는데, 그 후 도로법 시행규칙이 개정되어 접도구역에는 관리청의 허가 없이도 송유관을 매설할 수 있게 되었다.

① 협약에 따라 송유관 시설을 이전하게 될 경우 그 비용을 甲이 부담하도록 한 것은 행정행위인 부관 중 부담에 해당한다.
② 甲과의 협약이 없더라도 고속국도 관리청은 송유관매설허가를 하면서 일방적으로 송유관 이전 시 그 비용을 甲이 부담한다는 내용의 부관을 부가할 수 있다.
③ 도로법 시행규칙의 개정 이후에도 위 협약에 포함된 부관은 부당결부금지의 원칙에 반하지 않는다.
④ 도로법 시행규칙의 개정으로 접도구역에는 관리청의 허가 없이도 송유관을 매설할 수 있게 되었기 때문에 위 협약 중 접도구역에 대한 부분은 효력이 소멸된다.

정답 ④

② 부담 자체의 하자로 부담이 무효이거나 취소되어 효력이 소멸한 경우 관련 사법상의 효력까지 소멸되는 것은 아니다. 따라서 부담의 이행행위인 기부채납이나 금전납부는 부당이득이 되지 아니한다.

(7) 부담의 형식

부담은 행정청이 일방적으로 부가함이 일반적이나 협약의 형식으로 부가되기도 한다.

6. 수정부담(수정허가)

(1) 의의

① 수정부담이란 당사자가 신청한 행정행위의 내용과는 다르게 행정주체가 행정행위의 내용을 정하여 발령하는 경우를 말한다.
② A국가로부터 수입허가신청을 하였으나 허가기관이 B국가로부터의 수입을 허가한 경우, A도로의 시위행진허가를 신청하였으나 B도로의 시위행진허가가 허용된 경우, 경사식 지붕의 건축허가신청에 대하여 평면식 지붕의 허가가 행하여진 경우 등이 이에 해당한다.

(2) 법적 성질(부관성의 인정문제)

① 수정부담은 신청된 행정행위의 내용 자체를 행정기관이 질적으로 변경하는 것이므로, 신청된 행정행위를 허용하면서 단지 그 효과를 제한하는 부관과는 구별되어야 한다.
② 부관의 성질을 인정할 수 없고 새로운 행정행위로 보아야 한다는 것이 다수설의 입장이다.
③ 수정부담의 경우에는 상대방이 수정된 내용을 받아들여야 효력을 발생한다.

간단 점검하기

학설의 다수견해는 수정부담의 성격을 부관으로 이해한다. ( ) 17. 지방직 9급

×

7. 사후변경의 유보(부담유보)

(1) 의의

행정행위의 사후적 추가·변경·보충의 권한을 미리 유보하는 부관을 말한다. 행정행위의 효력은 장기간에 걸쳐 지속되는 것이기 때문에 그동안의 사회·경제적 변화와 기술적 발전을 예측하기 어려운 경우에 이에 대비하기 위하여 부가하는 부관을 말한다.

(2) 연혁

부담유보는 독일연방행정절차법의 규정에서 연유하는 것이며, 아직은 우리나라에서 실정화되어 있지는 않다.

(3) 특징

유보되어 있는 부담을 부가하는 경우에 당사자는 사전에 부담의 부가가능성을 알고 있는 상태이므로 신뢰보호원칙을 내세워 대응하지 못한다.

3 부관의 한계

1. 부관의 부가 가능성

(1) 법률행위적 행정행위와 준법률행위적 행정행위

① **전통적 견해**: 부관은 '주된 의사표시'에 붙여진 '종된 의사표시'이므로 의사표시를 구성요소로 하는 법률행위적 행정행위에만 붙여지며, 준법률행위적 행정행위에는 의사표시를 구성요소로 하지 아니하고 효과도 법률에 의하여 부여되므로 성질상 붙일 수 없다고 한다.

② **새로운 견해**: 행정행위의 부관의 가능성 문제는 개별적 행정행위의 성질에 따라서 고찰해야 한다는 견해가 유력하게 주장되고 있다. 즉, 법률행위적 행정행위에도 부관을 붙이기가 적당치 않는 것이 있는가 하면 준법률행위적 행정행위에도 부관을 붙일 수 있는 경우가 있다. 예컨대, 강학상 특허에 해당하는 귀화허가, 공무원임명, 입학허가 등과 같은 신분설정행위는 부관과 친숙하지 않는 반면, 강학상 확인·공증 등에는 기한(특히 종기) 같은 것이 붙여지는 경우가 많다는 것이다. 후자의 예로는 여권에 붙여진 유효기간, 조건부 수리 등을 들 수 있다.

(2) 기속행위와 재량행위

① **전통적 견해**: 부관의 기능을 행정행위의 '효과를 제한'하는 것으로 인식하여 재량행위에만 부관을 붙일 수 있고 기속행위에는 붙이지 못한다고 한다. 판례도 이와 같은 입장에서 기속행위에 붙은 부관은 무효라 한다(대판 1995.6.13, 94다56883).

② **새로운 견해**: 부관의 기능을 행정행위의 '효과를 제한'하기 위해서뿐만 아니라 '행정행위의 효과실현을 보충·보조'하는 것으로 이해하여, 기속행위에 대하여도 법률에 부관을 붙일 수 있다는 명시적인 근거가 있는 경우 또는 장래에 있어서의 법률요건의 충족을 확보하는 목적에서 부관을 붙일 수 있다 할 것이다.

(3) 행정기본법상 규정

① 행정청은 처분에 재량이 있는 경우에는 부관(조건, 기한, 부담, 철회권의 유보 등을 말한다. 이하 이 조에서 같다)을 붙일 수 있다(동법 제17조 제1항).

② 행정청은 처분에 재량이 없는 경우에는 법률에 근거가 있는 경우에 부관을 붙일 수 있다(동법 제2항).

point check 부관의 한계

구분	전통적 견해	새로운 견해	행정기본법
법률행위적 행정행위	○	개별성질로 판단	
준법률행위적 행정행위	×	개별성질로 판단	
재량행위	○	○	○
기속행위	×	요건충족적 부관 가능	요건충족적 부관 가능

관련판례

공익법인의 기본재산의 처분에 관한 공익법인의 설립·운영에 관한 법률 제11조 제3항의 규정은 강행규정으로서 이에 위반하여 주무관청의 허가를 받지 않고 기본재산을 처분하는 것은 무효라 할 것인데, 위 처분허가에 부관을 붙인 경우 그 처분허가의 법률적 성질이 형성적 행정행위로서의 인가에 해당한다고 하여 조건으로서의 부관의 부과가 허용되지 아니한다고 볼 수는 없고, 다만 구체적인 경우에 그것이 조건, 기한, 부담, 철회권의 유보 중 어느 종류의 부관에 해당하는지는 당해 부관의 내용, 경위 기타 제반 사정을 종합하여 판단하여야 할 것이다(대판 2005.9.28, 2004다50044).

③ 부관을 허용하는 명시적인 법 규정이 있다면 기속행위라 하더라도 부관을 붙일 수 있다. 단, 일반적으로 명시적인 법 규정이 없다면 재량행위의 경우에만 부관을 붙일 수 있다.

> 행정기본법 제17조 【부관】 ① 행정청은 처분에 재량이 있는 경우에는 부관(조건, 기한, 부담, 철회권의 유보 등을 말한다. 이하 이 조에서 같다)을 붙일 수 있다.
> ② 행정청은 처분에 재량이 없는 경우에는 법률에 근거가 있는 경우에 부관을 붙일 수 있다.

관련판례 기속행위와 부관

1 이사회소집승인 및 일시·장소지정 ★★★

일반적으로 기속행위나 기속적 재량행위에는 부관을 붙일 수 없는 것이고, 위 이사회소집승인 행위가 기속행위 내지 기속적 재량행위에 해당함은 위에서 설시한 바에 비추어 분명하므로, 여기에는 부관을 붙이지 못한다 할 것이며, 기사 부관을 붙였다 하더라도 이는 무효의 것으로서 당초부터 부관이 붙지 아니한 소집승인 행위가 있었던 것으로 보아야 할 것이다(대판 1988.4.27, 87누1106).

#이사회소집승인_기속행위 #기속행위_부관불가_무효

간단 점검하기

01 판례는 행정행위가 인가에 해당하면 부관의 부과가 허용되지 않는다고 본다. ( ) 11. 국가직 7급

02 기속행위에 대해서는 법령상 특별한 근거가 없는 한 부관을 붙일 수 없고, 가사 부관을 붙였다고 하더라도 이는 무효이다. ( ) 19. 국가직 9급, 14. 서울시 7급, 13. 지방직 7급

간단 점검하기

03 기속행위도 법률에서 명시적으로 부관을 허용하고 있으면 부관을 붙일 수 있다. ( ) 17. 국가직 9급

04 재량행위의 경우에는 법에 근거가 없는 경우에도 부관을 붙일 수 있다. ( ) 15. 서울시 9급

05 기속행위도 법률에서 명시적으로 부관을 허용하고 있으면 부관을 붙일 수 있다. ( ) 17. 국가직 9급

06 재량행위의 경우에는 법에 근거가 없는 경우에도 부관을 붙일 수 있다. ( ) 15. 서울시 9급

01 × 02 ○ 03 ○ 04 ○ 05 ○ 06 ○

2 건축허가 및 토지기부채납 ★★★

건축허가를 하면서 일정 토지를 기부채납하도록 하는 내용의 허가조건은 부관을 붙일 수 없는 기속행위 내지 기속적 재량행위인 건축허가에 붙인부담이거나 또는 법령상 아무런 근거가 없는 부관이어서 무효이다(대판 1995.6.13, 94다56883).

3 건축허가 및 담장설치 ★★

법령상 근거 없는 부담을 부관으로 부가하는 것으로 무효이다(대판 2000.2.11, 98누7527).

4 채광계획인가 ★★★

채광계획인가는 기속재량행위에 속하는 것으로 보아야 하며, 일반적으로 기속재량행위에는 부관을 붙일 수 없고 가사 부관을 붙였다 하더라도 이는 무효이므로, 주무관청이 채광계획의 인가를 함에 있어 '규사광물 이외의 채취금지 및 규사의 목적외 사용금지'를 조건으로 붙인 것은 광업법 등에 의하여 보호되는 광업권자의 광업권을 침해하는 내용으로서 무효이다(대판 1997.6.13, 96누12269).

#채광계획인가 #기속재량행위 #부관불가_무효

간단 점검하기

판례에 따르면 건축허가를 하면서 일정 토지의 기부채납을 허가조건으로 하는 부관은 기속행위 내지 기속적 재량행위에 붙인 부담이거나 또는 법령상 근거가 없는 부관이어서 무효이다.
( ) 11. 지방직 9급

○

관련판례 재량행위와 부관

1 재건축사업시행인가

주택재건축사업시행의 인가는 상대방에게 권리나 이익을 부여하는 효과를 가진 이른바 수익적 행정처분으로서 법령에 행정처분의 요건에 관하여 일의적으로 규정되어 있지 아니한 이상 행정청의 재량행위에 속하므로, 처분청으로서는 법령상의 제한에 근거한 것이 아니라 하더라도 공익상 필요 등에 의하여 필요한 범위 내에서 여러 조건(부담)을 부과할 수 있다(대판 2007.7.12, 2007두6663).

2 사회복지법인 정관변경허가 ★★★

사회복지법인의 정관변경을 허가할 것인지의 여부는 주무관청의 정책적 판단에 따른 재량에 맡겨져 있다고 할 것이고, 주무관청이 정관변경허가를 함에 있어서는 비례의 원칙 및 평등의 원칙에 적합하고 행정처분의 본질적 효력을 해하지 않는 한도 내에서 부관을 붙일 수 있다(대판 2002.9.24, 2000두5661).

#사회복지법인_정관변경허가_재량 #부관가능

2. 부관의 일반적 한계

행정기본법 제17조【부관】④ 부관은 다음 각 호의 요건에 적합하여야 한다.

1. 해당 처분의 목적에 위배되지 아니할 것
2. 해당 처분과 실질적인 관련이 있을 것
3. 해당 처분의 목적을 달성하기 위하여 필요한 최소한의 범위일 것

(1) 법규상 한계

부관의 형식과 내용이 법령에 위배되어서는 아니 된다. 또한 부관의 내용은 가능한 명확하여야 하고 실행 가능한 것이어야 한다. 이에 위반되는 부관은 위법하다.

간단 점검하기

01 행정청이 처분을 하면서 부제소특약의 부관을 붙인 것은 당사자가 임의로 처분할 수 없는 공법상 권리관계를 대상으로 하여 사인의 국가에 대한 소권을 당사자가 합의로 포기하는 것으로 허용될 수 없다. ( ) 13. 지방직 7급

02 행정청이 특정 개발사업의 시행자를 지정하는 처분을 하면서 상대방에게 지정처분의 취소에 대한 소권을 포기하도록 하는 내용의 부관을 붙이는 것은 단지 부제소특약만을 덧붙이는 것이어서 허용된다. ( ) 17. 국회직 8급

간단 점검하기

03 부관은 주된 행정행위와 형식적 관련성이 있으면 족하고 주된 행정행위의 목적으로부터는 자유롭다. ( ) 16. 교육행정직

간단 점검하기

04 기선선망어업의 허가를 하면서 운반선, 등선 등 부속선을 사용할 수 없도록 제한한 부관은 그 어업허가의 목적달성을 사실상 어렵게 하여 그 본질적 효력을 해하는 것이다. ( ) 19. 지방직 9급

간단 점검하기

05 행정행위의 부관은 법령에 명시적 근거가 있는 경우에만 부가할 수 있다. ( ) 17. 지방직 9급

06 수익적 행정행위에 있어서는 법령에 특별한 근거규정이 없다고 하더라도 그 부관으로서 부담을 붙일 수 있다. ( ) 15. 경찰행정

07 관련 법령에 법적 근거가 없더라도 개인택시운송사업면허를 하면서 부관을 붙일 수 있다. ( ) 17. 지방직 9급

08 재량행위에 있어서 법령상의 근거가 없더라도 부관은 붙일 수 있는데, 그 부관의 내용은 적법하고 이행 가능하여야 하며 비례의 원칙 및 평등의 원칙에 적합하고 행정처분의 본질적 효력을 해하지 아니하는 한도의 것이어야 한다. ( ) 15. 서울시 9급, 14. 국가직 9급, 13. 서울시 7급

01 ○	02 ×	03 ×	04 ○
05 ×	06 ○	07 ○	08 ○

관련판례

1 **부제소특약 부관**

지방자치단체장이 도매시장법인의 대표이사에 대하여 위 지방자치단체장이 개설한 농수산물도매시장의 도매시장법인으로 다시 지정함에 있어서 그 지정조건으로 "지정기간 중이라도 개설자가 농수산물 유통정책의 방침에 따라 도매시장법인 이전 및 지정취소 또는 폐쇄 지시에도 일체 소송이나 손실보상을 청구할 수 없다."라는 부관을 붙였으나, 그 중 부제소특약에 관한 부분은 당사자가 임의로 처분할 수 없는 공법상의 권리관계를 대상으로 하여 사인의 국가에 대한 공권인 소권을 당사자의 합의로 포기하는 것으로서 허용될 수 없다(대판 1998.8.21, 98두8919).

#도매시장법인지정_부제소특약(부관) #부관_위법_무효

2 **건축허가 및 토지분할** ★★★

하나 이상의 필지의 일부를 하나의 대지로 삼으려는 건축허가 신청에서 토지분할이 관계 법령상 제한에 해당되어 명백히 불가능하다고 판단되는 경우, 건축행정청이 토지분할조건부 건축허가를 거부하여야 한다(대판 2018.6.28, 2015두47737).

#건축허가처분_토지분할 #토지분할불가_건축허가거부

(2) 목적상 한계

부관은 그 행정행위가 추구하는 목적의 범위를 일탈하여서는 아니 된다. 예를 들어 도로법에 의한 도로점용허가의 부관은 오직 도로관리적 견지에서만 붙여야 한다.

관련판례 기선선망어업허가 ★★★

기선선망어업에는 그 어선규모의 대소를 가리지 않고 등선과 운반선을 갖출 수 있고, 또 갖추어야 하는 것이라고 해석되므로 기선선망어업의 허가를 하면서 운반선, 등선 등 부속선을 사용할 수 없도록 제한한 부관은 그 어업허가의 목적달성을 사실상 어렵게 하여 그 본질적 효력을 해하는 것일 뿐만 아니라 위 시행령의 규정에도 어긋나는 것이며, 더욱이 어업조정이나 기타 공익상 필요하다고 인정되는 사정이 없는 이상 위법한 것이다(대판 1990.4.27, 89누6808).

#기선선망어업_부속선사용불가 #어업목적달성불가 #부관_위법

(3) 일반법원칙상 한계

① 부관은 비례원칙 · 평등원칙 · 부당결부금지원칙 등 행정법의 일반원칙에 위반하여서는 아니 된다. 특히 부관의 부가로 달성되는 공익과 이로 인해 불이익을 당하는 상대방의 사익을 비교 · 형량하여 구체적으로 결정하여야 할 것이다.

관련판례

1 수익적 행정행위에 있어서는 법령에 특별한 근거규정이 없다고 하더라도 그 부관으로서 부담을 붙일 수 있으나, 그러한 부담은 비례의 원칙, 부당결부금지의 원칙에 위반되지 않아야만 적법하다(대판 1997.3.11, 96다49650).

2 공유수면매립면허 ★★★

공유수면매립면허와 같은 재량적 행정행위에는 법률상의 근거가 없다고 하더라도 부관을 붙일 수 있다(대판 1982.12.28, 80다731 · 80다732).

② 부당결부금지 원칙에 위반하여 허용되지 않는 부관을 행정처분과 상대방 사이의 사법상 계약의 형식으로 체결하는 것은 허용되지 않으며, 부가 가능한 부관인 경우에만 계약 형식으로 부가하는 것이 가능하다.

관련판례 **골프장사업계획승인 및 기부금** ★★★

[1] 행정처분과 실제적 관련성이 없어 부관으로 붙일 수 없는 부담을 사법상 계약의 형식으로 행정처분의 상대방에게 부과할 수 없다.

[2] 지방자치단체가 골프장사업계획승인과 관련하여 사업자로부터 기부금을 지급받기로 한 증여계약은, 공무수행과 결부된 금전적 대가로서 그 조건이나 동기가 사회질서에 반하므로 민법 제103조에 의해 무효이다(대판 2009.12.10, 2007다63966).
#골프장사업계획승인_기부금(증여계약) #증여계약_사회질서위반_무효

간단 점검하기

01 부당결부금지 원칙에 위반하여 허용되지 않는 부관을 행정처분과 상대방 사이의 사법상 계약의 형식으로 체결하는 것은 허용되지 않는다. ( )
19. 서울시 9급

02 행정처분과 실제적 관련성이 없어서 부관으로는 붙일 수 없는 부담을 사법상 계약의 형식으로 행정처분의 상대방에게 부과하였더라도 이는 법치행정의 원리에 반하는 것은 아니다. ( )
17. 국가직 9급

3. 사후부관(시간적 한계)

행정기본법 제17조 【부관】 ③ 행정청은 부관을 붙일 수 있는 처분이 다음 각 호의 어느 하나에 해당하는 경우에는 그 처분을 한 후에도 부관을 새로 붙이거나 종전의 부관을 변경할 수 있다.
1. 법률에 근거가 있는 경우
2. 당사자의 동의가 있는 경우
3. 사정이 변경되어 부관을 새로 붙이거나 종전의 부관을 변경하지 아니하면 해당 처분의 목적을 달성할 수 없다고 인정되는 경우

(1) 의의

사후부관이란 행정행위를 발한 후에 새로이 부담을 추가하거나 이미 붙여진 부담을 변경 · 보충하는 것을 말한다. 사후부관의 허용 여부에 대해 견해의 대립이 있다.

(2) 학설

① 부정설

② 부담긍정설

③ 제한적 긍정설(다수설): 원칙적으로 사후부관을 붙일 수 없지만, 예외적으로 법규나 행정행위 자체가 사후부관을 허용하고 있거나 유보한 경우 또는 상대방의 동의가 있을 때에는 사후에도 부관을 붙일 수 있다는 견해이다.

간단 점검하기

03 사정변경으로 당초에 부담을 부가한 목적을 달성할 수 없게 된 경우에도 그 목적달성에 필요한 범위 내에서 예외적으로 부담의 사후변경이 허용된다. ( ) 19. 국가직 9급, 16. 지방직 9급, 13. 서울시 7급, 13. 지방직 7급

01 ○ 02 × 03 ○

(3) 판례

판례는 제한적 긍정설의 입장에서 폭넓게 사후부관을 긍정하고 있다. 즉, 판례는 ① 법령에 명문의 근거가 있거나, ② 변경이 미리 유보되어 있거나, ③ 상대방의 동의가 있는 경우뿐만 아니라, ④ 사정변경이 있는 경우까지 사후부관을 허용하고 있다.

관련판례 사후부관

1 부관의 사후변경 ★★★

행정처분에 이미 부담이 부가되어 있는 상태에서 그 의무의 범위 또는 내용 등을 변경하는 부관의 사후변경은, 법률에 명문의 규정이 있거나 그 변경이 미리 유보되어 있는 경우 또는 상대방의 동의가 있는 경우에 한하여 허용되는 것이 원칙이지만, 사정변경으로 인하여 당초에 부담을 부가한 목적을 달성할 수 없게 된 경우에도 그 목적달성에 필요한 범위 내에서 예외적으로 허용된다(대판 1997.5.30, 97누2627).

2 감차합의서 ★★★

[1] 부관은 면허 발급 당시에 붙이는 것뿐만 아니라 면허 발급 이후에 붙이는 것도 법률에 명문의 규정이 있거나 변경이 미리 유보되어 있는 경우 또는 상대방의 동의가 있는 경우 등에는 특별한 사정이 없는 한 허용된다.

[2] 관할 행정청은 면허 발급 이후에도 운송사업자의 동의하에 여객자동차운송사업의 질서 확립을 위하여 운송사업자가 준수할 의무를 정하고 이를 위반할 경우 감차명령을 할 수 있다는 내용의 면허 조건을 붙일 수 있고, 운송사업자가 조건을 위반하였다면 여객자동차법 제85조 제1항 제38호에 따라 감차명령을 할 수 있으며, 감차명령은 행정소송법 제2조 제1항 제1호가 정한 처분으로서 항고소송의 대상이 된다(대판 2016.11.24, 2016두45028).

#운송사업면허_조건위반_감차합의 #사후_감차처분_정당

간단 점검하기

01 부관의 사후변경은 법률에 명문의 규정이 있거나 그 변경이 미리 유보되어 있는 경우 또는 상대방의 동의가 있는 경우에 한하여 허용되는 것이 원칙이지만, 사정변경으로 인하여 당초에 부담을 부가한 목적을 달성할 수 없게 된 경우에도 그 목적달성에 필요한 범위 내에서 예외적으로 허용된다. ( )

17. 국가직 9급

02 행정처분이 발하여진 후 새로운 부담을 부가하거나 이미 부가되어 있는 부담의 범위 또는 내용 등을 변경하는 사후부담은, 법률에 명문의 규정이 있거나 그것이 미리 유보되어 있는 경우 또는 상대방의 동의가 있는 경우에 허용되는 것이 원칙이다. ( )

18. 국가직 7급, 13·11·08. 국가직 9급

01 ○ 02 ○

4 위법한 부관과 행정행위의 효력

1. 부관의 하자가 있는 경우 위법성의 정도

부관이 위법한 것인 경우 위법성의 정도에 관해서는 행정행위의 무효·취소의 구별기준인 중대명백설의 입장에서 판단한다. 즉, 중대하고 명백한 하자가 있는 경우에는 무효인 부관이고, 그렇지 않은 경우에는 취소사유가 있는 부관이다.

2. 부관이 무효인 경우 주된 행정행위의 효력

(1) 부관만 무효라고 보는 입장(부관만 무효설)

부관의 무효는 행정행위에 아무런 영향을 미치지 않고, 부관만이 무효로 된다. 따라서 무효인 부관을 붙인 행정행위는 부관 없는 단순행정행위로서 효력을 발생한다.

(2) 행정행위 전체가 무효라고 보는 입장(전부무효설)

부관의 무효는 본체인 행정행위의 효력에 영향을 미치므로, 무효인 부관을 붙인 행정행위는 부관과 본체의 행정행위 전체가 무효가 된다.

(3) 본질적 요소 여부에 따라 판단하는 입장(절충설; 통설, 판례)

부관이 무효인 경우는 원칙적으로 부관만이 무효이지만, 부관이 행정행위를 행함에 있어서 중요한 요소(본질적 요소)인 경우는 행정행위 전체가 무효로 된다는 입장으로 우리나라의 통설 · 판례의 입장이다. 여기서 중요하고 본질적 요소란 만약 부관이 없었더라면 행정행위를 행하지 않았을 것이라는 점이 인정되는 것을 말한다.

3. 부관에 취소사유가 있는 경우 주된 행정행위의 효력

부관이 취소할 수 있는 것인 경우에는 취소가 확정되기까지는 일응 유효한 부관부 행정행위로서 효력을 가지며, 취소가 확정된 경우에는 부관이 무효인 경우와 동일하게 다루어진다.

관련판례 **취소사유가 있는 부관과 행정행위의 효력**

1 서면지하상가 점용기간 20년 ★★★

도로점용허가의 점용기간은 행정행위의 본질적인 요소에 해당한다고 볼 것이어서 부관인 점용기간을 정함에 있어서 위법사유가 있다면 이로써 도로점용허가 처분 전부가 위법하다(대판 1985.7.9, 84누604).

#지하상가점용허가_점용기간_20년 #20년(33년)_본질적_요소 #점용허가_위법

2 서울대공원 사용수익 허가기간 기부채납 ★★★

기부채납 받은 행정재산에 대한 사용 · 수익 허가에서 그 허가기간은 행정행위의 본질적 요소에 해당한다고 볼 것이어서, 부관인 허가기간에 위법사유가 있다면 이로써 이 사건 허가 전부가 위법하게 될 것이다(대판 2001.6.15, 99두509).

#서울대공원_기부채납_사용 · 수익기간_20년 #사용 · 수익기간_20년(40년)_본질요소

5 위법한 부관의 행정상 쟁송

1. 문제의 소재

부관이 위법한 경우에 부관만을 따로 분리하여 쟁송의 대상으로 할 수 있는지(독립쟁송가능성)와 쟁송의 대상이 될 수 있다고 보는 경우 부관만을 분리하여 취소할 수 있는지(독립취소가능성)가 문제된다.

2. 부관의 독립쟁송가능성(소송요건의 문제)

(1) 부담에 대해서만 인정하는 입장(부담독립쟁송설)

부담은 그 자체로서 독자적인 행정행위성을 가지므로, 부담만이 본체인 행정행위와 분리하여 취소소송의 대상이 될 수 있고, 나머지 부관은 그것만을 분리하여 취소소송의 대상으로 할 수 없다고 보는 견해이다. 우리나라 다수설 · 판례의 입장이다(대판 1992.1.21, 91누1264).

간단 점검하기

01 부담은 다른 부관과 달리 행정행위의 불가분적 요소가 아니라는 점에서 독립하여 쟁송을 제기할 수 있다는 것이 판례의 입장이다. ( )
15. 서울시 7급, 13. 국가직 9급, 11. 지방직 9급

02 행정행위의 부관은 부담인 경우를 제외하고는 독립하여 행정소송의 대상이 될 수 없다. ( ) 18. 서울시 9급

관련판례 부관의 독립쟁송가능성

1 **부관에 대한 쟁송** ★★★

행정행위의 부관은 행정행위의 일반적인 효력이나 효과를 제한하기 위하여 의사표시의 주된 내용에 부가되는 종된 의사표시이지 그 자체로서 직접 법적 효과를 발생하는 독립된 처분이 아니므로 현행 행정쟁송제도 아래서는 부관 그 자체만을 독립된 쟁송의 대상으로 할 수 없는 것이 원칙이나 행정행위의 부관 중에서도 행정행위에 부수하여 그 행정행위의 상대방에게 일정한 의무를 부과하는 행정청의 의사표시인 부담의 경우에는 다른 부관과는 달리 행정행위의 불가분적인 요소가 아니고 그 존속이 본체인 행정행위의 존재를 전제로 하는 것일 뿐이므로 부담 그 자체로서 행정쟁송의 대상이 될 수 있다(대판 1992.1.21, 91누1264).
#부관_쟁송_불가 #부담_쟁송가능

2 **건축허가 담장설치부담** ★★★

행정청이 건축변경허가시 건축주에게 새 담장을 설치하라는 부담은 독립쟁송이 가능하다(대판 2000.2.11, 98누7529).

3 **어업면허 유효기간** ★★

어업면허처분을 함에 있어 그 면허의 유효기간을 1년으로 정한 경우, 위 면허의 유효기간은 행정청이 위 어업면허처분의 효력을 제한하기 위한 행정행위의 부관이라 할 것이고 이러한 행정행위의 부관은 독립하여 행정소송의 대상이 될 수 없는 것이므로 위 어업면허처분 중 그 면허유효기간만의 취소를 구하는 청구는 허용될 수 없다(대판 1986.8.19, 86누202).

간단 점검하기

03 기부채납받은 행정재산에 대한 사용·수익허가에서 공유재산의 관리청이 정한 사용·수익허가의 기간에 대하여서는 독립하여 행정소송을 제기할 수 없다. ( ) 19. 국회직 8급, 14. 서울시 7·9급, 11. 지방직 9급

4 **서울대공원 기부사용수익허가기간채납** ★★★

기부채납 된 행정재산에 대한 무상사용기간의 독립쟁송가능성을 부정한다(대판 2001.6.15, 99두509).

5 **매립지 국가귀속** ★★★

법률효과의 일부배제 부관의 독립쟁송가능성을 부정한다(대판 1991. 12.13, 90누8503).

(2) 모든 부관에 대해 인정하는 입장(독립쟁송인정설)

① 독립취소가능성의 문제는 본안에서의 이유유무의 문제라 할 것이며, 소송요건인 독립쟁송가능성의 문제와는 관계가 없다고 할 것이다.

② 그러므로 모든 위법한 부관은 일응 독립하여 취소소송의 대상이 될 수 있다고 보는 입장이다.

(3) 부관의 분리가능성을 기준으로 하는 입장

① 부관의 독립쟁송가능성 여부는 주된 행정행위와 분리하여 독자적으로 다툴 수 있는 정도의 분리가능성을 가지고 있는지를 기준으로 판단하는 것이 중요하다는 입장이다.

② 따라서 부관만의 독립취소가 법원에 의하여 인정될 정도의 독자성(주된 행정행위와의 분리가능성)을 갖는 부관이라면 그 처분성 인정 여부와 무관하게 행정쟁송을 통하여 독자적으로 다툴 수 있다고 한다.

01 ○ 02 ○ 03 ○

3. 부관에 대한 쟁송형태(소송형태의 문제)

(1) 일반적 형태

① **진정일부취소소송**: 위법한 부관만을 분리하여 쟁송의 대상으로 하는 것이 가능하다고 할 경우 부관만을 대상으로 취소소송을 제기하는 것을 말하는데, 이러한 진정일부취소소송은 부담의 경우에만 허용된다.

② **부진정일부취소소송**: 부담이 아닌 부관은 독립하여 처분성이 인정되지 아니하므로, 전체 취소소송을 제기하여 부관만의 취소를 구하는 소송형태를 말한다.

(2) 학설

① **부담에 대해서만 쟁송가능성을 인정하는 입장**: 이 견해에서는 부담만은 진정일부취소소송이 가능하지만, 그 외의 부관은 부진정일부취소소송을 제기하여야 한다고 주장한다.

② **모든 부관에 대해 쟁송가능성을 인정하는 입장**: 이 견해에서는 부관에 대한 쟁송은 성질상 모두 부진정일부취소송의 형태를 취할 수밖에 없다고 한다.

③ **부관의 분리가능성을 기준으로 하는 입장**: 이 견해는 분리가능성이 없는 것은 전체 행정행위를 대상으로 쟁송을 제기해야 하고, 분리가능성이 인정되는 부관 중 처분성을 갖는 것은 진정일부취소소송으로, 처분성을 갖지 못하는 것은 부진정일부취소소송의 형태를 취해야 한다고 한다.

(3) 판례

① 판례는 부담에 대해서만 독립쟁송가능성을 인정하고 있기 때문에, 부담을 제외한 다른 부관만의 취소를 구하는 것은 불가능하다. 다만, 판례는 부담의 경우에는 진정일부취소소송을 인정하지만, 그 밖의 부관에 대해서는 부진정일부취소소송의 형식도 인정하지 않는다.

② 이 경우 권리를 침해당한 원고는 부관부 행정행위 전체의 취소를 구하든지(대판 1985.7.9, 84누604), 아니면 먼저 행정청에 부관 없는 처분으로 변경해 줄 것을 청구한 다음 그것이 거부된 경우에 거부처분취소소송을 제기할 수밖에 없다(대판 1990.4.27, 89누6808).

관련판례 **부관에 대한 취소소송**

1 '주 행정행위 + 부관'의 전체취소청구 ★★★

도로점용허가의 점용기간은 행정행위의 본질적인 요소에 해당한다고 볼 것이어서 부관인 점용기간을 정함에 있어서 위법사유가 있다면 이로써 도로점용허가 처분 전부가 위법하다(대판 1985.7.9, 84누604).

#지하상가점용허가_점용기간_20년 #20년(33년)_본질적_요소 #점용허가_위법 #전체취소

2 부관변경신청 거부행위에 대한 취소청구 ★★★

[1] 제38청룡호(기존허가어선)와 제3대운호를 제1대영호(기존허가어선)의 등선으로, 제22대원호, 제3선경호 및 한진호를 제1대영호의 운반선으로 각 사용할 수 있도록 하여 선박의 척수를 변경(본선2척을 1척으로 줄이는 대신 등선 2척과 운반선 3척을 추가하는 내용임)하여 달라는 어업허가사항변경신청을 하였는데 피고는 1988.9.13. 수산업법 제15조, 제16조와 수산자원보호령 제17조 제2항의 규정에 따라 수산자원보호 및 다른 어업과 어업조정을 위하여 앞서 한 제한조건을 변경할 수 없다는 사유로 위 신청을 불허가하였다는 것이다.

간단 점검하기

01 부담을 제외한 나머지 부관에 대해서는 부관이 붙은 행정행위 전체의 취소를 통하여 부관을 다툴 수 있을 뿐, 부관만의 취소를 구할 수는 없다. ( ) 16. 사회복지직

02 형식상 부관부 행위 전체를 소송의 대상으로 하면서 내용상 일부, 즉 부관만의 취소를 구하는 소송형태는 진정일부취소소송이다. ( ) 14. 경찰행정

간단 점검하기

03 부담 이외의 부관으로 인하여 권리를 침해당한 자는 부관부 행정행위 전체에 대해 취소소송을 제기하거나, 행정청에 부관이 없는 행정행위로 변경해 줄 것을 청구한 다음 그것이 거부된 경우 거부처분 취소소송을 제기할 수 있다. ( ) 19. 서울시 7급

04 위법한 부담 이외의 부관으로 인해 권리를 침해받은 자는 형식상 부관부행위 전체를 소송의 대상으로 하면서 부관만의 취소를 구하는 부진정일부취소소송을 제기할 수 있다. ( ) 13. 국회직 8급

05 도로점용허가의 점용기간은 행정행위의 본질적인 요소에 해당한다고 볼 것이어서 부관인 점용기간을 정함에 있어서 위법사유가 있다면 이로써 도로점용허가처분 전부가 위법하게 된다. ( ) 19. 지방직 9급

01 ○ 02 × 03 ○ 04 × 05 ○

[2] 기선선망어업의 허가를 하면서 운반선, 등선 등 부속선을 사용할 수 없도록 제한한 부관은 그것이 비록 위법 제15조의 규정에 터잡은 것이라 하더라도 위 어업허가의 목적달성을 사실상 어렵게 하여 그 본질적 효력을 해하는 것이다.

[3] 이 부관을 삭제하여 등선과 운반선을 사용할 수 있도록 하여 달라는 내용의 원고의 이 사건 어업허가사항변경신청을 불허가한 피고의 처분 역시 위법하다고 보아야 할 것이다(대판 1990.4.27, 89누6808).

4. 부관의 독립취소가능성(본안판단의 문제)

(1) 학설

① **재량행위와 기속행위를 구분하는 견해**: 재량행위인 경우에는 취소가 가능하고, 기속행위인 경우에는 취소가 불가능하다고 본다.

② **일부취소법리를 유추적용하자는 견해**: 원칙적으로 취소를 인정하나, 부관이 중요요소인 경우에는 취소를 부정한다.

③ **부관의 위법성을 기준으로 하는 견해**: 부관의 위법성이 존재하는 경우에는 취소 가능할 수 있다고 본다.

(2) 판례

판례는 부진정일부취소소송의 형태를 인정하지 않는 결과, 부담만이 독립하여 취소될 수 있고, 그 외의 부관은 독립하여 취소의 대상이 되지 않는다고 한다.

6 하자 있는 부관의 이행으로 이루어진 사법행위의 효력

1. 개설

기부채납의 부담이 위법한 경우에 이 부담의 이행으로 행해진 사법상 법률행위(증여계약·매매계약 등)의 효력이 어떻게 되는지 문제된다.

2. 학설

(1) 종속설(부관구속설)

(2) 독립설(부관비구속설)

(3) 절충설(무효·취소구별설)

① **무효**

㉠ 독립설(부관비구속설)에 따른 접근방법이다.

㉡ 기부채납부담이 무효이면 기부채납의 취소가 가능하다.

② **취소**

㉠ 종속설(부관구속설)에 따른 접근방법이다.

㉡ 기부채납부담이 단순위법이면 기부채납의 취소가 불가능하다.

(4) 판례

① **기부채납 부관이 유효한 경우**: 증여계약의 효력에 영향을 주지 않는다. 이 경우에는 증여계약 자체의 하자가 있는지 판단하여 취소 또는 무효를 결정하게 된다.❶

관련판례 사법상 법률행위 자체가 무효인 경우 ★★★

기부금을 지급받기로 한 증여계약이 사회질서에 반하는 경우 민법 제103조에 의해 무효이다(대판 2009.12.10, 2007다63966).

② **기부채납 부관이 취소사유만 있으나 불가쟁력이 발생하여 더이상 취소할 수 없는 경우**: 부관은 유효한 것으로 확정되므로 역시 증여계약의 효력에 영향을 주지 않는다.

관련판례 부관에 불가쟁력이 발생한 경우 사법상 법률행위의 효력 ★★★

1 행정처분에 붙은 부담인 부관이 제소기간의 도과로 확정되어 이미 불가쟁력이 생겼다면 그 하자가 중대하고 명백하여 당연 무효로 보아야 할 경우 외에는 누구나 그 효력을 부인할 수 없을 것이지만, 부담의 이행으로서 하게 된 사법상 매매 등의 법률행위는 부담을 붙인 행정처분과는 어디까지나 별개의 법률행위이므로 그 부담의 불가쟁력의 문제와는 별도로 법률행위가 사회질서 위반이나 강행규정에 위반되는지 여부 등을 따져보아 그 법률행위의 유효 여부를 판단하여야 한다(대판 2009.6.25, 2006다18174).

2 토지소유자가 토지형질변경행위허가에 붙은 기부채납의 부관에 따라 토지를 국가나 지방자치단체에 기부채납(증여)한 경우, 기부채납의 부관이 당연무효이거나 취소되지 아니한 이상 토지소유자는 위 부관으로 인하여 증여계약의 중요부분에 착오가 있음을 이유로 증여계약을 취소할 수 없다(대판 1999.5.25, 98다53134).❷

③ **기부채납 부관이 무효이거나 취소된 경우**: 이때는 증여계약의 효력에 영향을 주지만, 그 증여계약이 곧바로 무효가 되지는 않는다고 본다. 다만, 취소사유를 인정할 수 있으나 취소 가능여부는 민법에 따라 별도로 판단한다.❸

관련판례 부관이 무효이거나 취소된 경우 사법상 법률행위의 효력

행정처분에 부담인 부관을 붙인 경우 부관의 무효화에 의하여 본체인 행정처분 자체의 효력에도 영향이 있게 될 수는 있지만, 그 처분을 받은 사람이 부담의 이행으로 사법상 매매 등의 법률행위를 한 경우에는 그 부관은 특별한 사정이 없는 한 법률행위를 하게 된 동기 내지 연유로 작용하였을 뿐이므로 이는 법률행위의 취소사유가 될 수 있음은 별론으로 하고 그 법률행위 자체를 당연히 무효화하는 것은 아니다(대판 2009.6.25, 2006다18174).

❶
민법의 영역

간단 점검하기

01 행정처분에 붙은 부담이 제소기간의 도과로 불가쟁력이 발생한 경우에는 부담의 이행으로 한 사법상 매매 등의 법률행위도 효력이 확정되므로 그 법률행위의 유효 여부를 별도로 다툴 수 없다. ( ) 13. 지방직 7급

02 토지소유자가 토지형질변경행위허가에 붙은 기부채납의 부관에 따라 토지를 국가나 지방자치단체에 기부채납(증여)한 경우, 기부채납의 부관이 당연무효이거나 취소되지 아니한 이상 토지소유자는 위 부관으로 인하여 증여계약의 중요부분에 착오가 있음을 이유로 증여계약을 취소할 수 없다. ( ) 17. 서울시 9급, 11. 지방직 9급

❷
부관에 하자가 있다는 이유만으로 증여계약 자체의 하자를 인정할 수는 없다는 취지이다. 증여계약 자체에 착오가 있었다면 민법 제109조에 따라 착오취소가 가능할 수 있으나 본 판례에서는 논하지 않는다.

❸
취소권 행사의 제척기간 3년 등의 제한이 있음

간단 점검하기

03 부관이 무효인 경우에 그것이 본체인 행정행위의 효력에 어떤 영향을 미치는가에 관하여 판례는 부관이 행정행위의 중요한 요소인 경우에 한하여 행정행위를 무효로 만들며 그렇지 않은 경우에는 아무런 영향을 미치지 않는다고 한다. ( ) 05. 국회직 8급

04 부관이란 본체인 행정행위에 부수하여 부대적으로 하는 의사표시이므로 부관이 무효이면 본체인 행정행위도 당연무효가 된다. ( ) 15. 지방직 9급

05 판례에 의하면 행정처분에 붙인 부담인 부관이 무효인 경우에도 그 부담의 이행으로 한 사법상 법률행위가 당연히 무효가 되는 것은 아니다. ( ) 16. 지방직 9급

01 × 02 ○ 03 ○ 04 ×
05 ○

제7절 행정행위의 성립요건과 효력발생요건

1. 행정행위의 성립요건

(1) 내부적 성립요건

① **주체에 관한 요건**: 행정행위는 정당한 권한을 가진 자가 권한 내의 사항에 대하여 정상적인 의사에 기하여 행하여야 한다.

② **절차에 관한 요건**: 행정행위는 일정한 절차가 요구되는 경우가 많은데, 이러한 경우에는 법정의 절차를 거쳐야 한다.

③ **형식에 관한 요건**: 행성행위는 일반적으로 불요식행위이나, 행정의 내용을 명확하게 하고 그에 관한 증거를 보전하기 위하여 요식행위인 경우도 있다. 행정절차법에서는 요식행위를 원칙으로 규정하고 있다.

④ **내용에 관한 요건**: 행정행위의 내용은 법률상 · 사실상으로 실현가능하고 객관적으로 명확하여야 하며 법과 공익에 적합하여야 한다.

> 행정절차법 제24조【처분의 방식】① 행정청이 처분을 할 때에는 다른 법령등에 특별한 규정이 있는 경우를 제외하고는 문서로 하여야 하며, 전자문서로 하는 경우에는 당사자등의 동의가 있어야 한다. 다만, 신속히 처리할 필요가 있거나 사안이 경미한 경우에는 말 또는 그 밖의 방법으로 할 수 있다. 이 경우 당사자가 요청하면 지체 없이 처분에 관한 문서를 주어야 한다.
> ② 처분을 하는 문서에는 그 처분 행정청과 담당자의 소속 · 성명 및 연락처(전화번호, 팩스번호, 전자우편주소 등을 말한다)를 적어야 한다.

간단 점검하기

우리 행정절차법은 행정청이 처분을 하는 때에는 다른 법령 등에 특별한 규정이 있는 경우를 제외하고는 문서로 하지 않아도 된다고 하는 구술(口述)에 의한 처분원칙을 취하고 있다. ( )

04. 국회직 8급

관련판례 **행정청의 처분**

1 **처분형식의 하자 - 문서주의 위반의 경우** ★★

행정절차에 관한 일반법인 행정절차법은 제24조 제1항은 … 처분내용의 명확성을 확보하고 처분의 존부에 관한 다툼을 방지하여 처분상대방의 권익을 보호하기 위한 것이므로, 이를 위반한 처분은 하자가 중대 · 명백하여 무효이다(대판 2011.11.10, 2011도11109).

#행정절차법_처분형식_위반_무효

2 **처분문서 문언해석** ★★

행정청이 문서에 의하여 처분을 한 경우 원칙적으로 그 처분서의 문언에 따라 어떤 처분을 하였는지 확정하여야 하나, 그 처분서의 문언만으로는 행정청이 어떤 처분을 하였는지 불분명하다는 등 특별한 사정이 있는 때에는 처분 경위나 처분 이후의 상대방의 태도 등 다른 사정을 고려하여 처분서의 문언과 달리 그 처분의 내용을 해석할 수도 있다(대판 2010.2.11, 2009두18035).

#처분_문서 #문언_확정 #불분명_달리_해석_가능

(2) 외부적 성립요건

① 행정행위는 행정결정의 외부에 대한 표시행위이므로 행정내부의 결정이 있는 것만으로는 아직 행정행위는 성립하였다고는 할 수 없으며, 그것이 외부에 표시되어야 비로소 성립한다.

×

② 행정행위가 일단 성립하면 그 행위가 아직 상대방에게 도달되지 아니한 경우에도 행정청은 이유 없이 그것을 취소·변경할 수 없는 구속을 받게 된다. 여기에 행정행위의 성립시기를 효력발생시기와 구별하여 따로 인정할 실익이 있다.

point check 행정행위의 성립요건과 효력요건

법률요건	내용	결여 시 법적 효과
성립요건	• 내부적 성립요건: 주체, 내용, 형식, 절차 • 외부적 성립요건: 외부에 표시	• 중요 성립요건의 결여 → 행정행위의 부존재 • 그 밖의 성립요건의 결여 → 행정행위의 무효 또는 취소 사유
효력요건	통지 + 도달, 공고·공시	행정행위의 무효

관련판례

일반적으로 행정처분이 주체·내용·절차와 형식이라는 내부적 성립요건과 외부에 대한 표시라는 외부적 성립요건을 모두 갖춘 경우에는 행정처분이 존재한다고 할 수 있다. 행정처분의 외부적 성립은 행정의사가 외부에 표시되어 행정청이 자유롭게 취소·철회할 수 없는 구속을 받게 되는 시점을 확정하는 의미를 가지므로, 어떠한 처분의 외부적 성립 여부는 행정청에 의해 행정의사가 공식적인 방법으로 외부에 표시되었는지를 기준으로 판단하여야 한다(대판 2017.7.11, 2016두35120).

#행정처분_성립요건 #내부적_외부적_성립요건 #외부_표시_성립 #성립_취소·철회_제한

2. 행정행위의 효력발생요건

(1) 개설

행정행위는 성립과 동시에 효력이 발생하나, 상대방이 있는 경우에는 도달함으로써 효력이 발생하게 된다. 행정행위의 통지는 특정인에게는 송달 혹은 공고로, 불특정 다수인 경우에는 고시·공고의 방법으로 행해진다.

기출

행정행위의 성립요건과 효력발생요건을 구분할 경우 효력발생요건에 해당하는 것은?

15. 교육행정직

① 상대방에게 통지되어 도달되어야 한다.
② 내용이 법률상으로나 사실상으로 실현가능해야 한다.
③ 법령상 특별한 규정이 있는 경우를 제외하고는 문서로 하여야 한다.
④ 당해 행정행위를 발할 수 있는 권한을 가진 자에 의해 행해져야 한다.

해설 상대방이 있는 행정행위는 원칙적으로 상대방에게 발신한 때(발신주의)가 아니라 상대방에게 도달된 때(도달주의)에 그 효력이 발생한다(행정절차법 제15조).

정답 ①

(2) 도달주의

① 행정행위는 법령 또는 부관에 의한 제한이 있는 경우를 제외하고는 원칙적으로 성립과 동시에 효력이 발생한다.

② 상대방 있는 행정행위는 일반적으로 상대방에게 도달함으로써 효력이 발생한다(행정절차법 제15조 제3항).

③ 도달은 상대방이 내용을 알 수 있는 상태에 두는 것을 말하며, 상대방이 현실적으로 수령하여 내용을 안 것을 말하지 않는다.

관련판례 도달주의 ★★★

[1] 행정처분의 효력발생요건으로서의 도달이란 상대방이 그 내용을 현실적으로 양지할 필요까지는 없고, 다만 양지할 수 있는 상태에 놓여짐으로써 충분하다고 할 것이다.

[2] 원고의 처가 원고의 주소지에서 원고에 대한 정부인사발령통지를 수령한 이상 비록 그때에 원고가 구치소에 수감중이었고 피고 역시 그와 같은 사실을 알고 있었다거나 원고의 처가 위 통지서를 원고에게 전달하지 아니하고 폐기해 버렸다하더라도 원고의 처가 위 통지서를 수령한 때에 그 내용을 양지할 수 있는 상태에 있었다(대판 1989.9.26, 89누4963).

#도달 #알_수_있는_상태 #수감자_주소지_처_수령

간단 점검하기

처분의 통지는 행정처분을 상대방에게 표시하는 것으로서 상대방이 인식할 수 있는 상태에 둠으로써 족하고, 객관적으로 보아 행정처분으로 인식할 수 있도록 고지하면 된다. ( )

18. 국가직 9급

○

④ 행정 효율과 협업 촉진에 관한 규정은 "문서는 수신자에게 도달(전자문서의 경우는 수신자가 관리하거나 지정한 전자적 시스템 등에 입력되는 것을 말한다)됨으로써 그 효력을 발생 한다."(제6조 제2항)라고 규정하여 도달주의를 채택하고 있다.

(3) 특정인에 대한 행정행위 - 송달

> 행정절차법 제14조【송달】① 송달은 우편, 교부 또는 정보통신망 이용 등의 방법으로 하되, 송달받을 자(대표자 또는 대리인을 포함한다. 이하 같다)의 주소 · 거소(居所) · 영업소 · 사무소 또는 전자우편주소(이하 "주소 등"이라 한다)로 한다. 다만, 송달받을 자가 동의하는 경우에는 그를 만나는 장소에서 송달할 수 있다.
> ② 교부에 의한 송달은 수령확인서를 받고 문서를 교부함으로써 하며, 송달하는 장소에서 송달받을 자를 만나지 못한 경우에는 그 사무원 · 피용자(被傭者) 또는 동거인으로서 사리를 분별할 지능이 있는 사람(이하 이 조에서 "사무원 등"이라 한다)에게 문서를 교부할 수 있다. 다만, 문서를 송달받을 자 또는 그 사무원등이 정당한 사유 없이 송달받기를 거부하는 때에는 그 사실을 수령확인서에 적고, 문서를 송달할 장소에 놓아둘 수 있다.
> ③ 정보통신망을 이용한 송달은 송달받을 자가 동의하는 경우에만 한다. 이 경우 송달받을 자는 송달받을 전자우편주소 등을 지정하여야 한다.
> ④ 다음 각 호의 어느 하나에 해당하는 경우에는 송달받을 자가 알기 쉽도록 관보, 공보, 게시판, 일간신문 중 하나 이상에 공고하고 인터넷에도 공고하여야 한다.
> 1. 송달받을 자의 주소 등을 통상적인 방법으로 확인할 수 없는 경우
> 2. 송달이 불가능한 경우
> ⑤ 행정청은 송달하는 문서의 명칭, 송달받는 자의 성명 또는 명칭, 발송방법 및 발송 연월일을 확인할 수 있는 기록을 보존하여야 한다.

> 제15조【송달의 효력 발생】① 송달은 다른 법령 등에 특별한 규정이 있는 경우를 제외하고는 해당 문서가 송달받을 자에게 도달됨으로써 그 효력이 발생한다.
> ② 제14조 제3항에 따라 정보통신망을 이용하여 전자문서로 송달하는 경우에는 송달받을 자가 지정한 컴퓨터 등에 입력된 때에 도달된 것으로 본다.
> ③ 제14조 제4항의 경우에는 다른 법령 등에 특별한 규정이 있는 경우를 제외하고는 공고일부터 14일이 지난 때에 그 효력이 발생한다. 다만, 긴급히 시행하여야 할 특별한 사유가 있어 효력 발생 시기를 달리 정하여 공고한 경우에는 그에 따른다.
>
> 제16조【기간 및 기한의 특례】① 천재지변이나 그 밖에 당사자 등에게 책임이 없는 사유로 기간 및 기한을 지킬 수 없는 경우에는 그 사유가 끝나는 날까지 기간의 진행이 정지된다.
> ② 외국에 거주하거나 체류하는 자에 대한 기간 및 기한은 행정청이 그 우편이나 통신에 걸리는 일수(日數)를 고려하여 정하여야 한다.

① 개설

㉠ 행정절차법에 따르면 송달은 우편, 교부, 정보통신망이용 등의 방법으로 한다(행정절차법 제14조 제1항). 상대방이 처분의 내용을 이미 알고 있는 경우에도 송달이 필요하다.

관련판례 **사업장 납세고지서** ★★★

[1] 납세자가 과세처분의 내용을 이미 알고 있는 경우에도 납세고지서의 송달이 불필요하다고 할 수는 없다.

[2] 납세고지서의 송달을 받아야 할 자가 부과처분 제척기간이 임박하자 그 수령을 회피하기 위하여 일부러 송달을 받을 장소를 비워 두어 세무공무원이 송달을 받을 자와 보충송달을 받을 자를 만나지 못하여 부득이 사업장에 납세고지서를 두고 왔다고 하더라도 이로써 신의성실의 원칙을 들어 그 납세고지서가 송달되었다고 볼 수는 없다[1](대판 2004.4.9, 2003두13908).

#부과가치세_과세처분내용_이미숙지_송달필요 #납세고지서_사업장_둠_송달부정

㉡ **송달의 상대방**: 행정행위의 송달은 처분의 상대방에게 하여야 한다. 따라서 이해관계인 등 제3자에게는 통지의무가 없다.

㉢ **기록보존**: 행정청은 송달하는 문서의 명칭, 송달받는 자의 성명 또는 명칭, 발송방법 및 발송 연월일을 확인할 수 있는 기록을 보존하여야 한다(행정절차법 제14조 제5항).

② 우편송달

㉠ 보통우편으로 송달한 경우 도달을 추정하지 않으나 등기우편으로 송달한 경우 도달을 추정한다.

간단 점검하기

01 송달은 다른 법령 등에 특별한 규정이 있는 경우를 제외하고는 해당 문서가 송달받을 자에게 도달됨으로써 그 효력이 발생한다. ( ) 15. 서울시 7급

02 행정처분의 송달은 민법상 도달주의가 아니라 행정절차법 제15조에 의한 발신주의를 취한다. ( ) 12. 지방직 9급

간단 점검하기

03 납세자가 과세처분의 내용을 미리 알고 있는 경우 납세고지서의 송달은 불필요하다. ( ) 17. 교육행정직

[1] 유치송달이 입법되기 전의 판례에 해당함

01 ○ 02 × 03 ×

간단 점검하기

01 판례는 내용증명우편이나 등기우편과는 달리 보통우편의 방법으로 발송되었다는 사실만으로는 그 우편물이 상당한 기간 내에 도달하였다고 추정할 수 없고, 송달의 효력을 주장하는 측에서 증거에 의하여 이를 입증하여야 한다고 본다. ( ) 17. 서울시 9급

02 등기에 의한 우편송달의 경우라도 수취인이 주민등록지에 실제로 거주하지 않는 경우에는 우편물의 도달사실을 처분청이 입증해야 한다. ( ) 18. 국가직 9급

01 ○ **02** ○

관련판례 **우편송달**

1 보통우편 도달추정 불인정 ★★★

내용증명우편이나 등기우편과는 달리, 보통우편의 방법으로 발송되었다는 사실만으로는 그 우편물이 상당한 기간 내에 도달하였다고 추정할 수 없고, 송달의 효력을 주장하는 측에서 증거에 의하여 이를 입증하여야 한다(대판 2009.12.10, 2007두20140).

2 등기우편 도달추정 인정 ★★★

우편법 등 관계 규정의 취지에 비추어 볼 때 우편물이 등기취급의 방법으로 발송된 경우 반송되는 등의 특별한 사정이 없는 한 그 무렵 수취인에게 배달되었다고 보아야 한다(대판 1992.3.27, 91누3819).

3 전입신고지 등기우편 송달추정 불인정 ★★

수취인이나 그 가족이 주민등록지에 실제로 거주하고 있지 아니하면서 전입신고만을 해 두었고, 그 밖에 주민등록지 거주자에게 송달수령의 권한을 위임하였다고 보기 어려운 사정이 인정된다면, 등기우편으로 발송된 납세고지서가 반송된 사실이 인정되지 아니한다 하여 납세의무자에게 송달된 것이라고 볼 수는 없다(대판 1998.2.13, 97누8977).

㉡ 판례는 국내에 주소 · 거소 · 영업소 또는 사무소가 없는 외국사업자에 대하여 직접 우편으로 문서를 송달할 수 있다고 한다.

관련판례 **외국사업자** ★★

공정거래위원회는 국내에 주소 · 거소 · 영업소 또는 사무소가 없는 외국사업자에 대하여도 우편송달의 방법으로 문서를 송달할 수 있다(대판 2006.3.24, 2004두11275).

③ **교부송달**

㉠ **의의**: 교부에 의한 송달은 수령확인서를 받고 문서를 교부함으로써 한다.

㉡ **보충송달**: 송달하는 장소에서 송달받을 자를 만나지 못한 경우에는 그 사무원 · 피용자(被傭者) 또는 동거인으로서 사리를 분별할 지능이 있는 사람(이하 이 조에서 '사무원 등'이라 한다)에게 문서를 교부할 수 있다.

㉢ **유치송달**: 문서를 송달받을 자 또는 그 사무원등이 정당한 사유 없이 송달받기를 거부하는 때에는 그 사실을 수령확인서에 적고, 문서를 송달할 장소에 놓아둘 수 있다.

관련판례 **만 8세 1개월에게 한 통지** ★★

甲과 동거하는 만 8세 1개월 남짓의 딸 乙에게 이를 교부하고 乙의 서명을 받은 사안에서, 乙의 연령, 교육 정도, 상고기록접수통지서가 가지는 소송법적 의미와 중요성 등에 비추어 볼 때, … 상고기록접수통지서 등을 수령한 乙에게 소송서류의 영수와 관련한 사리를 분별할 지능이 있다고 보기 어렵다는 이유로, 상고기록접수통지서의 보충송달은 적법하지 않다(대판 2011.11.10, 2011재두148).

#만8세1개월_보충송달 #사리분별지능_없음 #보충송달_위법

④ 정보통신망을 이용한 송달

㉠ 정보통신망을 이용한 송달은 송달받을 자가 동의하는 경우에만 한다.

㉡ 이 경우 송달받을 자는 송달받을 전자우편주소 등을 지정하여야 한다.

⑤ 행정절차법상 공고(특정인에 대한 공고)

㉠ 송달받을 자의 주소 등을 통상적인 방법으로 확인할 수 없는 경우 또는 송달이 불가능한 경우에 송달받을 자가 알기 쉽도록 관보, 공보, 게시판, 일간신문 중 하나 이상에 공고하고 인터넷에도 공고하여야 한다(행정절차법 제14조 제4항).

㉡ 상대방이 수취를 거절하는 경우가 공시송달의 사유가 될 수 없다는 것이 판례의 입장이다(대판 2007.3.16, 2006두16816).

㉢ 공고의 효력은 다른 법령에 특별한 규정이 있는 경우를 제외하고는 공고일로부터 14일이 지난 때에 그 효력이 발생한다. 다만, 긴급히 시행하여야 할 특별한 사유가 있어 효력발생시기를 달리 정하여 공고한 경우에는 그에 따른다.

(4) 개별법상 불특정인에 대한 행정행위 - 고시 · 공고

① 불특정다수인을 대상으로 하는 일반처분의 경우 개별법이 정하는 바에 따라 행해진다.

관련판례 불특정다수인을 대상으로 하는 경우

청소년유해매체물 결정고시 ★★★

청소년유해매체물 결정 및 고시처분은 당해 유해매체물의 소유자 등 특정인만을 대상으로 한 행정처분이 아니라 일반 불특정 다수인을 상대방으로 하여 일률적으로 표시의무, 포장의무, 청소년에 대한 판매 · 대여 등의 금지의무 등 각종 의무를 발생시키는 행정처분으로서, 정보통신윤리위원회가 특정 인터넷 웹사이트를 청소년유해매체물로 결정하고 청소년보호위원회가 효력발생시기를 명시하여 고시함으로써 그 명시된 시점에 효력이 발생하였다고 봄이 상당하고, 정보통신윤리위원회와 청소년보호위원회가 위 처분이 있었음을 위 웹사이트 운영자에게 제대로 통지하지 아니하였다고 하여 그 효력 자체가 발생하지 아니한 것으로 볼 수는 없다(대판 2007.6.14, 2004두619).

#청소년유해매체물_결정고시 #불특정다수 #개별통지_불요

② 고시 · 공고의 효력 발생일은 개별법령이 정한 바에 따르고, 만약 그에 관하여 개별법령에 규정이 없는 경우 행정 효율과 협업 촉진에 관한 규정 제6조 제3항에 따라 그 고시 또는 공고 등이 있은 날로부터 5일이 경과한 때에 효력이 발생한다.

관련판례 관리처분계획인가고시 ★★★

통상 고시 또는 공고에 의하여 행정처분을 하는 경우에는 그 처분의 상대방이 불특정 다수인이고, 그 처분의 효력이 불특정 다수인에게 일률적으로 똑같이 적용됨으로 인하여 고시일 또는 공고일에 그 행정처분이 있음을 알았던 것으로 의제하여 행정심판 청구기간을 기산하는 것이므로, 관리처분계획에 이해관계를 갖는 자는 고시가 있었다는 사실을 현실적으로 알았는지 여부에 관계없이 고시가 효력을 발생하는 날인 고시

간단 점검하기

01 청소년유해매체물 결정 및 고시처분은 일반 불특정 다수인을 상대방으로 하여 일률적으로 표시의무, 포장의무, 청소년에 대한 판매 · 대여 등의 금지의무를 발생시키는 행정처분이다. ( ) 11. 지방직 9급

02 구 청소년보호법에 따라 정보통신윤리위원회가 특정 웹사이트를 청소년유해매체물로 결정하고 청소년보호위원회가 효력발생시기를 명시하여 고시하였으나 정보통신윤리위원회와 청소년보호위원회가 웹사이트 운영자에게는 위 처분이 있었음을 통지하지 않았다면 그 효력이 발생하지 않는다. ( ) 18. 국가직 9급

01 ○ 02 ×

가 있은 후 5일이 경과한 날에 관리처분계획인가 처분이 있음을 알았다고 보아야 한다(대판 1995.8.22, 94누5694).
#관리처분계획인가_고시 #불특정다수 #고시_5일후_발효

간단 점검하기

01 서훈은 서훈대상자의 특별한 공적에 의하여 수여되는 고도의 일신전속적 성격을 가지는 것이므로, 망인에게 수여된 서훈이 취소된 경우 그 유족은 서훈취소처분의 상대방이 되지 아니한다. ( ) 18. 지방직 7급

02 망인에 대한 서훈취소는 유족에 대한 것이 아니므로 유족에 대한 통지에 의해서만 성립하여 효력이 발생한다고 볼 수 없고, 그 결정이 처분권자의 의사에 따라 상당한 방법으로 대외적으로 표시됨으로써 행정행위로서 성립하여 효력이 발생한다고 봄이 타당하다. ( ) 17. 지방직 9급

관련판례

서훈의 일신전속적 성격은 서훈취소의 경우에도 마찬가지이므로, 망인에게 수여된 서훈의 취소에서도 유족은 그 처분의 상대방이 되는 것이 아니다. 이와 같이 망인에 대한 서훈취소는 유족에 대한 것이 아니므로 유족에 대한 통지에 의해서만 성립하여 효력이 발생한다고 볼 수 없고, 그 결정이 처분권자의 의사에 따라 상당한 방법으로 대외적으로 표시됨으로써 행정행위로서 성립하여 효력이 발생한다고 봄이 타당하다(대판 2014.9.26, 2013두2518).

3. 행정행위의 요건불비의 효과

(1) 행정행위가 성립요건 · 효력발생요건을 갖추면 완전한 효력이 발생한다.

(2) 그러나 이와 같은 요건에 흠결이 있는 경우에는 하자 있는 행정행위가 되는데, 하자의 정도에 따라 취소의 대상이 되거나 무효 또는 부존재인 행정행위가 된다.

관련판례

행정행위 효력요건은 정당한 권한있는 기관이 필요한 수속을 거치고 필요한 표시의 형식을 갖추어야 할 뿐만 아니라, 행정행위의 내용이 법률상 효과를 발생할 수 있는 것이어야 되며 그 중의 어느 하나의 요건의 흠결도 당해 행정행위의 절대적 무효를 초래하는 것이며 행정행위의 내용이 법률상 결과를 발생할 수 없는 권리의무를 목적한 것이면 그 행정행위 및 부관은 절대무효이다[1](대판 1959.5.14, 4290민상834).

[1] 최근의 판례는 이 판례와 달리 항상 무효로 보지 않는다. 다만 이 판례가 폐기되지 않았고 출제까지된 바 있어 별도정리를 요한다.

01 ○ 02 ○

제 3 장 행정행위의 효력과 하자

제1절 행정행위의 효력

1 구속력(내용적 구속력)

1. 행정행위의 내용에 따라 관계행정청, 상대방, 관계인을 구속하는 힘을 말한다.
2. 예컨대 조세부과처분이 행해지면 상대방에게 급부의무가 발생하는 것이 이에 해당하는데, 이와 같은 내용적 구속력이 미치는 대상과 범위는 개개 행정행위의 내용에 따라 다르다.
3. 개개의 행정행위가 갖는 구속력은 실질적으로는 법적인 행위이면 모두 해당하는 기본적인 효력을 의미하는 것이므로, 행정행위에 특유한 효력에 대한 논의로서는 큰 의미를 가지지 못한다.

2 공정력(예선적 효력)

1. 의의

(1) 행정행위의 공정력이란 비록 행정행위에 하자가 있을지라도 하자가 중대하고 명백하여 당연무효인 경우를 제외하고는 권한 있는 기관에 의하여 취소될 때까지는 유효한 것으로 보아 누구든지 그 효력을 부인하지 못하는 힘을 말한다. 공정력은 예선적 효력이라고도 한다.

(2) 공정력은 법원의 판결이 있기 전까지 행정행위의 유효성을 잠정적으로 통용시키는 절차적 구속력이다.❶

2. 의의

(1) 이론적 근거

① **자기확인설[오토 마이어(O. Mayer)]**: 행정청이 자기의 권한의 범위 내에서 행정행위를 발하면 그것은 동시에 그 행위의 효력이 있음을 스스로 확인하는 것이고, 따라서 상대방은 그 행정행위에 구속된다는 것이다.

② **국가권위설[포르스트호프(E. Forsthoff)]**: 행정행위는 행정청이 우월적 지위에서 행하는 것이므로 그 효력은 국가적 권위에서 도출한다는 견해로서 자기확인설을 계승·발전시킨 이론이다.

③ **예선적 특권설**: 프랑스에서 통용되고 있는 예선적 특권이론이란 행정권이 행정재판소에 의한 적법성에 대한 심사에 선행하여 행정결정(집행적 결정)에 의하여 스스로 법률관계를 형성하고, 그에 따른 의무를 집행할 수 있는 특권을 말한다.

❶
처분청, 행정심판위원회, 행정소송을 담당한 법원, 감독청은 행정행위를 취소할 수 있으므로 공정력의 구속을 받지 않는다.

간단 점검하기

01 구속력이란 행정행위가 적법요건을 구비하면 법률행위적 행정행위의 경우 법령이 정하는 바에 의해, 준법률행위적 행정행위의 경우 행정청이 표시한 의사의 내용에 따라 일정한 법적 효과가 발생하여 당사자를 구속하는 실체법상 효력이다. ( ) 16. 사회복지직

02 행정행위는 그 내용에 따라 일정한 법적 효과가 발생하고 관계행정청 및 상대방과 관계인을 구속하는 힘을 가진다. ( ) 09. 국가직 9급

03 행정주체의 의사는 비록 그 성립에 하자가 있을지라도 그 하자가 중대하고 명백하여 무효가 되지 않는 한, 권한 있는 행정기관이나 법원에 의하여 취소될 때까지 유효한 행위로서 통용되는 효력을 공정력이라 한다. ( ) 15. 국가직 7급, 15·14. 서울시 7급

04 중대하고 명백한 하자 있는 행정행위(무효인 행정행위)에는 공정력이 인정되지 않는다. ( ) 09. 지방직 7급

05 조세부과처분이 비록 위법하다 하더라도 그 하자가 중대하고 명백하여 무효가 되지 않는 한, 일단 상대방은 세금을 납부해야할 의무를 지는 것은 공정력 때문이다. ( ) 13. 서울시 9급

06 어떤 행정행위에 공정력이 발생하면 그 처분을 한 처분청이라도 공정력을 부정하지 못한다. ( ) 17. 행정사

01 × 02 ○ 03 ○ 04 ○
05 ○ 06 ×

④ **법적 안정성설(행정정책설; 통설)**: 공정력의 근거를 행정목적의 신속한 달성, 행정법관계의 안정성 유지, 상대방의 신뢰보호 등과 같은 정책적 고려에서 구하는 것이다.

(2) 실정법적 근거

> 행정기본법 제15조【처분의 효력】처분은 권한이 있는 기관이 취소 또는 철회하거나 기간의 경과 등으로 소멸되기 전까지는 유효한 것으로 통용된다. 다만, 무효인 처분은 처음부터 그 효력이 발생하지 아니한다.

① 행정심판법과 행정소송법상의 항고쟁송제도(취소심판 및 취소소송), 행정대집행법상의 자력집행에 관한 규정 등에서 간접적인 근거를 찾을 수 있다.

② 집행부정지의 원칙을 공정력의 간접적인 근거로 볼 수 있는지에 대해서 견해의 대립이 있다.

3. 공정력의 한계

(1) 무효인 행정행위와 공정력

무효인 행정행위 또는 부존재의 경우에는 그 신뢰를 보호함이 부적당·불필요하므로 공정력은 인정되지 않는다는 견해이다. 따라서 다른 행정기관이나 법원은 물론 사인도 독자적 판단으로 무효를 주장할 수 있다.

(2) 행정행위가 아닌 행정작용과 공정력

공정력은 행정쟁송제도를 이론적 전제로 하는 개념이므로 행정쟁송의 대상에 해당할 수 없는 행정기관의 행위인 사실행위, 비권력적 행위, 사법행위에 대해서는 공정력이 인정되지 않는다.

4. 공정력과 선결문제

(1) 개설

① 선결문제란 특정한 행정행위의 위법 또는 효력의 유무가 다른 특정사건의 재판의 본안판단에 있어서 먼저 해결되어야 하는 문제일 때, 그 특정한 행정행위의 위법 또는 효력 유무 등의 문제를 말한다.

② 선결문제를 규정하는 행정소송법 제11조는 선결문제의 일부에 관해서만 규정하고 있는바, 나머지 사항에 대해서는 학설과 판례에서 해결하여야 한다.

> 행정소송법 제11조【선결문제】① 처분 등의 효력 유무 또는 존재 여부가 민사소송의 선결문제로 되어 당해 민사소송의 수소법원이 이를 심리·판단하는 경우에는 제17조(행정청의 소송참가), 제25조(행정심판기록의 제출명령), 제26조(직권심리) 및 제33조(소송비용에 관한 재판의 효력)의 규정을 준용한다.

간단 점검하기

01 공정력은 행정청의 권력적 행위뿐 아니라 비권력적 행위, 사실행위, 사법행위에도 인정된다. ( )
16. 사회복지직

02 행정행위의 위법 여부가 선결문제인 경우 민사법원이 선결문제인 행정행위의 위법 여부를 판단할 수 있다는 것이 대법원의 견해이다. ( )
11. 서울시 9급

03 민사소송에 있어서 행정처분의 당연무효여부가 선결문제로 되는 때에는 법원은 이를 판단하여 당연무효임을 전제로 판결할 수 있고 반드시 행정소송 등의 절차에 의하여 그 취소는 무효확인을 받아야 하는 것은 아니다. ( )
18. 국회직 8급

04 민사소송에 있어서 어느 행정처분의 당연무효 여부가 선결문제로 되는 때에는 이를 판단하여 당연무효임을 전제로 판결할 수는 없고, 반드시 행정소송 등의 절차에 의하여 그 취소나 무효확인을 받아야 한다. ( )
18. 서울시 7급

05 과·오납세금반환청구소송에서 민사법원은 그 선결문제로서 과세처분의 무효 여부를 판단할 수 있다. ( )
19. 국가직 9급

06 행정처분이 당연무효임을 전제로 하여 민사소송을 제기한 때에는 그 행정처분이 당연무효인지의 여부가 선결문제이므로 법원은 이를 심사하여 그 행정처분의 하자가 당연무효라고 인정될 경우에는 이를 전제로 하여 판단할 수 있으나 그 하자가 단순한 취소사유에 그칠 때에는 법원은 그 효력을 부인할 수 없다. ( ) 17. 국가직 7급

01 × 02 ○ 03 ○ 04 ×
05 ○ 06 ○

(2) 민사사건의 경우

① 행정행위의 위법 여부가 선결문제인 경우(국가배상청구소송의 경우) → 위법성 판단은 가능

㉠ 예를 들어, 행정처분의 계고처분으로 건물을 철거당한 사람이 계고처분의 위법을 이유로 국가배상을 청구한 경우, 관할 민사법원(수소법원)은 배상책임의 요건인 계고처분의 위법성 여부를 스스로 심사할 수 있는가의 문제이다.

㉡ 다수설과 판례는 행정상 손해배상소송에서는 행정행위의 효력의 부인에까지 이르는 것은 아니고 해당 행위의 위법성만이 문제되는 것이므로, 관할 민사법원(수소법원)은 직접 위법성 여부를 심리·판단할 수 있다고 보고 있다.

② 행정행위의 효력 유무가 선결문제인 경우(부당이득반환청구소송의 경우) → 효력부인은 불가

㉠ 예를 들어, 위법한 조세부과처분에 따라 이미 납부한 세금을 반환받기 위하여 부당이득반환청구를 한 경우, 관할 민사법원은 부당이득반환청구의 인용요건인 행정행위의 효력유무를 스스로 심사할 수 있는가의 문제이다.

㉡ 통설·판례는 해당 행정행위가 당연무효인 경우에는 직접 무효를 판단할 수 있지만, 해당 행정행위에 취소사유에 불과한 하자가 있는 경우에는 직접 효력을 부인할 수 없다고 보고 있다.

관련판례 **선결문제(민사사건)**

1 위법 여부 ★★★

국가배상청구소송에서 행정처분의 위법성 문제가 선결문제인 경우에는 위법성을 판단하여 손해배상청구의 인용이 가능하다(대판 1972.4.28, 72다337).

2 위법 여부 ★★★

물품세 과세대상이 아닌 것을 세무공무원이 직무상 과실로 과세대상으로 오인하여 과세처분을 행함으로 인하여 손해가 발생된 경우에는, 동 과세처분이 취소되지 아니하였다 하더라도, 국가는 이로 인한 손해를 배상할 책임이 있다(대판 1979.4.10, 79다262).

3 효력 유무 ★★★

행정처분의 당연무효 여부가 선결문제인 경우에는 당연무효임을 전제로 판결이 가능하다(대판 1972.10.10, 71다2279).

4 효력 유무 ★★★

행정처분이 당연무효인 경우에는 선결문제로 판단이 가능하지만, 취소사유에 불과한 경우에는 해당 처분의 효력부인을 할 수 없다(대판 1994.11.11, 94다28000).

5 효력 유무 ★★★

과세처분이 당연무효라고 볼 수 없는 한 과세처분에 취소할 수 있는 위법사유가 있다 하더라도 그 과세처분은 행정행위의 공정력 또는 집행력에 의하여 그것이 적법하게 취소되기 전까지는 유효하다 할 것이므로, 민사소송절차에서 그 과세처분의 효력을 부인할 수 없다(대판 1999.8.20, 99다20179).

간단 점검하기

01 행정사건을 선결문제로 하는 민사소송에는 법원은 무효인 행정행위의 효력을 확인할 수는 없지만, 취소할 수 있는 행정행위의 효력을 부인할 수는 있다. ( )
16·15. 서울시 7급, 14. 지방직 9급

02 판례에 의하면 손해배상청구소송에서 철거처분의 위법 여부가 선결문제인 경우 민사법원은 그 위법 여부를 판단하여 손해배상의 판결을 할 수 있다. ( ) 14. 지방직 9급

03 행정처분이 위법임을 이유로 국가배상을 청구하기 위한 전제로서 그 처분이 취소되어야만 하는 것은 아니다. ( ) 19. 국가직 9급

04 위법한 철거명령을 받고 건축물이 철거된 자는 그 철거명령의 취소를 구하지 않고 곧바로 국가배상을 청구할 수 있다. ( ) 12. 국가직 9급

05 과세대상이 아닌 것을 세무공무원이 직무상 과실로 과세대상으로 오인하여 과세처분을 행함으로 인하여 손해가 발생된 경우, 동 과세처분이 취소되지 아니하였다 하더라도 국가는 이로 인한 손해를 배상할 책임이 있다. ( ) 18. 지방직 7급

06 과세처분이 당연무효라고 볼 수 없는 한 과세처분에 취소할 수 있는 위법사유가 있다 하더라도 그 과세처분은 행정행위의 공정력 또는 집행력에 의하여 그것이 적법하게 취소되기 전까지는 유효하다 할 것이므로 민사소송절차에서 그 과세처분의 효력을 부인할 수 없다. ( ) 08. 국가직 9급

07 과세처분의 하자가 단지 취소할 수 있는 정도에 불과할 때에는 과세관청이 이를 스스로 취소하거나 행정쟁송절차에 의하여 취소되지 않는 한 그로 인한 조세의 납부가 부당이득이 된다고 할 수 없다. ( )
19·14. 지방직 9급, 16. 서울시 7급, 13. 국가직 9급, 11. 지방직 7급

08 취소사유 있는 과세처분에 의하여 세금을 납부한 자는 과세처분취소소송을 제기하지 않은 채 곧바로 부당이득반환청구소송을 제기하더라도 납부한 금액을 반환받을 수 있다. ( )
19. 서울시 9급

01 ×	02 ○	03 ○	04 ○
05 ○	06 ○	07 ○	08 ×

(3) 형사사건의 경우

① **행정행위의 위법 여부가 선결문제인 경우 → 위법성판단은 가능**: 행정행위가 형사사건의 선결문제로 되는 경우 민사소송에서와 마찬가지로 관할 형사법원이 해당 행정행위의 위법성 판단은 할 수 있다고 본다(다수설 · 판례).

② **행정행위의 효력 유무가 선결문제인 경우 → 효력부인은 불가**: 행정행위의 효력부인 여부는 당연무효의 경우라면 효력을 부인할 수 있지만, 취소사유에 불과할 때에는 해당 행정행위의 효력을 직접 부인할 수 없다고 본다.

관련판례 선결문제(형사사건) - 위법 여부 ★★★

1 위법한 원상복구시정명령을 불이행한 경우에는 시정명령 불이행을 이유로 한 도시계획법위반죄는 성립되지 않으며, 수소법원은 위법성 판단을 할 수 있다(대판 1992.8.18, 90도1709).

2 구 도시계획법(2000.1.28. 법률 제6243호로 전문 개정되기 전의 것) 제78조에 정한 처분이나 조치명령을 받은 자가 이에 위반한 경우 이로 인하여 같은 법 제92조에 정한 처벌을 하기 위하여는 그 처분이나 조치명령이 적법한 것이라야 하고, 그 처분이 당연무효가 아니라 하더라도 그것이 위법한 처분으로 인정되는 한 같은 법 제92조 위반죄가 성립될 수 없다(대판 2004.5.14, 2001도2841).

3 행정청으로부터 구 주택법(2008.2.29. 법률 제8863호로 개정되기 전의 것) 제91조에 의한 시정명령을 받고도 이를 위반하였다는 이유로 위 법 제98조 제11호에 의한 처벌을 하기 위해서는 그 시정명령이 적법한 것이어야 하고, 그 시정명령이 위법하다고 인정되는 한 위 법 제98조 제11호 위반죄는 성립하지 않는다(대판 2009.6.25, 2006도824).

4 소방시설 설치유지 및 안전관리에 관한 법률 제9조에 의한 소방시설 등의 설치 또는 유지 · 관리에 대한 명령을 정당한 사유 없이 위반한 자는 같은 법 제48조의2 제1호에 의하여 행정형벌에 처해지는데, 위 명령이 행정처분으로서 하자가 있어 무효인 경우에는 명령에 따른 의무위반이 생기지 아니하므로 행정형벌을 부과할 수 없다(대판 2011.11.10, 2011도11109).

관련판례 선결문제(형사사건) - 효력 유무 ★★★

1 운전면허처분이 당연무효가 아닌 경우 해당 처분이 취소되지 않는 한 무면허운전죄로 처벌하지 못한다(대판 1982.6.8, 80도2646).

2 하자 있는 수입면허를 받고 물품을 통관한 경우에는 해당 처분이 취소되지 않는 한 관세법상 무면허수입죄로 처벌할 수 없다(대판 1989.3.28, 89도149).

3 과세대상과 납세의무자 확정의 잘못으로 과세처분이 당연무효인 경우에는 체납범이 성립하지 않는다(대판 1971.5.31, 71도742).

간단 점검하기

01 형사법원은 행정행위가 당연무효라면 선결문제로서 그 행정행위의 효력을 부인할 수 있다. ( ) 18. 교육행정직

02 행정처분이 당연무효가 아닌 한 형사법원은 선결문제로 그 행정처분의 효력을 부인할 수 없다. ( ) 14. 지방직 9급

03 구 도시계획법에 정한 처분이나 조치명령을 받은 자가 이에 위반한경우, 이로 인하여 동법 제92조에 정한 처벌을 하기 위하여는 그 처분이나 조치명령이 적법한 것이라야 하고, 그 처분이 당연무효가 아니라 하더라도 그것이 위법한 처분으로 인정되는 한 동법 제92조 위반죄가 성립될 수 없다. ( ) 13. 국가직 9급

04 개발제한구역 안에 건축되어 있던 비닐하우스를 매수한 자에게 구청장이 이를 철거하여 토지를 원상회복하라고 시정지시한 조치가 위법한 것으로 인정된다 하더라도 당연무효가 아니라면, 이러한 시정지시에는 일단 따라야 하므로 이에 따르지 아니한 행위는 위 조치의 근거법률에 규정된 조치명령 등 위반죄로 처벌할 수 있다. ( ) 13. 국가직 9급

05 행정청의 조치명령에 위반하여 명령위반죄로 기소된 사안에서 해당 조치명령이 당연무효인 경우에 한하여 형사법원은 그 위법성을 판단하여 죄의 성립 여부를 결정할 수 있다. ( ) 17. 국가직 7급

06 연령미달의 결격자인 피고인이 소외인의 이름으로 운전면허시험에 응시, 합격하여 교부받은 운전면허는 당연무효가 아니고 취소되지 않는 한 유효하므로 피고인의 운전행위는 무면허운전에 해당하지 아니한다. ( ) 17. 경찰행정, 11. 지방직 7급, 08. 국가직 9급

07 판례에 의하면 물품을 수입하고자 하는 자가 일단 세관장에게 수입신고를 하여 그 면허를 받고 물품을 통관한 경우에는 세관장의 수입면허가 중대하고도 명백한 하자가 있는 행정행위이어서 당연무효가 아닌 한 관세법 제181조 소정의 무면허수입죄가 성립될 수 없다. ( ) 13 · 08. 국가직 9급

01 ○ 02 ○ 03 ○ 04 ×
05 × 06 ○ 07 ○

point check 구성요건적 효력과 선결문제

선결문제	위법성 판단	효력 부인
민사사건의 경우	가능	• 당연무효 → 효력부인 가능 • 단순위법 → 효력부인 불가
형사사건의 경우	가능	• 당연무효 → 효력부인 가능 • 단순위법 → 효력부인 불가

관련판례

행정소송법 제10조는 처분의 취소를 구하는 취소소송에 당해 처분과 관련되는 부당이득반환소송을 관련 청구로 병합할 수 있다고 규정하고 있는바, 이 조항을 둔 취지에 비추어 보면, 취소소송에 병합할 수 있는 당해 처분과 관련되는 부당이득반환소송에는 당해 처분의 취소를 선결문제로 하는 부당이득반환청구가 포함되고, 이러한 부당이득반환청구가 인용되기 위해서는 그 소송절차에서 판결에 의해 당해 처분이 취소되면 충분하고 그 처분의 취소가 확정되어야 하는 것은 아니라고 보아야 한다(대판 2009.4.9, 2008두23153).

5. 공정력과 입증책임

(1) 원고책임설

자기확인설의 입장에서는 공정력의 본질을 행정행위의 '적법성의 추정'에 있다고 보아, 원고에게 입증책임이 있다는 입장을 취한다.

(2) 피고책임설

법치행정의 원리상 행정행위의 적법성은 행정청이 담보하여야 하므로 행정청이 입증책임을 부담하여야 한다는 견해이다.

(3) 입증책임무관설(통설, 판례)

① 공정력은 행정행위가 위법한 것이더라도 행정의 실효성 확보 및 신뢰보호원칙과 관련해서 그 잠정적 · 절차적 통용력을 인정하는 유효성의 추정에 불과한 것이므로 실체법적인 적법성의 추정으로 볼 수 없다.

② 공정력이 취소소송에 있어서의 입증책임의 소재에까지 영향을 미치는 것으로 볼 수 없다. 따라서 민사소송법상 입증책임에 관한 일반원칙이 행정법관계에서도 그대로 적용된다. 즉, 처분의 적법요건의 충족사실은 행정청이, 처분의 위법성에 대한 입증은 원고가 부담한다(법률요건분류설).

간단 점검하기

01 판례에 따르면 취소소송에 부당이득반환청구가 병합된 경우, 부당이득반환청구가 인용되려면 그 소송절차에서 판결에 의해 당해 처분이 취소되면 충분하고 그 처분의 취소가 확정되어야 하는 것은 아니라고 보아야 한다. ( ) 15. 국가직 9급

02 처분의 취소를 구하는 취소소송에 당해 처분의 취소를 선결문제로 하는 부당이득반환소송이 병합된 경우, 처분을 취소하는 판결이 확정되어야 법원은 부당이득반환청구를 인용할 수 있다. ( ) 15. 서울시 7급

간단 점검하기

03 공정력은 입증책임의 분배와 직접적인 관련이 있다. ( ) 12. 사회복지직

01 ○ 02 × 03 ×

3 구성요건적 효력

1. 의의

(1) 행정행위가 당연무효가 아닌 이상 처분청 이외의 국가기관은 그의 존재를 존중하여야 하며 스스로의 판단의 기초 내지는 구성요건으로 삼아야 하는 행정행위의 구속력을 말한다.

(2) 예컨대, 甲이라는 사람이 국적법에 근거하여 법무부장관으로부터 귀화허가를 받았다면, 그 귀화허가가 무효가 아닌 한 모든 국가기관은 甲을 대한민국 국민으로 인정해야 한다.

간단 점검하기

01 구성요건적 효력이란 유효한 행정행위가 존재하는 이상 모든 국가기관은 그의 존재를 존중하여 스스로의 판단기초 내지는 구성요건으로 삼아야 한다는 구속력을 말한다. ( ) 08. 선관위 9급

2. 근거

이에 대한 직접적인 실정법의 근거는 없으나, 이론상 근거로 헌법상 권력분립의 원칙, 국가기관 상호간 권한존중의 원칙 등을 든다.

간단 점검하기

02 구성요건적 효력을 직접 규정한 실정법은 찾을 수 없으나, 국가기관 상호 간의 권한분배체계와 권한존중의 원칙에서 그 근거를 찾을 수 있다. ( ) 08. 선관위 9급

03 행정행위의 효력으로서 구성요건적 효력과 공정력은 이론적 근거를 법적 안정성에서 찾고 있다는 공통점이 있다. ( ) 17. 국가직 9급

3. 공정력과의 구별❶

전통적 견해	• 공정력과 구성요건적 효력의 개념을 구별하지 않음 • 전통적 견해에 따르면 선결문제는 공정력과 관련된 문제가 됨
새로운 견해	• 공정력과 구성요건적 효력의 개념을 구별함 • 공정력은 행위의 상대방, 이해관계인에 관련된 문제로 파악함 • 구성요건적 효력은 제3의 국가기관과 관련된 문제로 파악함 • 새로운 견해에 따르면 선결문제는 구성요건적 효력과 관련된 문제가 됨

point check 공정력과 구성요건적 효력에 관한 견해 비교

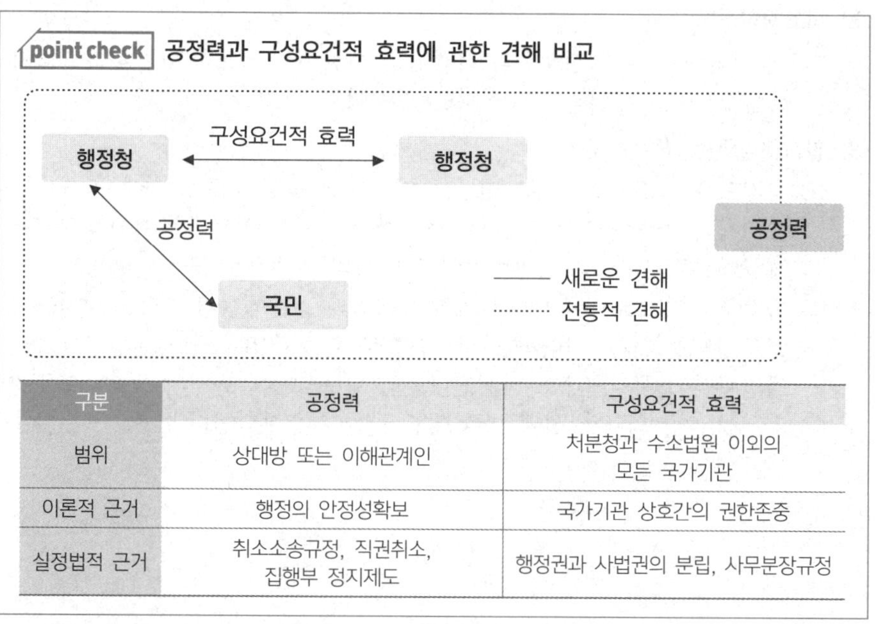

구분	공정력	구성요건적 효력
범위	상대방 또는 이해관계인	처분청과 수소법원 이외의 모든 국가기관
이론적 근거	행정의 안정성확보	국가기관 상호간의 권한존중
실정법적 근거	취소소송규정, 직권취소, 집행부 정지제도	행정권과 사법권의 분립, 사무분장규정

4. 한계

구성요건적 효력은 유효한 행정행위만이 가지는 구속력이므로, 무효인 행정행위에는 인정되지 않는다. 이 점에 있어서는 공정력과 공통된다.

01 ○ 02 ○ 03 ×

4 존속력(확정력)

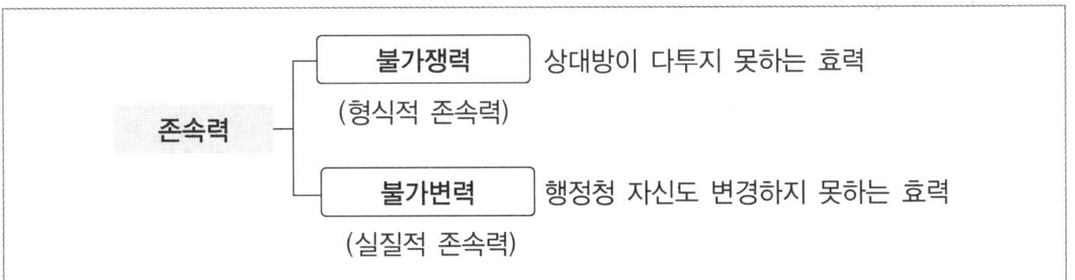

1. 서설

(1) 행정행위가 일단 행하여지면 그 행위를 근거로 많은 법률관계가 형성된다. 그러므로 법적 안정성의 요청상 행정행위는 가급적 취소·변경하지 않고 존속시키는 것이 바람직하다.

(2) 이와 같이 행정행위의 존속을 제도화한 개념이 존속력이다. 존속력은 불가쟁력(형식적 존속력)과 불가변력(실질적 존속력)을 포괄하는 개념이다.

간단 점검하기

01 행정행위의 존속력에는 불가쟁력과 불가변력이 있다. ( ) 06. 서울시 9급

2. 불가쟁력(형식적 존속력)

(1) 의의

불가쟁력이라 함은 행정행위에 대하여 불복이 있는 경우 행정쟁송법상 쟁송제기기간이 경과되거나 쟁송수단을 마친 때에는 행정행위가 위법 또는 부당하더라도 상대방은 그 효력을 다툴 수 없는 효력을 말한다.

(2) 성질

① **절차법적 효력**: 불가쟁력은 행정법관계를 신속하게 안정시키기 위하여 출소기간 등이 정하여진 데에서 오는 절차법적 효력이다. 따라서 불가쟁력이 생긴 행정행위에 대한 행정심판 및 행정소송의 제기는 부적법한 것으로서 각하된다.

② **인정범위**: 불가쟁력은 원칙적으로 모든 행정행위에 발생한다. 다만, 무효인 행정행위는 쟁송제기기간의 제한을 받지 않으므로 불가쟁력이 발생하지 않는다.

③ **직권취소는 가능**: 불가쟁력은 처분의 상대방에 대해서만 미치는 효력이므로 불가쟁력이 생긴 행정행위라도 행정청은 직권으로 취소할 수 있다.

관련판례 불가쟁력의 성질

1 기판력 아님 ★★★

불가쟁력은 절차법적인 효력으로서 기판력과는 다르다(대판 1999.1.21, 97누15463).

2 확정력 아님 ★★★

불가쟁력이 발생하였다 하여 법률관계가 확정되는 것은 아니다(대판 1993.4.13, 92누17181).

간단 점검하기

02 행정행위의 불가쟁력은 형식적 존속력이라고도 한다. ( ) 18. 소방직 9급

03 일정한 불복기간이 경과하거나 쟁송수단을 다 거친 후에는 더 이상 행정행위를 다툴 수 없게 되는 효력을 행정행위의 불가변력이라 한다. ( ) 15. 서울시 9급

04 불가쟁력은 행정행위의 상대방이나 이해관계인에 대하여 발생하는 효력이다. ( ) 18. 교육행정직

05 무효인 행정행위에는 공정력, 불가쟁력이 인정되지 않는다. ( ) 19. 소방직 9급, 08. 지방직 9급

06 행정행위에 불가쟁력(형식적 존속력)이 발생하면 취소권을 가진 행정청이라도 직권으로 불가쟁력이 발생한 행정행위를 취소 또는 철회할 수 없다. ( ) 16. 국가직 9급, 14. 지방직 9급·서울시 7급

01 ○ 02 ○ 03 × 04 ○ 05 ○ 06 ×

3 기판력 아님 ★★★

일반적으로 행정처분이나 행정심판 재결이 불복기간의 경과로 인하여 확정될 경우 그 확정력은, 그 처분으로 인하여 법률상 이익을 침해받은 자가 당해 처분이나 재결의 효력을 더 이상 다툴 수 없다는 의미일 뿐, 더 나아가 판결에 있어서와 같은 기판력이 인정되는 것은 아니어서 그 처분의 기초가 된 사실관계나 법률적 판단이 확정되고 당사자들이나 법원이 이에 기속되어 모순되는 주장이나 판단을 할 수 없게 되는 것은 아니다(대판 2004.7.8, 2002두11288).

4 무효 불가쟁력 발생안함 ★★★

수용재결처분이 무효인 경우에는 그 재결 자체에 대한 무효확인을 소구할 수 있다(대판 1993.1.19, 91누8050).

5 불가쟁력 직권취소가능 ★★★

불가쟁력이 발생한 행정행위라도 행정청의 직권취소는 가능하다(대판 1995.9.15, 95누6311).

6 피재해자에게 이루어진 요양승인처분이 불복기간의 경과로 확정되었다 하더라도 사업주는 피재해자가 재해 발생 당시 자신의 근로자가 아니라는 사정을 들어 보험급여액징수처분의 위법성을 주장할 수 있다(대판 2008.7.24, 2006두20808).

간단 점검하기

01 취소사유 있는 영업정지처분에 대한 취소소송의 제소기간이 도과한 경우 처분의 상대방은 국가배상청구소송을 제기하여 재산상 손해의 배상을 구할 수 있다. ( ) 19. 서울시 9급

02 불가쟁력이 발생한 행정행위에서 해당 처분이 취소되지 않아도 국가는 손해를 배상할 책임이 있다. ( ) 08. 지방직 9급

(3) 불가쟁력과 국가배상청구

① **쟁점**: 위법한 과세처분이 불가쟁력을 발생한 후에 처분의 상대방인 납세자가 정당한 세액을 초과한 금액을 국가배상청구소송을 통해 배상을 받을 수 있을 것인가에 관해 견해가 나뉜다.

② **학설**: 적극설과 소극설의 다툼이 있다.

③ **판례**: 판례는 적극설을 취한다.❶

❶ 손해배상청구권이 시효로 소멸하지 않은 이상 국가배상청구를 할 수 있다.

관련판례 불가쟁력 발생 후 국가배상청구 ★★★

1 하자 있는 상속세 납세고지에 대해 취소처분을 않더라도 국가배상청구가 가능하다(대판 1991.1.25, 87다카2569).

2 하자 있는 과세처분을 행한 경우 과세처분을 취소하지 않더라도 국가배상청구는 가능하다(대판 1979.4.10, 79다262).

간단 점검하기

03 제소기간이 이미 도과하여 불가쟁력이 생긴 행정처분에 대하여는 개별 법규에서 그 변경을 요구할 신청권을 규정하고 있거나 관계법령의 해석상 그러한 신청권이 인정될 수 있는 등 특별한 사정이 없는 한 국민에게 그 행정처분의 변경을 구할 신청권이 있다 할 수 없다. ( ) 19. 사회복지직, 18. 국회직 8급

(4) 재심사청구권(변경청구권) 부정

① 불가쟁력이 발생한 행정행위에 대하여는 그 위법함이 확인되더라도 처분청이 직권취소를 하지 않는 한 상대방은 그 재심사를 청구할 수 없다. 재심사청구권이 없으므로 만약 행정청이 재심사신청을 거부하여도 그 거부에 대한 행정쟁송을 할 수 없다.

② 현행 행정절차법은 불가쟁력이 발생한 행정행위에 대한 재심사청구규정을 두고 있지 않으며, 행정행위의 상대방은 직권취소 등을 촉구할 수 있을 뿐 재심을 청구하는 것이 권리로서 보장된 것은 아니다.

01 ○ 02 ○ 03 ○

관련판례 **재심사청구 불가** ★★★

제소기간이 이미 도과하여 불가쟁력이 생긴 행정처분에 대하여는 개별 법규에서 그 변경을 요구할 신청권을 규정하고 있거나 관계 법령의 해석상 그러한 신청권이 인정될 수 있는 등 특별한 사정이 없는 한 국민에게 그 행정처분의 변경을 구할 신청권이 있다 할 수 없다. … 피고가 원고들의 이 사건 신청을 거부하였다 하여도 그 거부로 인해 원고들의 권리나 법적 이익에 어떤 영향을 주는 것은 아니라 할 것이므로 그 거부행위인 이 사건 통지는 항고소송의 대상이 되는 행정처분이 될 수 없다(대판 2007.4.26, 2005두11104).

#불가쟁력발생_처분변경신청_불가 #변경신청_거부_처분성부인

3. 불가변력(실질적 존속력)

(1) 의의

① 불가변력이라 함은 일정한 행정행위의 경우 그 성격상 행정행위를 한 처분청·감독청도 이를 취소·변경·철회할 수 없는 효력을 말한다.

② 행정행위가 행하여졌다 하더라도 위법하거나 공익에 적합하지 아니한 때에는 행정청이 이를 취소·철회할 수 있는 것이 원칙이다. 그러나 일정한 행정행위의 경우에는 법적 안정성의 견지에서 불가변력을 인정하여 임의로 취소·변경할 수 없게 하고 있다.

(2) 성질

① 불가쟁력은 절차법적인 효력이지만, 불가변력은 실체법적 효력에 속한다. 불가변력이 있는 행정행위를 취소하거나 철회하면 그것은 위법한 것이 된다.

② 불가변력은 행정행위의 유효를 전제로 하는 것이기 때문에 무효인 행정행위의 경우에는 문제되지 아니한다.

③ 불가변력은 모든 행정행위에 공통하는 효력은 아니고 예외적으로 특별한 경우에만 인정된다.❶

(3) 내용

① 행정청을 구속하는 효력이다.

② 무효인 행정행위에는 발생하지 않는다.

③ 당해 행정행위에만 발생한다.

④ 대상을 달리하는 동종의 행정행위에는 발생하지 않는다.

관련판례 **불가변력은 당해 행정행위만** ★★★

행정행위의 불가변력은 해당 행정행위에 대하여서만 인정되는 것이고, 동종의 행정행위라 하더라도 그 대상을 달리할 때에는 이를 인정할 수 없다(대판 1974.12.10, 73누129).

(4) 불가변력이 발생하는 행정행위의 범위

① **준사법적 행위**: 일정한 쟁송절차를 거쳐 이루어지는 준사법적 행위에 불가변력이 발생한다(예 행정심판의 재결, 소청심사위원회의 결정, 배상심의회의 배상결정, 특허심판의 결정 등).

간단 점검하기

01 행정행위가 발해지면 일정한 경우에 행정청 자신도 직권으로 자유로이 이를 취소 또는 철회할 수 없다. ( ) 09. 국가직 9급

02 불가변력은 모든 행정행위에 공통되는 것이 아니라 행정심판의 재결 등과 같이 예외적이고 특별한 경우에 처분청 등 행정청에 대한 구속으로 인정되는 실체법적 효력을 의미한다. ( ) 17. 국가직 7급

❶ 행정심판의 재결과 징계처분결정과 같은 준사법적 행위는 불가변력이 인정된다.

간단 점검하기

03 행정행위의 불가변력은 당해 행정행위에 대하여서만 인정되는 것이고, 동종의 행정행위라 하더라도 그 내상을 달리 할 때에는 이를 인정할 수 없다. ( ) 16. 국가직 7급

01 ○ 02 ○ 03 ○

② **확인적 행위**: 쟁송절차와는 관련이 없지만 법률·사실관계에 관한 공적 선언으로서 재결 유사적 행위로 볼 수 있는 확인행위에 불가변력이 발생한다(예 당선인 결정, 국가시험합격자 결정, 교과서 검·인정, 발명권 특허 등).

③ **수익적 행정행위의 경우**: 수익적 행정행위에서 취소권·철회권이 제한되는 경우를 불가변력이 발생하는 경우로 보는 입장도 있지만, 다수설은 당사자의 신뢰보호차원에서 인정되는 것으로서 불가변력과는 직접적 관련이 없다고 보고 있다.

관련판례

과세처분에 관한 불복절차과정에서 불복사유가 옳다고 인정하여 이에 따라 필요한 처분을 하였을 경우에는, 불복제도와 이에 따른 시정방법을 인정하고 있는 국세기본법 취지에 비추어 볼 때 동일 사항에 관하여 특별한 사유 없이 이를 번복하고 종전과 동일한 처분을 하는 것은 허용될 수 없다(대판 2017.3.9, 2016두56790).

4. 불가쟁력과 불가변력과의 관계

(1) 공통점

불가쟁력과 불가변력은 양자 모두 행정법관계의 안정을 도모하고 상대방 그 밖의 이해관계인의 신뢰를 보호하기 위하여 행정행위의 효력을 지속시키는 것이다.

(2) 차이점

구분	불가쟁력(형식적 존속력)	불가변력(실질적 존속력)
성질	상대방 및 이해관계인을 구속	처분청 등 행정기관을 구속
범위	모든 행정행위	특정한 행정행위
대상	절차법적 효력	실체법적 효력
관계	불가쟁력이 있어도 불가변력이 없는 경우 행정청은 직권 취소·변경 가능	불가변력이 있어도 제소기간 경과 전이면 상대방은 쟁송제기 가능

5 강제력

1. 자력집행력

(1) 의의

① 행정행위에 의하여 부과된 행정상 의무를 상대방이 이행하지 않는 경우에 행정청이 스스로의 강제력에 의해 직접 의무의 내용을 실현할 수 있고 상대방에게 그것을 수인하도록 요구할 수 있는 행정행위의 효력을 말한다.

② 자력집행력은 모든 행정행위에 수반되는 효력이 아니라 그 성질상 상대방에게 일정한 의무를 명하는 명령적 행위에만 인정되며 의무부과와 관계없는 형성적 행위에서는 문제되지 아니한다.

간단 점검하기

01 불가쟁력이 발생한 행정행위일지라도 불가변력이 없는 경우에는 행정청 등 권한 있는 기관은 이를 직권으로 취소할 수 있다. ( ) 18. 소방직 9급

02 불가변력은 행정행위의 상대방 및 이해관계인에 대한 구속력이고, 불가쟁력은 처분청 등 행정기관에 대한 구속력이다. ( ) 18. 소방직 9급

03 불가변력이 있는 행정행위도 쟁송제기기간이 경과하기 전에는 쟁송을 제기하여 그 효력을 다툴 수 있다. ( ) 15. 교육행정직

04 실질적 존속력이 발생한 행위라도 형식적 존속력이 발생하지 않은 동안에는 상대방은 그 행위를 다툴 수 있다. ( ) 14. 서울시 7급

간단 점검하기

05 행정행위에 의해 부과된 행정상 의무를 상대방이 불이행하는 경우 행정청이 스스로의 강제력을 발동하여 그 의무를 실현시키는 힘을 집행력이라 하고, 그 집행을 위해서는 의무를 부과하는 행위와는 별도의 법률적 근거가 필요하다. ( ) 15. 서울시 9급

06 상대방에게 일정한 의무를 부과하는 하명은 집행력을 가진다. ( ) 15. 교육행정직

01 ○ 02 × 03 ○ 04 ○
05 ○ 06 ○

(2) 성질

① **직권집행설(처분효력설)**: 의무를 부과하는 법령은 동시에 당연히 의무이행을 강제할 수 있는 권한을 포함한다고 본다. 따라서 강제는 행정행위에 내재적인 것이어서 법적 근거 없이도 행정행위의 본질상 당연한 것이라는 입장이다.

② **법규설(법규효력설)**: 행정청의 집행력은 특정 법률에서 집행력을 인정하였기 때문에 발생한 것이라 한다. 이 견해에 의하면 집행력을 행정행위의 고유한 효력의 하나로 보기 힘들다고 하기도 한다. 따라서 자력집행을 하기 위해서는 의무를 명하는 법적 근거 이외에 별도의 법적 근거가 필요하다고 본다. 통설의 입장이다.

2. 제재력

행정행위에 의하여 부과된 의무를 위반하는 경우 행정벌(행정형벌 · 질서벌)이 과해지는 경우가 많다. 강제력은 넓은 의미에서는 이처럼 의무위반에 대한 제재력도 포함하는 의미로 파악된다.

간단 점검하기

01 행정의사의 강제력에는 제재력과 자력집행력이 있는바, 제재에는 행정형벌과 행정질서벌이 있다. ( )
14. 서울시 7급

제2절 행정행위의 하자(일반론)

1 개설

1. 하자의 의의

(1) 하자의 개념

① 행정행위가 성립은 하였으나 발령 당시에 적법요건(성립요건 · 효력발생요건)을 갖추지 못하여 완전한 효력을 발생하지 못하는 경우에 이를 하자 있는 행정행위라 한다.

② 단순한 오기나 계산의 착오 등은 하자로 보지 않는다. 명백한 오기 · 오산 그 밖의 이에 준하는 행정행위의 표면상의 오류에 대하여는 명문의 규정이 없더라도 행정청은 언제나 이를 정정할 수 있으며, 상대방도 특별한 형식 · 절차에 의함이 없이 그의 정정을 요구할 수 있다.

> 행정절차법 제25조【처분의 정정】행정청은 처분에 오기(誤記), 오산(誤算) 또는 그 밖에 이에 준하는 명백한 잘못이 있을 때에는 직권으로 또는 신청에 따라 지체 없이 정정하고 그 사실을 당사자에게 통지하여야 한다.

(2) 행정행위의 하자의 효과

① 하자의 정도와 유형에 따라 무효와 취소의 두 가지로 구분하는 것이 일반적이다.

② 무효 또는 취소사유에 해당하면 당사자는 소송을 제기하여 이를 다툴 수 있다.

간단 점검하기

02 법규에 특별한 규정이 없는 한 단순한 계산의 착오만으로 행정행위의 효력에 영향이 없다. ( ) 14. 경찰행정

03 행정청은 처분에 오기 · 오산이 있을 때에는 직권으로 또는 신청에 따라 정정하고 그 사실을 당사자에게 통지하면 된다. ( ) 14. 국회직 8급

01 ○ 02 ○ 03 ○

(3) 하자의 판단기준시점

일반적으로 행정행위의 하자의 판단기준시점은 '행정행위의 처분시(발령시)'이다(대판 2002.7.9, 2001두10684).

관련판례 **하자의 판단시점** ★★★

행정소송에서 행정처분의 위법 여부는 행정처분이 행하여졌을 때의 법령과 사실상태를 기준으로 하여 판단해야 하고, … 공정거래위원회의 과징금 납부명령 등이 재량권 일탈·남용으로 위법한지는 다른 특별한 사정이 없는 한 과징금 납부명령 등이 행하여진 '의결일' 당시의 사실상태를 기준으로 판단하여야 한다(대판 2015.5.28, 2015두36256).

#하자_판단시점_처분시

2. 무효와 부존재의 구별

(1) 부존재의 의의

① 행정행위의 부존재란 행정행위라고 볼 수 있는 외형상의 존재 자체가 없는 경우를 말한다. 즉, 행정행위가 그 성립요건의 중요한 요소를 결여함으로써 행정행위라고 볼 수 있는 외형상의 존재 자체가 없는 경우를 말한다.

② 이에 해당하는 예로서 일반적으로 ㉠ 행정기관이 아닌 것이 명백한 사인의 행위, ㉡ 행정권의 발동으로 볼 수 없는 행위, ㉢ 행정기관 내에서 내부적 의사결정이 있었을 뿐 아직 외부에 표시되지 않은 경우, ㉣ 해제조건의 성취, 기한의 도래, 취소·철회·실효 등으로 소멸한 경우 등이 있다.

(2) 부존재와 무효의 구별

① 구별부정설

㉠ 부존재와 무효는 법률상 행정행위로서의 효력이 전혀 발생하지 않는다는 점에서 동일하다.

㉡ 현행 행정심판법과 행정소송법상 무효나 부존재의 구분 없이 쟁송의 대상으로 하고 있다.

② 구별긍정설(다수설)

㉠ 부존재는 행정행위의 외형 자체가 없지만 무효는 외형은 갖추고 있다는 점에서 다르다.

㉡ 현행법상으로 무효확인소송과 부존재확인소송은 그 소송형태가 다르다.

간단 점검하기

무효인 행정행위는 행정행위의 외형은 갖추고 있는 데 대해서, 행정행위의 부존재는 외형 자체가 존재하지 않는다. ( ) 08. 국회직 8급

3. 무효와 실효의 구별

무효는 중대명백한 하자로 인하여 처음부터 행정행위로서의 효력이 발생하지 않지만, 실효는 일단 적법하게 발생한 효력이 후발적인 실효사유에 의해 소멸된다는 점에서 구별된다.

○

4. 취소와 철회의 구별

행정행위의 취소는 처분 당시의 원시적 사유를 이유로 하는 것이지만, 행정행위의 철회는 적법·유효하게 성립하였으나 이후 새로운 사정을 이유로 한다는 점에서 구별된다.

point check 하자 있는 행정행위의 유형

구분	외형	효력	비고
부존재	×	처음부터 무효	외형의 존재조차 없음
무효	○	처음부터 무효	성립시, 중대·명백한 하자, 효력발생 안함
취소	○	잠정적 유효	성립시(원시적 사유), 경미한 하자, 소급효
철회	○	확정적 유효	정상성립, 사정변경(후발적 사유), 장래효
실효	○	확정적 유효	당연히(별도의 행위 없이) 효력소멸

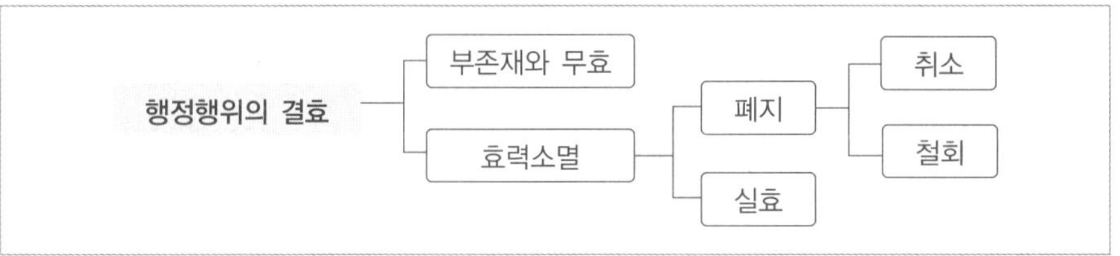

2 행정행위의 무효와 취소의 구별

1. 무효와 취소의 개념

(1) 무효인 행정행위

① 무효인 행정행위란 외관상으로는 행정행위로서 존재하나 하자가 중대·명백하여 처음부터 행정행위로서의 효력이 없는 행정행위를 말한다.

② 따라서 다른 행정청이나 법원은 물론 사인도 독자적 판단과 책임하에서 해당 행정행위의 효력을 부인할 수 있다.

(2) 취소할 수 있는 행정행위

① 취소할 수 있는 행정행위란 성립에 하자가 있음에도 불구하고 권한 있는 기관에 의하여 취소되기 전까지는 일응 유효한 행정행위를 말한다.

② 취소할 수 있는 행정행위는 권한 있는 기관이 취소함으로써 비로소 그 행정행위의 효력이 상실되지만, 그 전까지는 공정력 때문에 해당 행정행위의 효력을 부인할 수 없다.

2. 무효와 취소의 구별실익

구분	무효	취소
효력 유무	처음부터 효력발생 ×	취소될 때까지 효력 ○
복종거부 가능성	가능	불가능
공정력	부정	인정
선결문제	선결문제로 확인 가능	위법성 판단은 가능, 효력부인은 불가능
불가쟁력	부정	인정
하자의 승계	인정	• 동일한 법률효과(승계 인정) • 별개의 법률효과(승계 부정)
하자의 치유 · 전환	전환이 주로 문제 치유는 부정(다수설)	치유가 주로 문제, 전환은 부정(다수설)
쟁송형태	• 무효확인심판 · 소송 • 무효선언적 취소소송(판례)	취소심판 · 소송
쟁송제기요건	제약 없음 (단, 무효선언적 취소소송은 제약 있음)	제약 있음 (제소기간 등)
필요적 행정심판전치주의	적용 ×	적용 ○
사정재결 · 사정판결	부정	인정
간접강제의 인정 여부	무효확인판결에는 인정 안함	거부처분의 취소판결에는 인정

3. 무효와 취소의 구별기준

(1) 학설

① **중대설**: 행정행위에 중대한 하자만 있으면 명백하지 않더라도 무효인 행위로 보는 견해이다.

② **명백설**: 하자의 외형적 성질에 중점을 두고 명백성의 정도에 따라 무효인 행정행위와 취소할 수 있는 행정행위로 구별하는 입장이다.

③ **중대 또는 명백설**: 중대한 하자이거나 또는 명백한 하자이면 어느 것이나 모두 무효인 행정행위로 보는 견해이다.

④ **중대 · 명백설(통설)**

㉠ 행정행위의 하자가 내용상 중대하고 외형상 명백한 경우에만 무효이고, 그에 이르지 않은 경우에는 취소의 대상이 된다는 입장이다.

㉡ 하자의 중대성은 행정행위가 중요한 법률요건을 위반하여 내용적 하자가 중대하다는 것을 의미하고, 하자의 명백성은 일반적 평균인을 기준으로 외견상 일견 명백하다는 것을 의미한다(외견상 일견명백설).

간단 점검하기

01 무효와 취소 양자의 구별기준으로 중대 · 명백설이 통설 및 판례이다. ( ) 13. 국회직 9급

02 중대 · 명백설은 하자 있는 행정처분이 당연무효이기 위해서는 그 하자가 적법요건의 중대한 위반과 일반인의 관점에서도 외관상 명백한 것을 기준으로 한다. ( ) 13. 서울시 7급

01 ○ 02 ○

⑤ **명백성보충요건설**: 하자의 중대성은 필수적 요건이지만, 하자의 명백성은 구체적인 사안에서 이익형량에 따라 보충적 요건으로 보는 입장이다. 명백성보충요건설에 의하면 통설인 중대·명백설보다 무효의 범위가 넓어진다.

(2) 판례

① 대법원은 기본적으로 중대·명백설에 입각하고 있다. 하자가 중대하고 명백한 것인지의 여부는 그 법규의 목적·의미·기능 등을 목적론적으로 고찰함과 동시에 구체적 사안 자체의 특수성에 관해서도 합리적으로 고찰함을 요한다.

관련판례 **무효판단 기준**

1 행정처분의 무효판단 기준 ★★★

행정처분이 당연무효라고 하기 위하여는 그 처분에 위법사유가 있다는 것만으로는 부족하고 그 하자가 중요한 법규에 위반한 것이고 객관적으로 명백한 것이어야 하며 하자가 중대하고도 명백한 것인가의 여부를 판별함에 있어서는 그 법규의 목적, 의미, 기능 등을 목적론적으로 고찰함과 동시에 구체적 사안자체의 특수성에 관하여도 합리적으로 고찰함을 요한다(대판 1985.7.23, 84누419).
#참칭상속인명의_주류제조면허변경처분 #무효_목적론적_사안_특수성_고찰

2 공공사업의 무효판단 기준 ★★★

공공사업의 경제성 내지 사업성의 결여로 인하여 행정처분이 무효로 되기 위하여는 공공사업을 시행함으로 인하여 얻는 이익에 비하여 공공사업에 소요되는 비용이 훨씬 커서 이익과 비용이 현저하게 균형을 잃음으로써 사회통념에 비추어 행정처분으로 달성하고자 하는 사업 목적을 실질적으로 실현할 수 없는 정도에 이르렀다고 볼 정도로 과다한 비용과 희생이 요구되는 등 그 하자가 중대하여야 할 뿐만 아니라, 그러한 사정이 객관적으로 명백한 경우라야 한다(대판 2006.3.16, 2006두330).
#새만금간척사업_무효판단 #소요비용_얻는이익_현저_불균형 #중대_명백_판단 #무효_아님

3 하자의 명백성 판단방법 ★★★

하자가 명백하다고 하기 위하여는 그 사실관계오인의 근거가 된 자료가 외형상 상태성을 결여하거나 또는 객관적으로 그 성립이나 내용의 진정을 인정할 수 없는 것임이 명백한 경우라야 할 것이고 사실관계의 자료를 정확히 조사하여야 비로소 그 하자유무가 밝혀질 수 있는 경우라면 이러한 하자는 외관상 명백하다고 할 수는 없을 것이다(대판 1992.4.28, 91누6863).
#한약업사시험자격_졸업증명서_허위 #외형상_명백_무효 #사실관계_조사_결정_당연무효_아님

② **헌법재판소의 입장**: 헌법재판소도 원칙적으로 중대·명백설을 취하지만, 예외적으로 권리구제의 필요성이 큰 경우에는 구체적 타당성을 중시한다(헌재 1994.6.30, 92헌바23).

간단 점검하기

01 명백성보충설에 의하면 무효판단의 기준에 명백성이 항상 요구되지는 아니하므로 중대·명백설보다 무효의 범위가 넓어지게 된다. ( ) 17. 지방직 9급

간단 점검하기

02 하자 있는 행정처분이 당연무효가 되기 위하여는 그 하자가 법규의 중요한 부분을 위반한 중대한 것으로서 객관적으로 명백한 것이어야 하며 하자가 중대하고 명백한 것인지 여부를 판별함에 있어서는 구체적 사안 자체의 특수성은 고려함이 없이 법규의 목적, 의미, 기능 등을 목적론적으로 고찰함을 요한다. ( ) 15. 서울시 7급

01 ○ 02 ×

제3절 행정행위의 하자(위법사유)

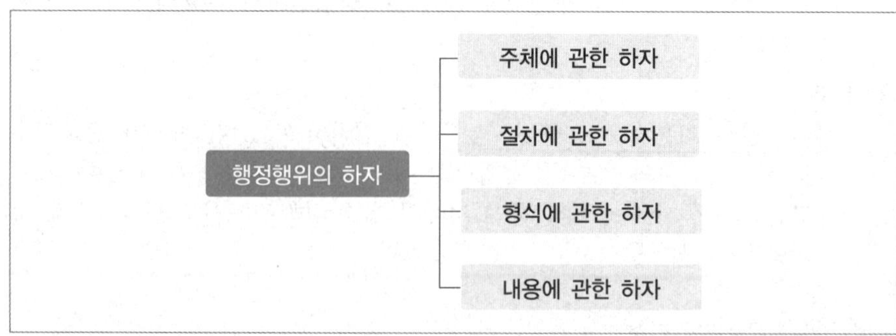

1 주체에 관한 하자

1. 정당한 권한을 가진 행정기관이 아닌 자의 행위

(1) 공무원 아닌 자의 행위

① 원칙적으로 무효이다.

② 사실상 공무원 이론이 적용되는 경우에는 유효하다. 즉, 상대방이 당해 행정기관이 정당한 권한을 가지고 있는 것으로 믿을 만한 상당한 이유가 있는 경우에는 유효하게 인정한다.

③ **대리권이 없는 자 또는 권한의 위임을 받지 아니한 자의 행위**

㉠ 원칙적으로 무효이다.

㉡ 표현대리이론이 적용되는 경우에는 유효하다. 상대방이 행위자에게 대리권이 있다고 믿을 만한 상당한 이유가 있을 때에는 표현대리가 성립되어 유효하게 되는 경우가 있다(예 수납기관이 아닌 군청직원에 의한 양곡대금수납행위).

관련판례 권한 없는 자

1 **무권한자의 압류처분** ★★★

체납취득세에 대한 압류처분권한은 도지사로부터 시장에게 권한위임된 것이고 시장으로부터 압류처분권한을 내부위임받은 데 불과한 구청장으로서는 시장 명의로 압류처분을 대행처리할 수 있을 뿐이고 자신의 명의로 이를 할 수 없다 할 것이므로 구청장이 자신의 명의로 한 압류처분은 권한 없는 자에 의하여 행하여진 위법무효의 처분이다(대판 1993.5.27, 93누6621).

#경남도시자_울산시장_압류권한_위임 #울산시장_울산남구청장_압류권한_내부위임 #울산남구청장명의_압류처분_무효

2 **경찰관의 면허정지처분** ★★★

운전면허에 대한 정지처분권한은 경찰청장으로부터 경찰서장에게 권한위임된 것이므로 음주운전자를 적발한 단속 경찰관으로서는 관할 경찰서장의 명의로 운전면허정지처분을 대행처리할 수 있을지는 몰라도 자신의 명의로 이를 할 수는 없다 할 것이므로, 단속 경찰관이 자신의 명의로 운전면허행정처분통지서를 작성·교부하여 행한 운전면허정지처분은 비록 그 처분의 내용·사유·근거 등이 기재된 서면

간단 점검하기

01 대법원은 내부위임을 받은 수임기관이 자신의 이름으로 처분을 한 경우 당해 처분을 무권한의 행위로서 무효로 보고 있다. ( ) 13. 국회직 8급

02 음주운전 단속경찰관이 자신의 명의로 운전면허행정처분통지서를 작성·교부하여 행한 운전면허정지처분은 위법하며, 취소의 원인이 된다. ( ) 12. 지방직 7급

01 ○ 02 ×

을 교부하는 방식으로 행하여졌다고 하더라도 권한 없는 자에 의하여 행하여진 점에서 무효의 처분에 해당한다(대판 1997.5.16, 97누2313).
#운전면허처분_경찰청장_경찰서장_위임 #경찰관_경찰서장명의처분 #경찰관명의처분_무효

3 전결규정 위반

전결과 같은 행정권한의 내부위임은 법령상 처분권자인 행정관청이 내부적인 사무처리의 편의를 도모하기 위하여 그의 보조기관 또는 하급 행정관청으로 하여금 그의 권한을 사실상 행사하게 하는 것으로서 법률이 위임을 허용하지 않는 경우에도 인정되는 것이므로, 설사 행정관청 내부의 사무처리규정에 불과한 전결규정에 위반하여 원래의 전결권자 아닌 보조기관 등이 처분권자인 행정관청의 이름으로 행정처분을 하였다고 하더라도 그 처분이 권한 없는 자에 의하여 행하여진 무효의 처분이라고는 할 수 없다(대판 1998.2.27, 97누1105).

④ 적법하게 구성되지 아니한 합의체기관의 행위: 적법한 소집이 없었거나, 의사 또는 의결정족수가 미달되었거나, 결격자가 참가한 경우 등 구성에 중대한 흠이 있는 행위는 원칙적으로 무효이다.

관련판례 **위법하게 구성된 입지선정위원회의 의결** ★★★

구 폐기물처리시설 설치촉진 및 주변지역 지원 등에 관한 법률에 정한 입지선정위원회가 그 구성방법 및 절차에 관한 같은 법 시행령의 규정에 위배하여 군수와 주민대표가 선정·추천한 전문가를 포함시키지 않은 채 임의로 구성되어 의결을 한 경우, 그에 터잡아 이루어진 폐기물처리시설 입지결정처분의 하자는 중대한 것이고 객관적으로도 명백하므로 무효사유에 해당한다(대판 2007.4.12, 2006두20150).
#입지선정위원회_구성_위법 #폐기물처리시설_입지결정처분_무효

⑤ 법령상 필요한 다른 행정기관의 협력을 받지 아니하고 행한 행위
㉠ 의결, 승인을 받지 않은 경우 무효가 원칙이다.
㉡ 협의, 자문을 받지 않은 경우 취소가 원칙이다.

관련판례 **이사회승인의결 결여** ★★★

이 사건 학교법인의 감독청인 피고(부산시교육위원회)의 학교법인기본재산교환허가처분은 학교법인의 이사장이 교환허가신청을 함에 있어서 이사회의 승인의결을 받음이 없이 이사회회의록사본을 위조하여 첨부한 교환허가신청서에 의한 것인바, 사립학교법 제1조, 제16조, 제28조, 제73조 동법 시행령 제11조의 각 규정취지를 종합고찰하면 피고의 이 사건 허가처분은 중대하고 명백한 하자가 있어 당연무효라 할 것이다(대판 1984.2.28, 81누275).
#학교법인기본재산교환허가_이사회승인 #승인의결×_위조_처분_무효

(2) 행정기관의 권한 외의 행위
① 원칙적으로 무효이다.
② 다만, 개별적으로 판단하여 취소사유에 해당하는 경우도 있다.
㉠ 사항적 한계(예 경찰관청의 조세부과)
㉡ 지역적 한계(예 부산광역시장의 서울소재 도로의 점용허가)
㉢ 대인적 한계(예 법무부장관의 군인에 대한 징계)
㉣ 시간적 한계 등, 그 밖의 형식적 한계

간단 점검하기

01 행정관청 내부의 전결규정에 위반하여 원래의 전결권자 아닌 보조기관 등이 처분권자인 행정관청의 이름으로 행정처분을 한 경우, 그 처분은 권한 없는자에 의하여 행하여진 무효인 처분이다. ( ) 14. 지방직 7급

간단 점검하기

02 판례에 의하면 구 폐기물처리시설 설치촉진 및 주변지역지원 등에 관한 법률에서 정한 입지선정위원회가 군수와 주민대표가 선정·추천한 전문가를 포함시키지 않은 채 임의로 구성되어 의결한 경우 폐기물처리시설 입지결정 처분의 하자는 중대하고 명백하므로 무효사유에 해당한다. ( )
18·11. 지방직 9급, 12. 지방직 7급

간단 점검하기

03 행정기관의 무권한 행위는 원칙적으로 무효이다. ( ) 15. 사회복지직

04 무권한은 중대·명백한 하자이므로 항상 무효사유라는 것이 판례의 입장이다. ( ) 15. 서울시 9급

01 × 02 ○ 03 ○ 04 ×

관련판례

1 소멸시효 완성 후 과세처분 ★★

조세채권의 소멸시효가 완성되어 부과권이 소멸된 후에 부과한 과세처분은 위법한 처분으로 그 하자가 중대하고도 명백하여 무효이다(대판 1988.3.22, 87누1018).

2 제척기간 경과 후 과세처분 ★

국세부과의 제척기간이 경과한 후에 이루어진 부과처분은 무효이다(대판 2019.8.30, 2016두62726).

3 세관출장소장의 관세부과 처분 ★★★

적법한 권한 위임 없이 세관출장소장에 의하여 행하여진 관세부과처분이 그 하자가 중대하기는 하지만 객관적으로 명백하다고 할 수 없어 당연무효는 아니다(대판 2004.11.26, 2003두2403).

4 국가정보원직원 의원면직 ★★★

[1] 행정청의 권한에는 사무의 성질 및 내용에 따르는 제약이 있고, 지역적 · 대인적으로 한계가 있으므로 이러한 권한의 범위를 넘어서는 권한유월의 행위는 무권한 행위로서 원칙적으로 무효라고 할 것이나, 행정청의 공무원에 대한 의원면직처분은 공무원의 사직의사를 수리하는 소극적 행정행위에 불과하고, 당해 공무원의 사직의사를 확인하는 확인적 행정행위의 성격이 강하며 재량의 여지가 거의 없기 때문에 의원면직처분에서의 행정청의 권한유월 행위를 다른 일반적인 행정행위에서의 그것과 반드시 같이 보아야 할 것은 아니다.

[2] 5급 이상의 국가정보원직원에 대한 의원면직처분이 임면권자인 대통령이 아닌 국가정보원장에 의해 행해진 것으로 위법하고, 나아가 국가정보원직원의 명예퇴직원 내지 사직서 제출이 직위해제 후 1년여에 걸친 국가정보원장 측의 종용에 의한 것이었다는 사정을 감안한다 하더라도 그러한 하자가 중대한 것이라고 볼 수는 없으므로, 대통령의 내부결재가 있었는지에 관계없이 당연무효는 아니다(대판 2007.7.26, 2005두15748).

#권한유월_무효 #의원면직_소극적_행정행위 #권한유월_무효_아님

간단 점검하기

01 적법한 권한위임 없이 세관출장소장에 의하여 행하여진 관세부과처분은 그 하자가 중대하기는 하지만 객관적으로 명백하다고 할 수 없어 당연무효는 아니다. ( ) 19 · 15. 지방직 9급

간단 점검하기

02 무권한의 행위는 원칙적으로 무효라고 할 것이므로, 5급 이상의 국가정보원 직원에 대해 임면권자인 대통령이 아닌 국가정보원장이 행한 의원면직처분은 당연무효에 해당한다. ( ) 18. 지방직 9급

2. 행정기관의 의사에 결함이 있는 경우

(1) 의사능력 없는 자의 행위

심신상실 중의 행위나 저항할 수 없는 정도의 물리적 · 정신적 강제로 인한 행위가 이에 해당하며, 무효이다.

(2) 행위능력 없는 자의 행위

① 미성년자인 공무원의 행위는 유효하다.

② 피성년후견인 · 피한정후견인의 행위는 무효이다.

(3) 착오로 인한 행위

① **원칙**: 법규에 특별한 규정이 없는 한 유효하다.

② **예외**: 착오로 인한 행위의 내용이 불능 또는 위법한 것으로 된 때에는 무효 또는 취소사유에 해당한다. 명백한 오기 · 오산은 행정청이 직권정정할 수 있으며, 이는 당사자에게 통지하여야 하며, 통지된 때 정정된 내용으로 효력이 발생한다.

01 ○ 02 ×

관련판례 **착오로 인한 행정행위**

1 **취소사유도 아닌 경우** ★★

행정행위는 그 요소에 착오가 있다고 해서 그것만을 이유로 하여 취소할 수 없다(대판 1976.5.11, 75누214).

2 **무효사유인 경우** ★★★

부동산을 양도한 사실이 없음에도 세무당국이 부동산을 양도한 것으로 오인하여 양도소득세를 부과하였다면 그 부과처분은 착오에 의한 행정처분으로서 그 표시된 내용에 중대하고 명백한 하자가 있어 당연무효이다(대판 1983.8.23, 83누179).

3 **무효사유인 경우** ★★★

개발부담금 납부의무자는 사업시행자인 주택조합이고 그 조합원들이 아니므로, 납부의무자가 아닌 조합원들에 대한 개발부담금 부과처분은 무효이다(대판 1998.5.8, 95다30390).

4 **무효사유인 경우** ★★★

과세관청이 납세자에 대한 체납처분으로서 제3자의 소유 물건을 압류하고 공매하더라도 그 처분으로 인하여 제3자가 소유권을 상실하는 것이 아니고, 체납처분으로서 압류의 요건을 규정하는 국세징수법 제24조 각 항의 규정을 보면 어느 경우에나 압류의 대상을 납세자의 재산에 국한하고 있으므로, 납세자가 아닌 제3자의 재산을 대상으로 한 압류처분은 그 처분의 내용이 법률상 실현될 수 없는 것이어서 당연무효이다(대판 2006.4.13, 2005두15151).

5 **무효사유인 경우** ★★★

임용당시 공무원임용결격사유가 있었다면 비록 국가의 과실에 의하여 임용결격자임을 밝혀내지 못하였다 하더라도 그 임용행위는 당연무효로 보아야 한다(대판 1987.4.14, 86누459).

(4) 사기 · 강박 · 증수뢰에 의한 행위

사기 · 강박 · 증수뢰에 의한 행위는 특별한 경우가 아닌 한 취소할 수 있는 행정행위이다.

2 절차에 관한 하자

1. 일반적 기준

(1) 무효

당사자 사이의 이해관계의 조정이나 이해관계인의 권익보호인 경우에 무효로 본다.

(2) 취소

① 행정의 적정, 원활한 운영 등에 목적이 있는 경우에 취소로 본다.

② 처분에 행정절차상 하자가 있을 경우 기속행위인지 재량행위인지를 불문하고 독자적 위법사유성이 인정되어 법원에 의한 취소의 대상이 된다.

간단 점검하기

01 부동산을 양도한 사실이 없음에도 세무당국이 부동산을 양도한 것으로 오인하여 양도소득세를 부과하였다면 그 부과처분은 착오에 의한 행정처분으로서 그 표시된 내용에 중대하고 명백한 하자가 있어 당연무효이다. ( ) 15. 경찰행정, 11. 지방직 9급

02 판례는 납세자가 아닌 제3자의 재산을 대상으로 한 압류처분의 경우를 행정행위의 철회사유에 해당한다고 하였다. ( ) 15. 지방직 9급

03 임용 당시 법령상 공무원임용결격사유가 있었더라도 임용권자의 과실에 의하여 임용결격자임을 밝혀내지 못한 경우라면 그 임용행위가 당연무효가 된다고 할 수는 없다. ( ) 16. 국가직 9급

간단 점검하기

04 처분에 행정절차상 하자가 있을 경우 기속행위인지 재량행위인지를 불문하고 독자적 위법사유성이 인정되어 법원에 의한 취소의 대상이 된다. ( ) 08. 지방직 7급

01 ○ 02 × 03 × 04 ○

관련판례 **징계절차 미준수 ★★★**

경찰공무원에 대한 징계위원회의 심의과정에 감경사유에 해당하는 공적 사항이 제시되지 아니한 경우에는 그 징계양정이 결과적으로 적정한지와 상관없이 이는 관계 법령이 정한 징계절차를 지키지 않은 것으로서 위법하다(대판 2012.10.11, 2012두13245).

2. 구체적인 경우

(1) 법률상 필요한 상대방의 신청 또는 동의 없이 행한 행위

법률상 필수불가결한 상대방의 신청 또는 동의를 결여한 행위(예 출원 없는 광업허가, 동의 없는 공무원 임명 등)는 무효로 보는 것이 일반적이다.

관련판례 **신청이 없는 자에 대한 분배는 무효 ★★★**

분배신청을 한 바 없고 분배받은 사실조차 알지 못하고 있는 자에 대한 농지분배는 허무인에게 분배한 것이나 다름이 없는 당연무효의 처분이라고 할 것이다(대판 1970.10.23, 70다1750).

(2) 다른 기관의 협의 등을 거치지 않고 행한 행위

관계인의 권리·이익을 보호하기 위한 절차를 위반하면 무효원인이 되나 자문절차 등 나머지는 취소원인이 된다.

관련판례 **다른 기관의 협의 등 관련 행위**

1 **협의·자문 - 택지개발예정지구지정 협의 자문 ★★★**

건설부장관이 택지개발예정지구를 지정함에 있어 미리 관계중앙행정기관의 장과 협의를 하라고 규정한 의미는 그의 자문을 구하라는 것이지 그 의견을 따라 처분을 하라는 의미는 아니라 할 것이므로 이러한 협의를 거치지 아니하였다고 하더라도 이는 위 지정처분을 취소할 수 있는 원인이 되는 하자 정도에 불과하고 위 지정처분이 당연무효가 되는 하자에 해당하는 것은 아니다(대판 2000.10.13, 99두653).

#택지개발예정지구지정_협의_자문 #협의_위반_취소원인

2 **학교환경위생정화위원회 심의 누락 ★★★**

행정청이 구 학교보건법(2005.12.7. 법률 제7700호로 개정되기 전의 것) 소정의 상대정화구역 내에서 금지행위 및 시설의 해제 여부에 관한 행정처분을 함에 있어 학교환경위생정화위원회의 심의를 거치도록 한 취지는 그에 관한 전문가 내지 이해관계인의 의견과 주민의 의사가 행정청의 의사결정에 반영되도록 함으로써 공익에 가장 부합하는 민주적 의사를 도출하고 행정처분의 공정성과 투명성을 확보하고자 함에 있고 … 절차상 위와 같은 심의가 누락된 흠이 있다고 한다면 그와 같은 흠을 가리켜 위 행정처분의 효력에 아무런 영향을 주지 않는다거나 경미한 정도에 불과하다고 볼 수는 없으므로, 특별한 사정이 없는 한 이는 행정처분을 위법하게 하는 취소사유가 된다(대판 2007.3.15, 2006두15806).

#학교환경위생정화구역내금지행위및시설해제 #학교환경위생정화위원회_심의_공정성확보 #위반_취소사유

3 **환경영향평가 누락 ★★★**

[1] 구 환경영향평가법상 환경영향평가를 실시하여야 할 사업에 대하여 환경영향평가를 거치지 아니하였음에도 승인 등 처분을 한 경우, 그 처분의 하자가 행정처분의 당연무효사유에 해당한다.

간단 점검하기

01 택지개발촉진법상 택지개발예정지구를 지정함에 있어 거쳐야 하는 관계중앙행정기관의 장과의 협의를 거치지 않은 택지개발예정지구 지정처분은 무효인 행정행위이다. ( )
17. 지방직 7급

02 구 학교보건법상 학교환경위생정화구역에서의 금지행위 및 시설의 해제 여부에 관한 행정처분을 함에 있어 학교환경위생정화위원회의 심의절차를 누락한 행정처분은 무효이다. ( )
17. 지방직 9급

03 환경영향평가법령의 규정상 환경영향평가를 거쳐야 할 사업인 경우에, 환경영향평가를 거치지 아니하였음에도 불구하고 사업승인처분을 한 것은 중대하고 명백한 하자가 있어 당연무효이다. ( ) 17. 지방직 7급, 16. 변호사·서울시 7급, 15. 지방직 9급

01 × 02 × 03 ○

[2] 국방 · 군사시설 사업에 관한 법률 및 구 산림법에서 보전임지를 다른 용도로 이용하기 위한 사업에 대하여 승인 등 처분을 하기 전에 미리 산림청장과 협의를 하라고 규정한 의미는 자문을 구하라는 것 … 이러한 협의를 거치지 아니한 승인처분은 취소원인이 되는 하자에 불과하다(대판 2006.6.30, 2005두14363).
#국방군사시설사업실시계획승인 #산림청장_협의_자문 #취소원인

4 환경영향평가를 거쳤으나 내용이 다소 부실 ★★★

환경영향평가법령에서 정한 환경영향평가를 거쳐야 할 대상사업에 대하여 그러한 환경영향평가를 거치지 아니하였음에도 승인 등 처분을 하였다면 그 처분은 위법하다 할 것이나, 그러한 절차를 거쳤다면, 비록 그 환경영향평가의 내용이 다소 부실하다 하더라도, 그 부실의 정도가 환경영향평가제도를 둔 입법 취지를 달성할 수 없을 정도 이어서 환경영향평가를 하지 아니한 것과 다를 바 없는 정도의 것이 아닌 이상, 그 부실은 당해 승인 등 처분에 재량권 일탈 · 남용의 위법이 있는지 여부를 판단하는 하나의 요소로 됨에 그칠 뿐, 그 부실로 인하여 당연히 당해 승인 등 처분이 위법하게 되는 것이 아니다(대판 2006.3.16, 2006두330).
#새만금사업 #환경영향평가_부실 #처분_유효

5 교통영향평가 누락 ★★

행정청이 사전에 교통영향평가를 거치지 아니한 채 '건축허가 전까지 교통영향평가 심의필증을 교부받을 것'을 부관으로 붙여서 한 '실시계획변경 승인 및 공사시행변경 인가 처분'에 중대하고 명백한 흠이 있다고 할 수 없어 이를 무효로 보기 어렵다(대판 2010.2.25, 2009두102).
#공용화물터미널조성사업+교통영향평가심의필증교부 #무효_아님

(3) 필요한 공고 · 열람 및 통지 없이 행한 행위

필요한 공고 또는 통지를 결여한 행위(예 수용대상의 공고 · 통지 없이 한 토지수용의 재결)는 원칙적으로 무효사유에 해당하나 개별적으로 취소사유에 해당하는 경우도 있다.

관련판례 공람절차하자

1 환지계획시 공람절차 누락★★★

환지계획 인가 후에 당초의 환지계획에 대한 공람과정에서 토지소유자 등 이해관계인이 제시한 의견에 따라 수정하고자 하는 내용에 대하여 다시 공람절차 등을 밟지 아니한 채 수정된 내용에 따라 한 환지예정지 지정처분은 환지계획에 따르지 아니한 것이거나 환지계획을 적법하게 변경하지 아니한 채 이루어진 것이어서 당연무효라고 할 것이다(대판 1999.8.20, 97누6889).
#환지계획_공람 #공람×_환지계획_무효

2 부실신고 주민등록 말소시 공고절차 누락 ★★★

관할행정청이 주민등록신고시 거주용여권의 무효확인서를 첨부하지 아니하고 여행용여권의 무효확인서를 첨부하는 위법이 있었다고 하여 주민등록을 말소하는 처분을 한 경우 이 처분이 주민등록법 제17조의2에 규정한 최고, 공고의 절차를 거치지 아니하였다 하더라도 그러한 하자는 중대하고 명백한 것이라고 할 수 없어 처분의 당연무효사유에 해당하는 것이라고는 할 수 없다(대판 1994.8.26, 94누3223).
#주민등록직권말소처분 #최고 · 공고절차_불이행_취소사유

간단 점검하기

01 환경영향평가법령에서 요구하는 환경영향평가절차를 거쳤더라도 그 내용이 부실한 경우 부실의 정도가 환경영향평가를 하지 아니한 것과 마찬가지인 정도가 아니라면 이는 취소사유에 해당한다. ( ) 17. 국회직 8급

간단 점검하기

02 환지계획인가 후에 수정하고자 하는 내용에 대하여 토지소유자 등 이해관계인의 공람절차를 거치지 아니한 채 수정된 내용에 따라 한 환지예정지 지정처분은 당연무효이다. ( ) 15. 서울시 7급

03 환지변경이 있을 때에는 환지절차를 새로이 밟아야 하며 이를 밟지 아니하고 한 환지변경처분은 위법하다 할 것인바, 다만, 그와 같은 위법은 중대하기는 하나 명백하다고 할 수는 없다. ( ) 11. 국회직 8급

04 주민등록말소처분이 주민등록법에 규정한 최고 · 공고의 절차를 거치지 아니하였다 하더라도 그러한 하자는 중대하고 명백한 것이라고 할 수 없어 처분의 당연무효 사유에 해당하지 않는다. ( ) 11. 지방직 9급

01 × 02 ○ 03 × 04 ○

(4) 필요한 이해관계인의 참여 또는 협의를 결여한 행위

필요한 이해관계인의 참여 또는 협의를 결여한 행위(예 체납자의 참여 없이 한 압류)에 대해서는 판례는 대체로 취소사유로 보고 있다.

관련판례

1 수용재결 전 절차 누락 ★★★

토지수용사업승인을 한 후 그 뜻을 토지소유자 등에게 통지하지 아니하였다거나, 기업자가 토지소유자와 협의를 거치지 아니한 채 토지의 수용을 위한 재결을 신청하였다는 등의 하자들 역시 절차상 위법으로서 이의재결의 취소를 구할 수 있는 사유가 될지언정 당연무효의 사유라고 할 수는 없다(대판 1993.8.13, 93누2148).

#토지수용사업승인 #토지소유자_통지_협의 #토지수용재결_신청 #통지×_협의×_취소원인

2 공매처분 전 공매통지 누락 ★★★

체납자 등에 대한 공매통지는 국가의 강제력에 의하여 진행되는 공매절차에서 체납자 등의 권리 내지 재산상 이익을 보호하기 위하여 법률로 규정한 절차적 요건에 해당하지만, 그 통지를 하지 아니한 채 공매처분을 하였다 하여도 그 공매처분이 당연무효로 되는 것은 아니다(대판 2012.7.26, 2010다50625).

#공매처분_체납자_통지 #통지×_공매처분_취소사유

3 인사교류 절차누락 ★★

도지사의 인사교류안 작성과 그에 따른 인사교류의 권고가 전혀 이루어지지 않은 상태에서 행하여진 관할구역 내 시장의 인사교류에 관한 처분은 지방공무원법 제30조의2 제2항의 입법 취지에 비추어 그 하자가 중대하고 객관적으로 명백하여 당연무효이다(대판 2005.6.24, 2004두10968).

(5) 필요한 청문 또는 변명의 기회를 주지 아니한 행위

필요한 청문 또는 변명의 기회를 주지 아니한 행위(예 변명의 기회 없이 한 파면처분)는 개별적인 사안별로 무효 또는 취소사유에 해당한다.

관련판례 **청문 또는 변명의 기회 결여**

1 과세처분 전 과세전적부심사 누락 ★★★

과세예고 통지 후 과세전적부심사 청구나 그에 대한 결정이 있기도 전에 과세처분을 하는 것은 원칙적으로 과세전적부심사 이후에 이루어져야 하는 과세처분을 그보다 앞서 함으로써 과세전적부심사 제도 자체를 형해화시킬 뿐만 아니라 과세전적부심사 결정과 과세처분 사이의 관계 및 불복절차를 불분명하게 할 우려가 있으므로, 그와 같은 과세처분은 납세자의 절차적 권리를 침해하는 것으로서 절차상 하자가 중대하고도 명백하여 무효이다(대판 2016.12.27, 2016두49228).

#과세예고통지_과세전적부심사청구_과세처분 #과세전적부심사기간중_과세처분_무효

2 식품위생법 제64조, 같은법시행령 제37조 제1항 소정의 청문절차를 전혀 거치지 아니하거나 거쳤다고 하여도 그 절차적 요건을 제대로 준수하지 아니한 경우에는 가사 영업정지사유 등 위 법 제58조 등 소정 사유가 인정된다고 하더라도 그 처분은 위법하여 취소를 면할 수 없다(대판 1991.7.9, 91누971).

3 처분 전 행정절차법상 청문절차 결여 ★★★

행정절차법 제22조 제1항 제1호에 정한 청문제도는 행정처분의 사유에 대하여 당사자에게 변명과 유리한 자료를 제출할 기회를 부여함으로써 위법사유의 시정가능성을 고려하고 처분의 신중과 적정을 기하려는 데 그 취지가 있으므로, 행정청이 특히 침해적 행정처분을 할 때 그 처분의 근거 법령 등에서 청문을 실시하도록 규정하고 있다면, 행정절차법 등 관련 법령상 청문을 실시하지 않아도 되는 예외적인 경우에 해당하지 않는 한 반드시 청문을 실시하여야 하며, 그러한 절차를 결여한 처분은 위법한 처분으로서 취소사유에 해당한다(대판 2007.11.16, 2005두15700).

#행정절차법_청문_필요적절차 #청문_불실시_취소사유

4 민원사무를 처리하는 행정기관이 민원 1회방문 처리제를 시행하는 절차의 일환으로 민원사항의 심의·조정 등을 위한 민원조정위원회를 개최하면서 민원인에게 회의일정 등을 사전에 통지하지 아니하였다 하더라도, 이러한 사정만으로 곧바로 민원사항에 대한 행정기관의 장의 거부처분에 취소사유에 이를 정도의 흠이 존재한다고 보기는 어렵다. 다만 행정기관의 장의 거부처분이 재량행위인 경우에, 위와 같은 사전통지의 흠결로 민원인에게 의견진술의 기회를 주지 아니한 결과 민원조정위원회의 심의과정에서 고려대상에 마땅히 포함시켜야 할 사항을 누락하는 등 재량권의 불행사 또는 해태로 볼 수 있는 구체적 사정이 있다면, 거부처분은 재량권을 일탈·남용한 것으로서 위법하다(대판 2015.8.27, 2013두1560).

(6) 예비타당성조사 결여한 처분

예비타당성조사를 결여한 하자는 원칙적으로 예산 자체의 하자에 그치는 것이므로 처분의 하자로 인정되지 않는다.

관련판례 **예산편성 절차하자** ★★

예산이 각 처분 등으로써 이루어지는 '4대강 살리기 사업' 중 한강 부분을 위한 재정지출을 내용으로 하고 있고 예산의 편성에 절차상 하자가 있다는 사정만으로 곧바로 각 처분에 취소사유에 이를 정도의 하자가 존재한다고 보기 어렵다(대판 2015.12.10, 2011두32515).

#4대강살리기사업 #재정지출_내용 #예산편성절차하자

3 형식에 관한 하자

1. 필요한 문서에 의하지 아니한 행위

반드시 문서에 의해야 할 처분을 문서에 의하지 아니한 행위(예 재결서에 의하지 아니한 행정심판의 재결)는 무효이다.

관련판례 **구술명령 무효** ★★★

집합건물 중 일부 구분건물의 소유자인 피고인이 관할 소방서장으로부터 소방시설 불량사항에 관한 시정보완명령을 받고도 따르지 아니하였다는 내용으로 기소된 사안에서, 담당 소방공무원이 행정처분인 위 명령을 구술로 고지한 것은 당연무효이므로 명령 위반을 이유로 행정형벌을 부과할 수 없다(대판 2011.11.10, 2011도11109).

#소방시설_불량_시정보완명령 #구술명령_무효

간단 점검하기

01 판례에 의하면 침해적 행정처분을 할 때 처분의 근거법령 등에서 청문을 실시하도록 규정하고 있다면 행정절차법 등의 예외에 해당하지 않는 한 반드시 청문을 실시하여야 하며, 그러한 절차를 결여한 처분은 위법한 처분으로서 당연무효이다. ( )
12. 지방직 9급, 09. 국가직 9급

간단 점검하기

02 법령상 문서에 의하도록 한 행정행위를 문서에 의해 하지 아니한 때, 그 처분은 하자가 중대하고 명백하여 원칙적으로 무효이다. ( )
16. 서울시 7급

03 건물소유자에게 소방시설 불량사항을 시정·보완하라는 명령을 구두로 고지한 것은 행정절차법에 위반한 것으로 하자가 중대·명백하여 당연무효이다. ( ) 19. 국가직 9급

01 × 02 ○ 03 ○

2. 서명 또는 날인을 결여한 행위

서명 또는 날인을 결여한 행위(예 선거관리위원의 서명 · 날인이 없는 선거록)는 원칙적으로 무효이다.

3. 이유 · 일자 그 밖의 필요적 기재가 없는 행위

이유 · 일자 그 밖의 필요적 기재가 없는 행위(예 이유를 붙이지 않은 행정심판의 재결)는 개별적으로 판단하고 있다.

4 내용에 관한 하자

1. 내용이 실현불능인 행위

행정행위의 내용이 실현불가능한 경우 그 행정행위는 무효이다.

(1) 사실상 실현불능

(2) 법률상 실현불능

① 행위의 상대방인 '인(人)'에 관한 불능(예 사망자에 대한 영업허가)
② 행위의 목적인 '물(物)'에 관한 불능(예 존재하지 않는 물건에 대한 징발)
③ 행위의 목적인 '법률관계'에 관한 불능(예 치외법권자 등 납세의무 없는 자에 대한 납세 면제)

2. 내용이 불명확한 행위

행정행위의 내용이 사회통념상 인식할 수 없을 정도로 불명확하고 불확정한 경우에는 무효이다.

3. 공서양속에 위반되는 행위

공서양속에 위반되는 행위는 민법에서는 무효사유이지만, 행정법에서는 취소사유로 보는 것이 일반적이다.

간단 점검하기

01 행정청이 어느 법률관계나 사실관계에 대하여 어느 법률의 규정을 적용하여 행정처분을 한 경우에 그 법률관계나 사실관계에 대하여는 그 법률의 규정을 적용할 수 없다는 법리가 명백히 밝혀져 그 해석에 다툼의 여지가 없음에도 행정청이 그 규정을 적용하여 처분을 한 때에는 그 하자가 중대하고도 명백하다고 할 것이다. ( ) 18. 경찰행정

02 법률관계나 사실관계에 대하여 그 법률 규정을 적용할 수 없다는 법리가 명백히 밝혀지지 않아 해석에 다툼의 여지가 있는 때에는 행정청이 이를 잘못 해석하여 행정처분을 했더라도 이는 처분 요건사실을 오인한 것에 불과하여 하자가 명백하다고 할 수 없다. ( ) 14. 경찰행정

01 ○ 02 ○

point check 무효사유 · 취소사유의 구체적인 예

구분	무효사유	취소사유
주체에 관한 하자	• 공무원이 아닌 자의 행위 • 대리권이 없는 자의 행위 • 적법한 구성이 아닌 합의체기관의 행위 • 타행정기관의 권한인 행위 • 행정기관의 권한 외의 행위 • 의사능력이 없는 자의 행위	• 필요한 자문을 결여한 행위 • 권한초과의 행위 • 사기 · 강박 · 착오에 의한 행위 • 증 · 수뢰에 의한 행위 • 부정신고, 부정행위에 의한 행위
절차에 관한 하자	• 상대방의 필수적인 신청 · 동의를 결여한 행위 • 필요한 공고 · 통지를 결여한 행위 • 필요한 이해관계인의 참여 · 협력을 결여한 행위 • 필요한 청문 · 변명의 기회를 주지 않은 행위	행정의 능률 · 원활 · 참고 등을 위한 편의적 절차를 위반한 행위
형식에 관한 하자	• 문서에 의하지 아니한 행위 • 서명 또는 날인을 결여한 행위	경미한 형식을 결여한 행위
내용에 관한 하자	• 내용이 실현불능인 행위 • 내용이 불명확한 행위	• 내용이 단순 위법의 경우 • 내용이 공익에 위반한 경우 • 선량한 풍속 그 밖의 사회질서에 위반하는 행위(민법에서는 무효사유임에 유의할 것)

5 위헌인 법률에 근거한 행정처분의 효력

1. 의의

(1) 법률이 위헌으로 결정된 후 그 법률에 근거하여 발령되는 행정처분은 헌법재판소법 제47조 제2항에 비추어 하자가 중대하고 명백하여 당연무효가 된다.

(2) 그러나 행정처분이 있은 후에 그 처분의 근거된 법률이 위헌으로 결정되는 경우, 그 처분이 하자 있는 행위임은 분명하지만 그 하자가 무효사유인지 아니면 취소사유인지의 여부가 문제된다.

2. 위헌결정의 소급효

(1) 원칙(장래효)

헌법재판소법 제47조 제2항 본문은 "위헌으로 결정된 법률 또는 법률조항은 그 결정이 있는 날로부터 효력을 상실한다."고 규정하고 있다. 따라서 위헌결정을 받은 경우에는 장래에 대하여 무효가 된다.

(2) 예외(소급효)

① **헌법재판소의 태도**: 헌법재판소는 위헌결정의 소급효를 특정한 경우에 인정하고 있다. 즉 당해사건, 동종사건, 병행사건 기타 정의와 형평에 따라 개별적으로 인정한 사건에 소급효를 인정하고 있다.

간단 점검하기

헌법재판소법 제47조는 위헌으로 결정된 법률 또는 법률의 조항은 원칙적으로 그 법률 또는 법률조항이 제정된 날까지 소급하여 관련된 사건의 효력을 상실시킨다고 규정하고 있다. ( )

13. 서울시 7급

×

관련판례 **위헌결정 소급효** ★★★

구체적 규범통제의 실효성의 보장의 견지에서 법원의 제청 · 헌법소원의 청구 등을 통하여 헌법재판소에 법률의 위헌결정을 위한 계기를 부여한 당해사건(당해사건), 위헌결정이 있기 전에 이와 동종의 위헌 여부에 관하여 헌법재판소에 위헌제청을 하였거나 법원에 위헌제청신청을 한 경우의 당해 사건(동종사건), 그리고 따로 위헌제청신청을 아니하였지만 당해 법률 또는 법률의 조항이 재판의 전제가 되어 법원에 계속 중인 사건(병행사건)에 대하여는 소급효를 인정하여야 할 것이다. 또 다른 한가지의 불소급의 원칙의 예외로 볼 것은, 당사자의 권리구제를 위한 구체적 타당성의 요청이 현저한 반면에 소급효를 인정하여도 법적 안정성을 침해할 우려가 없고 나아가 구법에 의하여 형성된 기득권자의 이익이 해쳐질 사안이 아닌 경우로서 소급효의 부인이 오히려 정의와 형평 등 헌법적 이념에 심히 배치되는 때라고 할 것으로, 이때에 소급효의 인정은 법 제47조 제2항 본문의 근본취지에 반하지 않을 것으로 생각한다(헌재 1993.5.13, 92헌가10).

#위헌결정_소급효 #당해사건 #동종사건 #병행사건 #구체적_타당성_요청

② 대법원의 태도

㉠ 대법원도 헌법재판소와 같은 소급효를 인정하고 있으며, 나아가 위헌결정 이후 제소된 모든 사건에 대해서도 소급효를 인정하고 있다(대판 1993.1.15, 92다12377).

㉡ 그러나 기판력에 저촉되는 경우, 행정처분이 불가쟁력이 발생한 경우, 법적 안정성 유지를 위한 경우에는 소급효를 인정하지 않는다(대판 1993.4.27, 92누9777).

관련판례 **위헌결정 소급효에 대한 대법원의 태도**

1 **위헌결정효력** ★★★

헌법재판소의 위헌결정의 효력은 위헌제청을 한 당해 사건은 물론 위헌제청신청은 아니하였지만 당해 법률 또는 법률의 조항이 재판의 전제가 되어 법원에 계속 중인 사건뿐만 아니라 위헌결정 이후에 위와 같은 이유로 제소된 일반사건에도 미친다(대판 1993.2.26, 92누12247).

#위헌결정_효력 #위헌결정_이후_제소된_일반사건

2 **확정력(불가쟁력) 발생시 위헌결정소급효 제한** ★★★

이미 취소소송의 제기기간을 경과하여 확정력이 발생한 행정처분에 위헌결정의 소급효가 미치지 않는다(대판 2002.11.8, 2001두3181).

3 **제반사정 고려해 위헌결정소급효 제한** ★★★

[1] 법적 안정성의 유지나 당사자의 신뢰보호를 위하여 불가피한 경우에 위헌결정의 소급효를 제한할 수 있다.

[2] 금고 이상의 형의 선고유예를 받은 경우에 공무원직에서 당연히 퇴직하는 것으로 규정한 구 지방공무원법 제61조 중 제31조 제5호 부분에 대한 헌법재판소의 위헌결정의 소급효를 인정할 경우 그로 인하여 보호되는 퇴직공무원의 권리구제라는 구체적 타당성 등의 요청에 비하여 종래의 법령에 의하여 형성된 공무원의 신분관계에 관한 법적 안정성과 신뢰보호의 요청이 현저하게 우월하다는 이유로, 위 위헌결정 이후 제소된 일반사건에 대하여 위 위헌결정의 소급효가 제한된다(대판 2005.11.10, 2005두5628).

#위헌결정_소급효_제한 #법적_안정성_신뢰보호_소급효제한

간단 점검하기

01 헌법재판소의 위헌결정의 효력은 위헌제청을 한 당해 사건은 물론 위헌제청신청은 아니하였지만 당해 법률 또는 법률의 조항이 재판의 전제가 되어 법원에 계속 중인 사건에도 미친다. ( ) 19. 사회복지직, 15. 지방직 9급

02 위헌인 법률에 근거한 행정처분이 당연무효인지의 여부는 위헌결정의 소급효와는 별개의 문제로서 취소소송의 제기기간을 경과하여 확정력이 발생한 행정처분에는 위헌결정의 소급효가 미치지 않는다. ( ) 18. 지방직 9급

03 취소소송의 제기기간을 경과하여 불가쟁력이 발생한 행정처분에도 위헌결정의 소급효가 미친다. ( ) 17. 서울시 7급

01 ○ **02** ○ **03** ×

3. 행정처분 후 처분의 근거법률이 위헌결정된 경우 처분의 효력

(1) 대법원

대법원은 무효와 취소의 구별에 관한 학설 중 중대·명백설에 입각하여 위헌인 법률에 근거하여 발하여진 행정처분(처분 후 근거법률 위헌결정)은 특별한 사정이 없는 한 취소할 수 있는 행정행위로 본다. 법률이 헌법에 위반되는지 여부는 헌법재판소의 결정이 있기 이전에는 객관적으로 명백하다고 볼 수 없기 때문이다(대판 2000.6.9, 2000다16329).

관련판례

1 **위헌인 법령에 근거한 처분의 효력 - 취소사유** ★★★

법률에 근거하여 행정처분이 발하여진 후에 헌법재판소가 그 행정처분의 근거가 된 법률을 위헌으로 결정하였다면 결과적으로 행정처분은 법률의 근거가 없이 행하여진 것과 마찬가지가 되어 하자가 있는 것이 되나, 하자 있는 행정처분이 당연무효가 되기 위하여는 그 하자가 중대할 뿐만 아니라 명백한 것이어야 하는데, 일반적으로 법률이 헌법에 위반된다는 사정이 헌법재판소의 위헌결정이 있기 전에는 객관적으로 명백한 것이라고 할 수는 없으므로 헌법재판소의 위헌결정 전에 행정처분의 근거되는 당해 법률이 헌법에 위반된다는 사유는 특별한 사정이 없는 한 그 행정처분의 취소소송의 전제가 될 수 있을 뿐 당연무효사유는 아니라고 봄이 상당하다(대판 1994.10.28, 92누9463).

#위헌_법률_근거_처분_취소사유

2 **위헌인 법령에 근거한 처분의 효력 - 취소사유** ★★★

하자 있는 행정처분이 당연무효로 되려면 그 하자가 법규의 중요한 부분을 위반한 중대한 것이어야 할 뿐 아니라 객관적으로 명백한 것이어야 하고, 행정청이 위헌이거나 위법하여 무효인 시행령을 적용하여 한 행정처분이 당연무효로 되려면 그 규정이 행정처분의 중요한 부분에 관한 것이어서 결과적으로 그에 따른 행정처분의 중요한 부분에 하자가 있는 것으로 귀착되고, 또한 그 규정의 위헌성 또는 위법성이 객관적으로 명백하여 그에 따른 행정처분의 하자가 객관적으로 명백한 것으로 귀착되어야 하는바, 일반적으로 시행령이 헌법이나 법률에 위반된다는 사정은 그 시행령의 규정을 위헌 또는 위법하여 무효라고 선언한 대법원의 판결이 선고되지 아니한 상태에서는 그 시행령 규정의 위헌 내지 위법 여부가 해석상 다툼의 여지가 없을 정도로 명백하였다고 인정되지 아니하는 이상 객관적으로 명백한 것이라 할 수 없으므로, 이러한 시행령에 근거한 행정처분의 하자는 취소사유에 해당할 뿐 무효사유가 되지 아니한다(대판 2007.6.14, 2004두619).

3 **위헌인 법률에 근거한 처분에 대하여 무효확인소송을 제기한 경우**

위헌법률에 근거한 행정처분에 대하여 무효확인청구가 제기된 경우 다른 특별한 사정이 없는 한 법원으로서는 그 법률이 위헌인지 여부에 대해서는 판단할 필요 없이 기각하여야 한다(대판 1994.10.28, 92누9463).

(2) 헌법재판소

① **원칙:** 대법원과 같이 취소사유로 본다.

② **예외:** 처분을 무효로 결정한다고 하여도 법적 안정성을 침해하지 않는 경우에는 예외적으로 무효로 볼 수 있다는 전제 하에 헌법소원심판청구의 재판전제성을 인정한 후 본안판단을 한 사례가 있다.

간단 점검하기

01 甲은 A법률에 근거하여 부담금 부과처분을 받았으나 처분 이후에 처분의 근거가 되었던 A법률의 규정이 헌법재판소에 의해 위헌으로 결정되었다면, 甲이 부담금을 납부하였고, 부담금 부과처분에 불가쟁력이 발생하였다면 이미 납부한 부담금의 반환청구는 인정되지 않는다. ( ) 16. 서울시 7급

02 판례는 법률에 근거하여 행정청이 행정처분을 한 후에 헌법재판소가 그 법률을 위헌으로 결정하였다면 결과적으로 그 행정처분은 하자가 있는 것이 된다고 할 것이나, 특별한 사정이 없는 한 이러한 하자는 위 행정처분의 취소사유에 해당할 뿐 당연무효사유는 아니라고 본다. ( ) 15. 지방직 7급, 14. 지방직 9급, 13. 국가직 9급

03 행정치분 이후에 처분의 근거법령에 대하여 헌법재판소 또는 대법원이 위헌 또는 위법하다는 결정을 하게 되면, 당해 처분은 법적 근거가 없는 처분으로 하자 있는 처분이고 그 하자는 중대한 것으로 당연무효이다. ( ) 19. 사회복지직

04 일반적으로 시행령이 헌법이나 법률에 위반된다는 사정은 그 시행령의 규정을 위헌 또는 위법하여 무효라고 선언한 대법원의 판결이 선고되지 않은 상태에서도 그 시행령 규정의 위헌 내지 위법여부가 객관적으로 명백하다고 할 수 있으므로, 이러한 시행령에 근거한 행정처분의 하자는 무효사유에 해당한다. ( ) 18. 국가직 9급

05 대법원은 행정처분에 대하여 그 행정처분의 근거가 된 법률이 위헌이라는 이유로 무효확인청구의 소가 제기된 경우에는 다른 특별한 사정이 없는 한 법원으로서는 그 법률이 위헌인지 여부에 대하여는 판단할 필요 없이 그 무효확인청구를 각하하여야 한다. ( ) 13. 국가직 9급·지방직 9급

01 ○ 02 ○ 03 × 04 × 05 ×

간단 점검하기

01 헌법재판소는 행정처분 자체의 효력이 쟁송기간 경과 후에도 존속 중이고 그 행정처분의 근거가 된 법규가 위헌으로 선고되는 경우, 그 행정처분을 무효로 하더라도 법적 안정성을 크게 해치지 않는 반면에, 그 하자가 중대하여 그 구제가 필요한 경우에는 당연무효사유로 보아 무효확인을 구할 수 있다고 결정하였다. ( )
15. 서울시 7급, 14. 지방직 9급

02 헌법재판소는 위헌법률에 근거한 행정처분의 효력과 관련하여, 그 행정처분을 무효로 하더라도 법적 안정성을 크게 해치지 않는 반면에 그 하자가 중대하여 그 구제가 필요한 경우에 대해서는 예외적으로 당연무효사유로 보아야 한다는 입장을 취하고 있다. ( )
15. 서울시 7급

간단 점검하기

03 이미 위헌결정된 법률에 근거한 처분은 효력을 상실한 법률에 근거한 처분이기 때문에 당연무효사유가 된다. ( ) 15. 국가직 9급

04 법률이 위헌으로 선언된 경우, 위헌결정 전에 이미 형성된 법률관계에 기한 후속처분은 비록 그것이 새로운 위헌적 법률관계를 생성·확대하는 경우라도 당연무효라 볼 수는 없다. ( )
16. 지방직 7급

05 위헌법률에 기한 행정처분의 집행이나 집행력을 유지하기 위한 행위는 위헌결정의 기속력에 위반되어 허용되지 않는다. ( ) 18. 경찰행정

06 조세부과처분의 근거규정이 위헌으로 선언된 경우, 그에 기한 조세부과처분이 위헌결정 전에 이루어졌다 하더라도 위헌결정 이후에 조세채권의 집행을 위해 새로이 착수된 체납처분은 당연무효이다. ( ) 17. 국가직 9급

07 과세처분 이후에 그 근거법률이 위헌결정을 받았으나 이미 과세처분의 불가쟁력이 발생한 경우, 당해 과세처분에 대한 조세채권의 집행을 위한 체납처분의 속행은 적법하다. ( )
17. 지방직 9급

01 ○ 02 ○ 03 ○ 04 ×
05 ○ 06 ○ 07 ×

관련판례 헌법재판소의 입장

[1] 행정처분의 집행이 이미 종료되었고 그것이 번복될 경우 법적 안정성을 크게 해치게 되는 경우에는 후에 행정처분의 근거가 된 법규가 헌법재판소에서 위헌으로 선고된다고 하더라도 그 행정처분이 당연무효가 되지는 않음이 원칙이라고 할 것이나, 행정처분 자체의 효력이 쟁송기간 경과 후에도 존속 중인 경우, 특히 그 처분이 위헌법률에 근거하여 내려진 것이고 그 행정처분의 목적달성을 위하여서는 후행 행정처분이 필요한데 후행 행정처분은 아직 이루어지지 않은 경우와 같이 그 행정처분을 무효로 하더라도 법적 안정성을 크게 해치지 않는 반면에 그 하자가 중대하여 그 구제가 필요한 경우에 대하여서는 그 예외를 인정하여 이를 당연무효사유로 보아서 쟁송기간 경과 후에라도 무효확인을 구할 수 있는 것이라고 봐야 할 것이다.

[2] 그렇다면 관련소송사건에서 청구인이 무효확인을 구하는 행정처분의 진행정도는 마포세무서장의 압류만 있는 상태이고 그 처분의 만족을 위한 환가 및 청산이라는 행정처분은 아직 집행되지 않고 있는 경우이므로 이 사건은 위 예외에 해당되는 사례로 볼 여지가 있고, 따라서 헌법재판소로서는 위 압류처분의 근거법규에 대하여 일응 재판의 전제성을 인정하여 그 위헌 여부에 대하여 판단하여야 할 것이다(헌재 1994.6.30, 92헌바23).

4. 행정처분 후 처분의 근거법률이 위헌결정된 경우 후속집행 가능 여부

위헌인 법률에 근거한 처분에 의하여 부과된 의무를 이행하지 않은 경우에 그 의무의 이행을 강제할 수 있는지가 문제된다. 판례는 위헌법률에 기한 행정처분의 집행이나 집행력을 유지하기 위한 행위는 위헌결정의 기속력에 위반되어 허용되지 않는다고 판시하였다(대판 2002.8.23, 2001두2959).

관련판례 위헌결정이후 집행불가 ★★★

1 위헌결정 이후에는 위헌법률에 근거한 처분의 집행이 허용되지 않으며, 위헌결정 이전에 택지초과소유부담금 부과처분·압류처분·압류등기가 이루어진 경우라도 위헌결정 이후에는 후속 체납처분절차를 진행할 수 없다(대판 2002.8.23, 2001두2959).

2 구 헌법재판소법(2011.4.5. 법률 제10546호로 개정되기 전의 것) 제47조 제1항은 "법률의 위헌결정은 법원 기타 국가기관 및 지방자치단체를 기속한다."고 규정하고 있는데, 이러한 위헌결정의 기속력과 헌법을 최고규범으로 하는 법질서의 체계적 요청에 비추어 국가기관 및 지방자치단체는 위헌으로 선언된 법률규정에 근거하여 새로운 행정처분을 할 수 없음은 물론이고, 위헌결정 전에 이미 형성된 법률관계에 기한 후속처분이라도 그것이 새로운 위헌적 법률관계를 생성·확대하는 경우라면 이를 허용할 수 없다. 따라서 조세 부과의 근거가 되었던 법률규정이 위헌으로 선언된 경우, 비록 그에 기한 과세처분이 위헌결정 전에 이루어졌고, 과세처분에 대한 제소기간이 이미 경과하여 조세채권이 확정되었으며, 조세채권의 집행을 위한 체납처분의 근거규정 자체에 대하여는 따로 위헌결정이 내려진 바 없다고 하더라도, 위와 같은 위헌결정 이후에 조세채권의 집행을 위한 새로운 체납처분에 착수하거나 이를 속행하는 것은 더 이상 허용되지 않고, 나아가 이러한 위헌결정의 효력에 위배하여 이루어진 체납처분은 그 사유만으로 하자가 중대하고 객관적으로 명백하여 당연무효라고 보아야 한다(대판 2012.2.16, 2010두10907 전합).

6 하자 있는 행정행위의 치유와 전환

1. 하자 있는 행정행위의 치유

(1) 의의

① 하자 있는 행정행위의 치유란 행정행위가 성립 당시에 하자가 있었음에도 불구하고 일정한 요건 아래서 행정행위를 유효하게 다루는 것을 말한다.

② 다시 말해, ㉠ 사후에 그 요건이 보완, ㉡ 하자가 경미, ㉢ 그 밖의 사유 등으로 취소할 필요성이 없는 경우에는 성립 당시의 하자에도 불구하고 행위의 효력을 유지하는 것을 말한다.

(2) 인정 근거와 허용 여부

① **인정 근거**: 하자의 치유가 인정되는 근거로 일반적으로 ㉠ 상대방의 신뢰보호, ㉡ 기득권의 존중, ㉢ 법률생활의 안정을 도모, ㉣ 행정행위의 불필요한 반복의 배제 등을 들고 있다.

② **허용 여부**: 하자의 치유를 널리 인정하는 것은 결과의 타당성만을 중시하고 결과에 이르는 행정과정을 경시하게 된다. 따라서 하자의 치유는 제한적으로 인정되어야 할 것이다.

③ **판례**: 행정행위의 하자의 치유를 제한적 긍정설의 입장을 취한다. 즉, 원칙은 허용하지 않으나 예외적으로 허용한다(대판 2001.6.26, 99두11592).

관련판례 하자 있는 행정행위의 치유

1 제한적으로 하자의 치유 긍정 ★★

하자 있는 행정행위에 있어서 하자의 치유는 행정행위의 성질이나 법치주의의 관점에서 원칙적으로 허용될 수 없고, 행정행위의 무용한 반복을 피하고 당사자의 법적 안정성을 보호하기 위하여 국민의 권익을 침해하지 아니하는 범위 내에서 예외적으로만 허용된다(대판 2001.6.26, 99두11592).

2 관련자의 권익 침해시 ★★★

적법한 허가신청이 참가인들의 신청과 경합되어 있어 이 사건 처분의 치유를 허용한다면 원고에게 불이익하게 되므로 이를 허용할 수 없다(대판 1992.5.8, 91누13274).
#엘피지충전소허가 #경원자_불이익_치유불가

3 관련자의 권익 침해시 ★★★

선행처분인 개별공시지가결정이 위법하여 그에 기초한 개발부담금 부과처분도 위법하게 된 경우 그 하자의 치유를 인정하면 개발부담금 납부의무자로서는 위법한 처분에 대한 가산금 납부의무를 부담하게 되는 등 불이익이 있을 수 있으므로, 그 후 적법한 절차를 거쳐 공시된 개별공시지가결정이 종전의 위법한 공시지가결정과 그 내용이 동일하다는 사정만으로는 위법한 개별공시지가결정에 기초한 개발부담금 부과처분이 적법하게 된다고 볼 수 없다(대판 2001.6.26, 99두11592).
#개별공시지가_위법 #개발부담금부과_위법 #개별공시지가_치유 #개발부담금_불이익가능 #치유부정

4 관련자의 권익 침해시 ★★

주택재건축조합설립인가처분 당시 동의율을 충족하지 못한 하자는 후에 추가동의서가 제출되었다는 사정만으로 치유될 수 없다(대판 2013.7.11, 2011두27544).

간단 점검하기

01 행정행위의 하자의 치유는 원칙적으로 허용될 수 없고, 예외적으로 행정행위의 무용한 반복을 피하고 당사자의 법적 안정성을 위해 허용하는 때에도 국민의 권리나 이익을 침해하지 않는 범위에서 인정될 수 있다. ( )
12. 국가직 9급, 10. 지방직 9급, 08. 지방직 7급

간단 점검하기

02 인근주민의 동의를 받아야 하는 요건을 결여하였다는 이유로 경원관계에 있는 자가 제기한 허가처분의 취소소송에서, 허가처분을 받은 자가 사후 동의를 받은 경우에 하자의 치유를 인정하는 것은 원고에게 불이익하게 되므로 이를 허용할 수 없다. ( )
14. 지방직 7급

01 ○ 02 ○

(3) 인정 범위

① **취소할 수 있는 행정행위**: 하자의 치유는 원칙적으로 취소할 수 있는 행정행위에 인정된다.

② **무효인 행정행위**: 부정하는 견해가 통설 · 판례의 입장이다(대판 1989.12.12, 88누8869 ; 대판 1996.4.12, 95누18857).

관련판례 **하자 있는 행정행위의 치유 인정 범위**

1 **무효행위의 치유 부정** ★★★

징계처분이 중대하고 명백한 흠 때문에 당연무효의 것이라면 징계처분을 받은 자가 이를 용인하였다 하여 그 흠이 치료되는 것은 아니다(대판 1989.12.12, 88누8869).

2 **무효인 행정처분은 치유되지 않고 새로운 처분에 해당** ★★★

절차상 또는 형식상 하자로 인하여 무효인 행정처분이 있은 후 행정청이 관계 법령에서 정한 절차 또는 형식을 갖추어 다시 동일한 행정처분을 하였다면 당해 행정처분은 종전의 무효인 행정처분과 관계없이 새로운 행정처분이라고 보아야 한다(대판 2014.3.13, 2012두1006).

(4) 치유의 사유

① 필요한 신청서의 사후제출 · 보완

② 무권대리행위의 추인

③ 불특정목적물의 사후특정(예 계고시 철거부분이 명시되지 않았으나 대집행영장에서 명기)

④ 다른 기관의 협력 또는 상대방의 필요적 협력이 결여된 경우의 추인

⑤ 허가요건 · 등록요건의 사후충족

⑥ 필요적 사전절차의 사후이행(예 행정심판전치 · 상대방에 대한 청문절차의 사후이행)

⑦ 요식행위의 형식보완 등

관련판례 **치유의 사유**

1 행정청이 식품위생법상의 청문절차를 이행함에 있어 소정의 청문서 도달기간을 지키지 아니하였다면 이는 청문의 절차적 요건을 준수하지 아니한 것이므로 이를 바탕으로 한 행정처분은 일단 위법하다고 보아야 할 것이지만 이러한 청문제도의 취지는 처분으로 말미암아 받게 될 영업자에게 미리 변명과 유리한 자료를 제출할 기회를 부여함으로써 부당한 권리침해를 예방하려는 데에 있는 것임을 고려하여 볼 때, 가령 행정청이 청문서 도달기간을 다소 어겼다하더라도 영업자가 이에 대하여 이의하지 아니한 채 스스로 청문일에 출석하여 그 의견을 진술하고 변명하는 등 방어의 기회를 충분히 가졌다면 청문서 도달기간을 준수하지 아니한 하자는 치유되었다고 봄이 상당하다(대판 1992.10.23, 92누2844).

2 납세고지서에 그 기재사항의 일부가 누락되었다고 하더라도 지방세부과처분에 앞서 보낸 과세예고통지서(또는 납세안내서)에 납세고지서의 필요적 기재사항이 제대로 기재되어 있었다면, 납세의무자로서는 과세처분에 대한 불복 여부의 결정 및 불복신청에 전혀 지장을 받지 않을 것이어서 이로써 납세고지서의 흠결이 보완되거나 하자가 치유될 수 있다(대판 1996.10.15, 96누7878).

간단 점검하기

01 하자의 치유는 취소할 수 있는 행정행위에 대하여서만 인정된다. ( )
16. 국회직 8급

간단 점검하기

02 징계처분이 중대하고 명백한 하자 때문에 당연무효의 것이라면 징계처분을 받은 자가 이를 용인하였다 하여 그 하자가 치유되는 것은 아니다. ( )
19. 지방직 9급

간단 점검하기

03 행정청이 청문서 도달기간을 다소 어겼다 하더라도 영업자가 이에 대하여 이의하지 아니한 채 스스로 청문일에 출석하여 그 의견을 진술하고 변명하는 등 방어의 기회를 충분히 가졌다면 청문서 도달기간을 준수하지 아니한 하자는 치유된다. ( )
17. 국가직 9급, 16. 지방직 9급

04 부과처분에 앞서 보낸 과세예고통지서에 납세고지서의 필요적 기재사항이 제대로 기재되어 있었더라도, 납세고지서에 그 기재사항의 일부가 누락되었다면 이유제시의 하자는 치유의 대상이 될 수 없다. ( ) 14. 지방직 9급

01 ○ 02 ○ 03 ○ 04 ×

3 압류처분의 단계에서 독촉의 흠결과 같은 절차상의 하자가 있었다고 하더라도 그 이후에 이루어진 공매절차에서 공매통지서가 적법하게 송달되었다면 매각결정에 따른 매수대금을 납부한 이후에는 다른 특별한 사정이 없는 한 해당 공매처분을 취소할 수 없다(대판 2006.5.12, 2004두14717).

4 세액산출근거의 기재사항이 누락된 납세고지의 하자는 납세의무자가 그 산출근거를 사실상 알고 있다는 사실만으로 치유되지 않는다(대판 2002.11.13, 2001두1543).

5 세액산출근거가 기재되지 아니한 납세고지서에 의한 부과처분은 강행법규에 위반하여 취소대상이 된다 할 것이므로 이와 같은 하자는 납세의무자가 전심절차에서 이를 주장하지 아니하였거나, 그 후 부과된 세금을 자진납부하였다거나, 또는 조세채권의 소멸시효기간이 만료되었다 하여 치유되는 것이라고는 할 수 없다(대판 1985.4.9, 84누431).

(5) 치유의 대상

① 치유의 대상이 되는 하자는 절차법상의 하자뿐만 아니라 실체법상의 하자도 포함되지만, 하자의 치유가 주로 인정되는 것은 절차와 형식의 하자의 경우이다.

② 판례는 내용상 하자의 치유는 인정하지 아니한다(대판 1991.5.28, 90누1359).

관련판례 시외버스운송사업계획변경 ★★★

운송사업의 사업계획변경인가처분으로 종전 운행계통에 관하여 각각 그 종점을 기점으로, 기점을 경유지로 하고 그 운행계통을 연장하여 종점을 새로 정하며, 경유지를 일부 변경하는 것이 노선면허가 없는 상태에서 운행계통을 연장, 변경한 것이어서 위법할 뿐 아니라, 이는 운수회사가 보유하고 있는 노선면허를 통합변경하는 내용의 처분이 아니므로, 처분의 대상이 되지 아니한 위 새로 정한 종점까지의 다른 구간의 노선면허를 위 회사가 보유하고 있다 하여 위 처분의 노선흠결의 하자가 치유되지 아니한다(대판 1991.5.28, 90누1359).

#시외버스운송사업계획변경인가_위법(대구-영천구간인가/영천-대구-부산/변경인가) #내용하자_치유대상아님

(6) 치유의 효과

행정행위의 하자가 치유되면 해당 행정행위는 처분시부터 하자가 없는 적법한 행정행위로 효력을 발생하게 된다. 즉, 치유의 효과는 소급한다.

(7) 치유의 한계

① **실체적 한계**: 하자의 치유는 원칙적으로 허용되지 않지만 예외적으로 허용된다(제한적 긍정설).

② **시간적 한계**: ㉠ 쟁송제기이전설, ㉡ 쟁송종결시설의 대립이 있으나 통설·판례는 하자의 추완·보완은 행정쟁송제기 이전까지 가능하다는 입장을 취한다.

간단 점검하기

01 납세의무자가 부과된 세금을 자진납부하였다고 하더라도 세액산출근거 등의 기재사항이 누락된 납세고지서에 의한 과세처분의 하자는 치유되지 않는다. ( ) 17. 국가직 9급

02 이유제시를 결한 부담적 행정행위의 하자는 상대방이 처분 당시 그 취지를 알고 있었거나 그 후 알게 되었다면 이로 인해 치유된다. ( ) 08. 지방직 7급

간단 점검하기

03 이유부기를 결한 행정행위는 무효이며 그 흠의 치유를 인정하지 아니하는 것이 판례의 입장이다. ( ) 18. 국회직 8급

04 행정행위의 내용상의 하자에 대해서는 하자의 치유가 인정되지 않는다. ( ) 17. 국가직 9급

간단 점검하기

05 행정행위의 하자가 치유되면 당해 행정행위는 처분 당시부터 하자가 없는 적법한 행정행위로 효력을 발생한다. ( ) 19. 서울시 7급

간단 점검하기

06 하자의 치유는 늦어도 행정처분에 대한 불복 여부의 결정 및 불복신청을 할 수 있는 상당한 기간 내에 해야 하므로, 소가 제기된 이후에는 하자의 치유가 인정될 수 없다. ( ) 14. 사회복지직, 12. 국가직 9급, 11. 국가직 7급

01 ○ 02 × 03 × 04 ○ 05 ○ 06 ○

관련판례 **과세처분 하자의 치유 한계**

1 과세처분시 납세고지서에 과세표준, 세율, 세액의 산출근거 등이 누락된 경우에는 불복 여부의 결정 및 불복신청에 편의를 줄 수 있는 상당한 기간 내에 보정행위를 하여야 그 하자가 치유된다(대판 1983.7.26, 82누420).

2 과세처분이 있은 지 4년이 지나서 그 취소소송이 제기된 때에 보정된 납세고지서를 송달하였다는 사실이나 오랜 기간(4년)의 경과로써 과세처분의 하자가 치유되었다고 볼 수는 없다(대판 1983.7.26, 82누420).

3 과세처분에 대한 전심절차가 모두 끝나고 상고심의 계류 중에 세액산출근거의 통지가 있었다고 하여 이로써 위 과세처분의 하자가 치유되었다고는 볼 수 없다(대판 1984.4.10, 83누393).

2. 하자 있는 행정행위의 전환

(1) 의의

하자 있는 행정행위의 전환이라 함은 하자 있는 행정행위를 하자 없는 다른 행정행위로서의 효력을 발생하게 하는 것을 말한다(예 사자에 대한 조세부과처분의 효력을 상속인에 대한 것으로 인정하는 것 등).

(2) 근거

① 하자의 전환은 민법에는 명문규정이 있지만 행정법에서는 명문규정이 존재하지 않는다.

② 이론적 근거로서 ㉠ 법적 안정성의 도모, ㉡ 행정행위의 무용한 반복을 피하려는 행정경제적 고려 등을 들고 있다.

(3) 전환권자

행정행위의 전환은 처분청, 행정심판기관뿐만 아니라 법원에 의해서도 행해질 수 있다. 이에 대하여 법원에 전환권을 인정하는 것은 권력분립의 원칙에 반한다는 견해가 있다.

(4) 전환의 인정범위

① 무효인 행정행위에 대해서만 인정하는 견해가 있으며, 통설적 견해이다.

② 취소할 수 있는 행정행위에 대해서도 인정하는 견해가 있으며, 독일의 행정절차법이 이에 해당한다.

(5) 전환의 요건

① 두 행정행위가 처분청 · 요건 · 효과에 있어서 실질적으로 공통성이 있어야 한다.

② 전환되는 행위로서의 성립 · 발효요건을 갖추고 있어야 한다.

③ 하자 있는 행정행위를 한 행정청의 의도에 반하는 것이 아니어야 한다.

④ 당사자에게 원처분보다 새로운 불이익을 가하는 것이 아니어야 한다.

⑤ 제3자의 이익을 침해하는 것이 아니어야 한다.

⑥ 행위의 중복을 회피하는 의미가 있어야 한다.

간단 점검하기

01 하자 있는 행정행위의 전환은 취소할 수 있는 행정행위에만 인정되고, 하자의 치유는 무효인 행정행위에도 인정된다. ( ) 13. 국회직 9급

02 행정행위의 전환의 인정요건으로는 하자 있는 행정행위와 전환되는 행정행위가 요건 · 목적 · 효과에 있어 실질적 공통성이 있어야 한다. ( ) 11. 서울시 9급, 09. 국회직 8급

03 하자 있는 행정행위의 전환은 하자 있는 행정행위를 한 행정청의 의사에 반하지 않아야 한다. ( ) 11. 서울시 9급

04 당사자가 그 전환을 원하지 않더라도 객관적으로 전환을 위한 요건이 갖추어졌다고 판단되면 당해 행정행위는 다른 종류의 행정행위로 전환된다. ( ) 05. 서울시 9급

01 × 02 ○ 03 ○ 04 ×

(6) 법적 성질 및 효과

① 전환은 그 자체로서 독립적인 행정행위로서의 성질을 가진다(행정행위설). 따라서 전환행위는 당사자가 행정소송의 대상으로 할 수 있다.

② 전환으로 인하여 생긴 새로운 행정행위는 종전의 행정행위의 발령 당시로 소급하여 효력을 발생한다(전환의 소급효).

관련판례

사망한 귀속재산 수불하자에 대하여 한 불하처분의 취소를 그 상속인에게 송달한 경우 새로운 처분으로서 효력이 발생한다(대판 1969.1.21, 68누190).[1]

[1] 본 판례가 하자의 전환을 인정한 것인지에 대해 견해대립이 있다.

7 하자의 승계(선행정행위의 후행정행위에 대한 구속력)

1. 개설

(1) 의의

① 하자의 승계란 둘 이상의 행정행위가 연속적으로 행하여지는 경우, 선행행위에 하자가 있으면 후행행위 자체에 하자가 없더라도 선행행위의 하자를 이유로 후행행위의 효력을 다툴 수 있는지, 즉 선행행위의 하자가 후행행위에 승계되는지의 문제를 말한다.

② 하자의 승계는 위법성의 승계문제를 의미한다. 후행행위의 하자를 이유로 선행행위의 하자를 다툴 수 없으며, 이는 하자의 승계문제와는 별개이다.

관련판례

계고처분의 후속절차인 대집행에 위법이 있다고 하더라도, 그와 같은 후속절차에 위법성이 있다는 점을 들어 선행절차인 계고처분이 부적법하다는 사유로 삼을 수는 없다(대판 1997.2.14, 96누15428).

#대집행절차 #계고_영장통지_실행_비용징수

(2) 하자승계론의 기본전제

① 후행행위는 선행행위를 전제로 할 것

② 선행행위와 후행행위는 모두 항고소송의 대상이 되는 처분일 것

③ 선행행위에는 당연무효가 아닌 취소사유에 해당하는 하자가 존재할 것

④ 후행행위 자체에는 고유한 위법사유가 없을 것

⑤ 선행행위에 불가쟁력이 발생할 것

(3) 선행처분이 당연무효인 경우 → 하자승계 인정

① 선행처분이 당연무효인 때에는 이를 전제로 행해지는 후행처분은 정당한 처분사유가 없는 처분으로서 위법한 처분이 되는 것이므로, 당연히 후행행위에 승계된다(대판 1996.6.28, 96누4374).

간단 점검하기

01 선행행위의 하자를 이유로 후행행위를 다투는 경우뿐만 아니라 후행행위의 하자를 이유로 선행행위를 다투는 것도 하자의 승계이다. ( ) 17. 지방직 9급

02 계고처분의 후속절차인 대집행에 위법이 있는 경우에 그와 같은 후속절차에 위법성이 있다는 점을 들어 선행절차인 계고처분이 부적법하다는 사유로 삼을 수 있다. ( ) 18. 경찰행정, 08. 지방직 9급

03 하자의 승계문제는 선행행정행위에 하자가 존재하고, 그 하자가 무효가 아닌 취소사유인 경우에 문제되는 것이다. ( ) 17. 경찰행정

04 하자의 승계가 인정되기 위해서는 선행행위와 후행행위가 모두 항고소송의 대상이 되는 처분이어야 한다. ( ) 16. 교육행정직

05 하자의 승계가 인정되기 위해서는 선행행위와 후행행위에 모두 불가쟁력이 발생한 경우이어야 한다. ( ) 16. 교육행정직

01 × 02 × 03 ○ 04 ○ 05 ×

② 판례도 선행행위가 부존재하거나 무효인 경우에는 그 하자가 당연히 후행행위에 승계되어 후행행위도 무효가 된다고 판시하고 있다. 즉, '도시계획시설사업시행자 지정처분'이 무효인 경우 후행처분인 '실시계획 인가처분'도 무효가 된다(대판 2017.7.11, 2017도1539).

관련판례 **선행행위가 무효인 경우 후행행위도 무효**

1 **철거명령 및 계고** ★★

적법한 건축물에 대한 철거명령은 그 하자가 중대하고 명백하여 당연무효라고 할 것이고, 그 후행행위인 건축물철거 대집행계고처분 역시 당연무효라고 할 것이다(대판 1999.4.27, 97누6780).

2 **조세부과처분 및 압류** ★★★

체납처분은 부과처분의 집행을 위한 절차에 불과하므로 그 부과처분에 중대하고도 명백한 하자가 있어 무효인 경우에는 그 부과처분의 집행을 위한 체납처분도 무효라 할 것이다(대판 1987.9.22, 87누383).

(4) 하자승계론의 실익

① 하자승계론은 선행행위에는 취소사유가 있으나 불가쟁력이 발생하여 다툴 수 없고 후행행위에는 고유한 위법사유가 없어 다툴 수가 없는 경우, 선행행위의 위법을 이유로 후행행위의 위법을 주장할 수 있는지의 문제이다.

② 어느 범위까지 하자의 승계를 인정할 것인가의 문제는 결국 행정법 관계의 안정성과 국민의 권리구제를 어떻게 조화시킬 것인가의 문제이다.

2. 하자의 승계 여부(판례)

(1) 연속적 행정행위가 결합하여 하나의 법적 효과를 목적으로 하는 경우 → 하자승계 인정

① 선행처분과 후행처분이 서로 결합하여 하나의 법적 효과를 완성하는 것인 때에는 위법성이 승계되어, 선행처분의 위법을 이유로 후행처분의 위법성을 다툴 수 있다.

② 예를 들어 ㉠ 조세체납처분에 있어 독촉·압류·매각·충당의 각 행위 사이, ㉡ 행정대집행에 있어 계고, 대집행영장의 통지, 대집행실행, 대집행비용의 납부명령의 각 행위 사이 등은 하자의 승계가 인정되는 경우이다.

관련판례

1 대집행의 계고, 대집행영장에 의한 통지, 대집행의 실행, 대집행에 요한 비용의 납부명령 등은 타인이 대신하여 행할 수 있는 행정의무의 이행을 의무자의 비용부담하에 확보하고자 하는, 동일한 행정목적을 달성하기 위하여 단계적인 일련의 절차로 연속하여 행하여지는 것으로서, 서로 결합하여 하나의 법률효과를 발생시키는 것이므로, 선행처분인 계고처분이 하자가 있는 위법한 처분이라면, 비록 그 하자가 중대하고도 명백한 것이 아니어서 당연무효의 처분이라고 볼 수 없고 행정소송으로 효력이 다투어지지도 아니하여 이미 불가쟁력이 생겼으며, 후행처분인 대집행영

간단 점검하기

01 적법한 건축물에 대한 철거명령은 그 하자가 중대하고 명백하여 당연무효이고 그 후행행위인 건축물철거 대집행계고처분 역시 당연무효이다. ( ) 19. 서울시 7급

02 적법한 건축물에 대한 철거명령의 하자가 중대하고 명백하여 당연무효라 하더라도, 그 후행행위인 건축물철거 대집행계고처분이 당연무효인 것은 아니다. ( ) 16. 국가직 9급, 15. 지방직 7급·9급

03 조세부과처분이 무효라 하더라도 그로서 압류 등 체납처분의 효력을 다툴 수는 없다. ( ) 17. 지방직 9급

04 대집행의 계고, 대집행영장에 의한 통지, 대집행의 실행, 대집행비용의 납부명령은 동일한 행정목적을 달성하기 위하여 일련의 절차로 연속하여 행하여지는 것으로서, 서로 결합하여 하나의 법률효과를 발생시키는 것이다. ( ) 18. 서울시 9급

05 대집행에 있어서 선행처분인 계고처분이 하자가 있는 위법한 처분이라면 후행처분인 대집행영장발부 통보처분도 위법한 것이라고 주장할 수 있다. ( ) 11. 지방직 9급

06 선행 계고처분의 위법성을 들어 대집행 비용납부명령의 취소를 구할 수 없다. ( ) 15. 국회직 8급

07 행정대집행에 있어 대집행계고, 대집행영장에 의한 통지, 대집행실행, 비용징수의 일련의 절차 중 대집행계고와 대집행영장에 의한 통지 간에는 하자의 승계가 인정되나, 대집행계고와 비용징수 간에는 하자의 승계가 인정되지 않는다. ( ) 17. 국가직 7급

08 원칙적으로 선후의 행정행위가 결합하여 하나의 법적 효과를 완성하는지 여부를 기준으로 하자의 승계 여부를 결정한다. ( ) 16. 사회복지직

01 ○	02 ×	03 ×	04 ○
05 ○	06 ×	07 ×	08 ○

장발부통보처분 자체에는 아무런 하자가 없다고 하더라도, 후행처분인 대집행영장 발부통보처분의 취소를 청구하는 소송에서 청구원인으로 선행처분인 계고처분이 위법한 것이기 때문에 그 계고처분을 전제로 행하여진 대집행영장발부통보처분도 위법한 것이라는 주장을 할 수 있다(대판 1996.2.9, 95누12507).

2 국립보건원장이 같은 법 제7조 제2항에 의하여 안경사 국가시험의 합격을 무효로 하는 처분을 함에 따라 보건사회부장관이 안경사면허를 취소하는 처분을 한 경우 합격무효처분과 면허취소처분은 동일한 행정목적을 달성하기 위하여 단계적인 일련의 절차로 연속하여 행하여지는 행정처분으로서, 안경사 국가시험에 합격한 자에게 주었던 안경사면허를 박탈한다는 하나의 법률효과를 발생시키기 위하여 서로 결합된 선행처분과 후행처분의 관계에 있다(대판 1993.2.9, 92누4567).

(2) 연속적 행정행위가 독립하여 별개의 법적 효과를 목적으로 하는 경우 → 하자승계 부정(원칙)

① 선행행위와 후행행위가 서로 독립하여 별개의 법적 효과를 목적으로 하는 경우에는 선행처분이 당연무효가 아닌 한 그 위법성은 후행처분에 승계되지 않는다.

② 예를 들어 ㉠ 위법한 건물의 철거명령(철거의무의 부과를 통한 자주적 이행이 목적)과 대집행의 계고처분(의무자를 대신하여 행정청의 강제적 실현이 목적) 사이, ㉡ 과세처분(납세의무의 구체적 확정이 목적)과 강제징수(확정된 조세채무의 강제집행이 목적) 사이 등은 하자의 승계가 부정되는 경우이다(대판 1987.9.22, 87누383).

(3) 예외

선행행위와 후행행위가 별개의 법적 효과를 목적으로 하는 경우에도 하자승계를 인정한다.

관련판례

1 친일반민족행위자결정과 독립유공자유적배제결정

[1] 선행처분과 후행처분이 서로 독립하여 별개의 효과를 목적으로 하는 경우에도 선행처분의 불가쟁력이나 구속력이 그로 인하여 불이익을 입게 되는 자에게 수인한도를 넘는 가혹함을 가져오며, 그 결과가 당사자에게 예측가능한 것이 아닌 경우에는 국민의 재판받을 권리를 보장하고 있는 헌법의 이념에 비추어 선행처분의 후행처분에 대한 구속력은 인정될 수 없다.

[2] 甲을 친일반민족행위자로 결정한 친일반민족행위진상규명위원회(이하 '진상규명위원회'라 한다)의 최종발표(선행처분)에 따라 지방보훈지청장이 독립유공자 예우에 관한 법률(이하 '독립유공자법'이라 한다) 적용 대상자로 보상금 등의 예우를 받던 甲의 유가족 乙 등에 대하여 독립유공자법 적용배제자 결정(후행처분)을 한 사안에서, 진상규명위원회가 甲의 친일반민족행위자 결정 사실을 통지하지 않아 乙은 후행처분이 있기 전까지 선행처분의 사실을 알지 못하였고, 후행처분인 지방보훈지청장의 독립유공자법 적용배제결정이 자신의 법률상 지위에 직접적인 영향을 미치는 행정처분이라고 생각했을 뿐, 통지를 받지도 않은 진상규명위원회의 친일반민족행위자 결정처분이 자신의 법률상 지위에 영향을 주는 독립된 행정처분이라고 생각하기는 쉽지 않았을 것으로 보여, 乙이 선행처분에 대하여 일제강점하 반민족행위 진상규명에 관한 특별법에 의한 이의신청절차를 밟거나 후행처분에

간단 점검하기

01 판례는 안경사시험합격취소처분과 안경사면허취소처분 사이에서 행정행위 하자의 승계를 인정한다. ( ) 17. 서울시 9급

간단 점검하기

02 선행행위에 대하여 불가쟁력이 발생하지 않았거나 선행행위와 후행행위가 서로 독립하여 각각 별개의 법률효과를 목적으로 하는 때에는 원칙적으로 선행행위의 하자를 이유로 후행행위의 효력을 다툴 수 없다. ( ) 17. 지방직 9급

03 단계적으로 진행되는 행정행위에서 선행행위가 무효인 경우에는 후행행위도 당연히 무효이다. ( ) 19. 소방직 9급

04 선행 행정행위가 당연무효이더라도 양자가 서로 독립하여 별개의 효과를 목적으로 하는 경우에는 후행 행정행위가 당연무효가 되는 것은 아니다. ( ) 16. 국회직 8급

간단 점검하기

05 친일반민족행위자로 결정한 최종발표와 그에 따라 그 유가족에 대하여 한 독립유공자 예우에 관한 법률 적용배제자 결정은 별개의 법률효과를 목적으로 하는 처분이다. ( ) 18. 지방직 9급

06 일제강점하 반민족행위 진상규명에 관한 특별법에 따른 친일반민족행위자 결정과 독립유공자 예우에 관한 법률에 의한 법적용 배제결정은 판례가 행정행위의 하자의 승계를 인정한다. ( ) 17. 서울시 9급

01 ○ 02 ○ 03 ○ 04 ×
05 ○ 06 ○

대한 것과 별개로 행정심판이나 행정소송을 제기하지 않았다고 하여 선행처분의 하자를 이유로 후행처분의 효력을 다툴 수 없게 하는 것은 乙에게 수인한도를 넘는 불이익을 주고 그 결과가 乙에게 예측가능한 것이라고 할 수 없어 선행처분의 후행처분에 대한 구속력을 인정할 수 없으므로 선행처분의 위법을 이유로 후행처분의 효력을 다툴 수 있다(대판 2013.3.14, 2012두6964).

#친일반민족행위자결정_독립유공자예우에관한법률적용배제자결정 #별개효과 #수인한도넘는_가혹한_경우 #구속력×_하자승계○

2 표준지공시지가 결정과 수용재결(수용보상금)

표준지공시지가결정은 이를 기초로 한 수용재결 등과는 별개의 독립된 처분으로서 서로 독립하여 별개의 법률효과를 목적으로 하지만, 표준지공시지가는 이를 인근 토지의 소유자나 기타 이해관계인에게 개별적으로 고지하도록 되어 있는 것이 아니어서 인근 토지의 소유자 등이 표준지공시지가결정 내용을 알고 있었다고 전제하기가 곤란할 뿐만 아니라, 결정된 표준지공시지가가 공시될 당시 보상금 산정의 기준이 되는 표준지의 인근 토지를 함께 공시하는 것이 아니어서 인근 토지 소유자는 보상금 산정의 기준이 되는 표준지가 어느 토지인지를 알 수 없으므로, 인근 토지소유자가 표준지의 공시지가가 확정되기 전에 이를 다투는 것은 불가능하다. 더욱이 장차 어떠한 수용재결 등 구체적인 불이익이 현실적으로 나타나게 되었을 경우에 비로소 권리구제의 길을 찾는 것이 우리 국민의 권리의식임을 감안하여 볼 때, 인근 토지소유자 등으로 하여금 결정된 표준지공시지가를 기초로 하여 장차 토지보상 등이 이루어질 것에 대비하여 항상 토지의 가격을 주시하고 표준지공시지가결정이 잘못된 경우 정해진 시정절차를 통하여 이를 시정하도록 요구하는 것은 부당하게 높은 주의의무를 지우는 것이고, 위법한 표준지공시지가결정에 대하여 그 정해진 시정절차를 통하여 시정하도록 요구하지 않았다는 이유로 위법한 표준지공시지가를 기초로 한 수용재결 등 후행 행정처분에서 표준지공시지가결정의 위법을 주장할 수 없도록 하는 것은 수인한도를 넘는 불이익을 강요하는 것으로서 국민의 재산권과 재판받을 권리를 보장한 헌법의 이념에도 부합하는 것이 아니다. 따라서 표준지공시지가결정이 위법한 경우에는 그 자체를 행정소송의 대상이 되는 행정처분으로 보아 그 위법 여부를 다툴 수 있음은 물론, 수용보상금의 증액을 구하는 소송에서도 선행처분으로서 그 수용대상 토지 가격 산정의 기초가 된 비교표준지공시지가결정의 위법을 독립한 사유로 주장할 수 있다(대판 2008.8.21, 2007두13845).

3 개별공시지가결정과 과세처분

개별공시지가결정은 이를 기초로 한 과세처분 등과는 별개의 독립된 처분으로서 서로 독립하여 별개의 법률효과를 목적으로 하는 것이나, 개별공시지가는 이를 토지소유자나 이해관계인에게 개별적으로 고지하도록 되어 있는 것이 아니어서 토지소유자 등이 개별공시지가결정 내용을 알고 있었다고 전제하기도 곤란할 뿐만 아니라 결정된 개별공시지가가 자신에게 유리하게 작용될 것인지 또는 불이익하게 작용될 것인지 여부를 쉽사리 예견할 수 있는 것도 아니며, 더욱이 장차 어떠한 과세처분 등 구체적인 불이익이 현실적으로 나타나게 되었을 경우에 비로소 권리구제의 길을 찾는 것이 우리 국민의 권리의식임을 감안하여 볼 때 토지소유자 등으로 하여금 결정된 개별공시지가를 기초로 하여 장차 과세처분 등이 이루어질 것에 대비하여 항상 토지의 가격을 주시하고 개별공시지가결정이 잘못된 경우 정해진 시정절차를 통하여 이를 시정하도록 요구하는 것은 부당하게 높은 주의의무를 지우는 것이라고 아니할 수 없고, 위법한 개별공시지가결정에 대하여 그 정해진 시정절차를 통하여 시정하도록 요구하지 아니하였다는 이유로 위법한 개별공시지가를 기초로 한 과세처분 등 후행 행정처분에서 개별공시지가결정의 위법을 주장할 수 없도록 하는 것은 수인한도를 넘는 불이익을 강요하는 것으로서 국민의 재산권과 재

간단 점검하기

01 구 부동산 가격공시 및 감정평가에 관한 법률상 선행처분인 표준지공시지가의 결정에 하자가 있는 경우에 그 하자는 보상금 산정을 위한 수용재결에 승계된다. ( ) 18. 국가직 9급

02 표준지공시지가결정이 위법한 경우에는 수용보상금의 증액을 구하는 소송에서도 선행처분으로서 그 수용대상 토지가격 산정의 기초가 된 비교표준지공시지가결정의 위법을 독립한 사유로 주장할 수 있다. ( ) 14. 서울시 7급, 12. 지방직 7급·지방직 9급

03 선행행위와 후행행위가 서로 독립하여 별개의 법률효과를 목적으로 하는 경우라도 선행행위의 불가쟁력이나 구속력이 그로 인하여 불이익을 입는 자에게 수인한도를 넘는 가혹함을 가져오고 그 결과가 예측가능한 것이 아닌 때에는 하자의 승계를 인정할 수 있다. ( ) 17. 지방직 9급

간단 점검하기

04 판례는 개별공시지가결정과 이를 기초로 한 과세처분인 양도소득세 부과처분이라는 별개의 법적 효과를 발생하는 행정행위에 대하여 하자의 승계를 부정하는 판결을 하였다. ( ) 11·10. 국가직 7급, 08. 국가직 9급

05 선행처분인 개별공시지가결정의 하자가 과세처분 등 후행하는 처분에 승계될 수 있는지 여부에 관해 판례는 서로 결합하여 하나의 법률효과를 발생시킨다는 관점에서 하자승계를 인정하였다. ( ) 17. 서울시 7급

01 ○ 02 ○ 03 ○ 04 × 05 ×

판반을 권리를 보장한 헌법의 이념에도 부합하는 것이 아니라고 할 것이므로, 개별공시지가결정에 위법이 있는 경우에는 그 자체를 행정소송의 대상이 되는 행정처분으로 보아 그 위법 여부를 다툴 수 있음은 물론 이를 기초로 한 과세처분 등 행정처분의 취소를 구하는 행정소송에서도 선행처분인 개별공시지가결정의 위법을 독립된 위법사유로 주장할 수 있다고 해석함이 타당하다(대판 1994.1.25, 93누8542).

[비교판례] 개별공시지가(개별토지가격) 결정과 양도소득세 부과처분 - 재조사절차를 거친 경우

개별토지가격 결정에 대한 재조사 청구에 따른 감액조정에 대하여 더 이상 불복하지 아니한 경우, 이를 기초로 한 양도소득세 부과처분 취소소송에서 다시 개별토지가격 결정의 위법을 당해 과세처분의 위법사유로 주장할 수 없다.

원고가 이 사건 토지를 매도한 이후에 그 양도소득세 산정의 기초가 되는 1993년도 개별공시지가 결정에 대하여 한 재조사청구에 따른 조정결정을 통지받고서도 더 이상 다투지 아니한 경우까지 선행처분인 개별공시지가 결정의 불가쟁력이나 구속력이 수인한도를 넘는 가혹한 것이거나 예측불가능하다고 볼 수 없어, 위 개별공시지가 결정의 위법을 이 사건 과세처분의 위법사유로 주장할 수 없다(대판 1998.3.13, 96누6059).

관련판례 하자승계부정된 경우

1 건물철거명령에 대한 소원이나 소송을 제기하여 그 위법함을 소구하는 절차를 거치지 아니하였다면 위 선행행위인 건물철거명령은 적법한 것으로 확정되었다고 할 것이니 후행 행위인 대집행계고처분에서는 동 건물이 무허가건물이 아닌 적법한 건축물이라는 주장이나 그러한 사실인정을 하지 못한다(대판 1982.7.27, 81누293).

2 일정한 행정목적을 위하여 독립된 행위가 단계적으로 이루어진 경우에 선행행위인 과세처분의 하자는 당연무효사유를 제외하고는 집행행위인 체납처분에 승계되지 아니한다(대판 1961.10.26, 4292행상73).

3 구 경찰공무원법 제50조 제1항에 의한 직위해제처분과 같은 제3항에 의한 면직처분은 후자가 전자의 처분을 전제로 한 것이기는 하나 각각 단계적으로 별개의 법률효과를 발생하는 행정처분이어서 선행직위 해제처분의 위법사유가 면직처분에는 승계되지 아니한다 할 것이므로 선행된 직위해제 처분의 위법사유를 들어 면직처분의 효력을 다툴 수는 없다(대판 1984.9.11, 84누191).

4 보충역편입처분의 기초가 되는 신체등위 판정에 잘못이 있다는 이유로 이를 다투기 위하여는 신체등위 판정을 기초로 한 보충역편입처분에 대하여 쟁송을 제기하여야 할 것이며, 그 처분을 다투지 아니하여 이미 불가쟁력이 생겨 그 효력을 다툴 수 없게 된 경우에는, 병역처분변경신청에 의하는 경우는 별론으로 하고, 보충역편입처분에 하자가 있다고 할지라도 그것이 당연무효라고 볼만한 특단의 사정이 없는 한 그 위법을 이유로 공익근무요원소집처분의 효력을 다툴 수 없다(대판 2002.12.10, 2001두5422).

5 재개발사업시행인가로 인하여 시행자는 토지수용법 등이 정한 절차에 따라 대상토지에 대한 수용권을 가지게 되므로 사업시행인가 이후의 관리처분 등에 하자가 있다고 하더라도 이로써 수용재결처분의 적부를 다툴 수는 없다(대판 1992.12.11, 92누5584).

간단 점검하기

01 개별공시지가결정에 대한 재조사 청구에 따른 감액조정에 대하여 더이상 불복하지 아니한 경우에는 선행처분의 불가쟁력이나 구속력이 수인한도를 넘는 가혹한 것이거나 예측불가능하다고 볼 수 없어 이를 기초로 한 양도소득세 부과처분 취소소송에서 다시 개별공시지가결정의 위법을 당해 과세처분의 위법사유로 주장할 수 없다. ( ) 17. 국가직 9급

간단 점검하기

02 철거명령과 대집행 절차를 이루는 행위는 별개의 법적 효과를 가져오는 행위이므로 철거명령의 흠은 대집행 절차를 이루는 각 행위에 승계되지 아니한다. ( ) 13. 지방직 7급

03 조세부과처분에 취소사유인 하자가 있는 경우 그 하자는 후행 강제징수절차인 독촉·압류·매각·청산절차에 승계된다. ( ) 19. 국가직 9급

04 구 경찰공무원법 제50조 제1항에 의해 선행된 직위해제처분의 위법사유를 들어 동법 제50조 제3항에 의한 후행 면직처분의 효력을 다툴 수 없다. ( ) 17. 경찰행정

05 보충역편입처분과 공익근무요원소집처분은 양자가 별개의 법률효과를 목표로 하는 것이므로 선행처분에 대한 하자는 후행처분에 승계되지 않는다. ( ) 14. 서울시 9급, 12. 국가직 9급, 11. 국가직 7급

01 ○ 02 ○ 03 × 04 ○ 05 ○

6 국회에서 헌법과 법률이 정한 절차에 의하여 제정·공포된 법률이 헌법에 위반된다는 사정은 헌법재판소의 위헌결정이 있기 전에는 객관적으로 명백한 것이라고 할 수 없으므로 행정처분의 근거법률이 위헌으로 선고된다고 하더라도 이는 이미 집행이 종료된 행정처분의 취소사유에 해당할 뿐 당연무효사유는 아니며, 도시관리계획의 결정 및 고시, 사업시행자지정고시, 사업실시계획인가고시, 수용재결 등의 단계로 진행되는 도시계획시설사업의 경우 그 각각의 처분은 이전의 처분을 전제로 한 것이기는 하나, 단계적으로 별개의 법률효과가 발생되는 독립한 행정처분이어서 이미 불가쟁력이 발생한 선행처분에 하자가 있다고 하더라도 그것이 당연무효의 사유가 아닌 한 후행처분에 승계되는 것은 아니다(헌재 2010.12.28, 2009헌바429).

7 도시계획의 수립에 있어서 도시계획법 제16조의2 소정의 공청회를 열지 아니하고 공공용지의취득및손실보상에관한특례법 제8조 소정의 이주대책을 수립하지 아니하였더라도 이는 절차상의 위법으로서 취소사유에 불과하고 그 하자가 도시계획결정 또는 도시계획사업시행인가를 무효라고 할 수 있을 정도로 중대하고 명백하다고는 할 수 없으므로 이러한 위법을 선행처분인 도시계획결정이나 사업시행인가 단계에서 다투지 아니하였다면 그 쟁소기간이 이미 도과한 후인 수용재결단계에 있어서는 도시계획수립 행위의 위와 같은 위법을 들어 재결처분의 취소를 구할 수는 없다고 할 것이다(대판 1990.1.23, 87누947).

8 도시·군계획시설결정과 실시계획인가는 도시·군계획시설사업을 위하여 이루어지는 단계적 행정절차에서 별도의 요건과 절차에 따라 별개의 법률효과를 발생시키는 독립적인 행정처분이다. 그러므로 선행처분인 도시·군계획시설결정에 하자가 있더라도 그것이 당연무효가 아닌 한 원칙적으로 후행처분인 실시계획인가에 승계되지 않는다(대판 2017.7.18, 2016두49938).

간단 점검하기

01 법률에 규정된 공청회를 열지 아니한 하자가 있는 도시계획결정에 불가쟁력이 발생하였다면, 당해 도시계획결정이 당연무효가 아닌 이상 그 하자를 이유로 후행하는 수용재결처분의 취소를 구할 수는 없다. ( )

16. 지방직 7급

02 헌법재판소의 결정에 따르면, 불가쟁력이 발생한 사업실시계획인가고시의 하자는 당연무효가 아닌 한 수용재결에 승계되지 아니한다. ( )

14. 지방직 7급

01 ○ 02 ○

(4) 판례상 하자의 승계 인정 여부

구분	하자의 승계 긍정	하자의 승계 부정
대집행	• 계고·통지·실행·비용징수 사이 • 암매장분묘개장명령과 계고처분	• 건물철거명령과 대집행계고처분
조세	• 독촉·압류·매각·충당 사이 • 독촉과 가산금·중가산금 징수처분 • 무효인 조례와 지방세부과처분	• 과세처분과 체납처분 • 지방의회의 의안의결과 지방세부과처분
기타	• 한의사 시험자격인정과 면허처분 • 안경사시험합격취소처분과 안경사면허취소처분 • 귀속재산 임대처분과 매각처분	• 직위해제처분과 면직처분 • 수강거부처분과 수료처분 • 변상판정과 변상명령 • 보충역편입처분과 공익근무요원소집 처분 • 액화석유가스판매사업허가와 사업개시 신고반려처분 • 도시관리계획결정처분과 도면승인처분 • 택지개발예정지구의 지정과 택지개발 계획승인 • 주택건설사업승인처분과 도시계획시설 변경 및 지적승인고시처분

공시 지가 · 수용 등 (수인 한도를 기준)	• 별개의 법적 효과를 목적으로 하지만 수인한도론에 근거하여 하자의 승계를 긍정함 • 친일반민족행위자결정과 독립유공자법 적용배제결정(대판 2013. 3.14, 2012두6964) • 표준공시지가결정과 수용재결(보상금산정) • 기준지가고시처분과 토지수용처분 • 비교표준지공시지가결정과 보상금결정 • 개별공시지가결정과 과세처분 • 개별공시지가와 개발부담금(별개효과)	• 표준공시지가결정과 개별공시지가결정 • 표준공시지가결정과 조세부과처분 • 토지등급설정과 과세처분 • 개별토지가격감액조정과 과세처분 • 택지개발계획승인(사업인정)과 수용재결처분 • 도시관리계획결정과 수용재결처분 • 재개발사업시행인가처분과 수용재결처분 • 사업인정과 수용재결처분 • 도시계획시설변경과 사업계획승인처분

3. 선행정행위의 후행정행위에 대한 구속력이론(기결력이론)

(1) 의의

하자의 승계문제를 '불가쟁력이 발생한 선행정행위의 후행정행위에 대한 구속력(규준력)'의 문제로서 이해하려는 견해이다.

(2) 근거

직접적인 명문의 법적 근거는 없지만, 행정행위의 불가쟁력에 관한 규정인 행정쟁송 제기기간에 관한 규정을 간접적인 근거규정으로 들고 있다.

(3) 구속력이 인정되기 위한 요건(한계)

① **사물적 한계**: 양 행위가 동일한 목적을 추구하며 법적 효과가 기본적으로 일치되어야 한다.

② **대인적 한계**: 양 행위의 수범자가 일치하는 한도 내에서만 그 효력이 미친다.

③ **시간적 한계**: 선행정행위의 사실 및 법상태가 유지되는 한도 내에서만 구속력이 미친다.

④ **예측가능성과 수인가능성**: 선행정행위의 위법을 이유로 후행정행위의 취소를 허용하지 아니할 경우 상대방에게 지나치게 가혹한 결과를 초래할 수 있으므로, 상대방에게 예측가능성과 수인가능성이 있어야 한다.

(4) 구체적인 적용

① 과세처분과 체납처분 사이에는 그들 목적과 법적 효과에 일치성이 있다고 볼 수 있으므로, 과세처분은 체납처분에 대하여 구속력을 미친다.❶

② 공무원의 직위해제처분과 직권면직처분 사이에는 그 양자의 규율대상의 일치성이 희박하다고 볼 수 있으므로, 직위해제처분은 직권면직처분에 대하여 구속력을 미치지 않는다. 따라서 통설 · 판례가 하자의 승계를 부인한 것과는 달리, 직위해제처분에 불가쟁력이 발생한 이후에도 그것의 하자를 이유로 직권면직처분의 취소를 청구할 수 있다고 보고 있다.

❶ 결과는 통설 · 판례와 동일하다.

제4절 행정행위의 취소

1 개설

1. 의의

(1) 행정행위의 취소란 일응 유효하게 성립한 행정행위의 효력을 성립상의 흠을 이유로 권한 있는 기관이 원래의 행위에 소급하여 소멸시키는 별개의 독립된 행위를 말한다.

(2) 행정행위의 취소는 협의로는 직권취소만을 의미하지만 광의로는 직권취소 이외에 쟁송취소를, 최광의로는 무효선언으로서의 취소와 철회를 포함하여 사용하는 경우도 있다.

간단 점검하기

행정행위의 취소란 하자 없이 성립한 행정행위에 대해 그의 효력을 존속시킬 수 없는 새로운 사정이 발생하였을 이유로 장래에 향하여 그 효력을 소멸시키는 행정행위를 말한다. ( )

14. 서울시 7급, 11. 서울시 9급

point check 취소와 철회의 구별

구분	취소		철회
	직권취소	쟁송취소	
권한행사자	처분청, 감독청	행정심판위원회, 법원	처분청
사유	성립상 하자	성립상 하자	새로운 사정변경
대상	일단 유효한 행정행위	일단 유효한 행정행위	완전 유효한 행정행위
절차	특별한 절차 없음	행정심판·행정소송	특별한 절차 없음
효과	원칙적 장래효	원칙적 소급효	장래효
손실보상	원칙적 손해배상 (예외적 손실보상)	원칙적 손해배상 (예외적 손실보상)	원칙적 손실보상

2. 행정행위의 취소의 종류

(1) 행정청에 의한 취소(직권취소와 행정심판취소)와 법원에 의한 취소(행정소송취소)

(2) 직권에 의한 취소와 쟁송에 의한 취소(행정심판취소와 행정소송취소)

(3) 수익적 행정행위의 취소(주로 직권취소)와 부담적 행정행위의 취소(주로 쟁송취소)

(4) 형식적 의미의 취소와 실질적 의미의 취소

① **형식적 의미의 취소**: 일반적 의미의 취소, 즉 행정행위의 효력을 소멸시키기 위하여 행하는 명시적·직접적인 행위를 말한다.

② **실질적 의미의 취소**: 후행행위의 내용이 선행행위와 달리 정해짐으로써 선행행위가 실질적으로 취소·변경되는 경우, 즉 하자 있는 행정행위와 양립될 수 없는 새로운 행정행위를 행함으로써 기존의 행정행위가 실질적으로 소멸되는 것을 말한다.

×

3. 직권취소와 쟁송취소의 구별

(1) 기본적 성격의 차이

① **직권취소**: 추상적인 위법성을 이유로 하는 적법성의 회복수단일 뿐만 아니라, 그 자체가 하나의 행정행위로서 장래에 향하여 행정목적실현을 위한 수단으로 사용된다.

② **쟁송취소**: 법률에 의한 행정의 원리의 실현을 위하여 행정행위의 추상적인 위법성을 이유로 사후적으로 적법상태를 회복하고 국민의 권리를 구제하는 제도이다.

③ **형식적 · 실질적 의미**: 쟁송취소는 원칙적으로 형식적 의미의 취소지만, 직권취소에는 형식적 의미의 취소뿐만 아니라 실질적 의미의 취소도 있다.

(2) 구체적 차이점

구분	직권취소	쟁송취소
주 목적	• 1차적: 행정의 적법성 보장 (공익우선) • 2차적: 국민의 권익구제	• 1차적: 국민의 권익구제 (사익우선) • 2차적: 행정의 적법성 보장
성질	행정작용	• 행정심판: 행정작용 + 준사법작용 • 행정소송: 사법작용
대상	주로 수익적 행위 + 침익적 행위	주로 침익적 행위 + 복효적 행위
취소권자	행정청(처분청 · 감독청)	• 행정심판: 행정청(행정심판위원회) • 행정소송: 법원
법적 근거	특별한 근거 불요(반대설 있음)	행정심판법 · 행정소송법의 근거 필요
사유	위법 · 부당 (구체적 행정목적 위반)	• 행정심판: 위법 · 부당 • 행정소송: 위법
제한	• 침익적 행위의 취소: 자유 • 수익적 행위의 취소: 이익형량	원칙 - 이익형량 불요 (단, 사정재결 · 사정판결의 제한이 있음)
절차	• 행정절차법 • 비교적 엄격하지 않음	• 행정심판법, 행정소송법 • 비교적 엄격함
절차개시	주로 행정청 스스로 판단	반드시 상대방의 쟁송제기
기간제한	기간제한 × (다만, 실권의 법리는 적용가능)	기간제한 ○ (행정심판 - 90일, 180일 행정소송 - 90일, 1년)
효과	• 침익적 행위: 원칙 - 소급효 ○ • 수익적 행위: 원칙 - 소급효 ×	원칙 - 소급효 ○
내용	적극적 변경도 가능	• 행정심판: 적극적 변경도 가능 • 행정소송: 소극적 변경만 가능
불가변력	부정	인정

간단 점검하기

01 직권취소의 경우 위법뿐만 아니라 부당도 취소사유가 된다. ( )
00. 관세사

02 우리나라 행정절차법에서는 취소권을 1년 이상 행사하지 아니하면 실권되는 것으로 명문의 규정을 두고 있다. ( ) 17. 국회직 8급

01 ○ 02 ×

2 취소의 목적과 성질

1. 직권취소

(1) 주로 행정의 적법성 보장이라는 공익보호를 주된 목적으로 한다.

(2) 직권취소도 하나의 행정행위로서 장래의 행정목적을 실현하기 위한 수단으로 행하여진다.

2. 쟁송취소

(1) 주로 국민의 권익구제라는 사익보호를 주된 목적으로 한다.

(2) 행정심판은 행정작용의 성격과 준사법적 작용의 성격을 동시에 가지지만, 행정소송은 전형적인 사법작용에 해당한다.

3 취소의 대상

1. 직권취소

(1) 수익적 행위와 부담적 행위 모두 직권취소의 대상이 된다.

(2) 다만, 주로 수익적 행위가 직권취소와 관련하여 논의대상이 된다.

2. 쟁송취소

(1) 부담적 행정행위가 주로 쟁송취소의 대상이 된다.

(2) 복효적 행정행위는 제3자의 쟁송제기에 의해 취소할 수 있다.

4 취소권자

1. 직권취소

(1) 원칙적으로 처분청은 명문의 근거가 없이도 직권취소를 할 수 있다[1].

(2) 감독청의 경우 명문의 규정이 있으면 당연히 직권취소를 할 수 있다.

(3) 명문의 규정이 없는 경우 감독권에는 취소권이 당연히 포함되어 있으므로 감독청은 명문규정이 없더라도 직권취소를 할 수 있다는 적극설이 전통적인 견해이다.

관련판례 직권취소

1 **처분청의 직권취소 ★★★**

개별토지에 대한 가격결정도 행정처분에 해당하며, 원래 행정처분을 한 처분청은 그 행위에 하자가 있는 경우에는 원칙적으로 별도의 법적 근거가 없더라도 스스로 이를 직권으로 취소할 수 있는 것이다(대판 1995.9.15, 95누6311).

[1] 2021년 제정된 행정기본법에 처분청의 직권취소 근거가 입법되었다.

간단 점검하기

행정처분을 한 처분청은 그 처분의 성립에 하자가 있는 경우 이를 취소할 별도의 법적 근거가 없다고 하더라도 직권으로 이를 취소할 수 있다.
( ) 18. 서울시 7급

○

2 무권한자가 처분을 한 경우 (직권)취소권자 – 처분청 ★★★

권한 없는 행정기관이 한 당연무효인 행정처분을 취소할 수 있는 권한은 당해 행정처분을 한 처분청에게 속하고, 당해 행정처분을 할 수 있는 적법한 권한을 가지는 행정청에게 그 취소권이 귀속되는 것이 아니다(대판 1984.10.10, 84누463).
#함평군수_권한 #전남지사(처분청, 무권한자)_취소처분_정당

간단 점검하기

권한 없는 행정기관이 한 당연무효인 행정처분을 취소할 수 있는 권한은 당해 행정처분을 한 처분청에게 속하고, 당해 행정처분을 할 수 있는 적법한 권한을 가지는 행정청에게 그 취소권이 귀속되는 것이 아니다. ( )
19. 지방직 9급

2. 쟁송취소

행정심판법 제5조【행정심판의 종류】 행정심판의 종류는 다음 각 호와 같다.
1. 취소심판: 행정청의 위법 또는 부당한 처분을 취소하거나 변경하는 행정심판

행정소송법 제4조【항고소송】 항고소송은 다음과 같이 구분한다.
1. 취소소송: 행정청의 위법한 처분등을 취소 또는 변경하는 소송

(1) 원칙적으로 행정청과 법원이 취소권을 가진다.

(2) 행정심판의 경우에는 행정심판위원회, 행정소송의 경우에는 법원이 취소권자가 된다.

(3) 행정심판위원회는 원칙적으로 처분청의 직근상급행정기관 소속 행정심판위원회가 되지만, 제3의 기관이 되는 경우도 있다(예 공무원의 불이익처분 시 소청심사위원회 등).

5 취소권의 근거

1. 직권취소

(1) 학설

① **법적 근거필요설(적극설)**: 직권취소는 주로 수익적 행정행위가 대상이 되는데, 그 취소는 상대방의 기득권을 침해하게 되므로 법적 근거가 필요하다는 것이다.

② **법적 근거불요설(소극설 · 통설 · 판례)**: 직권취소는 그 성립 · 효력요건을 갖추지 아니한 하자가 있음을 이유로 효력을 소멸시키는 것이므로, 별도의 법적 근거를 요하지 아니하며 원처분의 근거규정만으로 직권취소가 가능하다는 것이다. 통설 · 판례의 입장이었다(대판 2002.5.28, 2001두9653).[1]

③ **제한적 근거필요설**: 수익적 행정행위의 직권취소의 경우에는 별도의 법적 근거가 필요하다고 주장하는 견해이다. 이 견해는 직권취소는 장래에 향하여 공익을 실현하기 위한 독자적 행정행위이므로 수익적 행정행위의 직권취소에는 별도의 법적 근거가 필요하다고 본다.

(2) 행정기본법 규정

행정기본법 제18조【위법 또는 부당한 처분의 취소】 ① 행정청은 위법 또는 부당한 처분의 전부나 일부를 소급하여 취소할 수 있다. 다만, 당사자의 신뢰를 보호할 가치가 있는 등 정당한 사유가 있는 경우에는 장래를 향하여 취소할 수 있다.

[1] 2021년 제정된 행정기본법에 직권취소의 일반적 근거규정이 마련되었다.

○

2. 쟁송취소

쟁송취소는 행정심판법, 행정소송법 등 법률에 근거하여 행해진다.

> 행정권한의 위임 및 위탁에 관한 규정 제6조【지휘·감독】위임 및 위탁기관은 수임 및 수탁기관의 수임 및 수탁사무 처리에 대하여 지휘·감독하고, 그 처리가 위법하거나 부당하다고 인정될 때에는 이를 취소하거나 정지시킬 수 있다.

6 취소의 사유

1. 취소원인

직권취소는 위법성뿐만 아니라 부당성도 취소사유가 되며, 구체적 행정목적을 고려하여 취소 여부를 결정하여야 한다. 반면, 쟁송취소 중 법원에 의한 취소는 위법성만이 취소사유가 된다.

2. 취소사유

(1) 근거

취소사유는 법령에서 명문의 규정을 두는 경우도 있지만 통칙적 규정은 없다. 그러므로 무효·취소의 구별기준인 중대명백설에 따라 단순위법사유가 취소사유가 된다.

(2) 학설·판례상 취소사유

① 권한초과
② 행위능력 결여
③ 사기·강박·증수뢰 등 부정행위에 의한 경우
④ 착오의 결과로서 위법·부당하게 된 경우
⑤ 경미한 절차나 형식을 결여한 경우
⑥ 공서양속에 위반한 경우(무효로 보는 반대설 있음, 민법에서는 무효)
⑦ 그 밖의 행위의 내용이 단순한 법규위반, 조리법 등 불문법위반, 공익위반인 경우

7 취소권의 제한

1. 직권취소

> 행정기본법 제18조【위법 또는 부당한 처분의 취소】② 행정청은 제1항에 따라 당사자에게 권리나 이익을 부여하는 처분을 취소하려는 경우에는 취소로 인하여 당사자가 입게 될 불이익을 취소로 달성되는 공익과 비교·형량(衡量)하여야 한다. 다만, 다음 각 호의 어느 하나에 해당하는 경우에는 그러하지 아니하다.
> 1. 거짓이나 그 밖의 부정한 방법으로 처분을 받은 경우
> 2. 당사자가 처분의 위법성을 알고 있었거나 중대한 과실로 알지 못한 경우

(1) 부담적 행정행위의 경우

부담적 행정행위의 취소는 적법성을 확보하고 국민에게 이익을 주므로 원칙적으로 자유롭다.

(2) 수익적 행정행위의 경우

취소가 제한되는 경우	• 행정행위를 이용하고 있는 경우(예 건축허가를 받고 건축에 착수한 경우) • 경제적 효과의 형량(예 위법한 개간허가이지만 많은 사람의 생계가 달려 있는 경우) • 불가변력이 있는 행정행위(예 행정심판의 재결, 합격자결정 등) • 포괄적인 신분관계 설정행위(예 국적부여행위, 공무원임용행위 등) • 사인의 법률적 행위의 효력을 완성시켜 주는 행위(예 인가 등) • 신뢰보호원칙(행정의 법형식 참조) • 실권(예 시간의 경과) • 복효적 행정행위 • 하자의 치유 · 전환이 가능한 행정행위
취소가 제한되지 않는 경우	• 위험방지 • 수익자의 주관적 책임(수익적 행정행위가 수익자의 부정한 방법으로 얻어진 경우) • 수익자의 객관적 책임(수익자의 고용인 · 대리인 등의 부정 · 부실 신고에 의한 경우)

관련판례 **취소가 제한되는 경우**

1 수익적 행정행위를 취소할 수 있는 경우에는 공익과 사익을 비교 · 형량한 후 판단하여야 한다(대판 1986.2.25, 85누664).

2 상당한 정도 공사가 진행된 건축물에 법령위반의 하자가 발견된 경우, 철거명령을 내리기 위해서는 행정목적이라는 공익과 건축주의 사익 등 관계 제 이익을 비교 · 교량한 후 판단하여야 한다(대판 1993.3.12, 92누11039).

관련판례 **취소가 제한되지 않는 경우** ★★★

1 수익적 행정행위를 취소할 수 있는 경우 및 수익적 행정처분의 하자가 당사자의 사실은폐나 기타 사위의 방법에 의한 신청행위에 기인한 경우, 당사자의 신뢰이익을 고려하지 않는다. … 사건 공장을 공장의 용도뿐만 아니라 공장 외의 용도로도 활용할 내심의 의사가 있었다고 하더라도 그와 같은 사유만으로는 이 사건 공장등록이 하자 있는 행정행위로서 취소사유가 있다고 할 수 없다(대판 2006.5.25, 2003두4669).

2 허위의 고등학교 졸업증명서를 제출하는 사위의 방법에 의한 하사관 지원의 하자를 이유로 하사관 임용일로부터 33년이 경과한 후에 행정청이 행한 하사관 및 준사관 임용취소처분이 적법하다(대판 2002.2.5, 2001두5286).

간단 점검하기

01 특별한 사정이 없는 한 부담적 행정행위의 취소는 원칙적으로 자유롭지 않다. ( ) 16. 서울시 9급

02 수익적 행정처분을 취소 또는 철회하는 경우에는 이미 부여된 그 국민의 기득권을 침해하는 것이 되므로 그 처분으로 인하여 공익상의 필요보다 상대방이 받게 되는 불이익 등이 막대한 경우에는 재량권의 한계를 일탈한 것으로서 그 자체가 위법하다. ( ) 16. 서울시 7급, 15. 국가직 9급, 12. 국가직 7급

간단 점검하기

03 판례에 따르면 수익적 행정처분의 하자가 당사자의 사실은폐에 의한 신청행위에 기인한 것이라면 행정청이 당사자의 신뢰이익을 고려하지 않고 취소하였다 하더라도 재량권의 남용이 되지 않는다. ( ) 11. 지방직 9급, 08. 국가직 7급

01 × 02 ○ 03 ○

3 처분의 하자가 당사자의 사위의 방법에 기인한 경우, 당사자는 그 처분의 취소에 있어 신뢰이익을 주장할 수 없다(대판 1991.4.12, 90누9520).

4 수익자가 위법한 행정행위에 원인을 제공한 경우에는 신뢰이익을 주장할 수 없다(대판 1995.1.20, 94누6529).

(3) 기타

① 수익적 행정행위의 직권취소와 철회는 행위의 상대방의 신뢰보호뿐만 아니라 필요시 제3자의 이익도 함께 고려되어야 한다.

② 행정행위의 위법이 치유된 경우에는 그 위법을 이유로 당해 행정행위를 직권취소할 수 없다.

③ 외형상 하나의 행정처분이라 하더라도 가분성이 있거나 그 처분대상의 일부가 특정될 수 있다면 그 일부만의 취소도 가능하다.

2. 쟁송취소

(1) 쟁송취소는 주로 부담적 행정행위가 대상이 되므로 원칙적으로 자유롭게 인정된다.

(2) 그러나 행정심판법 제33조(사정재결) 및 행정소송법 제28조(사정판결)는 '현저히 공공복리에 적합하지 아니하다고 인정하는 때'를 취소의 제한사유로 규정하고 있으므로 공공복리는 쟁송취소의 일반적인 제한사유로 볼 수 있다.

3. 일부취소

행정행위의 법효과를 분리하는 것이 가능한 경우 침익적 부분은 침익적 행위의 취소의 원리에 따라 취소할 수 있고, 수익적 부분은 수익적 행위의 취소의 원리에 따라 일부취소가 가능하다(대판 2006.3.9, 2003두2861 ; 행정기본법 제18조 제1항).

4. 직권취소의 제한사유가 아닌 것

관련판례

1 소멸시효는 객관적으로 권리가 발생하여 그 권리를 행사할 수 있는 때로부터 진행하고 그 권리를 행사할 수 없는 동안만은 진행하지 아니하는데, 여기서 권리를 행사할 수 없는 경우라 함은 그 권리행사에 법률상의 장애사유가 있는 경우를 말하는데, 변상금 부과처분에 대한 취소소송이 진행중이라도 그 부과권자로서는 위법한 처분을 스스로 취소하고 그 하자를 보완하여 다시 적법한 부과처분을 할 수도 있는 것이어서 그 권리행사에 법률상의 장애사유가 있는 경우에 해당한다고 할 수 없으므로, 그 처분에 대한 취소소송이 진행되는 동안에도 그 부과권의 소멸시효가 진행된다(대판 2006.2.10, 2003두5685).

간단 점검하기

변상금 부과처분에 대한 취소소송이 진행 중이라도 그 부과권자는 위법한 처분을 스스로 취소하고 그 하자를 보완하여 다시 적법한 부과처분을 할 수도 있다. ( ) 19. 국가직 7급

○

2 새로운 소멸시효의 진행이 개시된 뒤에는 원고가 위 선행과세처분에 대한 청구소송을 제기하고 피고가 이에 응소하였다 하더라도 원심이 확정한 바와 같이 그 소송의 결과 선행의 과세처분에는 납세고지서에 세액산출근거를 명시하지 아니한 위법이 있고 그와 같은 과세절차상의 하자는 과세처분 자체를 취소하여야 할 위법사유에 해당된다 하여 피고 패소판결이 선고되고 그 판결이 그대로 확정되었다면 피고의 응소행위에 시효중단의 효력이 생길 수 없을 뿐만 아니라 선행과세처분에 대한 소송이 진행중이라도 과세관청인 피고로서는 위법한 선행처분을 스스로 취소하고 그 절차상의 하자를 보완하여 다시 적법한 과세처분을 할 수도 있는 것이므로 선행과세처분에 대한 취소소송이 종료될 때까지는 그 처분의 적법함을 변론하는 외에는 달리 적법한 권리행사가 불가능하여 소멸시효가 진행될 수 없다고도 할 수 없다(대판 1988.3.22, 86누269).

8 취소의 절차

1. 직권취소

(1) 직권취소는 개별법률에서 특별한 절차(청문절차 등)를 두고 있는 경우를 제외하고는 특별한 절차가 없는 것이 보통이다.

(2) 그러나 현행 행정절차법은 수익적 행정행위의 취소의 경우 상대방에게 의견제출의 기회를 부여하여야 한다고 규정하고 있다(행정절차법 제21조, 제23조).

(3) 직권취소 신청권이 이해관계인에게 주어지는지 논의되나 판례는 원칙적으로 인정되지 않는다고 본다.

관련판례 직권취소신청권

취소신청권 ★★★

행정처분을 한 처분청은 그 처분에 하자가 있는 경우에는 원칙적으로 별도의 법적 근거가 없더라도 스스로 이를 직권으로 취소할 수 있지만, 그와 같이 직권취소를 할 수 있다는 사정만으로 이해관계인에게 처분청에 대하여 그 취소를 요구할 신청권이 부여된 것으로 볼 수는 없으므로, 처분청이 위와 같이 법규상 또는 조리상의 신청권이 없이 한 이해관계인의 복구준공통보 등의 취소신청을 거부하더라도, 그 거부행위는 항고소송의 대상이 되는 처분에 해당하지 않는다(대판 2006.6.30, 2004두701).

#복구준공통보취소신청 #취소신청권_없음

2. 쟁송취소

(1) 쟁송취소는 행정심판법·행정소송법이 정하는 절차에 따라 행해진다.

(2) 쟁송취소는 상대방의 쟁송제기가 있어야 비로소 절차가 개시되며, 절차가 비교적 엄격하다.

(3) 쟁송취소는 쟁송제기기간이 행정심판법·행정소송법에 정해져 있다.

간단 점검하기

01 선행부과처분에 대한 취소소송이 진행 중이더라도 과세관청인 피고로서는 위법한 선행처분을 스스로 취하거나 그 절차상 하자를 보완하여 다시 적법한 부과처분을 할 수 있다. ( )
15. 국가직 9급

간단 점검하기

02 직권취소는 처분의 성격을 가지므로, 이유제시 절차 등의 행정절차법상 처분절차에 따라야 하며, 특히 수익적 행위의 직권취소는 상대방에게 침해적 효과를 발생시키므로 행정절차법에 따른 사전통지, 의견청취의 절차를 거쳐야 한다. ( ) 18. 국회직 8급

03 행정처분을 한 처분청은 그 처분에 하자가 있는 경우에는 원칙적으로 별도의 법적 근거가 없더라도 스스로 이를 직권으로 취소할 수 있고, 이러한 경우 이해관계인에게는 처분청에 대하여 그 취소를 요구할 신청권이 부여된 것으로 볼 수 있다. ( ) 17. 국가직 9급

01 ○ 02 ○ 03 ×

9 취소의 효과

1. 효과결정의 개별화

(1) 취소는 성립 당시의 하자를 원인으로 효력을 소멸시키는 행위이므로, 원칙적으로 소급하여 효력이 소멸된다(원칙적 소급효). 다만, 당사자의 신뢰를 보호할 가치가 있는 등 정당한 사유가 있는 경우에는 장래를 향하여 취소할 수 있다(행정기본법 제18조 제1항).

(2) 취소의 효과는 구체적 가치판단에 따라 합리적으로 해결하여야 할 것이다.

① **쟁송취소**: 당사자의 권리구제가 목적이므로 권리보호를 위하여 소급효가 인정된다.

② **직권취소**: 침익적 행정행위의 경우에는 소급효가, 수익적 행정행위의 경우에는 장래효가 인정되는 것이 원칙이다.

간단 점검하기

01 수익적 행정행위의 취소에 있어서는 행정행위의 상대방에게 귀책사유가 없는 한 취소의 효과가 소급되지 않는 것이 원칙이다. ( ) 09. 지방직 9급

관련판례 취소의 효과

1 영업허가취소처분 쟁송취소 ★★★

영업의 금지를 명한 영업허가취소처분 자체가 나중에 행정쟁송절차에 의하여 취소되었다면 그 영업허가취소처분은 그 처분시에 소급하여 효력을 잃게 되며, 그 영업허가취소처분에 복종할 의무가 원래부터 없었음이 확정되었다(대판 1993.6.25, 93도277).

간단 점검하기

02 영업허가취소처분이 청문절차를 거치지 않았다 하여 행정심판에서 취소되었더라도 그 허가취소처분 이후 취소재결시까지 영업했던 행위는 무허가영업에 해당한다. ( ) 19. 국가직 9급

2 운전면허취소처분 쟁송취소 ★★★

피고인이 행정청으로부터 자동차 운전면허취소처분을 받았으나 나중에 그 행정처분 자체가 행정쟁송절차에 의하여 취소되었다면, 위 운전면허취소처분은 그 처분시에 소급하여 효력을 잃게 되고, 피고인은 위 운전면허취소처분에 복종할 의무가 원래부터 없었음이 후에 확정되었다고 봄이 타당할 것이고, 행정행위에 공정력의 효력이 인정된다고 하여 행정소송에 의하여 적법하게 취소된 운전면허취소처분이 단지 장래에 향하여서만 효력을 잃게 된다고 볼 수는 없다(대판 1999.2.5, 98도4239).

3 운전면허취소처분 직권취소 ★★★

피고인이 특정범죄 가중처벌 등에 관한 법률 위반(도주차량)의 범행을 저지른 사실이 없음을 이유로 전라남도 지방경찰청장이 이 사건 운전면허 취소처분을 철회[1]하였다면, 이 사건 운전면허 취소처분은 행정쟁송절차에 의하여 취소된 경우와 마찬가지로 그 처분시에 소급하여 효력을 잃게 되고, 피고인은 그 처분에 복종할 의무가 당초부터 없었음이 후에 확정되었다고 봄이 타당하다(대판 2008.1.31, 2007도9220).

#도주차량_면허취소 #도주차량_무혐의 #면허취소_소급효

4 이사취임승인취소처분 직권취소

행정처분이 취소되면 그 소급효에 의하여 처음부터 그 처분이 없었던 것과 같은 효과를 발생하게 되는바, 행정청이 의료법인의 이사에 대한 이사취임승인취소처분(제1처분)을 직권으로 취소(제2처분)한 경우에는 그로 인하여 이사가 소급하여 이사로서의 지위를 회복하게 되고, 그 결과 위 제1처분과 제2처분 사이에 법원에 의하여 선임결정된 임시이사들의 지위는 법원의 해임결정이 없더라도 당연히 소멸된다(대판 1997.1.21, 96누3401).

[1] 직권취소를 의미한다.

01 ○ 02 ×

2. 반환청구권(원상회복)

행정행위가 취소·철회 그 밖의 사유로 효력이 상실된 경우에, 행정청은 그 행정행위와 관련하여 부여한 금전·문서(허가증 등) 그 밖의 물건의 반환을 청구할 수 있다.

3. 손실보상의 여부

수익적 행정행위가 상대방의 귀책사유로 취소되는 경우가 아닌 한, 상대방은 행정행위의 존속에 대한 신뢰를 바탕으로 재산상의 손실보상을 구할 수도 있다.

10 취소의 취소

1. 문제점

행정행위를 직권으로 취소한 후에 그 취소행위에 하자가 있음을 이유로 이를 다시 취소하여 다시 원행정행위를 소생시킬 수 있는지가 문제된다.

2. 취소에 무효사유인 하자가 있는 경우

(1) 이 경우 행정행위로서의 해당 취소행위는 처음부터 효력을 발생하지 아니하므로, 원행정행위는 아무런 영향을 받지 않고 그대로 존속한다.

(2) 따라서 취소의 상대방이 취소처분에 대해 무효선언의미의 취소나 무효확인을 구할 수도 있다.

3. 취소에 단순취소사유인 하자가 있는 경우

(1) 학설

① **부정설**: 법령의 명문의 규정이 없으면 취소처분에 의하여 소멸된 행위를 다시 소생시킬 수 없다는 입장이다. 결국 원행정행위와 동일한 내용의 새로운 행정행위를 할 수밖에 없다.

② **긍정설(다수설)**: 취소처분은 행정행위의 일종이므로 그에 하자가 있으면 직권취소가 가능하다는 입장이다. 이에 따르면 취소처분을 직권취소하는 경우 원행정행위는 다시 부활한다.

③ **절충설**: 침익적 행정행위의 취소처분의 직권취소는 상대방의 신뢰이익을 보호하기 위하여 원칙적으로 부정하고, 수익적 행정행위의 취소처분의 직권취소는 이해관계 있는 제3자가 없는 한 이를 긍정하는 입장이다.

(2) 판례(절충설)

판례는 수익적 행정행위의 취소에 대하여는 새로운 이해관계인이 생기기 전까지는 취소처분의 직권취소로써 원래의 수익적 행정행위의 효력을 회복할 수 있지만, 침익적 행정행위의 취소에 대하여는 취소처분의 직권취소로써 원행정행위를 소생시킬 수는 없다고 하였다. 이러한 판례의 입장은 절충설의 태도를 취한 것으로 평가할 수 있다.

간단 점검하기

01 국세기본법상 상속세 부과처분의 취소에 하자가 있는 경우, 부과의 취소의 취소에 대하여는 법률이 명문으로 취소요건이나 그에 대한 불복절차에 대하여 따로 규정을 두고 있지 않더라도 과세관청은 부과의 취소를 다시 취소함으로써 원부과처분을 소생시킬 수 있다. ( ) 18. 지방직 9급

02 판례에 의하면 현역병 입영대상편입처분을 보충역편입처분으로 변경한 경우, 보충역편입처분에 불가쟁력이 발생한 이후 보충역편입처분이 하자를 이유로 직권취소되었다면 종전의 현역병 입영대상편입처분의 효력은 되살아난다. ( ) 16. 서울시 7급, 14. 지방직 9급

03 광업권 허가에 대한 취소처분을 한 후 적법한 광업권 설정의 선출원이 있는 경우에는 취소처분을 취소하여 광업권을 복구시키는 조처는 위법하다. ( ) 18. 국회직 8급, 14. 서울시 7급

관련판례 취소의 취소

1 **수익적처분** ★★

의료법인 이사취임승인취소처분에 대한 직권취소는 소급하여 원처분이 부활한다(대판 1997.1.21, 96누3401).

2 **침익적처분** ★★★

과세처분의 취소처분에 대한 직권취소를 한 경우 원행정행위는 부활하지 않고 새로운 과세처분을 해야 한다(대판 1979.5.8, 77누61 ; 대판 1995.3.10, 94누7027).

3 **침익적처분** ★★★

현역처분이 재검 후 보충역편입처분으로 변경된 때에는 보충역편입처분을 직권취소하더라도 현역처분의 효력이 부활하지는 않는다(대판 2002.5.28, 2001두9653).

4 **침익적처분** ★★★

불복절차(이의신청)에서 과세관청이 이의신청 사유가 옳다고 인정하여 과세처분을 직권으로 취소한 후, 특별한 사유 없이 이를 번복하여 종전 처분과 동일한 내용의 처분을 할 수 없다(대판 2010.9.30, 2009두1020).

5 **직권취소 제한** ★★

새로운 이해관계인이 생긴 이후(원고에 대한 광업권 취소처분 후 제3자로부터 광업권설정의 선출원이 있는 경우)의 취소처분에 대한 취소는 위법하다(대판 1967.10.23, 67누126).

제5절 행정행위의 철회

1 의의

행정행위의 철회라 함은 하자 없이 적법하게 성립한 행정행위에 대해, 그의 효력을 존속시킬 수 없는 새로운 사정이 발생하였음을 이유로, 장래에 향하여 그의 효력을 소멸시키는 독립한 행정행위를 말한다.❶

관련판례

행정행위의 취소는 일단 유효하게 성립한 행정행위를 그 행위에 위법 또는 부당한 하자가 있음을 이유로 소급하여 그 효력을 소멸시키는 별도의 행정처분이고, 행정행위의 철회는 적법요건을 구비하여 완전히 효력을 발하고 있는 행정행위를 사후적으로 그 행위의 효력의 전부 또는 일부를 장래에 향해 소멸시키는 행정처분이므로, 행정행위의 취소사유는 행정행위의 성립 당시에 존재하였던 하자를 말하고, 철회사유는 행정행위가 성립된 이후에 새로이 발생한 것으로서 행정행위의 효력을 존속시킬 수 없는 사유를 말한다(대판 2003.5.30, 2003다6422).

간단 점검하기

04 행정행위의 취소사유는 행정행위의 성립 당시에 존재하였던 하자를 말하고, 철회사유는 행정행위가 성립된 이후에 새로이 발생한 것으로서 행정행위의 효력을 존속시킬 수 없는 사유를 말한다. ( ) 17. 경찰행정, 15. 국가직 7급, 13. 서울시 7급

05 철회도 실정법상 취소라고 불리는 경우가 많다. ( ) 06. 국가직 9급

❶ 철회도 실정법상 취소라고 불리는 경우가 많다.

01 × 02 × 03 ○ 04 ○ 05 ○

2 철회권의 행사

1. 철회권자

(1) 행정행위의 철회는 원칙적으로 처분청만이 할 수 있다.

(2) 감독청은 처분청에 철회를 명할 수 있으나, 법률에 특별한 규정이 없는 한 직접 해당 행위를 철회할 수 없다.

관련판례

행정행위를 한 처분청은 비록 처분 당시에 별다른 하자가 없었고, 처분 후에 이를 철회할 별도의 법적 근거가 없더라도 원래의 처분을 존속시킬 필요가 없게 된 사정변경이 생겼거나 중대한 공익상 필요가 발생한 경우에는 그 효력을 상실케 하는 별개의 행정행위로 이를 철회할 수 있다(대판 2017.3.15, 2014두41190).

2. 철회원인(철회사유)

> 행정기본법 제19조【적법한 처분의 철회】① 행정청은 적법한 처분이 다음 각 호의 어느 하나에 해당하는 경우에는 그 처분의 전부 또는 일부를 장래를 향하여 철회할 수 있다.
> 1. 법률에서 정한 철회 사유에 해당하게 된 경우
> 2. 법령 등의 변경이나 사정변경으로 처분을 더 이상 존속시킬 필요가 없게 된 경우
> 3. 중대한 공익을 위하여 필요한 경우

(1) 법률에서 정한 철회 사유에 해당하게 된 경우

(2) 사정변경

① 사실관계의 변경(예 도로의 폐지에 따른 도로점용허가의 철회)

② 근거법령의 개폐

(3) 중대한 공익을 위하여 필요한 경우

① 보다 우월한 공익의 요구

② 상대방의 의무위반, 부담의무의 불이행 등

3. 철회의 가능성(철회권의 근거)

판례는 근거불요설의 입장에서, 별도의 법적 근거가 없더라도 사정변경 또는 중대한 공익상의 필요에 의해 행정행위를 철회할 수 있다는 입장이었다(대판 1995.5.26, 94누8266 ; 대판 2002.11.26, 2001두2874).❶

> 행정기본법 제19조【적법한 처분의 철회】① 행정청은 적법한 처분이 법률에서 정한 철회 사유에 해당하게 된 경우, 법령 등의 변경이나 사정변경으로 처분을 더 이상 존속시킬 필요가 없게 된 경우, 중대한 공익을 위하여 필요한 경우에는 그 처분의 전부 또는 일부를 장래를 향하여 철회할 수 있다.

간단 점검하기

01 법률상 명문의 규정이 없어도 처분청뿐만 아니라 감독청도 철회권을 가진다. ( )
18. 서울시 7급, 13·11. 서울시 9급

02 건축주가 토지소유자로부터 토지사용승낙서를 받아 그 토지 위에 건축물을 건축하는 건축허가를 받았다가 착공에 앞서 건축주의 귀책사유로 해당 토지를 사용할 권리를 상실한 경우, 토지소유자의 건축허가 철회신청을 거부한 행위는 항고소송의 대상이 된다. ( ) 19. 지방직 9급

간단 점검하기

03 음주운전으로 인한 운전면허취소는 행정행위의 철회에 해당한다. ( )
10. 서울시 9급

04 불법영업으로 인한 영업취소는 행정행위의 철회에 해당한다. ( )
10. 서울시 9급

05 사실관계의 변동은 철회의 사유로 볼 수 없다. ( ) 13. 서울시 7급

06 판례는 별도의 법적 근거가 없더라도 사정변경 또는 중대한 공익상의 필요에 의해 행정행위를 철회할 수 있다는 입장이다. ( )
16. 서울시 7급, 16·11. 서울시 9급

간단 점검하기

07 판례에 따르면 행정행위를 한 처분청은 처분 당시에 별다른 하자가 없었고, 또 그 처분 후에 이를 철회할 별도의 법적 근거가 없다면 사정변경을 이유로 그 효력을 상실케 하는 별개의 행정행위로 이를 철회할 수 없다. ( )
18. 지방직 9급

❶
2021년 제정된 행정기본법에 철회의 일반적 근거규정이 마련되었다.

01 × 02 ○ 03 ○ 04 ○
05 × 06 ○ 07 ×

4. 철회권행사의 제한

(1) 철회권행사의 원칙

> 행정기본법 제19조【적법한 처분의 철회】② 행정청은 제1항에 따라 처분을 철회하려는 경우에는 철회로 인하여 당사자가 입게 될 불이익을 철회로 달성되는 공익과 비교·형량하여야 한다.

(2) 침익적 행정행위의 철회

① **원칙**: 침익적 행정행위의 철회는 상대방에게 이익을 주므로 원칙적으로 자유롭다.

② **예외**: 예외적으로 행정행위를 존속시켜야 할 중대한 공익이 존재하는 경우나 행정행위를 철회한 후에 다시 동일한 내용의 행정행위를 발령해야 되는 기속행위의 경우에는 제한된다.

(3) 수익적 행정행위의 철회

① **원칙**: 수익적 행정행위의 철회는 본래 적법한 행정행위의 효력을 소멸시키고 상대방에게 침익적 효과를 초래한다는 점에서 훨씬 더 강력한 신뢰보호가 요청된다. 따라서 철회를 요구하는 공익상 필요와 상대방의 기득권 및 신뢰보호와 법적 안정성 등의 여러 이익을 비교·형량하여 결정하여야 한다.

② **예외**: ㉠ 철회권의 유보, ㉡ 부담의 불이행, ㉢ 법에서 정한 의무의 위반 등에 있어서는 상대방은 철회가능성을 예견할 수 있었으므로 신뢰보호의 원칙은 적용되지 않는다.

관련판례 **수익적 행위 철회** ★★★

1 수익적 행정행위의 철회는 그 처분 당시 별다른 하자가 없었음에도 불구하고 사후적으로 그 효력을 상실케 하는 행정행위이므로, 법령에 명시적인 규정이 있거나 행정행위의 부관으로 그 철회권이 유보되어 있는 등의 경우가 아니라면, 원래의 행정행위를 존속시킬 필요가 없게 된 사정변경이 생겼거나 또는 중대한 공익상의 필요가 발생한 경우 등의 예외적인 경우에만 허용된다(대판 2005.4.29, 2004두11954).

2 행정행위를 한 처분청은 비록 처분 당시에 별다른 하자가 없었고, 처분 후에 이를 철회할 별도의 법적 근거가 없더라도 원래의 처분을 존속시킬 필요가 없게 된 사정변경이 생겼거나 중대한 공익상 필요가 발생한 경우에는 그 효력을 상실케 하는 별개의 행정행위로 이를 철회할 수 있다. 다만, 수익적 행정행위를 취소 또는 철회하거나 중지시키는 경우에는 이미 부여된 국민의 기득권을 침해하는 것이 되므로, 비록 취소 등의 사유가 있다고 하더라도 그 취소권 등의 행사는 기득권의 침해를 정당화할 만한 중대한 공익상의 필요 또는 제3자의 이익을 보호할 필요가 있고, 이를 상대방이 받는 불이익과 비교·교량하여 볼 때 공익상의 필요 등이 상대방이 입을 불이익을 정당화할 만큼 강한 경우에 한하여 허용될 수 있다(대판 2017.3.15, 2014두41190).
#철회권행사_비교형량 #공익_사익_비교·교량

3 일정한 행정처분으로 국민이 일정한 이익과 권리를 취득하였을 경우에 종전 행정처분을 취소하는 행정처분은 이미 취득한 국민의 기존 이익과 권리를 박탈하는 별개의 행정처분으로 취소될 행정처분에 하자 또는 취소해야 할 공공의 필요가 있어

간단 점검하기

01 부담적 행정행위의 철회는 원칙적으로 자유롭지 않다고 본다. ( ) 11. 국가직 7급

간단 점검하기

02 수익적 행정행위에 철회원인이 있는 경우에 행정청은 철회원인이 있다는 것만으로 자유로이 철회권을 행사할 수 있다. ( ) 12. 지방직 9급

간단 점검하기

03 수익적 행정행위의 철회는 법령에 명시적인 규정이 있거나 행정행위의 부관으로 그 철회권이 유보되어 있는 경우, 또는 원래의 행정행위를 존속시킬 필요가 없게 된 사정변경이 생겼거나 또는 중대한 공익상의 필요가 발생한 경우 등의 예외적인 경우에만 허용된다. ( ) 18. 서울시 9급·국회직 8급

01 × 02 × 03 ○

야 하고, 나아가 행정처분에 하자 등이 있다고 하더라도 취소해야 할 공익상 필요와 취소로 당사자가 입게 될 기득권과 신뢰보호 및 법률생활안정의 침해 등 불이익을 비교·교량한 후 공익상 필요가 당사자가 입을 불이익을 정당화할 만큼 강한 경우에 한하여 취소할 수 있는 것이며, 하자나 취소해야 할 필요성에 관한 증명책임은 기존 이익과 권리를 침해하는 처분을 한 행정청에 있다(대판 2012.3.29, 2011두23375).

4 국고보조조림결정에서 정한 조건에 일부만 위반 했음에도 그 조림결정 전부를 취소한 것이 위법하다(대판 1986.12.9, 86누276).

관련판례 철회권 행사의 제한

1 항공노선 운수권배분처분 ★★★

수익적 행정처분의 철회로 인하여 국민의 법생활의 안정에 중대한 장해를 가져올 수 있는 경우 철회는 제한된다(대판 2004.11.26, 2003두10251·10268).

2 철회권의 실효 ★★★

운전면허정지기간 중의 운전행위로 형사처벌을 받은 지 3년이 지난 후 내려진 운전면허취소처분은 위법하다(실권의 법리를 적용)(대판 1987.9.8, 87누373).

3 일부철회 가부 ★★★

행정처분이 가분성이 있거나 대상의 일부가 특정될 수 있다면 일부철회가 가능하나, 법률효과의 분리가 불가능한 경우에는 전체 행정행위를 철회해야 한다(대판 1995.11.16, 95누8850).

(4) 철회신청권

처분청은 철회를 함에 있어 별도의 법적 근거가 없어도 가능하다. 상대방은 철회를 신청할 수 있는 철회신청권이 있는지 문제되나 학설과 판례는 취소신청권을 부인하는 것과 같이 이를 부인하고 있다.

간단 점검하기

판례는 사인이 적법한 침익적 행위에 대한 철회의 신청권을 갖지 않는다고 본다. ( ) 11. 국가직 7급

(5) 일부철회

행정행위의 법효과를 분리하는 것이 가능한 경우 침익적 부분은 침익적 행위의 철회의 원리에 따라 철회할 수 있고, 수익적 부분은 수익적 행위의 철회의 원리에 따라 일부철회가 가능하다(행정기본법 제19조 제1항).

관련판례

도시계획법령이 토지형질변경행위허가의 변경신청 및 변경허가에 관하여 아무런 규정을 두지 않고 있을 뿐 아니라, 처분청이 처분 후에 원래의 처분을 그대로 존속시킬 필요가 없게 된 사정변경이 생겼거나 중대한 공익상의 필요가 발생한 경우에는 별도의 법적 근거가 없어도 별개의 행정행위로 이를 철회·변경할 수 있지만 이는 그러한 철회·변경의 권한을 처분청에게 부여하는 데 그치는 것일 뿐 상대방 등에게 그 철회·변경을 요구할 신청권까지를 부여하는 것은 아니라 할 것이므로, 이와 같이 법규상 또는 조리상의 신청권이 없이 한 국민들의 토지형질변경행위 변경허가신청을 반려한 당해 반려처분은 항고소송의 대상이 되는 처분에 해당되지 않는다(대판 1997.9.12, 96누6219).

○

5. 철회의 절차

(1) 일반적인 절차 규정

① 철회의 절차에 관한 일반적 규정은 없다.

② 그러나 상대방의 권익보호 또는 철회의 공정성 담보의 견지에서 공청회, 상대방에 대한 의견제출기회의 부여 등을 규정하는 경우도 있다.

(2) 행정절차법 적용

① 철회는 그 자체가 원행정행위와는 독립된 행위이므로 행정절차법의 적용을 받는다. ❶

② 따라서 철회의 경우에도 원칙적으로 당시지에게 그 근거와 이유가 제시되어야 한다(행정절차법 제23조).

(3) 행정법의 일반원칙 준수

행정행위의 철회 역시 하나의 행정행위이므로 특별한 규정이 없는 한 일반 행정행위와 같은 절차에 따라야 한다.

간단 점검하기

01 수익적 행정행위의 철회에는 비례의 원칙이 적용되며 당사자에게 그 근거와 이유가 제시되어야 한다. ( )

16. 서울시 7급, 11. 국가직 7급

❶
판례는 행정절차법의 제정 이전에도 철회에 이유제시를 요구하였다.

3 철회의 효과

1. 철회의 효과

(1) 장래효

철회의 효력은 그 성질상 장래에 향해서만 발생한다(행정기본법 제19조 제1항). 그러나 입법례에 따라서는 일정한 수익적 행위의 철회에 소급효를 인정하는 경우도 있다.

간단 점검하기

02 행정행위의 철회의 효과는 취소와 같이 소급하여 발생한다. ( )

13. 서울시 7급, 11. 서울시 9급, 08. 국가직 9급

관련판례

영유아보육법 제30조 제5항 제3호에 따른 평가인증의 취소는 평가인증 당시에 존재하였던 하자가 아니라 그 이후에 새로이 발생한 사유로 평가인증의 효력을 소멸시키는 경우에 해당하므로, 법적 성격은 평가인증의 '철회'에 해당한다. 그런데 행정청이 평가인증을 철회하면서 그 효력을 철회의 효력발생일 이전으로 소급하게 하면, 철회 이전의 기간에 평가인증을 전제로 지급한 보조금 등의 지원이 그 근거를 상실하게 되어 이를 반환하여야 하는 법적 불이익이 발생한다. 이는 장래를 향하여 효력을 소멸시키는 철회가 예정한 법적 불이익의 범위를 벗어나는 것이다. 이처럼 행정청이 평가인증이 이루어진 이후에 새로이 발생한 사유를 들어 영유아보육법 제30조 제5항에 따라 평가인증을 철회하는 처분을 하면서도, 평가인증의 효력을 과거로 소급하여 상실시키기 위해서는, 특별한 사정이 없는 한 영유아보육법 제30조 제5항과는 별도의 법적 근거가 필요하다(대판 2018.6.28, 2015두58195).

(2) 반환청구권(원상회복)

철회로 인하여 행정기관이나 당사자는 법률이 정하는 바에 따라 원상회복의 의무가 생기며 이미 지급된 문서나 물건의 반환을 요구할 수 있다.

(3) 손실보상

당사자의 귀책사유 없이 철회되는 경우에는 원칙적으로 손실보상을 하여야 한다. 우리의 경우 일반법은 존재하지 않으나, 몇몇 단행법에서 그 예를 볼 수 있다(예 도로법 제92조, 수산업법 제81조, 하천법 제76조 등).

01 ○ 02 ×

2. 하자 있는 철회의 효력(철회의 취소)

(1) 중대 · 명백한 하자가 있는 경우

철회처분에 중대 · 명백한 하자가 있으면 그 철회처분은 당연히 무효가 된다.

(2) 단순위법의 하자가 있는 경우

이 경우에 철회처분의 취소를 구할 수 있을 것인가에 관해서는 행정행위의 취소의 경우와 같이 적극 · 소극의 두 견해가 있을 수 있다. 여기서도 행정행위의 취소의 경우와 동일하게 취급한다.

제6절 행정행위의 실효

1 의의

행정행위의 실효란 아무런 하자 없이 성립한 행정행위가 일정한 사실의 발생에 의하여 당연히 그 효력이 소멸되는 것을 말한다.

2 실효의 사유

1. 대상의 소멸(예 사람의 사망, 물건의 소멸, 허가영업의 자진폐업 등)
2. 해제조건의 성취 또는 종기의 도래
3. 목적의 달성
4. 새로운 법규의 제정 · 개정

관련판례 대상소멸(자진폐업) - 당연소멸 ★★★

1 신청에 의한 영업허가처분을 받은 자가 영업을 폐업한 경우 그 영업허가처분은 당연실효된다(대판 1981.7.14, 80누593).

2 종전의 영업을 자진폐업하고 새로운 영업허가신청을 한 경우 소멸한 종전의 영업허가의 효력이 부활하지는 않는다(대판 1985.7.9, 83누412).

3 구 유기장법(1981.4.13. 법률 제3441호로 개정되기 전의 것)상 유기장의 영업허가는 대물적 허가로서 영업장소의 소재지와 유기시설 등이 영업허가의 요소를 이루는 것이므로, 영업장소에 설치되어 있던 유기시설이 모두 철거되어 허가를 받은 영업상의 기능을 더 이상 수행할 수 없게 된 경우에는, 이미 당초의 영업허가는 허가의 대상이 멸실된 경우와 마찬가지로 그 효력이 당연히 소멸되는 것이고, 또 유기장의 영업허가는 신청에 의하여 행하여지는 처분으로서 허가를 받은 자가 영업을 폐업할 경우에는 그 효력이 당연히 소멸되는 것이니, 이와 같은 경우 허가행정청의 허가취소처분은 허가가 실효되었음을 확인하는 것에 지나지 않는다고 보아야 할 것이므로, 유기장의 영업허가를 받은 자가 영업장소를 명도하고 유기시설을 모두 철거하여 매각함으로써 유기장업을 폐업하였다면 영업허가취소처분의 취소를 청구할 소의 이익이 없는 것이라고 볼 수 있다(대판 1990.7.13, 90누2284).

간단 점검하기

01 행정행위의 직권취소는 별개의 행정행위에 의하여 원행정행위의 효력을 소멸시키는 것인 데 반하여, 행정행위의 실효는 일정한 사유의 발생에 따라 당연히 기존의 행정행위의 효력이 소멸하는 것이다. ( ) 07. 국가직 7급

02 행정행위가 그 성립상의 중대 · 명백한 하자가 존재한다면 이는 실효사유로서 그 효력이 소멸된다. ( ) 07. 국가직 7급

간단 점검하기

03 행정행위의 대상소멸은 행정행위의 실효사유에 해당한다. ( ) 11. 국회직 8급

04 해제조건부 행정행위에 있어서 조건의 성취, 종기부 행정행위에 있어서 종기의 도래는 행정행위의 효력의 소멸을 가져온다. ( ) 07. 국가직 7급

05 행정행위의 목적달성은 행정행위의 실효사유에 해당한다. ( ) 11. 국회직 9급

06 자진폐업으로 소멸한 종전의 유흥주점 영업허가는 재개업신고를 통하여 다시 효력을 회복한다. ( ) 16. 국가직 9급

07 신청에 의한 허가처분을 받은 자가 그 영업을 폐업한 경우에는 그 허가도 당연히 실효된다고 할 것이고, 이 경우 허가행정청의 허가취소처분은 허가가 실효되었음을 확인하는 것에 불과하다. ( ) 07. 국가직 7급

01 ○ 02 × 03 ○ 04 ○
05 ○ 06 × 07 ○

3 실효의 효과

행정행위의 실효사유가 발생하면 행정청의 '별도의 의사표시 없이' 그때부터 장래에 향하여 당연히 실효된다.

4 실효의 주장

실효의 주장방법으로서 실효확인소송 또는 유효확인소송을 제기할 수 있다. 또한 민사소송 또는 공법상 당사자소송에서 행정행위의 실효 여부가 전제문제로서 다투어질 수 있다.

제 4 장 행정계획

1 개설

1. 의의

행정계획이란 행정에 관한 전문적·기술적 판단을 기초로 하여 특정한 행정목표를 달성하기 위하여 서로 관련되는 행정수단을 종합·조정함으로써 장래의 일정한 시점에 있어서 일정한 질서를 형성하기 위하여 설정된 활동기준을 말한다.

2. 기능

(1) 목표설정기능

(2) 행정수단의 종합화기능

(3) 행정작용의 기준설정기능

(4) 행정·국민 간의 매개적 기능

(5) 국민의 장래 활동에 대한 지침적·유도적 기능

2 행정계획의 종류

1. 비구속적 계획과 구속적 계획

구분	법률유보	법적 성격	권리구제
구속적 행정계획	법적 근거 필요	행정행위적 성격	• 행정소송 가능 • 손해배상청구 가능
비구속적 행정계획	법적 근거 불요	행정지도적 성격	• 행정소송 불가능 • 손해배상청구 불가능

관련판례 비구속적 행정계획의 구속력 인정 여부

1 **도시기본계획 – 국민에 대한 구속력 × ★★★**

도시기본계획은 도시의 기본적인 공간구조와 장기발전방향을 제시하는 종합계획으로서 그 계획에는 토지이용계획, 환경계획, 공원녹지계획 등 장래의 도시개발의 일반적인 방향이 제시되지만, 그 계획은 도시계획입안의 지침이 되는 것에 불과하여 일반 국민에 대한 직접적인 구속력은 없다(대판 2002.10.11, 2000두8226).

#도시기본계획 #도시개발_일반방향 #도시계획입안_지침 #국민_직접_구속×

간단 점검하기

행정계획이란 장래의 질서 있는 행정활동을 위한 목표를 설정하고, 설정된 목표를 달성하기 위하여 다양한 행정수단을 종합하고 조정하는 행위이다.
( ) 13. 서울시 9급, 12. 지방직 9급

○

2 도시기본계획 - 행정청에 대한 구속력 × ★★★

도시기본계획은 도시의 장기적 개발방향과 미래상을 제시하는 도시계획 입안의 지침이 되는 장기적 · 종합적인 개발계획으로서 행정청에 대한 직접적인 구속력은 없다(대판 2007.4.12, 2005두1893).

#도시기본계획 #도시개발_장기방향_미래상제시 #도시계획입안_지침 #행정청_직접_구속×

관련판례 **구속적 행정계획**

1 도시설계 ★★★

도시설계는 도시계획구역의 일부분을 그 대상으로 하여 토지의 이용을 합리화하고, 도시의 기능 및 미관을 증진시키며 양호한 도시환경을 확보하기 위하여 수립하는 도시계획의 한 종류로서 도시설계지구 내의 모든 건축물에 대하여 구속력을 가지는 구속적 행정계획의 법적 성격을 갖는다(헌재 2003.6.26, 2002헌마402).

#고양일산지구도시설계 #구속적행정계획

2 실시계획 ★★★

이미 고시된 실시계획에 포함된 상세계획으로 관리되는 토지 위의 건물의 용도를 상세계획 승인권자의 변경승인 없이 임의로 판매시설에서 상세계획에 반하는 일반목욕장으로 변경한 사안에서, 그 영업신고를 수리하지 않고 영업소를 폐쇄한 처분은 적법하다(대판 2008.3.27, 2006두3742 · 3759).

#실시계획 #구속적행정계획 #판매시설_일반목욕장_임의변경 #임의변경_불가

2. 정보제공적 계획, 유도적 계획, 명령적 계획
3. 종합계획, 부문별 계획
4. 장기계획(20년), 중기계획, 단기계획, 연도계획(1년)
5. 상위계획, 하위계획
6. 기본계획, 실시(시행)계획

3 법적 성질

1. 일반적 검토

행정계획이 특정의 법적 형식에 의해 수립된 경우 해당 행정계획은 그 법적 형식의 성질을 갖는다. 즉, 법률의 형식에 의해 수립되는 행정계획은 법률의 성질을 가지며 조례의 형식에 의해 수립되는 계획은 조례의 성질을 갖는다. 그러나 행정계획이 특정의 행위형식을 취하지 않은 경우에 해당 행정계획은 어떠한 법적 성질을 갖는지가 문제될 수 있다.

2. 학설

(1) 입법행위설

행정계획은 국민의 권리 · 자유에 관계되는 일반 · 추상적인 규율을 정립하는 행위로서 일반적 구속력을 가질 수 있다는 견해이다.

간단 점검하기

01 도시설계는 건축물규제라는 성격과 건축법의 입법적인 경과에 비추어 볼 때 법적 구속력을 갖는 구속적 행정계획이다. ( ) 08. 지방직 9급

02 이미 고시된 실시계획에 포함된 상세계획으로 관리되는 토지 위의 건물의 용도를 상세계획 승인권자의 변경승인 없이 임의로 판매시설에서 상세계획에 반하는 일반 목욕장으로 변경신고한 경우에 그 영업신고를 수리하지 않고 영업소를 폐쇄한 처분은 적법하다. ( ) 16. 사회복지직

간단 점검하기

03 국민의 권리 · 의무에 구체적 개별적인 영향을 미치는 행정계획은 처분성이 인정된다. ( ) 15. 교육행정직

01 ○ 02 ○ 03 ○

(2) 행정행위설

행정계획 중에는 법관계의 변동이라는 고유한 효과를 가지는 행정행위의 성질을 가지는 것이 있다는 견해이다.

(3) 독자성설

행정계획은 법규범도 아니고 행정계획도 아닌 독자적인 행정의 행위형식이라고 보는 견해이다.

3. 결론(개별검토설)

(1) 구속적 행정계획도 계획마다 특수성이 있다고 할 것이기 때문에 그것을 모두 함께 묶어 법적 성질을 논하기는 어려울 것이다. 따라서 각 계획별 특성에 따라 개별적으로 성질을 결정해야 할 것이다.

(2) 구체적으로 광역도시계획과 도시기본계획은 국민에 대한 직접적인 구속력을 갖지 않으므로 행정처분이 아니지만, 도시관리계획은 국민의 권리와 의무에 직접적인 변동을 초래하는 것으로서 항고소송의 대상이 되는 처분에 해당한다고 본다.

관련판례 비구속적 계획의 처분성을 부정한 경우

1 4대강 살리기 마스터플랜 ★★★

국토해양부, 환경부, 문화체육관광부, 농림수산부, 식품부가 합동으로 2009.6.8. 발표한 '4대강 살리기 마스터플랜' 등은 행정기관 내부에서 사업의 기본방향을 제시하는 계획일 뿐 국민의 권리·의무에 직접 영향을 미치는 것이 아니어서, 행정처분에 해당하지 않는다(대결 2011.4.21, 2010무111).

#4대강_살리기_마스터플랜 #내부_기본방향 #처분성_부인 #집행정지_부인

2 혁신도시 최종입지 선정행위 ★★

정부의 수도권 소재 공공기관의 지방이전시책을 추진하는 과정에서 도지사가 도내 특정시를 공공기관이 이전할 혁신도시 최종입지로 선정한 행위는 항고소송의 대상이 되는 행정처분이 아니다(대판 2007.11.15, 2007두10198).

#강원도_원주시 #혁신도시최종입지선정행위 #처분성_부인

3 도시기본계획 ★★★

도시기본계획이라는 것은 도시의 장기적 개발방향과 미래상을 제시하는 도시계획입안의 지침이 되는 장기적·종합적인 개발계획으로서 직접적인 구속력은 없는 것이므로, 도시계획시설결정 대상면적이 도시기본계획에서 예정했던 것보다 증가하였다 하여 그것이 도시기본계획의 범위를 벗어나 위법한 것은 아니다(대판 1998.11.27, 96누13927).

#도시기본계획 #처분성_부정

4 하수도정비기본계획 ★★

구 하수도법(1997.3.7. 법률 제5300호로 개정되기 전의 것) 제5조의2에 의하여 기존의 하수도정비기본계획을 변경하여 광역하수종말처리시설을 설치하는 등의 내용으로 수립한 하수도정비기본계획은 항고소송의 대상이 되는 행정처분에 해당하지 아니한다(대판 2002.5.17, 2001두10578).

#하수도정비기본계획_처분성_부인

간단 점검하기

01 행정계획은 항고소송의 대상이 될 수 없다. ( ) 16. 서울시 9급

02 행정계획은 장래 행정작용의 방향을 정한 것일 뿐 직접 국민의 권리의무에 변동을 가져오지는 않으므로 행정입법의 성질을 갖는다고 본다. ( ) 13. 서울시 9급

간단 점검하기

03 위법한 도시기본계획에 대하여 제기되는 취소소송은 법원에 의하여 허용되지 아니한다. ( ) 17. 지방직 9급

04 판례에 의하면 구 도시계획법상 도시기본계획은 도시계획입안의 지침이 되는 것으로서 일반 국민에 대한 직접적 구속력을 가진다. ( ) 16·13. 지방직 9급, 14. 국가직 9급

05 국토의 계획 및 이용에 관한 법률에 따른 도시기본계획은 일반국민에 대한 직접적인 구속력은 인정되지 않지만, 도시의 장기적 개발방향과 미래상을 제시하는 도시계획입안의 지침이 되기에 행정청에 대한 직접적인 구속력은 인정된다. ( ) 18. 국가직 7급

01 × 02 × 03 ○ 04 ×
05 ×

5 환지계획 ★★

토지구획정리사업법 제57조, 제62조 등의 규정상 환지예정지 지정이나 환지처분은 그에 의하여 직접 토지소유자 등의 권리의무가 변동되므로 이를 항고소송의 대상이 되는 처분이라고 볼 수 있으나, 환지계획은 위와 같은 환지예정지 지정이나 환지처분의 근거가 될 뿐 그 자체가 직접 토지소유자 등의 법률상의 지위를 변동시키거나 또는 환지예정지 지정이나 환지처분과는 다른 고유한 법률효과를 수반하는 것이 아니어서 이를 항고소송의 대상이 되는 처분에 해당한다고 할 수가 없다(대판 1999.8.20, 97누6889).

#환지예정지지정_처분 #환지처분_처분 #환지계획_처분성_부인

관련판례 구속적 계획의 처분성을 인정한 경우

1 도시계획결정(현 도시·군관리계획결정) ★★★

도시계획법 제12조(현 국토계획법 제30조) 소정의 도시계획결정이 고시되면 도시계획구역안의 토지나 건물 소유자의 토지형질변경, 건축물의 신축, 개축 또는 증축 등 권리행사가 일정한 제한을 받게 되는바 이런 점에서 볼 때 고시된 도시계획결정은 특정 개인의 권리 내지 법률상의 이익을 개별적이고 구체적으로 규제하는 효과를 가져오게 하는 행정청의 처분이라 할 것이고, 이는 행정소송의 대상이 되는 것이라 할 것이다(대판 1982.3.9, 80누105).

#도시계획결정(도시·군관리계획결정) #고시_권리제한_규제 #처분성인정

2 도시계획시설결정고시 ★★

도로 등 도시계획시설의 도시계획결정고시 및 지적고시도면의 승인고시는 도시계획시설이 설치될 토지의 위치, 면적과 그 행사가 제한되는 권리내용 등을 구체적, 개별적으로 확정하는 처분이고 이 경우 그 도시계획에 포함된 토지의 소유자들은 당시의 관련 법령이 정한 보상기준에 대하여 보호할 가치가 있는 신뢰를 지니게 된다 할 것이므로, 그 고시로써 … '공공사업시행지구'에 편입된다(대판 2000.12.8, 99두9957).

#도시계획결정고시_지적도면승인고시 #공공사업시행지구_편입

3 개발제한구역지정처분 ★★★

개발제한구역지정처분은 건설부장관이 법령의 범위 내에서 도시의 무질서한 확산 방지 등을 목적으로 도시정책상의 전문적·기술적 판단에 기초하여 행하는 일종의 행정계획으로서 그 입안·결정에 관하여 광범위한 형성의 자유를 가지는 계획재량처분이다(대판 1997.6.24, 96누1313).

#개발제한구역지정 #계획재량처분

4 택지개발계획승인 ★★★

택지개발촉진법 제3조에 의한 건설부장관의 택지개발예정지구의 지정과 같은 법 제8조에 의한 건설부장관의 택지개발사업시행자에 대한 택지개발계획의 승인은 그 처분의 고시에 의하여 개발할 토지의 위치, 면적, 권리내용 등이 특정되어 그 후 사업시행자에게 택지개발사업을 실시할 수 있는 권한이 설정되고, 나아가 일정한 절차를 거칠 것을 조건으로 하여 일정한 내용의 수용권이 주어지며 고시된 바에 따라 특정 개인의 권리나 법률상 이익이 개별적이고 구체적으로 규제받게 되므로 건설부장관의 위 각 처분은 행정처분의 성격을 갖는 것이다(대판 1992.8.14, 91누11582).

#택지개발예정지구지정 #택지개발계획승인 #택지개발계획승인_고시 #처분성_인정

간단 점검하기

01 구 도시계획법 제12조의 도시관리계획(국토의 계획 및 이용에 관한 법률 제 30조의 도시·군관리계획) 결정의 경우 도시관리계획구역 안의 토지나 건물 소유자의 토지형질변경, 건축물의 신축·개축 또는 증축 등 권리행사가 일정한 제한을 받게 되므로 항고소송의 대상이 되는 처분에 해당한다. ( ) 17. 국회직 8급

02 도시관리계획은 국민이나 재산에 대하여 직접 구속력이 없는 행정계획이다. ( ) 09. 국가직 9급

01 ○ 02 ×

5 관리처분계획 ★★★

도시재개발법에 의한 … 분양신청 후에 정하여진 관리처분계획의 내용에 관하여 다툼이 있는 경우에는 그 관리처분계획은 토지 등의 소유자에게 구체적이고 결정적인 영향을 미치는 것으로서 조합이 행한 처분에 해당하므로 항고소송의 방법으로 그 무효확인이나 취소를 구할 수 있다(대판 2002.12.10, 2001두6333).

#관리처분계획 #처분성인정

4 법적 근거 및 절차

법적 근거	행정계획의 절차(일반법 없음)
① 비구속적 행정계획: 조직법 근거 필요, 작용법 근거 불필요 ② 구속적 행정계획: 조직법 근거 필요, 작용법 근거 필요	① 심의회의 조사 · 심의 ② 관계행정기관 간의 조사 · 심의 ③ 주민 · 이해관계인의 참여(행정절차법 참조) ④ 지방자치단체의 참여 ⑤ 공포 · 고시

행정절차법 제46조【행정예고】① 행정청은 정책, 제도 및 계획(이하 "정책 등"이라 한다)을 수립 · 시행하거나 변경하려는 경우에는 이를 예고하여야 한다. 다만, 다음 각 호의 어느 하나에 해당하는 경우에는 예고를 하지 아니할 수 있다.
1. 신속하게 국민의 권리를 보호하여야 하거나 예측이 어려운 특별한 사정이 발생하는 등 긴급한 사유로 예고가 현저히 곤란한 경우
2. 법령 등의 단순한 집행을 위한 경우
3. 정책 등의 내용이 국민의 권리 · 의무 또는 일상생활과 관련이 없는 경우
4. 정책 등의 예고가 공공의 안전 또는 복리를 현저히 해칠 우려가 상당한 경우

② 제1항에도 불구하고 법령 등의 입법을 포함하는 행정예고는 입법예고로 갈음할 수 있다.

③ 행정예고기간은 예고 내용의 성격 등을 고려하여 정하되, 특별한 사정이 없으면 20일 이상으로 한다.

관련판례 행정계획의 변경 ★★★

도시계획의 결정 · 변경 등에 관한 권한을 가진 행정청은 이미 도시계획이 결정 · 고시된 지역에 대하여도 다른 내용의 도시계획을 결정 · 고시할 수 있고, 이때에 후행 도시계획에 선행 도시계획과 서로 양립할 수 없는 내용이 포함되어 있다면, 특별한 사정이 없는 한 선행 도시계획은 후행 도시계획과 같은 내용으로 변경되는 것이나, 후행 도시계획의 결정을 하는 행정청이 선행 도시계획의 결정 · 변경 등에 관한 권한을 가지고 있지 아니한 경우에 선행 도시계획과 서로 양립할 수 없는 내용이 포함된 후행 도시계획결정을 하는 것은 아무런 권한 없이 선행 도시계획결정을 폐지하고, 양립할 수 없는 새로운 내용이 포함된 후행 도시계획결정을 하는 것으로서, 선행 도시계획결정의 폐지 부분은 권한 없는 자에 의하여 행해진 것으로서 무효이고, 같은 대상지역에 대하여 선행 도시계획결정이 적법하게 폐지되지 아니한 상태에서 그 위에 다시 한 후행 도시계

간단 점검하기

01 행정계획 중에서 국민의 권리 · 의무에 법적 효과를 미치는 구속적인 행정계획은 법률에 근거가 있어야 한다. ( ) 12. 사회복지직

02 행정계획의 절차에 관한 일반법은 없고, 행정계획의 절차는 각 개별법에 맡겨져 있다. ( ) 18. 서울시 7급, 15. 지방직 7급, 11. 서울시 9급

03 행정절차법은 국민생활에 매우 큰 영향을 주는 사항에 대한 행정계획을 수립 · 시행하거나 변경하고자 하는 때에는 이를 예고하도록 규정하고 있다. ( ) 13. 지방직 9급

04 행정계획에 대해서는 행정절차법의 규정이 적용될 여지가 없다. ( ) 09. 국가직 7급

간단 점검하기

05 후행 도시계획에 선행 도시계획과 서로 양립할 수 없는 내용이 포함되어 있다면, 특별한 사정이 없는 한 선행 도시계획은 후행 도시계획과 같은 내용으로 적법하게 변경되었다고 볼 수 있다. ( ) 09. 지방직 9급

06 후행 도시계획을 결정하는 행정청이 선행 도시계획의 결정 · 변경에 관한 권한을 가지고 있지 아니한 경우 선행 도시계획과 양립할 수 없는 후행 도시계획결정은 취소사유에 해당한다. ( ) 17. 서울시 7급

01 ○ 02 ○ 03 ○ 04 × 05 ○ 06 ×

획결정 역시 위법하고, 그 하자는 중대하고도 명백하여 다른 특별한 사정이 없는 한 무효라고 보아야 한다(대판 2000.9.8, 99두11257).
#선행도시계획결정변경 · 고시 #후행도시계획_정상변경_유효 #선행도시계획결정 · 변경_무권한_무효 #후행도시계획결정 · 고시_무효

간단 점검하기

01 도시계획의 입안에 있어 해당 도시계획안 내용의 공고 및 공람절차에 하자가 있는 도시계획결정은 위법하다. ( ) 18·17. 교육행정직

02 판례에 의하면 도시계획안의 공고 및 공람절차에 하자가 있는 도시계획(현 도시관리계획) 결정은 내용에 하자가 있는 것이 아니라 단지 절차의 하자에 불과하므로 위법하지 않다. ( ) 11. 지방직 7급

03 공청회와 이주대책이 없는 도시계획수립행위는 당연무효인 행위이다. ( ) 12. 지방직 9급

01 ○ 02 × 03 ×

관련판례 절차의 하자 및 법규정 위반의 위법성 여부

1 공고 절차에 하자가 있는 도시계획결정 - 위법(취소사유) ★★★

도시계획의 입안에 있어 해당 도시계획안의 내용을 공고 및 공람하게 한 것은 다수 이해관계자의 이익을 합리적으로 조정하여 국민의 권리자유에 대한 부당한 침해를 방지하고 행정의 민주화와 신뢰를 확보하기 위하여 국민의 의사를 그 과정에 반영시키는데 있는 것이므로 이러한 공고 및 공람 절차에 하자가 있는 도시계획결정은 위법하다(대판 2000.3.23, 98두2768).
#공고_공람절차_법규정 공고_공람절차_하자_도시계획결정_위법

2 절차상 하자가 있는 도시계획결정 - 취소사유 ★★★

도시계획의 수립에 있어서 도시계획법 제16조의2 소정의 공청회를 열지 아니하고 공공용지의취득및손실보상에관한특례법 제8조 소정의 이주대책을 수립하지 아니하였더라도 이는 절차상의 위법으로서 취소사유에 불과하고 그 하자가 도시계획결정 또는 도시계획사업시행인가를 무효라고 할 수 있을 정도로 중대하고 명백하다고는 할 수 없다(대판 1990.1.23, 87누947).
#공청회_미개최_도시계획결정 #절차상_위법_취소사유

3 공람 절차에 하자가 있는 환지예정지 지정처분 - 무효 ★★

[1] 토지구획정리사업법 제47조, 제33조 등의 규정에서 환지계획의 인가신청에 앞서 관계 서류를 공람시켜 토지소유자 등의 이해관계인으로 하여금 의견서를 제출할 기회를 주도록 규정하고 있는 것은 환지계획의 입안에 토지구획정리사업에 대한 다수의 이해관계인의 의사를 반영하고 그들 상호간의 이익을 합리적으로 조정하는 데 그 취지가 있다고 할 것이므로, 최초의 공람과정에서 이해관계인으로부터 의견이 제시되어 그에 따라 환지계획을 수정하여 인가신청을 하고자 할 경우에는 그 전에 다시 수정된 내용에 대한 공람절차를 거쳐야 한다고 봄이 위와 같은 제도의 취지에 부합하는 것이라고 할 것이다.
#공람_법정 #수정계획_공람_이행

[2] 환지계획 인가 후에 당초의 환지계획에 대한 공람과정에서 토지소유자 등 이해관계인이 제시한 의견에 따라 수정하고자 하는 내용에 대하여 다시 공람절차 등을 밟지 아니한 채 수정된 내용에 따라 한 환지예정지 지정처분은 환지계획에 따르지 아니한 것이거나 환지계획을 적법하게 변경하지 아니한 채 이루어진 것이어서 당연무효라고 할 것이다(대판 1999.8.20, 97누6889).
#공람절차_위반_환지예정지지정처분_무효

4 환지계획에도 없는 환지처분 - 무효

토지구획정리사업법 제46조, 제47조에 의하면 시행자가 환지처분을 행하기 위하여는 환지계획을 정하여야 하며 기타 위 법규정 등에 비추어 보면 환지계획에도 없는 사항을 내용으로 하는 환지처분은 그 효력을 발생할 수 없다(대판 1978.8.22, 78누170).

5 행정계획의 법적 효력

1. 내용적 효력

(1) 행정계획은 그의 행위형식에 상응한 효력을 발생하게 되는데, 그 내용은 행정계획의 구속력 유무에 따라 정보제공적 효력, 유도적 효력, 구속적 효력 등이 발생한다.

(2) 행정계획이 법률 등의 형식인 경우에는 대외적으로 공포되어야 효력이 발생하고 그 밖의 형식인 경우에는 개별법이 정한 형식에 의하여 고시되어야 효력이 발생한다.❶

관련판례 고시가 효력발생요건인 경우 ★★★

구 도시계획법(1971.1.19. 법률 제2291호로 개정되기 전의 것) 제7조가 도시계획결정 등 처분의 고시를 도시계획구역, 도시계획결정 등의 효력발생요건으로 규정하였다고 볼 것이어서 건설부장관 또는 그의 권한의 일부를 위임받은 서울특별시장, 도지사 등 지방장관이 기안, 결재 등의 과정을 거쳐 정당하게 도시계획결정 등의 처분을 하였다고 하더라도 이를 관보에 게재하여 고시하지 아니한 이상 대외적으로는 아무런 효력도 발생하지 아니한다(대판 1985.12.10, 85누186).

#고시_효력발생요건 #고시_관보게재 #관보게재×_효력발생×_무효

2. 집중효(대체효)

(1) 행정계획의 집중효

① **집중효의 의의**: 집중효라 함은 특정 행정계획이 승인·확정된 경우에 다른 법규에 규정되어 있는 일정한 승인 또는 허가 등을 받은 것으로 간주하는 효력을 말한다.❷

> 택지개발촉진법 제11조 【다른 법률과의 관계】 ① 시행자가 실시계획을 작성하거나 승인을 받았을 때에는 다음 각 호의 결정·인가·허가·협의·동의·면허·승인·처분·해제·명령 또는 지정(이하 "인·허가 등"이라 한다)을 받은 것으로 보며, 지정권자가 실시계획을 작성하거나 승인한 것을 고시하였을 때에는 관계 법률에 따른 인·허가 등의 고시 또는 공고가 있은 것으로 본다.

② **집중효의 근거**: 집중효는 행정기관의 권한에 대한 변경을 가져오므로 반드시 법률에 명시적인 근거가 있어야 하며, 집중효가 발생하는 행위와 범위가 명시되어야 한다.

③ **집중효의 기능**: 집중효는 절차간소화를 통해 사업자의 부담해서 및 절차 촉진에 기여하며, 다수의 인·허가부서를 통합하는 효과를 가져오고, 인·허가에 필요한 구비서류의 감소효과를 가져온다.

④ **집중효의 정도**: 대규모사업을 확정하는 행정청은 여러 관련 행정청의 인·허가의 요건에 구속되어야 하는지 여부가 문제된다. 즉, 서울시장이 대규모사업을 여러 구청과 관련하여 확정하는 경우, 여러 구청에서 행하는 절차적 요건이나 실체적 요건을 갖추어야 하는지 문제된다.

❶
도시관리계획은 지형도면을 고시한 날부터 효력이 발생한다.

간단 점검하기

01 구 도시계획법상 행정청이 기안·결재 등의 과정을 거쳐 도시계획별정 등의 처분을 하였다고 하더라도 이를 관보에 게재하여 고시하지 아니한 이상 대외적으로는 아무런 효력도 발생하지 아니한다. ( ) 14. 국가직 7급

간단 점검하기

02 행정계획이 확정되면 다른 법령상의 승인이나 허가 등을 받은 것으로 의제되는 것을 집중효라 하고, 이는 계획결정 확정으로 인하여 인·허가를 대체한다는 점에서 대체효과라고도 한다. ( ) 09. 지방직 9급, 07. 국회직 8급

❷
행정계획이 확정되면 다른 법령상의 승인이나 허가 등을 받은 것으로 의제되는 것을 집중효라 하고, 이는 계획결정 확정으로 인하여 인·허가를 대체한다는 점에서 대체효과라고도 한다.

간단 점검하기

03 행정계획의 효력으로서의 집중효는 개별 법률에서 명시적으로 규정되어 있는 경우에만 인정될 수 있다. ( ) 10. 경북 교행

01 ○ 02 ○ 03 ○

㉠ **관할집중설(형식적 집중설)**: 대규모사업을 하는 행정청에 관할만 병합된다는 견해이다. 이에 의하면 여러 관련 행정청에서 행해야 할 절차와 실질적 요건에 구속되어야 한다.

㉡ **절차적 집중설**: 집중효의 대상이 되는 인·허가의 절차적 요건에는 구속되지 않지만 실체적 요건에는 전면적으로 구속된다는 견해이다.

㉢ **제한적 절차집중설**: 실체적 요건에 구속되어야 함은 법치행정상 당연하며, 절차적 요건에 구속되지 않을 수 있으나, 국민의 권익구제를 위한 절차는 구속되어야 한다는 견해이다.

㉣ **제한적 실체집중설**: 절차적 요건에는 구속되지 않으며, 실체적 요건에는 엄격하게 구속되지 않는다는 견해이다.

㉤ **실체적 집중설**: 절차적 요건과 실체적 요건에 구속되지 않는다는 견해이다.

⑤ **집중효의 효력**: 대규모사업의 승인이 있게 되면 집중효의 대상이 되는 인·허가 등을 받은 것으로 의제(擬制)된다.

(2) 인·허가의제(認·許可擬制)

① **의의**: 하나의 인·허가를 받으면 법률이 정하는 바에 따라 그와 관련된 여러 인·허가(허가, 인가, 특허, 신고 또는 등록) 등을 받은 것으로 보는 것을 인·허가의제(認·許可擬制)라 한다(행정기본법 제24조 제1항).

② **인·허가의제의 근거 및 대상**: 인·허가의제는 행정기관의 권한에 변경을 가져오므로 법률에 명시적인 근거가 있어야 하며, 인·허가가 의제되는 범위도 법률에 명시되어야 한다.[1]

③ **인·허가 등의 신청**: 인·허가의제를 받으려면 주된 인허가를 신청할 때 관련 인허가에 필요한 서류를 함께 제출하여야 한다. 다만, 불가피한 사유로 함께 제출할 수 없는 경우에는 주된 인허가 행정청이 별도로 정하는 기한까지 제출할 수 있다(동조 제2항).

④ **인·허가 등의 절차**

㉠ **관련 인·허가기관의 협의**: 주된 인허가 행정청은 주된 인허가를 하기 전에 관련 인허가에 관하여 미리 관련 인허가 행정청과 협의하여야 한다(동조 제3항).

㉡ **관련 인·허가기관의 의견제출**: 관련 인허가 행정청은 제3항에 따른 협의를 요청받으면 그 요청을 받은 날부터 20일 이내(제5항 단서에 따른 절차에 걸리는 기간은 제외한다)에 의견을 제출하여야 한다. 이 경우 전단에서 정한 기간(민원 처리 관련 법령에 따라 의견을 제출하여야 하는 기간을 연장한 경우에는 그 연장한 기간을 말한다) 내에 협의 여부에 관하여 의견을 제출하지 아니하면 협의가 된 것으로 본다(동조 제4항).

㉢ 협의를 요청받은 관련 인허가 행정청은 해당 법령을 위반하여 협의에 응해서는 아니 된다. 다만, 관련 인허가에 필요한 심의, 의견 청취 등 절차에 관하여는 법률에 인허가의제 시에도 해당 절차를 거친다는 명시적인 규정이 있는 경우에만 이를 거친다(동조 제5항).

[1] 건축법 제11조(건축허가) 제5항에 규정에 의하면, 건축허가를 받으면 17개의 법률에서 정한 허가를 받거나 신고한 것으로 보며, 공장건축물의 경우에는 산업집적활성화 및 공장설립에 관한 법률 제13조의2와 제14조에 따라 관련 법률의 인·허가 등이나 허가 등을 받은 것으로 본다.

⑤ 인 · 허가의제의 정도

㉠ **학설**: 앞에서 설명한 바와 같은 많은 학설의 다툼이 있다. 대체로 절차적 집중설과 제한적 절차적 집중설이 대립하고 있다.

㉡ **판례**: 판례는 절차적 집중설을 취하고 있다(대판 1992.11.10, 92누1162). 한편 판례는 실체적 집중은 부인하고 있는 것으로 평가된다(대판 2002.10.11, 2001두151).

관련판례 **절차적 집중 인정**

주택건설사업계획승인 ★★★

건설부장관이 구 주택건설촉진법(1991.3.8. 법률 제4339호로 개정되기전의 것) 제33조에 따라 관계기관의 장과의 협의를 거쳐 사업계획승인을 한 이상 같은 조 제4항의 허가 · 인가 · 결정 · 승인 등이 있는 것으로 볼 것이고, 그 절차와 별도로 도시계획법 제12조 등 소정의 중앙도시계획위원회의 의결이나 주민의 의견청취 등 절차를 거칠 필요는 없다(대판 1992.11.10, 92누1162).

#주택건설사업계획승인_협의절차이행 #절차추가이행_불요

관련판례 **실체적 집중 부정**

채광계획불인가처분 ★★

구 광업법(1999.2.8. 법률 제5893호로 개정되기 전의 것) 제47조의2 제5호에 의하여 채광계획인가를 받으면 공유수면 점용허가를 받은 것으로 의제되고, 이 공유수면 점용허가는 공유수면 관리청이 공공 위해의 예방 경감과 공공 복리의 증진에 기여함에 적당하다고 인정하는 경우에 그 자유재량에 의하여 허가의 여부를 결정하여야 할 것이므로, 공유수면 점용허가를 필요로 하는 채광계획 인가신청에 대하여도, 공유수면 관리청이 재량적 판단에 의하여 공유수면 점용을 허가 여부를 결정할 수 있고, 그 결과 공유수면 점용을 허용하지 않기로 결정하였다면, 채광계획 인가관청은 이를 사유로 하여 채광계획을 인가하지 아니할 수 있는 것이다(대판 2002.10.11, 2001두151).

#채광계획인가_공유수면점용허가_의제 #공유수면점용_재량_결정가능
#공유수면점용여부_실체적판단_가능(실제적요건_의제불가)

⑥ 인 · 허가의제의 효과

㉠ 협의가 된 사항에 대해서는 주된 인 · 허가를 받았을 때 관련 인 · 허가를 받은 것으로 본다(행정기본법 제25조 제1항).

㉡ 인 · 허가의제의 효과는 주된 인 · 허가의 해당 법률에 규정된 관련 인 · 허가에 한정된다(동조 제2항).

⑦ 인 · 허가 신청의 거부처분과 소송의 대상

㉠ **인 · 허가의제와 거부처분**: 인 · 허가의제에 있어서 의제되는 처분의 요건불비를 이유로 주된 인 · 허가의 신청에 대한 거부를 하는 경우, 거부처분의 적법성이 문제되나 판례는 이의 적법성을 인정하고 있다(대판 2002.10.11, 2001두151).

㉡ **인 · 허가의제와 소송의 대상**: 인 · 허가가 의제되는 행위의 요건불비를 이유로 주된 인 · 허가에 대한 거부처분이 있었다면, 소송의 대상을 의제되는 행위의 요건불비로 하여야 하는지 주된 인 · 허가거부로 하여야 하는지 문제된다. 판례는 주된 인 · 허가거부를 소송 대상으로 하고 있다(대판 2001.1.16, 99두10988).

간단 점검하기

01 판례에 따르면 행정계획의 구속효는 계획마다 상이하나 집중효에 있어서는 절차집중과 실체집중 모두 인정된다 ( ) 18. 서울시 7급

간단 점검하기

02 건설부장관이 구 주택건설촉진법에 따라 관계기관의 장과의 협의를 거쳐 사업계획승인을 한 이사 허가 · 인가 · 결정 · 승인 등이 있는 것으로 볼 것이고 그 절차와 별도로 구 도시계획법 소정의 중앙도시계획위원회의 의결이나 주민의 의견청취 등 절차를 거칠 필요는 없다. ( ) 16. 국회직 8급

01 × 02 ○

관련판례 건축불허가처분쟁송, 형질변경불허가처분 등 사유 쟁송가능

건축불허가처분 ★★★

건축불허가처분을 받은 사람은 그 건축불허가처분에 관한 쟁송에서 건축법상의 건축불허가 사유뿐만 아니라 같은 도시계획법상의 형질변경불허가 사유나 농지법상의 농지전용불허가 사유에 관하여도 다툴 수 있는 것이지, 그 건축불허가처분에 관한 쟁송과는 별개로 형질변경불허가처분이나 농지전용불허가처분에 관한 쟁송을 제기하여 이를 다투어야 하는 것은 아니며, 그러한 쟁송을 제기하지 아니하였어도 형질변경불허가 사유나 농지전용불허가 사유에 관하여 불가쟁력이 생기지 아니한다(대판 2001.1.16, 99두10988).

#건축불허가처분 #형질변경불허가_사유 #농지전용불허가_사유

⑧ 인 · 허가의제의 사후관리

㉠ 인 · 허가의제의 경우 관련 인 · 허가 행정청은 관련 인 · 허가를 직접 한 것으로 보아 관계 법령에 따른 관리 · 감독 등 필요한 조치를 하여야 한다(행정기본법 제26조 제1항).

㉡ 주된 인 · 허가가 있은 후 이를 변경하는 경우에는 제24조 · 제25조 및 이 조 제1항을 준용한다(동조 제2항).❶

6 행정계획에 대한 통제

1. 입법부에 의한 통제

2. 행정내부적 통제

(1) 절차상 통제

(2) 감독권에 의한 통제

(3) 공무원에 의한 심사

3. 사법부에 의한 통제

4. 국민에 의한 통제

7 계획재량과 형량명령

1. 계획재량의 의의

(1) 계획재량이란 계획책정기관이 행정계획의 수립과정에서 가지게 되는 재량권을 말한다. 행정계획은 장래 일정한 시점을 기준으로 다양한 이해관계를 고려해서 수립되는 것이 보통이므로, 행정계획을 책정할 때에는 일반재량행위에 비하여 광범위한 형성의 자유가 인정된다.

간단 점검하기

01 건축허가를 받은 경우에 토지형질변경허가나 농지전용허가를 받은 것으로 보는 인허가의제의 경우, 건축허가권자가 건축불허가처분을 하면서 그 처분상이유로 건축불허가 사유뿐만 아니라 형질변경불허가 사유나 농지전용불허가 사유를 들고 있다면 그 건축불허가처분에 대한 쟁송과는 별개로 형질변경불허가처분이나 농지전용불허가처분에 대한 쟁송도 제기하여야 한다. ( ) 11. 지방직 7급

02 건축불허가처분을 하면서 건축불허가 사유 외에 형질변경불허가 사유를 들고 있는 경우, 甲은 건축불허가처분취소 청구소송에서 형질변경불허가 사유에 대하여도 다툴 수 있다. ( ) 15. 국가직 9급

❶ 인 · 허가의제에 관한 행정기본법 제24조 내지 제26조는 2023년 3월 24일 발효된다.

간단 점검하기

03 계획재량은 계획법의 구조적 특성에 기인하는 것으로 행정청이 행정계획을 수립함에 있어서 일반 재량행위에 비하여 더욱 광범위한 판단여지 내지 형성의 자유를 갖는 것을 말한다. ( ) 14. 서울시 9급

01 × 02 ○ 03 ○

(2) 이러한 목표달성을 위한 수단·방법을 선택하는 과정에서 계획책정기관의 광범위한 재량 또는 형성의 자유가 인정되는데, 이러한 것을 계획재량 또는 계획형성의 자유라고 한다.

관련판례 **계획재량** ★★★

행정계획이라 함은 행정에 관한 전문적·기술적 판단을 기초로 하여 도시의 건설·정비·개량 등과 같은 특정한 행정목표를 달성하기 위하여 서로 관련되는 행정수단을 종합·조정함으로써 장래의 일정한 시점에 있어서 일정한 질서를 실현하기 위한 활동기준으로 설정된 것으로서, 도시계획법 등 관계 법령에는 추상적인 행정목표와 절차만이 규정되어 있을 뿐 행정계획의 내용에 대하여는 별다른 규정을 두고 있지 아니하므로 행정주체는 구체적인 행정계획을 입안·결정함에 있어서 비교적 광범위한 형성의 자유를 가진다(대판 2000.3.23, 98두2768).

#계획재량_구체화_광범한_형성자유

2. 계획재량의 법적 성질

(1) 일반재량과 구별을 긍정하는 입장 → 질적 차이를 인정(다수설)

① 일반 행정작용은 조건명제(조건 Program)로 구성되어 있으나, 행정계획은 목적·수단명제(목적 Program)로 구성되어 있으므로 질적인 면에서 차이가 있다.

② 계획재량에는 행정계획의 결정과정을 통제하는 형량명령이라는 특유한 하자이론이 존재한다.

(2) 일반재량과 구별을 부정하는 입장 → 양적 차이만 인정(박균성·홍정선 교수)

① 양자는 서로 질적인 면에서 차이가 없고, 다만 양적인 면에서 인정범위의 차이가 있을 뿐이다.

② 계획재량에서 주장되는 형량명령은 법치국가원리에서 당연히 도출되는 일반법원리일 뿐 특별한 내용을 담고 있지는 않다.

point check **행정재량과 계획재량의 비교**

구분	행정재량	계획재량
규범구조	요건 - 효과 모형(조건 프로그램)	목적 - 수단 모형(목적 프로그램)
재량범위	상대적으로 좁음	상대적으로 넓음
위법성 판단	재량권의 외적·내적 한계기준	재량권 행사의 절차적 하자기준
판단대상	구체적 사실의 적용에의 문제	구체적 목적달성에의 문제
형량대상	부분적 이해관계인만 고려	전체적 이해관계인 모두 고려
통제방법	사후적 통제 중심	사전적 통제 중심(절차적 통제)

간단 점검하기

01 개발제한구역지정처분은 그 입안·결정에 관하여 광범위한 형성의 자유를 가지는 계획재량처분이다. ( ) 16. 사회복지직, 10. 국가직 7급

관련판례

개발제한구역지정처분은 건설부장관이 법령의 범위 내에서 도시의 무질서한 확산 방지 등을 목적으로 도시정책상의 전문적·기술적 판단에 기초하여 행하는 일종의 행정계획으로서 그 입안·결정에 관하여 광범위한 형성의 자유를 가지는 계획재량처분이다(대판 1997.6.24, 96누1313).

간단 점검하기

02 행정계획의 수립에 있어서 행정청에게 인정되는 광범위한 형성의 자유, 즉 '계획재량'은 '형량명령의 원칙'에 따라 통제한다. ( ) 18. 소방직 9급

03 형량명령이란 행정계획을 입안·결정함에 있어서 관련된 이익을 정당하게 형량하여야 한다는 원칙을 말한다. ( ) 14. 서울시 7급, 11. 서울시 9급

04 행정주체가 행정계획을 입안·결정함에 있어서 행정계획에 관련되는 자들의 이익을 공익과 사익 사이에서는 물론이고 공익 상호 간과 사익 상호 간에도 정당하게 비교·교량하여야 한다. ( ) 18·09. 국가직 7급

05 법령에서 고려하도록 규정한 이익은 물론 법령에 규정되지 않은 이익도 행정계획과 관련이 있으면 모두 형량명령에 포함시켜야 한다. ( ) 18. 국회직 8급

06 형량시에 여러 이익 간의 형량을 행하기는 하였으나 그것이 객관성·비례성을 결한 경우를 형량의 해태라고 한다. ( ) 14. 서울시 7급

3. 계획재량과 사법심사

(1) 형량명령의 원칙(정당한 형량의 원리)

① 행정계획을 수립함에 있어서 법령을 준수하고 관련 제 이익을 정당하게 고려하고 형량하여야 한다는 원리를 말한다. 이는 계획재량의 통제를 위하여 형성된 이론이다.

② 독일 연방건설법 제1조 제6항은 "건설기본계획의 수립자는 계획재량권을 행사함에 있어 공익 상호간, 사익 상호간, 공익과 사익 상호간의 정당한 형량을 하여야 한다."고 규정하고 있다.

(2) 형량의 하자

구분	내용
형량의 해태	형량을 전혀 하지 않은 경우(조사의무를 이행하지 않은 하자)
형량의 흠결	형량에 있어 반드시 고려해야 할 이익을 누락한 경우
오형량 (형량의 불균형)	형량시에 여러 이익간의 형량을 행하기는 하였으나, 그 형량이 객관성·비례성이 결여된 경우

관련판례

1 행정계획이라 함은 행정에 관한 전문적·기술적 판단을 기초로 하여 도시의 건설·정비·개량 등과 같은 특정한 행정목표를 달성하기 위하여 서로 관련되는 행정수단을 종합·조정함으로써 장래의 일정한 시점에 있어서 일정한 질서를 실현하기 위한 활동기준으로 설정된 것으로서, 구 도시계획법(2000.1.28. 법률 제6243호로 전문 개정되기 전의 것) 등 관계 법령에는 추상적인 행정목표와 절차만이 규정되어 있을 뿐 행정계획의 내용에 관하여는 별다른 규정을 두고 있지 아니하므로 행정주체는 구체적인 행정계획을 입안·결정함에 있어서 비교적 광범위한 형성의 자유를 가지는 것이지만, 행정주체가 가지는 이와 같은 형성의 자유는 무제한적인 것이 아니라 그 행정계획에 관련되는 자들의 이익을 공익과 사익 사이에서는 물론이고 공익 상호간과 사익 상호간에도 정당하게 비교교량하여야 한다는 제한이 있으므로, 행정주체가 행정계획을 입안·결정함에 있어서 이익형량을 전혀 행하지 아니하거나 이익형량의 고려 대상에 마땅히 포함시켜야 할 사항을 누락한 경우 또는 이익형량을 하였으나 정당성과 객관성이 결여된 경우에는 위법하다(대판 2006.9.8, 2003두5426).

2 행정주체가 행정계획을 입안·결정함에 있어서 이익형량을 전혀 행하지 아니하거나 이익형량의 고려 대상에 마땅히 포함시켜야 할 사항을 누락한 경우 또는 이익형량을 하였으나 정당성과 객관성이 결여된 경우에는 그 행정계획결정은 형량에 하자가 있어 위법하게 된다(대판 2007.4.12, 2005두1893 ; 대판 2012.5.10, 2011두31093).

간단 점검하기

07 행정주체가 행정계획을 수립(입안·결정)함에 있어서 이익형량을 전혀 행하지 아니하거나 이익형량의 고려대상에 마땅히 포함시켜야 할 사항을 누락한 경우 또는 이익형량을 하였으나 정당성과 객관성이 결여된 경우, 그 행정계획결정은 형량의 하자가 있어 위법하다. ( ) 17. 국가직 7급, 16. 서울시 9급, 15. 서울시 7급

01 ○ 02 ○ 03 ○ 04 ○
05 ○ 06 × 07 ○

3 완충녹지가 필요 없게 되어 이를 해제하여 달라는 신청을 하였으나 관할 구청장이 이를 거부하는 처분을 한 사안에서, 행정계획을 입안·결정하면서 뿐만 아니라 이를 해제함에 있어서도 이익형량을 전혀 하지 않았거나 이익형량의 정당성·객관성이 결여되었다면 형량에 하자가 있어 위법하게 된다(대판 2012.1.12, 2010두5806).

8 행정계획과 권리구제

1. 사전적 권리구제수단(계획과정에 국민의 참여)

2. 행정쟁송

(1) 위법·부당한 행정계획으로 인하여 법률상 이익을 침해받은 자는 취소쟁송을 제기할 수 있다.

(2) 다만, 그 처분성의 인정 여부 또는 원고적격 인정 여부가 문제되고, 광범위한 계획재량으로 인하여 위법성을 인정하더라도 구제받기가 힘든 경우가 많다.

관련판례 개발제한구역 해제대상에서 누락된 토지 소유자의 취소쟁송 불인정

개발제한구역 중 일부 취락을 개발제한구역에서 해제하는 내용의 도시관리계획변경결정에 대하여, 개발제한구역 해제대상에서 누락된 토지의 소유자는 위 결정의 취소를 구할 법률상 이익이 없다(대판 2008.7.10, 2007두10242).

(3) 행정계획이 현실화된 후에 취소쟁송을 제기할 수 있다면 쟁송단계에서는 사정판결에 의하여 행정계획이 취소되지 않은 가능성이 크다.

3. 손해배상

(1) 행정계획의 수립 등에 관여하는 공무원의 직무상 불법행위가 있는 경우에 국가배상을 청구할 수 있음은 당연하다.

(2) 다만, 국가배상책임의 요건을 충족하기가 쉽지 않다고 할 것이므로 현실적으로 구제받기는 어려운 실정이다.

4. 손실보상

적법한 행정계획으로 인하여 국민의 재산권이 제한될 때 그것이 특별한 희생에 해당하는 경우에는 보상을 청구할 수 있어야 할 것이지만, 현행법상 보상규정이 없는 경우에도 피해자의 권리구제가 가능할 것인지가 문제된다.

관련판례 도시계획결정 보상 ★★

도시계획시설의 지정으로 말미암아 당해 토지의 이용가능성이 배제되거나 또는 토지소유자가 토지를 종래 허용된 용도대로도 사용할 수 없기 때문에 이로 말미암아 현저한 재산적 손실이 발생하는 경우에는, 원칙적으로 사회적 제약의 범위를 넘는 수용적 효과를 인정하여 국가나 지방자치단체는 이에 대한 보상을 해야 한다(헌재 1999.10.21, 97헌바26).

#도시계획결정 #사회적제약_기준 #보상원칙

간단 점검하기

판례에 의하면 행정주체가 구체적인 행정계획을 입안·결정할 때 가지는 형성의 자유의 한계에 관한 법리는 주민의 도시관리계획의 입안 제안 또는 변경신청을 받아들여 도시관리계획결정을 하거나 도시계획시설을 변경할 것인지를 결정할 때에도 동일하게 적용된다. ( ) 14. 국가직 9급 변형

○

5. 헌법소원

(1) 행정계획에 의해 직접 · 현재 기본권을 침해당한 자는 헌법소원에 의한 권리구제도 가능하다.

(2) 헌법재판소는 비구속적 행정계획은 헌법소원의 대상이 될 수 없으나 국민의 기본권에 직접적으로 영향을 끼치고, 앞으로 법령의 뒷받침에 의하여 그대로 실시될 것이 틀림없을 것으로 예상될 수 있을 때에는 예외적으로 헌법소원심판의 대상이 되는 공권력 행사가 될 수 있다고 본다.

관련판례 헌법소원과 행정쟁송의 관련성

신도시 주변지역에 대하여 개발행위허가를 제한하는 건설교통부고시는, 그 고시 자체로 인하여 직접 위 고시에서 지정된 특정 지역 내의 토지나 건물소유자가 토지의 형질변경 및 토석의 채취, 건축물의 신축 · 증축 등의 권리행사를 제한받게 되는 점에서 볼 때, 특정 개인의 구체적인 권리, 의무나 법률관계를 직접적으로 규율하는 성격을 갖는 행정처분에 해당한다. 위 고시에 대하여 행정심판법에 의한 행정심판 또는 행정소송법에 의한 항고소송을 제기하는 절차를 거치지 않았으므로 청구인들의 심판청구는 헌법재판소법 제68조 제1항 단서가 정한 보충성의 요건을 갖추지 못한 것이어서 부적법하다. 또한 개발행위허가 제한지역에 소재하는 토지를 구입하여 주택을 지을 예정인 청구인의 경우에는 위 고시로 인하여 자신의 기본권이 구체적으로 침해당하였다거나 또는 침해가 확실히 예상된다고 할 수 없고, 장차 기본권침해를 받을 우려가 있다고 하더라도 이는 잠재적인 것에 불과하다고 할 것이어서 위 청구인의 헌법소원심판청구는 보충성의 요건뿐만 아니라 자기관련성과 현재성을 갖추지 못하여 부적법하다(헌재 2008.12.26, 2007헌마862).

#헌법소원_보충성원칙 #개발제한구역지정 · 고시_행정쟁송대상

관련판례 비구속적 행정계획에 대한 헌법소원 부정 사례

1 알뜰주유소 추진계획 ★★

구속력을 갖지 않고 사실상의 준비행위나 사전안내 또는 행정기관 내부의 지침에 지나지 않는 행정계획은 원칙적으로 헌법소원의 대상이 되는 공권력의 행사라 할 수 없다. 하지만, 비구속적 행정계획안이나 행정지침이라도 국민의 기본권에 직접적으로 영향을 끼치고, 앞으로 법령의 뒷받침에 의하여 그대로 실시될 것이 틀림없을 것으로 예상될 수 있을 때에는, 공권력행위로서 예외적으로 헌법소원의 대상이 된다(헌재 2012.4.3, 2012헌마164).

#비구속적계획_헌법소원대상_제외 #비구속적계획_기본권_영향_공권력행위_헌법소원_대상
#알뜰주유소_추진계획_공권력행사_아님_헌법소원대상_아님

2 대학교육역량강화사업 기본계획 ★★★

2012년도와 2013년도 대학교육역량강화사업 기본계획은 대학교육역량강화 지원사업을 추진하기 위한 국가의 기본방침을 밝히고 국가가 제시한 일정 요건을 충족하여 높은 점수를 획득한 대학에 대하여 지원금을 배분하는 것을 내용으로 하는 행정계획일 뿐, 위 계획에 따를 의무를 부과하는 것은 아니다. 총장직선제를 개선하지 않을 경우 지원금을 받지 못하게 될 가능성이 있어 대학들이 이 계획에 구속될 여지가 있다 하더라도, 이는 사실상의 구속에 불과하고 이에 따를지 여부는 전적으로 대학의 자율에 맡겨져 있다. 더구나 총장직선제를 개선하려면 학칙이 변경되어야 하므로, 계획 자체만으로는 대학의 구성원인 청구인들의 법적 지위나 권리의무에 어떠한 영향도 미친다고 보기 어렵다. 따라서 2012년도와 2013년도 계획 부분은 헌

간단 점검하기

01 헌법재판소는 비구속적 행정계획안이나 행정지침이라 하더라도 국민의 기본권에 직접적으로 영향을 끼치고 앞으로 법령의 뒷받침에 의하여 그대로 실시될 것이 틀림없을 것으로 예상되는 경우에는 예외적으로 헌법소원의 대상이 될 수 있다는 입장이다. ( )
18. 국가직 7급, 16 · 13. 지방직 9급, 15. 지방직 7급

02 개발제한구역의 지정 · 고시 행위는 특정 개인의 법률상 이익을 구체적으로 규제하는 효과를 가져오는 행정청의 처분으로서 행정소송의 대상이 된다. ( ) 14. 국회직 8급

01 ○ 02 ○

법소원의 대상이 되는 공권력 행사에 해당하지 아니한다(헌재 2016.10.27, 2013헌마576).

#대학교육역량강화사업기본계획 #공권력행사_아님 #헌법소원_불가

3 대학수학능력시험 기본계획 ★★

'2018학년도 대학수학능력시험 시행기본계획' 중 대학수학능력시험의 문항 수 기준 70%를 한국교육방송공사(이하 'EBS'라 한다) 교재와 연계하여 출제한다는 부분이 고등학교 교사들에 대해 기본권 침해 가능성이 인정되지 않는다(헌재 2018.2.22, 2017헌마691).

#대학수학능력시험_시행기본계획 #비구속적_계획 #기본권침해_가능성_없음

관련판례 비구속적 행정계획에 대한 헌법소원 인정 사례

국립대학인 서울대학교의 "94학년도 대학입학고사주요요강"은 사실상의 준비행위 내지 사전안내로서 행정쟁송의 대상이 될 수 있는 행정처분이나 공권력의 행사는 될 수 없지만 그 내용이 국민의 기본권에 직접 영향을 끼치는 내용이고 앞으로 법령의 뒷받침에 의하여 그대로 실시될 것이 틀림없을 것으로 예상되어 그로 인하여 직접적으로 기본권 침해를 받게 되는 사람에게는 사실상의 규범작용으로 인한 위험성이 이미 현실적으로 발생하였다고 보아야 할 것이므로 이는 헌법소원의 대상이 되는 헌법재판소법 제68조 제1항 소정의 공권력의 행사에 해당된다고 할 것이며, 이 경우 헌법소원 외에 달리 구제방법이 없다(헌재 1992.10.1, 92헌마68).

#대학입학고사주요요강 #사전안내_공권력행사_아님 #국민_기본권침해_공권력행사_해당

9 계획보장청구권

1. 개설

(1) 의의

① **협의**: 행정계획의 폐지 · 변경 · 불이행이 있는 경우 이로 인해 손실을 입은 개인이 행정계획의 주체에 대하여 손실의 보상을 청구할 수 있는 권리를 말한다.

② **광의**: 계획존속청구권, 계획이행청구권, 계획변경청구권, 경과조치청구권, 손실전보청구권 등의 다양한 청구권을 종합하는 의미로 사용된다.

③ **다수설**: 계획보장청구권의 의미를 광의로 해석하고 있다.

(2) 인정 여부

① 행정계획은 비교적 장기간에 걸쳐 시행되므로 변화하는 행정환경에 맞게 탄력적으로 조정할 필요성이 요구된다. 반면에, 행정계획이 수립되어 시행되면 일반국민은 그에 기초하여 많은 법률관계를 형성하게 되므로 국민의 신뢰를 보호해 주어야 할 필요성 또한 존재한다.

② 행정계획의 가변성이라는 공익적 측면과 행정계획에 대한 개인의 신뢰보호라는 사익적 측면이 충돌하는 경우 이를 어떻게 해결할 것인지가 문제되는데 이것이 바로 계획보장청구권의 인정 여부와 관련되는 문제이다.

간단 점검하기

01 헌법재판소는 국립대학의 '대학입학고사주요요강'을 행정쟁송 대상인 처분으로 보지 않으면서도 헌법소원의 대상이 되는 공권력 행사로 보고 있다. ( ) 15. 국회직 8급

간단 점검하기

02 행정계획은 그 본질상 변경가능성과 신뢰보호의 긴장관계에 있다. ( ) 10. 국가직 9급

03 행정계획에는 변화가능성이 내재되어 있으므로, 국민의 신뢰보호를 위하여 계획보장청구권이 널리 인정된다. ( ) 16. 서울시 9급, 10. 국가직 9급

01 ○ 02 ○ 03 ×

③ 행정계획에는 본질상 가변성이 내재되어 있으므로 계획보장청구권은 인정되지 않는 것이 원칙이다. 단 상대방의 신뢰보호가 더 큰 경우 인정할 수 있다.

2. 계획존속청구권

(1) 의의

① 계획의 변경이나 폐지에 대항하여 계획의 존치를 주장하는 권리를 말한다.

② 정부가 발표한 행정계획을 믿고서 막대한 투자를 하였는데 그 후 정부가 해당 계획을 변경함으로써 손실을 입게 되는 경우가 그 예이다.

(2) 인정 여부

① 일반적인 계획존속청구권은 계획의 가변성을 무시하고 사인의 신뢰만 보호하는 결과가 되므로 원칙적으로 인정될 수 없다.

② 다만, 계획이 법률 또는 행정행위의 형식으로 발하여진 때에는 예외적으로 이러한 청구권이 인정될 소지가 있다.

3. 계획이행청구권

(1) 의의

① **계획준수청구권**: 계획준수청구권이란 이미 확정된 것과 다르게 집행되는 경우 확정된 계획대로 집행할 것을 요구하는 권리를 말한다.

② **계획집행청구권**: 계획집행청구권이란 계획을 책정만하고 집행하지 아니하는 경우 그 집행을 요구할 수 있는 권리를 말한다.

(2) 인정 여부

① **행정청의 준수의무**: 법령준수청구권이 인정되지 않는 것처럼 계획준수청구권은 일반적으로는 인정되지 않는다. 그러나 행정계획이 대외적으로 구속적인 것인 경우에는 행정청도 이를 준수해야 하는 것이므로 그에 반하는 처분이나 그 밖의 조치를 취할 수 없다.

② **집행청구권**: 국민에게는 법률의 집행청구권이 없으므로 법규명령적 성질을 가지는 행정계획에 대한 일반적 집행청구권은 인정되지 않는다. 그러나 관계법규상 행정청에 대해 계획집행의무가 부과되어 있고 해당 법규의 취지가 특정 개인의 이익도 보호하려는 것인 경우에는 인정될 수 있다.

4. 계획변경청구권

(1) 의의

기존의 계획이 확정된 후 사정의 변경 등의 이유로 관계주민이 해당 계획의 변경을 신청할 수 있는 권리를 말한다.

(2) 인정 여부

① 판례는 원칙적으로 계획변경청구권 일반에 대해서는 아직까지 인정하지 않는다.

② 다만, 최근 '국토이용계획변경신청 거부행위'에 대해서 예외적으로 처분성을 인정하기도 하였고(대판 2003.9.23, 2001두10936), '도시계획입안신청 거부행위'에 대해서는 처분성을 인정하고 있다(대판 2004.4.28, 2003두1806).

관련판례 **계획변경청구권을 부정한 경우**

1 공원조성계획취소 ★★★

국민의 신청에 대한 행정청의 거부가 행정처분이 되기 위하여는 국민이 그 신청에 따른 행정행위를 요구할 수 있는 법규상 또는 조리상의 권리가 있어야 할 것인 바, 도시계획법상 주민이 도시계획 및 그 변경에 대하여 어떤 신청을 할 수 있다는 규정이 없을 뿐만 아니라 도시계획과 같이 장기성, 종합성이 요구되는 행정계획에 있어서는 그 계획이 일단확정된 후에 어떤 사정의 변경이 있다 하여 지역주민에게 일일이 그 계획의 변경을 청구할 권리를 인정해 줄 수도 없는 이치이므로 도시계획시설인 공원조성계획 취소신청을 거부한 행위는 항고소송의 대상이 되는 행정처분이라고 볼 수 없다(대판 1989.10.24, 89누725).

#공원조성계획취소 #법규_조리_신청권_없음 #신청거부_정당성인정

2 국토이용계획 ★★

국토이용관리법상 주민이 국토이용계획의 변경에 대하여 신청을 할 수 있다는 규정이 없을 뿐만 아니라, 국토건설종합계획의 효율적인 추진과 국토이용질서를 확립하기 위한 국토이용계획은 장기성, 종합성이 요구되는 행정계획이어서 그 계획이 일단 확정된 후에 어떤 사정의 변동이 있다고 하여 지역주민이나 일반 이해관계인에게 일일이 그 계획의 변경을 신청할 권리를 인정하여 줄 수 없다(대판 2003.9.26, 2003두5075).

#국토이용계획신청 #신청권_없음

관련판례 **계획변경청구권을 인정한 경우**

1 폐기물처리업 국토이용계획 ★★★

원칙적으로는 국토이용계획이 일단 확정된 후에 어떤 사정의 변동이 있다고 하여 그러한 사유만으로는 지역주민이나 일반 이해관계인에게 일일이 그 계획의 변경을 신청할 권리를 인정하여 줄 수는 없을 것이지만, 장래 일정한 기간 내에 관계 법령이 규정하는 시설 등을 갖추어 일정한 행정처분을 구하는 신청을 할 수 있는 법률상 지위에 있는 자의 국토이용계획변경신청을 거부하는 것이 실질적으로 당해 행정처분 자체를 거부하는 결과가 되는 경우에는 예외적으로 그 신청인에게 국토이용계획변경을 신청할 권리가 인정된다고 봄이 상당하므로, 이러한 신청에 대한 거부행위는 항고소송의 대상이 되는 행정처분에 해당한다(대판 2003.9.23, 2001두10936).

#폐기물처리업_적정통보 #농림지역_준농림지역_불가 #도시지역_가능 #계획변경신청권_인정

2 도시계획 입안제안 ★★★

도시계획입안제안과 관련하여서는 주민이 입안권자에게 '㉠ 도시계획시설의 설치·정비 또는 개량에 관한 사항, ㉡ 지구단위계획구역의 지정 및 변경과 지구단위계획의 수립 및 변경에 관한 사항'에 관하여 '도시계획도서와 계획설명서를 첨부'하여 도시계획의 입안을 제안할 수 있고, 위 입안제안을 받은 입안권자는 그 처리결과를 제안자에게 통보하도록 규정하고 있는 점 등과 헌법상 개인의 재산권 보장의 취지에 비추어 보면, 도시계획구역 내 토지 등을 소유하고 있는 주민으로서는 입안권자에게 도시계획입안을 요구할 수 있는 법규상 또는 조리상의 신청권이 있다고 할 것이고, 이러한 신청에 대한 거부행위는 항고소송의 대상이 되는 행정처분에 해당한다(대판 2004.4.28, 2003두1806).

#도시계획입안제안_법규상_인정 #신청권인정

간단 점검하기

01 장기성·종합성이 요구되는 행정계획에 있어서는 원칙적으로 그 계획이 확정된 후에 어떤 사정의 변동이 있다고 하여 지역주민에게 일일이 그 계획의 변경을 청구할 권리를 인정해 줄 수 없다. ( ) 16. 변호사

02 구 국토이용관리법상 국토이용계획이 확정된 후 일정한 사정의 변동이 있다면 지역주민에게 일반적으로 계획의 변경 또는 폐지를 청구할 권리가 있다. ( ) 14. 국가직 9급

간단 점검하기

03 계획법규는 공익보호를 목적으로 하는 것이므로 계획변경신청권의 예외적 인정은 허용되지 않는다. ( ) 10. 국가직 7급

04 일정한 기간 내에 요건을 갖추어 일정한 행정처분을 신청할 수 있는 법률상 지위에 있는 자에 대해 국토이용계획변경신청을 거부하는 것이 실질적으로 당해 행정처분 자체를 거부하는 결과가 되는 경우에는 그 신청인은 계획변경을 신청할 권리가 있다. ( ) 19. 서울시 7급

05 폐기물처리사업의 적정통보를 받은 자가 폐기물처리업 허가를 받기 위해서는 국토이용계획의 변경이 선행되어야 하는 경우 일반적·추상적 효력을 가지는 이용계획의 특성상 그 변경을 신청할 개인의 권리는 인정되지 아니한다. ( ) 14. 국회직 8급

06 판례에 의하면 도시관리계획구역 내 토지 등을 소유하고 있는 주민으로서는 입안권자에게 도시관리계획 입안을 요구할 수 있는 법규상 또는 조리상의 신청권이 있다고 할 것이고, 이러한 신청에 대한 거부행위는 항고소송의 대상이 되는 행정처분에 해당한다. ( ) 17·15. 서울시 7급, 16. 지방직 9급

07 도시·군관리계획 구역 내에 토지 등을 소유하고 있는 주민의 봉안시설(구 납골시설)에 대한 도시·군관리계획 입안제안을 입안권자인 군수가 반려한 행위는 사실의 통지에 불과하여 항고소송의 대상이 될 수 없다. ( ) 16. 변호사

01 ○ 02 × 03 × 04 ○ 05 × 06 ○ 07 ×

간단 점검하기

도시계획시설결정에 이해관계가 있는 주민으로서는 도시시설계획의 입안권자 내지 결정권자에게 도시시설계획의 입안 내지 변경을 요구할 수 있는 법규상 또는 조리상의 신청권이 있고, 이러한 신청에 대한 거부행위는 항고소송의 대상이 되는 행정처분에 해당한다. ( ) 19. 사회복지직

❶ 약칭: 국토계획법(이하 동일)

3 도시계획구역 내 토지 등을 소유하고 있는 사람과 같이 당해 도시계획시설결정에 이해관계가 있는 주민으로서는 도시시설계획의 입안권자 내지 결정권자에게 도시시설계획의 입안 내지 변경을 요구할 수 있는 법규상 또는 조리상의 신청권이 있고, 이러한 신청에 대한 거부행위는 항고소송의 대상이 되는 행정처분에 해당한다(대판 2015.3.26, 2014두42742).

국토의 계획 및 이용에 관한 법률❶ 제48조의2【도시·군계획시설결정의 해제 신청 등】
① 도시·군계획시설결정의 고시일부터 10년 이내에 그 도시·군계획시설의 설치에 관한 도시·군계획시설사업이 시행되지 아니한 경우로서 제85조 제1항에 따른 단계별 집행계획상 해당 도시·군계획시설의 실효 시까지 집행계획이 없는 경우에는 그 도시·군계획시설 부지로 되어 있는 토지의 소유자는 대통령령으로 정하는 바에 따라 해당 도시·군계획시설에 대한 도시·군관리계획 입안권자에게 그 토지의 도시·군계획시설결정 해제를 위한 도시·군관리계획 입안을 신청할 수 있다.

5. 경과조치청구권

(1) 의의

① 행정계획의 개폐를 저지할 수 없어 계획이 변경되거나 폐지되는 경우에 이로 인하여 손해를 받게 될 자가 행정청에 대하여 경과조치나 적응조치를 청구할 수 있는 권리를 말한다.

② 본 청구권은 이해관계인을 점진적으로 새로운 상황에 적응시켜 가능한 한 손실을 회피시키는 기능을 수행한다.

(2) 인정 여부

이는 계획의 변경에 대한 공익실현과 관계인의 이익보호를 동시에 고려할 수 있는 장점이 있으나, 경우에 따라서는 이를 인정함으로써 계획변경 자체가 불가능하거나 손실보상이나 손해배상이 배제되는 경우도 있을 수 있으므로 별도의 규정이 없는 한 인정되지 않는다.

국토계획법 제48조【도시·군계획시설결정의 실효 등】① 도시·군계획시설결정이 고시된 도시·군계획시설에 대하여 그 고시일부터 20년이 지날 때까지 그 시설의 설치에 관한 도시·군계획시설사업이 시행되지 아니하는 경우 그 도시·군계획시설결정은 그 고시일부터 20년이 되는 날의 다음날에 그 효력을 잃는다.

제48조의2【도시·군계획시설결정의 해제 신청 등】① 도시·군계획시설결정의 고시일부터 10년 이내에 그 도시·군계획시설의 설치에 관한 도시·군계획시설사업이 시행되지 아니한 경우로서 제85조제1항에 따른 단계별 집행계획상 해당 도시·군계획시설의 실효 시까지 집행계획이 없는 경우에는 그 도시·군계획시설 부지로 되어 있는 토지의 소유자는 대통령령으로 정하는 바에 따라 해당 도시·군계획시설에 대한 도시·군관리계획 입안권자에게 그 토지의 도시·군계획시설결정 해제를 위한 도시·군관리계획 입안을 신청할 수 있다.

○

관련판례

장기미집행 도시계획시설결정의 실효제도는 도시계획시설부지로 하여금 도시계획시설결정으로 인한 사회적 제약으로부터 벗어나게 하는 것으로서 결과적으로 개인의 재산권이 보다 보호되는 측면이 있는 것은 사실이나, 이와 같은 보호는 입법자가 새로운 제도를 마련함에 따라 얻게 되는 법률에 기한 권리일 뿐 헌법상 재산권으로부터 당연히 도출되는 권리는 아니다(헌재 2005.9.29, 2002헌바84 · 89 · 2003헌마678 · 943).

제 5 장 그 밖의 행정의 주요 행위형식

제1절 행정상의 확약

1 개설

1. 의의

확약이라 함은 행정청이 자기구속을 할 의도로써 국민에 대해 장래에 특정한 행정행위를 하거나(발급) 또는 하지 않을 것(불발급)을 약속하는 의사표시를 말한다. 구체적인 예로는 내인가·내허가 등 각종 인·허가의 발급약속, 공무원의 임용내정, 무허가건물의 자진철거자에 대한 아파트입주권 약속 등이 있다.❶

2. 대상

확약은 약속의 대상을 행정행위에 한정함에 대하여, 확언은 약속의 대상을 행정작용 전반에 대하여 인정한다. 따라서 확약은 확언의 일종이라 할 수 있다. 구체적인 예로는 행정행위의 발령, 공법상 계약의 체결, 행정계획의 수립·실시, 도로보수 등 사실행위의 실현 등이 있다.

2 성질

1. 행정행위성 여부

(1) 부정설(판례)

① 행정청이 어떤 행정행위에 대한 확약을 한 경우 그에 관한 종국적인 규율은 약속된 행정행위를 통해서 행해지는 것이지 확약 그 자체에 의해서 행해지는 것이 아니다.

② 확약은 행정청 자신을 기속하는 것인 데 대하여 행정행위는 상대방을 규율하는 것인 점에서 차이가 있으므로 확약의 행정행위성을 인정할 수 없다.

관련판례 확약의 효력 ★★

수익적 처분이 있으면 상대방은 그것을 기초로 하여 새로운 법률관계 등을 형성하게 되는 것이므로, 이러한 상대방의 신뢰를 보호하기 위하여 수익적 처분의 취소에는 일정한 제한이 따르는 것이나, 수익적 처분이 상대방의 허위 기타 부정한 방법으로 인하여 행하여졌다면 상대방은 그 처분이 그와 같은 사유로 인하여 취소될 것임을 예상할 수 없었다고 할 수 없으므로, 이러한 경우에까지 상대방의 신뢰를 보호하여야 하는 것은 아니라고 할 것이다(대판 1995.1.20, 94누6529).

간단 점검하기

01 확약이라 함은 행정청이 자기구속을 할 의도로써 장래에 향하여 행정행위를 하거나 하지 않을 것을 약속하는 의사표시를 말한다. ( )
05. 서울시 9급

❶ 1987년 행정절차법'안'에 확약에 대한 규정이 있었으나 입법과정에서 삭제되어 현행법에는 없다. 확약은 행정청이 자기구속을 할 의도로 행하는 것인 점에서 비구속적인 법률적 견해의 표명과 같은 정보제공과 구별된다.

간단 점검하기

02 행정절차법에도 확약에 관한 규정을 두고 있으므로 확약의 가능성을 논할 실익은 없다. ( )
14. 사회복지직, 16. 서울시 9급, 13. 국가직 9급, 10. 지방직 7급

03 장래 일정한 처분을 할 것을 약속하는 행정청의 확약은 처분이 아니다. ( ) 14. 사회복지직

04 어업권면허에 선행하는 우선순위 결정은 강학상 확약으로 행정처분에 해당되어 우선순위 결정에 공정력이나 불가쟁력 같은 효력이 인정된다. ( )
19. 소방직 9급, 16. 서울시 9급, 15. 경찰행정

01 ○ 02 × 03 ○ 04 ×

(2) 긍정설(다수설)

① 확약은 확약되는 행정행위의 내용에 따라 행정기관 스스로 장래의 일정한 행위의 이행 또는 불이행을 의무지우는 효과가 인정된다.

② 행정행위의 특징인 법적 규율성이 인정된다고 볼 수 있으므로 행정행위로 보아야 한다.

2. 재량행위인지 여부

일정한 행정행위의 발급에 대해 확약을 할 것인가의 여부는 행정청의 의무에 합당한 재량에 속한다고 볼 것이다. 그러나 확약의 대상이 되는 행정행위에는 재량행위뿐만 아니라 기속행위도 포함된다.

관련판례 내인가

1 내인가 거부 ★★

자동차운송사업 양도양수인가신청에 대하여 행정청이 내인가를 한 후 그 본인가의 신청이 있음에도 내인가를 취소한 경우, 이러한 내인가취소를 인가신청거부처분으로 볼 수 있다(대판 1991.6.28, 90누4402).

2 내인가 제3자 집행정지불가 ★★

신규 사업면허 내인가처분으로 기존업자가 손해를 입게 되는 사정은 집행정지의 요건에 해당하지 않는다(대판 1991.5.6, 91두13).

3 확약의 허용성과 한계

1. 허용의 근거

확약은 실정법상 근거는 없으므로, 행정절차법은 물론 다른 개별법에도 근거는 없다. 따라서 확약의 가능성은 학설에 의해 인정된다.

(1) 부정설

과거 독일의 판례·학설에서 확약의 권한과 본처분의 발령권한은 별개라는 논리로, 근거규정이 없으면 확약은 인정될 수 없다는 견해였다. 그러나 현재 부정설은 더 이상 주장되지 않는다.

(2) 긍정설

① 신뢰보호설

② **본처분권한포함설(다수설)**: 법령이 행정기관에 대하여 본행정행위를 할 수 있는 권한을 부여한 경우에는, 특히 반대의 뜻이 보이는 경우가 아니면 본행정행위에 관한 확약의 권한도 함께 주어진 것으로 볼 것이므로, 별도의 근거가 없더라도 확약이 가능하다는 견해이다.

간단 점검하기

확약을 허용하는 명문의 규정이 없더라도 다수설은 본처분권한에 확약에 대한 권한이 포함되어 있다고 보아 별도의 명문의 규정이 없더라도 확약을 할 수 있다는 입장이다. ( )

14. 경찰행정

○

간단 점검하기

01 재량행위뿐만 아니라 기속행위도 확약의 대상이 될 수 있다는 것이 다수설의 입장이다. ( ) 04. 관세사

간단 점검하기

02 유효한 확약은 권한을 가진 행정청에 의해서만 그리고 권한의 범위 내에서만 발해질 수 있다. ( )
13·07. 국가직 9급

03 확약이 법적 구속력을 갖기 위해서는 상대방에게 표시되고, 그 상대방이 행정청의 확약을 신뢰하였고, 그 신뢰에 귀책사유가 없어야 한다. ( )
10. 지방직 7급

간단 점검하기

04 확약을 행한 행정청은 확약의 내용인 행위를 하여야 할 자기구속적 의무를 지며, 상대방은 행정청에 그 이행을 청구할 권리를 갖게 된다. ( )
16. 서울시 9급

01 ○ 02 ○ 03 ○ 04 ○

2. 허용의 한계

(1) 기속행위에 대한 확약 가능성

① **재량행위의 경우**: 확약의 가능성에 대해서 별다른 다툼 없이 인정하고 있다.

② **기속행위의 경우**: 확약에 의하여 당사자가 본처분을 대비하는 대처이익·예고이익 등이 있을 수 있으므로 확약이 가능하다.

(2) 요건사실 완성 후의 확약 가능성

① **요건사실 완성 전의 경우**: 확약의 가능성을 일반적으로 인정하고 있다.

② **요건사실 완성 후의 경우**: 상대방에게 예고이익이나 기대이익 등을 줄 수 있으므로 요건사실의 완성 후에도 확약이 가능하다(예 과세에 관한 요건사실이 완성한 후에도 확약이 납세의무자 측에 기대이익을 주는 경우).

4 확약의 요건

1. 주체

본처분을 할 수 있는 권한이 있는 행정청이 권한의 범위 내에서 행할 수 있다.

2. 내용

(1) 확약의 대상이 적법하고 실현 가능하며 확정적이어야 한다.

(2) 확약이 법적 구속력을 갖기 위해서는 상대방에게 표시되고, 그 상대방이 행정청의 확약을 신뢰하였고, 그 신뢰에 귀책사유가 없어야 한다.

3. 절차

본처분의 발급에 관하여 일정한 사전절차가 요구되고 있는 경우에는 그 절차는 이행되어야 한다.

4. 형식

독일과는 달리 우리나라는 이에 대한 명문의 규정이 없다. 따라서 서면에 의한 확약은 당연히 가능하나 구술에 의한 확약 여부가 문제되나 예외적으로 가능하다 할 것이다.

5 확약의 효과

1. 내용적 구속력

(1) 신뢰보호의 원칙 및 금반언의 법리를 바탕으로 행정청은 확약된 내용을 이행해야 한다.

(2) 확약은 상대방에게 기대권과 같은 법적 효과가 발생하기 때문에 그 상대방은 확약된 내용의 이행을 청구할 수 있는 권리를 가진다.

2. 확약의 취소 · 변경 · 철회

(1) 확약의 취소와 철회에는 상대방의 신뢰보호의 견지에서 제한을 받게 된다.

(2) 확약에 대한 철회권의 제한은 상대방의 신뢰보호의 원칙상 취소권의 제한보다 그 정도가 강하다.

3. 확약과 사정변경(확약의 실효)

(1) 독일의 행정절차법은 확약 후 사실상태 또는 법률상태가 변경된 경우 행정청이 그와 같은 변경이 있을 것을 미리 알았더라면 그와 같은 확약을 하지 않았을 것으로 인정되는 경우에는 확약에 대한 구속을 면제하고 있다.

(2) 우리 행정절차법은 이에 대해 명시적으로 규정하고 있지는 않으나, 이러한 사정변경의 원리는 확약에도 적용되어야 한다.

관련판례 확약의 실효 ★★

행정청이 상대방에게 장차 어떤 처분을 하겠다고 확약 또는 공적인 의사표명을 하였다고 하더라도, 그 자체에서 상대방으로 하여금 언제까지 처분의 발령을 신청 하도록 유효기간을 두었는데도 그 기간 내에 상대방의 신청이 없었다거나 확약 또는 공적인 의사표명이 있은 후에 사실적 · 법률적 상태가 변경되었다면, 그와 같은 확약 또는 공적인 의사표명은 행정청의 별다른 의사표시를 기다리지 않고 실효된다(대판 1996.8.20, 95누10877).

#주택건설사업승인거부처분 #유효기간_신청× #사실적 · 법률적_변동_실효

간단 점검하기

확약이 있은 후에 사실적 · 법률적 상태가 변경되었다면, 그 확약은 행정청의 별다른 의사표시를 기다리지 않고 실효된다. ( )

18. 국가직 7급, 16. 서울시 9급, 13. 국가직 9급

○

6 권리구제

1. 행정쟁송

확약의 처분성을 인정하지 않는 판례에 의하면 확약 그 자체를 소송의 대상으로 삼을 수 없겠지만, 일반적으로 확약과 다른 처분이 행하여지거나 확약된 처분을 행하지 아니하면 의무이행심판, 거부처분취소소송, 부작위위법확인소송 등에 의한 구제가 가능하다고 보아야 할 것이다.

2. 손해전보

국가배상법 제2조의 요건을 충족하는 범위 내에서 손해배상청구가 가능하다. 또한 확약이 공익상 이유로 철회되거나 실효된 경우에는 손실보상이 인정될 수도 있다.

제2절 공법상 계약

> 행정기본법 제27조【공법상 계약의 체결】① 행정청은 법령등을 위반하지 아니하는 범위에서 행정목적을 달성하기 위하여 필요한 경우에는 공법상 법률관계에 관한 계약(이하 "공법상 계약"이라 한다)을 체결할 수 있다. 이 경우 계약의 목적 및 내용을 명확하게 적은 계약서를 작성하여야 한다.
> ② 행정청은 공법상 계약의 상대방을 선정하고 계약 내용을 정할 때 공법상 계약의 공공성과 제3자의 이해관계를 고려하여야 한다.

1 의의

공법상 계약이란 공법상의 효과발생을 목적으로 하여 복수의 대등한 당사자 간에 반대방향의 의사의 합치에 의하여 성립되는 공법행위를 말한다.

point check 공법상 계약과 타 개념의 구별

구분	공법상 계약	사법상 계약	행정행위	합동행위
법률 효과	공법적 효과	사법적 효과	-	-
대상	대등당사자	-	일방적 작용	-
의사표시 방향	반대방향의 의사합치	-	-	동일방향의 의사합치

2 유용성과 법적 근거

1. 유용성

(1) 개별적·구체적 사정에 따른 탄력적 행정목적의 달성

(2) 상대방의 반대급부가 확보된 경우 행정목적을 신속하게 달성

(3) 불명확한 사실·법률관계에 대한 용이한 해결을 통해 행정경제에 기여

(4) 법률지식이 없는 자에도 교섭을 통해 계약의 내용을 이해시킬 수 있다는 점

(5) 법의 흠결의 보충

(6) 분쟁의 최소화

2. 법적 근거

(1) 행정기능의 질적·양적인 확대에 따라 행위형식도 다양해지고 있으므로, 오늘날 공법상 계약의 체결가능성은 물론 그 기준의 기본 사항에 대해 법적 근거를 두고 있다(행정기본법 제27조).

(2) 법적 근거 불요설(자유성 긍정설)이 통설이다. 따라서 공법상 계약에서는 법률유보원칙이 적용되지 아니한다.

(3) 공법상 계약에는 행정절차법이 적용되지 않는다.

간단 점검하기

01 공법상 계약은 사법상 효과의 발생을 목적으로 한다. ( ) 18. 교육행정직

02 행정주체가 체결하는 계약은 모두 공법상 계약이다. ( ) 19. 사회복지직

간단 점검하기

03 공법상 계약에 관한 통칙적 규정은 없다. ( ) 19. 사회복지직

04 다수설에 따르면 공법상 계약은 당사자의 자유로운 의사의 합치에 의하므로 원칙적으로 법률유보의 원칙이 적용되지 않는다고 본다. ( ) 17. 국가직 9급

01 × 02 × 03 × 04 ○

3 인정범위 및 한계

1. 인정범위

공법상 계약은 특별한 규정이 없는 한 원칙적으로 비권력적 행정에서 인정되고, 권력적 행정에는 명문규정이 있는 경우에만 인정된다.

2. 한계

(1) 국가행정작용의 일종으로서 법률우위의 원칙이 적용되므로 법을 위반할 수 없다(행정기본법 제27조 제1항).❶

(2) 행정청은 공법상 계약의 상대방을 선정하고 계약 내용을 정할 때 공법상 계약의 공공성과 제3자의 이해관계를 고려하여야 한다(동조 제2항).

(3) 절대적 평등이 요구되는 대량적이고 지속적인 사안에 대해서는 가능한 한 행정행위에 의하여야 한다.

(4) 제3자의 권익을 제한하는 내용의 행정행위를 할 것을 내용으로 하는 공법상 계약은 제3자의 동의가 없는 한 인정될 수 없다.

간단 점검하기

01 공법상 계약도 공행정작용이므로 역시 법률우위의 원칙하에 놓인다. ( ) 14. 서울시 7급, 07. 국가직 9급

❶ 공법상 계약도 공행정작용이므로 역시 법률우위의 원칙하에 놓인다.

4 종류

1. 주체에 따른 분류

(1) 행정주체 상호간의 공법상 계약

① 공공단체 상호간의 사무위탁(예 지방자치단체간의 교육사무위탁 등)

② 농지개량조합의 구 · 시 · 군에 대한 조합비징수위탁

③ 지방자치단체 간의 도로 또는 하천의 경비부담에 관한 협의, 도로관리에 관한 협의 등

(2) 행정주체와 사인간의 공법상 계약

① 임의적 공용부담, 보조금지원계약, 행정사무위탁(예 별정우체국지정 등), 특별행정법관계설정합의(예 지원입대, 전문직공무원의 채용계약 등), 토지수용상의 협의 등이 있다.

② 특히 최근에 논의되고 있는 규제행정 특히 공해방지협정 또는 환경보전협정 등은 독일의 교환계약과 같은 것도 이에 해당한다.

(3) 사인 상호간의 공법상 계약

현행법상 사인간의 공법상 계약을 인정하는 것은 오직 특허기업자 등 사인인 사업시행자와 토지소유자간의 공익사업을 위한 토지 등의 취득 및 보상에 관한 법률상의 협의가 있을 뿐이다.

2. 성질에 따른 분류

(1) 대등계약

(2) 종속계약

간단 점검하기

02 공법상 계약은 행정주체와 사인 간에만 체결 가능하며, 행정주체 상호간에는 공법상 계약이 성립할 수 없다. ( ) 17. 국가직 9급

03 지방자치단체 간의 교육사무위탁은 공법상 계약이다. ( ) 11. 사회복지직

04 행정주체인 사인은 공법상 계약의 일방 당사자가 될 수 없다. ( ) 11. 사회복지직

05 공법상 계약의 내용은 당사자 간에 합의에 의하여 정해지기도 하지만, 행정주체가 일방적으로 내용을 정하고 상대방은 체결 여부만을 선택해야 하는 경우도 인정될 수 있다. ( ) 14. 서울시 7급

06 공법상 계약은 법령에 의하여 체결의 자유와 형성의 자유가 제한될 수 있다. ( ) 12. 경찰행정

01 ○ 02 × 03 ○ 04 ×
05 ○ 06 ○

5 특수성

1. 실체법적 특수성

(1) 계약의 성립

① 공법상 계약의 성립에 관하여는 계약의 목적 및 내용을 명확하게 적은 계약서에 의해야 한다(행정기본법 제27조 제1항). 계약의 상대방을 선정하고 계약 내용을 정할 때 공법상 계약의 공공성과 제3자의 이해관계를 고려하여야 한다(동조 제2항).

② 공법상 계약의 내용은 영조물규칙 · 공급규정 등의 형식으로 사전에 정형화되어 있으므로 부합계약의 형식을 취하는 경우가 많고, 계약이 강제되거나 계약의 성립 · 해지에 사법상의 원리가 수정 · 제한되는 경우도 있다.

③ 공법상 계약에 관한 개별법에 특별한 규정이 없으면 원칙적으로 국가를 당사자로 하는 계약에 관한 법률❶에 따른다.

❶ **약칭**: 국가계약법(이하 동일)

(2) 계약의 방법 · 절차 · 형식

① **계약의 방법**: 각 중앙관서의 장 또는 계약담당공무원은 계약을 체결하고자 하는 경우에는 일반경쟁에 부쳐야 한다. 다만, 계약의 목적 · 성질 · 규모 등을 고려하여 필요하다고 인정될 때에는 대통령령이 정하는 바에 의하여 참가자의 자격을 제한하거나 참가자를 지명하여 경쟁에 부치거나 수의계약에 의할 수 있다(국가를 당사자로 하는 계약에 관한 법률 제7조).

② **계약의 절차 · 형식(서면주의 원칙)**: 각 중앙관서의 장 또는 계약담당공무원은 계약을 체결하고자 할 때에는 계약의 목적 · 계약금액 · 이행기간 · 계약보증금 · 위험부담 · 지체상금 그 밖의 필요한 사항을 명백히 기재한 계약서를 작성하여야 한다. 다만, 대통령령이 정하는 경우에는 이의 작성을 생략할 수 있다(동법 제11조 제1항).

③ **계약의 확정**: 제1항의 규정에 의하여 계약서를 작성하는 경우에는 그 담당공무원과 계약상대자가 계약서에 기명 · 날인 또는 서명함으로써 계약이 확정된다(동조 제2항).

④ 지방자치단체가 시행한 입찰절차에서 낙찰자 결정은 편무예약에 해당한다(대판 2006.6.29, 2005다41603).

> 국가를 당사자로 하는 계약에 관한 법률 제5조 【계약의 원칙】 ① 계약은 서로 대등한 입장에서 당사자의 합의에 따라 체결되어야 하며, 당사자는 계약의 내용을 신의성실의 원칙에 따라 이행하여야 한다.
> ② 각 중앙관서의 장 또는 계약담당공무원은 제4조 제1항에 따른 국제입찰의 경우에는 호혜(互惠)의 원칙에 따라 정부조달협정 가입국(加入國)의 국민과 이들 국가에서 생산되는 물품 또는 용역에 대하여 대한민국의 국민과 대한민국에서 생산되는 물품 또는 용역과 차별되는 특약(特約)이나 조건을 정하여서는 아니 된다.
> ③ 각 중앙관서의 장 또는 계약담당공무원은 계약을 체결할 때 이 법 및 관계 법령에 규정된 계약상대자의 계약상 이익을 부당하게 제한하는 특약 또는 조건(이하 "부당한 특약 등"이라 한다)을 정해서는 아니 된다.
> ④ 제3항에 따른 부당한 특약 등은 무효로 한다.

관련판례

1 국가를 당사자로 하는 계약에 관한 법률(이하 '국가계약법'이라 한다)에 따라 국가가 당사자가 되는 이른바 공공계약은 사경제 주체로서 상대방과 대등한 위치에서 체결하는 사법상 계약으로서 본질적인 내용은 사인 간의 계약과 다를 바가 없으므로, 그에 관한 법령에 특별한 정함이 있는 경우를 제외하고는 사적 자치와 계약자유의 원칙 등 사법의 원리가 그대로 적용된다(대결 2012.9.20, 2012마1097).

2 국가계약의 본질적인 내용은 사인 간의 계약과 다를 바가 없어 법령에 특별한 규정이 있는 경우를 제외하고는 사법의 규정 내지 법원리가 그대로 적용된다(대판 2016.6.10, 2014다200763 · 2014다200770).

3 지방재정법에 의하여 준용되는 '국가를 당사자로 하는 계약에 관한 법률'에 따라 지방자치단체가 당사자가 되는 이른바 공공계약은 사경제의 주체로서 상대방과 대등한 위치에서 체결하는 사법(私法)상의 계약으로서 그 본질적인 내용은 사인 간의 계약과 다를 바가 없다(대결 2006.6.19, 2006마117).

Level up 법률용어: 편무예약(片務豫約)

일방(一方)이 본계약을 체결하겠다고 하는 청약을 하면 타방(他方)이 이를 승낙할 의무가 있는 예약(豫約)에 있어서, 쌍무예약(雙務豫約)에 상대되는 개념으로, 청약할 권리를 일방(一方)만이 가지고 있는 예약을 말한다.

관련판례 입찰절차에서 낙찰자의 법적 성질 ★★

1 [1] 지방자치단체가 시행한 입찰절차에서 낙찰자로 결정된 자의 지위 및 낙찰자 결정의 법적 성질은 계약의 편무예약에 해당한다(낙찰로 바로 계약이 성립되지 않고, 기명날인 또는 서명으로 본계약 성립).

[2] 구 지방재정법(2005.8.4. 법률 제7663호로 전문 개정되기 전의 것) 제63조가 준용하는 국가를 당사자로 하는 계약에 관한 법률 제11조는 지방자치단체가 당사자로서 계약을 체결하고자 할 때에는 계약서를 작성하여야 하고 그 경우 담당 공무원과 계약당사자가 계약서에 기명날인 또는 서명함으로써 계약이 확정된다고 규정함으로써, 지방자치단체가 당사자가 되는 계약의 체결은 계약서의 작성을 성립요건으로 하는 요식행위로 정하고 있으므로, 이 경우 낙찰자의 결정으로 바로 계약이 성립된다고 볼 수는 없어 낙찰자는 지방자치단체에 대하여 계약을 체결하여 줄 것을 청구할 수 있는 권리를 갖는 데 그치고, 이러한 점에서 위 법률에 따른 낙찰자 결정의 법적 성질은 입찰과 낙찰행위가 있은 후에 더 나아가 본계약을 따로 체결한다는 취지로서 계약의 편무예약에 해당한다(대판 2006.6.29, 2005다41603).

2 지방자치단체가 낙찰자를 결정한 경우, 지방자치단체가 계약의 주요한 내용 내지 조건을 입찰공고와 달리 변경하거나 새로운 조건을 추가하는 것은 예약에 대한 승낙의무위반에 해당하므로 허용되지 않는다(대판 2006.6.29, 2005다41603).

간단 점검하기

01 대법원은 국가나 지방자치단체가 당사자가 되는 공공계약(조달계약)은 상대방과 대등한 관계에서 체결하는 공법상의 계약으로 본다. ( )
17. 국회직 8급

02 국가계약의 본질적인 내용은 사인 간의 계약과 다르므로 법령에 특정한 규정이 있는 경우에 한하여 사법의 규정 내지 법원리가 적용된다. ( )
19. 사회복지직

01 × 02 ×

(3) 부정당업자의 입찰참가자격제한

(4) 계약의 해지 · 변경

① 사정변경이 있는 경우에는 명문의 규정이 없더라도 해제 등이 인정되므로 민법의 계약해제규정이 그대로 적용될 수 없다.

② 즉, 사정변경이 있으면 일정한 경우에는 계약내용을 변경 · 해제 · 해지하는 것이 인정된다.

③ 국가에 의한 해제로 귀책사유 없는 상대방이 손실을 입게 되면 당사자에게 손실보상을 하여야 한다.

(5) 계약의 하자

① 학설은 ㉠ 무효로 보는 견해, ㉡ 무효 또는 취소로 보는 견해의 대립이 있다. 전자가 다수설의 입장이다. 즉, 위법한 공법상 계약은 무효이며 계약이 목적으로 하는 권리나 의무는 발생하지 않는다.

② 판례는 국가를 당사자로 하는 계약에 있어서 낙찰자 결정 및 그에 기한 계약이 무효로 되는 경우는 공공성과 선량한 풍속을 위반하는 등과 같은 특별한 사정이 있는 경우로 엄격히 해석한다(대판 2001.12.11, 2001다33604).

관련판례 **공법상 계약의 무효 ★★★**

계약담당공무원이 입찰절차에서 국가를 당사자로 하는 계약에 관한 법률 및 그 시행령이나 그 세부심사기준에 어긋나게 적격심사를 하였다 하더라도 그 사유만으로 당연히 낙찰자 결정이나 그에 기한 계약이 무효가 되는 것은 아니고, 이를 위배한 하자가 입찰절차의 공공성과 공정성이 현저히 침해될 정도로 중대할 뿐 아니라 상대방도 이러한 사정을 알았거나 알 수 있었을 경우 또는 누가 보더라도 낙찰자의 결정 및 계약체결이 선량한 풍속 기타 사회질서에 반하는 행위에 의하여 이루어진 것임이 분명한 경우 등 이를 무효로 하지 않으면 그 절차에 관하여 규정한 국가를 당사자로 하는 계약에 관한 법률의 취지를 몰각하는 결과가 되는 특별한 사정이 있는 경우에 한하여 무효가 된다고 해석함이 타당하다(대판 2001.12.11, 2001다33604).

2. 절차법적 특수성

(1) 계약의 강제집행

① 상대방이 계약상 의무를 이행하지 않는 경우 명문의 규정이 있는 경우를 제외하고는 판결 없이 강제집행할 수 없다. 따라서 법원의 판결에 의한 타력집행이 원칙이다.

② 다만, 예외적으로 명문의 규정이 있으면 자력집행이 인정되는 경우도 있다(예 보조금의 관리에 관한 법률 제33조의3 등).

(2) 행정쟁송절차

① **공법상 당사자소송**: 공법상 계약에 관한 다툼은 공법상 법률관계에 관한 분쟁이므로 원칙적으로 공법상 당사자소송에 의하여야 한다. 판례도 공법상 계약에 관한 쟁송은 공법상 당사자소송에 의한다고 본다.

간단 점검하기

01 공법상 계약에 대해서는 법원의 판결을 통해 강제집행을 하여야 하고, 특별한 규정이 없는 한 자력집행을 할 수 없다. ( ) 10. 서울시 9급

02 공법상 계약은 상대방의 의무불이행에 대한 강제적 실행이 용이하다. ( ) 13. 서울시 9급

03 공법상 계약은 민법의 계약해지규정이 그대로 적용될 수 없다. ( ) 19. 서울시 7급

04 공법상 계약에 관한 분쟁은 행정소송법 제3조 제2호가 정하는 당사자소송의 대상이 된다. ( ) 14. 서울시 7급 · 국가직 7급

01 ○ 02 × 03 ○ 04 ○

관련판례 공법상계약 - 공법상 당사자소송

1 국립중앙극장 출연단원 채용계약 ★★★

국립중앙극장 전속단체 출연단원 채용계약은 국립중앙극장의 설립근거 및 설립목적, 단원계약의 절차, 단원의 업무의 성질, 단원의 지위, 전문직공무원의 채용절차 등에 비추어, 전문직공무원으로서의 채용에 해당하거나 공법상의 근무관계의 설정을 목적으로 체결된 공법상의 계약에 해당한다(대판 1996.8.27, 95나35953).

2 서울특별시립무용단 단원위촉 ★★★

서울특별시립무용단 단원의 위촉은 공법상의 계약이라고 할 것이고 따라서 그 단원의 해촉에 대하여는 공법상의 당사자소송으로 그 무효확인을 청구할 수 있다(대판 1995.12.22, 95누4636).

3 광주광역시문화예술회관 단원위촉 ★★★

광주광역시문화예술회관장의 단원 위촉은 광주광역시문화예술회관장이 행정청으로서 공권력을 행사하여 행하는 행정처분이 아니라 공법상의 근무관계의 설정을 목적으로 하여 광주광역시와 단원이 되고자 하는 자 사이에 대등한 지위에서 의사가 합치되어 성립하는 공법상 근로계약에 해당한다고 보아야 할 것이므로, 광주광역시립합창단원으로서 위촉기간이 만료되는 자들의 재위촉 신청에 대하여 광주광역시문화예술회관장이 실기와 근무성적에 대한 평정을 실시하여 재위촉을 하지 아니한 것을 항고소송의 대상이 되는 불합격처분이라고 할 수는 없다(대판 2001.12.11, 2001두7794).

4 공중보건의사 채용계약 ★★★

전문직공무원인 공중보건의사 채용계약해지의 의사표시에 대하여는 대등한 당사자 간의 소송형식인 공법상의 당사자소송으로 그 의사표시의 무효확인을 청구할 수 있는 것이지 이를 항고소송의 대상이 되는 행정처분이라는 전제에서 그 취소를 구하는 항고소송을 제기할 수는 없다고 할 것이다(대판 1996.5.31, 95누10617).

5 지방전문직공무원 채용계약 ★★★

현행 실정법이 지방전문직공무원 채용계약 해지의 의사표시를 일반공무원에 대한 징계처분과는 달리 항고소송의 대상이 되는 처분 등의 성격을 가진 것으로 인정하지 아니하고, 지방전문직공무원규정 제7조 각호의 1에 해당하는 사유가 있을 때 지방자치단체가 채용계약관계의 한쪽 당사자로서 대등한 지위에서 행하는 의사표시로 취급하고 있는 것으로 이해되므로, 지방전문직공무원 채용계약 해지의 의사표시에 대하여는 대등한 당사자간의 소송형식인 공법상 당사자소송으로 그 의사표시의 무효확인을 청구할 수 있다(대판 1993.9.14, 92누4611).

6 계약직공무원 채용계약 ★★★

계약직공무원(국방일보의 발행책임자인 국방홍보원장)에 관한 현행 법령의 규정에 비추어 볼 때, 계약직공무원 채용계약해지의 의사표시는 일반공무원에 대한 징계처분과는 달라서 항고소송의 대상이 되는 처분 등의 성격을 가진 것으로 인정되지 아니하고, 일정한 사유가 있을 때에 국가 또는 지방자치단체가 채용계약 관계의 한쪽 당사자로서 대등한 지위에서 행하는 의사표시로 취급되는 것으로 이해되므로, 이를 징계해고 등에서와 같이 그 징계사유에 한하여 효력 유무를 판단하여야 하거나, 행정처분과 같이 행정절차법에 의하여 근거와 이유를 제시하여야 하는 것은 아니다(대판 2002.11.26, 2002두5948).

간단 점검하기

01 공법상 계약의 일방 당사자인 행정이 계약위반행위를 한다면 타방당사자인 주민 또는 국민은 행정소송 중 당사자소송으로써 권리구제를 받을 수 있다. ( ) 17. 서울시 7급

02 서울특별시립무용단 단원의 위촉은 공법상 계약이고, 그 단원의 해촉에 대하여는 공법상의 당사자소송으로 불복이 가능하다. ( ) 10. 서울시 9급

03 시립무용단원의 해촉에 대해서는 항고소송으로 다투어야 하고 당사자소송으로 다툴 수는 없다. ( ) 16. 교육행정직

04 전문직 공무원인 공중보건의사의 채용계약 해지는 관할도지사의 일방적인 의사표시에 의해 그 신분을 박탈하는 불이익처분으로 항고소송의 대상이 된다. ( ) 19. 서울시 7급

05 판례에 따르면, 공법상 계약도 감독청의 승인과 인가 등의 절차가 있으므로 행정절차법이 적용된다고 본다. ( ) 12. 지방직 7급

06 계약직 공무원에 대한 채용계약 해지의 의사표시는 국가 또는 지방자치단체가 대등한 지위에서 행하는 의사표시로 이해된다. ( ) 19. 사회복지직

07 계약직 공무원 채용계약 해지의 의사표시는 판례상 행정처분으로 인정된다. ( ) 19. 소방직 9급

08 계약직 공무원 채용계약해지의 의사표시는 일반 공무원에 대한 징계처분과는 달라서 항고소송이 되는 처분 등의 성격을 가진 것으로 인정되지는 않지만, 행정처분과 마찬가지로 행정절차법에 의하여 근거와 이유는 제시하여야 한다. ( ) 16. 경찰행정, 15. 지방직 9급, 14. 서울시 7급

01 ○ 02 ○ 03 × 04 ×
05 × 06 ○ 07 × 08 ×

7 지방계약직공무원 옴부즈만 채용계약 ★★★

지방계약직공무원인 이 사건 옴부즈만 채용행위는 공법상 대등한 당사자 사이의 의사표시의 합치로 성립하는 공법상 계약에 해당한다. 이와 같이 이 사건 옴부즈만 채용행위가 공법상 계약에 해당하는 이상 원고의 채용계약 청약에 대응한 피고의 '승낙의 의사표시'가 대등한 당사자로서의 의사표시인 것과 마찬가지로 그 청약에 대하여 '승낙을 거절하는 의사표시' 역시 행정청이 대등한 당사자의 지위에서 하는 의사표시라고 보는 것이 타당하고, … 이를 행정청이 우월한 지위에서 행하는 공권력의 행사로서 행정처분에 해당한다고 볼 수는 없다(대판 2014.4.24, 2013두6244).

8 백양터널 재정지원금지급청구 ★★★

민간투자사업 실시협약을 체결한 당사자가 공법상 당사자소송에 의하여 그 실시협약에 따른 재정지원금의 지급을 구하는 경우에, 수소법원은 단순히 주무관청이 재정지원금액을 산정한 절차 등에 위법이 있는지 여부를 심사하는 데 그쳐서는 아니 되고, 실시협약에 따른 적정한 재정지원금액이 얼마인지를 구체적으로 심리·판단하여야 한다(대판 2019.1.31, 2017두46455).

② **항고소송**: 공법상 계약에 관한 다툼은 원칙적으로 공법상 당사자소송으로 구제되고 있으나 제반사정을 고려하여 처분성이 인정된다면 항고소송으로 구제되기도 한다.

관련판례 **우선협상대상자 선정 배제** ★★★

지방자치단체의 장이 공유재산법에 근거하여 기부채납 및 사용·수익허가 방식으로 민간투자사업을 추진하는 과정에서 사업시행자를 지정하기 위한 전 단계에서 공모제안을 받아 일정한 심사를 거쳐 우선협상대상자를 선정하는 행위와 이미 선정된 우선협상대상자를 그 지위에서 배제하는 행위는 민간투자사업의 세부내용에 관한 협상을 거쳐 공유재산법에 따른 공유재산의 사용·수익허가를 우선적으로 부여받을 수 있는 지위를 설정하거나 또는 이미 설정한 지위를 박탈하는 조치이므로 모두 항고소송의 대상이 되는 행정처분으로 보아야 한다(대판 2020.4.29, 2017두31064).

#민간투자법_민간투자사업 #사업시행자지정_전 #우선협상대상자선정_배제 #특정지위_부여_박탈 #처분성인정

Level up **민간투자사업 실시협약에 대한 쟁송절차 구분**

사회기반시설에 대한 민간투자법상 '(민간투자사업) 실시협약'(재정지원금 등 사업조건에 관하여 체결하는 계약)은 '공법상 계약'으로 다툼이 있는 경우 '공법상 당사자소송'(대판 2019.1.31, 2017두46455)에 의하며, '사업자지정·배제', 우선사업자지정·배제'는 행정행위 즉 처분성이 인정되어 항고소송(대판 2020.4.29, 2017두31064)의 대상이 된다.

간단 점검하기

채용계약상 특별한 약정이 없는 한 지방계약직 공무원에 대하여 지방공무원법, 지방공무원 징계 및 소청 규정에 정한 징계절차에 의하지 않고서는 보수를 삭감할 수 없다. ( )

15. 지방직 9급, 15·12. 지방직 7급

○

관련판례 **지방계약직공무원 보수삭감** ★★★

[1] 근로기준법 등의 입법 취지, 지방공무원법과 지방공무원징계및소청규정의 여러 규정에 비추어 볼 때, 채용계약상 특별한 약정이 없는 한, 지방계약직공무원에 대하여 지방공무원법, 지방공무원징계및소청규정에 정한 징계절차에 의하지 않고서는 보수를 삭감할 수 없다.

[2] 지방계약직공무원규정의 시행에 필요한 사항을 규정하기 위한 '서울특별시 지방계약직공무원 인사관리규칙' 제8조 제3항은 근무실적 평가 결과 근무실적이 불량한 사람에 대하여 봉급을 삭감할 수 있도록 규정하고 있는바, 보수의 삭감은 이를 당하는 공무원의 입장에서는 징계처분의 일종인 감봉과 다를 바 없음에도 징계처분에 있어서와 같이 자기에게 이익이 되는 사실을 진술하거나 증거를 제출할 수 있는 등(지방공무원징계및소청규정 제5조)의 절차적 권리가 보장되지 않고 소청(지방공무원징계및소청규정 제16조) 등의 구제수단도 인정되지 아니한 채 이를 감수하도록 하는 위 규정은, 그 자체 부당할 뿐만 아니라 지방공무원법이나 지방계약직공무원규정에 아무런 위임의 근거도 없는 것이거나 위임의 범위를 벗어난 것으로서 무효이다(대판 2008.6.12, 2006두16328).
#지방계약직공무원_보수삭감_징계절차

Level up 지방계약직공무원

1. **법적 성질**: 공법상 계약
2. **지방계약직공무원에 대한 보수삭감**: 징계절차에 의해야 함
3. **쟁송 수단**
   ① 지방계약직공무원의 채용에 관한 쟁송: 공법상 당사자소송
   ② 보수삭감에 관한 쟁송: 항고소송(징계에 관한 쟁송에 해당하기 때문)

관련판례 계약(협약) 해지(취소) 및 제반조치의 처분성 여부 ★★★[1]

1 판단기준

행정청이 자신과 상대방 사이의 법률관계를 일방적인 의사표시로 종료시켰다고 하더라도 곧바로 의사표시가 행정청으로서 공권력을 행사하여 행하는 행정처분이라고 단정할 수는 없고, 관계 법령이 상대방의 법률관계에 관하여 구체적으로 어떻게 규정하고 있는지에 따라 의사표시가 항고소송의 대상이 되는 행정처분에 해당하는지 아니면 공법상 계약관계의 일방 당사자로서 대등한 지위에서 행하는 의사표시인지를 개별적으로 판단하여야 한다(대판 2015.8.27, 2015두41449).

2 처분성 부정 사례 - 중소기업정보화지원 협약(공법상 계약 → 당사자소송으로)

중소기업기술정보진흥원장이 甲 주식회사와 중소기업 정보화지원사업 지원대상인 사업의 지원에 관한 협약을 체결하였는데, 협약이 甲 회사에 책임이 있는 사업실패로 해지되었다는 이유로 협약에서 정한 대로 지급받은 정부지원금을 반환할 것을 통보한 사안에서, 중소기업 정보화지원사업에 따른 지원금 출연을 위하여 중소기업정장이 체결하는 협약은 공법상 대등한 당사자 사이의 의사표시의 합치로 성립하는 공법상 계약에 해당하는 점, 구 중소기업 기술혁신 촉진법 제32조 제1항은 제10조가 정한 기술혁신사업과 제11조가 정한 산학협력 지원사업에 관하여 출연한 사업비의 환수에 적용될 수 있을 뿐 이와 근거 규정을 달리하는 중소기업 정보화지원사업에 관하여 출연한 지원금에 대하여는 적용될 수 없고 달리 지원금 환수에 관한 구체적인 법령상 근거가 없는 점 등을 종합하면, 협약의 해지 및 그에 따른 환수통보는 공법상 계약에 따라 행정청이 대등한 당사자의 지위에서 하는 의사표시로 보아야 하고, 이를 행정청이 우월한 지위에서 행하는 공권력의 행사로서 행정처분에 해당한다고 볼 수는 없다(대판 2015.8.27, 2015두41449).

[1] 협약(계약) 해지의 처분성 인정여부
- 협약 해지의 효과가 공법에 근거하여 권력적으로 이루어지는 경우 - 처분 ○ → 항고소송
- 협약 해지의 효과가 협약에 정한 대로 이루어지는 경우 - 처분 × → 당사자소송

3 처분성 인정 사례 - 산업단지관리공단 입주계약(행정처분 → 항고소송으로)

구 산업집적활성화 및 공장설립에 관한 법률 규정들에서 알 수 있는 산업단지관리공단의 지위, 입주계약 및 변경계약의 효과, 입주계약 및 변경계약 체결 의무와 그 의무를 불이행한 경우의 형사적 내지 행정적 제재, 입주계약해지의 절차, 해지통보에 수반되는 법적 의무 및 그 의무를 불이행한 경우의 형사적 내지 행정적 제재 등을 종합적으로 고려하면, 입주변경계약 취소는 행정청인 관리권자로부터 관리업무를 위탁받은 산업단지관리공단이 우월적 지위에서 입주기업체들에게 일정한 법률상 효과를 발생하게 하는 것으로서 항고소송의 대상이 되는 행정처분에 해당한다(대판 2017.6.15, 2014두46843).

4 처분성 인정 사례 - 환경기술개발사업 협약(행정처분 → 항고소송으로)

한국환경산업기술원장이 환경기술개발사업 협약을 체결한 甲 주식회사 등에게 연차평가 실시 결과 절대평가 60점 미만으로 평가되었다는 이유로 연구개발 중단 조치 및 연구비 집행중지 조치를 한 사안에서, 각 조치는 甲 회사 등에게 연구개발을 중단하고 이미 지급된 연구비를 더 이상 사용하지 말아야 할 공법상 의무를 부과하는 것이고, 연구개발 중단 조치는 협약의 해약 요건에도 해당하며, 조치가 있은 후에는 주관연구기관이 연구개발을 계속하더라도 그에 사용된 연구비는 환수 또는 반환 대상이 되므로, 각 조치는 甲 회사 등의 권리·의무에 직접적인 영향을 미치는 행위로서 항고소송의 대상이 되는 행정처분에 해당한다(대판 2015.12.24, 2015두264).

5 참고판례 - BK21사업 협약 해지 및 연구팀장 자체징계 요구

재단법인 한국연구재단이 甲 대학교 총장에게 연구개발비의 부당집행을 이유로 '해양생물유래 고부가식품·향장·한약 기초소재 개발 인력양성사업에 대한 2단계 두뇌한국(BK)21 사업' 협약을 해지하고 연구팀장 乙에 대한 대학자체 징계 요구 등을 통보한 사안에서, 재단법인 한국연구재단이 甲 대학교 총장에게 乙에 대한 대학 자체징계를 요구한 것은 법률상 구속력이 없는 권유 또는 사실상의 통지로서 乙의 권리, 의무 등 법률상 지위에 직접적인 법률적 변동을 일으키지 않는 행위에 해당하므로, 항고소송의 대상인 행정처분에 해당하지 않는다. … 단, 과학기술기본법령상 사업 협약의 해지 통보는 단순히 대등 당사자의 지위에서 형성된 공법상계약을 계약당사자의 지위에서 종료시키는 의사표시에 불과한 것이 아니라 행정청이 우월적 지위에서 연구개발비의 회수 및 관련자에 대한 국가연구개발사업 참여제한 등의 법률상 효과를 발생시키는 행정처분에 해당한다(대판 2014.12.11, 2012두28704).

③ 손해배상청구소송

㉠ 공법상 계약은 공법관계의 법률사항이므로 이에 대한 쟁송은 공법상 당사자소송에 의해야 할 것이며, 손해배상청구도 공법상 당사자소송에 의해야 할 것이다.

㉡ 다만, 실무상으로 국가배상청구소송은 민사소송에 의하고 있다.

제3절 공법상 합동행위

1 개설

1. 의의

공법상 합동행위라 함은 공법적 효과의 발생을 목적으로 하는 복수당사자의 동일방향의 의사표시의 합치에 의하여 성립하는 공법행위를 말한다.

2. 구체적인 예

예를 들어 지방자치단체간의 협의로 지방자치단체조합을 설립하는 행위, 공공조합의 합의로 공공조합연합회(산림조합연합회 설립)를 설립하는 행위 등이 여기에 해당한다.

간단 점검하기

공법상 합동행위는 공법적 효과발생을 목적으로 하는 복수당사자 간의 동일방향의 의사의 합치로 성립되는 공법행위이며, 지방자치단체조합을 설립하는 행위 등이 이에 해당한다. ( )

12. 지방직 7급

2 특징

1. 공법상 합동행위는 각 당사자에게 동일한 법적 효과를 발생한다.
2. 일단 성립한 후에는 각 당사자의 무능력·착오 그 밖의 의사의 흠결을 이유로 그 무효나 취소를 주장할 수 없다.
3. 직접 설립행위에 관여한 자뿐만 아니라 그 이후에 관여한 자도 구속당한다.
4. 정당한 절차에 따라 그 내용이 개정된 경우에는 모든 관계자가 구속된다.

제4절 행정상 사실행위

1 개설

1. 의의

행정상 사실행위라 함은 행정주체의 행위가 일정한 법적 효과의 발생을 목적으로 하는 것이 아니라 직접 어떠한 사실상의 결과실현을 목적으로 하는 사실상의 행위를 말한다.

2. 구체적인 예

행정상 사실행위의 예로는 도로청소, 공공시설 등의 설치, 대집행의 실행, 행정지도, 행정조사 등이 있다.

3. 특징

행정상 사실행위는 사실상의 효과발생을 목적으로 하는 점에서, 특정한 법적 효과의 발생을 목적으로 하는 행정행위 등 법적 행위와 구분된다.

○

2 사실행위의 종류

1. 권력적 사실행위와 비권력적 사실행위

(1) 권력적 사실행위

① **의의**: 행정청의 일방적 의사결정에 기하여 특정의 행정목적을 위해 국민의 신체·재산 등에 실력을 가하여 행정상 필요한 상태를 실현하고자 하는 권력적 행위를 말한다.

② **구체적인 예**: 전염병환자의 강제격리, 송환대상자의 강제출국조치, 토지출입조사, 대집행의 실행 등이 있다.

(2) 비권력적 사실행위

① **의의**: 공권력행사와는 관련이 없는 사실행위를 말한다.

② **구체적인 예**: 행정지도, 공공시설의 설치·관리행위, 보고, 경고 등이 있다.

2. 집행적 사실행위와 독립적 사실행위

(1) 집행적 사실행위

① **의의**: 법령이나 행정행위를 집행하기 위한 사실행위를 말한다.

② **구체적인 예**: 경찰관의 무기사용, 대집행의 실행, 전염병환자의 강제격리 등이 있다.

(2) 독립적 사실행위

① **의의**: 그 자체로서 독립적인 의미를 갖는 사실행위를 말한다.

② **구체적인 예**: 행정조사, 행정지도, 관용차의 운전, 도로보수공사 등이 있다.

3. 정신적 사실행위와 물리적 사실행위

(1) 정신적 사실행위

① **의의**: 의사작용을 중심으로 하여 이루어지는 사실행위를 말한다.

② **구체적인 예**: 행정지도, 법적인 효과 없는 고지·청문 등이 있다.

(2) 물리적 사실행위

① **의의**: 물리적 작용을 중심으로 하여 이루어지는 사실행위를 말한다.

② **구체적인 예**: 재산압류, 도로건설, 상수도시설의 설치 등이 있다.

4. 내부적 사실행위와 외부적 사실행위

(1) 내부적 사실행위

① **의의**: 행정조직 내부에서 이루어지는 사실행위를 말한다.

② **구체적인 예**: 공문서처리, 문서편철 등이 있다.

(2) 외부적 사실행위

① **의의**: 대외적으로 사인과의 관계에서 이루어지는 사실행위이다.

② **구체적인 예**: 쓰레기 수거, 교통정리, 인구조사 등이 있다.

Level up 사실행위의 종류

기준	종류
공권력 행사 유무	권력적 사실행위, 비권력적 사실행위
자체로서 독립성을 가지는지 여부	집행적 사실행위, 독립적 사실행위
의사작용을 중심요소로 하는지 여부	정신적 사실행위, 물리적 사실행위
사실행위의 형성 영역	내부적 사실행위, 외부적 사실행위

3 법적 근거와 한계

1. 법적 근거

(1) 권력적 사실행위

권력적 사실행위의 경우에는 국민의 권리나 이익에 직접적인 영향을 미치므로 조직법적인 근거뿐만 아니라 작용법적인 근거도 필요하다.

(2) 비권력적 사실행위

비권력적 사실행위의 경우에는 직접적인 법적 효과를 발생하지 않으므로 원칙적으로 작용법적 근거는 필요하지 않지만, 행정작용인 이상 최소한 조직법적 근거는 필요하다.

2. 한계

사실행위는 헌법 또는 법령에 위반되어서는 아니 되며(법률우위의 원칙), 행정목적을 위해 필요한 한도에서 행해져야 하고(비례성의 원칙), 그 밖에도 평등의 원칙 · 신뢰보호의 원칙 등도 준수해야 한다.

4 사실행위에 대한 권리구제

1. 행정쟁송의 가능성

(1) 사실행위의 처분성

① **학설**: 통설은 권력적 사실행위에 대해서는 일반적으로 쟁송법상의 처분의 개념에 포함시켜 처분성을 긍정하고 있다. 그러나 비권력적 사실행위에 대해서는 처분성을 부정하고 있다.

② **판례**: 판례는 권력적 사실행위에 해당하는 종로구청장의 단수조치, 미결수용자의 교도소이송조치, 동장의 주민등록직권말소행위, 교도소장의 수형자의 서신검열행위 등의 처분성을 인정하고 있다. 그러나 단순한 사실행위에 관해서는 처분성을 부인한다.

간단 점검하기

판례는 단수처분에 대해 행정소송법상 처분에 해당하는 것으로 인정하고 있다.
( ) 12. 지방직 9급, 11. 지방직 7급

관련판례 **처분성을 인정한 경우**

1 단수처분 ★★★

단수처분은 항고소송의 대상이 되는 행정처분에 해당한다(대판 1979.12.28, 79누218).

2 교도소이송처분 ★★★

미결수용중 다른 교도소로 이송된 피고인이 그 이송처분의 취소를 구하는 행정소송을 제기하고 아울러 그 효력정지를 구하는 신청을 제기한 데 대하여 … 효력정지 신청이 그 신청의 이익이 없는 부적법한 것으로 되는 것은 아니다(대결 1992.8.7, 92두30).

3 주민등록직권말소처분 ★★★

재외국민의 주민등록신고요건 및 거주용여권 무효확인서를 첨부하지 아니하였음을 이유로 최고, 공고의 절차를 거치지 않고 한 주민등록말소처분의 당연무효이다(대판 1994.8.26, 94누3223).

4 접견내용 녹음 · 녹화 등 ★★

교도소장이 수형자 甲을 '접견내용 녹음 · 녹화 및 접견 시 교도관 참여대상자'로 지정한 사안에서, 위 지정행위는 수형자의 구체적 권리의무에 직접적 변동을 가져오는 행정청의 공법상 행위로서 항고소송의 대상이 되는 '처분'에 해당한다(대판 2014.2.13, 2013두20899).

관련판례 **처분성을 부정한 경우**

1 급수공사비 선납통지 ★★

수도사업자가 급수공사 신청자에 대하여 급수공사비 내역과 이를 지정기일 내에 선납하라는 취지로 한 납부통지는 … 강제성이 없는 의사 또는 사실상의 통지행위라고 풀이함이 상당하고, 이를 가리켜 항고소송의 대상이 되는 행정처분이라고 볼 수 없다(대판 1993.10.26, 93누6331).

2 납세자신고세액 수령 ★★★

관세의 원칙적인 부과 · 징수를 순수한 신고납세방식으로 전환한 것이고, 이와 같은 신고납세방식의 조세에 있어서 과세관청이 납세의무자의 신고에 따라 세액을 수령하는 것은 사실행위에 불과할 뿐 이를 부과처분으로 볼 수는 없다(대판 1997.7.22, 96누8321).

3 추첨 ★★

추첨방식에 의하여 운수사업(택시운송사업, 전세운송사업 등) 면허대상자를 선정하는 경우 추첨 자체는 다수의 면허신청자 중에서 면허를 받을 수 있는 신청자를 특정하여 선발하는 행정처분을 위한 사전 준비절차로서의 사실행위에 불과한 것이다(대판 1993.5.11, 92누15987).

○

(2) 정보제공작용의 처분성 여부

① **경고**: 홍보작용 가운데 강도가 가장 강한 것이 경고이다.

② **추천(권고)**: 사회적으로 또는 신체적으로 유해하지 않은 여러 종류의 물품 또는 행동 중에서 행정기관이 그 중의 어느 하나를 추천 또는 권고하는 것을 말한다(예 정부가 품질을 보증하는 의미의 'KS마크'제).

③ **시사(짧은 정보)**: 행정기관이 특정목적물에 관하여 지식·정보를 제공하고, 그것을 어떻게 받아들일지는 전적으로 수신자 각자에게 맡겨져 있는 홍보작용을 말한다.

④ **처분성 여부**: 정보제공작용으로서 경고, 추천, 권고는 처분성이 인정되지 않는 것이 원칙이다.

2. 행정상 손해배상

(1) 사실행위는 국가배상법 제2조의 '공무원의 직무행위'에 포함되며, 경우에 따라서는 동법 제5조의 '영조물의 설치·관리'를 위한 사실행위도 인정될 수 있다.

(2) 특히, 최근에는 행정기관에 의한 위법한 경고나 추천으로 인한 손해발생의 문제가 논의의 대상이 되고 있다.

3. 행정상 손실보상

적법한 행정상 사실행위로 개인이 손실을 입게 되면 그 사인은 그 손실이 특별한 희생에 해당하는 경우에는 법률이 정하는 바에 따라 행정상 손실보상을 청구할 수 있다.

4. 결과제거청구권

행정상 사실행위로 인한 위법한 결과로 법률상 이익이 침해된 자는 공법상 결과제거청구권을 통해 원상회복을 청구할 수 있다.

5. 사전적인 권리보호수단의 인정문제

(1) 사후적인 권리보호수단은 행정행위 중심체계로 구성되어 있는 행정쟁송제도에 비추어 그 내용에 한계를 가지게 되므로, 사실행위에 대한 권리구제는 사전적으로 적절한 절차의 방법으로 통제하는 것이 실질적인 의미를 가질 수 있다.

(2) 구체적으로 행정기관의 정보제공행위에 있어서는 사전에 제공되는 정보의 대상인 당사자의 동의를 요하도록 하거나 특정목적에 한정하도록 하는 절차적 요구가 도출되며, 국·공립학교에서의 종교수업은 원하는 당사자의 신청에 의하도록 하고, 예방접종행위는 의사가 반드시 당사자에 대한 예진(豫診)을 거친 후에 행하도록 하는 절차가 요구되어지는 것이다.

간단 점검하기

01 국가배상청구가 사실행위의 구제수단이 될 수 있다. ( ) 06. 국회직 8급

간단 점검하기

02 위법한 사실행위는 결과제거청구권에 의해 구제될 수 있다. ( ) 06. 국회직 8급

01 ○ 02 ○

6. 헌법소원

(1) 헌법소원의 대상은 공권력 행사이다. 공권력행사는 행정쟁송법상 처분의 개념보다는 넓은 개념이다.

(2) 권력적 사실행위는 처분성이 인정되어 행정쟁송의 대상이므로 헌법소원의 대상이 될 수 없다(보충성의 원칙). 다만, 예외적으로 권력적 사실행위라도 제소기간이 경과, 이미 행위가 완료되는 등의 이유로 행정쟁송으로 구제가 어려운 경우 예외적으로 헌법소원의 대상이 된다(보충성의 원칙의 예외).

(3) 비권력적 사실행위라도 국민의 기본권에 직접 영향을 미치고 그대로 실시될 것이 명백한 경우에는 헌법소원의 대상이 될 수 있다.

관련판례 **권력적 사실행위가 이미 완료된 경우 보충성 예외에 해당**

1 서신검열 ★★★

수형자의 서신을 교도소장이 검열하는 행위는 이른바 권력적 사실행위로서 행정심판이나 행정소송의 대상이 되는 행정처분으로 볼 수 있으나 위 검열행위가 이미 완료되어 행정심판이나 행정소송을 제기하더라도 소의 이익이 부정될 수밖에 없으므로 헌법소원심판을 청구하는 외에 다른 효과적인 구제방법이 있다고 보기 어렵기 때문에 보충성의 원칙에 대한 예외에 해당한다(헌재 1998.8.27, 96헌마398).

#서신검열행위_권력적사실행위 #검열행위_완료_행정구제불가 #헌재관할_보충성원칙_예외

2 수갑 · 포승사용 ★★★

구속된 피의자가 검사조사실에서 수갑 및 포승을 시용한 상태로 피의자신문을 받도록 한 이 사건 수갑 및 포승 사용행위는 이미 종료된 권력적 사실행위로서 행정심판이나 행정소송의 대상으로 인정되기 어려워 헌법소원심판을 청구하는 외에 달리 효과적인 구제방법이 없으므로 보충성의 원칙에 대한 예외에 해당한다(헌재 2005.5.26, 2001헌마728).

3 출정제한행위 ★★★

[1] 피청구인이 출정비용납부거부 또는 상계동의거부를 이유로 청구인의 행정소송 변론기일에 청구인의 출정을 제한한 행위(출정제한행위)가 교도소장이 우월적 지위에서 수형자인 청구인의 출정을 제한한 것으로서 일종의 권력적 사실행위에 해당하므로 공권력 행사성이 인정된다.

[2] 헌법소원은 다른 법률에 구제절차가 있는 경우에는 그 절차를 모두 거친 후에 심판청구를 하여야 하는바(헌법재판소법 제68조 제1항 단서), 이 사건 각 출정제한행위는 권력적 사실행위로서 행정소송의 대상이 된다고 단정하기 어렵고, 가사 행정소송의 대상이 된다고 하더라도 이미 종료된 행위로서 소의 이익이 부정되어 각하될 가능성이 많으므로, 청구인에게 그에 의한 권리구제절차를 밟을 것을 기대하기는 곤란하다. 따라서 이에 대한 헌법소원은 보충성 원칙의 예외로서 적법하다고 할 것이다(헌재 2012.3.29, 2010헌마475).

관련판례 **처분성을 부정한 경우**

졸업증교부 증명서발급거부 ★★★

학교당국이 미납공납금을 완납하지 아니할 경우에 졸업증의 교부와 증명서를 발급하지 않겠다고 통고한 것은 일종의 비권력적 사실행위이다(헌재 2001.10.25, 2001헌마113).

간단 점검하기

01 헌법재판소에 따르면 수형자의 서신을 교도소장이 검열하는 행위는 항고소송의 대상이 되는 처분에 해당하는 사실행위이다. ( )

17. 지방직 9급, 11. 지방직 7급

02 교도소장 A는 복역 중인 甲이 변호사에게 보내기 위하여 발송을 의뢰한 서신을 법령상 검열사유에 해당하지 않음에도 불구하고 발송전에 이를 검열하였다. 이 서신검열행위는 강학상 행정행위에 해당한다. ( )

11. 지방직 9급

03 판례에 의할 때 구속된 피의자가 수갑 및 포승을 시용한 상태로 피의자신문을 받도록 한 수갑 및 포승 사용행위는 사실행위에 해당한다. ( )

15. 사회복지직

01 ○ 02 × 03 ○

제5절 행정지도

1 개설

1. 의의

(1) 행정지도란 '행정기관이 그 소관사무의 범위 안에서 일정한 행정목적을 실현하기 위하여 특정인에게 일정한 행위를 하거나 하지 아니하도록 지도·권고·조언 등을 하는 행정작용'을 말한다(행정절차법 제2조).

(2) 개별법령상으로는 지도·권고·지시 등으로 불리기도 하며, 비권력적 사실행위의 일종으로 분류되기도 한다.

2. 행정강제와의 구별

구분	행정지도	행정강제
법적 성질	비권력적 사실행위	권력적 사실행위
강제성 여부	×	○

3. 법적 성질

(1) 비권력적 행위

행정지도는 상대방에 대한 구속력·강제력이 없는 비권력적 작용이다. 즉, 행정지도는 권고·설득 등의 방법으로 상대방의 임의적 협력을 기대하여 행하는 비권력적 행위이다.

(2) 사실행위

행정지도는 그 자체로서 아무런 법적 효과도 발생하지 않는 사실행위이다. 따라서 비권력적 행위이면서도 법적 행위인 '공법상 계약'이나 '합동행위'와 구별된다.

관련판례 도로의 폭에 대한 행정지도 ★★★

행정관청이 건축허가시에 도로의 폭에 대하여 행정지도를 하였다는 점만으로는 건축법시행령 제64조 제1항 소정의 도로지정이 있었던 것으로 볼 수 없다(대판 1991.12.13, 91누1776).

간단 점검하기

01 행정지도는 행정기관이 그 소관 사무의 범위에서 일정한 행정목적을 실현하기 위하여 특정인에게 일정한 행위를 하거나 하지 아니하도록 지도, 권고, 조언 등을 하는 행정작용을 말한다. ( ) 14. 경찰행정

간단 점검하기

02 행정지도는 국민의 임의적인 협력을 전제로 하는 비권력적 사실행위이다. ( ) 12. 서울시 9급, 11. 지방직 9급

03 행정지도는 사실상 강제력으로 인하여 권력적 행정활동임이 원칙이다. ( ) 11. 지방직 9급

04 행정지도는 그 자체로는 아무런 법적 효과도 발생하지 않는다. ( ) 04. 전북 9급

2 행정지도의 연혁 및 유용성과 문제점

1. 개설

행정지도는 일본에서 생성되어 이후 많은 국가의 행정법체계에 반영되어 발전되었다. 법치주의에 대한 예외를 인정한다는 면에서 비판받기도 하나 복잡한 현대행정에서 행정목적 달성에 유용하다는 평가를 받는다.

01 ○ 02 ○ 03 × 04 ○

2. 유용성(순기능)

(1) 법령의 시행원활화 기능 및 보완적 기능

(2) 권력성의 완화 기능

(3) 이해의 조정 · 통합 기능

(4) 새로운 시책의 실험적 기능

(5) 임시응급 대책 기능

(6) 기술 · 지식 · 정보 제공 기능

3. 문제점(역기능)

(1) 법치주의의 공동화(空洞化)

(2) 법령적용의 회피(공익목적 실현의 경시)

(3) 기준 등의 불명확성 · 불안정성

(4) 사실상의 강제성

(5) 잘못된 정보 또는 기술제공

(6) 행정구제기회의 상실

(7) 책임행정의 이탈(책임소재 불분명)

3 행정지도의 방식과 유형

1. 방식

(1) 방식

행정지도는 현실적으로 권고 · 요망 · 희망 · 지도 등의 행위로써 행해지며, 구술 · 문서 등의 수단으로 행해진다.

(2) 행정절차법이 정한 방식

① **행정지도실명제**: 행정지도의 취지 및 내용과 신분을 밝힌다(행정절차법 제49조 제1항).

② **서면과 말**: 말로 이루어지는 경우, 서면교부를 요구하면 그 행정지도를 하는 자는 직무 수행에 특별한 지장이 없으면 이를 교부한다(동법 제49조 제2항).

③ **의견제출**: 행정지도의 방식과 내용에 대하여 의견을 제출할 수 있다(동법 제50조).

④ **공통적 사항의 공표**: 다수인을 대상으로 하는 행정지도

2. 유형

(1) 법적 근거에 의한 분류

① **법령의 직접적인 근거에 의한 행정지도**

㉠ **내용**: 행정지도에는 반드시 법령상의 근거가 필요한 것은 아니나, 실정법상 행정지도에 관하여 규정하고 있는 경우도 있다.

㉡ **구체적인 예**: 어업지도, 생활지도 등이 있다.

② **법령의 간접적인 근거에 의한 행정지도**

㉠ **내용**: 법령상 직접적 근거규정은 없으나, 해당 사항에 관하여 일정한 행정처분을 할 수 있는 근거가 있는 경우에는 이를 배경으로 하여 사전적으로 행정지도가 행하여지는 경우도 적지 아니하다.

㉡ **구체적인 예**: 건축철거명령을 발할 수 있는 법적 근거가 있는 경우 처분에 갈음한 행정지도 등이 있다.

③ **법률에 근거가 없는 행정지도**

㉠ **내용**: 행정기관이 행정지도에 관한 법규상의 수권 없이 행정지도를 하는 경우이다. 이 경우 행정기관은 오로지 조직법상의 권한에 의거하여 행정지도를 하게 된다.

㉡ **구체적인 예**: 행정지도의 대부분은 이에 해당한다.

(2) 기능에 의한 분류

① **규제적 행정지도**

㉠ **내용**: 공공복리 또는 질서유지에 반하는 것으로 판단되는 행위·사태 등을 제거 또는 억제하기 위하여 특정인·단체 또는 기업 등에 일정한 작위·부작위를 요망 또는 권고하는 것이다.

㉡ **구체적인 예**: 오물투기방지지도, 물가억제를 위한 행정지도 등이 있다.

② **조정적 행정지도**

㉠ **내용**: 경제적 이해대립이나 과당경쟁 등을 시정하고 조정하기 위하여 행하는 행정지도이다.

㉡ **구체적인 예**: 노사간 분쟁의 조정, 기업간 이해대립의 조정, 투자·수출량의 조절을 위한 행정지도 등이 있다.

③ **조성적 행정지도**

㉠ **내용**: 경제·사회·문화 등의 여러 분야에서 행정권이 의도하는 일정 목표와의 관련에서 국민에 대한 서비스의 형식으로 지식·기술·정보 등을 제공하는 것이다.

㉡ **구체적인 예**: 영농지도, 장학지도, 중소기업의 기술지도 등이 있다.

4 행정지도의 법적 근거와 한계

1. 법적 근거

(1) 학설

① **법적 근거불요설(다수설)**: 행정지도는 국민에 대한 법적 구속력이 발생하지 않으므로 법률적 근거가 없이도 가능하다는 견해이다.

② **제한적 법적 근거필요설**: 행정지도에는 원칙적으로 법적 근거가 필요 없으나, 일정한 행정지도에 대하여는 법적 근거가 필요하다는 견해이다. 이에 의하면, 규제적 행정지도나 강제력을 수반하는 행정지도는 법적 근거가 필요하게 된다.

(2) 판례(법적 근거불요설)

판례도 다수설의 견해와 같이 행정지도에는 법적 근거가 필요 없다고 한다.

간단 점검하기

01 행정지도는 상대방의 임의적 협력을 전제로 하고 행정상 사실행위라는 점에서 법률의 근거를 요하지 않는다. ( ) 11. 지방직 9급

02 직접적 규제목적이 없는 행정지도는 법령에 직접 근거규정이 없어도 권한업무의 범위 내에서 행해질 수 있다. ( ) 11. 지방직 9급

01 ○ 02 ○

간단 점검하기

01 행정지도는 성질상 비권력적·임의적 작용이기 때문에 조직법적·작용법적 근거는 필요 없다. ( )
15·12. 서울시 9급

02 행정지도는 그 목적달성에 필요한 최소한도에 그쳐야 하며, 행정지도의 상대방의 의사에 반하여 부당하게 강요하여서는 아니 된다. ( )
19. 사회복지직, 14. 서울시 9급, 11. 지방직 9급

03 행정기관은 행정지도의 상대방이 행정지도에 따르지 아니한 경우에 경고나 혜택의 폐지 등 불이익한 조치를 취할 수 있다. ( )
14. 서울시 9급, 13. 지방직 9급, 12. 국가직 9급

04 행정지도는 작용법적 근거가 필요하지 않으므로, 비례원칙과 평등원칙에 구속되지 않는다. ( )
19. 국가직 9급

간단 점검하기

05 행정지도를 하는 자는 그 상대방에게 그 행정지도의 취지 및 내용과 신분을 밝혀야 한다. ( )
17. 교육행정직, 16. 지방직 9급, 14. 서울시 9급, 12. 지방직 7급

06 행정지도의 상대방은 해당 행정지도의 방식·내용 등에 관하여 행정기관에 의견제출을 할 수 있다. ( )
19. 사회복지직, 16. 서울시 9급, 15. 행정사

07 우리 행정절차법은 행정지도가 서면(문서)의 형식에 의하여 이루어져야 한다고 명문으로 규정하고 있다. ( )
14. 서울시 9급

08 말로 이루어지는 행정지도의 상대방은 서면의 교부를 요구할 수 있다. ( ) 16. 서울시 9급

09 행정기관이 같은 행정목적을 실현하기 위하여 많은 상대방에게 행정지도를 하려는 경우에는 특별한 사정이 없으면 행정지도에 공통적인 내용이 되는 사항을 공표하여야 한다. ( )
18. 경찰행정, 15. 서울시 9급

01 × 02 ○ 03 × 04 ×
05 ○ 06 ○ 07 × 08 ○
09 ○

2. 원칙과 한계

(1) 원칙

① **과잉금지원칙·임의성의 원칙**: 행정절차법 제48조 제1항은 "행정지도는 그 목적달성에 필요한 최소한도에 그쳐야 하며(과잉금지원칙), 행정지도의 상대방의 의사에 반하여 부당하게 강요하여서는 아니 된다(임의성의 원칙)."고 규정하고 있다.

② **불이익조치금지원칙**: 행정기관은 행정지도의 상대방이 행정지도에 따르지 아니하였다는 것을 이유로 불이익한 조치를 하여서는 아니 된다(행정절차법 제48조 제2항).

③ **법률우위원칙**: 행정지도는 법률이나 법의 일반원리를 위반하여 행해질 수 없다.

(2) 한계

① 조직법상 한계

② 법령상 한계

③ 행정법의 일반원칙상 한계

5 권리구제

1. 행정절차

행정절차법에 의하면 행정지도에 관계하는 자는 그 상대방에게 해당 행정지도의 취지·내용 및 신분을 밝혀야 하며(행정절차법 제49조 제1항), 행정기관은 행정지도를 받는 자에게 의견제출의 기회를 부여하여야 한다(행정절차법 제50조).

> 행정절차법 제49조【행정지도의 방식】② 행정지도가 말로 이루어지는 경우에 상대방이 제1항의 사항을 적은 서면의 교부를 요구하면 그 행정지도를 하는 자는 직무 수행에 특별한 지장이 없으면 이를 교부하여야 한다.
>
> 제51조【다수인을 대상으로 하는 행정지도】행정기관이 같은 행정목적을 실현하기 위하여 많은 상대방에게 행정지도를 하려는 경우에는 특별한 사정이 없으면 행정지도에 공통적인 내용이 되는 사항을 공표하여야 한다.

2. 행정쟁송

관련판례 **처분성을 부정한 경우**

1 **건물 자진철거요청** ★★★

구청장이 도시재개발구역내의 건물소유자 甲에게 건물의 자진철거를 요청하는 내용의 공문을 보냈다고 하더라도 그 공문의 제목이 지장물철거촉구로 되어 있어서 철거명령이 아님이 분명하고, 행위의 주체면에서 구청장은 재개발구역내 지장물의 철거를 요구할 아무런 법적 근거가 없으며, 공문의 내용도 甲에게 재개발사업에의 협조를 요청함과 아울러 자발적으로 협조하지 아니하여 법에 따른 강제집행이 행하여짐으로써 甲이 입을지도 모를 불이익에 대한 안내로 되어 있고 구청장이 위 공문을 발송한 후 甲으로부터 취소요청을 받고 위 공문이 도시재개발법 제36조의 지장물이전요구나 동 제35조 제2항에 따른 행정대집행법상의 강제철거지시가 아니

고 자진철거의 협조를 요청한 것이라고 회신한 바 있다면 이러한 회신내용과 법치행정의 현실 및 일반적인 법의식수준에 비추어 볼 때 외형상 행정처분으로 오인될 염려가 있는 행정청의 행위가 존재함으로써 상대방이 입게 될 불이익 내지 법적 불안도 존재하지 않는다고 볼 것이므로 이를 행정소송의 대상이 되는 처분이라고 볼 수 없다(대판 1989.9.12, 88누8883).
#건물_자진철거요청 #자발적_협조요청 #처분성부인

2 전기 · 전화 공급중단 요청 ★★★

건축법 제69조 제2항 · 제3항의 규정에 비추어 보면, 행정청이 위법 건축물에 대한 시정명령을 하고 나서 위반자가 이를 이행하지 아니하여 전기 · 전화의 공급자에게 그 위법 건축물에 대한 전기 · 전화공급을 하지 말아 줄 것을 요청한 행위는 권고적 성격의 행위에 불과한 것으로서 전기 · 전화공급자나 특정인의 법률상 지위에 직접적인 변동을 가져오는 것은 아니므로 이를 항고소송의 대상이 되는 행정처분이라고 볼 수 없다(대판 1996.3.22, 96누433).
#단전 · 단수_요청행위_권고적_처분성부정

3 주류거래중지 요청 ★★★

세무당국이 소외 회사에 대하여 원고와의 주류거래를 일정기간 중지하여 줄 것을 요청한 행위는 권고 내지 협조를 요청하는 권고적 성격의 행위로서 소외 회사나 원고의 법률상의 지위에 직접적인 법률상의 변동을 가져오는 행정처분이라고 볼 수 없는 것이므로 항고소송의 대상이 될 수 없다(대판 1980.10.27, 80누395).
#주류거래중지_요청_권고_처분성부인

간단 점검하기

01 세무당국이 주류제도회사에 대하여 특정 업체와의 주류거래를 일정기간 중지하여 줄 것을 요청한 행위는 권고적 성격의 행위로서 행정처분이라고 볼 수 없다. ( ) 19. 국가직 9급

관련판례 처분성을 인정한 경우

1 표준약관 사용권장행위 ★★

공정거래위원회의 '표준약관 사용권장행위'는 그 통지를 받은 해당 사업자 등에게 표준약관과 다른 약관을 사용할 경우 표준약관과 다르게 정한 주요내용을 고객이 알기 쉽게 표시하여야 할 의무를 부과하고, 그 불이행에 대해서는 과태료에 처하도록 되어 있으므로, 이는 사업자 등의 권리 · 의무에 직접 영향을 미치는 행정처분으로서 항고소송의 대상이 된다(대판 2010.10.14, 2008두23184).
#표준약관_사용권장행위 #사업자_의무부과 #처분성인정

간단 점검하기

02 판례에 의하면 공정거래위원회의 표준약관 사용권장행위는 항고소송의 대상이 된다. ( ) 14. 지방직 7급

2 성희롱결정 시정조치권고 ★★★

국가인권위원회의 성희롱결정과 이에 따른 시정조치의 권고는 불가분의 일체로 행하여지는 것인데 국가인권위원회의 이러한 결정과 시정조치의 권고는 성희롱 행위자로 결정된 자의 인격권에 영향을 미침과 동시에 공공기관의 장 또는 사용자에게 일정한 법률상의 의무를 부담시키는 것이므로 국가인권위원회의 성희롱결정 및 시정조치권고는 행정소송의 대상이 되는 행정처분에 해당한다고 보지 않을 수 없다(대판 2005.7.8, 2005두467).
#성희롱결정_시정조치_권고 #인격권_영향 #기관장_법률_의무 #처분성인정

3 특별감사결과 시정지시 ★★★

구청장이 사회복지법인에 특별감사 결과 지적사항에 대한 시정지시와 그 결과를 관계서류와 함께 보고하도록 지시한 경우, 그 시정지시는 비권력적 사실행위가 아니라 항고소송의 대상이 되는 행정처분에 해당한다(대판 2008.4.24, 2008두3500).
#사회복지법인_특별감사 #지적사항_시정지시_처분성인정

간단 점검하기

03 구청장이 사회복지법인에 특별감사 결과 지적사항에 대한 시정지시와 그 결과를 관계서류와 함께 보고하도록 지시한 경우, 그 시정지시는 항고소송의 대상이 되는 처분에 해당하는 사실행위이다. ( ) 17. 지방직 9급

01 ○ 02 ○ 03 ○

3. 행정상 손해배상

(1) 개설

위법한 행정지도에 의해 손해가 발생한 경우에 손해배상을 인정할 수 있는지에 대해서는 손해배상청구의 요건으로서 특히 직무행위의 범위, 위법성, 행정지도와 손해발생 사이의 인과관계가 있는지를 검토하여야 한다.

간단 점검하기

01 행정지도의 한계 일탈로 인해 상대방에게 손해가 발생한 경우 행정기관은 손해배상책임이 없다. ( )

18. 교육행정직

(2) 직무행위와 위법성

① 행정지도는 국가배상법 제2조의 요건인 '공무원의 직무행위'에 해당한다.

② 행정지도는 일반적으로 작용법적 근거를 요하지 않으나, 행정지도가 통상적인 한계를 넘어 국민의 권익을 침해하는 경우에는 위법성이 인정된다. 이 경우에는 통상 과실도 인정된다.

관련판례 직무행위 행정지도 포함 ★★★

1 국가배상법이 정한 배상청구의 요건인 '공무원의 직무'에는 권력적 작용만이 아니라 행정지도와 같은 비권력적 작용도 포함되며 단지 행정주체가 사경제주체로서 하는 활동만 제외된다(대판 1998.7.10, 96다38971).

2 국가배상법이 정한 손해배상청구의 요건인 '공무원의 직무'에는 국가나 지방자치단체의 권력적 작용뿐만 아니라 비권력적 작용도 포함되지만 단순한 사경제의 주체로서 하는 작용은 포함되지 않는다(대판 2004.4.9, 2002다1691).

(3) 인과관계

① 손해배상청구권의 성립요건과 관련하여 특히 문제되는 것은 행정지도와 손해의 발생 사이에 상당인과관계가 존재하는가의 여부이다. 일반적으로는 임의적인 의사에 따라 행정지도를 따른 것이므로 인과관계가 존재한다고 보기는 어렵다.

② 다만, 사실상 강제에 의한 경우 제반사정을 고려할 때 국민이 행정지도를 따를 수밖에 없는 불가피한 경우에는 인과관계가 존재한다고 보아 국가의 배상책임을 인정하여야 할 것이다.

간단 점검하기

02 행정지도가 강제성을 띠지 않은 비권력적 작용으로서 행정지도의 한계를 일탈하지 아니하였다 하더라도 그로 인하여 상대방에게 어떤 손해가 발생하였다면 행정기관은 그에 대한 손해배상책임을 진다. ( )

13. 지방직 9급

관련판례 행정지도 한계 일탈 배상책임 ★★★

행정지도가 강제성을 띠지 않은 비권력적 작용으로서 행정지도의 한계를 일탈하지 아니하였다면, 그로 인하여 상대방에게 어떤 손해가 발생하였다 하더라도 행정기관은 그에 대한 손해배상책임이 없다(대판 2008.9.25, 2006다18228).

4. 행정상 손실보상 · 헌법소원

(1) 적법한 행정지도로 인하여 손실이 발생한 경우 원칙적으로 그 피해자가 자유의사에 의한 승낙 · 협력에 의하여 그 불이익을 수인한 것이 되므로 그에 따른 손실보상청구권은 부인된다.

(2) 헌법소원

행정지도가 헌법소원의 대상이 되는지에 대해서 논란이 있으나, 행정지도도 경우에 따라 헌법소원의 대상이 될 수 있다고 본 헌법재판소의 결정이 있다(헌재 2003.6.26, 2002헌마337).❶

❶ 교육부장관이 국 · 공립대학총장들에게 한 학칙시정요구는 헌법소원의 대상이 되는 공권력의 행사에 해당한다.

01 × 02 ×

관련판례 행정지도에 대한 헌법소원

1 학칙시정요구 - 공권력행사 인정 ★★★

교육인적자원부장관의 대학총장들에 대한 이 사건 학칙시정요구는 고등교육법 제6조 제2항, 동법시행령 제4조 제3항에 따른 것으로서 그 법적 성격은 대학총장의 임의적인 협력을 통하여 사실상의 효과를 발생시키는 행정지도의 일종이지만, 그에 따르지 않을 경우 일정한 불이익조치를 예정하고 있어 사실상 상대방에게 그에 따를 의무를 부과하는 것과 다를 바 없으므로 단순한 행정지도로서의 한계를 넘어 규제적·구속적 성격을 상당히 강하게 갖는 것으로서 헌법소원의 대상이 되는 공권력의 행사라고 볼 수 있다(헌재 2003.6.26, 2002헌마337).

#장관_총장_학칙시정요구 #불이익조치_의무부과 #규제적_구속적_공권력행사

2 기업해체준비착수지시 - 공권력행사 인정 ★★

재무부장관이 제일은행장에 대하여 한 국제그룹의 해체준비착수지시와 언론발표지시는 … 행정행위는 될 수 없더라도 그 실질이 공권력의 힘으로 재벌기업의 해체라는 사태변동을 일으키는 경우인 점에서 일종의 권력적 사실행위로서 헌법소원의 대상이 되는 공권력의 행사에 해당한다(헌재 1993.7.29, 89헌마31).

#장관_은행장 #국제그룹해체_지시 #공권력행사

3 단체협약개선요구 - 공권력행사 부정 ★★★

노동부장관이 2009.4. 노동부 산하 7개 공공기관의 단체협약내용을 분석하여 2009.5.1.경 불합리한 요소를 개선하라고 요구한 행위(개선요구)가 … 각 해당 공공기관의 장의 임의적 협력을 통하여 사실상의 효과를 발생시키고자 하는 것이므로, 그 법적 성질은 행정지도에 해당한다고 할 것이다. … 이 사건 개선요구는 이를 따르지 않을 경우의 불이익을 명시적으로 예정하고 있다고 보기 어렵고, 행정지도로서의 한계를 넘어 규제적·구속적 성격을 강하게 갖는다고 할 수 없어 헌법소원의 대상이 되는 공권력의 행사에 해당한다고 볼 수 없다(헌재 2011.12.29, 2009헌마330).

#노동부장관_개선요구_행정지도

5. 위법한 행정지도와 위법성 조각

(1) 위법한 행정지도에 따른 사인의 행위가 위법한지 아니면 위법성이 조각되는지가 문제된다.

(2) 행정지도는 상대방의 임의적인 협력을 전제로 하는 것이어서 행정지도에 따른 행위는 상대방의 자의에 의한 행위라고 볼 수밖에 없으므로 위법한 행정지도에 따른 행위가 당연무효가 되거나 위법성이 조각(사라짐)된다고 할 수 없다.

(3) 위법한 행정지도에 따라 위법한 행위를 하였다면 그 행위에 처벌규정이 있는 경우 당연히 처벌을 받게 된다.

관련판례 위법한 행정지도

1 위법한 행정지도 자진납부 무효 불인정 ★★★

무효인 조례 규정에 터잡은 행정지도에 따라 스스로 납세의무자로 믿고 자진신고납부하였다 하더라도, 신고행위가 없어 부과처분에 의해 조세채무가 확정된 경우에 조세를 납부한 자와의 균형을 고려하건대, 그 신고행위의 하자가 중대하고 명백한 것이라고 단정할 수 없다(대판 1995.11.28, 95다18185).

간단 점검하기

01 행정지도가 단순히 행정지도로서의 한계를 넘어 규제적·구속적 성격을 상당히 강하게 갖는 것이라면 헌법소원의 대상이 되는 공권력의 행사로 볼 수 있다. ( )
17. 국회직 8급, 12. 국가직 9급

02 헌법재판소는 교육인적자원부(현 교육부)장관의 대학총장들에 대한 학칙시정요구는 행정지도에 해당하므로 규제적·구속적 성격을 강하게 가지고 있더라도 헌법소원의 대상이 되는 공권력의 행사라고 볼 수 없다고 한다.
( ) 13. 지방직 9급, 12. 국가직 9급

간단 점검하기

03 노동부장관이 공공기관 단체협약내용을 분석하여 불합리한 요소를 개선하라고 요구한 행위는 행정지도로서의 한계를 넘어 규제적·구속적 성격을 강하게 갖는다고 할 수 없어 헌법소원의 대상이 되는 공권력의 행사에 해당한다고 볼 수 없다. ( )
17. 지방직 9급

간단 점검하기

04 판례에 의하면 사인의 행위가 행정지도에 따라 행해진 경우 그 행정지도가 위법하다고 할지라도 원칙적으로 그 사인의 행위의 위법성이 조각된다.
( ) 11. 지방직 7급

01 ○ 02 × 03 ○ 04 ×

2 기준시가 매매신고 처벌 ★★★

행정관청이 토지거래계약신고에 관하여 공시된 기준지가를 기준으로 매매가격을 신고하도록 행정지도하여 왔고 그 기준가격 이상으로 매매가격을 신고한 경우에는 거래신고서를 접수하지 않고 반려하는 것이 관행화되어 있다 하더라도 이는 법에 어긋나는 관행이라 할 것이므로 그와 같은 위법한 관행에 따라 허위신고행위에 이르렀다고 하여 그 범법행위가 사회상규에 위배되지 않는 정당한 행위라고는 볼 수 없다(대판 1992.4.24, 91도1609 ; 대판1994.6.14, 93도3247).

#토지거래계약신고 #매매가격_기준지가 #기준지가신고_행정지도 #기준지가신고_위법

3 행정관청이 토지거래계약신고에 관하여 공시된 기준지가를 기준으로 매매가격을 신고하도록 행정지도하여 왔고 그 기준가격 이상으로 매매가격을 신고한 경우에는 거래신고서를 접수하지 않고 반려하는 것이 관행화되어 있다 하더라도 이는 법에 어긋나는 관행이라 할 것이므로 그와 같은 위법한 관행에 따라 허위신고행위에 이르렀다고 하여 그 범법행위가 사회상규에 위배되지 않는 정당한 행위라고는 볼 수 없다(대판 1992.4.24, 91도1609).

간단 점검하기

행정관청이 구 국토이용관리법 소정의 토지거래계약신고에 관하여 공시된 기준시가를 기준으로 매매가격을 신고하도록 행정지도를 하여 그에 따라 허위신고를 한 것이라 하더라도 이와 같은 행정지도는 법에 어긋나는 것으로서 그 범법행위가 정당화될 수 없다.

( ) 17. 지방직 9급

○

제6절 비공식 행정작용

1 개설

1. 의의

(1) 비공식 행정작용은 그의 요건·효과·절차 등이 법에 의해 정해져 있지 않은 것으로서 법적 구속력을 발생하지 않는 일체의 행정작용을 의미한다. 구체적인 예로는 협상, 조정, 협동, 타협, 화해 등이 있다.

(2) 비공식 행정작용은 법적 구속력은 없으므로 행정상 사실행위의 일종으로 분류할 수 있다.

2. 종류별 구체적인 예

(1) 규범대체형 합의

사업자가 자발적으로 환경보호조치를 약속하고 행정청도 잠정적으로 규범정립을 보류하는 경우를 말한다.

(2) 규범집행형 합의

노후시설에 대한 법적 조치로서 해당 시설의 사용금지처분 대신 사인과 협의를 통하여 개선조치를 취하는 경우를 말한다.

(3) 사전절충

인·허가권을 가진 행정청과 신청자가 사전에 인가 또는 허가의 가능성 및 요건 등에 관하여 논의하는 경우를 말한다.

(4) 처분안 · 부관안의 사전제시

행정청이 처분안을 제시하여 상대방의 찬성 · 반대 여부를 확인한 다음 후속 조치를 취하는 경우를 말한다.

(5) 응답유보

영업허가신청에 대하여 결정을 유보하고 오폐수처리시설을 갖추도록 지도하는 경우를 말한다.

Level up 비공식 행정작용의 종류

구분	구체적인 예
합의형 비공식 행정작용	협의, 합의, 사전절충, 사전해결, 조정, 접촉 등
일방적 비공식 행정작용	경고, 추천, 권고, 교시 또는 정보제공 등

2 비공식 행정작용에 관한 평가

1. 순기능(유용성)

(1) 행정의 능률화

개인의 자유로운 의사결정을 유도하고, 공식적 행정작용에 드는 비용을 절감할 수 있다.

(2) 법적 분쟁의 회피 · 경감

당사자 간의 합의로 인하여 시후 집행상의 문제 발생의 소지기 적다.

(3) 법적 불확실성의 제거

행정권과 상대방 사이의 협상 · 절충 등을 통해 법적 불확실성을 제거할 수 있다.

(4) 행정의 탄력성의 제고

구체적인 경우 상황에 적합한 탄력적 수단으로 활용할 수 있다.

2. 역기능(위험성)

(1) 법치행정의 후퇴

법규범적인 규율이 완화된다.

(2) 제3자에의 위험부담

제3자의 지위가 약화되는 상황이 초래된다.

(3) 효과적인 권리보호의 곤란

행정에 대한 효과적인 통제가 곤란해진다.

(4) 활성적 행정의 장애

행정의 능률적 집행이 저해된다.

3 법적 문제

1. 허용성 여부의 문제

(1) 비공식 행정작용은 법률에 반대규정이 없는 한 원칙적으로 허용된다.

(2) 비공식 행정작용은 법치국가원리에 반하므로 허용되어서는 안 된다는 비판적 견해가 없는 것은 아니지만 법률유보에서 전부유보설을 취하지 않는 한 급변하는 행정환경과 주권자인 국민의 의식에 적합한 행위형식이 필요하기 때문에 이를 인정해야 한다.

(3) 독일에서도 대부분 긍정적인 견해를 취하고 있다.

2. 법률유보의 문제

(1) 당사자와의 합의에 의하는 경우에는 별도의 특별한 개별적인 수권규정을 필요로 하지 않는다.

(2) 행정기관의 일방적 형식에 의하고 특히 그 효과에 있어서 당사자에게 실질적으로 불이익하게 작용하는 경우(예 특정의약품의 유효성 평가나 경고로 인해 불매되는 경우 등)에는 별도의 수권규정이 필요하다.

3. 권리구제의 문제

(1) 비공식 행정작용은 비권력적 사실행위로 분류되므로 법적 구속력을 가지지 않는다.

(2) 비공식 행정작용에 대해서는 신뢰보호원칙이나 자기구속의 법리를 매개로 하더라도 법적 구속력을 인정할 수 없다.

4. 행정의 자동화 작용

행정의 자동결정은 컴퓨터를 통해 이루어지는 자동적 결정이기 때문에 행정행위의 개념적 요소를 구비하는 경우에도 행정행위로서의 성격을 인정하는 데 어려움이 있다.

기출

행정의 자동결정에 대한 설명으로 옳지 않은 것은? 16. 사회복지직

① 행정의 자동결정의 예로는 신호등에 의하 교통신호, 컴퓨터를 통한 중·고등학생의 학교배정 등을 들 수 있다.
② 행정의 자동결정은 컴퓨터를 통해 이루어지는 자동적 결정이기 때문에 행정행위의 개념적 요소를 구비하는 경우에도 행정행위로서의 성격을 인정하는 데 어려움이 있다.
③ 행정의 자동결정의 기준이 되는 프로그램의 법적 성질은 명령(행정규칙을 포함)이라는 견해가 유력하다.
④ 행정의 자동결정도 행정작용의 하나이므로 행정의 법률적합성과 행정법의 일반원칙에 의한 법적 한계를 준수하여야 한다.

해설 행정자동결정은 행정행위이다.

정답 ②

제7절 행정의 사법적 활용

1 개설

1. 행정작용의 법형식

(1) 사법형식

행정작용의 법형식은 원칙적으로 자유롭다. 따라서 특정목적달성을 위하여 법령의 명문규정에 의해 특정의 법형식이 요구되지 않는 한, 행정기관은 사법형식의 행정작용을 이용할 수 있다.

(2) 사법형식이 활용되는 주된 이유

① **행위형식의 공백**: 행정기능의 확대에 따라 공법에서는 구체적인 경우에 적당한 행위형식이 마련되어 있지 못한 경우가 있다(예 급부행정분야, 자금지원행정, 영조물이용관계 등).

② **자유로운 행정활동**: 사법의 행위형식은 공법의 행위형식에 비하여 행정목적 수행에 있어 행정기관에 대하여 보다 자유로움을 주는 경우도 있다. 그리하여 행정기관이 단순히 공법적 구속을 회피할 목적으로 사법형식으로 도피할 우려가 있으므로 사법형식의 행정작용에 대한 통제가 문제가 되는바, 그러한 목적에서 나온 이론이 행정사법이론이다.

2. 유형

(1) 사법형식의 행정작용은 그 목적에 있어서 행정과업수행과 직접적인 관련을 갖는가의 여부에 따라 행정사법과 협의의 국고작용으로 나눈다.

(2) 행정사법은 사법형식에 의해 행정과업을 직접적으로 수행하는 것을 말하며, 협의의 국고작용은 행정주체가 국고, 즉 사법상의 재산권의 주체로서 간접적으로 행정목적을 실현하는 사법형식의 작용을 말한다.

(3) 협의의 국고작용에 해당하는 것으로서 조달행정작용(예 물품구매, 도급계약 등)과 영리작용(예 광산이나 은행경영 등) 등이 있다.

2 협의의 국고작용

1. 조달행정

(1) 행정청의 청사건축을 위한 토지의 매입, 사무용품매입 등과 같이 행정청이 공적 임무의 수행에 전제가 되는 것을 확보하기 위한 행정작용을 말한다.

(2) 조달행정은 공적 목적을 간접적으로 수행한다는 점에서 공적 목적을 직접적으로 수행하는 행정사법작용과 구별된다. 그러나 조달행정도 공공적 성격을 강하게 가지므로 공법적 기속이 가해져야 한다.

(3) 조달행정에 법적 제한을 규정하고 있는 경우에는 그러한 범위에서 국가의 계약의 자유는 제한된다. 또한 조달작용이 사법작용이라 할지라도 기본권, 특히 평등권에 구속되어야 한다.

2. 영리활동

(1) 국가가 공행정목적의 직접적인 수행과는 관계없이 수익의 확보를 위해 행하는 활동을 말한다(예 국가의 담배공장경영, 회사에 주주로 참여, 일반재산의 대부 등).

(2) 행정의 사법작용 또는 영리활동에는 사법이 적용된다. 이들 행위의 작용에 대해서는 국가재정법, 국가를 당사자로 하는 계약에 관한 법률, 국유재산법 및 지방재정법에 의한 제한이 가능하지만, 이는 사법행위에 대한 제한이기 때문에 공법이 될 수 없다는 것이 통설과 판례의 입장이다(대판 1960.1.27, 90 행상139).

(3) 그러나 행정의 영리적 활동이 비록 사법행위라 하더라도 공익관련성이 인성되는 한도 내에서는 헌법상의 평등의 원칙, 비례의 원칙에 의한 구속을 받는다고 보아야 한다. 이들 헌법상의 원칙은 공법 · 사법을 포함한 모든 국가작용에 적용되기 때문이다.

3 행정사법

1. 의의

(1) 행정기관이 사법형식에 의해 행정과업을 직접적으로 수행하거나 공법적으로 설정된 과업을 수행하는 경우를 행정사법이라고 한다.

(2) 이는 독일에서 지베르트(Siebert)와 볼프(Wolff)에 의해 정립된 개념으로서, 사법형식에 기초하고 있으나 행정과업을 직접적으로 수행한다는 목적을 가지므로 행정기관이 사적 자치의 원리를 완전한 형태로 주장하지는 못하고 공법적인 구속을 받는다는 점에서 그 특성을 갖는 개념이다.

(3) 행정사법의 개념적 징표로서 ① 사법형식의 행정작용, ② 행정목적을 직접수행, ③ 행정의 사법으로의 도피방지, ④ 일정한 공법적 구속 등을 들 수 있다.[1]

[1] 관리관계이론을 행정사법이론으로 대체할 것이 주장되기도 한다.

2. 적용영역

(1) 기본적으로 비권력적 행정상 법률관계에 있어서 공익성이 요구되는 영역에 적용된다.

(2) 급부행정영역으로서 사법형식을 통한 교통, 수도 및 가스, 전기공급, 하수처리나 폐기물처리영역 등이 있다.

(3) 경제유도행정영역으로서 주택건설, 융자제공 등이 있다.

(4) 그러나 경찰 · 조세행정영역과 같이 행정주체에 공 · 사법형식의 선택이 인정되지 않는 경우에는 행정사법이 적용될 여지가 없다.

3. 특징

(1) 기본권 규정 등에 의한 제약

공법상 구속의 내용으로는 ① 개별법상의 제약 이외에, ② 평등권 등의 기본권 및 그 밖에 신의성실 · 신뢰보호 · 비례의 원칙 등의 행정법의 일반원칙에 의한 구속을 받고, ③ 행정절차법상의 주요한 절차적 규정인 이유제시 · 청문 등에 관한 규정이 유추적용될 수 있으며, ④ 그 밖에 계약강제 · 해약의 제한 · 계속적 경영 · 급부의무 및 계약내용의 법정 등의 형태가 있다.

(2) 사법적 규율의 수정 · 제약

① 사법상 행위능력과 의사능력에 관한 규정이 수정되는 예로서 무능력자의 우편물수취, 착오에 의한 취소의 배제 등이 있다.

② 강제성이 인정되는 예로서 계약강제, 계약해제의 제한, 수수료결정시의 행정기관의 허가필요 등이 있다.

4. 권리구제

(1) 행정사법의 법적 분쟁은 특별한 규정이 없는 한 민사소송을 통한 구제가 원칙이라는 견해와 행정소송을 통한 구제가 원칙이라는 견해의 대립이 있다. 통설과 판례의 입장은 사법형식의 행정작용은 그 자체가 사법작용이므로 그에 관한 법적 분쟁은 특별한 규정이 없는 한 민사소송을 통해 구제를 도모하여야 한다고 본다.

(2) 따라서 이른바 행정사법의 경우도 민사소송으로 분쟁을 해결하여야 하며, 사법작용이 공법규정에 의한 기속을 받는다고 공법작용으로 변질되는 것은 아니다.

제3편

행정과정

제1장 행정절차

제1절 개설

1 의의

1. 광의의 행정절차

행정기관이 행정활동을 함에 있어 거쳐야 하는 일체의 절차를 말한다. 이는 입법·사법절차에 대응되는 개념으로 행정작용의 사전적 절차와 사후적 절차를 모두 포함한다.

2. 협의의 행정절차

행정청이 행정작용을 할 때 거쳐야 하는 사전적 절차를 말하며, 본 장에서의 행정절차는 이것을 의미한다.

2 행정절차의 필요성(기능)

1. 사전적 권익구제(국민의 권익보호)
2. 국민의 행정참여(행정과정의 민주화)
3. 행정작용의 적정화(자의적인 행정권 행사의 방지)
4. 행정작용의 능률화(행정에 대한 국민의 협력증대)
5. 사법기능의 보완(분쟁의 사전예방적 기능)

3 행정절차의 근거

1. 헌법상 근거

> 헌법 제12조 ① 모든 국민은 신체의 자유를 가진다. 누구든지 법률에 의하지 아니하고는 체포·구속·압수·수색 또는 심문을 받지 아니하며, 법률과 적법한 절차에 의하지 아니하고는 처벌·보안처분 또는 강제노역을 받지 아니한다.

(1) 우리 헌법 제12조 제1항의 적법절차조항은 형사절차에 관하여 적용된다는 데에는 의문의 여지가 없으나, 입법·행정 등 모든 공권력 행사절차에도 적용되는지에 대해서는 논의가 있다.

(2) 통설·판례는 헌법 제12조 제1항의 규정취지는 행정절차에도 적용될 수 있다고 보고 있다(헌재 1992.12.14, 92헌가8).

간단 점검하기

01 행정절차는 행정의 민주화, 행정의 능률화, 사후적 행정구제 등의 기능을 수행한다. ( ) 13. 서울시 7급

간단 점검하기

02 헌법 제12조 제1항과 제3항은 형사사건의 적법절차에 관한 규정이므로 행정절차에는 적용되지 아니한다. ( ) 14. 사회복지직

01 × 02 ×

(3) 따라서 적법절차는 헌법적 효력을 가지므로, 이에 위반되는 절차를 규정하고 있는 법률은 위헌법률심판 대상이 되고 이에 근거한 행정작용은 절차상 하자가 있게 된다.

2. 법률상 근거

(1) 우리나라에서도 행정절차의 중요성이 인식되면서 개별법에 청문제도 등이 도입되었다. 1996년 행정절차법이 제정되어 행정절차에 관한 일반법으로서 기능을 하고 있다.

(2) 행정절차법이 행정절차에 관한 일반법이므로 개별법에 청문 등의 절차가 있는 경우에는 개별법이 우선 적용되고, 개별법에 규정이 없는 경우에는 행정절차법이 적용된다.

(3) 민원 처리에 관해서는 일반법으로 민원 처리에 관한 법률이 제정되어 있으므로, 민원 처리의 경우 개별법규가 우선 적용되고, 민원 처리에 관한 법률이 다음으로, 마지막으로 행정절차법이 적용된다.

3. 행정절차법의 특색

(1) 행정절차법은 행정절차에 관한 일반법이며, 공법에 해당한다. 따라서 사법작용과는 무관하다.

(2) 행정절차법은 절차에 관한 규정들이 대부분이나 신뢰보호의 원칙, 신의성실의 원칙 등 일부 실체적 규정도 포함되어 있다.

(3) 처분절차만 규정하고 있는 것이 아니라 신고, 행정상 입법예고, 행정예고 및 행정지도 등에 관한 것도 규정하고 있으나, 확약, 공법상 계약, 행정계획의 확정절차, 행정조사절차 등과 행정행위의 하자치유 및 절차하자의 효과 등에 대해서는 규정하지 않고 있다.

(4) 행정절차법이 적용되지 않는 예외조항을 광범위하게 둠으로써 절차적 통제가 엄격하지 않다는 특징이 있다.

(5) 행정계획 및 행정조사 등의 경우에도 처분에 해당하는 것이라면 행정절차법상의 처분절차가 적용된다.

(6) 행정절차법은 행정심판법, 행정소송법과 마찬가지로 '처분'의 개념을 정의하고 있고, 그 내용도 동일하다.

간단 점검하기

01 행정절차법에는 행정처분절차, 신고절차, 행정입법절차, 행정예고절차 등에 관하여 상세한 규정을 두고 있으나, 행정지도절차에 관한 규정은 없다. ( ) 14. 국가직 7급, 13·11. 서울시 9급

02 행정절차법은 공법상 계약과 행정계획절차에 관해서는 별도의 규정이 없다. ( ) 18. 경찰행정

03 행정절차법은 행정조사에 관한 명문의 규정을 두고 있지 않으므로 행정조사가 처분에 해당하는 경우에도 행정절차법상의 처분절차에 관한 규정이 적용되지 않는다. ( ) 16. 사회복지직

01 × 02 ○ 03 ×

제2절 행정절차법의 통칙규정

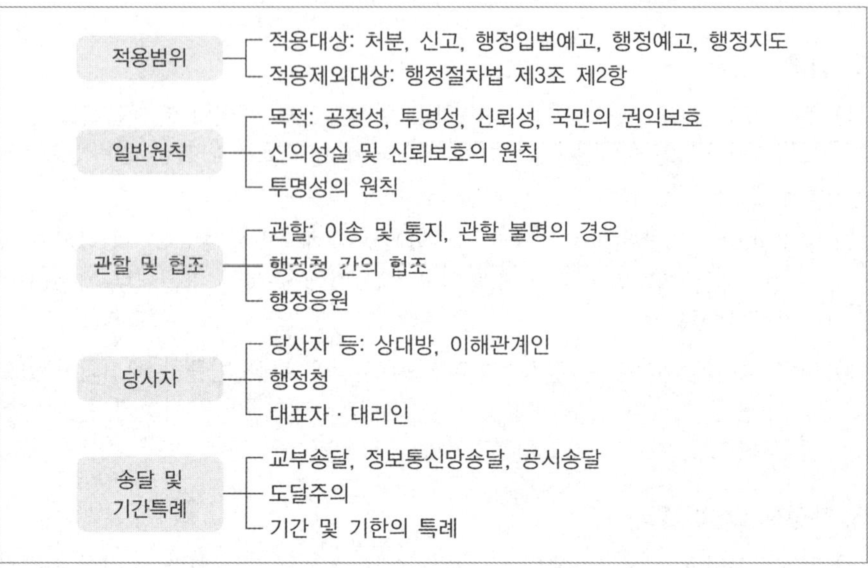

적용범위
적용대상: 처분, 신고, 행정입법예고, 행정예고, 행정지도
적용제외대상: 행정절차법 제3조 제2항
일반원칙
목적: 공정성, 투명성, 신뢰성, 국민의 권익보호
신의성실 및 신뢰보호의 원칙
투명성의 원칙
관할 및 협조
관할: 이송 및 통지, 관할 불명의 경우
행정청 간의 협조
행정응원
당사자
당사자 등: 상대방, 이해관계인
행정청
대표자 · 대리인
송달 및 기간특례
교부송달, 정보통신망송달, 공시송달
도달주의
기간 및 기한의 특례

1 개설

1. 적용범위

(1) 행정절차법은 행정절차에 관한 일반법이다.

(2) 처분 · 신고 · 행정상 입법예고 · 행정예고 및 행정지도의 절차에 대하여 다른 법률에 특별한 규정이 없는 경우에 행정절차법을 적용한다고 규정하고 있다(행정절차법 제3조 제1항).

(3) 행정절차법은 지방자치단체에도 적용된다(행정절차법 제2조 제1호).

간단 점검하기

처분, 신고, 행정상 입법예고, 행정예고 및 행정지도의 절차에 관하여 다른 법률에 특별한 규정이 있는 경우를 제외하고는 원칙적으로 행정절차법이 정하는 바에 의한다. ( )

14. 국가직 7급

○

2. 적용제외

행정절차법의 규율대상이 아닌 것에는 행정계획, 행정법상 확약, 공법상 계약, 행정상 강제집행, 행정상 즉시강제, 행정조사가 있다.

기출

행정절차법을 적용하지 않는 사항으로 볼 수 없는 것은? 12. 국회직 9급

① 대통령의 승인을 얻어 행하는 사항
② 국회 또는 지방의회의 의결을 거치거나 동의 또는 승인을 받아 행하는 사항
③ 헌법재판소의 심판을 거쳐 행하는 사항
④ 각급 선거관리위원회의 의결을 거쳐 행하는 사항
⑤ 감사원이 감사위원회의의 결정을 거쳐 행하는 사항

정답 ①

행정절차법 제3조 【적용범위】 ② 이 법은 다음 각 호의 어느 하나에 해당하는 사항에 대하여는 적용하지 아니한다.

1. 국회 또는 지방의회의 의결을 거치거나 동의 또는 승인을 받아 행하는 사항
2. 법원 또는 군사법원의 재판에 의하거나 그 집행으로 행하는 사항
3. 헌법재판소의 심판을 거쳐 행하는 사항
4. 각급 선거관리위원회의 의결을 거쳐 행하는 사항
5. 감사원이 감사위원회의의 결정을 거쳐 행하는 사항
6. 형사(刑事), 행형(行刑) 및 보안처분 관계 법령에 따라 행하는 사항
7. 국가안전보장·국방·외교 또는 통일에 관한 사항 중 행정절차를 거칠 경우 국가의 중대한 이익을 현저히 해칠 우려가 있는 사항
8. 심사청구, 해양안전심판, 조세심판, 특허심판, 행정심판, 그 밖의 불복절차에 따른 사항
9. 병역법에 따른 징집·소집, 외국인의 출입국·난민인정·귀화, 공무원 인사 관계 법령에 따른 징계와 그 밖의 처분, 이해 조정을 목적으로 하는 법령에 따른 알선·조정·중재(仲裁)·재정(裁定) 또는 그 밖의 처분 등 해당 행정작용의 성질상 행정절차를 거치기 곤란하거나 거칠 필요가 없다고 인정되는 사항과 행정절차에 준하는 절차를 거친 사항으로서 대통령령으로 정하는 사항

행정절차법 시행령 제2조 【적용제외】 법 제3조 제2항 제9호에서 "대통령령으로 정하는 사항"이라 함은 다음 각 호의 어느 하나에 해당하는 사항을 말한다.

1. 병역법, 예비군법, 민방위기본법, 비상대비자원 관리법, 대체역의 편입 및 복무 등에 관한 법률에 따른 징집·소집·동원·훈련에 관한 사항
2. 외국인의 출입국·난민인정·귀화·국적회복에 관한 사항
3. 공무원 인사관계법령에 의한 징계 기타 처분에 관한 사항
4. 이해조정을 목적으로 법령에 의한 알선·조정·중재·재정 기타 처분에 관한 사항
5. 조세관계법령에 의한 조세의 부과·징수에 관한 사항
6. 독점규제 및 공정거래에 관한 법률, 하도급거래 공정화에 관한 법률, 약관의 규제에 관한 법률에 따라 공정거래위원회의 의결·결정을 거쳐 행하는 사항
7. 국가배상법, 공익사업을 위한 토지 등의 취득 및 보상에 관한 법률에 따른 재결·결정에 관한 사항
8. 학교·연수원등에서 교육·훈련의 목적을 달성하기 위하여 학생·연수생등을 대상으로 행하는 사항
9. 사람의 학식·기능에 관한 시험·검정의 결과에 따라 행하는 사항
10. 배타적 경제수역에서의 외국인어업 등에 대한 주권적 권리의 행사에 관한 법률에 따라 행하는 사항
11. 특허법, 실용신안법, 디자인보호법, 상표법에 따른 사정·결정·심결, 그 밖의 처분에 관한 사항

3. 판례

(1) 행정절차법의 적용제외 규정을 열거규정으로 해석한다.

(2) 열거된 모든 사항의 적용이 제외되는 것이 아니라, 그 중에서도 성질상 '행정절차를 거치기 곤란하거나 불필요 또는 행정절차에 준하는 절차를 거치는 사항'의 경우에만 행정절차법의 적용이 배제된다고 한다.

간단 점검하기

적법절차의 원칙은 헌법의 기본원리이고 행정절차법은 행정절차에 관한 일반법적 성격을 가지기는 하지만 행정절차법이 모든 행정작용에 적용되는 것은 아니다. ( ) 13. 국회직 8급

○

(3) 특히 '신분박탈적 징계처분'은 최소한 행정절차법을 적용하도록 하고 있다.

(4) 준사법적 절차를 거치는 경우의 절차와 행정절차법의 절차를 비교하여 그 범위와 한계를 고려한다.

관련판례 행정절차법의 적용이 제외되는 경우

1 진급선발취소 ★★★

[1] 군인사법령에 의하여 진급예정자명단에 포함된 자에 대하여 의견제출의 기회를 부여하지 아니한 채 진급선발을 취소하는 처분을 한 것이 절차상 하자가 있어 위법하다.

[2] 행정과정에 대한 국민의 참여와 행정의 공정성, 투명성 및 신뢰성을 확보하고 국민의 권익을 보호함을 목적으로 하는 행정절차법의 입법목적과 행정절차법 제3조 제2항 제9호의 규정 내용 등에 비추어 보면, 공무원 인사관계 법령에 의한 처분에 관한 사항 전부에 대하여 행정절차법의 적용이 배제되는 것이 아니라 성질상 행정절차를 거치기 곤란하거나 불필요하다고 인정되는 처분이나 행정절차에 준하는 절차를 거치도록 하고 있는 처분의 경우에만 행정절차법의 적용이 배제된다(대판 2007.9.21, 2006두20631).

#공무원인사관계_성질_행정절차법_적용배제 #진급낙천처분_적용배제_성질×

2 보직해임 ★★★

구 군인사법상 보직해임처분[1]은 구 행정절차법 제3조 제2항 제9호, 같은 법 시행령 제2조 제3호에 의하여 당해 행정작용의 성질상 행정절차를 거치기 곤란하거나 불필요하다고 인정되는 사항 또는 행정절차에 준하는 절차를 거친 사항에 해당하므로, 처분의 근거와 이유 제시 등에 관한 구 행정절차법의 규정이 별도로 적용되지 아니한다고 봄이 상당하다(대판 2014.10.15, 2012두5756).

#군인사법_보직해임 #보직해임심의위원회_의결 #행정절차_준하는_절차_거침 #행정절차법_적용×

3 직위해제 ★★★

국가공무원법상 직위해제처분은 구 행정절차법 제3조 제2항 제9호, 구 행정절차법 시행령(2011.12.21. 대통령령 제23383호로 개정되기 전의 것) 제2조 제3호에 의하여 당해 행정작용의 성질상 행정절차를 거치기 곤란하거나 불필요하다고 인정되는 사항 또는 행정절차에 준하는 절차를 거친 사항에 해당하므로, 처분의 사전통지 및 의견청취 등에 관한 행정절차법의 규정이 별도로 적용되지 않는다(대판 2014.5.16, 2012두26180).

#직위해제_처분설명서교부 #소청심사청구가능 #방어기회보장 #행정절차법_적용_불필요

4 시정조치 및 과징금납부명령 ★★★

행정절차법 제3조 제2항, 같은 법 시행령 제2조 제6호에 의하면 공정거래위원회의 의결·결정을 거쳐 행하는 사항에는 행정절차법의 적용이 제외되게 되어 있으므로, 설사 피고의 '판매가격 합의' 부분에 대한 시정조치 및 과징금납부명령에 행정절차법 소정의 의견청취절차 생략사유가 존재한다고 하더라도, 공정거래위원회는 행정절차법을 적용하여 의견청취절차를 생략할 수는 없다(대판 2001.5.8, 2000두10212).

#공정거래위원회_의결·결정_행정절차법_적용제외
#판매가격합의_시정조치_과징금납부명령_행정절차법_적용

간단 점검하기

01 구 군인사법상 보직해임처분에는 처분의 근거와 이유제시 등에 관한 구 행정절차법의 규정이 별도로 적용되지 아니한다. ( ) 19. 국회직 8급

[1] 군인사법 제17조에서 장교의 보직해임의 경우 보직해임심의위원회의 의결을 거치도록 하며, 심의대상자는 위원회에 출석하여 소명하거나 의견서를 제출할 수 있으며, 위원회의 의결사항을 서면으로 심의대상자에게 통보하도록 하는 등의 절차를 두고 있으므로 군인사법상 보직해임은 행정절차법상의 처분의 근거와 이유제시 등과 같은 규정이 적용되지 아니한다.

간단 점검하기

02 국가공무원법상 직위해제처분은 행정작용의 성질상 행정절차를 거치기 곤란하거나 불필요하다고 인정되는 사항 또는 행정절차에 준하는 절차를 거친 사항에 해당하므로, 처분의 사전통지 및 의견청취 등에 관한 행정절차법의 규정이 별도로 적용되지 않는다. ( ) 16. 국가직 9급, 14. 국가직 7급

03 공정거래위원회의 시정조치 및 과징금납부명령에 행정절차법 소정의 의견청취절차 생략사유가 존재하면 공정거래위원회는 행정절차법을 적용하여 의견청취절차를 생략할 수 있다. ( ) 19. 지방직 9급, 16. 국가직 7급

01 ○ 02 ○ 03 ×

5 열람 · 복사 요구권 ★★★

[1] 행정절차법은, 당사자가 청문의 통지가 있는 날부터 청문이 끝날 때까지 행정청에 해당 사안의 조사결과에 관한 문서와 그 밖에 해당 처분과 관련되는 문서의 열람 또는 복사를 '요청'할 수 있고, 행정청은 다른 법령에 따라 공개가 제한되는 경우를 제외하고는 그 요청을 거부할 수 없도록 규정하고 있다(제37조 제1항).

[2] 그런데 행정절차법 제3조, 행정절차법 시행령 제2조 제6호는 공정거래법에 대하여 행정절차법의 적용이 배제되도록 규정하고 있다. 그 취지는 공정거래법의 적용을 받는 당사자에게 행정절차법이 정한 것보다 더 약한 절차적 보장을 하려는 것이 아니라, 오히려 그 의결절차상 인정되는 절차적 보장의 정도가 일반 행정절차와 비교하여 더 강화되어 있기 때문이다. … 공정거래법 제52조의2가 당사자에게 단순한 열람 · 복사 '요청권'이 아닌 열람 · 복사 '요구권'을 부여한 취지 역시 이와 마찬가지이다.

[3] 이처럼 공정거래법 규정에 의한 처분의 상대방에게 부여된 절차적 권리의 범위와 한계를 확정하려면 행정절차법이 당사자에게 부여한 절차적 권리의 범위와 한계 수준을 고려하여야 한다(대판 2018.12.27, 2015두44028).[1]

#행정절차법_열람_복사_요청권 #공정거래법_열람_복사_요구권 #공정거래법_절차요건_강화

관련판례 행정절차법 적용제외 사항이 아닌 경우 - 행정절차법 적용

1 산업기능요원편입 취소 ★★★

지방병무청장이 병역법 제41조 제1항 제1호, 제40조 제2호의 규정에 따라 산업기능요원에 대하여 한 산업기능요원 편입취소처분은, 행정처분을 할 경우 '처분의 사전통지'와 '의견제출 기회의 부여'를 규정한 행정절차법 제21조 제1항, 제22조 제3항에서 말하는 '당사자의 권익을 제한하는 처분'에 해당하는 한편, 행정절차법의 적용이 배제되는 사항인 행정절차법 제3조 제2항 제9호, 같은 법 시행령 제2조 제1호에서 규정하는 '병역법에 의한 소집에 관한 사항'에는 해당하지 아니하므로, 행정절차법상의 '처분의 사전통지'와 '의견제출 기회의 부여' 등의 절차를 거쳐야 한다(대판 2002. 9.6, 2002두554).

#산업기능요권편입 #병역법_소집_해당× #행정절차법_적용

2 한국방송공사사장 해임 ★★★

대통령의 한국방송공사 사장의 해임 절차에 관하여 방송법이나 관련 법령에도 별도의 규정을 두지 않고 있고, 행정절차법의 입법 목적과 행정절차법 제3조 제2항 제9호와 관련 시행령의 규정 내용 등에 비추어 보면, 이 사건 해임처분이 행정절차법과 그 시행령에서 열거적으로 규정한 예외 사유에 해당한다고 볼 수 없으므로 이 사건 해임처분에도 행정절차법이 적용된다고 할 것이다(대판 2012.2.23, 2011두5001).

#한국방송공사사장_해임 #법시행령제2조(적용제외/열거규정)_해당×

3 별정직공무원 직권면직 ★★★

대통령기록물 관리에 관한 법률에서 5년 임기의 별정직공무원으로 규정한 대통령기록관장으로 임용된 원고를 직권면직의 경우 행정절차법 제21조 제4항 제3호, 제22조 제4항에 따라 원고에게 사전통지를 하지 않거나 의견제출의 기회를 주지 아니하여도 되는 예외적인 경우에 해당한다고 할 수 없다(대판 2013.1.16, 2011두30687).

#별정직공무원_직권면직_공무원징계령_적용없음 #행정절차법_적용제외×

[1] 공정거래위원회의 결정 등에 행정절차법의 적용을 배제하는 취지는 자율적으로 간단한 절차에 의하게 하기 위해서가 아니라, 특히 불이익 처분이 일반적으로 행해지기 때문에 공정거래위원회에서 행하는 절차를 일반적인 절차보다 더 강화하여 상대방을 보호하기 위한 수단임에 유의해야 한다.

간단 점검하기

행정과정에 대한 국민의 참여와 행정의 공정성, 투명성 및 신뢰성을 확보하고 국민의 권익을 보호함을 목적으로 하는 행정절차법의 입법목적과 행정절차법 제3조 제2항 제9호의 규정 내용 등에 비추어 보면, 공무원 인사관계법령에 의한 처분에 관한 사항에 대하여 행정절차법의 적용이 배제된다. ( )

17. 서울시 9급

×

간단 점검하기

01 육군3사관학교의 사관생도에 대한 퇴학처분은 행정절차법의 적용이 배제되는 경우이다. ( ) 19. 소방직 9급

4 육군3사관학교 퇴교 ★★★

행정절차법 시행령 제2조 제8호는 '학교 · 연수원 등에서 교육 · 훈련의 목적을 달성하기 위하여 학생 · 연수생들을 대상으로 하는 사항'을 행정절차법의 적용이 제외되는 경우로 규정하고 있으나, 이는 교육과정과 내용의 구체적 결정, 과제의 부과, 성적의 평가, 공식적 징계에 이르지 아니한 질책 · 훈계 등과 같이 교육 · 훈련의 목적을 직접 달성하기 위하여 행하는 사항을 말하는 것으로 보아야 하고, 생도에 대한 퇴학처분과 같이 신분을 박탈하는 징계처분은 여기에 해당한다고 볼 수 없다(대판 2018.3.13, 2016두33339).

#육군3사관학교_퇴교처분 #행정절차법시행령_교육훈련_행정절차법_적용제외
#신분박탈_징계처분_행정절차법적용

5 사증발급 거부 ★★★

[1] 행정절차법 제3조 제2항 제9호, 행정절차법 시행령 제2조 제2호 등 관련 규정들의 내용을 행정의 공정성, 투명성, 신뢰성을 확보하고 처분상대방의 권익보호를 목적으로 하는 행정절차법의 입법 목적에 비추어 보면, 행정절차법의 적용이 제외되는 '외국인의 출입국에 관한 사항'이란 해당 행정작용의 성질상 행정절차를 거치기 곤란하거나 거칠 필요가 없다고 인정되는 사항이나 행정절차에 준하는 절차를 거친 사항으로서 행정절차법 시행령으로 정하는 사항만을 가리킨다. '외국인의 출입국에 관한 사항'이라고 하여 행정절차를 거칠 필요가 당연히 부정되는 것은 아니다.

[2] 외국인의 사증발급 신청에 대한 거부처분은 당사자에게 의무를 부과하거나 적극적으로 권익을 제한하는 처분이 아니므로, 행정절차법 제21조 제1항에서 정한 '처분의 사전통지'와 제22조 제3항에서 정한 '의견제출 기회 부여'의 대상은 아니다. 그러나 사증발급 신청에 대한 거부처분이 성질상 행정절차법 제24조에서 정한 '처분서 작성 · 교부'를 할 필요가 없거나 곤란하다고 일률적으로 단정하기 어렵다. 또한 출입국관리법령에 사증발급 거부처분서 작성에 관한 규정을 따로 두고 있지 않으므로, 외국인의 사증발급 신청에 대한 거부처분을 하면서 행정절차법 제24조에 정한 절차를 따르지 않고 '행정절차에 준하는 절차'로 대체할 수도 없다(대판 2019.7.11, 2017두38874).

#모_가수_병역면탈_재외동포_사증(VISA)발급거부 #사증발급거부_권익제한×_행정절차법_적용×
#사증발급거부_출입국관리법령_작성규정×_행정절차법_적용

2 일반원칙

1. 목적

간단 점검하기

02 행정절차법에 신의성실에 대한 규정은 있으나 신뢰보호에 관한 규정은 없다. ( )
13. 서울시 7급, 12. 서울시 9급

> 행정절차법 제1조【목적】 이 법은 행정절차에 관한 공통적인 사항을 규정하여 국민의 행정 참여를 도모함으로써 행정의 공정성 · 투명성 및 신뢰성을 확보하고 국민의 권익을 보호함을 목적으로 한다.

01 × 02 ×

2. 신의성실 및 신뢰보호의 원칙

행정절차법 제4조【신의성실 및 신뢰보호】① 행정청은 직무를 수행할 때 신의(信義)에 따라 성실히 하여야 한다.
② 행정청은 법령 등의 해석 또는 행정청의 관행이 일반적으로 국민들에게 받아들여졌을 때에는 공익 또는 제3자의 정당한 이익을 현저히 해칠 우려가 있는 경우를 제외하고는 새로운 해석 또는 관행에 따라 소급하여 불리하게 처리하여서는 아니 된다.

3. 투명성의 원칙

행정절차법 제5조【투명성】① 행정청이 행하는 행정작용은 그 내용이 구체적이고 명확하여야 한다.
② 행정작용의 근거가 되는 법령 등의 내용이 명확하지 아니한 경우 상대방은 해당 행정청에 그 해석을 요청할 수 있으며, 해당 행정청은 특별한 사유가 없으면 그 요청에 따라야 한다.
③ 행정청은 상대방에게 행정작용과 관련된 정보를 충분히 제공하여야 한다.

3 행정청의 관할 및 협조

1. 행정청의 관할

(1) 이송 및 통지

행정절차법 제6조【관할】① 행정청이 그 관할에 속하지 아니하는 사안을 접수하였거나 이송받은 경우에는 지체 없이 이를 관할 행정청에 이송하여야 하고 그 사실을 신청인에게 통지하여야 한다. 행정청이 접수하거나 이송받은 후 관할이 변경된 경우에도 또한 같다.

(2) 관할불명의 경우

행정절차법 제6조【관할】② 행정청의 관할이 분명하지 아니한 경우에는 해당 행정청을 공통으로 감독하는 상급 행정청이 그 관할을 결정하며, 공통으로 감독하는 상급 행정청이 없는 경우에는 각 상급 행정청이 협의하여 그 관할을 결정한다.

2. 행정청 간의 협조

행정절차법 제7조【행정청 간의 협조】행정청은 행정의 원활한 수행을 위하여 서로 협조하여야 한다.

간단 점검하기

01 행정절차법 제4조에 의하면 행정청은 법령 등의 해석 또는 행정청의 관행이 일반적으로 국민들에게 받아들여졌을 때에는 공익 또는 제3자의 정당한 이익을 현저히 해칠 우려가 있는 경우를 제외하고는 새로운 해석 또는 관행에 따라 소급하여 불리하게 처리하여서는 아니 된다. ( ) 17. 경찰행정

간단 점검하기

02 행정작용의 근거가 되는 법령 등의 내용이 명확하지 아니한 경우 상대방은 당해 행정청에 대하여 그 해석을 요청할 수 있다. ( ) 10. 국가직 7급

간단 점검하기

03 행정절차법상 행정청의 관할이 분명하지 아니한 경우에는 해당 행정청을 공통으로 감독하는 상급 행정청이 그 관할을 결정하며, 공통으로 감독하는 상급행정청이 없는 경우에는 당해 행정청의 협의로 그 관할을 결정한다. ( ) 17. 경찰행정

01 ○ 02 ○ 03 ×

3. 행정응원

(1) 개념

행정응원은 재해 · 사변 그 밖의 비상시에 처하여 하나의 행정청의 고유한 기능만으로는 행정목적을 달성할 수 없을 때에, 행정청의 청구에 의하거나 자발적으로 그 기능의 전부 또는 일부로써 타 행정청을 원조하는 것을 말한다.

(2) 요청 · 거부

> 행정절차법 제8조 【행정응원】 ① 행정청은 다음 각 호의 어느 하나에 해당하는 경우에는 다른 행정청에 행정응원(行政應援)을 요청할 수 있다.
> 1. 법령 등의 이유로 독자적인 직무 수행이 어려운 경우
> 2. 인원 · 장비의 부족 등 사실상의 이유로 독자적인 직무 수행이 어려운 경우
> 3. 다른 행정청에 소속되어 있는 전문기관의 협조가 필요한 경우
> 4. 다른 행정청이 관리하고 있는 문서(전자문서를 포함한다. 이하 같다) · 통계 등 행정자료가 직무 수행을 위하여 필요한 경우
> 5. 다른 행정청의 응원을 받아 처리하는 것이 보다 능률적이고 경제적인 경우
>
> ② 제1항에 따라 행정응원을 요청받은 행정청은 다음 각 호의 어느 하나에 해당하는 경우에는 응원을 거부할 수 있다.
> 1. 다른 행정청이 보다 능률적이거나 경제적으로 응원할 수 있는 명백한 이유가 있는 경우
> 2. 행정응원으로 인하여 고유의 직무 수행이 현저히 지장받을 것으로 인정되는 명백한 이유가 있는 경우
>
> ③ 행정응원은 해당 직무를 직접 응원할 수 있는 행정청에 요청하여야 한다.
> ④ 행정응원을 요청받은 행정청은 응원을 거부하는 경우 그 사유를 응원을 요청한 행정청에 통지하여야 한다.

(3) 지휘 · 감독

> 행정절차법 제8조 【행정응원】 ⑤ 행정응원을 위하여 파견된 직원은 응원을 요청한 행정청의 지휘 · 감독을 받는다. 다만, 해당 직원의 복무에 관하여 다른 법령 등에 특별한 규정이 있는 경우에는 그에 따른다.

(4) 비용부담

> 행정절차법 제8조 【행정응원】 ⑥ 행정응원에 드는 비용은 응원을 요청한 행정청이 부담하며, 그 부담금액 및 부담방법은 응원을 요청한 행정청과 응원을 하는 행정청이 협의하여 결정한다.

간단 점검하기

행정청이 다른 행정청에 행정응원을 요청하는 경우 행정응원에 소요되는 비용은 응원을 요청한 행정청이 부담한다. ( ) 11. 국회직 9급

○

4 행정절차의 당사자

1. 개념

(1) 당사자 등

행정청의 처분에 대하여 직접 그 상대가 되는 당사자와 행정청이 직권 또는 신청에 의하여 행정절차에 참여하게 한 이해관계인을 말한다.

> 행정절차법 제2조【정의】이 법에서 사용하는 용어의 뜻은 다음과 같다.
> 4. "당사자 등"이란 다음 각 목의 자를 말한다.
>   가. 행정청의 처분에 대하여 직접 그 상대가 되는 당사자
>   나. 행정청이 직권으로 또는 신청에 따라 행정절차에 참여하게 한 이해관계인

(2) 행정청

행정에 관한 의사를 결정하여 표시하는 국가 또는 지방자치단체의 기관 그 밖의 법령 또는 자치법규에 따라 행정권한을 가지고 있거나 위임 또는 위탁받은 공공단체 또는 그 기관이나 사인(私人)을 말한다.

> 행정절차법 제2조【정의】이 법에서 사용하는 용어의 뜻은 다음과 같다.
> 1. "행정청"이란 다음 각 목의 자를 말한다.
>   가. 행정에 관한 의사를 결정하여 표시하는 국가 또는 지방자치단체의 기관
>   나. 그 밖에 법령 또는 자치법규(이하 "법령 등"이라 한다)에 따라 행정권한을 가지고 있거나 위임 또는 위탁받은 공공단체 또는 그 기관이나 사인(私人)

2. 당사자 등의 자격

> 행정절차법 제9조【당사자 등의 자격】다음 각 호의 어느 하나에 해당하는 자는 행정절차에서 당사자 등이 될 수 있다.
> 1. 자연인
> 2. 법인, 법인이 아닌 사단 또는 재단(이하 "법인 등"이라 한다)
> 3. 그 밖에 다른 법령 등에 따라 권리·의무의 주체가 될 수 있는 자

3. 당사자 등의 지위승계와 통지

(1) 당연승계(포괄승계)

> 행정절차법 제10조【지위의 승계】① 당사자 등이 사망하였을 때의 상속인과 다른 법령 등에 따라 당사자등의 권리 또는 이익을 승계한 자는 당사자 등의 지위를 승계한다.
> ④ 처분에 관한 권리 또는 이익을 사실상 양수한 자는 행정청의 승인을 받아 당사자 등의 지위를 승계할 수 있다.

(2) 허가승계(특정승계)

> 행정절차법 제10조【지위의 승계】② 당사자 등인 법인 등이 합병하였을 때에는 합병 후 존속하는 법인 등이나 합병 후 새로 설립된 법인 등이 당사자 등의 지위를 승계한다.

간단 점검하기

01 행정절차법상 당사자 등에는 행정청이 직권으로 또는 신청에 따라 행정절차에 참여하게 한 이해관계인도 포함된다. ( ) 16. 서울시 7급

간단 점검하기

02 행정절차법상 법인이 아닌 재단은 당사자 등이 될 수 없다. ( )
18. 서울시 7급

01 ○ **02** ×

간단 점검하기

01 처분에 관한 권리 또는 이익을 사실상 양수한 자는 행정청의 승인을 받아 당사자 등의 지위를 승계할 수 있다. ( ) 14. 국가직 7급

간단 점검하기

02 행정절차법상 당사자 등은 당사자 등의 형제자매를 대리인으로 선임할 수 있다. ( ) 18. 서울시 7급

간단 점검하기

03 행정절차법상 다수의 대표자가 있는 경우 그중 1인에 대한 행정청의 통지는 모든 당사자 등에게 효력이 있다. ( ) 18. 서울시 7급

01 ○ 02 ○ 03 ×

(3) 통지

> 행정절차법 제10조【지위의 승계】③ 제1항 및 제2항에 따라 당사자 등의 지위를 승계한 자는 행정청에 그 사실을 통지하여야 한다.
> ⑤ 제3항에 따른 통지가 있을 때까지 사망자 또는 합병 전의 법인 등에 대하여 행정청이 한 통지는 제1항 또는 제2항에 따라 당사자 등의 지위를 승계한 자에게도 효력이 있다.

4. 대표자 · 대리인

(1) 대표자의 선정

> 행정절차법 제11조【대표자】① 다수의 당사자 등이 공동으로 행정절차에 관한 행위를 할 때에는 대표자를 선정할 수 있다.
> ② 행정청은 제1항에 따라 당사자 등이 대표자를 선정하지 아니하거나 대표자가 지나치게 많아 행정절차가 지연될 우려가 있는 경우에는 그 이유를 들어 상당한 기간 내에 3인 이내의 대표자를 선정할 것을 요청할 수 있다. 이 경우 당사자 등이 그 요청에 따르지 아니하였을 때에는 행정청이 직접 대표자를 선정할 수 있다.

(2) 대리인의 선임

> 행정절차법 제12조【대리인】① 당사자 등은 다음 각 호의 어느 하나에 해당하는 자를 대리인으로 선임할 수 있다.
> 1. 당사자 등의 배우자, 직계 존속 · 비속 또는 형제자매
> 2. 당사자 등이 법인 등인 경우 그 임원 또는 직원
> 3. 변호사
> 4. 행정청 또는 청문 주재자(청문의 경우만 해당한다)의 허가를 받은 자
> 5. 법령 등에 따라 해당 사안에 대하여 대리인이 될 수 있는 자
>
> ② 대리인에 관하여는 제11조 제3항 · 제4항 및 제6항을 준용한다.

(3) 변경 · 해임

> 행정절차법 제11조【대표자】③ 당사자 등은 대표자를 변경하거나 해임할 수 있다.

(4) 대표자 · 대리인의 권한 등

> 행정절차법 제11조【대표자】④ 대표자는 각자 그를 대표자로 선정한 당사자 등을 위하여 행정절차에 관한 모든 행위를 할 수 있다. 다만, 행정절차를 끝맺는 행위에 대하여는 당사자 등의 동의를 받아야 한다.
> ⑤ 대표자가 있는 경우에는 당사자 등은 그 대표자를 통하여서만 행정절차에 관한 행위를 할 수 있다.
> ⑥ 다수의 대표자가 있는 경우 그중 1인에 대한 행정청의 행위는 모든 당사자 등에게 효력이 있다. 다만, 행정청의 통지는 대표자 모두에게 하여야 그 효력이 있다.

관련판례 **변호사 - 대리인** ★★

행정절차법 제12조 제1항 제3호, 제2항, 제11조 제4항 본문에 따르면, 당사자 등은 변호사를 대리인으로 선임할 수 있고, 대리인으로 선임된 변호사는 당사자 등을 위하여 행정절차에 관한 모든 행위를 할 수 있다고 규정되어 있다. … 징계심의대상자가 선임한 변호사가 징계위원회에 출석하여 징계심의대상자를 위하여 필요한 의견을 진술하는 것은 방어권 행사의 본질적 내용에 해당하므로, 행정청은 특별한 사정이 없는 한 이를 거부할 수 없다(대판 2018.3.13, 2016두33339).

#변호사_행정절차_대리인 #징계위원회_의견진술_가능

(5) 대표자 · 대리인의 통지

> 행정절차법 제13조【대표자 · 대리인의 통지】① 당사자 등이 대표자 또는 대리인을 선정하거나 선임하였을 때에는 지체 없이 그 사실을 행정청에 통지하여야 한다. 대표자 또는 대리인을 변경하거나 해임하였을 때에도 또한 같다.
> ② 제1항에도 불구하고 제12조 제1항 제4호에 따라 청문 주재자가 대리인의 선임을 허가한 경우에는 청문 주재자가 그 사실을 행정청에 통지하여야 한다.

5 송달 및 기간 · 기한의 특례

1. 송달 방법

(1) 송달

> 행정절차법 제14조【송달】① 송달은 우편, 교부 또는 정보통신망 이용 등의 방법으로 하되, 송달받을 자(대표자 또는 대리인을 포함한다. 이하 같다)의 주소 · 거소(居所) · 영업소 · 사무소 또는 전자우편주소(이하 "주소 등"이라 한다)로 한다. 다만, 송달받을 자가 동의하는 경우에는 그를 만나는 장소에서 송달할 수 있다.

(2) 교부송달

> 행정절차법 제14조【송달】② 교부에 의한 송달은 수령확인서를 받고 문서를 교부함으로써 하며, 송달하는 장소에서 송달받을 자를 만나지 못한 경우에는 그 사무원 · 피용자(被傭者) 또는 동거인으로서 사리를 분별할 지능이 있는 사람(이하 이 조에서 "사무원 등"이라 한다)에게 문서를 교부할 수 있다. 다만, 문서를 송달받을 자 또는 그 사무원 등이 정당한 사유 없이 송달받기를 거부하는 때에는 그 사실을 수령확인서에 적고, 문서를 송달할 장소에 놓아둘 수 있다.

(3) 정보통신망에 의한 송달

> 행정절차법 제14조【송달】③ 정보통신망을 이용한 송달은 송달받을 자가 동의하는 경우에만 한다. 이 경우 송달받을 자는 송달받을 전자우편주소 등을 지정하여야 한다.

간단 점검하기

01 징계심의대상자가 선임한 변호사가 징계위원회에 출석하여 징계심의대상자를 위하여 필요한 의견을 진술하는 것은 방어권 행사의 본질적 내용에 해당하므로, 행정청은 특별한 사정이 없는 한 이를 거부할 수 없다. ( )
19. 서울시 9급

간단 점검하기

02 교부에 의한 송달은 수령확인서를 받고 문서를 교부함으로써 한다. ( )
14. 서울시 9급

03 행정절차법상 교부에 의한 송달은 수령확인서를 받고 문서를 교부함으로써 하며, 송달하는 장소에서 송달받을 자를 만나지 못한 경우에는 그 사무원 · 피용자 또는 동거인으로서 사리를 분별할 지능이 있는 사람에게 문서를 교부할 수 있다. ( )
17. 국가직 7급, 14. 서울시 9급

04 문서를 송달 받을 자 또는 그 사무원등이 정당한 사유 없이 송달 받기를 거부하는 때에는 그 사실을 수령확인서에 적고, 문서를 송달할 장소에 놓아둘 수 있다. ( ) 17. 국가직 7급

05 정보통신망을 이용한 송달은 송달받을 자가 동의하는 경우에만 한다. ( ) 18. 교육행정직

06 행정절차법상 정보통신망을 이용한 송달을 할 경우 행정청은 송달받을 자의 동의를 얻어 송달받을 전자우편주소 등을 지정하여야 한다. ( )
17. 국가직 7급

01 ○ 02 ○ 03 ○ 04 ○
05 ○ 06 ×

간단 점검하기

01 송달이 불가능한 경우에는 송달받을 자가 알기 쉽도록 관보, 공보, 게시판, 일간신문 중 하나 이상에 공고하고 인터넷에도 공고하여야 한다. ( ) 17. 국가직 7급

02 송달받을 자의 주소를 확인할 수 없는 경우에 한하여 고시 또는 공고의 방법에 의한다. ( ) 10. 서울시 9급

(4) 공시송달

행정절차법 제14조 【송달】 ④ 다음 각 호의 어느 하나에 해당하는 경우에는 송달받을 자가 알기 쉽도록 관보, 공보, 게시판, 일간신문 중 하나 이상에 공고하고 인터넷에도 공고하여야 한다.
1. 송달받을 자의 주소 등을 통상적인 방법으로 확인할 수 없는 경우
2. 송달이 불가능한 경우

(5) 기록보존

행정절차법 제14조 【송달】 ⑤ 행정청은 송달하는 문서의 명칭, 송달받는 자의 성명 또는 명칭, 발송방법 및 발송 연월일을 확인할 수 있는 기록을 보존하여야 한다.

간단 점검하기

03 행정절차법상 송달은 다른 법령 등에 특별한 규정이 있는 경우를 제외하고는 해당 문서가 송달받을 자에게 도달함으로써 효력이 발생하며, 전자문서로 송달하는 경우 송달받을 자가 지정한 컴퓨터 등에 입력된 후 인지하였을 때 도달된 것으로 본다. ( ) 14. 경찰행정

04 정보통신망을 이용하여 전자문서로 송달하는 경우에는 송달받을 자가 지정한 컴퓨터 등에 입력된 때에 도달된 것으로 본다. ( ) 18. 교육행정직

05 행정절차법에 따르면 송달이 불가능한 경우 등에는 다른 법령 등에 특별한 규정이 있는 경우를 제외하고는 공고일부터 14일이 경과한 때에 그 효력이 발생한다. ( ) 12. 지방직 9급

06 행정절차법 제14조 제4항(공시송달)의 경우에는 특별한 규정이 없다면 공고일로부터 7일이 지난 때 송달의 효력이 발생한다. ( ) 10. 서울시 9급

07 외국에 거주 또는 체류하는 자에 대한 송달의 효력발생일은 공고일로부터 30일이 경과한 때이다. ( ) 09. 지방직 9급

2. 송달의 효력발생

(1) 효력발생시기(도달주의)

행정절차법 제15조 【송달의 효력 발생】 ① 송달은 다른 법령 등에 특별한 규정이 있는 경우를 제외하고는 해당 문서가 송달받을 자에게 도달됨으로써 그 효력이 발생한다.

(2) 전자문서송달의 경우

행정절차법 제15조 【송달의 효력 발생】 ② 제14조 제3항에 따라 정보통신망을 이용하여 전자문서로 송달하는 경우에는 송달받을 자가 지정한 컴퓨터 등에 입력된 때에 도달된 것으로 본다.

(3) 관보 등 공고의 경우

행정절차법 제15조 【송달의 효력 발생】 ③ 제14조 제4항의 경우에는 다른 법령 등에 특별한 규정이 있는 경우를 제외하고는 공고일부터 14일이 지난 때에 그 효력이 발생한다. 다만, 긴급히 시행하여야 할 특별한 사유가 있어 효력 발생 시기를 달리 정하여 공고한 경우에는 그에 따른다.

3. 기간 및 기한의 특례

행정절차법 제16조 【기간 및 기한의 특례】 ① 천재지변이나 그 밖에 당사자 등에게 책임이 없는 사유로 기간 및 기한을 지킬 수 없는 경우에는 그 사유가 끝나는 날까지 기간의 진행이 정지된다.
② 외국에 거주하거나 체류하는 자에 대한 기간 및 기한은 행정청이 그 우편이나 통신에 걸리는 일수(日數)를 고려하여 정하여야 한다.

01 ○ 02 × 03 × 04 ○
05 ○ 06 × 07 ×

제3절 행정절차법의 주요내용

1 수익적 처분절차 및 침익적 처분절차에 공통된 사항

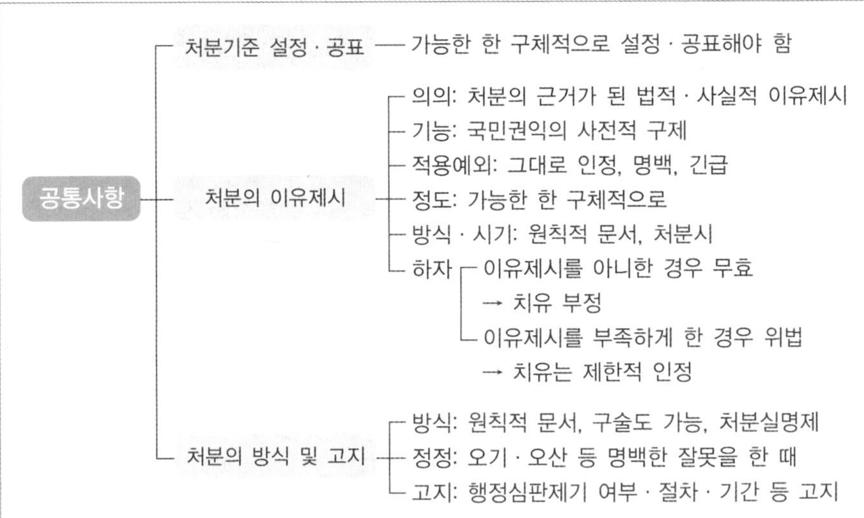

공통사항
처분기준 설정 · 공표 — 가능한 한 구체적으로 설정 · 공표해야 함
처분의 이유제시
의의: 처분의 근거가 된 법적 · 사실적 이유제시
기능: 국민권익의 사전적 구제
적용예외: 그대로 인정, 명백, 긴급
정도: 가능한 한 구체적으로
방식 · 시기: 원칙적 문서, 처분시
하자
이유제시를 아니한 경우 무효
→ 치유 부정
이유제시를 부족하게 한 경우 위법
→ 치유는 제한적 인정
처분의 방식 및 고지
방식: 원칙적 문서, 구술도 가능, 처분실명제
정정: 오기 · 오산 등 명백한 잘못을 한 때
고지: 행정심판제기 여부 · 절차 · 기간 등 고지

1. 처분기준의 설정 · 공표

(1) 의의 및 적용범위

처분기준의 설정의무는 재량행위와 기속행위에 모두 적용된다.

> 행정절차법 제20조【처분기준의 설정 · 공표】 ① 행정청은 필요한 처분기준을 해당 처분의 성질에 비추어 되도록 구체적으로 정하여 공표하여야 한다. 처분기준을 변경하는 경우에도 또한 같다.

(2) 처분기준 공표 예외

> 행정절차법 제20조【처분기준의 설정 · 공표】 ② 제1항에 따른 처분기준을 공표하는 것이 해당 처분의 성질상 현저히 곤란하거나 공공의 안전 또는 복리를 현저히 해치는 것으로 인정될 만한 상당한 이유가 있는 경우에는 처분기준을 공표하지 아니할 수 있다.

(3) 처분기준 설명요청

> 행정절차법 제20조【처분기준의 설정 · 공표】 ③ 당사자 등은 공표된 처분기준이 명확하지 아니한 경우 해당 행정청에 그 해석 또는 설명을 요청할 수 있다. 이 경우 해당 행정청은 특별한 사정이 없으면 그 요청에 따라야 한다.

(4) 처분기준의 효력

행정청은 처분의 기준을 가능한 한 구체적으로 정하여 공표하여야 한다. 그러지 못한 경우 절차상 하자가 되어 독립한 취소사유가 된다.

간단 점검하기

01 행정청은 필요한 처분기준을 해당 처분의 성질에 비추어 되도록 구체적으로 정하여 공표하여야 한다. 다만, 처분기준을 공표하는 것이 해당 처분의 성질상 현저히 곤란하거나 공공의 안전 또는 복리를 현저히 해치는 것으로 인정될 만한 상당한 이유가 있는 경우에는 처분기준을 공표하지 아니할 수 있다. ( ) 16. 경찰행정

02 당사자 등은 공표된 처분기준이 명확하지 아니한 경우 해당 행정청에 그 해석 또는 설명을 요청할 수 있으며, 이 경우 해당 행정청은 특별한 사정이 없으면 그 요청에 따라야 한다. ( ) 15. 서울시 9급

01 ○ 02 ○

2. 처분의 이유제시

(1) 의의

행정청은 처분시 그 당사자에게 그 근거와 이유를 제시하여야 한다(동법 제23조 제1항). 즉, 행정처분의 근거가 된 법적·사실적 이유를 처분 당시에 부기하도록 하는 것이다.

(2) 기능

이유제시제도는 국민의 절차적 권리의 핵심이자 행정절차의 본질적인 구성요소이다. 이유제시는 ① 자의억제기능 또는 신중배려확보기능, ② 행정쟁송제기편의제공기능, ③ 당사자만족기능(상대방에 대한 설득기능), ④ 행정결정과정공개기능(행정결정을 명확히 하는 기능) 등의 기능을 수행한다.

(3) 적용 예외(이유제시를 하지 않아도 되는 경우)

> 행정절차법 제23조【처분의 이유제시】① 행정청은 처분을 할 때에는 다음 각 호의 어느 하나에 해당하는 경우를 제외하고는 당사자에게 그 근거와 이유를 제시하여야 한다.
> 1. 신청 내용을 모두 그대로 인정하는 처분인 경우
> 2. 단순·반복적인 처분 또는 경미한 처분으로서 당사자가 그 이유를 명백히 알 수 있는 경우
> 3. 긴급히 처분을 할 필요가 있는 경우
>
> ② 행정청은 제1항 제2호 및 제3호의 경우에 처분 후 당사자가 요청하는 경우에는 그 근거와 이유를 제시하여야 한다.

(4) 이유제시의 정도

① 법령에 규정이 없으나 판례는 원칙적으로 처분의 사유를 이해할 수 있을 정도로 구체적으로 제시해야 한다고 한다.

② 다만, 이유제시의 기능에 비추어 쟁송이 가능할 정도로 기재한 이유도 위법은 아니라고 본다.

관련판례 위법한 경우

1 주류도매업면허 취소처분 ★★★

면허의 취소처분에는 그 근거가 되는 법령이나 취소권 유보의 부관 등을 명시하여야 함은 물론 처분을 받은 자가 어떠한 위반사실에 대하여 당해 처분이 있었는지를 알 수 있을 정도로 사실을 적시할 것을 요하며, … 세무서장인 피고가 주류도매업자인 원고에 대하여 한 이 사건 일반주류도매업면허취소통지에 "상기 주류도매장은 무면허 주류판매업자에게 주류를 판매하여 주세법 제11조 및 국세법사무처리규정 제26조에 의거 지정조건위반으로 주류판매면허를 취소합니다"라고만 되어 있어서 원고의 영업기간과 거래상대방 등에 비추어 원고가 어떠한 거래행위로 인하여 이 사건 처분을 받았는지 알 수 없게 되어 있다면 이 사건 면허취소처분은 위법하다(대판 1990.9.11, 90누1786).

#이유제시_위반사실_알수있을정도_사실적시 #6하원칙

간단 점검하기

01 행정절차법상 이유제시는 처분의 상대방에게 처분의 적법성을 보다 확신시켜 이를 수용하게 한다는 점에서 법원의 부담을 경감시켜주는 기능을 한다. ( ) 15. 국가직 7급

02 행정절차법은 행정청이 처분을 하는 때에는 당사자에게 그 근거와 이유를 제시하도록 이유제시원칙을 규정하고 있는바, 이러한 이유제시의 원칙은 상대방에게 부담을 주는 행정처분의 경우뿐만 아니라 수익적 행정행위의 거부에도 적용된다. ( ) 15. 사회복지직, 12. 지방직 9급

03 신청내용을 모두 그대로 인정하는 처분인 경우라 할지라도 이유 근거를 구체적으로 제시해야 할 행정청의 의무가 완화되는 것은 아니다. ( ) 18. 교육행정직

04 신청내용을 모두 그대로 인정하는 처분인 경우 이유제시의무가 면제되지만, 처분 후 당사자가 요청하는 경우에는 그 근거와 이유를 제시하여야 한다. ( ) 12. 국가직 9급

05 단순·반복적인 처분 또는 경미한 처분으로서 당사자가 그 이유를 명백히 알 수 있는 경우라 하더라도 처분 후 당사자가 요청하는 경우에는 행정청은 그 근거와 이유를 제시하여야 한다. ( ) 18. 국가직 9급

06 행정청은 긴급히 처분을 할 필요가 있는 경우 당사자에게 처분의 근거와 이유를 제시하지 않아도 되지만, 처분 후에는 당사자의 요청이 없어도 그 근거와 이유를 제시하여야 한다. ( ) 17. 서울시 7급

01 ○ 02 ○ 03 × 04 ×
05 ○ 06 ×

2 양도소득세(본세) 및 가산세부과처분 ★★★

하나의 납세고지서에 의하여 본세와 가산세를 함께 부과할 때에는 납세고지서에 본세와 가산세 각각의 세액과 산출근거 등을 구분하여 기재해야 하고, 또 여러 종류의 가산세를 함께 부과하는 경우에는 그 가산세 상호 간에도 종류별로 세액과 산출근거 등을 구분하여 기재함으로써 납세의무자가 납세고지서 자체로 각 과세처분의 내용을 알 수 있도록 하여야 한다. 따라서 가산세 부과처분이라고 하여 그 종류와 세액의 산출근거 등을 전혀 밝히지 아니한 채 가산세의 합계액만을 기재하였다면 그 부과처분은 위법하다(대판 2015.3.20, 2014두44434).

#양도소득세_가산세부과 #여러_과세_종류별_세액_구분_기재

관련판례 위법하지 아니한 경우

1 토지형질변경 불허가처분 ★★

[1] 행정절차법 제23조 제1항은 행정청은 처분을 하는 때에는 당사자에게 그 근거와 이유를 제시하여야 한다고 규정하고 있는바, 일반적으로 당사자가 근거규정 등을 명시하여 신청하는 인·허가 등을 거부하는 처분을 함에 있어 당사자가 그 근거를 알 수 있을 정도로 상당한 이유를 제시한 경우에는 당해 처분의 근거 및 이유를 구체적 조항 및 내용까지 명시하지 않았더라도 그로 말미암아 그 처분이 위법한 것이 된다고 할 수 없다.

[2] 행정청이 토지형질변경허가신청을 불허하는 근거규정으로 '도시계획법시행령 제20조'를 명시하지 아니하고 '도시계획법'이라고만 기재하였으나, 신청인이 자신의 신청이 개발제한구역의 지정목적에 현저히 지장을 초래하는 것이라는 이유로 구 도시계획법시행령(2000.7.1. 대통령령 제16891호로 전문 개정되기 전의 것) 제20조 제1항 제2호에 따라 불허된 것임을 알 수 있었던 경우, 그 불허처분이 위법하지 아니하다(대판 2002.5.17, 2000두8912).

#도시계획법시행령제20조_도시계획법 #적법

2 업무정지처분 ★★

행정절차법 제23조 제1항은 행정청이 처분을 하는 때에는 당사자에게 그 근거와 이유를 제시하도록 규정하고 있고, 이는 행정청의 자의적 결정을 배제하고 당사자로 하여금 행정구제절차에서 적절히 대처할 수 있도록 하는 데 그 취지가 있다. 따라서 처분서에 기재된 내용과 관계 법령 및 당해 처분에 이르기까지 전체적인 과정 등을 종합적으로 고려하여, 처분 당시 당사자가 어떠한 근거와 이유로 처분이 이루어진 것인지를 충분히 알 수 있어서 그에 불복하여 행정구제절차로 나아가는 데에 별다른 지장이 없었던 것으로 인정되는 경우에는 처분서에 처분의 근거와 이유가 구체적으로 명시되어 있지 않았다고 하더라도 그로 말미암아 그 처분이 위법한 것으로 된다고 할 수는 없다(대판 2013.11.14, 2011두18571).

#이유제시기능_불복구제 #불복구제_문제×_위법×

(5) 이유제시의 방식 · 시기

① 이유제시의 방식 및 시기에 관해서는 특별한 명문규정이 없다.

② 그러나 이유제시의 방식은 처분의 방식에 준하여야 할 것이므로 문서로 하여야 할 것이다.

③ 이유제시는 처분시에 하는 것을 원칙으로 하고 있다. 판례는 처분시에 이유제시가 없거나 미비하면 하자 있는 행위로 보고 있다.

간단 점검하기

01 당사자가 신청하는 허가 등을 거부하는 처분을 하면서 당사자가 그 근거를 알 수 있을 정도로 이유를 제시했다면 처분의 근거와 이유를 구체적으로 명시하지 않았더라도 당해 처분이 위법한 것은 아니다. ( ) 18. 지방직 9급

02 행정청이 토지형질변경허가신청을 불허하는 근거규정으로 도시계획법 시행령 제20조를 명시하지 아니하고 도시계획법이라고만 기재하였으나, 신청인이 자신의 신청이 개발제한구역의 지정목적에 현저히 지장을 초래하는 것이라는 이유로 구 도시계획법 시행령 제20조 제1항 제2호에 따라 불허된 것임을 알 수 있었던 경우에는 그 불허처분이 위법하지 않다. ( ) 17. 지방직 7급

03 처분 당시 당사자가 어떠한 근거와 이유로 처분이 이루어진 것인지 충분히 알 수 있어서 그에 불복하여 행정구제절차로 나아가는 데에 별다른 지장이 없었던 것으로 인정되는 경우에도 처분서에 처분의 근거와 이유가 구체적으로 명시되어 있지 않았다면, 그 처분은 위법한 것으로 된다. ( ) 16. 국회직 8급

간단 점검하기

04 이유제시는 처분의 상대방에게 제시된 이유에 대해 방어할 기회를 보장하기 위해 처분에 앞서 사전에 함이 원칙이다. ( ) 15. 국가직 7급

01 ○ 02 ○ 03 × 04 ×

(6) 이유제시의무의 하자

① 이유제시를 아니한 경우

㉠ 위법성의 인정(무효사유가 원칙, 일부 누락은 취소 사유)

㉡ 하자의 치유(추완) 가능성(학설은 긍정, 판례는 부정)

② 이유제시를 부족하게 한 경우

㉠ 위법성의 인정(취소사유가 원칙)

㉡ 하자의 치유(보완·정정·근거변경) 가능성(기본적 사실관계의 동일성이 인정되는 범위 내 인정)

간단 점검하기

01 판례에 의하면 처분청이 변상금 부과처분을 함에 있어서 그 납부고지서 또는 적어도 사전통지서에 그 산출근거를 밝히지 아니하였다면 위법하다고 한다. ( ) 12. 서울시 9급

관련판례 변상금 부과처분의 산출근거를 밝히지 않은 경우 - 위법○

국유재산 무단 점유자에 대하여 변상금을 부과함에 있어서 그 납부고지서에 일정한 사항을 명시하도록 요구한 위 시행령의 취지와 그 규정의 강행성 등에 비추어 볼 때, 처분청이 변상금 부과처분을 함에 있어서 그 납부고지서 또는 적어도 사전통지서에 그 산출근거를 밝히지 아니하였다면 위법한 것이다(대판 2000.10.13, 99두2239).

#변상금부과_산출근거×_위법

관련판례 조세법상 강행규정을 일부 누락한 경우 - 위법○

1 과세 산출근거를 누락한 경우 ★★★

국세징수법 제9조 제1항은 단순히 세무행정상의 편의를 위한 훈시규정이 아니라 조세행정에 있어 자의를 배제하고 신중하고 합리적인 처분을 행하게 함으로써 공정을 기함과 동시에 납세의무자에게 부과처분의 내용을 상세히 알려 불복여부의 결정과 불복신청에 편의를 제공하려는 데서 나온 강행규정이므로 세액의 산출근거가 기재되지 아니한 물품세 납세고지서에 의한 부과처분은 위법한 것으로서 취소의 대상이 된다(대판 1984.5.9, 84누116).

#국세징수법_강행규정 #이유제시_안함_무효 #산출근거_누락_취소

2 과세 기재사항 중 일부를 누락한 경우 ★★

지방세법 제1조 제1항 제5호, 제25조 제1항, 지방세법시행령 제8조 등 납세고지서에 관한 법령 규정들은 강행규정으로서 이들 법령이 요구하는 기재사항 중 일부를 누락시킨 하자가 있는 경우 이로써 그 부과처분은 위법하게 되지만, 이러한 납세고지서 작성과 관련한 하자는 그 고지서가 납세의무자에게 송달된 이상 과세처분의 본질적 요소를 이루는 것은 아니어서 과세처분의 취소사유가 됨은 별론으로 하고 당연무효의 사유로는 되지 아니한다(대판 1998.6.26, 96누12634).

#취득세부과_강행규정 #일부누락_본질적요소×_취소

간단 점검하기

02 세무서장이 주류도매업자에 대하여 일반주류도매업면허취소통지를 하면서 그 위반사실을 구체적으로 특정하지 아니한 것은 위법하다는 것이 판례의 입장이다. ( ) 12. 국가직 9급

3 세무서장인 피고가 주류도매업자인 원고에 대하여 한 이 사건 일반주류도매업면허 취소통지에 "상기 주류도매장은 무면허 주류판매업자에게 주류를 판매하여 주세법 제11조 및 국세법사무처리규정 제26조에 의거 지정조건위반으로 주류판매면허를 취소합니다."라고만 되어 있어서 원고의 영업기간과 거래상대방 등에 비추어 원고가 어떠한 거래행위로 인하여 이 사건 처분을 받았는지 알 수 없게 되어 있다면 이 사건 면허취소처분은 위법하다(대판 1990.9.11, 90누1786).

01 ○ 02 ○

3. 처분의 방식

(1) 원칙적 문서주의(구술 가능)

행정절차법 제24조【처분의 방식】① 행정청이 처분을 할 때에는 다른 법령 등에 특별한 규정이 있는 경우를 제외하고는 문서로 하여야 하며, 전자문서로 하는 경우에는 당사자 등의 동의가 있어야 한다. 다만, 신속히 처리할 필요가 있거나 사안이 경미한 경우에는 말 또는 그 밖의 방법으로 할 수 있다. 이 경우 당사자가 요청하면 지체 없이 처분에 관한 문서를 주어야 한다.

관련판례

행정절차법 제24조는, 행정청이 처분을 하는 때에는 다른 법령 등에 특별한 규정이 있는 경우를 제외하고는 문서로 하여야 하고 전자문서로 하는 경우에는 당사자 등의 동의가 있어야 하며, 다만 신속을 요하거나 사안이 경미한 경우에는 구술 기타 방법으로 할 수 있다고 규정하고 있는데, 이는 행정의 공정성·투명성 및 신뢰성을 확보하고 국민의 권익을 보호하기 위한 것이므로 위 규정을 위반하여 행하여진 행정청의 처분은 하자가 중대하고 명백하여 원칙적으로 무효이다(대판 2011.11.10, 2011도11109).

관련판례 **운전면허정지처분** ★★

면허관청이 운전면허정지처분을 하면서 별지 52호 서식의 통지서에 의하여 면허정지사실을 통지하지 아니하거나 처분집행예정일 7일 전까지 이를 발송하지 아니한 경우에는 특별한 사정이 없는 한 위 관계 법령이 요구하는 절차·형식을 갖추지 아니한 조치로서 그 효력이 없고, 이와 같은 법리는 면허관청이 임의로 출석한 상대방의 편의를 위하여 구두로 면허정지사실을 알렸다고 하더라도 마찬가지이다(대판 1996.6.14, 95누17823).

#운전면허취소처분_문서주의 #구두_무효

(2) 처분실명제

행정절차법 제24조【처분의 방식】② 처분을 하는 문서에는 그 처분 행정청과 담당자의 소속·성명 및 연락처(전화번호, 팩스번호, 전자우편주소 등을 말한다)를 적어야 한다.

4. 처분의 정정 및 고지

(1) 처분의 정정

행정절차법 제25조【처분의 정정】행정청은 처분에 오기(誤記), 오산(誤算) 또는 그 밖에 이에 준하는 명백한 잘못이 있을 때에는 직권으로 또는 신청에 따라 지체 없이 정정하고 그 사실을 당사자에게 통지하여야 한다.

간단 점검하기

01 행정청이 처분을 할 때에는 다른 법령 등에 특별한 규정이 있는 경우를 제외하고는 문서로 하여야 하며, 전자문서로 하는 경우에는 당사자 등의 동의가 있어야 한다. 다만, 신속히 처리할 필요가 있거나 사안이 경미한 경우에는 말 또는 그 밖의 방법으로 할 수 있다. ( ) 13. 지방직 9급

간단 점검하기

02 처분의 방식으로 문서주의를 규정한 행정절차법 제24조를 위반하여 행하여진 행정청의 처분은 원칙적으로 무효이다. ( ) 16. 서울시 7급, 14. 지방직 7급

간단 점검하기

03 행정청은 처분에 오기, 오산 또는 그 밖에 이에 준하는 명백한 잘못이 있을 때에는 직권으로 또는 신청에 따라 지체 없이 정정하고 그 사실을 당사자에게 통지하여 한다. ( ) 17. 경찰행정

01 ○ 02 ○ 03 ○

(2) 처분의 고지

> 행정절차법 제26조 【고지】 행정청이 처분을 할 때에는 당사자에게 그 처분에 관하여 행정심판 및 행정소송을 제기할 수 있는지 여부, 그 밖에 불복을 할 수 있는지 여부, 청구절차 및 청구기간, 그 밖에 필요한 사항을 알려야 한다.

간단 점검하기

01 행정청이 처분을 하는 때에는 당사자에게 그 처분에 관하여 행정심판 및 행정소송을 제기할 수 있는지 여부, 그 밖에 불복을 할 수 있는지 여부, 청구절차 및 청구기간, 그 밖의 필요한 사항을 알려야 한다. ( ) 14. 경찰행정

2 신청에 의한 처분절차(수익적 처분의 절차)

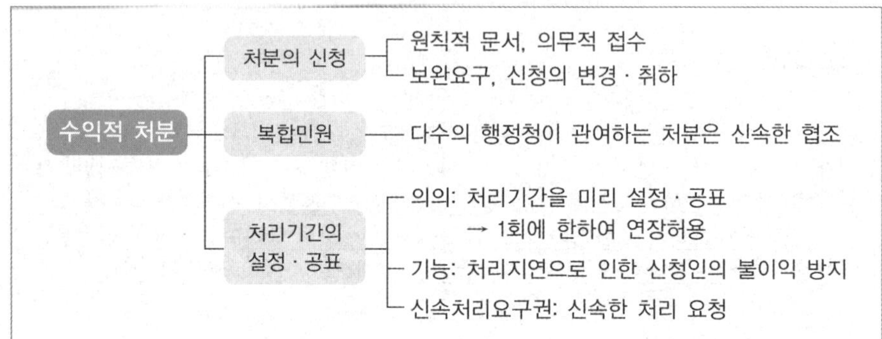

1. 처분의 신청

(1) 원칙적 문서주의

> 행정절차법 제17조 【처분의 신청】 ① 행정청에 처분을 구하는 신청은 문서로 하여야 한다. 다만, 다른 법령 등에 특별한 규정이 있는 경우와 행정청이 미리 다른 방법을 정하여 공시한 경우에는 그러하지 아니하다.
> ② 제1항에 따라 처분을 신청할 때 전자문서로 하는 경우에는 행정청의 컴퓨터 등에 입력된 때에 신청한 것으로 본다.

간단 점검하기

02 행정청에 대하여 처분을 구하는 신청은 원칙적으로 문서로 하여야 한다. ( ) 16. 서울시 9급

03 행정청에 처분을 구하는 신청을 전자문서로 하는 경우에는 행정청의 컴퓨터 등에 입력된 때에 신청한 것으로 본다. ( ) 18. 서울시 9급

관련판례 신청의 의사표시 ★

신청인의 행정청에 대한 신청의 의사표시는 명시적이고 확정적인 것이어야 한다고 할 것이므로 신청인이 신청에 앞서 행정청의 허가업무 담당자에게 신청서의 내용에 대한 검토를 요청한 것만으로는 다른 특별한 사정이 없는 한 명시적이고 확정적인 신청의 의사표시가 있었다고 하기 어렵다(대판 2004.9.24, 2003두13236).
#신청_의사표시_명시적 · 확정적 #검토요청_신청×

간단 점검하기

04 신청인이 신청에 앞서 행정청의 허가업무 담당자에게 신청서의 내용에 대한 검토를 요청한 것만으로는 다른 특별한 사정이 없는 한 명시적이고 확정적인 신청의 의사표시가 있었다고 하기 어렵다. ( ) 16. 국가직 7급

(2) 필요 서류 등 게시

> 행정절차법 제17조 【처분의 신청】 ③ 행정청은 신청에 필요한 구비서류, 접수기관, 처리기간, 그 밖에 필요한 사항을 게시(인터넷 등을 통한 게시를 포함한다)하거나 이에 대한 편람을 갖추어 두고 누구나 열람할 수 있도록 하여야 한다.

간단 점검하기

05 행정청에 처분을 구하는 신청은 문서로 함이 원칙이며, 행정청은 신청에 필요한 구비서류, 접수기관, 처리기간 그 밖에 필요한 사항을 게시하거나 이에 때한 편람을 갖추어 두고 누구나 열람할 수 있도록 하여야 한다. ( ) 17. 지방직 9급

01 ○ 02 ○ 03 ○ 04 ○ 05 ○

(3) 의무적 접수(접수증 발급)

행정절차법 제17조【처분의 신청】④ 행정청은 신청을 받았을 때에는 다른 법령 등에 특별한 규정이 있는 경우를 제외하고는 그 접수를 보류 또는 거부하거나 부당하게 되돌려 보내서는 아니 되며, 신청을 접수한 경우에는 신청인에게 접수증을 주어야 한다. 다만, 대통령령으로 정하는 경우에는 접수증을 주지 아니할 수 있다.

행정절차법 시행령 제9조【접수증】법 제17조 제4항 단서에서 "대통령령이 정하는 경우"라 함은 다음 각 호의 1에 해당하는 신청의 경우를 말한다.
1. 구술·우편 또는 정보통신망에 의한 신청
2. 처리기간이 "즉시"로 되어 있는 신청
3. 접수증에 갈음하는 문서를 주는 신청

(4) 신청의 보완 요구

행정절차법 제17조【처분의 신청】⑤ 행정청은 신청에 구비서류의 미비 등 흠이 있는 경우에는 보완에 필요한 상당한 기간을 정하여 지체 없이 신청인에게 보완을 요구하여야 한다.

(5) 보완이 없는 경우 이유를 명시하여 반려

행정절차법 제17조【처분의 신청】⑥ 행정청은 신청인이 제5항에 따른 기간 내에 보완을 하지 아니하였을 때에는 그 이유를 구체적으로 밝혀 접수된 신청을 되돌려 보낼 수 있다.

(6) 신청의 보완·변경·취하

행정절차법 제17조【처분의 신청】⑧ 신청인은 처분이 있기 전에는 그 신청의 내용을 보완·변경하거나 취하(取下)할 수 있다. 다만, 다른 법령 등에 특별한 규정이 있거나 그 신청의 성질상 보완·변경하거나 취하할 수 없는 경우에는 그러하지 아니하다.

(7) 다른 행정청에 접수

행정절차법 제17조【처분의 신청】⑦ 행정청은 신청인의 편의를 위하여 다른 행정청에 신청을 접수하게 할 수 있다. 이 경우 행정청은 다른 행정청에 접수할 수 있는 신청의 종류를 미리 정하여 공시하여야 한다.

간단 점검하기

01 신청에 대해 서류 등이 미비할 경우, 바로 접수를 거부할 수 있다. ( )
18. 소방직 9급

간단 점검하기

02 신청인은 신청서가 일단 접수되면, 신청한 내용을 보완하거나 변경 또는 취하할 수 없다. ( ) 18. 소방직 9급

01 × 02 ×

2. 다수의 행정청이 관여하는 처분

> 행정절차법 제18조【다수의 행정청이 관여하는 처분】 행정청은 다수의 행정청이 관여하는 처분을 구하는 신청을 접수한 경우에는 관계 행정청과의 신속한 협조를 통하여 그 처분이 지연되지 아니하도록 하여야 한다.

3. 처리기간의 설정 · 공표

> 행정절차법 제19조【처리기간의 설정 · 공표】 ① 행정청은 신청인의 편의를 위하여 처분의 처리기간을 종류별로 미리 정하여 공표하여야 한다.
> ② 행정청은 부득이한 사유로 제1항에 따른 처리기간 내에 처분을 처리하기 곤란한 경우에는 해당 처분의 처리기간의 범위에서 한 번만 그 기간을 연장할 수 있다.
> ③ 행정청은 제2항에 따라 처리기간을 연장할 때에는 처리기간의 연장 사유와 처리 예정 기한을 지체 없이 신청인에게 통지하여야 한다.
> ④ 행정청이 정당한 처리기간 내에 처리하지 아니하였을 때에는 신청인은 해당 행정청 또는 그 감독 행정청에 신속한 처리를 요청할 수 있다.

간단 점검하기

01 행정청은 신청인의 편의를 위하여 처분의 처리기간을 종류별로 미리 정하여 공표하여야 한다. ( ) 14. 경찰행정

02 행정청은 부득이한 사유로 공표한 처리기간 내에 처분을 처리하기 곤란한 경우에는 해당 처분의 처리기간의 범위에서 한 번만 그 기간을 연장할 수 있다. ( ) 16. 지방직 9급

03 행정청이 정당한 처리기간 내에 처리하지 아니하였을 때에는 신청인은 해당 행정청 또는 그 감독 행정청에 신속한 처리를 요청할 수 있다. ( ) 17. 국가직 9급

3 불이익 처분의 절차

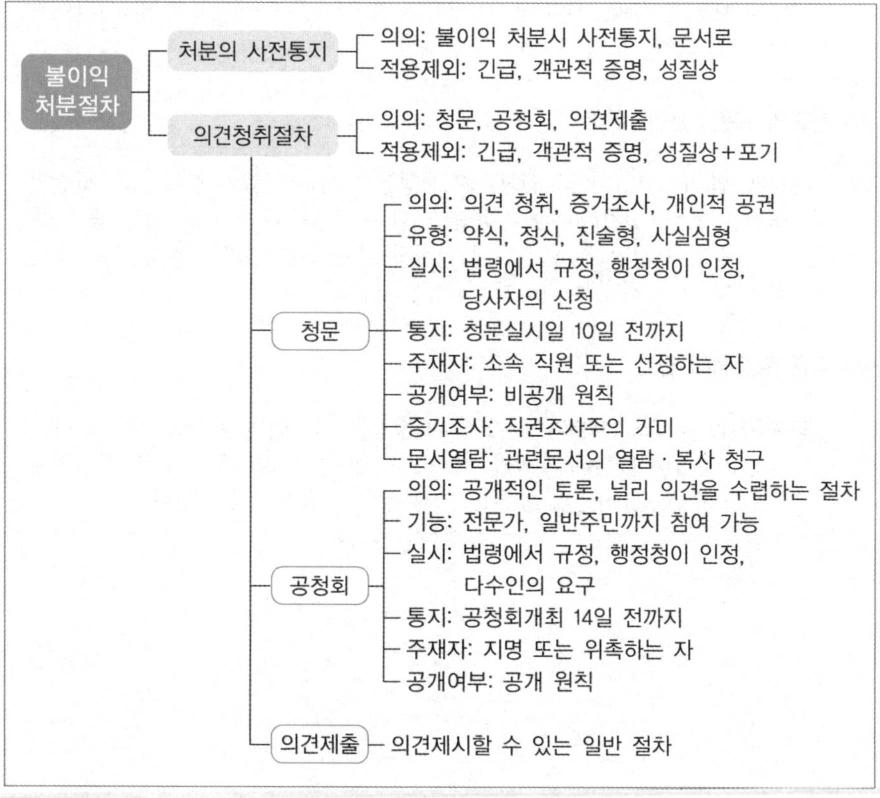

01 ○ 02 ○ 03 ○

1. 처분의 사전통지

(1) 의의 및 성질

① **의의 및 사전통지 사항**: 행정청은 당사자에게 의무를 과하거나 권익을 제한하는 처분을 하는 경우에 일정한 사항을 기재한 문서로 미리 당사자에게 통지하여야 한다(행정절차법 제21조 제1항). 행정처분이 사전통지 된 후에는 의견제출 · 청문 · 공청회 등의 의견청취절차를 거치게 된다.

> 행정절차법 제21조【처분의 사전통지】① 행정청은 당사자에게 의무를 부과하거나 권익을 제한하는 처분을 하는 경우에는 미리 다음 각 호의 사항을 당사자 등에게 통지하여야 한다.
> 1. 처분의 제목
> 2. 당사자의 성명 또는 명칭과 주소
> 3. 처분하려는 원인이 되는 사실과 처분의 내용 및 법적 근거
> 4. 제3호에 대하여 의견을 제출할 수 있다는 뜻과 의견을 제출하지 아니하는 경우의 처리방법
> 5. 의견제출기관의 명칭과 주소
> 6. 의견제출기한
> 7. 그 밖에 필요한 사항

② **개인적 공권**: 처분의 사전통지는 당사자의 이익을 보호하는 데에 그 취지가 있는바, 사전통지를 받는 것은 절차적 권리로서 당사자의 개인적 공권으로서 보호된다.

(2) 사전통지 기간

> 행정절차법 제21조【처분의 사전통지】② 행정청은 청문을 하려면 청문이 시작되는 날부터 10일 전까지 제1항 각 호의 사항을 당사자 등에게 통지하여야 한다. 이 경우 제1항 제4호부터 제6호까지의 사항은 청문 주재자의 소속 · 직위 및 성명, 청문의 일시 및 장소, 청문에 응하지 아니하는 경우의 처리방법 등 청문에 필요한 사항으로 갈음한다.
> ③ 제1항 제6호에 따른 기한은 의견제출에 필요한 기간을 10일 이상으로 고려하여 정하여야 한다.

(3) 사전통지 생략 사유

① **사전통지를 아니할 수 있는 경우**

> 행정절차법 제21조【처분의 사전통지】④ 다음 각 호의 어느 하나에 해당하는 경우에는 제1항에 따른 통지를 하지 아니할 수 있다.
> 1. 공공의 안전 또는 복리를 위하여 긴급히 처분을 할 필요가 있는 경우
> 2. 법령 등에서 요구된 자격이 없거나 없어지게 되면 반드시 일정한 처분을 하여야 하는 경우에 그 자격이 없거나 없어지게 된 사실이 법원의 재판 등에 의하여 객관적으로 증명된 경우
> 3. 해당 처분의 성질상 의견청취가 현저히 곤란하거나 명백히 불필요하다고 인정될 만한 상당한 이유가 있는 경우

간단 점검하기

01 처분의 사전통지는 의무를 부과하거나 권익을 침해하는 처분에 한정된다. ( ) 08. 지방직 7급

02 행정청은 당사자 등에게 의무를 면제하거나 권익을 부여하는 처분을 하는 경우에도 사전통지의무를 진다. ( ) 10. 지방직 7급

03 상대방의 귀책사유로 야기된 처분의 하자를 이유로 수익적 행정행위를 취소하는 경우에는 특별한 규정이 없는 한 행정절차법상 사전통지의 대상이 되지 않는다. ( ) 16. 국가직 9급

간단 점검하기

04 행정청은 공공의 안전 또는 복리를 위하여 긴급히 처분을 할 필요가 있는 경우, 당사자에게 의무를 부과하거나 권익을 제한하는 서분의 사진통지를 하지 아니할 수 있다. ( ) 16. 경찰행정

05 법령에서 요구된 자격이 없어지게 되면 반드시 일정한 처분을 하여야 하는 경우에 그 자격이 없어지게 된 사실이 법원의 재판에 의하여 객관적으로 증명된 경우에는 행정청의 사전통지의무가 면제될 수 있다. ( ) 15. 국가직 7급

01 ○ 02 × 03 × 04 ○ 05 ○

⑤ 처분의 전제가 되는 사실이 법원의 재판 등에 의하여 객관적으로 증명된 경우 등 제4항에 따른 사전 통지를 하지 아니할 수 있는 구체적인 사항은 대통령령으로 정한다.
⑥ 제4항에 따라 사전 통지를 하지 아니하는 경우 행정청은 처분을 할 때 당사자 등에게 통지를 하지 아니한 사유를 알려야 한다. 다만, 신속한 처분이 필요한 경우에는 처분 후 그 사유를 알릴 수 있다.
⑦ 제6항에 따라 당사자 등에게 알리는 경우에는 제24조를 준용한다.

② **사전통지를 아니하는 경우 의견청취의무도 면제**

행정절차법 제22조【의견청취】④ 제1항부터 제3항까지의 규정에도 불구하고 제21조 제4항 각 호의 어느 하나에 해당하는 경우와 당사자가 의견진술의 기회를 포기한다는 뜻을 명백히 표시한 경우에는 의견청취를 하지 아니할 수 있다.

(4) 사전통지 대상 여부 문제되는 것

① **거부처분의 경우**: 수익적 행정처분의 신청을 행정청이 거부하는 처분의 경우 행정절차법 제21조상의 사전통지를 해야 하는 것인지 문제되나, 판례는 이를 침익적 처분이 아니라고 보아 사전통지의 대상이 아니라고 한다.

관련판례 인천대학교원임용거부처분 ★★★

행정절차법 제21조 제1항은 행정청은 당사자에게 의무를 과하거나 권익을 제한하는 처분을 하는 경우에는 미리 처분의 제목, 당사자의 성명 또는 명칭과 주소, 처분하고자 하는 원인이 되는 사실과 처분의 내용 및 법적 근거, 그에 대하여 의견을 제출할 수 있다는 뜻과 의견을 제출하지 아니하는 경우의 처리방법, 의견제출기관의 명칭과 주소, 의견제출기한 등을 당사자 등에게 통지하도록 하고 있는바, 신청에 따른 처분이 이루어지지 아니한 경우에는 아직 당사자에게 권익이 부과되지 아니하였으므로 특별한 사정이 없는 한 신청에 대한 거부처분이라고 하더라도 직접 당사자의 권익을 제한하는 것은 아니어서 신청에 대한 거부처분을 여기에서 말하는 '당사자의 권익을 제한하는 처분'에 해당한다고 할 수 없는 것이어서 처분의 사전통지대상이 된다고 할 수 없다(대판 2003.11.28, 2003두674 ; 대판 2017.11.23, 2014두1628).
#침익적처분_사전통지 #수익처분거부_침익처분× #항만시설사용허가신청_거부

② **수리를 요하는 신고(지위승계신고) 거부의 경우**: 영업자지위승계신고를 수리하는 경우 종전의 영업자의 권익을 제한하는 처분이므로 종전 영업자에게 사전통지 등의 절차를 거쳐야 한다.

관련판례 유흥주점영업자지위승계수리 거부 ★★★

행정청이 구 식품위생법 규정에 의하여 영업자지위승계신고를 수리하는 처분은 종전의 영업자의 권익을 제한하는 처분이라 할 것이고 따라서 종전의 영업자는 그 처분에 대하여 직접 그 상대가 되는 자에 해당한다고 봄이 상당하므로, 행정청으로서는 위 신고를 수리하는 처분을 함에 있어서 행정절차법 규정 소정의 당사자에 해당하는 종전의 영업자에 대하여 위 규정 소정의 행정절차를 실시하고 처분을 하여야 한다(대판 2003.2.14, 2001두7015 ; 2012.12.13, 2011두29144).
#지위승계신고_수리 #거부_전영업자_권익침해 #유원시설업_체육시설업_지위승계

간단 점검하기

01 건축허가청은 건축허가신청에 대하여 건축불허가처분을 하는 경우 미리 처분의 제목과 처분하려는 원인이 되는 사실과 처분의 내용 및 법적 근거를 당사자등에게 통지하여야 한다.
( ) 17. 국가직 7급

02 신청에 따른 처분이 이루어지지 않은 경우에는 아직 당사자에게 권익이 부과되지 않았으므로 특별한 사정이 없는 한 신청에 대한 거부처분이라고 하더라도 직접 당사자의 권익을 제한하는 것은 아니라 할 것이므로 처분의 사전통지대상이 되지 않는다. ( )
18. 경찰행정

간단 점검하기

03 공매를 통하여 체육시설을 인수한 자의 체육시설업자 지위승계신고를 수리하는 경우, 종전 체육시설업자에게 사전에 통지하여 의견제출기회를 주어야 한다. ( ) 19. 국가직 9급

04 행정청에 의한 구 식품위생법상의 영업자지위승계신고를 수리하는 처분은 종전의 영업자에 대하여 다소 권익을 침해하는 효과가 발생한다고 하더라도 행정절차법상 사전통지를 거쳐야 하는 대상이 아니다. ( )
17. 국가직 9급, 15. 지방직 9급·국가직 7급

01 × 02 ○ 03 ○ 04 ×

③ **고시에 의한 처분(일반처분)의 경우:** 고시에 의해 불특정 다수인에게 의무를 부과하거나 권익을 제한하는 처분은 상대방을 특정할 수 없으므로 행정절차법 제22조 제3항에 의한 상대방에게 의견제출의 기회를 주어야 하는 것은 아니라는 것이 판례의 입장이다.

관련판례

1 요양급여규칙 ★★★

'고시'의 방법으로 불특정 다수인을 상대로 의무를 부과하거나 권익을 제한하는 처분은 성질상 의견제출의 기회를 주어야 하는 상대방을 특정할 수 없으므로, 이와 같은 처분에 있어서까지 구 행정절차법 제22조 제3항에 의하여 그 상대방에게 의견제출의 기회를 주어야 한다고 해석할 것은 아니다(대판 2014.10.27, 2012두7745).

#요양급여_상대가치점수_고시 #상대방_특정_불가 #의견제출기회_부여_불가

2 도로구역변경고시 ★★

도로구역을 변경한 이 사건 처분은 행정절차법 제21조 제1항의 사전통지나 제22조 제3항의 의견청취의 대상이 되는 처분은 아니라고 할 것이다(대판 2008.6.12, 2007두1767).

#도로구역변경고시_의견청취대상_아님

(5) 사전통지하지 않은 경우 하자의 정도

행정청이 침익적 처분을 하면서 사전통지하지 않은 경우 사전통지 예외 사유에 해당하지 않는 한 위법한 처분이 되며 취소할 수 있다는 것이 판례의 입장이다.

관련판례 사전통지를 하지 않은 경우 - 위법

1 정규임용취소처분 ★★

공무원임용 결격사유가 있어 시보임용처분을 취소하고 그에 따라 정규임용처분을 취소한 사안에서, 정규임용처분을 취소하는 처분은 성질상 행정절차를 거치는 것이 불필요하여 행정절차법의 적용이 배제되는 경우에 해당하지 않으므로, 그 처분을 하면서 사전통지를 하거나 의견제출의 기회를 부여하지 않은 것은 위법하다(대판 2009.1.30, 2008두16155).

#정규임용취소처분_행정절차예외사유_해당×

2 한국방송공사 사장 해임처분 ★★

한국방송공사 사장 해임에 관한 재량권 일탈·남용의 하자가 존재한다고 하더라도 그것이 중대·명백하지 않아 당연무효 사유에 해당하지 않고, 해임처분 과정에서 갑이 처분 내용을 사전에 통지받거나 그에 대한 의견제출 기회 등을 받지 못했고 해임처분시 법적 근거 및 구체적 해임 사유를 제시받지 못하였으므로 해임처분이 행정절차법에 위배되어 위법하지만, 절차나 처분형식의 하자가 중대하고 명백하다고 볼 수 없어 역시 당연무효가 아닌 취소 사유에 해당한다(대판 2012.2.23, 2011두5001).

#한국방송공사_사장_해임 #행정절차법_위배_중대명백×_취소

간단 점검하기

01 고시의 방법으로 불특정 다수인을 상대로 의무를 부과하거나 권익을 제한하는 처분은 행정절차법 제22조 제3항의 의견제출절차의 대상이 되는 처분이 아니다. ( )
15. 지방직 9급, 07. 지방직 7급

간단 점검하기

02 도로법상 도로구역의 결정·변경고시는 행정처분으로서 행정절차법 제21조 제1항의 사전통지나 제22조 제3항의 의견청취의 절차를 거쳐야 한다. ( ) 20. 국회직 8급

간단 점검하기

03 정규공무원으로 임용된 사람에게 시보임용처분 당시 지방공무원법에 정한 공무원임용 결격사유가 있어 시보임용처분을 취소하고 그에 따라 정규임용처분을 취소한 경우 정규임용처분을 취소하는 처분에 대하여서는 행정절차법의 규정이 적용된다. ( )
19. 국회직 8급

04 공기업 사장에 대한 해임처분 과정에서 처분내용을 사전에 통지받지 못했고 해임처분시 법적 근거 및 구체적 해임사유를 제시받지 못하였다면, 그 해임처분은 위법하지만 당연무효는 아니다. ( ) 17. 국가직 7급

01 ○ 02 × 03 ○ 04 ○

관련판례 **사전통지 예외에 해당하는지 여부**

1 **공사강행 우려** ★★★

[1] 사전통지를 하지 않거나 의견제출의 기회를 주지 아니하여도 되는 예외적인 경우에 해당하지 아니하는 한 그 처분은 위법하여 취소를 면할 수 없다.

[2] 건축법상의 공사중지명령에 대한 사전통지를 하고 의견제출의 기회를 준다면 많은 액수의 손실보상금을 기대하여 공사를 강행할 우려가 있다는 사정이 사전통지 및 의견제출절차의 예외사유에 해당하지 아니한다(대판 2004.5.28, 2004두1254).

#사전통지_결여_위법_취소 #공사강행_가능성_사전통지_예외사유×

2 **행정지도방식에 의한 사전고지 - 자진폐공약속** ★★★

행정청이 온천지구임을 간과하여 지하수개발 · 이용신고를 수리하였다가 행정절차법상의 사전통지를 하거나 의견제출의 기회를 주지 아니한 채 그 신고수리처분을 취소하고 원상복구명령의 처분을 한 경우, 행정지도방식에 의한 사전고지나 그에 따른 당사자의 자진 폐공의 약속 등의 사유만으로는 사전통지 등을 하지 않아도 되는 행정절차법 소정의 예외의 경우에 해당한다고 볼 수 없다는 이유로 그 처분은 위법하다(대판 2000.11.14, 99두5870).

#원상복구명령_사전절차_해당○ #행정지도(사전고지)_사전절차_해당×

간단 점검하기

01 건축법의 공사중지명령에 대한 사전통지를 하고 의견제출의 기회를 준다면 많은 액수의 손실보상금을 기대하여 공사를 강행할 우려가 있다는 사정은 사전통지 및 의견제출절차의 예외사유에 해당하지 아니한다. ( )

10. 지방직 7급

2. 의견청취절차

(1) 의의 및 종류

행정청이 불이익처분을 하기 전에 상대방에게 의견을 진술할 기회를 주고 이를 그 처분에 반영하는 절차를 말한다. 행정절차법상 의견청취절차로 청문, 공청회, 의견제출이 규정되어 있다.

(2) 의견청취절차 생략사유

행정절차법 제22조【의견청취】④ 제1항부터 제3항까지의 규정에도 불구하고 제21조 제4항 각 호의 어느 하나에 해당하는 경우와 당사자가 의견진술의 기회를 포기한다는 뜻을 명백히 표시한 경우에는 의견청취를 하지 아니할 수 있다.

제21조【처분의 사전 통지】④ 다음 각 호의 어느 하나에 해당하는 경우에는 제1항에 따른 통지를 하지 아니할 수 있다.

1. 공공의 안전 또는 복리를 위하여 긴급히 처분을 할 필요가 있는 경우
2. 법령 등에서 요구된 자격이 없거나 없어지게 되면 반드시 일정한 처분을 하여야 하는 경우에 그 자격이 없거나 없어지게 된 사실이 법원의 재판 등에 의하여 객관적으로 증명된 경우
3. 해당 처분의 성질상 의견청취가 현저히 곤란하거나 명백히 불필요하다고 인정될 만한 상당한 이유가 있는 경우

간단 점검하기

02 행정청이 당사자에게 의무를 과하거나 권익을 제한하는 처분을 하는 경우라도 당사자가 명백히 의견진출의 기회를 포기한다는 뜻을 표시한 경우에는 의견청취를 하지 않을 수 있다. ( ) 18. 국가직 9급

03 사전통지의무가 면제되는 경우에도 의견청취의무가 면제되는 것은 아니다. ( ) 10. 지방직 7급

04 행정청이 공공의 안전 또는 복리를 위하여 긴급히 처분을 할 필요가 있는 경우에는 의견청취를 하지 아니할 수 있다. ( ) 18. 서울시 9급

01 ○ 02 ○ 03 × 04 ○

관련판례 의견청취절차를 생략할 수 있는 경우 - 법령상 확정된 의무부과

퇴직연금 환수 ★★★

퇴직연금의 환수결정은 당사자에게 의무를 과하는 처분이기는 하나, 관련 법령에 따라 당연히 환수금액이 정하여지는 것이므로, 퇴직연금의 환수결정에 앞서 당사자에게 의견진술의 기회를 주지 아니하여도 행정절차법 제22조 제3항이나 신의칙에 어긋나지 아니한다(대판 2000.11.28, 99두5443).

#퇴직연금_환수_법_금액결정 #의견청취기회×

관련판례 의견청취절차를 생략할 수 없는 경우

1 청문통지서 반송 ★★★

[1] 행정절차법 제21조 제4항 제3호는 침해적 행정처분을 할 경우 청문을 실시하지 않을 수 있는 사유로서 "당해 처분의 성질상 의견청취가 현저히 곤란하거나 명백히 불필요하다고 인정될 만한 상당한 이유가 있는 경우"를 규정하고 있으나, 여기에서 말하는 '의견청취가 현저히 곤란하거나 명백히 불필요하다고 인정될 만한 상당한 이유가 있는지 여부'는 당해 행정처분의 성질에 비추어 판단하여야 하는 것이지, 청문통지서의 반송 여부, 청문통지의 방법 등에 의하여 판단할 것은 아니며, 또한 행정처분의 상대방이 통지된 청문일시에 불출석하였다는 이유만으로 행정청이 관계 법령상 그 실시가 요구되는 청문을 실시하지 아니한 채 침해적 행정처분을 할 수는 없을 것이므로, 행정처분의 상대방에 대한 청문통지서가 반송되었다거나, 행정처분의 상대방이 청문일시에 불출석하였다는 이유로 청문을 실시하지 아니하고 한 침해적 행정처분은 위법하다.

[2] 구 공중위생법(1999.2.8. 법률 제5839호 공중위생관리법 부칙 제2조로 폐지)상 유기장업허가취소처분을 함에 있어서 두 차례에 걸쳐 발송한 청문통지서가 모두 반송되어 온 경우, 행정절차법 제21조 제4항 제3호에 정한 청문을 실시하지 않아도 되는 예외 사유에 해당한다고 단정하여 당사자가 청문일시에 불출석하였다는 이유로 청문을 거치지 않고 이루어진 위 처분이 위법하다(대판 2001.4.13, 2000두3337).

#영업허가취소 #청문통지서_반송 #청문×_위법

2 위반사실 시인 ★★

현장조사(무단증축과 무단용도변경)에서 원고가 위반사실을 시인하였다거나 위반경위를 진술하였다는 사정만으로는 행정절차법 제21조 제4항 제3호가 정한 '의견청취가 현저히 곤란하거나 명백히 불필요하다고 인정될 만한 상당한 이유가 있는 경우'로서 처분의 사전통지를 하지 아니하여도 되는 경우에 해당한다고 볼 수도 없다. … 행정청인 피고가 침해적 행정처분인 이 사건 처분을 하면서 원고에게 행정절차법에 따른 적법한 사전통지를 하거나 의견제출의 기회를 부여하였다고 볼 수 없다(대판 2016.10.27, 2016두41811).

#무단증축_시정명령 #위반사실_시인_처분_사전통지×_의견제출기회_부여×

간단 점검하기

01 공무원연금관리공단의 퇴직연금의 환수결정은 관련법령에 따라 당연히 환수금액이 정해지는 것이므로, 퇴직연금의 환수결정에 앞서 당사자에게 의견진술의 기회를 주지 아니하여도 행정절차법에 위반되지 않는다. ( ) 19. 서울시 7급, 17. 국가직 9급, 15. 지방직 9급

02 판례는 법령상 확정된 의무부과의 경우에도 의견제출의 기회를 주어야 한다고 본다. ( ) 07. 국회직 8급

간단 점검하기

03 처분상대방이 이미 행정청에 위반사실을 시인하였다는 사정은 사전통지의 예외가 적용되는 의견청취가 현저히 곤란하거나 명백히 불필요하다고 인정될 만한 상당한 이유가 있는 경우에 해당한다. ( ) 17. 국가직 7급

01 ○ 02 × 03 ×

> **간단 점검하기**
>
> **01** 판례에 의하면 행정청이 당사자 등과 협약을 체결하여 관계 법령 및 행정절차법에 규정된 청문의 실시 등 의견청취절차를 배제하는 조항을 두었다면 청문을 실시하지 않아도 되는 예외적인 경우에 해당한다. ( )
>
> 16. 국가직 9급, 14. 지방직 9급, 12. 지방직 7급
>
> **02** 행정절차법의 청문배제사유인 당해 처분의 성질상 의견청취가 현저히 곤란하거나 명백히 불필요하다고 인정될 만한 상당한 이유가 있는 경우는 당해 행정처분의 성질에 의하여 판단하여야 하는 것이지, 청문통지서의 반송 여부, 청문통지의 방법 등에 의하여 판단할 것은 아니다. ( ) 19. 서울시 7급

> **간단 점검하기**
>
> **03** 청문은 행정청이 어떠한 처분을 하기 전에 당사자 등의 의견을 직접 듣는 절차일 뿐, 증거를 조사하는 절차는 아니다. ( ) 18. 지방직 7급

> 01 × 02 ○ 03 ×

3 당사자 협약 ★★★

행정청이 당사자와 사이에 도시계획사업의 시행과 관련한 협약을 체결하면서 관계 법령 및 행정절차법에 규정된 청문의 실시 등 의견청취절차를 배제하는 조항을 두었다고 하더라도 … 이러한 협약이 체결되었다고 하여 청문의 실시에 관한 규정의 적용이 배제된다거나 청문을 실시하지 않아도 되는 예외적인 경우에 해당한다고 할 수 없다(대판 2004.7.8, 2002두8350).

#유희시설조성사업협약 #의견청취절차_배제 #예외_해당×

(3) 의견청취를 위해 제출받은 서류 등의 반환

> 행정절차법 제22조【의견청취】⑥ 행정청은 처분 후 1년 이내에 당사자 등이 요청하는 경우에는 청문·공청회 또는 의견제출을 위하여 제출받은 서류나 그 밖의 물건을 반환하여야 한다.

3. 청문

(1) 의의

> 행정절차법 제2조【정의】이 법에서 사용하는 용어의 뜻은 다음과 같다.
> 5. "청문"이란 행정청이 어떠한 처분을 하기 전에 당사자 등의 의견을 직접 듣고 증거를 조사하는 절차를 말한다.

(2) 성질 및 유형

① 청문의 성질은 사전참여권이며, 그 유형은 개인적 공권이다.

② 유형

약식청문	일정한 규격적인 방식에 의하지 아니하고 이해관계인이 해당 행정작용에 대한 의견 및 참고자료를 제출함으로써 하는 청문(의견제출형)
정식청문	청문주재자의 주재 아래 심문방식에 따라 이해관계인이 주장과 반박을 하고 그것을 뒷받침할 증거를 제출함으로써 이루어지는 청문(사실심형, 진술형)
진술형 청문	이해관계인에게 의견진술이나 증거 그 밖의 참고자료를 제출할 수 있는 기회만 부여되는 청문
사실심형 청문	각 당사자가 주장과 증거를 제출하고 그 상대방은 그에 대한 반박과 반증을 제출할 수 있으며, 해당 행정청은 그 청문기록에 따라 결정을 하는 청문
공개청문	청문의 객관성·공정성 확보에 기여하며, 청문과정을 일반에게 공개하여 진행되는 청문
비공개청문	간이·신속과 개인의 비밀보호 등을 위해 청문과정을 외부에 공개하지 않고 당사자 등만이 참여하여 진행되는 청문
행정절차법의 청문	넓은 의미의 청문의 방법으로 ㉠ 의견제출(약식절차형 청문), ㉡ 청문(사실심형 청문), ㉢ 공청회개최(진술형 청문)의 세 가지를 채택하고 있음

(3) 청문의 실시 및 통지

행정절차법 제22조【의견청취】① 행정청이 처분을 할 때 다음 각 호의 어느 하나에 해당하는 경우에는 청문을 한다.
1. 다른 법령 등에서 청문을 하도록 규정하고 있는 경우
2. 행정청이 필요하다고 인정하는 경우
3. 다음 각 목의 처분시 제21조 제1항 제6호에 따른 의견제출기한 내에 당사자 등의 신청이 있는 경우
   가. 인허가 등의 취소
   나. 신분 · 자격의 박탈
   다. 법인이나 조합 등의 설립허가의 취소

제21조【처분의 사전 통지】② 행정청은 청문을 하려면 청문이 시작되는 날부터 10일 전까지 제1항 각 호의 사항을 당사자 등에게 통지하여야 한다. 이 경우 제1항 제4호부터 제6호까지의 사항은 청문 주재자의 소속 · 직위 및 성명, 청문의 일시 및 장소, 청문에 응하지 아니하는 경우의 처리방법 등 청문에 필요한 사항으로 갈음한다.

(4) 청문의 주재자

① 청문 주재자의 자격

행정절차법 제28조【청문 주재자】① 행정청은 소속 직원 또는 대통령령으로 정하는 자격을 가진 사람 중에서 청문 주재자를 공정하게 선정하여야 한다.
② 행정청은 청문이 시작되는 날부터 7일 전까지 청문 주재자에게 청문과 관련한 필요한 자료를 미리 통지하여야 한다.
③ 청문 주재자는 독립하여 공정하게 직무를 수행하며, 그 직무 수행을 이유로 본인의 의사에 반하여 신분상 어떠한 불이익도 받지 아니한다.
④ 제1항에 따라 대통령령으로 정하는 사람 중에서 선정된 청문 주재자는 형법이나 그 밖의 다른 법률에 따른 벌칙을 적용할 때에는 공무원으로 본다.

② 청문 주재자의 제척 · 기피 · 회피

㉠ 제척

행정절차법 제29조【청문 주재자의 제척 · 기피 · 회피】① 청문 주재자가 다음 각 호의 어느 하나에 해당하는 경우에는 청문을 주재할 수 없다.
1. 자신이 당사자 등이거나 당사자 등과 민법 제777조 각 호의 어느 하나에 해당하는 친족관계에 있거나 있었던 경우
2. 자신이 해당 처분과 관련하여 증언이나 감정(鑑定)을 한 경우
3. 자신이 해당 처분의 당사자 등의 대리인으로 관여하거나 관여하였던 경우
4. 자신이 해당 처분업무를 직접 처리하거나 처리하였던 경우
5. 자신이 해당 처분업무를 처리하는 부서에 근무하는 경우. 이 경우 부서의 구체적인 범위는 대통령령으로 정한다.

간단 점검하기

01 인 · 허가 등을 취소하는 경우에는 개별 법령상 청문을 하도록 하는 근거 규정이 없고 의견제출기한 내에 당사자 등의 신청이 없는 경우에도 청문을 하여야 한다. ( ) 19. 서울시 9급

02 자격의 박탈을 내용으로 하는 처분의 상대방은 처분의 근거법률에 청문을 하도록 규정되어 있지 않더라도 행정절차법에 따라 청문을 신청할 수 있다. ( ) 18. 국가직 7급

03 행정청이 법인이나 조합 등의 설립허가 취소처분을 할 때에는 청문을 하여야 한다. ( ) 18. 서울시 9급

04 행정청은 청문을 실시하고자 하는 경우에 청문이 시작되는 날부터 14일 전까지 당사자 등에게 통지를 하여야 한다. ( ) 11. 지방직 7급

05 구 공중위생법상 유기장업 허가취소처분을 함에 있어서 두 차례에 걸쳐 발송한 청문통지서가 모두 반송되어 온 경우, 처분의 상대방이 청문일시에 불출석하였다는 이유로 청문을 거치지 않고 한 침해적 행정처분은 적법하다. ( ) 19. 지방직 9급

간단 점검하기

06 청문 주재자는 당사자의 신청을 받아 행정청이 선정한다. ( ) 16. 교육행정직

간단 점검하기

07 행정절차법은 청문 주재자의 제척 · 기피 · 회피에 관하여 규정하고 있다. ( ) 16. 교육행정직

01 × 02 ○ 03 × 04 ×
05 × 06 × 07 ○

ⓛ 기피신청과 교체

> 행정절차법 제29조【청문 주재자의 제척 · 기피 · 회피】② 청문 주재자에게 공정한 청문 진행을 할 수 없는 사정이 있는 경우 당사자 등은 행정청에 기피신청을 할 수 있다. 이 경우 행정청은 청문을 정지하고 그 신청이 이유가 있다고 인정할 때에는 해당 청문 주재자를 지체 없이 교체하여야 한다.

ⓒ 회피

> 행정절차법 제29조【청문 주재자의 제척 · 기피 · 회피】③ 청문 주재자는 제1항 또는 제2항의 사유에 해당하는 경우에는 행정청의 승인을 받아 스스로 청문의 주재를 회피할 수 있다.

간단 점검하기

청문은 당사자의 공개신청이 있거나 청문 주재자가 필요하다고 인정하는 경우 이를 공개할 수 있지만, 공약 또는 제3자의 정당한 이익을 현저히 해할 우려가 있는 경우에는 공개하여서는 아니 된다. ( ) 08. 국가직 9급

(5) 청문의 공개(비공개원칙)

> 행정절차법 제30조【청문의 공개】청문은 당사자가 공개를 신청하거나 청문 주재자가 필요하다고 인정하는 경우 공개할 수 있다. 다만, 공익 또는 제3자의 정당한 이익을 현저히 해칠 우려가 있는 경우에는 공개하여서는 아니 된다.

(6) 청문의 진행

① 주재자의 설명

> 행정절차법 제31조【청문의 진행】① 청문 주재자가 청문을 시작할 때에는 먼저 예정된 처분의 내용, 그 원인이 되는 사실 및 법적 근거 등을 설명하여야 한다.

② 당사자의 의견진술 · 증거제출 및 질문

> 행정절차법 제31조【청문의 진행】② 당사자 등은 의견을 진술하고 증거를 제출할 수 있으며, 참고인이나 감정인 등에게 질문할 수 있다.

③ 당사자의 의견서제출과 출석간주

> 행정절차법 제31조【청문의 진행】③ 당사자 등이 의견서를 제출한 경우에는 그 내용을 출석하여 진술한 것으로 본다.

④ 질서유지

> 행정절차법 제31조【청문의 진행】④ 청문 주재자는 청문의 신속한 진행과 질서유지를 위하여 필요한 조치를 할 수 있다.

○

⑤ 청문 계속시 당사자 등에 통지

> 행정절차법 제31조【청문의 진행】⑤ 청문을 계속할 경우에는 행정청은 당사자 등에게 다음 청문의 일시 및 장소를 서면으로 통지하여야 하며, 당사자 등이 동의하는 경우에는 전자문서로 통지할 수 있다. 다만, 청문에 출석한 당사자 등에게는 그 청문일에 청문 주재자가 말로 통지할 수 있다.

(7) 청문의 병합 · 분리

> 행정절차법 제32조【청문의 병합 · 분리】행정청은 직권으로 또는 당사자의 신청에 따라 여러 개의 사안을 병합하거나 분리하여 청문을 할 수 있다.

(8) 증거조사

> 행정절차법 제33조【증거조사】① 청문 주재자는 직권으로 또는 당사자의 신청에 따라 필요한 조사를 할 수 있으며, 당사자 등이 주장하지 아니한 사실에 대하여도 조사할 수 있다.
> ② 증거조사는 다음 각 호의 어느 하나에 해당하는 방법으로 한다.
> 1. 문서 · 장부 · 물건 등 증거자료의 수집
> 2. 참고인 · 감정인 등에 대한 질문
> 3. 검증 또는 감정 · 평가
> 4. 그 밖에 필요한 조사
>
> ③ 청문 주재자는 필요하다고 인정할 때에는 관계 행정청에 필요한 문서의 제출 또는 의견의 진술을 요구할 수 있다. 이 경우 관계 행정청은 직무수행에 특별한 지장이 없으면 그 요구에 따라야 한다.

(9) 청문조서

> 행정절차법 제34조【청문조서】① 청문 주재자는 다음 각 호의 사항이 적힌 청문조서(聽聞調書)를 작성하여야 한다.
> 1. 제목
> 2. 청문 주재자의 소속, 성명 등 인적사항
> 3. 당사자 등의 주소, 성명 또는 명칭 및 출석 여부
> 4. 청문의 일시 및 장소
> 5. 당사자 등의 진술의 요지 및 제출된 증거
> 6. 청문의 공개 여부 및 공개하거나 제30조 단서에 따라 공개하지 아니한 이유
> 7. 증거조사를 한 경우에는 그 요지 및 첨부된 증거
> 8. 그 밖에 필요한 사항
>
> ② 당사자 등은 청문조서의 내용을 열람 · 확인할 수 있으며, 이의가 있을 때에는 그 정정을 요구할 수 있다.

간단 점검하기

01 행정청은 직권으로 또는 당사자 및 이해관계인의 신청에 따라 여러 개의 사안을 병합하거나 분리하여 청문을 할 수 있다. ( ) 17. 국가직 9급

02 청문 주재자는 직권으로 또는 당사자의 신청에 따라 필요한 조사를 할 수 있으며, 당사자 등이 주장하지 아니한 사실에 대하여도 조사할 수 있다. ( ) 14. 국가직 9급

01 × 02 ○

(10) 청문 주재자의 의견서

행정절차법 제34조의2【청문 주재자의 의견서】 청문 주재자는 다음 각 호의 사항이 적힌 청문 주재자의 의견서를 작성하여야 한다.
1. 청문의 제목
2. 처분의 내용, 주요 사실 또는 증거
3. 종합의견
4. 그 밖에 필요한 사항

(11) 청문의 종결

간단 점검하기

01 청문 주재자는 당사자 등의 전부 또는 일부가 정당한 사유 없이 청문기일에 출석하지 아니한 경우라도 이들에게 다시 의견진술 및 증거제출의 기회를 주지 아니하고는 청문을 마칠 수 없다. ( ) 15. 국가직 9급

행정절차법 제35조【청문의 종결】 ① 청문 주재자는 해당 사안에 대하여 당사자 등의 의견진술, 증거조사가 충분히 이루어졌다고 인정하는 경우에는 청문을 마칠 수 있다.
② 청문 주재자는 당사자 등의 전부 또는 일부가 정당한 사유 없이 청문기일에 출석하지 아니하거나 제31조 제3항에 따른 의견서를 제출하지 아니한 경우에는 이들에게 다시 의견진술 및 증거제출의 기회를 주지 아니하고 청문을 마칠 수 있다.
③ 청문 주재자는 당사자 등의 전부 또는 일부가 정당한 사유로 청문기일에 출석하지 못하거나 제31조제3항에 따른 의견서를 제출하지 못한 경우에는 10일 이상의 기간을 정하여 이들에게 의견진술 및 증거제출을 요구하여야 하며, 해당 기간이 지났을 때에 청문을 마칠 수 있다.
④ 청문 주재자는 청문을 마쳤을 때에는 청문조서, 청문 주재자의 의견서, 그 밖의 관계 서류 등을 행정청에 지체 없이 제출하여야 한다.

(12) 청문결과의 반영

간단 점검하기

02 행정청은 처분을 함에 있어서 청문조서, 청문 주재자의 의견서, 그 밖의 관계서류 등을 충분히 검토하고 상당한 이유가 있다고 인정하는 경우에는 청문결과를 반영하여야 한다. ( ) 11. 사회복지직

행정절차법 제35조의2【청문결과의 반영】 행정청은 처분을 할 때에 제35조제4항에 따라 받은 청문조서, 청문 주재자의 의견서, 그 밖의 관계 서류 등을 충분히 검토하고 상당한 이유가 있다고 인정하는 경우에는 청문결과를 반영하여야 한다.

간단 점검하기

03 행정청은 청문절차에서 개진된 의견에 기속되지 않는다. ( ) 07. 국가직 7급

관련판례 당사자의 모든 의견에 구속되는 것은 아님

광업용토지수용사업인정 ★★

광업법 제88조 제2항에서 처분청이 같은 법조 제1항의 규정에 의하여 광업용 토지수용을 위한 사업인정을 하고자 할 때에 토지소유자와 토지에 관한 권리를 가진 자의 의견을 들어야 한다고 한 것은 그 사업인정 여부를 결정함에 있어서 소유자나 기타 권리자가 의견을 반영할 기회를 주어 이를 참작하도록 하고자 하는 데 있을 뿐, 처분청이 그 의견에 기속되는 것은 아니다(대판 1995.12.22, 95누30).

#광업용토지수용사업인정_의견청취 #행정청_의견_구속안됨

01 × 02 ○ 03 ○

(13) 청문의 재개

> 행정절차법 제36조【청문의 재개】 행정청은 청문을 마친 후 처분을 할 때까지 새로운 사정이 발견되어 청문을 재개(再開)할 필요가 있다고 인정할 때에는 제35조 제4항에 따라 받은 청문조서 등을 되돌려 보내고 청문의 재개를 명할 수 있다. 이 경우 제31조 제5항을 준용한다.

(14) 문서의 열람 및 비밀유지

① 문서의 열람 · 복사요청

> 행정절차법 제37조【문서의 열람 및 비밀유지】 ① 당사자 등은 청문의 통지가 있는 날부터 청문이 끝날 때까지 행정청에 해당 사안의 조사결과에 관한 문서와 그 밖에 해당 처분과 관련되는 문서의 열람 또는 복사를 요청할 수 있다. 이 경우 행정청은 다른 법령에 따라 공개가 제한되는 경우를 제외하고는 그 요청을 거부할 수 없다.
> ② 행정청은 제1항의 열람 또는 복사의 요청에 따르는 경우 그 일시 및 장소를 지정할 수 있다.
> ③ 행정청은 제1항 후단에 따라 열람 또는 복사의 요청을 거부하는 경우에는 그 이유를 소명(疎明)하여야 한다.
> ④ 제1항에 따라 열람 또는 복사를 요청할 수 있는 문서의 범위는 대통령령으로 정한다.
> ⑤ 행정청은 제1항에 따른 복사에 드는 비용을 복사를 요청한 자에게 부담시킬 수 있다.

② 비밀유지

> 행정절차법 제37조【문서의 열람 및 비밀유지】 ⑥ 누구든지 청문을 통하여 알게 된 사생활이나 경영상 또는 거래상의 비밀을 정당한 이유 없이 누설하거나 다른 목적으로 사용하여서는 아니 된다.

4. 공청회

(1) 의의

> 행정절차법 제2조【정의】 이 법에서 사용하는 용어의 뜻은 다음과 같다.
> 6. "공청회"란 행정청이 공개적인 토론을 통하여 어떠한 행정작용에 대하여 당사자 등, 전문지식과 경험을 가진 사람, 그 밖의 일반인으로부터 의견을 널리 수렴하는 절차를 말한다.

(2) 공청회의 개최

판례는 행정청의 행위가 아닌 공청회는 행정절차법이 적용되지 않는다고 본다.

> 행정절차법 제22조【의견청취】 ② 행정청이 처분을 할 때 다음 각 호의 어느 하나에 해당하는 경우에는 공청회를 개최한다.
> 1. 다른 법령 등에서 공청회를 개최하도록 규정하고 있는 경우
> 2. 해당 처분의 영향이 광범위하여 널리 의견을 수렴할 필요가 있다고 행정청이 인정하는 경우

간단 점검하기

01 행정절차법 규정에 따르면 당사자 등은 공청회의 통지가 있는 날부터 공청회가 끝날 때까지 행정청에 대하여 당해 사안의 조사결과에 관한 문서, 기타 공청회와 관련되는 문서의 열람 또는 복사를 요청할 수 있다. ( )
07. 국가직 7급

02 의견제출을 위하여 당사자 등은 행정절차법에 의하여 당해 사안의 조사결과에 관한 문서 기타 당해 처분과 관련되는 문서의 열람 또는 복사를 요청할 수 있다. ( ) 12. 경찰행정

03 판례에 의하면 침해적 행정처분을 할 때 처분의 근거법령 등에서 청문을 실시하도록 규정하고 있다면 행정절차법 등의 예외에 해당하지 않는 한 반드시 청문을 실시하여야 하며, 그러한 절차를 결여한 서분은 위법한 처분으로서 당연무효이다. ( )
12. 지방직 9급, 09. 국가직 9급

01 × 02 × 03 ×

3. 국민생활에 큰 영향을 미치는 처분으로서 대통령령으로 정하는 처분에 대하여 대통령령으로 정하는 수 이상의 당사자 등이 공청회 개최를 요구하는 경우

행정절차법 시행령 제13조의3【공청회의 개최 요건 등】① 법 제22조 제2항 제3호에서 "대통령령으로 정하는 처분"이란 다음 각 호의 어느 하나에 해당하는 처분을 말한다. 다만, 행정청이 해당 처분과 관련하여 이미 공청회를 개최한 경우는 제외한다.

1. 국민 다수의 생명, 안전 및 건강에 큰 영향을 미치는 처분
2. 소음 및 악취 등 국민의 일상생활과 관계되는 환경에 큰 영향을 미치는 처분

② 제1항에 따른 처분에 대하여 당사자 등은 그 처분 전(해당 처분에 대하여 행정청이 의견제출 기한을 정한 경우에는 그 기한까지를 말한다)에 행정청에 공청회의 개최를 요구할 수 있다.

③ 법 제22조 제2항 제3호에서 "대통령령으로 정하는 수"란 30명을 말한다.

point check 청문과 공청회 개최 요건

구분	청문	공청회
공통점	• 다른 법령 등에서 규정하고 있는 경우 • 행정청이 필요하다고 인정하는 경우	• 다른 법령 등에서 규정하고 있는 경우 • 해당 처분의 영향이 광범위하여 널리 의견을 수렴할 필요가 있다고 행정청이 인정하는 경우
차이점	당사자 등의 신청 • 인허가 등의 취소 • 신분·자격의 박탈 • 법인이나 조합 등의 설립허가의 취소	공청회 개최 요구(30인 이상) • 국민 다수의 생명, 안전 및 건강에 큰 영향을 미치는 처분 • 소음 및 악취 등 국민의 일상생활과 관계되는 환경에 큰 영향을 미치는 처분

관련판례 **추모공원건립추진협의회 - 행정청 × ★★★**

묘지공원과 화장장의 후보지를 선정하는 과정에서 서울특별시, 비영리법인, 일반 기업 등이 공동발족한 협의체인 추모공원건립추진협의회가 후보지 주민들의 의견을 청취하기 위하여 그 명의로 개최한 공청회는 행정청이 도시계획시설결정을 하면서 개최한 공청회가 아니므로, 위 공청회의 개최에 관하여 행정절차법에서 정한 절차를 준수하여야 하는 것은 아니다(대판 2007.4.12, 2005두1893).

#추모공원건립추진협의회_공청회 #행정청_개최_공청회×_행정절차법_적용없음

간단 점검하기

01 묘지공원과 화장장의 후보지를 선정하는 과정에서 추모공원건립추진협의회가 후보지 주민들의 의견을 청취하기 위하여 그 명의로 개최한 공청회는 행정절차법에서 정한 절차를 준수하여야 하는 것은 아니다. ( )

19. 지방직 9급

(3) 공청회의 통지·공고

행정절차법 제38조【공청회 개최의 알림】행정청은 공청회를 개최하려는 경우에는 공청회 개최 14일 전까지 다음 각 호의 사항을 당사자 등에게 통지하고 관보, 공보, 인터넷 홈페이지 또는 일간신문 등에 공고하는 등의 방법으로 널리 알려야 한다. 다만, 공청회 개최를 알린 후 예정대로 개최하지 못하여 새로 일시 및 장소 등을 정한 경우에는 공청회 개최 7일 전까지 알려야 한다.

간단 점검하기

02 행정청은 공청회를 개최하려는 경우에는 공청회 개최 10일 전까지 제목, 일시 및 장소 등을 당사자 등에게 통지하고 관보, 공보, 인터넷 홈페이지 또는 일간신문 등에 공고하는 등의 방법으로 널리 알려야 한다. ( )

17. 지방직 9급, 16. 경찰행정, 09. 지방직 9급

01 ○ 02 ×

1. 제목
2. 일시 및 장소
3. 주요 내용
4. 발표자에 관한 사항
5. 발표신청 방법 및 신청기한
6. 정보통신망을 통한 의견제출
7. 그 밖에 공청회 개최에 필요한 사항

(4) 전자공청회

> 행정절차법 제38조의2【전자공청회】① 행정청은 제38조에 따른 공청회와 병행하여서만 정보통신망을 이용한 공청회(이하 "전자공청회"라 한다)를 실시할 수 있다.❶
> ② 행정청은 전자공청회를 실시하는 경우 의견제출 및 토론 참여가 가능하도록 적절한 전자적 처리능력을 갖춘 정보통신망을 구축·운영하여야 한다.
> ③ 전자공청회를 실시하는 경우에는 누구든지 정보통신망을 이용하여 의견을 제출하거나 제출된 의견 등에 대한 토론에 참여할 수 있다.
> ④ 제1항부터 제3항까지에서 규정한 사항 외에 전자공청회의 실시 방법 및 절차에 관하여 필요한 사항은 대통령령으로 정한다.

(5) 공청회의 주재자와 발표자

① 주재자

> 행정절차법 제38조의3【공청회의 주재자 및 발표자의 선정】① 행정청은 해당 공청회의 사안과 관련된 분야에 전문적 지식이 있거나 그 분야에 종사한 경험이 있는 사람으로서 대통령령으로 정하는 자격을 가진 사람 중에서 공청회의 주재자를 선정한다.

② 발표자

> 행정절차법 제38조의3【공청회의 주재자 및 발표자의 선정】② 공청회의 발표자는 발표를 신청한 사람 중에서 행정청이 선정한다. 다만, 발표를 신청한 사람이 없거나 공청회의 공정성을 확보하기 위하여 필요하다고 인정하는 경우에는 다음 각 호의 사람 중에서 지명하거나 위촉할 수 있다.
> 1. 해당 공청회의 사안과 관련된 당사자 등
> 2. 해당 공청회의 사안과 관련된 분야에 전문적 지식이 있는 사람
> 3. 해당 공청회의 사안과 관련된 분야에 종사한 경험이 있는 사람

③ 공정성 확보

> 행정절차법 제38조의3【공청회의 주재자 및 발표자의 선정】③ 행정청은 공청회의 주재자 및 발표자를 지명 또는 위촉하거나 선정할 때 공정성이 확보될 수 있도록 하여야 한다.

간단 점검하기

01 행정청은 행정절차법 제38조에 따른 공청회와 병행하여서만 정보통신망을 이용한 공청회를 실시할 수 있다. ( ) 17. 국가직 9급

02 정보통신망을 이용한 공청회(전자공청회)는 공청회를 실시할 수 없는 불가피한 상황에서만 실시할 수 있다. ( ) 16. 지방직 9급

03 행정청이 전자공청회를 실시하는 경우에는 누구든지 정보통신망을 이용하여 의견을 제출할 수 있다. ( ) 15. 교육행정직

❶ 전자공청회는 일반 공청회와 병행하여서만 가능하고, 독자적으로는 실시할 수 없다.

간단 점검하기

04 행정청은 공청회의 발표자를 관련 전문가 중에서 우선적으로 지명 또는 위촉하여야 하며, 적절한 발표자를 선정하지 못하거나 필요한 경우에만 발표를 신청한 자 중에서 지명할 수 있다. ( ) 10. 지방직 9급

01 ○ 02 × 03 ○ 04 ×

④ 필요 경비 지급

> 행정절차법 제38조의3【공청회의 주재자 및 발표자의 선정】④ 공청회의 주재자, 발표자, 그 밖에 자료를 제출한 전문가 등에게는 예산의 범위에서 수당 및 여비와 그 밖에 필요한 경비를 지급할 수 있다.

(6) 공청회의 진행

① 주재자의 권리와 의무

> 행정절차법 제39조【공청회의 진행】① 공청회의 주재자는 공청회를 공정하게 진행하여야 하며, 공청회의 원활한 진행을 위하여 발표 내용을 제한할 수 있고, 질서유지를 위하여 발언 중지 및 퇴장 명령 등 행정안전부장관이 정하는 필요한 조치를 할 수 있다.

② 발표자의 발표내용

> 행정절차법 제39조【공청회의 진행】② 발표자는 공청회의 내용과 직접 관련된 사항에 대하여만 발표하여야 한다.

③ 발표자 상호간 질의와 답변

> 행정절차법 제39조【공청회의 진행】③ 공청회의 주재자는 발표자의 발표가 끝난 후에는 발표자 상호간에 질의 및 답변을 할 수 있도록 하여야 하며, 방청인에게도 의견을 제시할 기회를 주어야 한다.

(7) 공청회 및 전자공청회 결과의 반영

> 행정절차법 제39조의2【공청회 및 전자공청회 결과의 반영】행정청은 처분을 할 때에 공청회, 전자공청회 및 정보통신망 등을 통하여 제시된 사실 및 의견이 상당한 이유가 있다고 인정하는 경우에는 이를 반영하여야 한다.

(8) 공청회의 재개최

> 행정절차법 제39조의3【공청회의 재개최】행정청은 공청회를 마친 후 처분을 할 때까지 새로운 사정이 발견되어 공청회를 다시 개최할 필요가 있다고 인정할 때에는 공청회를 다시 개최할 수 있다.

5. 의견제출

(1) 의의

> 행정절차법 제2조【정의】이 법에서 사용하는 용어의 뜻은 다음과 같다.
> 7. "의견제출"이란 행정청이 어떠한 행정작용을 하기 전에 당사자 등이 의견을 제시하는 절차로서 청문이나 공청회에 해당하지 아니하는 절차를 말한다.

(2) 의견제출의 일반절차

불이익처분시에 청문 또는 공청회를 거치지 않는 경우에 일반적으로 거치는 절차이다.

> 행정절차법 제22조【의견청취】③ 행정청이 당사자에게 의무를 부과하거나 권익을 제한하는 처분을 할 때 제1항 또는 제2항의 경우 외에는 당사자 등에게 의견제출의 기회를 주어야 한다.

(3) 의견제출의 방법

> 행정절차법 제27조【의견제출】① 당사자 등은 처분 전에 그 처분의 관할 행정청에 서면이나 말로 또는 정보통신망을 이용하여 의견제출을 할 수 있다.
> ② 당사자 등은 제1항에 따라 의견제출을 하는 경우 그 주장을 입증하기 위한 증거자료 등을 첨부할 수 있다.
> ③ 행정청은 당사자 등이 말로 의견제출을 하였을 때에는 서면으로 그 진술의 요지와 진술자를 기록하여야 한다.
> ④ 당사자 등이 정당한 이유 없이 의견제출기한까지 의견제출을 하지 아니한 경우에는 의견이 없는 것으로 본다.
>
> 제2조【정의】이 법에서 사용하는 용어의 뜻은 다음과 같다.
> 4. "당사자 등"이란 다음 각 목의 자를 말한다.
> 가. 행정청의 처분에 대하여 직접 그 상대가 되는 당사자
> 나. 행정청이 직권으로 또는 신청에 따라 행정절차에 참여하게 한 이해관계인

(4) 의견의 반영

> 행정절차법 제27조의2【제출 의견의 반영 등】① 행정청은 처분을 할 때에 당사자 등이 제출한 의견이 상당한 이유가 있다고 인정하는 경우에는 이를 반영하여야 한다.
> ② 행정청은 당사자 등이 제출한 의견을 반영하지 아니하고 처분을 한 경우 당사자 등이 처분이 있음을 안 날부터 90일 이내에 그 이유의 설명을 요청하면 서면으로 그 이유를 알려야 한다. 다만, 당사자 등이 동의하면 말, 정보통신망 또는 그 밖의 방법으로 알릴 수 있다.

point check 성문, 공청회, 의견제출 비교

구분	청문	공청회	의견제출
의의	증거조사	의견수렴	의견제출
통지	청문 10일 전까지	개최 14일 전까지	-
개시	법령, 필요, 신청	법령, 필요, 요구	청문과 공청회 이외
공개여부	비공개원칙 (신청, 필요시 공개)	공개원칙	-
주재자	소속직원 가능	소속직원 불가	-
증거조사	○	×	×

간단 점검하기

01 행정청이 상대방에게 의무부과처분을 하는 경우에 청문 등을 실시하지 않는 경우에는 의견제출의 기회를 주어야 한다. ( ) 07. 국회직 8급

간단 점검하기

02 의견제출은 서면 또는 정보통신망을 이용하여 할 수 있으나 말로는 할 수 없다. ( ) 13. 지방직 7급, 08. 국가직 9급

03 행정청은 당사자 등이 말로 의견제출을 하였을 때에는 서면으로 그 진술의 요지와 진술자를 기록하여야 한다. ( ) 13. 지방직 7급

04 당사자 등이 정당한 이유 없이 의견제출기한까지 의견제출을 하지 아니한 경우에는 의견이 없는 것으로 본다. ( ) 15. 지방직 7급

05 불이익처분의 직접 상대방인 당사자 또는 행정청이 참여하게 한 이해관계인이 아닌 제3자에 대하여는 의견제출에 관한 행정절차법의 규정이 적용되지 아니한다. ( ) 17. 지방직 7급

간단 점검하기

06 행정절차법상 행정청은 처분을 할 때에 당사자 등이 제출한 의견이 상당한 이유가 있다고 인정하는 경우에는 이를 반영할 수 있다. ( ) 17. 경찰행정

01 ○ 02 × 03 ○ 04 ○ 05 ○ 06 ×

문서열람 및 비밀유지	○	×	×
의견제출방식	서면, 말	말	서면, 말, 정보통신망
정보통신망	×	전자공청회(단독불가)	○
서류반환	처분 후 1년 이내, 요청시	처분 후 1년 이내, 요청시	처분 후 1년 이내, 요청시

4 신고

1. 개설

행정절차법 제40조 제1항의 신고는 자기완결적 신고(통상적 의미의 신고)를 의미한다고 보는 것이 일반적이다.

2. 요건과 효과

(1) 요건

> 행정절차법 제40조 【신고】 ② 제1항에 따른 신고가 다음 각 호의 요건을 갖춘 경우에는 신고서가 접수기관에 도달된 때에 신고 의무가 이행된 것으로 본다.
> 1. 신고서의 기재사항에 흠이 없을 것
> 2. 필요한 구비서류가 첨부되어 있을 것
> 3. 그 밖에 법령 등에 규정된 형식상의 요건에 적합할 것

간단 점검하기

법령 등에서 행정청에 일정한 사항을 통지함으로써 의무가 끝나는 신고를 규정하고 있는 경우 신고가 행정절차법 제40조 제2항 각 호의 요건을 갖춘 경우에는 신고서가 접수기관에 발송된 때에 신고의무가 이행된 것으로 본다. ( ) 17. 국가직 9급

(2) 효과(자기완결적 신고)

> 행정절차법 제40조 【신고】 ③ 행정청은 제2항 각 호의 요건을 갖추지 못한 신고서가 제출된 경우에는 지체 없이 상당한 기간을 정하여 신고인에게 보완을 요구하여야 한다.
> ④ 행정청은 신고인이 제3항에 따른 기간 내에 보완을 하지 아니하였을 때에는 그 이유를 구체적으로 밝혀 해당 신고서를 되돌려 보내야 한다.

5 행정상 입법예고

1. 의의

행정상 입법예고는 국민의 일상생활과 밀접하게 관련되는 법령안의 내용을 구체적인 행위에 앞서서 국민들에게 일반적으로 예고함으로써 국민들의 참여기회를 보장하여 입법과정의 민주화를 확보하고, 법령의 실효성을 높여 정책수행의 효율화를 도모하기 위한 절차이다.

×

2. 적용범위

(1) 입법예고의 원칙 및 예외

> 행정절차법 제41조【행정상 입법예고】① 법령 등을 제정·개정 또는 폐지(이하 "입법"이라 한다)하려는 경우에는 해당 입법안을 마련한 행정청은 이를 예고하여야 한다. 다만, 다음 각 호의 어느 하나에 해당하는 경우에는 예고를 하지 아니할 수 있다.
> 1. 신속한 국민의 권리 보호 또는 예측 곤란한 특별한 사정의 발생 등으로 입법이 긴급을 요하는 경우
> 2. 상위 법령 등의 단순한 집행을 위한 경우
> 3. 입법내용이 국민의 권리·의무 또는 일상생활과 관련이 없는 경우
> 4. 단순한 표현·자구를 변경하는 경우 등 입법내용의 성질상 예고의 필요가 없거나 곤란하다고 판단되는 경우
> 5. 예고함이 공공의 안전 또는 복리를 현저히 해칠 우려가 있는 경우

(2) 입법예고의 권고

> 행정절차법 제41조【행정상 입법예고】③ 법제처장은 입법예고를 하지 아니한 법령안의 심사 요청을 받은 경우에 입법예고를 하는 것이 적당하다고 판단할 때에는 해당 행정청에 입법예고를 권고하거나 직접 예고할 수 있다.

(3) 예고 후 중요한 변경 발생시 재예고

> 행정절차법 제41조【행정상 입법예고】④ 입법안을 마련한 행정청은 입법예고 후 예고내용에 국민생활과 직접 관련된 내용이 추가되는 등 대통령령으로 정하는 중요한 변경이 발생하는 경우에는 해당 부분에 대한 입법예고를 다시 하여야 한다. 다만, 제1항 각 호의 어느 하나에 해당하는 경우에는 예고를 하지 아니할 수 있다.

3. 예고방법

> 행정절차법 제42조【예고방법】① 행정청은 입법안의 취지, 주요 내용 또는 전문(全文)을 다음 각 호의 구분에 따른 방법으로 공고하여야 하며, 추가로 인터넷, 신문 또는 방송 등을 통하여 공고할 수 있다.
> 1. 법령의 입법안을 입법예고하는 경우: 관보 및 법제처장이 구축·제공하는 정보시스템을 통한 공고
> 2. 자치법규의 입법안을 입법예고하는 경우: 공보를 통한 공고
>
> ② 행정청은 대통령령을 입법예고하는 경우 국회 소관 상임위원회에 이를 제출하여야 한다.
>
> ③ 행정청은 입법예고를 할 때에 입법안과 관련이 있다고 인정되는 중앙행정기관, 지방자치단체, 그 밖의 단체 등이 예고사항을 알 수 있도록 예고사항을 통지하거나 그 밖의 방법으로 알려야 한다.
>
> ④ 행정청은 제1항에 따라 예고된 입법안에 대하여 전자공청회 등을 통하여 널리 의견을 수렴할 수 있다. 이 경우 제38조의2 제2항부터 제4항까지의 규정을 준용한다.

간단 점검하기

01 상위법령 등의 단순한 집행을 위해 총리령을 제정하려는 경우, 행정상 입법예고를 하지 아니할 수 있다. ( )
19. 국가직 9급

간단 점검하기

02 법제처장은 입법예고를 하지 아니한 법령안의 심사요청을 받은 경우에 입법예고를 하는 것이 적당하다고 판단하는 때에는 해당 행정청에 입법예고를 권고하거나 직접 예고할 수 있다. ( ) 15. 국회직 8급

간단 점검하기

03 입법예고의 방법은 입법안의 취지, 주요 내용 또는 전문을 관보·공보나 인터넷·신문·방송 등의 방법으로 널리 공고하여야 한다. ( ) 04. 5급

04 행정청은 대통령령을 입법예고하는 경우에는 이를 국회 소관상임위원회에 제출하여야 한다. ( )
18. 국가직 9급

01 ○ 02 ○ 03 ○ 04 ○

⑤ 행정청은 예고된 입법안의 전문에 대한 열람 또는 복사를 요청받았을 때에는 특별한 사유가 없으면 그 요청에 따라야 한다.
⑥ 행정청은 제5항에 따른 복사에 드는 비용을 복사를 요청한 자에게 부담시킬 수 있다.

4. 예고기간

행정절차법 제43조【예고기간】입법예고기간은 예고할 때 정하되, 특별한 사정이 없으면 40일(자치법규는 20일) 이상으로 한다.

5. 의견제출 및 처리

행정절차법 제44조【의견제출 및 처리】① 누구든지 예고된 입법안에 대하여 의견을 제출할 수 있다.
③ 행정청은 해당 입법안에 대한 의견이 제출된 경우 특별한 사유가 없으면 이를 존중하여 처리하여야 한다.
④ 행정청은 의견을 제출한 자에게 그 제출된 의견의 처리결과를 통지하여야 한다.

6. 공청회 개최

행정절차법 제45조【공청회】① 행정청은 입법안에 관하여 공청회를 개최할 수 있다.

6 행정예고

1. 의의

행정예고란 다수 국민의 권익에 관계있는 사항을 국민에게 미리 알리는 제도를 말한다. 행정청은 정책, 제도 및 계획(이하 "정책 등"이라 한다)을 수립·시행하거나 변경하려는 경우에는 이를 예고하여야 한다(행정절차법 제46조 제1항 본문).

2. 행정예고 제외

행정절차법 제46조【행정예고】① 행정청은 정책, 제도 및 계획(이하 "정책 등"이라 한다)을 수립·시행하거나 변경하려는 경우에는 이를 예고하여야 한다. 다만, 다음 각 호의 어느 하나에 해당하는 경우에는 예고를 하지 아니할 수 있다.
1. 신속하게 국민의 권리를 보호하여야 하거나 예측이 어려운 특별한 사정이 발생하는 등 긴급한 사유로 예고가 현저히 곤란한 경우
2. 법령 등의 단순한 집행을 위한 경우
3. 정책 등의 내용이 국민의 권리·의무 또는 일상생활과 관련이 없는 경우
4. 정책 등의 예고가 공공의 안전 또는 복리를 현저히 해칠 우려가 상당한 경우

간단 점검하기

01 행정절차법상 입법예고 기간은 예고할 때 정하되, 특별한 사정이 없으면 ( )일[자치법규는 ( )일] 이상으로 한다. 17. 지방직 9급, 08. 국가직 7급

간단 점검하기

02 행정절차법에 따르면, 예고된 법령 등의 제정·개정 또는 폐지의 안에 대하여 누구든지 의견을 제출할 수 있다. ( ) 18. 지방직 7급, 17. 행정사, 08. 국가직 7급

03 행정청은 입법안에 대한 의견을 제출한 자에 대해서도 제출된 의견의 처리결과를 통지할 의무는 없다. ( ) 07. 인천 교행

간단 점검하기

04 행정절차법은 국민생활에 매우 큰 영향을 주는 사항에 대한 행정계획을 수립·시행하거나 변경하고자 하는 때에는 이를 예고하도록 규정하고 있다. ( ) 13. 지방직 9급

05 국민생활에 매우 큰 영향을 주는 사항 및 그 밖에 널리 국민의 의견을 수렴할 필요가 있는 사항에 대한 정책, 제도 및 계획을 수립·시행하는 경우라도 예고로 인하여 공공의 안전 또는 복리를 현저히 해칠 우려가 있는 때에는 행정청은 이를 예고하지 아니할 수 있다. ( ) 17. 지방직 9급

06 행정예고를 입법예고로 갈음할 수는 없다. ( ) 07. 관세사

01 40, 20 02 ○ 03 ×
04 ○ 05 ○ 06 ×

> 제46조【행정예고】② 제1항에도 불구하고 법령 등의 입법을 포함하는 행정예고는 입법예고로 갈음할 수 있다.

3. 예고기간

> 행정절차법 제46조【행정예고】③ 행정예고기간은 예고 내용의 성격 등을 고려하여 정하되, 특별한 사정이 없으면 20일 이상으로 한다.

간단 점검하기

행정예고기간은 예고내용의 성격 등을 고려하여 정하되, 특별한 사정이 없으면 (　)일 이상으로 한다.

17. 지방직 9급, 14. 국가직 9급

20

4. 통계 작성 및 공고

> 행정절차법 제46조의2【행정예고 통계 작성 및 공고】행정청은 매년 자신이 행한 행정예고의 실시 현황과 그 결과에 관한 통계를 작성하고, 이를 관보·공보 또는 인터넷 등의 방법으로 널리 공고하여야 한다.

7 행정지도

> 행정절차법 제48조【행정지도의 원칙】① 행정지도는 그 목적 달성에 필요한 최소한도에 그쳐야 하며, 행정지도의 상대방의 의사에 반하여 부당하게 강요하여서는 아니 된다.
> ② 행정기관은 행정지도의 상대방이 행정지도에 따르지 아니하였다는 것을 이유로 불이익한 조치를 하여서는 아니 된다.

제4절 행정절차 하자의 효과와 치유

1 개설

절차상 하자의 독자적 위법성 인정 여부에 대하여 명문의 규정이 있는 경우에는 당연히 위법성이 인정된다. 그러나 행정절차법에서는 명문으로 절차상 하자의 위법성 여부를 규정하고 있지 않으므로 그 효과에 대하여 논할 실익이 있다.

2 행정절차 하자의 효과

1. 재량행위의 경우

(1) 행정행위가 재량행위인 경우, 행정절차의 하자는 재량하자를 뜻하게 되어 그 행정행위의 위법사유로 주장될 수 있다.

(2) 또한 적법한 행정절차를 거쳐 사실관계를 보다 구체적으로 파악한 경우에는 기존처분과 다른 처분을 할 수도 있으므로 그 절차상의 하자는 독자적 취소사유가 될 수 있다.

2. 기속행위의 경우

(1) 재량행위와는 달리 기속행위의 경우, 절차상 하자를 시정하여 적법한 절차에 따라 다시 처분을 하더라도 그 내용은 동일한 처분일 수 있으므로 기속행위와 관련하여 절차상의 하자가 독립된 취소사유인가의 문제가 발생한다.

(2) 학설은 소극설과 적극설이 대립하나, 위법성을 인정할 수 있다는 적극설이 다수의 견해이다.

(3) 한편, 판례도 적극설의 입장을 취한다(대판 2000.11.14, 99두5870).

3. 결론

(1) 절차상 하자의 독자적 위법성 여부에 대하여 학설과 판례는 대체로 적극적인 태도를 보이고 있다.

(2) 즉, 절차상 하자의 독자적인 위법성을 인정하고 있다.

관련판례 **청문을 결여한 처분의 하자**

1 행정절차법 제22조 제1항 제1호에 정한 청문제도는 행정처분의 사유에 대하여 당사자에게 변명과 유리한 자료를 제출할 기회를 부여함으로써 위법사유의 시정가능성을 고려하고 처분의 신중과 적정을 기하려는 데 그 취지가 있으므로, 행정청이 특히 침해적 행정처분을 할 때 그 처분의 근거 법령 등에서 청문을 실시하도록 규정하고 있다면, 행정절차법 등 관련 법령상 청문을 실시하지 않아도 되는 예외적인 경우에 해당하지 않는 한 반드시 청문을 실시하여야 하며, 그러한 절차를 결여한 처분은 위법한 처분으로서 취소사유에 해당한다(대판 2007.11.16, 2005두15700).

2 청문절차 없이 어떤 행정처분을 한 경우에도 관계 법령에서 청문절차를 시행하도록 규정하지 않고 있는 경우에는 그 행정처분이 위법하게 되는 것이 아니라고 할 것인바, 구 주택건설촉진법(1992.12.8. 법률 제4530호로 개정되기 전의 것) 및 같은 법시행령에 의하면 주택조합설립인가처분의 취소처분을 하고자 하는 경우에 청문절차를 거치도록 규정하고 있지 아니하므로 청문절차를 거치지 아니한 것이 위법하지 아니하다(대판 1994.3.22, 92누18969).

간단 점검하기

군인사법령에 의하여 진급 예정자명단에 포함된 자에 대하여 의견제출의 기회를 부여하지 아니한 채 진급선발을 취소하는 처분을 한 것은 절차상 하자가 있어 위법하다. ( )

19 · 18. 국회직 8급

○

관련판례 **의견제출기회를 부여하지 않은 처분의 하자 ★★**

군인사법령에 의하여 진급예정자명단에 포함된 자에 대하여 의견제출의 기회를 부여하지 아니한 채 진급선발을 취소하는 처분을 한 것이 절차상 하자가 있어 위법하다(대판 2007.9.21, 2006두20631).

#의견제출기회부여×_위법

3 행정절차 하자의 치유

1. 인정 여부

(1) 문제점

① 행정절차의 하자로 인해 해당 행정행위가 무효가 되지 않는 경우에는 하자의 치유문제가 제기된다.

② 행정절차의 하자치유문제는 행정기관이 법령에서 요구하는 절차를 이행하지 않았더라도 사후에 절차를 이행한 경우에 절차흠결의 하자치유를 인정할 것인가에 대한 문제이다.

(2) 학설

① 부정설과 긍정설 그리고 제한적 긍정설의 대립이 있으나, 제한적 긍정설이 통설이다.

② 제한적 긍정설(통설)

㉠ 하자의 치유는 원칙적으로 부정하지만, 일정한 경우에는 이를 허용하자는 입장이다.

㉡ 사후에 흠결된 절차를 이행하는 것을 허용하더라도 당사자의 권리보호에 문제를 야기하지 않고, 오히려 행정의 능률적 수행을 가능하게 할 수 있는 상황이 있을 때 치유를 긍정하게 된다.

(3) 판례

원칙적으로 하자의 치유를 인정하지 않으나, 예외적으로 당사자의 권리구제에 영향을 주지 않는 범위 내에서 인정하고 있다고 평가된다. 이와 같은 판례의 입장은 제한적 긍정설을 따르는 것이라고 볼 수 있다.

관련판례 **절차상 하자 치유 긍정** ★★

행정청이 청문서 도달기간을 다소 어겼다하더라도 영업자가 이에 대하여 이의하지 아니한 채 스스로 청문일에 출석하여 그 의견을 진술하고 변명하는 등 방어의 기회를 충분히 가졌다면 청문서 도달기간을 준수하지 아니한 하자는 치유되었다(대판 1992.10.23, 92누2844).

#절차상하자_치유부정(원칙) #방어기회_충분_치유인정

2. 하자의 치유시기

(1) 학설

① 행정쟁송제기 이전까지 가능하다는 견해, ② 행정소송제기 이전까지 가능하다는 견해, ③ 행정소송종결시까지 가능하다는 견해 등이 대립하고 있다.

(2) 판례

절차하자의 치유를 허용하려면 늦어도 행정처분의 불복 여부의 결정 및 불복신청에 편의를 줄 수 있는 상당한 기간 내에 하여야 한다고 보고 있다(대판 1984.4.10, 83누393). 이러한 판례의 태도는 위 학설 중 '① 행정쟁송제기 이전까지 가능하다는 견해'와 유사한 입장인 것으로 평가할 수 있다.

4 절차상 하자와 취소판결의 기속력

1. 문제점

이유제시의 흠결 등 절차상 하자를 이유로 취소판결이 난 경우, 행정청이 그 절차상 하자를 시정하여 동일한 내용의 처분을 하는 것이 판결의 기속력의 한 내용인 반복금지효[1]에 반하지 않는지가 문제된다.

[1] 행정소송법 제30조 제1항

2. 통설 및 판례

이러한 경우 판결의 기속력에 반하지 않는다고 본다. 왜냐하면, 절차적 흠결을 시정하여 종전처분과 동일한 처분을 할 수 없다고 하면 오히려 법률에 의한 행정원리에 배치되는 결과가 되기 때문이다.

관련판례 **취득세부과취소** ★★★

과세의 절차 내지 형식에 위법이 있어 과세처분을 취소하는 판결이 확정되었을 때는 그 확정판결의 기판력은 거기에 적시된 절차내지 형식의 위법사유에 한하여 미치는 것이므로 과세관청은 그 위법사유를 보완하여 다시 새로운 과세처분을 할 수 있고 그 새로운 과세처분은 확정판결에 의하여 취소된 종전의 과세처분과는 별개의 처분이라 할 것이어서 확정판결의 기판력에 저촉되는 것이 아니다(대판 1987.2.10, 86누91).
#취득세부과처분_절차하자_취소 #보완_처분_별개_처분

5 절차상 하자와 국가배상

1. 국가배상소송 여부

국가배상소송에서도 절차상 하자가 국가배상법상 위법이 될 수 있지만, 국가배상이 인정되기 위해서는 손해가 발생하여야 한다.

2. 절차상 하자로 인한 손해

절차상 하자로 손해가 발생한 경우 국가배상책임이 인정되지만, 절차상 위법하지만 실체법상으로 적법한 경우에 손해가 발생하였다고 볼 수 없으므로 국가배상책임이 인정되지 않는다.

제 2 장 정보공개와 개인정보 보호

제1절 행정정보의 공개

1 개설

1. 의의

정보공개제도란 국민이 국가가 보유한 정보에 접근하여 그것을 이용할 수 있게 하기 위하여 국민에게 정부보유정보에 대한 공개를 청구할 수 있는 권리를 보장하고, 국가에 대하여 정보공개의 의무를 지도록 하는 제도를 말한다.

2. 정보공개제도의 필요성과 역기능

필요성	역기능
• 국민의 알 권리 충족 • 개인이 다양한 정보를 유용하게 활용 • 국민의 권리·이익의 보호 • 정부에 대한 국민의 신뢰성 확보 • 국가운영의 투명성을 확보하여 민주적인 국정운영	• 국가기밀이나 개인정보의 침해 우려 • 정보접근능력 유무에 따라 정보보유의 형평성 우려 • 경쟁기업의 비밀탐지수단으로 악용될 우려 • 행정부담의 증가

2 행정정보공개청구권의 법적 근거

1. 헌법상 근거

(1) 표현의 자유에 포함

정보공개청구권은 알 권리의 한 요소를 이루며, 알 권리는 표현의 자유에 포함된다고 보는 것이 헌법재판소의 입장이다.

(2) 구체적 권리

정보공개청구권 내지는 알 권리는 법률에 의한 구체화 없이도 헌법에 의하여 직접 인정되는 헌법상 직접적인 권리인가에 대하여 대법원 및 헌법재판소는 이를 긍정하고 있다.

관련판례 알 권리 ★★★

1 헌법재판소 결정

헌법 제21조는 언론·출판의 자유, 즉 표현의 자유를 규정하고 있는데 이 자유는 전통적으로 사상 또는 의견의 자유로운 표명(발표의 자유)과 그것을 전파할 자유(전달의 자유)를 의미하는 것으로서 사상 또는 의견의 자유로운 표명은 자유로운 의사의 형성을 전제로 한다. 자유로운 의사의 형성은 정보에의 접근이 충분히 보장

간단 점검하기

01 헌법재판소는 정보공개청구권을 알 권리의 핵심으로 파악하고 있으며, 알 권리의 헌법상 근거를 헌법 제21조의 표현의 자유에서 찾고 있다. ( )
10. 지방직 9급

02 판례는 공공기관의 정보공개에 관한 법률과 같은 실정법의 근거가 없는 경우에는 정보공개청구권이 인정되기 어렵다고 보고 있다. ( )
10. 지방직 9급

됨으로써 비로소 가능한 것이며, 그러한 의미에서 정보에의 접근·수집·처리의 자유, 즉 '알 권리'는 표현의 자유와 표리일체의 관계에 있으며 자유권적 성질과 청구권적 성질을 공유하는 것이다(헌재 1991.5.13, 90헌마133).
#알권리_직접규정×_표현의자유_도출 #자유권_청구권_성질

2 대법원 판례

국민의 '알 권리', 즉 정보에의 접근·수집·처리의 자유는 자유권적 성질과 청구권적 성질을 공유하는 것으로서 헌법 제21조에 의하여 직접 보장되는 권리이다(대판 2009.12.10, 2009두12785).
#알권리_헌법상권리

2. 법률상 근거

(1) 일반법

① 우리나라는 행정정보공개에 관한 일반법으로 공공기관의 정보공개에 관한 법률[1]이 제정되어 있다.
② 이러한 법률은 헌법으로부터 도출되는 '알 권리'를 구체화한 법률이라 할 수 있다.

[1] 약칭: 정보공개법(이하 동일)

(2) 교육관련기관의 정보공개에 관한 특례법

교육관련기관이 보유·관리하는 정보의 공개에 관하여 정보공개법에 대한 특례를 인정하고 있다.

관련판례

1 정보공개법 - 일반법 ★★★

구 공공기관의 정보공개에 관한 법률(2013.8.6. 법률 제11991호로 개정되기 전의 것, 이하 '정보공개법'이라 한다) 제4조 제1항은 "정보의 공개에 관하여는 다른 법률에 특별한 규정이 있는 경우를 제외하고는 이 법이 정하는 바에 의한다."라고 규정하고 있다. 여기서 '정보공개에 관하여 다른 법률에 특별한 규정이 있는 경우'에 해당한다고 하여 정보공개법의 적용을 배제하기 위해서는, 특별한 규정이 '법률'이어야 하고, 내용이 정보공개의 대상 및 범위, 정보공개의 절차, 비공개대상정보 등에 관하여 정보공개법과 달리 규정하고 있는 것이어야 한다(대판 2014.4.10, 2012두17384).
#정보공개법_일반법

2 민사소송법(국가공문서) - 정보공개법 적용 ★★

민사소송법 제344조 제2항은 같은 조 제1항에서 정한 문서에 해당하지 아니한 문서라도 문서의 소지자는 원칙적으로 그 제출을 거부하지 못하나, 다만 '공무원 또는 공무원이었던 사람이 그 직무와 관련하여 보관하거나 가지고 있는 문서'는 예외적으로 제출을 거부할 수 있다고 규정하고 있는바, 여기서 말하는 '공무원 또는 공무원이었던 사람이 그 직무와 관련하여 보관하거나 가지고 있는 문서'는 국가기관이 보유·관리하는 공문서를 의미한다고 할 것이고, 이러한 공문서의 공개에 관하여는 공공기관의 정보공개에 관한 법률에서 정한 절차와 방법에 의하여야 할 것이다(대결 2010.1.29, 2008마546).
#국가공문서_정보공개법_적용 #민사소송법_적용×

간단 점검하기

03 판례에 의하면 민사소송법상 문서제출의무 예외에 해당하는 공무원 또는 공무원이었던 사람이 그 직무와 관련하여 보관하거나 가지고 있는 문서에 대한 공개는 공공기관의 정보공개에 관한 법률의 규정에도 불구하고 민사소송법의 절차에 따라야 한다. ( )
12. 국가직 9급

01 ○ 02 × 03 ×

3 교육기관정보공개법(등록금인상정보) - 정보공개법 적용 ★★★

교육기관정보공개법은 공공기관이 직무상 작성 또는 취득하여 관리하고 있는 정보 가운데 교육관련기관이 학교교육과 관련하여 직무상 작성 또는 취득하여 관리하고 있는 정보의 공개에 관하여 특별히 규율하는 법률이므로, 학교에 대하여 교육기관정보공개법이 적용된다고 하여 더 이상 정보공개법을 적용할 수 없게 되는 것은 아니라고 할 것이다(대판 2013.11.28, 2011두5049).

#연세대_등록금인상정보_공개청구 #정보공개법_비공개대상정보×_공개정보

4 형사소송법(형사재판확정기록) - 정보공개법 적용배제 ★★

형사소송법 제59조의2의 내용 · 취지 등을 고려하면, 형사소송법 제59조의2는 형사재판확정기록의 공개 여부나 공개 범위, 불복절차 등에 대하여 구 공공기관의 정보공개에 관한 법률(2013.8.6. 법률 제11991호로 개정되기 전의 것, 이하 '정보공개법'이라고 한다)과 달리 규정하고 있는 것으로 정보공개법 제4조 제1항에서 정한 '정보의 공개에 관하여 다른 법률에 특별한 규정이 있는 경우'에 해당한다. 따라서 형사재판확정기록의 공개에 관하여는 정보공개법에 의한 공개청구가 허용되지 아니한다(대판 2016.12.15, 2013두20882).

#형사재판확정기록_공개여부_형사소송법_규정 #정보공개법_적용배제

3. 정보공개조례

(1) 정보공개법은 제4조 제2항에서 "지방자치단체는 그 소관사무에 관하여 법령의 범위 안에서 정보공개에 관한 조례를 정할 수 있다."고 규정하여 지방자치단체가 정보공개조례를 제정할 수 있는 명시적인 근거를 마련하고 있다.

(2) 한편, 개별적인 법률의 위임 없이 제정된 정보공개조례라 하더라도 위법한 것은 아니다.

관련판례 청주시정보공개조례 ★★★

지방자치단체는 그 내용이 주민의 권리의 제한 또는 의무의 부과에 관한 사항이거나 벌칙에 관한 사항이 아닌 한 법률의 위임이 없더라도 조례를 제정할 수 있다 할 것인데 청주시의회에서 의결한 청주시행정정보공개조례안은 행정에 대한 주민의 알 권리의 실현을 그 근본내용으로 하면서도 이로 인한 개인의 권익침해 가능성을 배제하고 있으므로 이를 들어 주민의 권리를 제한하거나 의무를 부과하는 조례라고는 단정할 수 없고 따라서 그 제정에 있어서 반드시 법률의 개별적 위임이 따로 필요한 것은 아니다(대판 1992.6.23, 92추17).

#청주시정보공개조례 #권리제한_침해× #개별_위임_불요

간단 점검하기

01 사립학교에 대하여 교육관련기관의 정보공개에 관한 특례법이 적용되는 경우에도 공공기관의 정보공개에 관한 법률을 적용할 수 없는 것은 아니다. ( ) 17. 지방직 9급

간단 점검하기

02 청주시의회에서 의결한 청주시 행정정보공개조례안은 행정에 대한 주민의 알권리의 실현을 그 근본 내용으로 하면서도 이로 인한 개인의 권익침해 가능성을 배제하고 있으므로, 이를 들어 주민의 권리를 제한하거나 의무를 부과하는 조례라고는 단정할 수 없고 따라서 그 제정에 있어서 반드시 법률의 개별적 위임이 따로 필요한 것은 아니다. ( ) 13. 국가직 9급

01 ○ 02 ○

3 공공기관의 정보공개에 관한 법률의 내용

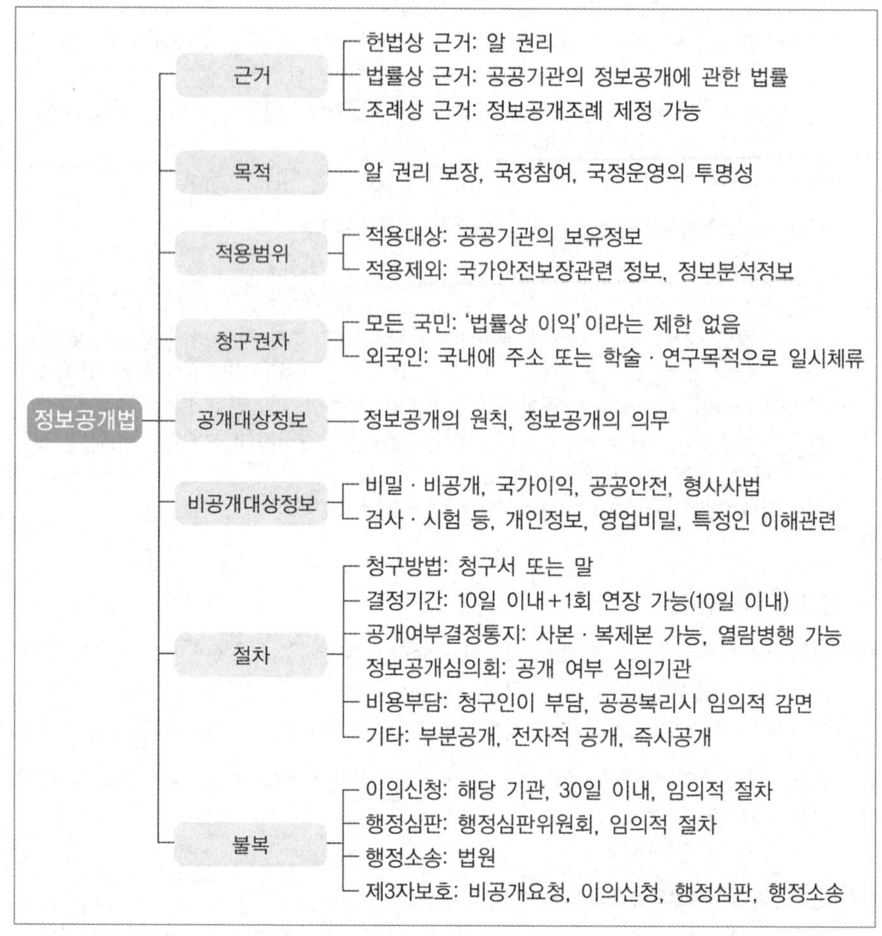

1. 목적

정보공개법 제1조 【목적】 이 법은 공공기관이 보유 · 관리하는 정보에 대한 국민의 공개 청구 및 공공기관의 공개 의무에 관하여 필요한 사항을 정함으로써 국민의 알권리를 보장하고 국정(國政)에 대한 국민의 참여와 국정 운영의 투명성을 확보함을 목적으로 한다.

2. 적용범위

(1) 법적 성질

정보공개에 관한 일반법으로서의 지위를 가진다.

(2) 적용 제외

국가안전보장에 관련되는 정보 및 보안업무를 관장하는 기관에서 국가안전보장과 관련된 정보분석을 목적으로 수집되거나 작성된 정보에 대해서는 이 법을 적용하지 아니한다.

정보공개법 제4조 【적용 범위】 ① 정보의 공개에 관하여는 다른 법률에 특별한 규정이 있는 경우를 제외하고는 이 법에서 정하는 바에 따른다.
② 지방자치단체는 그 소관 사무에 관하여 법령의 범위에서 정보공개에 관한 조례를 정할 수 있다.
③ 국가안전보장에 관련되는 정보 및 보안 업무를 관장하는 기관에서 국가안전보장과 관련된 정보의 분석을 목적으로 수집하거나 작성한 정보에 대해서는 이 법을 적용하지 아니한다. 다만, 제8조 제1항에 따른 정보목록의 작성·비치 및 공개에 대해서는 그러하지 아니한다.

3. 정보공개청구권자와 공공기관의 의무

정보공개법 제5조 【정보공개 청구권자】 ① 모든 국민은 정보의 공개를 청구할 권리를 가진다.
② 외국인의 정보공개 청구에 관하여는 대통령령으로 정한다.

(1) 정보공개청구권자

① **모든 국민**: '모든 국민'은 정보의 공개를 청구할 권리를 가진다(정보공개법 제5조 제1항).❶

② **법인**: '모든 국민'에 자연인은 물론 법인, 권리능력 없는 사단·재단(비법인단체)도 포함되며, 이들의 설립목적을 불문한다.

관련판례 충주환경운동연합(권리능력 없는 사단) ★★★

공공기관의 정보공개에 관한 법률 제6조 제1항은 "모든 국민은 정보의 공개를 청구할 권리를 가진다."고 규정하고 있는데, 여기에서 말하는 국민에는 자연인은 물론 법인, 권리능력 없는 사단·재단도 포함되고, 법인, 권리능력 없는 사단·재단 등의 경우에는 설립목적을 불문하며, 한편 정보공개청구권은 법률상 보호되는 구체적인 권리이므로 청구인이 공공기관에 대하여 정보공개를 청구하였다가 거부처분을 받은 것 자체가 법률상 이익의 침해에 해당한다(대판 2003.12.12, 2003두8050).

#충주환경운동연합_권리능력_없는_사단 #정보공개청구권_인정 #정보공개청구권_구체적_권리 #환경단체_정보청구_거부_권리침해

③ **외국인**: '외국인'도 제한적으로 정보공개청구권이 인정된다.

정보공개법 시행령 제3조 【외국인의 정보공개 청구】 법 제5조 제2항에 따라 정보공개를 청구할 수 있는 외국인은 다음 각 호의 어느 하나에 해당하는 자로 한다.
1. 국내에 일정한 주소를 두고 거주하거나 학술·연구를 위하여 일시적으로 체류하는 사람
2. 국내에 사무소를 두고 있는 법인 또는 단체

간단 점검하기

01 공공기관의 정보공개에 관한 법률상 지방자치단체는 그 소관 사무에 관하여 법령의 범위에서 정보공개에 관한 조례를 정할 수 있다. ( )
18. 소방직 9급, 15. 지방직 9급

간단 점검하기

02 이해관계자인 당사자에게 문서열람권을 인정하는 행정절차법상의 정보공개와는 달리, 공공기관의 정보공개에 관한 법률은 모든 국민에게 정보공개청구를 허용한다. ( )
17. 서울시 9급

❶
자신의 이해관계 여부와 상관없이 누구든지 청구할 수 있다.

간단 점검하기

03 판례에 따르면 자연인과 법인은 정보공개를 청구할 권리를 갖지만 권리능력 없는 사단은 그러하지 아니하다. ( ) 19. 사회복지직

04 권리능력이 없는 사단·재단은 설립목적을 불문하고 정보공개청구권을 가진다. ( ) 17. 교육행정직

간단 점검하기

05 외국인에게도 국민과 동일하게 정보공개청구권이 인정된다. ( )
14. 서울시 9급

06 공공기관의 정보공개에 관한 법률은 정보공개 청구권자를 모든 국민으로 규정하고 있으므로 외국인의 정보공개 청구권은 인정될 여지가 없다. ( ) 17. 교육행정직, 15. 지방직 9급, 12·11. 국가직 9급

07 외국인은 국내에 주소를 두고 거주하는 경우에도, 정보공개청구권이 인정되지 않는다. ( ) 15. 교육행정직

01 ○ 02 ○ 03 × 04 ○ 05 × 06 × 07 ×

간단 점검하기

01 공공기관의 정보공개에 관한 법률상 정보공개청구권자인 '모든 국민'에는 자연인 외에 법인, 권리능력 없는 사단·재단도 포함되므로 지방자치단체도 포함된다. ( ) 19. 서울시 9급

④ **지방자치단체**: 지방자치단체는 정보공개법 제5조에서 정한 정보공개청구권자인 '국민'에 해당하지 아니한다.

관련판례 **송파구** ★★★

공공기관의 정보공개에 관한 법률은 국민을 정보공개청구권자로, 지방자치단체를 국민에 대응하는 정보공개의무자로 상정하고 있다고 할 것이므로, 지방자치단체는 공공기관의 정보공개에 관한 법률 제5조에서 정한 정보공개청구권자인 '국민'에 해당되지 아니한다(서울행정법원 2005.10.12, 2005구합10484).

#송파구_송파구선거관리위원회_조사자료_사본공개청구 #각하 #지방자치단체_정보공개의무자_정보공개청구자×

(2) 공공기관의 공개의무

① 적극적 공개 의무

> 정보공개법 제3조【정보공개의 원칙】 공공기관이 보유·관리하는 정보는 국민의 알권리 보장 등을 위하여 이 법에서 정하는 바에 따라 적극적으로 공개하여야 한다.

② **판례**: 특별한 사정이 없는 한 특정의 정보에 대한 공개청구가 있는 경우에야 비로소 정보공개의무가 존재한다는 입장이다.

간단 점검하기

02 알 권리에서 파생되는 정보의 공개의무는 특별한 사정이 없는 한 특정의 정보에 대한 공개청구가 있는 경우에 비로소 존재한다. ( ) 12. 지방직 7급

관련판례 **마늘교역합의서** ★★★

알 권리에서 파생되는 정부의 공개의무는 특별한 사정이 없는 한 국민의 적극적인 정보수집행위, 특히 특정의 정보에 대한 공개청구가 있는 경우에야 비로소 존재하므로, 정보공개청구가 없었던 경우 대한민국과 중화인민공화국이 2000.7.31. 체결한 양국 간 마늘교역에 관한 합의서 및 그 부속서 중 "2003.1.1.부터 한국의 민간기업이 자유롭게 마늘을 수입할 수 있다."는 부분을 사전에 마늘재배농가들에게 공개할 정부의 의무는 인정되지 아니한다(헌재 2004.12.16, 2002헌마579).

#정보공개청구_정부_공개의무 #청구×_공개의무× #마늘교역합의서_공개청구×_공개의무×

③ 공개대상 정보의 원문 공개

> 정보공개법 제8조의2【공개대상 정보의 원문공개】 공공기관 중 중앙행정기관 및 대통령령으로 정하는 기관은 전자적 형태로 보유·관리하는 정보 중 공개대상으로 분류된 정보를 국민의 정보공개 청구가 없더라도 정보통신망을 활용한 정보공개시스템 등을 통하여 공개하여야 한다.

(3) 행정정보의 공표·공개

> 정보공개법 제7조【정보의 사전적 공개 등】 ① 공공기관은 다음 각 호의 어느 하나에 해당하는 정보에 대해서는 공개의 구체적 범위, 주기, 시기 및 방법 등을 미리 정하여 정보통신망 등을 통하여 알리고, 이에 따라 정기적으로 공개하여야 한다. 다만, 제9조 제1항 각 호의 어느 하나에 해당하는 정보에 대해서는 그러하지 아니하다.
> 1. 국민생활에 매우 큰 영향을 미치는 정책에 관한 정보

01 ×　02 ○

2. 국가의 시책으로 시행하는 공사(工事) 등 대규모 예산이 투입되는 사업에 관한 정보
3. 예산집행의 내용과 사업평가 결과 등 행정감시를 위하여 필요한 정보
4. 그 밖에 공공기관의 장이 정하는 정보
② 공공기관은 제1항에 규정된 사항 외에도 국민이 알아야 할 필요가 있는 정보를 국민에게 공개하도록 적극적으로 노력하여야 한다.

간단 점검하기

01 국가의 시책으로 시행하는 공사 등 대규모의 예산이 투입되는 사업에 관한 정보는 정기적으로 공개하여야 한다. ( ) 07. 국가직 9급

(4) 정보목록의 작성 · 비치 · 공개 등

정보공개법 제8조【정보목록의 작성 · 비치 등】① 공공기관은 그 기관이 보유 · 관리하는 정보에 대하여 국민이 쉽게 알 수 있도록 정보목록을 작성하여 갖추어 두고, 그 목록을 정보통신망을 활용한 정보공개시스템 등을 통하여 공개하여야 한다. 다만, 정보목록 중 제9조 제1항에 따라 공개하지 아니할 수 있는 정보가 포함되어 있는 경우에는 해당 부분을 갖추어 두지 아니하거나 공개하지 아니할 수 있다.
② 공공기관은 정보의 공개에 관한 사무를 신속하고 원활하게 수행하기 위하여 정보공개 장소를 확보하고 공개에 필요한 시설을 갖추어야 한다.

간단 점검하기

02 공공기관은 국민이 알아야 할 필요가 있는 정보를 국민에게 공개하도록 적극적으로 노력하여야 하며, 정보의 공개에 관한 사무를 신속하고 원활하게 수행하기 위하여 정보공개장소를 확보하고 공개에 필요한 시설을 갖추어야 한다. ( ) 10. 지방직 7급

4. 공개 대상 정보

(1) 공공기관이 보유 · 관리하는 정보는 그 공개를 원칙으로 하고 있다.

(2) '공공기관'이라 함은 국가기관, 지방자치단체, 공공기관, 그 밖에 대통령령으로 정하는 기관을 말한다. 이에 따라 ① 각급학교, ② 지방공사 및 지방공단, ③ 정부산하기관, ④ 특수법인, ⑤ 보조금을 받는 사회복지법인과 사회복지사업을 하는 비영리법인 등도 동법의 적용을 받는다.

정보공개법 제3조【정보공개의 원칙】공공기관이 보유 · 관리하는 정보는 국민의 알권리 보장 등을 위하여 이 법에서 정하는 바에 따라 적극적으로 공개하여야 한다.

제2조【정의】이 법에서 사용하는 용어의 뜻은 다음과 같다.
1. "정보"란 공공기관이 직무상 작성 또는 취득하여 관리하고 있는 문서(전자문서를 포함한다. 이하 같다) 및 전자매체를 비롯한 모든 형태의 매체 등에 기록된 사항을 말한다.
3. "공공기관"이란 다음 각 목의 기관을 말한다.
가. 국가기관
1) 국회, 법원, 헌법재판소, 중앙선거관리위원회
2) 중앙행정기관(대통령 소속 기관과 국무총리 소속 기관을 포함한다) 및 그 소속 기관
3) 행정기관 소속 위원회의 설치 · 운영에 관한 법률에 따른 위원회
나. 지방자치단체
다. 공공기관의 운영에 관한 법률 제2조에 따른 공공기관
라. 지방공기업법에 따른 지방공사 및 지방공단
마. 그 밖에 대통령령으로 정하는 기관

간단 점검하기

03 정보란 공공기관이 직무상 작성 또는 취득하여 관리하고 있는 문서 · 도면 · 사진 · 필름 · 테이프 · 슬라이드 및 그 밖에 이에 준하는 매체 등에 기록된 사항을 말한다. ( ) 11. 지방직 9급

01 ○ 02 ○ 03 ○

정보공개법 시행령 제2조 【공공기관의 범위】 공공기관의 정보공개에 관한 법률(이하 "법"이라 한다) 제2조 제3호 라목에서 "대통령령으로 정하는 기관"이란 다음 각 호의 기관 또는 단체를 말한다.

1. 유아교육법, 초·중등교육법, 고등교육법에 따른 각급 학교 또는 그 밖의 다른 법률에 따라 설치된 학교
2. 지방공기업법에 따른 지방공사 및 지방공단
3. 지방자치단체 출자·출연 기관의 운영에 관한 법률 제2조 제1항에 따른 출자기관 및 출연기관
4. 특별법에 따라 설립된 특수법인
5. 사회복지사업법 제42조 제1항에 따라 국가나 지방자치단체로부터 보조금을 받는 사회복지법인과 사회복지사업을 하는 비영리법인
6. 제5호 외에 보조금 관리에 관한 법률 제9조 또는 지방재정법 제17조 제1항 각 호 외의 부분 단서에 따라 국가나 지방자치단체로부터 연간 5천만원 이상의 보조금을 받는 기관 또는 단체. 다만, 정보공개 대상 정보는 해당 연도에 보조를 받은 사업으로 한정한다.

관련판례

1 사립대학교 ★★★

사립대학교도 공공기관의 정보공개에 관한 법률상의 공공기관에 포함된다. 사립대학교가 국비의 지원을 받는 범위 내에서만 공공기관의 성격을 가진다고 볼 수 없다(대판 2006.8.24, 2004두2783).

2 한국방송공사 ★★

한국방송공사(KBS)는 정보공개의무가 있는 공공기관(특별법에 의하여 설립된 특수법인)에 해당한다(대판 2010.12.13, 2008두13101).

3 한국증권업협회 ★★★

[1] 어느 법인이 공공기관의 정보공개에 관한 법률 제2조 제3호 등에 따라 정보를 공개할 의무가 있는 '특별법에 의하여 설립된 특수법인'에 해당하는가는, 국민의 알권리를 보장하고 국정에 대한 국민의 참여와 국정운영의 투명성을 확보하고자 하는 위 법의 입법 목적을 염두에 두고, 당해 법인에게 부여된 업무가 국가행정업무이거나, 이에 해당하지 않더라도 그 업무 수행으로써 추구하는 이익이 당해 법인 내부의 이익에 그치지 않고 공동체 전체의 이익에 해당하는 공익적 성격을 갖는지 여부를 중심으로 개별적으로 판단하되, 당해 법인의 설립근거가 되는 법률이 법인의 조직구성과 활동에 대한 행정적 관리·감독 등에서 민법이나 상법 등에 의하여 설립된 일반 법인과 달리 규율한 취지, 국가나 지방자치단체의 당해 법인에 대한 재정적 지원·보조의 유무와 그 정도, 당해 법인의 공공적 업무와 관련하여 국가기관·지방자치단체 등 다른 공공기관에 대한 정보공개청구와는 별도로 당해 법인에 대하여 직접 정보공개청구를 구할 필요성이 있는지 여부 등을 종합적으로 고려하여야 한다.

[2] '한국증권업협회(현 금융투자협회)'는 공공기관의 정보공개에 관한 법률 시행령 제2조 제4호의 '특별법에 의하여 설립된 특수법인'에 해당한다고 보기 어려우며, 비공개기관에 해당한다(대판 2010.4.29, 2008두5643).

간단 점검하기

01 정보공개법에 따르면 정보공개의무를 지는 공공기관에는 국가기관과 지방자치단체만이 해당한다. ( ) 14. 서울시 9급

02 국·공립의 초등학교는 공공기관의 정보공개에 관한 법령상 공공기관에 해당하지만, 사립초등학교는 이에 해당하지 않는다. ( ) 16. 국가직 9급

03 정보공개법에 따르면 국가 또는 지방자치단체로부터 보조금을 받는 사회복지법인과 사회복지사업을 하는 비영리법인도 공개대상이 되는 공공기관에 포함된다. ( ) 17·14. 사회복지직, 08. 지방직 7급

간단 점검하기

04 사립대학교는 공공기관의 정보공개에 관한 법률 시행령에 따른 공공기관에 해당하나, 국비의 지원을 받는 범위 내에서만 공공기관의 성격을 가진다. ( ) 17. 지방직 9급

05 판례는 '특별법에 의하여 설립된 특수법인'이라는 점만으로 정보공개의무를 인정하고 있으며, 다시금 해당 법인의 역할과 기능에서 정보공개의무를 지는 공공기관에 해당하는지 여부를 판단하지 않는다. ( ) 17. 서울시 9급

06 한국방송공사는 공공기관의 정보공개에 관한 법률 시행령 제2조 제4호에 규정된 '특별법에 따라 설립된 특수법인'에 해당한다. ( ) 17. 지방직 9급

07 한국증권업협회는 공공기관의 정보공개에 관한 법률 시행령 제2조 제4호에 규정된 '특별법에 따라 설립된 특수법인'에 해당하지 아니한다. ( ) 17. 지방직 9급

01 × 02 × 03 ○ 04 ×
05 × 06 ○ 07 ○

(3) 원본뿐만 아니라 사본도 공개대상이며, 전자적 형태의 문서도 공개대상이 된다.

관련판례

1 **공소장부본** ★★★

공공기관의 정보공개에 관한 법률상 공개청구의 대상이 되는 정보란 공공기관이 직무상 작성 또는 취득하여 현재 보유·관리하고 있는 문서에 한정되는 것이기는 하나, 그 문서가 반드시 원본일 필요는 없다(대판 2006.5.25, 2006두3049).
#공소장부본_등사신청 #사본_공개청구대상

2 **전자적 정보** ★★

공공기관의 정보공개에 관한 법률에 의한 정보공개제도는 공공기관이 보유·관리하는 정보를 그 상태대로 공개하는 제도이지만, 전자적 형태로 보유·관리되는 정보의 경우에는, 그 정보가 청구인이 구하는 대로는 되어 있지 않다고 하더라도, 공개청구를 받은 공공기관이 공개청구대상정보의 기초자료를 전자적 형태로 보유·관리하고 있고, 당해 기관에서 통상 사용되는 컴퓨터 하드웨어 및 소프트웨어와 기술적 전문지식을 사용하여 그 기초자료를 검색하여 청구인이 구하는 대로 편집할 수 있으며, 그러한 작업이 당해 기관의 컴퓨터 시스템 운용에 별다른 지장을 초래하지 아니한다면, 그 공공기관이 공개청구대상정보를 보유·관리하고 있는 것으로 볼 수 있고, 이러한 경우에 기초자료를 검색·편집하는 것은 새로운 정보의 생산 또는 가공에 해당한다고 할 수 없다(대판 2010.2.11, 2009두6001).
#2008학년도_대학수학능력시험_수험생_원점수정보·등급구분점수정보 #원본×_편집가능정보

5. 비공개 대상 정보

정보공개법 제9조【비공개 대상 정보】① 공공기관이 보유·관리하는 정보는 공개대상이 된다. 다만, 다음 각 호의 어느 하나에 해당하는 정보는 공개하지 아니할 수 있다.

1. 다른 법률 또는 법률에서 위임한 명령(국회규칙·대법원규칙·헌법재판소규칙·중앙선거관리위원회규칙·대통령령 및 조례로 한정한다)에 따라 비밀이나 비공개 사항으로 규정된 정보
2. 국가안전보장·국방·통일·외교관계 등에 관한 사항으로서 공개될 경우 국가의 중대한 이익을 현저히 해칠 우려가 있다고 인정되는 정보
3. 공개될 경우 국민의 생명·신체 및 재산의 보호에 현저한 지장을 초래할 우려가 있다고 인정되는 정보
4. 진행 중인 재판에 관련된 정보와 범죄의 예방, 수사, 공소의 제기 및 유지, 형의 집행, 교정(矯正), 보안처분에 관한 사항으로서 공개될 경우 그 직무수행을 현저히 곤란하게 하거나 형사피고인의 공정한 재판을 받을 권리를 침해한다고 인정할 만한 상당한 이유가 있는 정보
5. 감사·감독·검사·시험·규제·입찰계약·기술개발·인사관리에 관한 사항이나 의사결정 과정 또는 내부검토 과정에 있는 사항 등으로서 공개될 경우 업무의 공정한 수행이나 연구·개발에 현저한 지장을 초래한다고 인정할 만한 상당한 이유가 있는 정보. 다만, 의사결정 과정 또는 내부검토 과정을 이유로 비공개할 경우에는 제13조 제5항에 따라 통지를 할 때 의사결정 과정 또는 내부검토 과정의 단계 및 종료 예정일을 함께 안내하여야 하며, 의사

간단 점검하기

01 공공기관의 정보공개에 관한 법률상 공개대상이 되는 정보는 공공기관이 직무상 작성 또는 취득하여 현재 보유·관리하고 있는 문서에 한정되기는 하지만, 반드시 원본일 필요는 없다. ( ) 18. 서울시 9급, 14. 국가직 7급

간단 점검하기

02 다른 법률 또는 법률에서 위임한 대통령령 및 부령에 따라 비밀이나 비공개사항으로 규정된 정보는 비공개의 대상이 된다. ( ) 14. 지방직 7급

03 공공기관은 의사결정 과정 또는 내부검토 과정에 있는 사항으로서 공개될 경우 업무의 공정한 수행에 현저한 지장을 초래한다고 인정할 만한 상당한 이유가 있는 정보는 이를 공개하지 아니할 수 있다. ( ) 09. 관세사

01 ○ 02 × 03 ○

결정 과정 및 내부검토 과정이 종료되면 제10조에 따른 청구인에게 이를 통지하여야 한다.
<개정 2020.12.22.>

6. 해당 정보에 포함되어 있는 성명 · 주민등록번호 등 개인정보 보호법 제2조 제1호에 따른 개인정보로서 공개될 경우 사생활의 비밀 또는 자유를 침해할 우려가 있다고 인정되는 정보. 다만, 다음 각 목에 열거한 사항은 제외한다.
   가. 법령에서 정하는 바에 따라 열람할 수 있는 정보
   나. 공공기관이 공표를 목적으로 작성하거나 취득한 정보로서 사생활의 비밀 또는 자유를 부당하게 침해하지 아니하는 정보
   다. 공공기관이 작성하거나 취득한 정보로서 공개하는 것이 공익이나 개인의 권리 구제를 위하여 필요하다고 인정되는 정보
   라. 직무를 수행한 공무원의 성명 · 직위
   마. 공개하는 것이 공익을 위하여 필요한 경우로서 법령에 따라 국가 또는 지방자치단체가 업무의 일부를 위탁 또는 위촉한 개인의 성명 · 직업
7. 법인 · 단체 또는 개인(이하 "법인 등"이라 한다)의 경영상 · 영업상 비밀에 관한 사항으로서 공개될 경우 법인 등의 정당한 이익을 현저히 해칠 우려가 있다고 인정되는 정보. 다만, 다음 각 목에 열거한 정보는 제외한다.
   가. 사업활동에 의하여 발생하는 위해(危害)로부터 사람의 생명 · 신체 또는 건강을 보호하기 위하여 공개할 필요가 있는 정보
   나. 위법 · 부당한 사업활동으로부터 국민의 재산 또는 생활을 보호하기 위하여 공개할 필요가 있는 정보
8. 공개될 경우 부동산 투기, 매점매석 등으로 특정인에게 이익 또는 불이익을 줄 우려가 있다고 인정되는 정보

(1) 공개하지 않을 수 있는 정보(정보공개법 제9조 제1항 단서 각 호)

① **비밀 · 비공개 정보**: 다른 법률 또는 법률에 의한 명령❶에 의하여 비밀로 유지되거나 비공개사항으로 규정된 정보를 말한다.

관련판례 법률에서 직접 규정한 경우 - 비공개

1 다목적헬기 도입사업 감사결과보고서 ★★★

다목적 헬기 도입사업에 대한 감사결과보고서는 법률 또는 법률이 위임한 명령에 의해 비공개 사항으로 규정된 것이다(대판 2006.11.10, 2006두9351).

2 국정원 현금급여 및 월초수당 ★★★

국가정보원이 직원에게 지급하는 현금급여 및 월초수당에 관한 정보가 공공기관의 정보공개에 관한 법률 제9조 제1항 제1호의 비공개대상정보인 '다른 법률에 의하여 비공개 사항으로 규정된 정보'에 해당한다(대판 2010.12.23, 2010두14800).

3 국정원 조직 · 소재지 · 정원 ★★

국가정보원의 조직 · 소재지 및 정원에 관한 정보는 법률에 의한 비공개 사항으로 규정된 정보이다(대판 2013.1.24, 2010두18918).

간단 점검하기

01 개인정보는 절대적 비공개 대상 정보이다. ( ) 12. 사회복지직

02 공공기관의 정보공개에 관한 법률상 직무를 수행한 공무원의 성명 · 직위는 비공개 대상 정보이다. ( )
19. 사회복지직, 16. 국가직 7급, 15. 지방직 9급, 10. 서울시 9급

03 공개될 경우 부동산 투기, 매점매석 등으로 특정인에게 이익 또는 불이익을 줄 우려가 있다고 인정되는 정보는 공공기관의 정보공개에 관한 법률상의 비공개 대상 정보에 해당한다.
( ) 19. 소방직 9급, 18. 지방직 9급, 10. 국가직 7급

❶
국회규칙, 대법원규칙, 헌법재판소규칙, 중앙선거관리위원회규칙, 대통령령 및 조례로 한정한다.

간단 점검하기

04 판례에 의하면 감사원장의 감사결과가 군사 2급비밀에 해당한다고 하여 공공기관의 정보공개에 관한 법률 제9조 제1항 제1호에 의하여 공개하지 아니할 수는 없다. ( )
10. 지방직 9급

05 공공기관의 정보공개에 관한 법률상 국가정보원이 직원에게 지급하는 현금급여 및 월초수당에 대한 정보는 비공개대상에 해당하지 아니한다.
( ) 18. 서울시 7급, 14. 지방직 9급, 11. 국가직 7급

01 × 02 × 03 ○ 04 × 05 ×

4 학교폭력대책자치위원회 회의록 ★★★

학교폭력대책자치위원회의 회의록은 공공기관의 정보공개에 관한 법률 제9조 제1항 제1호의 '다른 법률 또는 법률이 위임한 명령에 의하여 비밀 또는 비공개 사항으로 규정된 정보'에 해당한다(대판 2010.6.10, 2010두2913).

관련판례 **법률에 의한 명령의 의미 ★★★**

1 '법률에 의한 명령'은 법률의 위임규정에 의하여 제정된 대통령령, 총리령, 부령 전부를 의미한다기보다는 정보의 공개에 관하여 법률의 구체적인 위임 아래 제정된 법규명령(위임명령)을 의미한다(대판 2003.12.11, 2003두8395).

2 구 공공기관의 정보공개에 관한 법률(2013.8.6. 법률 제11991호로 개정되기 전의 것, 이하 '정보공개법'이라 한다) 제4조 제1항은 "정보의 공개에 관하여는 다른 법률에 특별한 규정이 있는 경우를 제외하고는 이 법이 정하는 바에 의한다."라고 규정하고 있다. 여기서 '정보공개에 관하여 다른 법률에 특별한 규정이 있는 경우'에 해당한다고 하여 정보공개법의 적용을 배제하기 위해서는, 특별한 규정이 '법률'이어야 하고, 내용이 정보공개의 대상 및 범위, 정보공개의 절차, 비공개 대상 정보 등에 관하여 정보공개법과 달리 규정하고 있는 것이어야 한다(대판 2014.4.10, 2012두17384).

관련판례 **법률에 의한 명령이 없는 경우(부령에 근거 등) - 공개**

1 불기소기록 열람 · 등사제한 ★★★

검찰보존사무규칙(1996.5.1. 법무부부령 제425호로 개정된 것)은 비록 법무부령으로 되어 있으나, 그중 불기소사건기록 등의 열람 · 등사에 대하여 제한하고 있는 부분은 위임근거가 없어 행정기관 내부의 사무처리준칙으로서 행정규칙에 불과하므로, 위 규칙에 의한 열람 · 등사의 제한을 구 정보공개법 제7조 제1항 제1호의 '다른 법률 또는 법률에 의한 명령에 의하여 비공개사항으로 규정된 경우'에 해당한다고 볼 수 없다(대판 2004.9.23, 2003두1370 ; 대판 2012.6.28, 2011두16735).

2 교육공무원 근무성적평정결과 ★★

교육공무원법 제13조, 제14조의 위임에 따라 제정된 교육공무원승진규정은 정보공개에 관한 사항에 관하여 구체적인 법률의 위임에 따라 제정된 명령이라고 할 수 없고, 따라서 교육공무원승진규정 제26조에서 근무성적평정의 결과를 공개하지 아니한다고 규정하고 있다고 하더라도 위 교육공무원승진규정은 공공기관의 정보공개에 관한 법률 제9조 제1항 제1호에서 말하는 법률이 위임한 명령에 해당하지 아니하므로 위 규정을 근거로 정보공개청구를 거부하는 것은 잘못이다(대판 2006.10.26, 2006두11910).

② 국가이익 관련 정보: 국가안전보장 · 국방 · 통일 · 외교관계 등에 관한 사항으로서 공개될 경우 국가의 중대한 이익을 현저히 해칠 우려가 있다고 인정되는 정보를 말한다.

관련판례 **보안관찰통계자료 - 비공개 ★★★**

보안관찰법 소정의 보안관찰 관련 통계자료는 공공기관의 정보공개에 관한 법률 제7조 제1항 소정의 비공개 대상 정보에 해당한다(대판 2004.3.18, 2001두8254).

간단 점검하기

01 공공기관의 정보공개에 관한 법률 제9조 제1항 제1호에서 법률이 위임한 명령에 의하여 비밀 또는 비공개사항으로 규정된 정보는 공개하지 아니할 수 있다고 할 때의 법률이 위임한 명령이란 정보의 공개에 관하여 법률의 구체적인 위임 아래 제정된 법규명령을 의미한다. ( ) 10. 지방직 9급, 08. 국가직 7급

간단 점검하기

02 법무부령인 검찰보존사무규칙에서 불기소사건기록 등의 열람 · 등사 등을 제한하는 것은 공공기관의 정보공개에 관한 법률에 따른 다른 법률 또는 명령에 의하여 비공개사항으로 규정된 경우에 해당되어 적법하다. ( ) 17. 지방직 9급, 14. 지방직 9급

03 정보공개 청구는 시민단체의 정보공개 청구와 같이 개인적인 이해관계가 없는 공익을 위한 경우에도 인정된다. ( ) 10. 국가직 9급

04 판례에 의하면 교육공무원의 근무성적평정의 결과를 공개하지 아니한다고 규정하고 있는 교육공무원승진규정 제26조를 근거로 정보공개 청구를 거부하는 것은 타당하지 않다. ( ) 10. 국가직 9급, 10. 지방직 9급, 08. 지방직 7급

간단 점검하기

05 보안관찰법 소정의 보안관찰 관련 통계자료는 공공기관의 정보공개에 관한 법률 소정의 비공개 대상 정보에 해당하지 않는다. ( ) 19. 지방직 9급

01 ○ 02 × 03 ○ 04 ○ 05 ×

③ **공공안전 관련 정보**: 공개될 경우 국민의 생명 · 신체 및 재산의 보호에 현저한 지장을 초래할 우려가 있다고 인정되는 정보를 말한다.

④ **형사사법 관련 정보**: 진행 중인 재판에 관련된 정보와 범죄의 예방, 수사, 공소의 제기 및 유지, 형의 집행, 교정(矯正), 보안처분에 관한 사항으로서 공개될 경우 그 직무수행을 현저히 곤란하게 하거나 형사피고인의 공정한 재판을 받을 권리를 침해한다고 인정할 만한 상당한 이유가 있는 정보를 말한다.

간단 점검하기

01 비공개대상인 진행 중인 재판에 관련된 정보라 함은 재판에 관련된 일체의 정보가 해당하는 것이 아니고 진행 중인 재판의 심리 또는 재판결과에 구체적으로 영향을 미칠 위험이 있는 정보에 한정된다. ( ) 12. 국회직 9급

02 공공기관의 정보공개에 관한 법률 제9조 제1항 제4호의 진행 중인 재판에 관련된 정보에 해당한다는 사유로 정보공개를 거부하기 위해서는 그 정보가 진행 중인 재판의 소송기록 그 자체에 포함된 내용이어야 한다. ( ) 17. 국가직 7급

03 교도관이 직무 중 발생한 사유에 관하여 작성한 근무보고서는 비공개대상정보에 해당한다. ( ) 13. 국가직 9급

01 ○ **02** × **03** ×

관련판례

1 '형사사법 관련 정보'의 의미 ★★

법원 이외의 공공기관이 정보공개법 제9조 제1항 제4호에서 정한 '진행 중인 재판에 관련된 정보'에 해당한다는 사유로 정보공개를 거부하기 위하여는 반드시 그 정보가 진행 중인 재판의 소송기록 자체에 포함된 내용일 필요는 없다. 그러나 재판에 관련된 일체의 정보가 그에 해당하는 것은 아니고 진행 중인 재판의 심리 또는 재판결과에 구체적으로 영향을 미칠 위험이 있는 정보에 한정된다고 보는 것이 타당하다(대판 2011.11.24, 2009두19021).

2 교도관 근무보고서, 징벌위원회 회의록 중 징벌절차 진행부분 - 공개 ★★★

교도소에 수용 중이던 재소자가 담당 교도관들을 상대로 가혹행위를 이유로 형사고소 및 민사소송을 제기하면서 그 증명자료 확보를 위해 '근무보고서'와 '징벌위원회 회의록' 등의 정보공개를 요청하였으나 교도소장이 이를 거부한 사안에서, 근무보고서는 공공기관의 정보공개에 관한 법률 제9조 제1항 제4호에 정한 비공개대상정보에 해당한다고 볼 수 없고, 징벌위원회 회의록 중 비공개 심사 · 의결 부분은 위 법 제9조 제1항 제5호의 비공개사유에 해당하지만 재소자의 진술, 위원장 및 위원들과 재소자 사이의 문답 등 징벌절차 진행 부분은 비공개사유에 해당하지 않는다고 보아 분리 공개가 허용된다(대판 2009.12.10, 2009두12785).

#교도관_근무보고서_공개대상정보 #징벌위원회_회의록_비공개사유 #회의록_징벌절차_공개 #분리공개가능_분리공개

3 수용자자비부담물품 판매수익금 - 공개 ★★

수용자자비부담물품의 판매수익금과 관련된 정보는 '공개될 경우 그 직무수행을 현저히 곤란하게 하는 정보'에 해당되지 않는다(대판 2004.12.9, 2003두12707).

4 수사 의견서 - 공개 ★★

수사에 관한 사항 중 개인 인적사항 부분을 제외한 나머지 부분인 의견서 등(범죄사실, 적용법조, 증거관계, 고소인 및 피고소인의 진술, 수사결과 및 의견 등)은 고소인의 권리구제를 위해 경찰의 송치의견서의 내용을 알 필요성이 크다고 하여 공개 대상 정보에 해당한다(대판 2012.7.12, 2010두7048).

5 고소사건 경찰관 경위서 - 비공개 ★★

직무유기 혐의 고소사건에 대한 내부 감사과정에서 경찰관들에게서 받은 경위서는 공개될 경우 향후 동종 업무의 수행에 현저한 지장을 초래할 개연성이 상당하여 비공개 대상 정보에 해당한다(대판 2012.10.11, 2010두18758).

Level up 수사기록 중의 의견서 등(의견서, 보고문서, 메모, 법률검토, 내사자료 등)

1. 인적 사항 포함: 비공개
2. 인적 사항 제외 공개 여부 기준
   ① 현실의 실질적인 직무수행 상당한 곤란성뿐만 아니라 장래 업무수행도 참작하여 결정한다.
   ② 예컨대 수사의 방법, 절차 등의 공개가 실질적으로 직무수행에 상당한 곤란성이 있는 경우, 비공개 원칙이다. 그러나 그러한 곤란성이 없고 고소인의 권리구제의 필요성이 큰 경우에는 공개하도록 하고 있다(대판 2012.7.12, 2010두7048).

⑤ 업무 관련 정보

㉠ 감사 · 감독 · 검사 · 시험 · 규제 · 입찰계약 · 기술개발 · 인사관리에 관한 사항이나 의사결정 과정 또는 내부검토 과정에 있는 사항 등으로서 공개될 경우 업무의 공정한 수행이나 연구 · 개발에 현저한 지장을 초래한다고 인정할 만한 상당한 이유가 있는 정보를 말한다.

㉡ 다만, 의사결정 과정 또는 내부검토 과정을 이유로 비공개할 경우에는 제13조 제5항에 따라 통지를 할 때 의사결정 과정 또는 내부검토 과정의 단계 및 종료 예정일을 함께 안내하여야 하며, 의사결정 과정 및 내부검토 과정이 종료되면 제10조에 따른 청구인에게 이를 통지하여야 한다.

관련판례 **'업무관련정보'의 의미** ★★★

공공기관의 정보공개에 관한 법률(이하 '정보공개법'이라 한다) 제9조 제1항 제5호에서 비공개대상정보로 규정하고 있는 '감사 · 감독 · 검사 · 시험 · 규제 · 입찰계약 · 기술개발 · 인사관리 · 의사결정과정 또는 내부검토과정에 있는 사항 등으로서 공개될 경우 업무의 공정한 수행에 현저한 지장을 초래한다고 인정할 만한 상당한 이유가 있는 정보'란 … 공개될 경우 업무의 공정한 수행이 객관적으로 현저하게 지장을 받을 것이라는 고도의 개연성이 존재하는 경우를 말하고, 이에 해당하는지는 비공개함으로써 보호되는 업무수행의 공정성 등 이익과 공개로 보호되는 국민의 알권리 보장과 국정에 대한 국민의 참여 및 국정운영의 투명성 확보 등 이익을 비교 · 교량하여 구체적인 사안에 따라 신중하게 판단할 것이다. 그리고 그 판단을 할 때에는 공개청구의 대상이 된 당해 정보의 내용뿐 아니라 그것을 공개함으로써 장래 동종 업무의 공정한 수행에 현저한 지장을 가져올지도 아울러 고려해야 한다(대판 2012.10.11, 2010두18758).

#의성결창서_경찰관_직무유기_고소 #경찰관_경위서_공개청구 #경위서공개_향후_업무수행_지장_개연성 #업무수행_공정_이익 #국민_알권리_국정참여 #이익형량

Level up 정보공개법 제9조 제1항 제5호에서 공개 여부 결정기준

1. 공개시 업무의 공정한 수행이 객관적으로 현저하게 지장을 받을 고도의 개연성 존재
2. 비공개로 얻는 이익과 공개로 얻는 이익을 비교 · 교량하여 결정

간단 점검하기

'감사 · 감독 · 검사 · 시험 · 규제 · 입찰계약 · 기술개발 · 인사관리에 관한 사항이나 의사결정 과정 또는 내부검토 과정에 있는 사항 등으로서 공개될 경우 업무의 공정한 수행이나 연구 · 개발에 현저한 지장을 초래한다고 인정할 만한 상당한 이유가 있는 정보'란 공개될 경우 업무의 공정한 수행이 객관적으로 현저하게 지장을 받을 것이라는 고도의 개연성이 존재하는 경우를 말한다. ( ) 14. 지방직 9급

○

간단 점검하기

01 학교폭력대책자치위원회가 피해학생의 보호를 위한 조치, 가해학생에 대한 조치, 학교폭력과 관련된 분쟁의 조정 등에 관하여 심의한 결과를 기재한 회의록은 공공기관의 정보공개에 관한 법률 소정의 비공개대상정보에 해당한다.
( ) 19. 지방직 9급

02 판례에 의하면 의사결정 과정이 기록된 정보는 의사가 결정된 후에도 비공개대상정보에 포함될 수 있다.
( ) 09. 서울시 9급

03 학교환경위생구역 내 금지행위(숙박시설)해제결정에 관한 학교환경위생정화위원회의 회의록에 기재된 발언내용에 대한 해당 발언자의 인적사항 부분에 관한 정보는 공공기관의 정보공개에 관한 법률 소정의 비공개대상정보에 해당하지 않는다. ( )
19. 지방직 9급

간단 점검하기

04 독립유공자 서훈 공적심사위원회의 심의·의결 과정 및 그 내용을 기재한 회의록은 독립유공자 등록에 관한 신청당사자의 알 권리 조장과 공정한 업무수행을 위해서 공개되어야 한다.
( ) 19. 국회직 8급, 17. 지방직 9급

01 ○ 02 ○ 03 × 04 ×

관련판례

1 학교폭력대책자치위원회 회의록 – 비공개 ★★★

[1] 학교폭력예방 및 대책에 관한 법률 제21조 제1항·제2항·제3항 및 같은 법 시행령 제17조 규정들의 내용, 학교폭력예방 및 대책에 관한 법률의 목적, 입법 취지, 특히 학교폭력예방 및 대책에 관한 법률 제21조 제3항이 학교폭력대책자치위원회의 회의를 공개하지 못하도록 규정하고 있는 점 등에 비추어, 학교폭력대책자치위원회의 회의록은 공공기관의 정보공개에 관한 법률 제9조 제1항 제1호의 '다른 법률 또는 법률이 위임한 명령에 의하여 비밀 또는 비공개 사항으로 규정된 정보'에 해당한다.

[2] 학교폭력대책자치위원회의 회의록은 공공기관의 정보공개에 관한 법률 제9조 제1항 제5호의 '공개될 경우 업무의 공정한 수행에 현저한 지장을 초래한다고 인정할 만한 상당한 이유가 있는 정보'에 해당한다(대판 2010.6.10, 2010두2913).

#학교폭력대책자치위원회_회의록 #법률(제1호)_비공개정보 #성질(제5호)_비공개정보

2 숙박시설 해제결정 회의록 – 비공개 ★★★

공공기관의 정보공개에 관한 법률상 비공개 대상 정보의 입법 취지에 비추어 살펴보면, 같은 법 제7조 제1항 제5호에서의 '감사·감독·검사·시험·규제·입찰계약·기술개발·인사관리·의사결정과정 또는 내부검토과정에 있는 사항'은 비공개대상정보를 예시적으로 열거한 것이라고 할 것이므로 의사결정과정에 제공된 회의관련자료나 의사결정과정이 기록된 회의록 등은 의사가 결정되거나 의사가 집행된 경우에는 더 이상 의사결정과정에 있는 사항 그 자체라고는 할 수 없으나, 의사결정과정에 있는 사항에 준하는 사항으로서 비공개대상정보에 포함될 수 있다(대판 2003.8.22, 2002두12946).

#의사결정과정_내부검토과정_사항_비공개_예시·열거 #회의관련자료_회의록_의사결정과정_준하는_사항_비공개정보

3 서훈 공적심사위원회 회의록 – 비공개 ★★★

甲이 친족인 망(亡) 乙 등에 대한 독립유공자 포상신청을 하였다가 독립유공자서훈 공적심사위원회의 심사를 거쳐 포상에 포함되지 못하였다는 내용의 공적심사 결과를 통지받자 국가보훈처장에게 '망인들에 대한 독립유공자서훈 공적심사위원회의 심의·의결 과정 및 그 내용을 기재한 회의록' 등의 공개를 청구하였는데, 국가보훈처장이 공개할 수 없다는 통보를 한 사안에서, 위 회의록은 공공기관의 정보공개에 관한 법률 제9조 제1항 제5호에서 정한 '공개될 경우 업무의 공정한 수행에 현저한 지장을 초래한다고 인정할 만한 상당한 이유가 있는 정보'에 해당한다(대판 2014.7.24, 2013두20301).

#독립유공자_서훈_공적심사위원회_회의록_비공개대상정보

4 국립묘지 안장대상심의위원회 회의록 – 비공개 ★★

甲이 자신의 아버지를 국립묘지 안장대상에서 제외하는 의결을 한 국가보훈처 안장대상심의위원회 회의록의 공개를 청구하였으나 국가보훈처장이 이를 거부하는 처분을 한 사안에서, 회의록은 구 공공기관의 정보공개에 관한 법률 제9조 제1항 제5호에서 정한 '공개될 경우 업무의 공정한 수행에 현저한 지장을 초래한다고 인정할 만한 상당한 이유가 있는 정보'에 해당한다(대판 2015.2.26, 2014두43356).

#국가보훈처_안장대상심의위원회_회의록_비공개대상정보

5 한 · 일군사정보보호협정 회의록 – 비공개 ★★★

甲이 외교부장관에게 한 · 일 군사정보보호협정 및 한 · 일 상호군수지원협정과 관련하여 각종 회의자료 및 회의록 등의 정보에 대한 공개를 청구하였으나, 외교부장관이 공개 청구 정보 중 일부를 제외한 나머지 정보들에 대하여 비공개 결정을 한 사안에서, 위 정보는 구 공공기관의 정보공개에 관한 법률 제9조 제1항 제2호 · 제5호에 정한 비공개대상정보에 해당하고, 공개가 가능한 부분과 공개가 불가능한 부분을 쉽게 분리하는 것이 불가능하여 같은 법 제14조에 따른 부분공개도 가능하지 않다(대판 2019.1.17, 2015두46512).

#한 · 일군사정보보호협정_한 · 일상호군수지원협정_회의자료_회의록

6 장기요양등급판정위원회 회의록 – 비공개 ★★

甲이 자신의 모(母) 乙의 장기요양등급판정과 관련된 자료로서 장기요양등급판정위원회 회의록 등에 대한 정보공개를 청구하였으나 국민건강보험공단이 등급판정과 관련된 자료 일체는 공공기관의 정보공개에 관한 법률 제9조 제1항 제5호의 '공개될 경우 업무의 공정한 수행에 현저한 지장을 초래한다고 인정할 만한 상당한 이유가 있는 경우'에 해당한다는 이유로 비공개결정처분을 한 사안에서, 회의록은 의사결정과정이 기록된 것으로서 의사결정과정에 있는 사항에 준하는 것에 해당하고 공개될 경우 위원회 심의업무의 공정한 수행에 현저한 지장을 가져온다고 인정할 만한 타당한 이유가 있다(대판 2012.2.9, 2010두14268).

#장기요양등급판정위원회_회의록_비공개대상정보

7 치과의사시험 문제은행 – 비공개 ★★

치과의사 국가시험에서 채택하고 있는 문제은행 출제방식이 출제의 시간 · 비용을 줄이면서도 양질의 문항을 확보할 수 있는 등 많은 장점을 가지고 있는 점, 그 시험문제를 공개할 경우 발생하게 될 결과와 시험업무에 초래될 부작용 등을 감안하면, 위 시험의 문제지와 그 정답지를 공개하는 것은 시험업무의 공정한 수행이나 연구 · 개발에 현저한 지장을 초래한다고 인정할 만한 상당한 이유가 있는 경우에 해당하므로, 공공기관의 정보공개에 관한 법률 제9조 제1항 제5호에 따라 이를 공개하지 않을 수 있다(대판 2007.6.15, 2006두15936).

#치과의사시험_문제은행_시험문제_비공개

8 외국기관 비공개전제 입수 – 공개 ★★★

외국 또는 외국 기관으로부터 비공개를 전제로 정보를 입수하였다는 이유만으로 이를 공개할 경우 업무의 공정한 수행에 현저한 지장을 받을 것이라고 단정할 수는 없다(대판 2018.9.28, 2017두69892).

관련판례 기타

1 사법시험 채점위원별 채점결과 – 비공개, 응시자의 답안지 – 공개 ★★★

사법시험 2차시험 채점위원별 채점결과는 비공개대상정보에 해당하고, 응시자의 답안지 열람은 공개대상정보에 해당한다(대판 2003.3.14, 2000두6114).

#채점위원별_채점점수_비공개 #응시자_답안지_공개정보

2 학업성취도 평가자료 – 비공개, 수능시험 원데이터 – 공개 ★★

'2002년도 및 2003년도 국가 수준 학업성취도평가 자료'는 공공기관의 정보공개에 관한 법률 제9조 제1항 제5호에서 정한 비공개대상정보에 해당하나, '2002학년도부터 2005학년도까지의 대학수학능력시험 원데이터'는 연구목적의 공개청구의 경우 비공개대상정보에 해당하지 않는다(대판 2010.2.25, 2007두9877).

#학업성취도평가자료_비공개대상정보 #대학수학능력시험_원데이터_연구목적_공개

간단 점검하기

01 판례에 의하면 문제은행 출제방식을 채택하고 있는 치과의사 국가시험의 문제지와 정답지는 비공개대상정보에 해당한다. ( ) 10. 국가직 9급

간단 점검하기

02 판례에 의하면 사법시험 제2차 시험 답안지와 시험문항에 대한 채점위원별 채점 결과는 비공개정보에 해당한다. ( ) 13. 국가직 9급, 11. 서울시 9급

03 '2002학년도부터 2005학년도까지의 대학수학능력시험 원데이터'는 연구목적으로 그 정보의 공개를 청구하는 경우라도 공개로 인하여 초래될 부작용이 공개로 얻을 수 있는 이익보다 더 클 것이므로, 그 공개로 대학수학능력시험 업무의 공정한 수행이 객관적으로 현저하게 지장을 받을 것이라는 개연성이 있어 비공개 대상 정보에 해당한다. ( ) 16. 사회복지직

01 ○ 02 × 03 ×

⑥ **개인 관련 정보**: 해당 정보에 포함되어 있는 성명 · 주민등록번호 등 개인정보 보호법 제2조 제1호에 따른 개인정보로서 공개될 경우 사생활의 비밀 또는 자유를 침해할 우려가 있다고 인정되는 정보를 말하며, 다만 다음에 열거한 사항은 제외한다.

㉠ 법령에서 정하는 바에 따라 열람할 수 있는 정보

㉡ 공공기관이 공표를 목적으로 작성하거나 취득한 정보로서 사생활의 비밀 또는 자유를 부당하게 침해하지 아니하는 정보

㉢ 공공기관이 작성하거나 취득한 정보로서 공개하는 것이 공익이나 개인의 권리 구제를 위하여 필요하다고 인정되는 정보

㉣ 직무를 수행한 공무원의 성명 · 직위

㉤ 공개하는 것이 공익을 위하여 필요한 경우로서 법령에 따라 국가 또는 지방자치단체가 업무의 일부를 위탁 또는 위촉한 개인의 성명 · 직업

관련판례 개인정보 공개여부의 판단기준

1 권리구제가능성 공개여부고려× ★★★

공공기관의 정보공개에 관한 법률은 국민의 알 권리를 보장하고 국정에 대한 국민의 참여와 국정 운영의 투명성을 확보함을 목적으로 하고(제1조), … 규정하고 있을 뿐(제9조 제1항) 정보공개 청구권자가 공개를 청구하는 정보와 어떤 관련성을 가질 것을 요구하거나 정보공개청구의 목적에 특별한 제한을 두고 있지 아니하므로 정보공개 청구권자의 권리구제 가능성 등은 정보의 공개 여부 결정에 아무런 영향을 미치지 못한다(대판 2017.9.7, 2017두44558).

#불기소사건기록등열람등사불허처분 #권리구제가능성_공개여부_규정× #공개여부_영향×

2 개인정보공개 이익형량 ★★

정보공개법 제9조 제1항 제6호 단서 다목 소정의 '공개하는 것이 공익을 위하여 필요하다고 인정되는 정보'에 해당하는지 여부는 비공개에 의하여 보호되는 개인의 사생활 보호 등의 이익과 공개에 의하여 보호되는 국정운영의 투명성 확보 등의 공익을 비교 · 교량하여 구체적 사안에 따라 신중히 판단하여야 한다(대판 2019.1.17, 2014두41114).

#개인관련정보_공개 #공익_사익_비교 · 교량

3 조서에 기재된 피의자 등의 인적사항 이외의 진술 내용 – 비공개 ★★★

[1] 정보공개법 제9조 제1항 제6호 … 이름 · 주민등록번호 등 정보 형식이나 유형을 기준으로 비공개대상정보에 해당하는지를 판단하는 '개인식별정보'뿐만 아니라 그 외에 정보의 내용을 구체적으로 살펴 '개인에 관한 사항의 공개로 개인의 내밀한 내용의 비밀 등이 알려지게 되고, 그 결과 인격적 · 정신적 내면생활에 지장을 초래하거나 자유로운 사생활을 영위할 수 없게 될 위험성이 있는 정보'도 포함된다고 새겨야 한다. 따라서 불기소처분 기록 중 피의자신문조서 등에 기재된 피의자 등의 인적사항 이외의 진술내용 역시 개인의 사생활의 비밀 또는 자유를 침해할 우려가 인정되는 경우 정보공개법 제9조 제1항 제6호 본문 소정의 비공개대상에 해당한다.

간단 점검하기

불기소처분 기록 중 피의자신문조서 등에 기재된 피의자 등의 인적사항 이외의 진술내용이 개인의 사생활의 비밀 또는 자유를 침해할 우려가 인정된다면 비공개대상에 해당한다. (   )

18. 지방직 9급

○

[2] 비공개결정한 정보 중 관련자들의 이름을 제외한 주민등록번호, 직업, 주소(주거 또는 직장주소), 본적, 전과 및 검찰 처분, 상훈 · 연금, 병역, 교육, 경력, 가족, 재산 및 월수입, 종교, 정당 · 사회단체가입, 건강상태, 연락처 등 개인에 관한 정보는 개인에 관한 사항으로서 공개되면 개인의 내밀한 비밀 등이 알려지게 되고 그 결과 인격적 · 정신적 내면생활에 지장을 초래하거나 자유로운 사생활을 영위할 수 없게 될 위험성이 있는 정보에 해당한다고 보아 이를 비공개대상정보에 해당한다(대판 2012.6.18, 2011두2361).

#피의자신문조서_인적사항_비공개 #개인_내밀내용_비공개정보_포함 #피의자진술내용_내밀내용 #내면생활지장_비공개

4 업무추진비 서류에 포함된 개인정보 – 비공개 ★★

지방자치단체의 업무추진비 세부항목별 집행내역 및 그에 관한 증빙서류에 포함된 개인에 관한 정보는 '공개하는 것이 공익을 위하여 필요하다고 인정되는 정보'에 해당하지 않는다(대판 2003.3.11, 2001두6425).

#업무추진비_세부집행내역 #업무추진비_집행증빙서류_개인정보 #비공개

5 개인자격 금품수수 정보 – 비공개 ★★

공무원이 직무와 관련 없이 개인적인 자격으로 간담회 · 연찬회 등 행사에 참석하고 금품을 수령한 정보는 공공기관의 정보공개에 관한 법률 제7조 제1항 제6호 단서 다목 소정의 '공개하는 것이 공익을 위하여 필요하다고 인정되는 정보'에 해당하지 않는다(대판 2003.12.12, 2003두8050).

#개인자격 #간담회참석 #금품수수_정보 #비공개

6 정부공직자윤리위원회 제출문서 중 고지거부자의 인적사항 – 비공개 ★★★

공직자윤리법상의 등록의무자가 구 공직자윤리법 시행규칙 제12조 관련 [별지 14호 서식]에 따라 정부공직자윤리위원회에 제출한 문서에 포함되어 있는 고지거부자의 인적사항이 … 고지거부자의 인적사항의 비공개에 의하여 보호되는 이익보다 공개에 의하여 보호되는 이익이 우월하다고 단정할 수 없으므로, 결국 고지거부자의 인적사항은 공개하는 것이 공익을 위하여 필요하다고 인정되는 정보에 해당하지 않는다(대판 2007.12.13, 2005두13117).

#공직자윤리위원회_제출문서 #고지거부자_인적사항 #비공개정보

7 재개발사업 서류에 포함된 개인정보 – 비공개

재개발사업에 관한 이해관계인이 공개를 청구한 자료 중 일부는 개인의 인적사항, 재산에 관한 내용이 포함되어 있어서 공개될 경우에는 타인의 사생활의 비밀과 자유를 침해할 우려가 있으며, 그 자료의 분량이 합계 9,029매에 달하기 때문에 이를 공개하기 위하여는 행정업무에 상당한 지장을 초래할 가능성이 있고, 그 자료의 공개로 공익이 실현된다고 볼 수도 없다(대판 1997.5.23, 96누2439).

8 사면실시건의서 등 – 공개 ★★

사면대상자들의 사면실시건의서와 그와 관련된 국무회의 안건자료에 관한 정보는 그 공개로 얻는 이익이 그로 인하여 침해되는 당사자들의 사생활의 비밀에 관한 이익보다 더욱 크므로 구 공공기관의 정보공개에 관한 법률(2004.1.29. 법률 제7127호로 전문 개정되기 전의 것) 제7조 제1항 제6호에서 정한 비공개사유에 해당하지 않는다(대판 2006.12.7, 2005두241).

#사면실시건의서_국무회의안건자료_공개정보

간단 점검하기

01 지방자치단체의 업무추진비 세부항목별 집행내역 및 그에 관한 증빙서류에 포함된 개인에 관한 정보는 공공기관의 정보공개에 관한 법률 소정의 공개하는 것이 공익을 위하여 필요하다고 인정되는 정보에 해당하여 공개대상이 된다. ( )

19. 지방직 9급, 18. 서울시 9급, 11. 국가직 9급

02 공무원이 직무와 관련 없이 개인적 자격으로 금품을 수령한 정보는 공개대상이 되는 정보이다. ( )

15. 사회복지직, 13. 국회직 8급

간단 점검하기

03 사면대상자들의 사면실시건의서와 그와 관련된 국무회의의 안건자료는 공개대상이 되는 정보이다. ( )

15. 사회복지직, 12. 서울시 9급, 10. 국회직 8급

01 × 02 × 03 ○

⑦ **영업비밀 관련 정보**: 법인·단체 또는 개인(이하 "법인 등"이라 한다)의 경영상·영업상 비밀에 관한 사항으로서 공개될 경우 법인 등의 정당한 이익을 현저히 해칠 우려가 있다고 인정되는 정보를 말하며, 다만 다음에 열거한 정보는 제외한다.

㉠ 사업활동에 의하여 발생하는 위해(危害)로부터 사람의 생명·신체 또는 건강을 보호하기 위하여 공개할 필요가 있는 정보

㉡ 위법·부당한 사업활동으로부터 국민의 재산 또는 생활을 보호하기 위하여 공개할 필요가 있는 정보

관련판례

1 '영업비밀'의 의미 ★★★

정보공개법 제9조 제1항 제7호 소정의 '법인 등의 경영·영업상 비밀'은 부정경쟁방지법 제2조 제2호 소정의 '영업비밀'에 한하지 않고, '타인에게 알려지지 아니함이 유리한 사업활동에 관한 일체의 정보' 또는 '사업활동에 관한 일체의 비밀사항'으로 해석함이 상당하다(대판 2008.10.23, 2007두1798).

#경영·영업_비밀 #영업비밀_사업활동관련_일체비밀

2 공개 여부 이익형량 ★★

공개 여부는 공개를 거부할 만한 정당한 이익이 있는지 여부에 따라 결정되어야 한다. 그리고 정당한 이익 유무를 판단할 때에는 국민의 알 권리를 보장하고 국정에 대한 국민의 참여와 국정 운영의 투명성을 확보함을 목적으로 하는 구 정보공개법의 입법 취지와 아울러 당해 법인 등의 성격, 당해 법인 등의 권리, 경쟁상 지위 등 보호받아야 할 이익의 내용·성질 및 당해 정보의 내용·성질 등에 비추어 당해 법인 등에 대한 권리보호의 필요성, 당해 법인 등과 행정과의 관계 등을 종합적으로 고려해야 한다(대판 2014.7.24, 2012두12303).

3 법인 계좌번호 - 비공개 ★★★

법인 등이 거래하는 금융기관의 계좌번호에 관한 정보는 법인 등의 영업상 비밀에 관한 사항으로서 공개될 경우 법인 등의 정당한 이익을 현저히 해할 우려가 있다고 인정되는 정보에 해당한다(대판 2004.8.20, 2003두8302).

#거래은행계좌사본 #영업비밀 #비공개정보

4 KBS 방송용 원본테이프 - 비공개 ★★

한국방송공사(KBS)가 황우석 교수의 논문조작 사건에 관한 사실관계의 진실 여부를 밝히기 위하여 제작한 '추적 60분' 가제 "새튼은 특허를 노렸나"인 방송용 60분 분량의 편집원본 테이프 1개에 대하여 … 위 정보는 방송프로그램의 기획·편성·제작 등에 관한 정보로서, 공공기관의 정보공개에 관한 법률 제9조 제1항 제7호에서 비공개대상정보로 규정하고 있는 '법인 등의 경영·영업상 비밀에 관한 사항으로서 공개될 경우 법인 등의 정당한 이익을 현저히 해할 우려가 있다고 인정되는 정보'에 해당한다(대판 2010.12.23, 2008두13101).

#방송용_원본테이프 #방송_기획·편성·제작_정보 #영업비밀정보

5 KBS 접대성경비 - 공개

한국방송공사의 '수시집행 접대성 경비의 건별 집행서류 일체'는 공공기관의 정보공개에 관한 법률 제9조 제1항 제7호의 비공개 대상 정보에 해당하지 않는다(대판 2008.10.23, 2007두1798).

간단 점검하기

01 비공개 대상인 공공기관의 정보공개에 관한 법률 제9조 제1항 제7호 소정의 법인 등의 경영상·영업상 비밀은 부정경쟁방지 및 영업비밀보호에 관한 법률 제2조 제2호에 규정된 영업비밀에 한하지 않고, 타인에게 알려지지 아니함이 유리한 사업활동에 관한 일체의 정보 또는 사업활동에 관한 일체의 비밀사항을 말한다. ( ) 14. 지방직 9급

간단 점검하기

02 법인 등이 거래하는 금융기관의 계좌번호에 관한 정보는 법인 등의 영업상 비밀에 관한 사항으로서 공개될 경우 법인 등의 정당한 이익을 현저히 해할 우려가 있다고 인정되는 정보에 해당한다. ( ) 17·16. 국가직 7급

01 ○ 02 ○

6 재건축조합 무상보상평수 사업수익검토자료 – 공개 ★★

아파트재건축주택조합의 조합원들에게 제공될 무상보상평수의 사업수익성 등을 검토한 자료가 구 공공기관의 정보공개에 관한 법률 제7조 제1항에서 정한 비공개대상 정보에 해당하지 않는다(대판 2006.1.13, 2003두9459).

#아파트재건축조합_무상제공평수_수익성검토자료_공개정보

7 주택공사 분양원가 산출내역 – 공개 ★★

대한주택공사의 아파트 분양원가 산출내역에 관한 정보는, 그 공개로 위 공사의 정당한 이익을 현저히 해할 우려가 있다고 볼 수 없어 구 공공기관의 정보공개에 관한 법률 제7조 제1항 제7호에서 정한 비공개대상정보에 해당하지 않는다(대판 2007.6.1, 2006두20587).

#분양원가_산출내역_공개대상정보

⑧ **특정인 이해 관련 정보**: 공개될 경우 부동산투기 · 매점매석 등으로 특정인에게 이익 또는 불이익을 줄 우려가 있다고 인정되는 정보를 말한다.

(2) 공개 거부

① 비공개대상 이외의 사항에 대하여 공개를 거부할 수 있는 근거 규정은 없다.

② 비공개사유에 해당하여 공개거부가 정당하다는 입증책임은 공공기관에게 있다(대판 2003.12.11, 2001두8827).

③ 판례는 공개대상이라 할지라도 권리남용이 명백한 경우에는 비공개가 가능하다(대판 2014.12.24, 2014두9349).

관련판례

구 공공기관의 정보공개에 관한 법률(2013.8.6. 법률 제11991호로 개정되기 전의 것, 이하 '정보공개법'이라 한다) 제13조 제4항은 공공기관이 정보를 비공개하는 결정을 한 때에는 비공개이유를 구체적으로 명시하여 청구인에게 그 사실을 통지하여야 한다고 규정하고 있다. 정보공개법 제1조, 제3조, 제6조는 국민의 알 권리를 보장하고 국정에 대한 국민의 참여와 국정운영의 투명성을 확보하기 위하여 공공기관이 보유 · 관리하는 정보를 모든 국민에게 원칙적으로 공개하도록 하고 있다. 그러므로 국민으로부터 보유 · 관리하는 정보에 대한 공개를 요구받은 공공기관으로서는, 정보공개법 제9조 제1항 각호에서 정하고 있는 비공개사유에 해당하지 않는 한 이를 공개하여야 한다. 이를 거부하는 경우라 할지라도, 대상이 된 정보의 내용을 구체적으로 확인 · 검토하여, 어느 부분이 어떠한 법익 또는 기본권과 충돌되어 정보공개법 제9조 제1항 몇 호에서 정하고 있는 비공개사유에 해당하는지를 주장 · 증명하여야만 하고, 그에 이르지 아니한 채 개괄적인 사유만을 들어 공개를 거부하는 것은 허용되지 아니한다(대판 2018.4.12, 2014두5477).

관련판례 권리남용

1 공개청구가 권리남용에 해당하는 경우 – 비공개 ★★★

甲은 위 정보에 접근하는 것을 목적으로 정보공개를 청구한 것이 아니라, 청구가 거부되면 거부처분의 취소를 구하는 소송에서 승소한 뒤 소송비용 확정절차를 통해 자신이 그 소송에서 실제 지출한 소송비용보다 다액을 소송비용으로 지급받아

간단 점검하기

01 재건축사업계약에 의하여 조합원들에게 제공될 무상보상평수 산출내역은 법인 등의 영업상 비밀에 관한 사항이 아니며 비공개대상정보에 해당되지 않는다. ( ) 17. 서울시 9급

02 판례상 대한주택공사의 아파트 분양원가 산출 내역은 비공개대상정보이다. ( ) 12. 서울시 9급

간단 점검하기

03 공공기관은 정보공개청구를 거부할 경우에도 대상이 된 정보의 내용을 구체적으로 확인 · 검토하여 어느 부분이 어떠한 법익 또는 기본권과 충돌되어 정보공개법 제9조 제1항 몇 호에서 정하고있는 비공개사유에 해당하는지를 주장 · 입증하여야 하며, 그에 이르지 아니한 채 개괄적인 사유만 들어 공개를 거부하는 것은 허용되지 아니한다. ( ) 17. 국회직 8급

간단 점검하기

04 정보를 취득 또는 활용할 의사가 전혀 없이 사회통념상 용인될 수 없는 부당이득을 얻으려는 목적의 정보공개 청구는 권리남용행위로서 허용되지 않는다. ( ) 19. 서울시 9급

05 권리남용에 해당하는 정보공개청구에 대하여는 정보공개의 의무가 없지만, 정보공개법의 목적, 규정 내용 및 취지에 비추어 보면 정보공개청구의 목적에 특별한 제한이 없으므로 오로지 상대방을 괴롭힐 목적으로 정보공개를 구하고 있다는 등의 특별한 사정이 없는 한 정보공개의 청구가 신의칙에 반하거나 권리남용에 해당한다고 볼 수 없다. ( ) 12 · 10. 지방직 7급

01 ○ 02 × 03 ○ 04 ○ 05 ○

금전적 이득을 취하거나, 수감 중 변론기일에 출정하여 강제노역을 회피하는 것 등을 목적으로 정보공개를 청구하였다고 볼 여지가 큰 점 등에 비추어 甲의 정보공개 청구는 권리를 남용하는 행위로서 허용되지 않는다(대판 2014.12.24, 2014두9349).
#정보공개청구목적_금전이득_노역회피 #공개청구권_남용 #공개거부_가능

2 공개청구가 권리남용에 해당하지 않는 경우 - 공개 ★★

[1] 정보공개청구권은 법률상 보호되는 구체적인 권리이므로 청구인이 공공기관에 대하여 정보공개를 청구하였다가 거부처분을 받은 것 자체가 법률상 이익의 침해에 해당한다고 할 것이고, 거부처분을 받은 것 이외에 추가로 어떤 법률상의 이익을 가질 것을 요구하는 것은 아니다.

[2] 구 정보공개법의 목적, 규정 내용 및 취지 등에 비추어 보면, 정보공개청구의 목적에 특별한 제한이 있다고 할 수 없으므로, 피고의 주장과 같이 원고가 이 사건 정보공개를 청구한 목적이 이 사건 손해배상소송에 제출할 증거자료를 획득하기 위한 것이었고 위 소송이 이미 종결되었다고 하더라도, 원고가 오로지 피고를 괴롭힐 목적으로 정보공개를 구하고 있다는 등의 특별한 사정이 없는 한, 위와 같은 사정만으로는 원고가 이 사건 소송을 계속하고 있는 것이 권리남용에 해당한다고 볼 수 없다(대판 2004.9.23, 2003두1370).
#손해배상청구소송_증거자료획득 #비공개_위법성 #권리남용_해당×

간단 점검하기

01 공공기관이 정보공개청구에 대해 이를 거부하는 행위는 취소소송의 대상이 되는 처분이다. ( ) 18. 교육행정직

02 정보공개청구인이 공공기관에 대해 정보공개를 청구하였다가 거부처분을 받은 경우 취소소송을 제기할 원고적격이 인정된다. ( ) 12. 지방직 9급

03 甲은 행정청 A가 보유·관리하는 정보 중 乙과 관련이 있는 정보를 사본 교부의 방법으로 공개하여 줄 것을 청구하였다. 甲이 공개청구한 정보가 甲과 아무런 이해관계가 없는 경우라면, 정보공개가 거부되더라도 甲은 이를 항고소송으로 다툴 수 있는 법률상 이익이 없다. ( ) 17. 국가직 9급

(3) 널리 알려진 정보

관련판례 널리 알려진 정보 ★★★

공개청구의 대상이 되는 정보가 이미 다른 사람에게 공개되어 널리 알려져 있다거나 인터넷이나 관보 등을 통하여 공개되어 인터넷 검색이나 도서관에서의 열람 등을 통하여 쉽게 알 수 있다고 하여 소의 이익이 없다거나 비공개결정이 정당화될 수 없다(대판 2008.11.27, 2005두15694).
#널리_알려진_정보 #비공개결정_정당화_불가

간단 점검하기

04 공공기관의 정보공개에 관한 법률상 공개청구된 정보가 인터넷을 통하여 공개되어 인터넷 검색을 통하여 쉽게 알 수 있다는 사정만으로 비공개결정이 정당화될 수는 없다. ( ) 19. 국가직 9급, 17. 지방직 7급

(4) 기간의 경과로 비공개의 필요가 없어진 경우

정보공개법 제9조 【비공개 대상 정보】 ② 공공기관은 제1항 각 호의 어느 하나에 해당하는 정보가 기간의 경과 등으로 인하여 비공개의 필요성이 없어진 경우에는 그 정보를 공개 대상으로 하여야 한다.

간단 점검하기

05 공공기관의 정보공개에 관한 법률상의 비공개 대상 정보라 하더라도 비공개의 필요성이 없어진 경우에는 당해 정보를 공개해야 한다. ( ) 06. 관세사

(5) 공공기관의 책무

정보공개법 제9조 【비공개 대상 정보】 ③ 공공기관은 제1항 각 호의 범위에서 해당 공공기관의 업무 성격을 고려하여 비공개 대상 정보의 범위에 관한 세부 기준(이하 "비공개 세부 기준"이라 한다)을 수립하고 이를 정보통신망을 활용한 정보공개시스템 등을 통하여 공개하여야 한다.
④ 공공기관(국회·법원·헌법재판소 및 중앙선거관리위원회는 제외한다)은 제3항에 따라 수립된 비공개 세부 기준이 제1항 각 호의 비공개 요건에 부합하는지 3년마다 점검하고 필요한 경우 비공개 세부 기준을 개선하여 그 점검 및 개선 결과를 행정안전부장관에게 제출하여야 한다.

01 ○ 02 ○ 03 × 04 ○ 05 ○

6. 정보공개의 절차

(1) 정보공개의 청구방법❶

> 정보공개법 제10조【정보공개의 청구방법】 ① 정보의 공개를 청구하는 자(이하 "청구인"이라 한다)는 해당 정보를 보유하거나 관리하고 있는 공공기관에 다음 각 호의 사항을 적은 정보공개 청구서를 제출하거나 말로써 정보의 공개를 청구할 수 있다.
> 1. 청구인의 성명·생년월일·주소 및 연락처(전화번호·전자우편주소 등을 말한다. 이하 이 조에서 같다). 다만, 청구인이 법인 또는 단체인 경우에는 그 명칭, 대표자의 성명, 사업자등록번호 또는 이에 준하는 번호, 주된 사무소의 소재지 및 연락처를 말한다.
> 2. 청구인의 주민등록번호(본인임을 확인하고 공개 여부를 결정할 필요가 있는 정보를 청구하는 경우로 한정한다)
> 3. 공개를 청구하는 정보의 내용 및 공개방법
>
> <개정 2020.12.22.>
>
> ② 제1항에 따라 청구인이 말로써 정보의 공개를 청구할 때에는 담당 공무원 또는 담당 임직원(이하 "담당공무원 등"이라 한다)의 앞에서 진술하여야 하고, 담당공무원등은 정보공개 청구조서를 작성하여 이에 청구인과 함께 기명날인하거나 서명하여야 한다.
>
> ③ 제1항과 제2항에서 규정한 사항 외에 정보공개의 청구방법 등에 관하여 필요한 사항은 국회규칙·대법원규칙·헌법재판소규칙·중앙선거관리위원회규칙 및 대통령령으로 정한다.

관련판례

1 구 공공기관의 정보공개에 관한 법률(2013. 8. 6. 법률 제11991호로 개정되기 전의 것, 이하 '정보공개법'이라 한다) 제10조 제1항 제2호는 정보의 공개를 청구하는 자는 정보공개청구서에 '공개를 청구하는 정보의 내용' 등을 기재하도록 규정하고 있다. 청구인이 이에 따라 청구대상정보를 기재할 때에는 사회일반인의 관점에서 청구대상정보의 내용과 범위를 확정할 수 있을 정도로 특정하여야 한다(대판 2018.4.12, 2014두5477).

2 정보공개를 청구하는 자가 공공기관에 대해 공개방법을 선택하여 정보공개청구를 한 경우 공개청구를 받은 공공기관이 그 공개방법을 선택할 재량권이 없다(대판 2003.12.12, 2003두8050).

(2) 공개 여부의 결정

① 결정기간

> 정보공개법 제11조【정보공개 여부의 결정】 ① 공공기관은 제10조에 따라 정보공개의 청구를 받으면 그 청구를 받은 날부터 10일 이내에 공개 여부를 결정하여야 한다.

❶
문서 또는 말로 청구할 수 있다.

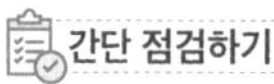

간단 점검하기

01 정보공개의 청구는 반드시 문서로 하여야 한다. ( ) 12. 사회복지직

02 정보의 공개를 청구하는 자는 해당 정보를 보유하거나 관리하고 있는 공공기관에 대하여 공개를 청구하는 정보의 내용 및 공개방법을 적은 정보공개 청구서를 제출하거나 말로써 정보의 공개를 청구할 수 있으며, 정보공개 청구권자의 인적사항은 익명을 원칙으로 한다. ( ) 09·08. 국가직 9급

간단 점검하기

03 청구대상정보를 기재할 때는 사회일반인의 관점에서 청구대상정보의 내용과 범위를 확정할 수 있을 정도로 특정하여야 한다. ( ) 15. 국가직 9급

04 공개방법을 선택하여 정보공개를 청구하였더라도 공공기관은 정보공개 청구자가 선택한 방법에 따라 정보를 공개하여야 하는 것은 아니며, 원칙적으로 그 공개방법을 선택할 재량권이 있다. ( ) 16. 국가직 9급

01 × 02 × 03 ○ 04 ×

② 결정기간의 연장

> 정보공개법 제11조【정보공개 여부의 결정】② 공공기관은 부득이한 사유로 제1항에 따른 기간 이내에 공개 여부를 결정할 수 없을 때에는 그 기간이 끝나는 날의 다음 날부터 기산(起算)하여 10일의 범위에서 공개 여부 결정기간을 연장할 수 있다. 이 경우 공공기관은 연장된 사실과 연장 사유를 청구인에게 지체 없이 문서로 통지하여야 한다.

③ 제3자에 대한 통지

> 정보공개법 제11조【정보공개 여부의 결정】③ 공공기관은 공개 청구된 공개 대상 정보의 전부 또는 일부가 제3자와 관련이 있다고 인정할 때에는 그 사실을 제3자에게 지체 없이 통지하여야 하며, 필요한 경우에는 그의 의견을 들을 수 있다.

④ 소관기관으로 이송

> 정보공개법 제11조【정보공개 여부의 결정】④ 공공기관은 다른 공공기관이 보유·관리하는 정보의 공개 청구를 받았을 때에는 지체 없이 이를 소관 기관으로 이송하여야 하며, 이송한 후에는 지체 없이 소관 기관 및 이송 사유 등을 분명히 밝혀 청구인에게 문서로 통지하여야 한다.

⑤ 민원으로 처리

> 정보공개법 제11조【정보공개 여부의 결정】⑤ 공공기관은 정보공개 청구가 다음 각 호의 어느 하나에 해당하는 경우로서 민원 처리에 관한 법률에 따른 민원으로 처리할 수 있는 경우에는 민원으로 처리할 수 있다.
> 1. 공개 청구된 정보가 공공기관이 보유·관리하지 아니하는 정보인 경우
> 2. 공개 청구의 내용이 진정·질의 등으로 이 법에 따른 정보공개 청구로 보기 어려운 경우

(3) 정보공개 여부 결정의 통지

① 공개일시 및 장소 통지

> 정보공개법 제13조【정보공개 여부 결정의 통지】① 공공기관은 제11조에 따라 정보의 공개를 결정한 경우에는 공개의 일시 및 장소 등을 분명히 밝혀 청구인에게 통지하여야 한다.

② 사본 또는 복제물 교부

> 정보공개법 제13조【정보공개 여부 결정의 통지】② 공공기관은 청구인이 사본 또는 복제물의 교부를 원하는 경우에는 이를 교부하여야 한다.
> ④ 공공기관은 제1항에 따라 정보를 공개하는 경우에 그 정보의 원본이 더럽혀지거나 파손될 우려가 있거나 그 밖에 상당한 이유가 있다고 인정할 때에는 그 정보의 사본·복제물을 공개할 수 있다.

간단 점검하기

01 공공기관은 정보공개청구의 대상이 된 정보가 제3자와 관련된 경우 해당 제3자의 의견을 청취할 수 있으나, 그에게 통지할 의무는 없다. ( ) 18. 교육행정직

02 공공기관은 공개청구된 공개대상 정보의 전부 또는 일부가 제3자와 관련이 있다고 인정되는 때에는 그 사실을 제3자에게 7일 이내에 통지하여야 한다. ( ) 11. 사회복지직

03 공공기관은 공개대상정보가 제3자와 관련이 있다고 인정되는 경우에는 반드시 공개 청구된 사실을 제3자에게 통지하고 그에 대한 의견을 청취한 다음에 공개 여부를 결정하여야 한다. ( ) 13. 서울시 9급

간단 점검하기

04 공공기관은 정보의 공개를 결정한 경우에는 공개의 일시 및 장소 등을 분명히 밝혀 청구인에게 통지하여야 한다. ( ) 16. 경찰행정

05 공공기관은 청구인이 사본 또는 복제물의 교부를 원하는 경우에는 이를 교부하여야 한다. 다만 공개 대상 정보의 양이 너무 많아 정상적인 업무수행에 현저한 지장을 초래할 우려가 있는 경우에는 정보의 사본·복제물을 나누어 제공하거나 열람과 병행하여 제공할 수 있다. ( ) 16·15. 서울시 7급

01 × 02 × 03 × 04 ○ 05 ○

③ 대량 정보

정보공개법 제13조【정보공개 여부 결정의 통지】③ 공공기관은 공개 대상 정보의 양이 너무 많아 정상적인 업무수행에 현저한 지장을 초래할 우려가 있는 경우에는 해당 정보를 일정 기간별로 나누어 제공하거나 사본·복제물의 교부 또는 열람과 병행하여 제공할 수 있다.

④ 비공개결정의 통지

정보공개법 제13조【정보공개 여부 결정의 통지】⑤ 공공기관은 제11조에 따라 정보의 비공개 결정을 한 경우에는 그 사실을 청구인에게 지체 없이 문서로 통지하여야 한다. 이 경우 제9조 제1항 각 호 중 어느 규정에 해당하는 비공개 대상 정보인지를 포함한 비공개 이유와 불복(不服)의 방법 및 절차를 구체적으로 밝혀야 한다.
<개정 2020.12.22.>

관련판례 비공개결정통지 ★★

甲이 재판기록 일부의 정보공개를 청구한 데 대하여 서울행정법원장이 민사소송법 제162조를 이유로 소송기록의 정보를 비공개한다는 결정을 전자문서로 통지한 사안에서, 비공개결정 당시 정보의 비공개결정은 구 공공기관의 정보공개에 관한 법률 제13조 제4항에 의하여 전자문서로 통지할 수 있다(대판 2014.4.10, 2012두17384).
#비공개결정통지_전자문서_가능

⑤ 반복청구 처리

정보공개법 제11조의2【반복 청구 등의 처리】① 공공기관은 제11조에도 불구하고 제10조 제1항 및 제2항에 따른 정보공개 청구가 다음 각 호의 어느 하나에 해당하는 경우에는 정보공개 청구 대상 정보의 성격, 종전 청구와의 내용적 유사성·관련성, 종전 청구와 동일한 답변을 할 수밖에 없는 사정 등을 종합적으로 고려하여 해당 청구를 종결 처리할 수 있다. 이 경우 종결 처리 사실을 청구인에게 알려야 한다.
1. 정보공개를 청구하여 정보공개 여부에 대한 결정의 통지를 받은 자가 정당한 사유 없이 해당 정보의 공개를 다시 청구하는 경우
2. 정보공개 청구가 제11조 제5항에 따라 민원으로 처리되었으나 다시 같은 청구를 하는 경우

② 공공기관은 제11조에도 불구하고 제10조 제1항 및 제2항에 따른 정보공개 청구가 다음 각 호의 어느 하나에 해당하는 경우에는 다음 각 호의 구분에 따라 안내하고, 해당 청구를 종결 처리할 수 있다.
1. 제7조 제1항에 따른 정보 등 공개를 목적으로 작성되어 이미 정보통신망 등을 통하여 공개된 정보를 청구하는 경우: 해당 정보의 소재(所在)를 안내
2. 다른 법령이나 사회통념상 청구인의 여건 등에 비추어 수령할 수 없는 방법으로 정보공개 청구를 하는 경우: 수령이 가능한 방법으로 청구하도록 안내

간단 점검하기

01 공공기관은 정보의 비공개 결정을 한 경우 청구인에게 비공개 이유와 불복의 방법 및 절차를 구체적으로 밝혀 문서로 통지하여야 한다. ( )
15. 교육행정직

간단 점검하기

02 공공기관의 정보공개에 관한 법률상 행정소송의 재판기록 일부의 정보공개청구에 대한 비공개결정은 전자문서로 통지할 수 없다. ( )
19. 국가직 9급

01 ○ 02 ×

간단 점검하기

01 공공기관의 정보공개에 관한 법률에는 부분 공개제도가 채택되어 있지 않아, 비공개 대상 정보에 해당하는 부분과 공개 가능한 부분을 분리할 수 있는 경우에도 부분 공개는 허용되지 않는다. ( ) 09. 국가직 9급

간단 점검하기

02 공개를 거부한 정보에 비공개 대상 정보에 해당하는 부분과 공개가 가능한 부분이 혼합되어 있는 경우라면 법원은 정보공개거부처분 전부를 취소해야 한다. ( ) 10. 국가직 9급

03 공공기관의 정보공개에 관한 법률상 공공기관이 공개청구대상정보를 청구인이 신청한 공개방법 이외의 방법으로 공개하는 결정을 한 경우, 정보공개청구 중 정보공개방법 부분에 대하여 일부 거부처분을 한 것이다. ( ) 18. 국가직 7급

간단 점검하기

04 공공기관은 전자적 형태로 보유·관리하지 않는 정보에 대하여 청구인이 전자적 형태로 공개하여 줄 것을 요청한 경우 특별한 사정이 없으면 그 정보를 전자적 형태로 변환하여 공개할 수 있다. ( ) 11. 국가직 7급, 08. 지방직 7급

01 × 02 × 03 ○ 04 ○

(4) 정보공개의 방법

① 부분공개

> 정보공개법 제14조 【부분 공개】 공개 청구한 정보가 제9조 제1항 각 호의 어느 하나에 해당하는 부분과 공개 가능한 부분이 혼합되어 있는 경우로서 공개 청구의 취지에 어긋나지 아니하는 범위에서 두 부분을 분리할 수 있는 경우에는 제9조 제1항 각 호의 어느 하나에 해당하는 부분을 제외하고 공개하여야 한다.

관련판례

1 공개가능부분만 취소 ★★

법원이 정보공개거부처분의 위법 여부를 심리한 결과, 공개가 거부된 정보에 비공개대상정보에 해당하는 부분과 공개가 가능한 부분이 혼합되어 있으며, 공개청구의 취지에 어긋나지 아니하는 범위 안에서 두 부분을 분리할 수 있다고 인정할 수 있을 때에는, 공개가 거부된 정보 중 공개가 가능한 부분을 특정하고, 판결의 주문에 정보공개거부처분 중 공개가 가능한 정보에 관한 부분만을 취소한다고 표시하여야 한다(대판 2010.2.11, 2009두6001).

#공개가부_혼합 #분리가능 #일부_취소

2 비공개부분삭제 공개 ★★★

비공개대상 정보에 해당하는 부분과 공개가 가능한 부분을 분리할 수 있다고 함은, 이 두 부분이 물리적으로 분리가능한 경우를 의미하는 것이 아니고 당해 정보의 공개방법 및 절차에 비추어 당해 정보에서 비공개대상 정보에 관련된 기술 등을 제외 내지 삭제하고 그 나머지 정보만을 공개하는 것이 가능하고 나머지 부분의 정보만으로도 공개의 가치가 있는 경우를 의미한다고 해석하여야 한다(대판 2004.12.9, 2003두12707).

#분리공개_의미 #물리적_분리 #비공개_삭제_공개가능

3 공공기관이 공개청구의 대상이 된 정보를 공개는 하되, 청구인이 신청한 공개방법 이외의 방법으로 공개하기로 하는 결정을 하였다면, 이는 정보공개청구 중 정보공개방법에 관한 부분에 대하여 일부 거부처분을 한 것이고, 청구인은 그에 대하여 항고소송으로 다툴 수 있다(대판 2016.11.10, 2016두44674).

② 정보의 전자적 공개

㉠ 전자적 형태 보유·관리하는 경우(기속, 전자적 형태로 공개해야)

> 정보공개법 제15조 【정보의 전자적 공개】 ① 공공기관은 전자적 형태로 보유·관리하는 정보에 대하여 청구인이 전자적 형태로 공개하여 줄 것을 요청하는 경우에는 그 정보의 성질상 현저히 곤란한 경우를 제외하고는 청구인의 요청에 따라야 한다.

ⓛ 전자적 형태로 보유 · 관리하지 않는 경우(재량, 전자적 형태로 공개하지 않을 수 있음)

> 정보공개법 제15조 【정보의 전자적 공개】 ② 공공기관은 전자적 형태로 보유 · 관리하지 아니하는 정보에 대하여 청구인이 전자적 형태로 공개하여 줄 것을 요청한 경우에는 정상적인 업무수행에 현저한 지장을 초래하거나 그 정보의 성질이 훼손될 우려가 없으면 그 정보를 전자적 형태로 변환하여 공개할 수 있다.

③ 즉시 또는 말로 처리가 가능한 정보의 공개

> 정보공개법 제16조 【즉시 처리가 가능한 정보의 공개】 다음 각 호의 어느 하나에 해당하는 정보로서 즉시 또는 말로 처리가 가능한 정보에 대해서는 제11조에 따른 절차를 거치지 아니하고 공개하여야 한다.
> 1. 법령 등에 따라 공개를 목적으로 작성된 정보
> 2. 일반국민에게 알리기 위하여 작성된 각종 홍보자료
> 3. 공개하기로 결정된 정보로서 공개에 오랜 시간이 걸리지 아니하는 정보
> 4. 그 밖에 공공기관의 장이 정하는 정보

관련판례 **편집할 필요가 있는 경우**

전자적 형태로 보유 · 관리되는 정보의 경우에는, 그 정보가 청구인이 구하는 대로는 되어 있지 않다고 하더라도, … 그 기초자료를 검색하여 청구인이 구하는 대로 편집할 수 있으며, 그러한 작업이 당해 기관의 컴퓨터 시스템 운용에 별다른 지장을 초래하지 아니한다면, 그 공공기관이 공개청구대상정보를 보유 · 관리하고 있는 것으로 볼 수 있고, 이러한 경우에 기초자료를 검색 · 편집하는 것은 새로운 정보의 생산 또는 가공에 해당한다고 할 수 없다(대판 2010.2.11, 2009두6001).

(5) 비용부담

① 청구인 부담

> 정보공개법 제17조 【비용 부담】 ① 정보의 공개 및 우송 등에 드는 비용은 실비(實費)의 범위에서 청구인이 부담한다.

② 비용 감면

> 정보공개법 제17조 【비용 부담】 ② 공개를 청구하는 정보의 사용 목적이 공공복리의 유지 · 증진을 위하여 필요하다고 인정되는 경우에는 제1항에 따른 비용을 감면할 수 있다.

간단 점검하기

국민의 정보공개 청구권을 보장하기 위하여 정보공개에 드는 비용은 무료로 한다. ( )

15. 지방직 9급, 14 · 10. 서울시 9급

×

7. 불복구제절차

(1) 공공기관의 비공개결정에 대한 청구인의 불복절차

① 이의신청

㉠ 청구기간 및 방법(결정통지를 받은 날부터 30일 이내에 문서로)

> 정보공개법 제18조 【이의신청】 ① 청구인이 정보공개와 관련한 공공기관의 비공개 결정 또는 부분 공개 결정에 대하여 불복이 있거나 정보공개 청구 후 20일이 경과하도록 정보공개 결정이 없는 때에는 공공기관으로부터 정보공개 여부의 결정 통지를 받은 날 또는 정보공개 청구 후 20일이 경과한 날부터 30일 이내에 해당 공공기관에 문서로 이의신청을 할 수 있다.

㉡ 심의회 개최

> 정보공개법 제18조 【이의신청】 ② 국가기관 등은 제1항에 따른 이의신청이 있는 경우에는 심의회를 개최하여야 한다. 다만, 다음 각 호의 어느 하나에 해당하는 경우에는 심의회를 개최하지 아니할 수 있으며 개최하지 아니하는 사유를 청구인에게 문서로 통지하여야 한다.
> <개정 2020.12.22.>
> 1. 심의회의 심의를 이미 거친 사항
> 2. 단순·반복적인 청구
> 3. 법령에 따라 비밀로 규정된 정보에 대한 청구

㉢ 해당 기관의 심사(7일 이내에 결정, 7일 이내 연장 가능)

> 정보공개법 제18조 【이의신청】 ③ 공공기관은 이의신청을 받은 날부터 7일 이내에 그 이의신청에 대하여 결정하고 그 결과를 청구인에게 지체 없이 문서로 통지하여야 한다. 다만, 부득이한 사유로 정하여진 기간 이내에 결정할 수 없을 때에는 그 기간이 끝나는 날의 다음 날부터 기산하여 7일의 범위에서 연장할 수 있으며, 연장 사유를 청구인에게 통지하여야 한다.

㉣ 행정쟁송제기 가능성의 통지

> 정보공개법 제18조 【이의신청】 ④ 공공기관은 이의신청을 각하(却下) 또는 기각(棄却)하는 결정을 한 경우에는 청구인에게 행정심판 또는 행정소송을 제기할 수 있다는 사실을 제3항에 따른 결과 통지와 함께 알려야 한다.

㉤ 임의적 절차

> 정보공개법 제19조 【행정심판】 ② 청구인은 제18조에 따른 이의신청 절차를 거치지 아니하고 행정심판을 청구할 수 있다.

간단 점검하기

01 정보공개청구 후 20일이 경과하도록 정보공개 결정이 없는 때에는 정보공개 청구 후 20일이 경과한 날부터 30일 이내에 해당 공공기관에 문서로 이의신청을 할 수 있다. ( )
15. 서울시 7급

02 공공기관의 비공개 결정에 대하여 불복이 있는 청구인은 해당 공공기관의 상급기관에 이의신청을 하여야 한다. ( ) 15. 교육행정직

간단 점검하기

03 공공기관은 이의신청을 받은 날부터 7일 이내에 그 이의신청에 대하여 결정하고 그 결과를 청구인에게 지체 없이 문서로 통지하여야 한다. ( )
11. 지방직 9급, 10. 서울시 9급

간단 점검하기

04 공공기관의 정보공개에 관한 법률상 정보공개청구인은 공공기관의 비공개 결정에 대해 이의신청절차를 거치지 아니하면 행정심판을 청구할 수 없다. ( ) 19. 사회복지직

01 ○ 02 × 03 ○ 04 ×

② 행정심판

㉠ 행정심판의 청구

> 정보공개법 제19조【행정심판】① 청구인이 정보공개와 관련한 공공기관의 결정에 대하여 불복이 있거나 정보공개 청구 후 20일이 경과하도록 정보공개 결정이 없는 때에는 행정심판법에서 정하는 바에 따라 행정심판을 청구할 수 있다. 이 경우 국가기관 및 지방자치단체 외의 공공기관의 결정에 대한 감독행정기관은 관계 중앙행정기관의 장 또는 지방자치단체의 장으로 한다.

㉡ 직무상 비밀의 누설금지

> 정보공개법 제19조【행정심판】③ 행정심판위원회의 위원 중 정보공개 여부의 결정에 관한 행정심판에 관여하는 위원은 재직 중은 물론 퇴직 후에도 그 직무상 알게 된 비밀을 누설하여서는 아니 된다.

③ 행정소송

㉠ 행정소송의 제기

> 정보공개법 제20조【행정소송】① 청구인이 정보공개와 관련한 공공기관의 결정에 대하여 불복이 있거나 정보공개 청구 후 20일이 경과하도록 정보공개 결정이 없는 때에는 행정소송법에서 정하는 바에 따라 행정소송을 제기할 수 있다.

대상적격 (처분성)	• 항고소송은 처분을 대상으로 하므로 정보공개청구의 거부가 항고소송의 대상이 된다.
원고적격	• 행정소송의 원고가 되기 위해서는 법률상 이익이 있어야 한다. • 정보공개청구는 모든 국민이 청구할 수 있는 구체적 권리이므로 정보공개를 청구했다가 거부당하면 그 자체로 법률상 이익이 침해되므로 원고적격이 인정된다.
피고적격	• 정보공개거부처분이 행해진 경우 피고는 항고소송에서와 같이 해당 행정청이 된다. • 정보공개심의회가 피고가 되는 것이 아니다.
소의 이익 (대상의 부존재)	• 공공기관이 정보를 보유·관리하고 있는 경우에도 청구가 거부되면 소의 이익이 있다. • 공공기관이 정보를 보유·관리하고 있지 않은 경우에는 소의 이익이 없다. 이 경우 법원에서는 각하하게 된다.

간단 점검하기

정보공개와 관련한 공공기관의 결정에 대해 불복이 있는 때에는 이의신청이나 행정심판을 제기함이 없이 직접 행정소송의 제기도 가능하다. ( )

12. 국가직 7급, 10. 국가직 9급

○

간단 점검하기

01 정보비공개결정 취소소송에서 공공기관이 청구정보를 증거로 법원에 제출하여 법원을 통하여 그 사본을 청구인에게 교부되게 하여 정보를 공개하게 된 경우에는 비공개결정의 취소를 구할 소의 이익이 소멸한다. ( )
18. 국가직 7급

02 판례에 의하면 정보공개 거부처분 후 대상 정보의 폐기 등으로 공공기관이 그 정보를 보유·관리하지 않게 된 경우에는 특별한 사정이 없는 한 소의 이익이 없으므로 각하사유에 해당된다. ( ) 16. 국가직 7급, 10. 지방직 7급

관련판례

1 증거자료 사본교부 ★★★

'공개'라 함은 공공기관이 이 법의 규정에 의하여 정보를 열람하게 하거나 그 사본·복제물을 교부하는 것 등을 말한다. … 청구인이 정보공개거부처분의 취소를 구하는 소송에서 공공기관이 청구정보를 증거 등으로 법원에 제출하여 법원을 통하여 그 사본을 청구인에게 교부 또는 송달되게 하여 결과적으로 청구인에게 정보를 공개하는 셈이 되었다고 하더라도, 이러한 우회적인 방법은 정보공개법이 예정하고 있지 아니한 방법으로서 정보공개법에 의한 공개라고 볼 수는 없으므로, 당해 정보의 비공개결정의 취소를 구할 소의 이익은 소멸되지 않는다(대판 2016.12.15, 2012두11409·11416).

#공개_공공기관_열람·사본교부 #소송_증거자료_사본교부 #공개_아님 #비공개결정_취소_소익○

2 정보를 보유·관리하지 않는 경우 - 소의 이익× ★★

공공기관이 정보의 폐기 등으로 인하여 정보를 보유·관리하고 있지 아니한 경우에는 특별한 사정이 없는 한 정보공개거부처분의 취소를 구할 법률상의 이익이 없다(대판 2003.4.25, 2000두7087).

ⓛ 불출석 비공개 열람·심사(재판장이 필요한 경우)

> 정보공개법 제20조【행정소송】② 재판장은 필요하다고 인정하면 당사자를 참여시키지 아니하고 제출된 공개 청구 정보를 비공개로 열람·심사할 수 있다.

ⓒ **정보제출의 제한**: 재판장, 비공개를 입증한 경우, 정보제출을 아니하게 할 수 있다.

> 정보공개법 제20조【행정소송】③ 재판장은 행정소송의 대상이 제9조제1항 제2호에 따른 정보 중 국가안전보장·국방 또는 외교관계에 관한 정보의 비공개 또는 부분 공개 결정처분인 경우에 공공기관이 그 정보에 대한 비밀 지정의 절차, 비밀의 등급·종류 및 성질과 이를 비밀로 취급하게 된 실질적인 이유 및 공개를 하지 아니하는 사유 등을 입증하면 해당 정보를 제출하지 아니하게 할 수 있다.

ⓔ **입증책임**: 쟁송에서 입증책임은 주장하는 당사자에게 있다. 정보공개 청구인은 공공기관이 정보를 보유·관리하고 있다는 '개연성'만을 입증하도록 하고 공공기관은 정보를 보유·관리하고 있지 않다는 것을 입증해야 한다는 것이 판례의 입장이다.

관련판례

1 개연성 입증 ★★

정보공개를 구하는 자가 공개를 구하는 정보를 행정기관이 보유·관리하고 있을 상당한 개연성이 있다는 점을 입증함으로써 족하다(대판 2006.1.13, 2003두9459).

01 × 02 ○

2 정보를 보유 · 관리하고 있지 않다는 것에 대한 입증책임 - 공공기관 ★★

공개를 구하는 정보를 공공기관이 한 때 보유 · 관리하였으나 후에 그 정보가 담긴 문서 등이 폐기되어 존재하지 않게 된 것이라면 그 정보를 더 이상 보유 · 관리하고 있지 아니하다는 점에 대한 증명책임은 공공기관에게 있다(대판 2004.12.9, 2003두12707).

(2) 공공기관의 공개결정에 대한 제3자의 불복절차

① 제3자의 비공개요청

> 정보공개법 제21조 【제3자의 비공개 요청 등】 ① 제11조 제3항에 따라 공개 청구된 사실을 통지받은 제3자는 그 통지를 받은 날부터 3일 이내에 해당 공공기관에 대하여 자신과 관련된 정보를 공개하지 아니할 것을 요청할 수 있다.

관련판례

정보공개법 제11조 제3항이 "공공기관은 공개청구 된 공개대상정보의 전부 또는 일부가 제3자와 관련이 있다고 인정되는 때에는 그 사실을 제3자에게 지체없이 통지하여야 하며, 필요한 경우에는 그의 의견을 청취할 수 있다.", 제21조 제1항이 "제11조 제3항의 규정에 의하여 공개청구된 사실을 통지받은 제3자는 통지받은 날부터 3일 이내에 당해 공공기관에 대하여 자신과 관련된 정보를 공개하지 아니할 것을 요청할 수 있다."고 규정하고 있다고 하더라도, 이는 공공기관이 보유 · 관리하고 있는 정보가 제3자와 관련이 있는 경우 그 정보공개여부를 결정함에 있어 공공기관이 제3자와의 관계에서 거쳐야 할 절차를 규정한 것에 불과할 뿐, 제3자의 비공개요청이 있다는 사유만으로 정보공개법상 정보의 비공개사유에 해당한다고 볼 수 없다(대판 2008.9.25, 2008두8680).

② 이의신청

> 정보공개법 제21조 【제3자의 비공개 요청 등】 ② 제1항에 따른 비공개 요청에도 불구하고 공공기관이 공개 결정을 할 때에는 공개 결정 이유와 공개 실시일을 분명히 밝혀 지체 없이 문서로 통지하여야 하며, 제3자는 해당 공공기관에 문서로 이의신청을 하거나 행정심판 또는 행정소송을 제기할 수 있다. 이 경우 이의신청은 통지를 받은 날부터 7일 이내에 하여야 한다.

③ 공개의 유예

> 정보공개법 제21조 【제3자의 비공개 요청 등】 ③ 공공기관은 제2항에 따른 공개 결정일과 공개 실시일 사이에 최소한 30일의 간격을 두어야 한다.

④ 행정쟁송의 제기

㉠ 행정심판법 · 행정소송법 적용

㉡ 취소소송 형태(예방적 부작위 소송 불가)

간단 점검하기

01 공개를 구하는 정보를 공공기관이 한때 보유 · 관리하였으나 후에 그 정보가 담긴 문서들이 폐기되어 존재하지 않게 된 것이라면 그 정보를 더 이상 보유 · 관리하고 있지 아니하다는 점에 대한 입증책임은 공공기관에 있다. ( ) 17. 국가직 7급

간단 점검하기

02 공공기관은 공개대상 정보가 제3자와 관련이 있다고 인정한 때에는 제3자에게 지체 없이 통지하여야 하며 제3자는 통지일로부터 3일 이내에 비공개요청을 해야 한다. ( ) 10. 국회직 8급

간단 점검하기

03 공개 청구된 사실을 통지받은 제3자가 당해 공공기관에 공개하지 아니할 것을 요청하는 때에는 공공기관은 비공개 결정을 하여야 한다. ( ) 12. 지방직 9급

간단 점검하기

04 자신과 관련된 정보에 대한 제3자의 비공개 요청에도 불구하고 공공기관이 공개 결정을 하는 때에는 제3자는 당해 공공기관에 문서 또는 구두로 이의신청을 하거나 행정심판 또는 행정소송을 제기할 수 있다. ( ) 13. 서울시 7급, 11. 사회복지직

간단 점검하기

05 공공기관은 제3자의 비공개 요청에도 불구하고 공개 결정을 하는 때에는 공개 결정일과 공개 실시일의 사이에 최소한 20일의 간격을 두어야 한다. ( ) 11. 사회복지직

01 ○ 02 ○ 03 × 04 × 05 ×

8. 정보공개심의회와 정보공개위원회

(1) 정보공개심의회

① 국가기관 등에 설치

정보공개법 제12조 【정보공개심의회】 ① 국가기관, 지방자치단체 및 공공기관의 운영에 관한 법률 제5조에 따른 공기업(이하 "국가기관 등"이라 한다)은 제11조에 따른 정보공개 여부 등을 심의하기 위하여 정보공개심의회(이하 "심의회"라 한다)를 설치 · 운영한다.

정보공개법 제12조 【정보공개심의회】 ① 국가기관, 지방자치단체, 공공기관의 운영에 관한 법률 제5조에 따른 공기업 및 준정부기관, 지방공기업법에 따른 지방공사 및 지방공단(이하 "국가기관 등"이라 한다)은 제11조에 따른 정보공개 여부 등을 심의하기 위하여 정보공개심의회(이하 "심의회"라 한다)를 설치 · 운영한다. 이 경우 국가기관 등의 규모와 업무성격, 지리적 여건, 청구인의 편의 등을 고려하여 소속 상급기관(지방공사 · 지방공단의 경우에는 해당 지방공사 · 지방공단을 설립한 지방자치단체를 말한다)에서 협의를 거쳐 심의회를 통합하여 설치 · 운영할 수 있다.
<개정 2020.12.22.>
[시행일: 2021.12.23.] 제12조 제1항 · 제3항 · 제4항

행정소송법 제13조 【피고적격】 ① 취소소송은 다른 법률에 특별한 규정이 없는 한 그 처분 등을 행한 행정청을 피고로 한다. 다만, 처분 등이 있은 뒤에 그 처분 등에 관계되는 권한이 다른 행정청에 승계된 때에는 이를 승계한 행정청을 피고로 한다.

② 구성

간단 점검하기

공공기관의 정보공개에 관한 법률상 정보공개심의회는 위원장 1명을 포함하여 5명 이상 7명 이하의 위원으로 구성한다. ( ) 15. 국회직 8급

○

㉠ 심의회의 위원장

정보공개법 제12조 【정보공개심의회】 ② 심의회는 위원장 1명을 포함하여 5명 이상 7명 이하의 위원으로 구성한다.

㉡ 심의회의 위원

정보공개법 제12조 【정보공개심의회】 ③ 심의회의 위원장을 제외한 위원은 소속 공무원, 임직원 또는 외부 전문가로 지명하거나 위촉하되, 그 중 2분의 1은 해당 국가기관 등의 업무 또는 정보공개의 업무에 관한 지식을 가진 외부 전문가로 위촉하여야 한다. 다만, 제9조 제1항 제2호 및 제4호에 해당하는 업무를 주로 하는 국가기관은 그 국가기관의 장이 외부 전문가의 위촉 비율을 따로 정하되, 최소한 3분의 1 이상은 외부 전문가로 위촉하여야 한다.

제9조 【비공개 대상 정보】 ① 공공기관이 보유 · 관리하는 정보는 공개 대상이 된다. 다만, 다음 각 호의 어느 하나에 해당하는 정보는 공개하지 아니할 수 있다.

2. 국가안전보장 · 국방 · 통일 · 외교관계 등에 관한 사항으로서 공개될 경우 국가의 중대한 이익을 현저히 해칠 우려가 있다고 인정되는 정보

4. 진행 중인 재판에 관련된 정보와 범죄의 예방, 수사, 공소의 제기 및 유지, 형의 집행, 교정(矯正), 보안처분에 관한 사항으로서 공개될 경우 그 직무수행을 현저히 곤란하게 하거나 형사피고인의 공정한 재판을 받을 권리를 침해한다고 인정할 만한 상당한 이유가 있는 정보

정보공개법 제12조【정보공개심의회】③ 심의회의 위원은 소속 공무원, 임직원 또는 외부 전문가로 지명하거나 위촉하되, 그 중 3분의 2는 해당 국가기관 등의 업무 또는 정보공개의 업무에 관한 지식을 가진 외부 전문가로 위촉하여야 한다. 다만, 제9조 제1항 제2호 및 제4호에 해당하는 업무를 주로 하는 국가기관은 그 국가기관의 장이 외부 전문가의 위촉 비율을 따로 정하되, 최소한 3분의 1 이상은 외부 전문가로 위촉하여야 한다.
<개정 2020.12.22.>
[시행일: 2021.12.23.] 제12조 제1항 · 제3항 · 제4항

㉢ 심의회의 위원장

정보공개법 제12조【정보공개심의회】④ 심의회의 위원장은 제3항에 규정된 위원과 같은 자격을 가진 사람 중에서 국가기관 등의 장이 지명하거나 위촉한다.

정보공개법 제12조【정보공개심의회】④ 심의회의 위원장은 위원 중에서 국가기관 등의 장이 지명하거나 위촉한다.
<개정 2020.12.22.>
[시행일: 2021.12.23.] 제12조 제1항 · 제3항 · 제4항

㉣ 심의회의 위원 준용규정

정보공개법 제12조【정보공개심의회】⑤ 심의회의 위원에 대해서는 제23조 제4항 및 제5항을 준용한다.

제23조【위원회의 구성 등】④ 위원장 · 부위원장 및 위원은 정보공개 업무와 관련하여 알게 된 정보를 누설하거나 그 정보를 이용하여 본인 또는 타인에게 이익 또는 불이익을 주는 행위를 하여서는 아니 된다.
⑤ 위원장 · 부위원장 및 위원 중 공무원이 아닌 사람은 형법이나 그 밖의 법률에 따른 벌칙을 적용할 때에는 공무원으로 본다.

③ 위원의 제척 · 기피 · 회피

㉠ 제척

정보공개법 제12조의2【위원의 제척 · 기피 · 회피】① 심의회의 위원이 다음 각 호의 어느 하나에 해당하는 경우에는 심의회의 심의에서 제척(除斥)된다.
1. 위원 또는 그 배우자나 배우자이었던 사람이 해당 심의사항의 당사자(당사자가 법인 · 단체 등인 경우에는 그 임원 또는 직원을 포함한

다. 이하 이 호 및 제2호에서 같다)이거나 그 심의사항의 당사자와 공동권리자 또는 공동의무자인 경우
2. 위원이 해당 심의사항의 당사자와 친족이거나 친족이었던 경우
3. 위원이 해당 심의사항에 대하여 증언, 진술, 자문, 연구, 용역 또는 감정을 한 경우
4. 위원이나 위원이 속한 법인 등이 해당 심의사항의 당사자의 대리인이거나 대리인이었던 경우

ⓛ 기피신청과 결정

정보공개법 제12조의2【위원의 제척 · 기피 · 회피】 ② 심의회의 심의사항의 당사자는 위원에게 공정한 심의를 기대하기 어려운 사정이 있는 경우에는 심의회에 기피(忌避) 신청을 할 수 있고, 심의회는 의결로 기피 여부를 결정하여야 한다. 이 경우 기피 신청의 대상인 위원은 그 의결에 참여할 수 없다.

ⓒ 회피

정보공개법 제12조의2【위원의 제척 · 기피 · 회피】 ③ 위원은 제1항 각 호에 따른 제척 사유에 해당하는 경우에는 심의회에 그 사실을 알리고 스스로 해당 안건의 심의에서 회피(回避)하여야 한다.

ⓔ 제척 사유에 해당함에도 불구하고 회피신청을 하지 않은 경우

정보공개법 제12조의2【위원의 제척 · 기피 · 회피】 ④ 위원이 제1항 각 호의 어느 하나에 해당함에도 불구하고 회피신청을 하지 아니하여 심의회 심의의 공정성을 해친 경우 국가기관 등의 장은 해당 위원을 해촉하거나 해임할 수 있다.

(2) 정보공개위원회

① 설치

정보공개법 제22조【정보공개위원회의 설치】 다음 각 호의 사항을 심의 · 조정하기 위하여 국무총리 소속으로 정보공개위원회(이하 "위원회"라 한다)를 둔다.
1. 정보공개에 관한 정책 수립 및 제도 개선에 관한 사항
2. 정보공개에 관한 기준 수립에 관한 사항
3. 제12조에 따른 심의회 심의결과의 조사 · 분석 및 심의기준 개선 관련 의견제시에 관한 사항
4. 제24조 제2항 및 제3항에 따른 공공기관의 정보공개 운영실태 평가 및 그 결과 처리에 관한 사항
5. 정보공개와 관련된 불합리한 제도 · 법령 및 그 운영에 대한 조사 및 개선권고에 관한 사항
6. 그 밖에 정보공개에 관하여 대통령령으로 정하는 사항

<개정 2020.12.22.>

간단 점검하기

정보공개에 관한 정책수립 및 제도개선에 관한 사항을 심의 · 조정하기 위하여 국무총리 소속으로 정보공개위원회를 둔다. ( )

19. 국회직 8급, 08. 국가직 9급

○

② 구성

> 정보공개법 제23조 【위원회의 구성 등】 ① 위원회는 성별을 고려하여 위원장과 부위원장 각 1명을 포함한 11명의 위원으로 구성한다.
> ② 위원회의 위원은 다음 각 호의 사람이 된다. 이 경우 위원장을 포함한 7명은 공무원이 아닌 사람으로 위촉하여야 한다.
> 1. 대통령령으로 정하는 관계 중앙행정기관의 차관급 공무원이나 고위공무원단에 속하는 일반직공무원
> 2. 정보공개에 관하여 학식과 경험이 풍부한 사람으로서 국무총리가 위촉하는 사람
> 3. 시민단체(비영리민간단체 지원법 제2조에 따른 비영리민간단체를 말한다)에서 추천한 사람으로서 국무총리가 위촉하는 사람
>
> ③ 위원장 · 부위원장 및 위원(제2항 제1호의 위원은 제외한다)의 임기는 2년으로 하며, 연임할 수 있다.
> ④ 위원장 · 부위원장 및 위원은 정보공개 업무와 관련하여 알게 된 정보를 누설하거나 그 정보를 이용하여 본인 또는 타인에게 이익 또는 불이익을 주는 행위를 하여서는 아니 된다.
> ⑤ 위원장 · 부위원장 및 위원 중 공무원이 아닌 사람은 형법이나 그 밖의 법률에 따른 벌칙을 적용할 때에는 공무원으로 본다.
> ⑥ 위원회의 구성과 의결 절차 등 위원회 운영에 필요한 사항은 대통령령으로 정한다.
> <개정 2020.12.22.>

9. 제도의 총괄 및 국회에의 보고

(1) 행정안전부장관

> 정보공개법 제24조 【제도 총괄 등】 ① 행정안전부장관은 이 법에 따른 정보공개제도의 정책 수립 및 제도 개선 사항 등에 관한 기획 · 총괄 업무를 관장한다.
>
> 제26조 【국회에의 보고】 ① 행정안전부장관은 전년도의 정보공개 운영에 관한 보고서를 매년 정기국회 개회 전까지 국회에 제출하여야 한다.

(2) 기간계산

> 정보공개법 제29조 【기간의 계산】 ① 이 법에 따른 기간의 계산은 민법에 따른다.
> ② 제1항에도 불구하고 다음 각 호의 기간은 "일" 단위로 계산하고 첫날을 산입하되, 공휴일과 토요일은 산입하지 아니한다.
> 1. 제11조 제1항 및 제2항에 따른 정보공개 여부 결정기간
> 2. 제18조 제1항, 제19조 제1항 및 제20조 제1항에 따른 정보공개 청구 후 경과한 기간
> 3. 제18조 제3항에 따른 이의신청 결정기간
>
> [본조신설 2020.12.22.]

제2절 개인정보의 보호

1 개설

1. 의의

개인정보의 보호란 개인은 자기의 정보를 스스로 통제할 수 있는 자기결정권을 가지며, 국가는 이러한 자기결정권을 국민의 기본권의 하나로서 보호하는 것을 의미한다.

2. 근거

(1) 헌법적 근거

개인정보 보호는 사생활의 비밀과 자유의 한 부분이다. 따라서 개인정보보호에 대한 헌법적 근거로 사생활의 비밀을 보장하는 헌법 제17조를 들 수 있다.

(2) 일반법적 근거

개인정보 보호에 관한 일반법으로 '개인정보 보호법'이 제정되어 2011년 9월 30일부터 시행되고 있다.

관련판례

1 **개인정보자기결정권의 근거** ★★★

개인정보자기결정권의 헌법상 근거로는 헌법 제17조의 사생활의 비밀과 자유, 헌법 제10조 제1문의 인간의 존엄과 가치 및 행복추구권에 근거를 둔 일반적 인격권 또는 위 조문들과 동시에 우리 헌법의 자유민주적 기본질서 규정 또는 국민주권원리와 민주주의원리 등을 이념적 기초로 하는 독자적 기본권으로서 헌법에 명시되지 아니한 기본권이라고 보아야 할 것이다(헌재 2005.5.26, 99헌마513 · 2004헌마190).

#개인정보자기결정권 #사생활_비밀_자유 #일반적_인격권 #헌법_명시×_기본권

2 **이미 공개된 개인정보** ★★★

인간의 존엄과 가치, 행복추구권을 규정한 헌법 제10조 제1문에서 도출되는 일반적 인격권 및 헌법 제17조의 사생활의 비밀과 자유에 의하여 보장되는 개인정보자기결정권은 자신에 관한 정보가 언제 누구에게 어느 범위까지 알려지고 또 이용되도록 할 것인지를 그 정보주체가 스스로 결정할 수 있는 권리이다. 즉, 정보주체가 개인정보의 공개와 이용에 관하여 스스로 결정할 권리를 말한다. 개인정보자기결정권의 보호대상이 되는 개인정보는 개인의 신체, 신념, 사회적 지위, 신분 등과 같이 개인의 인격주체성을 특징짓는 사항으로서 그 개인의 동일성을 식별할 수 있게 하는 일체의 정보라고 할 수 있고, 반드시 개인의 내밀한 영역이나 사사(私事)의 영역에 속하는 정보에 국한되지 않고 공적 생활에서 형성되었거나 이미 공개된 개인정보까지 포함한다. 또한 그러한 개인정보를 대상으로 한 조사 · 수집 · 보관 · 처리 · 이용 등의 행위는 모두 원칙적으로 개인정보자기결정권에 대한 제한에 해당한다(헌재 2005.5.26, 99헌마513 등).

#개인정보자기결정권 #인격주체성_특징_사항_보호대상 #개인_동일성_식별_일체정보
#사사(私事)영역_공적영역 #이미_공개_개인정보_포함

간단 점검하기

01 헌법재판소는 개인정보자기결정권을 사생활의 비밀과 자유, 일반적 인격권 등을 이념적 기초로 하는 독자적 기본권으로서 헌법에 명시되지 않은 기본권으로 보고 있다. ( )

18. 국가직 9급

02 헌법 제10조의 인간의 존엄과 가치, 행복추구권과 헌법 제17조의 사생활의 비밀과 자유에서 도출되는 개인정보자기결정권은 자신에 관한 정보가 언제 누구에게 어느 범위까지 알려지고 또 이용되도록 할 것인지는 정보주체가 스스로 결정할 수 있는 권리이다. ( ) 18. 국회직 8급

03 개인정보자기결정권의 보호대상이 되는 개인정보는 개인의 신체, 신념, 사회적 지위, 신분 등과 같이 개인의 인격주체성을 특징짓는 사항으로서 그 개인의 동일성을 식별할 수 있는 일체의 정보이고, 이미 공개된 개인정보는 포함하지 않는다. ( )

18. 지방직 7급 · 국회직 8급

01 ○ 02 ○ 03 ×

3 지문 ★★★

지문(指紋)도 개인정보 보호법상 개인정보에 해당하며, 주민등록법 시행령상의 지문날인제도는 개인의 고유성, 동일성을 나타내는 지문은 그 정보주체를 타인으로부터 식별가능하게 하는 개인정보이므로, 시장 · 군수 또는 구청장이 개인의 지문정보를 수집하고, 경찰청장이 이를 보관 · 전산화하여 범죄수사목적에 이용하는 것은 모두 개인정보자기결정권을 제한하는 것이다(헌재 2005.5.26, 99헌마513 · 2004헌마190).

#지문_개인정보 #지문날인제도_개인정보자기결정권_제한

4 교원노조가입현황 실명자료 ★★

국회의원이 '각급학교 교원의 교원단체 및 교원노조 가입현황 실명자료'를 인터넷을 통하여 공개하는 것은 개인정보자기결정권 및 단결권을 침해한다(대결 2011.5.24, 2011마319).

5 졸업생의 성명 · 생년월일 · 졸업일자 ★

졸업생의 성명, 생년월일 및 졸업일자만을 교육정보시스템에 보유하는 행위는 법률유보원칙에 위배되지 않으며 개인정보의 자기결정권을 침해하지도 않는다(대판 1998.7.24, 96다42789).

#교육정보시스템 #NEIS #개인정보_자기결정권_침해×

3. 용어의 정의

(1) 개인정보 · 개인정보파일

① 개인정보의 의의

> 개인정보 보호법 제2조【정의】이 법에서 사용하는 용어의 뜻은 다음과 같다.
> 1. "개인정보"란 살아 있는 개인에 관한 정보로서 다음 각 목의 어느 하나에 해당하는 정보를 말한다.
>   가. 성명, 주민등록번호 및 영상 등을 통하여 개인을 알아볼 수 있는 정보
>   나. 해당 정보만으로는 특정 개인을 알아볼 수 없더라도 다른 정보와 쉽게 결합하여 알아볼 수 있는 정보. 이 경우 쉽게 결합할 수 있는지 여부는 다른 정보의 입수 가능성 등 개인을 알아보는 데 소요되는 시간, 비용, 기술 등을 합리적으로 고려하여야 한다.
>   다. 가목 또는 나목을 제1호의2에 따라 가명처리함으로써 원래의 상태로 복원하기 위한 추가 정보의 사용 · 결합 없이는 특정 개인을 알아볼 수 없는 정보(이하 "가명정보"라 한다)

② 개인정보파일의 의의

> 개인정보 보호법 제2조【정의】이 법에서 사용하는 용어의 뜻은 다음과 같다.
> 4. "개인정보파일"이란 개인정보를 쉽게 검색할 수 있도록 일정한 규칙에 따라 체계적으로 배열하거나 구성한 개인정보의 집합물(集合物)을 말한다.

간단 점검하기

01 시장 · 군수 또는 구청장이 개인의 지문정보를 수집하고, 경찰청장이 이를 보관 · 전산화하여 범죄수사목적에 이용하는 것은 모두 개인정보자기결정권을 제한하는 것이다. ( )
18. 지방직 7급

간단 점검하기

02 개인정보보호법상 '개인정보'란 살아 있는 개인에 관한 정보로서 사자(死者)나 법인의 정보는 포함되지 않는다. ( ) 14. 국가직 9급

03 개인정보는 살아 있는 개인에 관한 정보로서 성명, 주민등록번호 및 영상 등을 통하여 개인을 알아볼 수 있는 정보이며, 해당 정보만으로는 특정 개인을 알아볼 수 없다면, 다른 정보와 쉽게 결합하여 그 개인을 알아볼 수 있는 경우라도 개인정보라 할 수 없다.
( ) 18. 서울시 7급

01 ○ 02 ○ 03 ×

(2) 기타 용어 정리(개인정보 보호법 제2조 각 호)

처리 (제2호)	개인정보의 수집, 생성, 연계, 연동, 기록, 저장, 보유, 가공, 편집, 검색, 출력, 정정(訂正), 복구, 이용, 제공, 공개, 파기(破棄), 그 밖에 이와 유사한 행위를 말한다.
정보주체 (제3호)	처리되는 정보에 의하여 알아볼 수 있는 사람으로서 그 정보의 주체가 되는 사람을 말한다.
개인정보처리자 (제5호)	업무를 목적으로 개인정보파일을 운용하기 위하여 스스로 또는 다른 사람을 통하여 개인정보를 처리하는 공공기관, 법인, 단체 및 개인 등을 말한다.
공공기관 (제6호)	가. 국회, 법원, 헌법재판소, 중앙선거관리위원회의 행정사무를 처리하는 기관, 중앙행정기관(대통령 소속 기관과 국무총리 소속 기관을 포함한다) 및 그 소속 기관, 지방자치단체 나. 그 밖의 국가기관 및 공공단체 중 대통령령으로 정하는 기관(국가인권위원회, 공공기관, 지방공사와 지방공단, 특수법인, 각급 학교)
영상정보처리기기 (제7호)	일정한 공간에 지속적으로 설치되어 사람 또는 사물의 영상 등을 촬영하거나 이를 유·무선망을 통하여 전송하는 장치로서 대통령령으로 정하는 장치[1]를 말한다.
과학적 연구 (제8호)	기술의 개발과 실증, 기초연구, 응용연구 및 민간 투자 연구 등 과학적 방법을 적용하는 연구를 말한다.

4. 개인정보 보호원칙(개인정보 보호법 제3조)

개인정보수집 원칙 (제1항)	개인정보처리자는 개인정보의 처리 목적을 명확하게 하여야 하고 그 목적에 필요한 범위에서 최소한의 개인정보만을 적법하고 정당하게 수집하여야 한다.
목적 외 활용금지 원칙 (제2항)	개인정보처리자는 개인정보의 처리 목적에 필요한 범위에서 적합하게 개인정보를 처리하여야 하며, 그 목적 외의 용도로 활용하여서는 아니 된다.
정확성·완전성· 최신성 보장원칙 (제3항)	개인정보처리자는 개인정보의 처리 목적에 필요한 범위에서 개인정보의 정확성, 완전성 및 최신성이 보장되도록 하여야 한다.
안전관리원칙 (제4항)	개인정보처리자는 개인정보의 처리 방법 및 종류 등에 따라 정보주체의 권리가 침해받을 가능성과 그 위험 정도를 고려하여 개인정보를 안전하게 관리하여야 한다.
청구주체권리보장 원칙 (제5항)	개인정보처리자는 개인정보 처리방침 등 개인정보의 처리에 관한 사항을 공개하여야 하며, 열람청구권 등 정보주체의 권리를 보장하여야 한다.

간단 점검하기

01 개인정보처리자란 업무를 목적으로 개인정보파일을 운용하기 위하여 스스로 또는 다른 사람을 통하여 개인정보를 처리하는 공공기관, 법인, 단체 및 개인 등을 말한다. ( ) 13. 경찰행정, 12. 지방직 9급

02 개인정보보호법은 공공기관에 의해 처리되는 정보뿐만 아니라 민간에 의해 처리되는 정보까지 보호대상으로 하고 있다. ( ) 14. 국가직 9급

[1] 폐쇄회로 텔레비전(CCTV), 네트워크 카메라

간단 점검하기

03 개인정보처리자는 개인정보의 처리 목적을 명확하게 하여야 하고 그 목적에 필요한 범위에서 최소한의 개인정보만을 적법하고 정당하게 수집하여야 하며, 필요한 경우에는 목적 외의 용도로 활용할 수 있다. ( ) 09. 지방직 7급

04 개인정보처리자는 개인정보 처리방침 등 개인정보의 처리에 관한 사항을 비밀에 부쳐야 하며, 열람청구권 등 정보주체의 권리를 보장하여야 한다. ( ) 09. 지방직 7급

01 ○ 02 ○ 03 × 04 ×

사생활최소침해원칙 (제6항)	개인정보처리자는 정보주체의 사생활 침해를 최소화하는 방법으로 개인정보를 처리하여야 한다.
익명 · 가명처리원칙 (제7항)	개인정보처리자는 개인정보를 익명 또는 가명으로 처리하여도 개인정보 수집목적을 달성할 수 있는 경우 익명처리가 가능한 경우에는 익명에 의하여, 익명처리로 목적을 달성할 수 없는 경우에는 가명에 의하여 처리될 수 있도록 하여야 한다.
법령상 책임과 의무준수원칙 (제8항)	개인정보처리자는 이 법 및 관계 법령에서 규정하고 있는 책임과 의무를 준수하고 실천함으로써 정보주체의 신뢰를 얻기 위하여 노력하여야 한다.

개인정보 보호법 제6조【다른 법률과의 관계】개인정보 보호에 관하여는 다른 법률에 특별한 규정이 있는 경우를 제외하고는 이 법에서 정하는 바에 따른다.

2 개인정보 보호위원회

1. 설치

개인정보 보호위원회 제7조 【개인정보 보호위원회】① 개인정보 보호에 관한 사무를 독립적으로 수행하기 위하여 국무총리 소속으로 개인정보 보호위원회(이하 "보호위원회"라 한다)를 둔다.
② 보호위원회는 정부조직법 제2조에 따른 중앙행정기관으로 본다. 다만, 다음 각 호의 사항에 대하여는 정부조직법 제18조를 적용하지 아니한다.
1. 제7조의8 제3호 및 제4호의 사무
2. 제7조의9 제1항의 심의 · 의결 사항 중 제1호에 해당하는 사항

2. 구성

개인정보 보호법 제7조의2【보호위원회의 구성 등】① 보호위원회는 상임위원 2명(위원장 1명, 부위원장 1명)을 포함한 9명의 위원으로 구성한다.

3. 위원 임명과 위촉

개인정보 보호법 제7조의2【보호위원회의 구성 등】② 보호위원회의 위원은 개인정보 보호에 관한 경력과 전문지식이 풍부한 다음 각 호의 사람 중에서 위원장과 부위원장은 국무총리의 제청으로, 그 외 위원 중 2명은 위원장의 제청으로, 2명은 대통령이 소속되거나 소속되었던 정당의 교섭단체 추천으로, 3명은 그 외의 교섭단체 추천으로 대통령이 임명 또는 위촉한다.
1. 개인정보 보호 업무를 담당하는 3급 이상 공무원(고위공무원단에 속하는 공무원을 포함한다)의 직에 있거나 있었던 사람
2. 판사 · 검사 · 변호사의 직에 10년 이상 있거나 있었던 사람

간단 점검하기

01 개인정보 보호에 관하여는 다른 법률에 특별한 규정이 있는 경우에도 개인정보 보호법에서 정하는 바에 따른다. ( ) 09. 지방직 7급

간단 점검하기

02 개인정보보호법상 개인정보보호에 관한 사항을 심의 의결하기 위하여 대통령 소속으로 개인정보 보호위원회를 둔다. ( ) 17. 경찰행정, 12. 국회직 9급, 09. 국가직 9급

간단 점검하기

03 개인정보보호법상 개인정보 보호위원회는 위원장 1명, 비상임위원 1명을 포함한 15명 이내의 위원으로 구성하되, 비상임위원은 정무직 공무원으로 임명한다. ( ) 17. 경찰행정

01 × 02 × 03 ×

3. 공공기관 또는 단체(개인정보처리자로 구성된 단체를 포함한다)에 3년 이상 임원으로 재직하였거나 이들 기관 또는 단체로부터 추천받은 사람으로서 개인정보 보호 업무를 3년 이상 담당하였던 사람
4. 개인정보 관련 분야에 전문지식이 있고 고등교육법 제2조 제1호에 따른 학교에서 부교수 이상으로 5년 이상 재직하고 있거나 재직하였던 사람

③ 위원장과 부위원장은 정무직 공무원으로 임명한다.

④ 위원장, 부위원장, 제7조의13에 따른 사무처의 장은 정부조직법 제10조에도 불구하고 정부위원이 된다.

4. 위원장

개인정보 보호법 제7조의3【위원장】 ① 위원장은 보호위원회를 대표하고, 보호위원회의 회의를 주재하며, 소관 사무를 총괄한다.

② 위원장이 부득이한 사유로 직무를 수행할 수 없을 때에는 부위원장이 그 직무를 대행하고, 위원장·부위원장이 모두 부득이한 사유로 직무를 수행할 수 없을 때에는 위원회가 미리 정하는 위원이 위원장의 직무를 대행한다.

③ 위원장은 국회에 출석하여 보호위원회의 소관 사무에 관하여 의견을 진술할 수 있으며, 국회에서 요구하면 출석하여 보고하거나 답변하여야 한다.

④ 위원장은 국무회의에 출석하여 발언할 수 있으며, 그 소관 사무에 관하여 국무총리에게 의안 제출을 건의할 수 있다.

5. 위원의 임기 등

(1) 위원의 임기

개인정보 보호법 제7조의4【위원의 임기】 ① 위원의 임기는 3년으로 하되, 한 차례만 연임할 수 있다.

② 위원이 궐위된 때에는 지체 없이 새로운 위원을 임명 또는 위촉하여야 한다. 이 경우 후임으로 임명 또는 위촉된 위원의 임기는 새로이 개시된다.

간단 점검하기

개인정보보호법상 개인정보 보호위원회의 위원장과 위원의 임기는 3년으로 하되, 한 차례만 연임할 수 있다. ( )

17. 경찰행정

(2) 위원의 신분보장

개인정보 보호법 제7조의5【위원의 신분보장】 ① 위원은 다음 각 호의 어느 하나에 해당하는 경우를 제외하고는 그 의사에 반하여 면직 또는 해촉되지 아니한다.

1. 장기간 심신장애로 인하여 직무를 수행할 수 없게 된 경우
2. 제7조의7의 결격사유에 해당하는 경우
3. 이 법 또는 그 밖의 다른 법률에 따른 직무상의 의무를 위반한 경우

② 위원은 법률과 양심에 따라 독립적으로 직무를 수행한다.

○

(3) 위원의 겸직금지

개인정보 보호법 제7조의6【겸직금지 등】① 위원은 재직 중 다음 각 호의 직(職)을 겸하거나 직무와 관련된 영리업무에 종사하여서는 아니 된다.
1. 국회의원 또는 지방의회의원
2. 국가공무원 또는 지방공무원
3. 그 밖에 대통령령으로 정하는 직
② 제1항에 따른 영리업무에 관한 사항은 대통령령으로 정한다.
③ 위원은 정치활동에 관여할 수 없다.

(4) 위원의 결격사유

개인정보 보호법 제7조의7【결격사유】① 다음 각 호의 어느 하나에 해당하는 사람은 위원이 될 수 없다.
1. 대한민국 국민이 아닌 사람
2. 국가공무원법 제33조 각 호의 어느 하나에 해당하는 사람
3. 정당법 제22조에 따른 당원
② 위원이 제1항 각 호의 어느 하나에 해당하게 된 때에는 그 직에서 당연 퇴직한다. 다만, 국가공무원법 제33조 제2호는 파산선고를 받은 사람으로서 채무자 회생 및 파산에 관한 법률에 따라 신청기한 내에 면책신청을 하지 아니하였거나 면책불허가 결정 또는 면책 취소가 확정된 경우만 해당하고, 같은 법 제33조 제5호는 형법 제129조부터 제132조까지, 성폭력범죄의 처벌 등에 관한 특례법 제2조, 아동·청소년의 성보호에 관한 법률 제2조 제2호 및 직무와 관련하여 형법 제355조 또는 제356조에 규정된 죄를 범한 사람으로서 금고 이상의 형의 선고유예를 받은 경우만 해당한다.

6. 보호위원회의 소관 사무

개인정보 보호법 제7조의8【보호위원회의 소관 사무】보호위원회는 다음 각 호의 소관 사무를 수행한다.
1. 개인정보의 보호와 관련된 법령의 개선에 관한 사항
2. 개인정보 보호와 관련된 정책·제도·계획 수립·집행에 관한 사항
3. 정보주체의 권리침해에 대한 조사 및 이에 따른 처분에 관한 사항
4. 개인정보의 처리와 관련한 고충처리·권리구제 및 개인정보에 관한 분쟁의 조정
5. 개인정보 보호를 위한 국제기구 및 외국의 개인정보 보호기구와의 교류·협력
6. 개인정보 보호에 관한 법령·정책·제도·실태 등의 조사·연구, 교육 및 홍보에 관한 사항
7. 개인정보 보호에 관한 기술개발의 지원·보급 및 전문인력의 양성에 관한 사항
8. 이 법 및 다른 법령에 따라 보호위원회의 사무로 규정된 사항

7. 보호위원회의 심의 · 의결 사항 등

개인정보 보호법 제7조의9【보호위원회의 심의 · 의결 사항 등】① 보호위원회는 다음 각 호의 사항을 심의 · 의결한다.
1. 제8조의2에 따른 개인정보 침해요인 평가에 관한 사항
2. 제9조에 따른 기본계획 및 제10조에 따른 시행계획에 관한 사항
3. 개인정보 보호와 관련된 정책, 제도 및 법령의 개선에 관한 사항
4. 개인정보의 처리에 관한 공공기관 간의 의견조정에 관한 사항
5. 개인정보 보호에 관한 법령의 해석 · 운용에 관한 사항
6. 제18조 제2항 제5호에 따른 개인정보의 이용 · 제공에 관한 사항
7. 제33조 제3항에 따른 영향평가 결과에 관한 사항
8. 제28조의6, 제34조의2, 제39조의15에 따른 과징금 부과에 관한 사항
9. 제61조에 따른 의견제시 및 개선권고에 관한 사항
10. 제64조에 따른 시정조치 등에 관한 사항
11. 제65조에 따른 고발 및 징계권고에 관한 사항
12. 제66조에 따른 처리 결과의 공표에 관한 사항
13. 제75조에 따른 과태료 부과에 관한 사항
14. 소관 법령 및 보호위원회 규칙의 제정 · 개정 및 폐지에 관한 사항
15. 개인정보 보호와 관련하여 보호위원회의 위원장 또는 위원 2명 이상이 회의에 부치는 사항
16. 그 밖에 이 법 또는 다른 법령에 따라 보호위원회가 심의 · 의결하는 사항

② 보호위원회는 제1항 각 호의 사항을 심의 · 의결하기 위하여 필요한 경우 다음 각 호의 조치를 할 수 있다.
1. 관계 공무원, 개인정보 보호에 관한 전문 지식이 있는 사람이나 시민사회단체 및 관련 사업자로부터의 의견 청취
2. 관계 기관 등에 대한 자료제출이나 사실조회 요구

③ 제2항 제2호에 따른 요구를 받은 관계 기관 등은 특별한 사정이 없으면 이에 따라야 한다.
④ 보호위원회는 제1항 제3호의 사항을 심의 · 의결한 경우에는 관계 기관에 그 개선을 권고할 수 있다.
⑤ 보호위원회는 제4항에 따른 권고 내용의 이행 여부를 점검할 수 있다.

8. 회의 등

(1) 회의

개인정보 보호법 제7조의10【회의】① 보호위원회의 회의는 위원장이 필요하다고 인정하거나 재적위원 4분의 1 이상의 요구가 있는 경우에 위원장이 소집한다.
② 위원장 또는 2명 이상의 위원은 보호위원회에 의안을 제의할 수 있다.
③ 보호위원회의 회의는 재적위원 과반수의 출석으로 개의하고, 출석위원 과반수의 찬성으로 의결한다.

간단 점검하기

01 개인정보보호법상 개인정보 보호위원회의 회의는 위원장이 필요하다고 인정하거나 재적위원 5분의 1 이상의 요구가 있는 경우에 위원장이 소집한다. ( ) 17. 경찰행정

02 개인정보보호법상 개인정보 보호위원회는 재적위원 과반수의 출석과 출석위원 3분의 2 이상의 찬성으로 의결한다. ( ) 17. 경찰행정

01 × 02 ×

(2) 위원의 제척 · 기피 · 회피

개인정보 보호법 제7조의11【위원의 제척 · 기피 · 회피】① 위원은 다음 각 호의 어느 하나에 해당하는 경우에는 심의 · 의결에서 제척된다.

1. 위원 또는 그 배우자나 배우자였던 자가 해당 사안의 당사자가 되거나 그 사건에 관하여 공동의 권리자 또는 의무자의 관계에 있는 경우
2. 위원이 해당 사안의 당사자와 친족이거나 친족이었던 경우
3. 위원이 해당 사안에 관하여 증언, 감정, 법률자문을 한 경우
4. 위원이 해당 사안에 관하여 당사자의 대리인으로서 관여하거나 관여하였던 경우
5. 위원이나 위원이 속한 공공기관 · 법인 또는 단체 등이 조언 등 지원을 하고 있는 자와 이해관계가 있는 경우

② 위원에게 심의 · 의결의 공정을 기대하기 어려운 사정이 있는 경우 당사자는 기피 신청을 할 수 있고, 보호위원회는 의결로 이를 결정한다.
③ 위원이 제1항 또는 제2항의 사유가 있는 경우에는 해당 사안에 대하여 회피할 수 있다.

(3) 소위원회

개인정보 보호법 제7조의12【소위원회】① 보호위원회는 효율적인 업무 수행을 위하여 개인정보 침해 정도가 경미하거나 유사 · 반복되는 사항 등을 심의 · 의결할 소위원회를 둘 수 있다.
② 소위원회는 3명의 위원으로 구성한다.
③ 소위원회가 제1항에 따라 심의 · 의결한 것은 보호위원회가 심의 · 의결한 것으로 본다.
④ 소위원회의 회의는 구성위원 전원의 출석과 출석위원 전원의 찬성으로 의결한다.

(4) 사무처

개인정보 보호법 제7조의13【사무처】보호위원회의 사무를 처리하기 위하여 보호위원회에 사무처를 두며, 이 법에 규정된 것 외에 보호위원회의 조직에 관한 사항은 대통령령으로 정한다.

(5) 회의 운영

개인정보 보호법 제7조의14【운영 등】이 법과 다른 법령에 규정된 것 외에 보호위원회의 운영 등에 필요한 사항은 보호위원회의 규칙으로 정한다.

9. 개인정보 침해요인 평가

> 개인정보 보호법 제8조의2【개인정보 침해요인 평가】① 중앙행정기관의 장은 소관 법령의 제정 또는 개정을 통하여 개인정보 처리를 수반하는 정책이나 제도를 도입·변경하는 경우에는 보호위원회에 개인정보 침해요인 평가를 요청하여야 한다.
> ② 보호위원회가 제1항에 따른 요청을 받은 때에는 해당 법령의 개인정보 침해요인을 분석·검토하여 그 법령의 소관기관의 장에게 그 개선을 위하여 필요한 사항을 권고할 수 있다.
> ③ 제1항에 따른 개인정보 침해요인 평가의 절차와 방법에 관하여 필요한 사항은 대통령령으로 정한다.

10. 개인정보 보호정책의 수립 등

(1) 기본계획 수립·시행

> 개인정보 보호법 제9조【기본계획】① 보호위원회는 개인정보의 보호와 정보주체의 권익 보장을 위하여 3년마다 개인정보 보호 기본계획(이하 "기본계획"이라 한다)을 관계 중앙행정기관의 장과 협의하여 수립한다.
> ② 기본계획에는 다음 각 호의 사항이 포함되어야 한다.
> 1. 개인정보 보호의 기본목표와 추진방향
> 2. 개인정보 보호와 관련된 제도 및 법령의 개선
> 3. 개인정보 침해 방지를 위한 대책
> 4. 개인정보 보호 자율규제의 활성화
> 5. 개인정보 보호 교육·홍보의 활성화
> 6. 개인정보 보호를 위한 전문인력의 양성
> 7. 그 밖에 개인정보 보호를 위하여 필요한 사항
>
> ③ 국회, 법원, 헌법재판소, 중앙선거관리위원회는 해당 기관(그 소속 기관을 포함한다)의 개인정보 보호를 위한 기본계획을 수립·시행할 수 있다.

(2) 시행계획 수립·시행

> 개인정보 보호법 제10조【시행계획】① 중앙행정기관의 장은 기본계획에 따라 매년 개인정보 보호를 위한 시행계획을 작성하여 보호위원회에 제출하고, 보호위원회의 심의·의결을 거쳐 시행하여야 한다.
> ② 시행계획의 수립·시행에 필요한 사항은 대통령령으로 정한다.

(3) 자료제출 요구

> 개인정보 보호법 제11조【자료제출 요구 등】① 보호위원회는 기본계획을 효율적으로 수립하기 위하여 개인정보처리자, 관계 중앙행정기관의 장, 지방자치단체의 장 및 관계 기관·단체 등에 개인정보처리자의 법규 준수 현황과 개인정보 관리 실태 등에 관한 자료의 제출이나 의견의 진술 등을 요구할 수 있다.

② 보호위원회는 개인정보 보호 정책 추진, 성과평가 등을 위하여 필요한 경우 개인정보처리자, 관계 중앙행정기관의 장, 지방자치단체의 장 및 관계 기관·단체 등을 대상으로 개인정보관리 수준 및 실태파악 등을 위한 조사를 실시할 수 있다.
③ 중앙행정기관의 장은 시행계획을 효율적으로 수립·추진하기 위하여 소관 분야의 개인정보처리자에게 제1항에 따른 자료제출 등을 요구할 수 있다.
④ 제1항부터 제3항까지에 따른 자료제출 등을 요구받은 자는 특별한 사정이 없으면 이에 따라야 한다.
⑤ 제1항부터 제3항까지에 따른 자료제출 등의 범위와 방법 등 필요한 사항은 대통령령으로 정한다.

(4) 개인정보 보호지침(표준지침) 제정

개인정보 보호법 제12조【개인정보 보호지침】① 보호위원회는 개인정보의 처리에 관한 기준, 개인정보 침해의 유형 및 예방조치 등에 관한 표준 개인정보 보호지침(이하 "표준지침"이라 한다)을 정하여 개인정보처리자에게 그 준수를 권장할 수 있다.
② 중앙행정기관의 장은 표준지침에 따라 소관 분야의 개인정보 처리와 관련한 개인정보 보호지침을 정하여 개인정보처리자에게 그 준수를 권장할 수 있다.
③ 국회, 법원, 헌법재판소 및 중앙선거관리위원회는 해당 기관(그 소속 기관을 포함한다)의 개인정보 보호지침을 정하여 시행할 수 있다.

(5) 자율규제의 촉진 및 지원

개인정보 보호법 제13조【자율규제의 촉진 및 지원】보호위원회는 개인정보처리자의 자율적인 개인정보 보호활동을 촉진하고 지원하기 위하여 다음 각 호의 필요한 시책을 마련하여야 한다.

1. 개인정보 보호에 관한 교육·홍보
2. 개인정보 보호와 관련된 기관·단체의 육성 및 지원
3. 개인정보 보호 인증마크의 도입·시행 지원
4. 개인정보처리자의 자율적인 규약의 제정·시행 지원
5. 그 밖에 개인정보처리자의 자율적 개인정보 보호활동을 지원하기 위하여 필요한 사항

(6) 국제협력

개인정보 보호법 제14조【국제협력】① 정부는 국제적 환경에서의 개인정보 보호 수준을 향상시키기 위하여 필요한 시책을 마련하여야 한다.
② 정부는 개인정보 국외 이전으로 인하여 정보주체의 권리가 침해되지 아니하도록 관련 시책을 마련하여야 한다.

3 개인정보의 처리

1. 개인정보의 수집 · 이용 · 제공

(1) 개인정보의 수집 · 이용

개인정보 보호법 제15조【개인정보의 수집 · 이용】 ① 개인정보처리자는 다음 각 호의 어느 하나에 해당하는 경우에는 개인정보를 수집할 수 있으며 그 수집 목적의 범위에서 이용할 수 있다.

1. 정보주체의 동의를 받은 경우
2. 법률에 특별한 규정이 있거나 법령상 의무를 준수하기 위하여 불가피한 경우
3. 공공기관이 법령 등에서 정하는 소관 업무의 수행을 위하여 불가피한 경우
4. 정보주체와의 계약의 체결 및 이행을 위하여 불가피하게 필요한 경우
5. 정보주체 또는 그 법정대리인이 의사표시를 할 수 없는 상태에 있거나 주소불명 등으로 사전 동의를 받을 수 없는 경우로서 명백히 정보주체 또는 제3자의 급박한 생명, 신체, 재산의 이익을 위하여 필요하다고 인정되는 경우
6. 개인정보처리자의 정당한 이익을 달성하기 위하여 필요한 경우로서 명백하게 정보주체의 권리보다 우선하는 경우. 이 경우 개인정보처리자의 정당한 이익과 상당한 관련이 있고 합리적인 범위를 초과하지 아니하는 경우에 한한다.

② 개인정보처리자는 제1항 제1호에 따른 동의를 받을 때에는 다음 각 호의 사항을 정보주체에게 알려야 한다. 다음 각 호의 어느 하나의 사항을 변경하는 경우에도 이를 알리고 동의를 받아야 한다.

1. 개인정보의 수집 · 이용 목적
2. 수집하려는 개인정보의 항목
3. 개인정보의 보유 및 이용 기간
4. 동의를 거부할 권리가 있다는 사실 및 동의 거부에 따른 불이익이 있는 경우에는 그 불이익의 내용

③ 개인정보처리자는 당초 수집 목적과 합리적으로 관련된 범위에서 정보주체에게 불이익이 발생하는지 여부, 암호화 등 안전성 확보에 필요한 조치를 하였는지 여부 등을 고려하여 대통령령으로 정하는 바에 따라 정보주체의 동의 없이 개인정보를 이용할 수 있다.

간단 점검하기

01 개인정보처리자는 법령상 의무를 준수하기 위하여 불가피한 경우에는 개인정보를 수집할 수 있으며 그 수집 목적의 범위 내에서 이용할 수 있다. ( ) 18. 서울시 7급

02 개인정보처리자는 자신의 정당한 이익을 달성하기 위하여 필요한 경우로서 명백하게 정보주체의 권리보다 우선하는 경우에는 개인정보를 수집할 수 있으며 그 수집 목적의 범위에서 이용할 수 있다. 이 경우 개인정보 처리자의 정당한 이익과 상당한 관련이 있고 합리적인 범위를 초과하지 아니하는 경우에 한한다. ( ) 09. 지방직 7급

(2) 개인정보의 수집 제한

개인정보 보호법 제16조【개인정보의 수집 제한】 ① 개인정보처리자는 제15조 제1항 각 호의 어느 하나에 해당하여 개인정보를 수집하는 경우에는 그 목적에 필요한 최소한의 개인정보를 수집하여야 한다. 이 경우 최소한의 개인정보 수집이라는 입증책임은 개인정보처리자가 부담한다.

② 개인정보처리자는 정보주체의 동의를 받아 개인정보를 수집하는 경우 필요한 최소한의 정보 외의 개인정보 수집에는 동의하지 아니할 수 있다는 사실을 구체적으로 알리고 개인정보를 수집하여야 한다.

간단 점검하기

03 개인정보처리자가 개인정보 보호법상의 허용요건을 충족하여 개인정보를 수집하는 경우에는 그 목적에 필요한 최소한의 개인정보를 수집하여야 한다. 이 경우 개인정보처리자가 최소한의 개인정보 수집이라는 의무를 위반한 경우 그 입증책임은 이의를 제기하는 정보주체가 부담한다. ( ) 16. 지방직 7급

01 ○ 02 ○ 03 ×

③ 개인정보처리자는 정보주체가 필요한 최소한의 정보 외의 개인정보 수집에 동의하지 아니한다는 이유로 정보주체에게 재화 또는 서비스의 제공을 거부하여서는 아니 된다.

(3) 개인정보의 제공 · 공유

개인정보 보호법 제17조【개인정보의 제공】① 개인정보처리자는 다음 각 호의 어느 하나에 해당되는 경우에는 정보주체의 개인정보를 제3자에게 제공(공유를 포함한다. 이하 같다)할 수 있다.

1. 정보주체의 동의를 받은 경우
2. 제15조 제1항 제2호 · 제3호 · 제5호 및 제39조의3 제2항 제2호 · 제3호에 따라 개인정보를 수집한 목적 범위에서 개인정보를 제공하는 경우

② 개인정보처리자는 제1항 제1호에 따른 동의를 받을 때에는 다음 각 호의 사항을 정보주체에게 알려야 한다. 다음 각 호의 어느 하나의 사항을 변경하는 경우에도 이를 알리고 동의를 받아야 한다.

1. 개인정보를 제공받는 자
2. 개인정보를 제공받는 자의 개인정보 이용 목적
3. 제공하는 개인정보의 항목
4. 개인정보를 제공받는 자의 개인정보 보유 및 이용 기간
5. 동의를 거부할 권리가 있다는 사실 및 동의 거부에 따른 불이익이 있는 경우에는 그 불이익의 내용

③ 개인정보처리자가 개인정보를 국외의 제3자에게 제공할 때에는 제2항 각 호에 따른 사항을 정보주체에게 알리고 동의를 받아야 하며, 이 법을 위반하는 내용으로 개인정보의 국외 이전에 관한 계약을 체결하여서는 아니 된다.

④ 개인정보처리자는 당초 수집 목적과 합리적으로 관련된 범위에서 정보주체에게 불이익이 발생하는지 여부, 암호화 등 안전성 확보에 필요한 조치를 하였는지 여부 등을 고려하여 대통령령으로 정하는 바에 따라 정보주체의 동의 없이 개인정보를 제공할 수 있다.

제39조의3【개인정보의 수집 · 이용 동의 등에 대한 특례】② 정보통신서비스 제공자는 다음 각 호의 어느 하나에 해당하는 경우에는 제1항에 따른 동의 없이 이용자의 개인정보를 수집 · 이용할 수 있다.

2. 정보통신서비스의 제공에 따른 요금정산을 위하여 필요한 경우
3. 다른 법률에 특별한 규정이 있는 경우

간단 점검하기

개인정보처리자는 그의 정당한 이익을 달성하기 위하여 필요한 경우에 명백히 정보주체의 권리보다 우선하는 경우에는 정보주체의 동의 없이 정보주체의 개인정보를 제3자에게 제공할 수 있다. ( ) 13. 국회직 9급

×

(4) 개인정보의 이용 · 제공 제한

개인정보 보호법 제18조【개인정보의 목적 외 이용 · 제공 제한】① 개인정보처리자는 개인정보를 제15조 제1항 및 제39조의3 제1항 및 제2항에 따른 범위를 초과하여 이용하거나 제17조 제1항 및 제3항에 따른 범위를 초과하여 제3자에게 제공하여서는 아니 된다.

② 제1항에도 불구하고 개인정보처리자는 다음 각 호의 어느 하나에 해당하는 경우에는 정보주체 또는 제3자의 이익을 부당하게 침해할 우려가 있을 때를 제외하고는 개인정보를 목적 외의 용도로 이용하거나 이를 제3자에게 제공할 수 있다. 다만, 이용자(정보통신망 이용촉진 및 정보보호 등에

관한 법률 제2조 제1항 제4호에 해당하는 자를 말한다. 이하 같다)의 개인정보를 처리하는 정보통신서비스 제공자(정보통신망 이용촉진 및 정보보호 등에 관한 법률 제2조 제1항 제3호에 해당하는 자를 말한다. 이하 같다)의 경우 제1호·제2호의 경우로 한정하고, 제5호부터 제9호까지의 경우는 공공기관의 경우로 한정한다.

1. 정보주체로부터 별도의 동의를 받은 경우
2. 다른 법률에 특별한 규정이 있는 경우
3. 정보주체 또는 그 법정대리인이 의사표시를 할 수 없는 상태에 있거나 주소불명 등으로 사전 동의를 받을 수 없는 경우로서 명백히 정보주체 또는 제3자의 급박한 생명, 신체, 재산의 이익을 위하여 필요하다고 인정되는 경우
4. 삭제
5. 개인정보를 목적 외의 용도로 이용하거나 이를 제3자에게 제공하지 아니하면 다른 법률에서 정하는 소관 업무를 수행할 수 없는 경우로서 보호위원회의 심의·의결을 거친 경우
6. 조약, 그 밖의 국제협정의 이행을 위하여 외국정부 또는 국제기구에 제공하기 위하여 필요한 경우
7. 범죄의 수사와 공소의 제기 및 유지를 위하여 필요한 경우
8. 법원의 재판업무 수행을 위하여 필요한 경우
9. 형(刑) 및 감호, 보호처분의 집행을 위하여 필요한 경우

③ 개인정보처리자는 제2항 제1호에 따른 동의를 받을 때에는 다음 각 호의 사항을 정보주체에게 알려야 한다. 다음 각 호의 어느 하나의 사항을 변경하는 경우에도 이를 알리고 동의를 받아야 한다.

1. 개인정보를 제공받는 자
2. 개인정보의 이용 목적(제공 시에는 제공받는 자의 이용 목적을 말한다)
3. 이용 또는 제공하는 개인정보의 항목
4. 개인정보의 보유 및 이용 기간(제공 시에는 제공받는 자의 보유 및 이용 기간을 말한다)
5. 동의를 거부할 권리가 있다는 사실 및 동의 거부에 따른 불이익이 있는 경우에는 그 불이익의 내용

④ 공공기관은 제2항 제2호부터 제6호까지, 제8호 및 제9호에 따라 개인정보를 목적 외의 용도로 이용하거나 이를 제3자에게 제공하는 경우에는 그 이용 또는 제공의 법적 근거, 목적 및 범위 등에 관하여 필요한 사항을 보호위원회가 고시로 정하는 바에 따라 관보 또는 인터넷 홈페이지 등에 게재하여야 한다.

⑤ 개인정보처리자는 제2항 각 호의 어느 하나의 경우에 해당하여 개인정보를 목적 외의 용도로 제3자에게 제공하는 경우에는 개인정보를 제공받는 자에게 이용 목적, 이용 방법, 그 밖에 필요한 사항에 대하여 제한을 하거나, 개인정보의 안전성 확보를 위하여 필요한 조치를 마련하도록 요청하여야 한다. 이 경우 요청을 받은 자는 개인정보의 안전성 확보를 위하여 필요한 조치를 하여야 한다.

point check 개인정보의 목적 외 이용·제공이 허용되는 경우(제18조 제2항)

개인의 경우	1. 정보주체로부터 별도의 동의를 받은 경우 2. 다른 법률에 특별한 규정이 있는 경우 3. 정보주체 또는 그 법정대리인이 의사표시를 할 수 없는 상태에 있거나 주소불명 등으로 사전 동의를 받을 수 없는 경우로서 명백히 정보주체 또는 제3자의 급박한 생명, 신체, 재산의 이익을 위하여 필요하다고 인정되는 경우 4. 삭제
공공기관의 경우	1. 정보주체로부터 별도의 동의를 받은 경우 2. 다른 법률에 특별한 규정이 있는 경우 3. 정보주체 또는 그 법정대리인이 의사표시를 할 수 없는 상태에 있거나 주소불명 등으로 사전 동의를 받을 수 없는 경우로서 명백히 정보주체 또는 제3자의 급박한 생명, 신체, 재산의 이익을 위하여 필요하다고 인정되는 경우 4. 삭제 5. 개인정보를 목적 외의 용도로 이용하거나 이를 제3자에게 제공하지 아니하면 다른 법률에서 정하는 소관 업무를 수행할 수 없는 경우로서 보호위원회의 심의·의결을 거친 경우 6. 조약, 그 밖의 국제협정의 이행을 위하여 외국정부 또는 국제기구에 제공하기 위하여 필요한 경우 7. 범죄의 수사와 공소의 제기 및 유지를 위하여 필요한 경우 8. 법원의 재판업무 수행을 위하여 필요한 경우 9. 형(刑) 및 감호, 보호처분의 집행을 위하여 필요한 경우

개인정보 보호법 제19조【개인정보를 제공받은 자의 이용·제공 제한】 개인정보처리자로부터 개인정보를 제공받은 자는 다음 각 호의 어느 하나에 해당하는 경우를 제외하고는 개인정보를 제공받은 목적 외의 용도로 이용하거나 이를 제3자에게 제공하여서는 아니 된다.

1. 정보주체로부터 별도의 동의를 받은 경우
2. 다른 법률에 특별한 규정이 있는 경우

(5) 정보주체 이외로부터 수집한 개인정보의 수집 출처 등 고지

개인정보 보호법 제20조【정보주체 이외로부터 수집한 개인정보의 수집 출처 등 고지】 ① 개인정보처리자가 정보주체 이외로부터 수집한 개인정보를 처리하는 때에는 정보주체의 요구가 있으면 즉시 다음 각 호의 모든 사항을 정보주체에게 알려야 한다.

1. 개인정보의 수집 출처
2. 개인정보의 처리 목적
3. 제37조에 따른 개인정보 처리의 정지를 요구할 권리가 있다는 사실

② 제1항에도 불구하고 처리하는 개인정보의 종류·규모, 종업원 수 및 매출액 규모 등을 고려하여 대통령령으로 정하는 기준에 해당하는 개인정보처리자가 제17조 제1항 제1호에 따라 정보주체 이외로부터 개인정보를 수집하여 처리하는 때에는 제1항 각 호의 모든 사항을 정보주체에게 알려야 한다. 다만, 개인정보처리자가 수집한 정보에 연락처 등 정보주체에게 알릴 수 있는 개인정보가 포함되지 아니한 경우에는 그러하지 아니하다.

③ 제2항 본문에 따라 알리는 경우 정보주체에게 알리는 시기·방법 및 절차 등 필요한 사항은 대통령령으로 정한다.

간단 점검하기

개인정보처리자로부터 개인정보를 제공받은 자는 정보주체로부터 별도의 동의를 받은 경우나 다른 법률에 특별한 규정이 있는 경우를 제외하고는 개인정보를 제공받은 목적 외의 용도로 이용하거나 이를 제3자에게 제공하여서는 아니 된다. ( ) 18. 서울시 7급

○

④ 제1항과 제2항 본문은 다음 각 호의 어느 하나에 해당하는 경우에는 적용하지 아니한다. 다만, 이 법에 따른 정보주체의 권리보다 명백히 우선하는 경우에 한한다.
1. 고지를 요구하는 대상이 되는 개인정보가 제32조 제2항 각 호의 어느 하나에 해당하는 개인정보파일에 포함되어 있는 경우
2. 고지로 인하여 다른 사람의 생명·신체를 해할 우려가 있거나 다른 사람의 재산과 그 밖의 이익을 부당하게 침해할 우려가 있는 경우

(6) 개인정보의 파기

개인정보 보호법 제21조【개인정보의 파기】① 개인정보처리자는 보유기간의 경과, 개인정보의 처리 목적 달성 등 그 개인정보가 불필요하게 되었을 때에는 지체 없이 그 개인정보를 파기하여야 한다. 다만, 다른 법령에 따라 보존하여야 하는 경우에는 그러하지 아니하다.
② 개인정보처리자가 제1항에 따라 개인정보를 파기할 때에는 복구 또는 재생되지 아니하도록 조치하여야 한다.
③ 개인정보처리자가 제1항 단서에 따라 개인정보를 파기하지 아니하고 보존하여야 하는 경우에는 해당 개인정보 또는 개인정보파일을 다른 개인정보와 분리하여서 저장·관리하여야 한다.
④ 개인정보의 파기방법 및 절차 등에 필요한 사항은 대통령령으로 정한다.

개인정보 보호법 시행령 제16조【개인정보의 파기방법】① 개인정보처리자는 법 제21조에 따라 개인정보를 파기할 때에는 다음 각 호의 구분에 따른 방법으로 하여야 한다.
1. 전자적 파일 형태인 경우: 복원이 불가능한 방법으로 영구 삭제
2. 제1호 외의 기록물, 인쇄물, 서면, 그 밖의 기록매체인 경우: 파쇄 또는 소각
② 제1항에 따른 개인정보의 안전한 파기에 관한 세부 사항은 보호위원회가 정하여 고시한다.

(7) 동의를 받는 방법

개인정보 보호법 제22조【동의를 받는 방법】① 개인정보처리자는 이 법에 따른 개인정보의 처리에 대하여 정보주체(제6항에 따른 법정대리인을 포함한다. 이하 이 조에서 같다)의 동의를 받을 때에는 각각의 동의 사항을 구분하여 정보주체가 이를 명확하게 인지할 수 있도록 알리고 각각 동의를 받아야 한다.
② 개인정보처리자는 제1항의 동의를 서면(전자문서 및 전자거래 기본법 제2조 제1호에 따른 전자문서를 포함한다)으로 받을 때에는 개인정보의 수집·이용 목적, 수집·이용하려는 개인정보의 항목 등 대통령령으로 정하는 중요한 내용을 보호위원회가 고시로 정하는 방법에 따라 명확히 표시하여 알아보기 쉽게 하여야 한다.
③ 개인정보처리자는 제15조 제1항 제1호, 제17조 제1항 제1호, 제23조 제1항 제1호 및 제24조 제1항 제1호에 따라 개인정보의 처리에 대하여 정보주체의 동의를 받을 때에는 정보주체와의 계약 체결 등을 위하여 정보주체의 동의 없이 처리할 수 있는 개인정보와 정보주체의 동의가 필요한 개인정

간단 점검하기

개인정보처리자는 개인정보보호법에 따라 개인정보의 처리에 대하여 정보주체의 동의를 받을 때에는, 정보주체와의 계약체결 등을 위하여 정보주체의 동의 없이 처리할 수 있는 개인정보와 정보주체의 동의가 필요한 개인정보를 구분하여야 한다. 이 경우 동의 없이 처리할 수 있는 개인정보라는 입증책임은 개인정보처리자가 부담한다.
( ) 16. 지방직 7급

○

보를 구분하여야 한다. 이 경우 동의 없이 처리할 수 있는 개인정보라는 입증책임은 개인정보처리자가 부담한다.
④ 개인정보처리자는 정보주체에게 재화나 서비스를 홍보하거나 판매를 권유하기 위하여 개인정보의 처리에 대한 동의를 받으려는 때에는 정보주체가 이를 명확하게 인지할 수 있도록 알리고 동의를 받아야 한다.
⑤ 개인정보처리자는 정보주체가 제3항에 따라 선택적으로 동의할 수 있는 사항을 동의하지 아니하거나 제4항 및 제18조 제2항 제1호에 따른 동의를 하지 아니한다는 이유로 정보주체에게 재화 또는 서비스의 제공을 거부하여서는 아니 된다.
⑥ 개인정보처리자는 만 14세 미만 아동의 개인정보를 처리하기 위하여 이 법에 따른 동의를 받아야 할 때에는 그 법정대리인의 동의를 받아야 한다. 이 경우 법정대리인의 동의를 받기 위하여 필요한 최소한의 정보는 법정대리인의 동의 없이 해당 아동으로부터 직접 수집할 수 있다.
⑦ 제1항부터 제6항까지에서 규정한 사항 외에 정보주체의 동의를 받는 세부적인 방법 및 제6항에 따른 최소한의 정보의 내용에 관하여 필요한 사항은 개인정보의 수집매체 등을 고려하여 대통령령으로 정한다.

2. 개인정보의 처리 제한

(1) 민감정보의 처리 제한

개인정보 보호법 제23조【민감정보의 처리 제한】① 개인정보처리자는 사상·신념, 노동조합·정당의 가입·탈퇴, 정치적 견해, 건강, 성생활 등에 관한 정보, 그 밖에 정보주체의 사생활을 현저히 침해할 우려가 있는 개인정보로서 대통령령으로 정하는 정보(이하 "민감정보"라 한다)를 처리하여서는 아니 된다. 다만, 다음 각 호의 어느 하나에 해당하는 경우에는 그러하지 아니하다.
1. 정보주체에게 제15조 제2항 각 호 또는 제17조 제2항 각 호의 사항을 알리고 다른 개인정보의 처리에 대한 동의와 별도로 동의를 받은 경우
2. 법령에서 민감정보의 처리를 요구하거나 허용하는 경우

② 개인정보처리자가 제1항 각 호에 따라 민감정보를 처리하는 경우에는 그 민감정보가 분실·도난·유출·위조·변조 또는 훼손되지 아니하도록 제29조에 따른 안전성 확보에 필요한 조치를 하여야 한다.

point check 민감정보의 처리 제한 및 허용

처리가 제한되는 민감정보	처리가 허용되는 경우
① 사상·신념, 노동조합·정당의 가입·탈퇴, 정치적 견해, 건강, 성생활 등에 관한 정보 ② 유전자검사 등의 결과로 얻어진 유전정보, 범죄경력자료에 해당하는 정보	① 개인정보의 수집·이용목적과 개인정보를 제3자에게 제공하는 경우 제공받는 자 등을 알리고, 다른 개인정보의 처리에 대한 동의와 별도로 동의를 받은 경우 ② 법령에서 민감정보의 처리를 요구하거나 허용하는 경우

간단 점검하기

01 개인정보처리자는 만 14세 미만 아동의 개인정보를 처리하기 위하여 개인정보보호법에 따른 동의를 받아야 할 때에는 그 법정대리인의 동의를 받아야 한다. 이 경우 법정대리인의 동의를 받기 위하여 필요한 최소한의 정보는 법정대리인의 동의 없이 해당 아동으로부터 직접 수집할 수 있다. ( )
18. 경찰행정

간단 점검하기

02 개인정보처리자는 법령에서 민감정보의 처리를 요구 또는 허용하는 경우에도 정보주체의 동의를 받지 못하면 민감정보를 처리할 수 없다. ( )
16. 서울시 7급

01 ○ 02 ×

(2) 고유식별정보의 처리 제한

개인정보 보호법 제24조【고유식별정보의 처리 제한】① 개인정보처리자는 다음 각 호의 경우를 제외하고는 법령에 따라 개인을 고유하게 구별하기 위하여 부여된 식별정보로서 대통령령으로 정하는 정보(이하 "고유식별정보"라 한다)를 처리할 수 없다.

1. 정보주체에게 제15조 제2항 각 호 또는 제17조 제2항 각 호의 사항을 알리고 다른 개인정보의 처리에 대한 동의와 별도로 동의를 받은 경우
2. 법령에서 구체적으로 고유식별정보의 처리를 요구하거나 허용하는 경우

② 삭제

③ 개인성보처리자가 제1항 각 호에 따라 고유식별정보를 처리하는 경우에는 그 고유식별정보가 분실·도난·유출·위조·변조 또는 훼손되지 아니하도록 대통령령으로 정하는 바에 따라 암호화 등 안전성 확보에 필요한 조치를 하여야 한다.

④ 보호위원회는 처리하는 개인정보의 종류·규모, 종업원 수 및 매출액 규모 등을 고려하여 대통령령으로 정하는 기준에 해당하는 개인정보처리자가 제3항에 따라 안전성 확보에 필요한 조치를 하였는지에 관하여 대통령령으로 정하는 바에 따라 정기적으로 조사하여야 한다.

⑤ 보호위원회는 대통령령으로 정하는 전문기관으로 하여금 제4항에 따른 조사를 수행하게 할 수 있다.

개인정보 보호법 시행령 제19조【고유식별정보의 범위】법 제24조 제1항 각 호 외의 부분에서 "대통령령으로 정하는 정보"란 다음 각 호의 어느 하나에 해당하는 정보를 말한다. 다만, 공공기관이 법 제18조 제2항 제5호부터 제9호까지의 규정에 따라 다음 각 호의 어느 하나에 해당하는 정보를 처리하는 경우의 해당 정보는 제외한다.

1. 주민등록법 제7조의2 제1항에 따른 주민등록번호
2. 여권법 제7조 제1항 제1호에 따른 여권번호
3. 도로교통법 제80조에 따른 운전면허의 면허번호
4. 출입국관리법 제31조 제5항에 따른 외국인등록번호

(3) 주민등록번호 처리의 제한

개인정보 보호법 제24조의2【주민등록번호 처리의 제한】① 제24조 제1항에도 불구하고 개인정보처리자는 다음 각 호의 어느 하나에 해당하는 경우를 제외하고는 주민등록번호를 처리할 수 없다.

1. 법률·대통령령·국회규칙·대법원규칙·헌법재판소규칙·중앙선거관리위원회규칙 및 감사원규칙에서 구체적으로 주민등록번호의 처리를 요구하거나 허용한 경우
2. 정보주체 또는 제3자의 급박한 생명, 신체, 재산의 이익을 위하여 명백히 필요하다고 인정되는 경우
3. 제1호 및 제2호에 준하여 주민등록번호 처리가 불가피한 경우로서 보호위원회가 고시로 정하는 경우

② 개인정보처리자는 제24조 제3항에도 불구하고 주민등록번호가 분실·도난·유출·위조·변조 또는 훼손되지 아니하도록 암호화 조치를 통하여 안전하게 보관하여야 한다. 이 경우 암호화 적용 대상 및 대상별 적용 시

기 등에 관하여 필요한 사항은 개인정보의 처리 규모와 유출 시 영향 등을 고려하여 대통령령으로 정한다.
③ 개인정보처리자는 제1항 각 호에 따라 주민등록번호를 처리하는 경우에도 정보주체가 인터넷 홈페이지를 통하여 회원으로 가입하는 단계에서는 주민등록번호를 사용하지 아니하고도 회원으로 가입할 수 있는 방법을 제공하여야 한다.
④ 보호위원회는 개인정보처리자가 제3항에 따른 방법을 제공할 수 있도록 관계 법령의 정비, 계획의 수립, 필요한 시설 및 시스템의 구축 등 제반 조치를 마련·지원할 수 있다

(4) 영상정보처리기기의 설치·운영 제한

① 설치·운영이 가능한 경우

개인정보 보호법 제25조【영상정보처리기기의 설치·운영 제한】① 누구든지 다음 각 호의 경우를 제외하고는 공개된 장소에 영상정보처리기기를 설치·운영하여서는 아니 된다.
1. 법령에서 구체적으로 허용하고 있는 경우
2. 범죄의 예방 및 수사를 위하여 필요한 경우
3. 시설안전 및 화재 예방을 위하여 필요한 경우
4. 교통단속을 위하여 필요한 경우
5. 교통정보의 수집·분석 및 제공을 위하여 필요한 경우

② 설치·운영이 제한되는 경우

개인정보 보호법 제25조【영상정보처리기기의 설치·운영 제한】② 누구든지 불특정 다수가 이용하는 목욕실, 화장실, 발한실(發汗室), 탈의실 등 개인의 사생활을 현저히 침해할 우려가 있는 장소의 내부를 볼 수 있도록 영상정보처리기기를 설치·운영하여서는 아니 된다. 다만, 교도소, 정신보건 시설 등 법령에 근거하여 사람을 구금하거나 보호하는 시설로서 대통령령으로 정하는 시설에 대하여는 그러하지 아니하다.

개인정보 보호법 시행령 제22조【영상정보처리기기 설치·운영 제한의 예외】① 법 제25조 제2항 단서에서 "대통령령으로 정하는 시설"이란 다음 각 호의 시설을 말한다.
1. 형의 집행 및 수용자의 처우에 관한 법률 제2조 제1호에 따른 교정시설
2. 정신건강증진 및 정신질환자 복지서비스 지원에 관한 법률 제3조 제5호부터 제7호까지의 규정에 따른 정신의료기관(수용시설을 갖추고 있는 것만 해당한다), 정신요양시설 및 정신재활시설

③ 의견 수렴

개인정보 보호법 제25조【영상정보처리기기의 설치·운영 제한】③ 제1항 각 호에 따라 영상정보처리기기를 설치·운영하려는 공공기관의 장과 제2항 단서에 따라 영상정보처리기기를 설치·운영하려는 자는 공청회·설명회의 개최 등 대통령령으로 정하는 절차를 거쳐 관계 전문가 및 이해관계인의 의견을 수렴하여야 한다.

간단 점검하기

불특정 다수가 이용하는 목욕실, 화장실, 발한실(發汗室), 탈의실 등에의 영상정보처리기기 설치는 대통령령으로 정하는 바에 따라 안내판 설치 등 필요한 조치를 취하는 경우에만 허용된다. ( ) 16. 지방직 7급

×

④ 필요한 조치

개인정보 보호법 제25조【영상정보처리기기의 설치·운영 제한】④ 제1항 각 호에 따라 영상정보처리기기를 설치·운영하는 자(이하 "영상정보처리기기운영자"라 한다)는 정보주체가 쉽게 인식할 수 있도록 다음 각 호의 사항이 포함된 안내판을 설치하는 등 필요한 조치를 하여야 한다. 다만, 군사기지 및 군사시설 보호법 제2조 제2호에 따른 군사시설, 통합방위법 제2조 제13호에 따른 국가중요시설, 그 밖에 대통령령으로 정하는 시설에 대하여는 그러하지 아니하다.
1. 설치 목적 및 장소
2. 촬영 범위 및 시간
3. 관리책임자 성명 및 연락처
4. 그 밖에 대통령령으로 정하는 사항

간단 점검하기

영상정보처리기기 운영자는 영상정보처리기기의 설치 목적과 다른 목적으로 영상정보처리기기를 임의로 조작하거나 다른 곳을 비춰서는 아니 되며, 녹음기능은 사용할 수 없다. ( )

13. 경찰행정

○

⑤ 영상정보처리기기운영자

개인정보 보호법 제25조【영상정보처리기기의 설치·운영 제한】⑤ 영상정보처리기기운영자는 영상정보처리기기의 설치 목적과 다른 목적으로 영상정보처리기기를 임의로 조작하거나 다른 곳을 비춰서는 아니 되며, 녹음기능은 사용할 수 없다.
⑥ 영상정보처리기기운영자는 개인정보가 분실·도난·유출·위조·변조 또는 훼손되지 아니하도록 제29조에 따라 안전성 확보에 필요한 조치를 하여야 한다.
⑦ 영상정보처리기기운영자는 대통령령으로 정하는 바에 따라 영상정보처리기기 운영·관리 방침을 마련하여야 한다. 이 경우 제30조에 따른 개인정보 처리방침을 정하지 아니할 수 있다.
⑧ 영상정보처리기기운영자는 영상정보처리기기의 설치·운영에 관한 사무를 위탁할 수 있다. 다만, 공공기관이 영상정보처리기기 설치·운영에 관한 사무를 위탁하는 경우에는 대통령령으로 정하는 절차 및 요건에 따라야 한다.

(5) 업무위탁에 따른 개인정보의 처리 제한

개인정보 보호법 제26조【업무위탁에 따른 개인정보의 처리 제한】① 개인정보처리자가 제3자에게 개인정보의 처리 업무를 위탁하는 경우에는 다음 각 호의 내용이 포함된 문서에 의하여야 한다.
1. 위탁업무 수행 목적 외 개인정보의 처리 금지에 관한 사항
2. 개인정보의 기술적·관리적 보호조치에 관한 사항
3. 그 밖에 개인정보의 안전한 관리를 위하여 대통령령으로 정한 사항
② 제1항에 따라 개인정보의 처리 업무를 위탁하는 개인정보처리자(이하 "위탁자"라 한다)는 위탁하는 업무의 내용과 개인정보 처리 업무를 위탁받아 처리하는 자(이하 "수탁자"라 한다)를 정보주체가 언제든지 쉽게 확인할 수 있도록 대통령령으로 정하는 방법에 따라 공개하여야 한다.
③ 위탁자가 재화 또는 서비스를 홍보하거나 판매를 권유하는 업무를 위탁하는 경우에는 대통령령으로 정하는 방법에 따라 위탁하는 업무의 내용과

수탁자를 정보주체에게 알려야 한다. 위탁하는 업무의 내용이나 수탁자가 변경된 경우에도 또한 같다.
④ 위탁자는 업무 위탁으로 인하여 정보주체의 개인정보가 분실·도난·유출·위조·변조 또는 훼손되지 아니하도록 수탁자를 교육하고, 처리 현황 점검 등 대통령령으로 정하는 바에 따라 수탁자가 개인정보를 안전하게 처리하는지를 감독하여야 한다.
⑤ 수탁자는 개인정보처리자로부터 위탁받은 해당 업무 범위를 초과하여 개인정보를 이용하거나 제3자에게 제공하여서는 아니 된다.
⑥ 수탁자가 위탁받은 업무와 관련하여 개인정보를 처리하는 과정에서 이 법을 위반하여 발생한 손해배상책임에 대하여는 수탁자를 개인정보처리자의 소속 직원으로 본다.
⑦ 수탁자에 관하여는 제15조부터 제25조까지, 제27조부터 제31조까지, 제33조부터 제38조까지 및 제59조를 준용한다.

(6) 영업양도 등에 따른 개인정보의 이전 제한

개인정보 보호법 제27조【영업양도 등에 따른 개인정보의 이전 제한】① 개인정보처리자는 영업의 전부 또는 일부의 양도·합병 등으로 개인정보를 다른 사람에게 이전하는 경우에는 미리 다음 각 호의 사항을 대통령령으로 정하는 방법에 따라 해당 정보주체에게 알려야 한다.
1. 개인정보를 이전하려는 사실
2. 개인정보를 이전받는 자(이하 "영업양수자 등"이라 한다)의 성명(법인의 경우에는 법인의 명칭을 말한다), 주소, 전화번호 및 그 밖의 연락처
3. 정보주체가 개인정보의 이전을 원하지 아니하는 경우 조치할 수 있는 방법 및 절차
② 영업양수자 등은 개인정보를 이전받았을 때에는 지체 없이 그 사실을 대통령령으로 정하는 방법에 따라 정보주체에게 알려야 한다. 다만, 개인정보처리자가 제1항에 따라 그 이전 사실을 이미 알린 경우에는 그러하지 아니하다.
③ 영업양수자 등은 영업의 양도·합병 등으로 개인정보를 이전받은 경우에는 이전 당시의 본래 목적으로만 개인정보를 이용하거나 제3자에게 제공할 수 있다. 이 경우 영업양수자 등은 개인정보처리자로 본다.

(7) 개인정보취급자에 대한 감독

개인정보 보호법 제28조【개인정보취급자에 대한 감독】① 개인정보처리자는 개인정보를 처리함에 있어서 개인정보가 안전하게 관리될 수 있도록 임직원, 파견근로자, 시간제근로자 등 개인정보처리자의 지휘·감독을 받아 개인정보를 처리하는 자(이하 "개인정보취급자"라 한다)에 대하여 적절한 관리·감독을 행하여야 한다.
② 개인정보처리자는 개인정보의 적정한 취급을 보장하기 위하여 개인정보취급자에게 정기적으로 필요한 교육을 실시하여야 한다.

3. 가명정보의 처리에 관한 특례

(1) 가명정보의 처리 등

개인정보 보호법 제28조의2 【가명정보의 처리 등】 ① 개인정보처리자는 통계작성, 과학적 연구, 공익적 기록보존 등을 위하여 정보주체의 동의 없이 가명정보를 처리할 수 있다.
② 개인정보처리자는 제1항에 따라 가명정보를 제3자에게 제공하는 경우에는 특정 개인을 알아보기 위하여 사용될 수 있는 정보를 포함해서는 아니 된다.

(2) 가명정보의 결합 제한

개인정보 보호법 제28조의3 【가명정보의 결합 제한】 ① 제28조의2에도 불구하고 통계작성, 과학적 연구, 공익적 기록보존 등을 위한 서로 다른 개인정보처리자 간의 가명정보의 결합은 보호위원회 또는 관계 중앙행정기관의 장이 지정하는 전문기관이 수행한다.
② 결합을 수행한 기관 외부로 결합된 정보를 반출하려는 개인정보처리자는 가명정보 또는 제58조의2에 해당하는 정보로 처리한 뒤 전문기관의 장의 승인을 받아야 한다.
③ 제1항에 따른 결합 절차와 방법, 전문기관의 지정과 지정 취소 기준·절차, 관리·감독, 제2항에 따른 반출 및 승인 기준·절차 등 필요한 사항은 대통령령으로 정한다.

(3) 가명정보에 대한 안전조치의무 등

개인정보 보호법 제28조의4 【가명정보에 대한 안전조치의무 등】 ① 개인정보처리자는 가명정보를 처리하는 경우에는 원래의 상태로 복원하기 위한 추가 정보를 별도로 분리하여 보관·관리하는 등 해당 정보가 분실·도난·유출·위조·변조 또는 훼손되지 않도록 대통령령으로 정하는 바에 따라 안전성 확보에 필요한 기술적·관리적 및 물리적 조치를 하여야 한다.
② 개인정보처리자는 가명정보를 처리하고자 하는 경우에는 가명정보의 처리 목적, 제3자 제공 시 제공받는 자 등 가명정보의 처리 내용을 관리하기 위하여 대통령령으로 정하는 사항에 대한 관련 기록을 작성하여 보관하여야 한다.

(4) 가명정보 처리시 금지의무 등

개인정보 보호법 제28조의5 【가명정보 처리 시 금지의무 등】 ① 누구든지 특정 개인을 알아보기 위한 목적으로 가명정보를 처리해서는 아니 된다.
② 개인정보처리자는 가명정보를 처리하는 과정에서 특정 개인을 알아볼 수 있는 정보가 생성된 경우에는 즉시 해당 정보의 처리를 중지하고, 지체 없이 회수·파기하여야 한다.

(5) 가명정보 처리에 대한 과징금 부과 등

개인정보 보호법 제28조의6【가명정보 처리에 대한 과징금 부과 등】① 보호위원회는 개인정보처리자가 제28조의5 제1항을 위반하여 특정 개인을 알아보기 위한 목적으로 정보를 처리한 경우 전체 매출액의 100분의 3 이하에 해당하는 금액을 과징금으로 부과할 수 있다. 다만, 매출액이 없거나 매출액의 산정이 곤란한 경우로서 대통령령으로 정하는 경우에는 4억원 또는 자본금의 100분의 3 중 큰 금액 이하로 과징금을 부과할 수 있다.
② 과징금의 부과·징수 등에 필요한 사항은 제34조의2 제3항부터 제5항까지의 규정을 준용한다.

(6) 적용범위

개인정보 보호법 제28조의7【적용범위】가명정보는 제20조, 제21조, 제27조, 제34조 제1항, 제35조부터 제37조까지, 제39조의3, 제39조의4, 제39조의6부터 제39조의8까지의 규정을 적용하지 아니한다.

4 개인정보의 안전한 관리

1. 안전조치의무

개인정보 보호법 제29조【안전조치의무】개인정보처리자는 개인정보가 분실·도난·유출·위조·변조 또는 훼손되지 아니하도록 내부 관리계획 수립, 접속기록 보관 등 대통령령으로 정하는 바에 따라 안전성 확보에 필요한 기술적·관리적 및 물리적 조치를 하여야 한다.

2. 개인정보 처리방침의 수립 및 공개

개인정보 보호법 제30조【개인정보 처리방침의 수립 및 공개】① 개인정보처리자는 다음 각 호의 사항이 포함된 개인정보의 처리 방침(이하 "개인정보 처리방침"이라 한다)을 정하여야 한다. 이 경우 공공기관은 제32조에 따라 등록대상이 되는 개인정보파일에 대하여 개인정보 처리방침을 정한다.
1. 개인정보의 처리 목적
2. 개인정보의 처리 및 보유 기간
3. 개인정보의 제3자 제공에 관한 사항(해당되는 경우에만 정한다)
3의2. 개인정보의 파기절차 및 파기방법(제21조 제1항 단서에 따라 개인정보를 보존하여야 하는 경우에는 그 보존근거와 보존하는 개인정보 항목을 포함한다)
4. 개인정보처리의 위탁에 관한 사항(해당되는 경우에만 정한다)
5. 정보주체와 법정대리인의 권리·의무 및 그 행사방법에 관한 사항
6. 제31조에 따른 개인정보 보호책임자의 성명 또는 개인정보 보호업무 및 관련 고충사항을 처리하는 부서의 명칭과 전화번호 등 연락처
7. 인터넷 접속정보파일 등 개인정보를 자동으로 수집하는 장치의 설치·운영 및 그 거부에 관한 사항(해당하는 경우에만 정한다)
8. 그 밖에 개인정보의 처리에 관하여 대통령령으로 정한 사항

② 개인정보처리자가 개인정보 처리방침을 수립하거나 변경하는 경우에는 정보주체가 쉽게 확인할 수 있도록 대통령령으로 정하는 방법에 따라 공개하여야 한다.
③ 개인정보 처리방침의 내용과 개인정보처리자와 정보주체 간에 체결한 계약의 내용이 다른 경우에는 정보주체에게 유리한 것을 적용한다.
④ 보호위원회는 개인정보 처리방침의 작성지침을 정하여 개인정보처리자에게 그 준수를 권장할 수 있다.

3. 개인정보 보호책임자의 지정

개인정보 보호법 제31조【개인정보 보호책임자의 지정】① 개인정보처리자는 개인정보의 처리에 관한 업무를 총괄해서 책임질 개인정보 보호책임자를 지정하여야 한다.
② 개인정보 보호책임자는 다음 각 호의 업무를 수행한다.
1. 개인정보 보호 계획의 수립 및 시행
2. 개인정보 처리 실태 및 관행의 정기적인 조사 및 개선
3. 개인정보 처리와 관련한 불만의 처리 및 피해 구제
4. 개인정보 유출 및 오용·남용 방지를 위한 내부통제시스템의 구축
5. 개인정보 보호 교육 계획의 수립 및 시행
6. 개인정보파일의 보호 및 관리·감독
7. 그 밖에 개인정보의 적절한 처리를 위하여 대통령령으로 정한 업무
③ 개인정보 보호책임자는 제2항 각 호의 업무를 수행함에 있어서 필요한 경우 개인정보의 처리 현황, 처리 체계 등에 대하여 수시로 조사하거나 관계 당사자로부터 보고를 받을 수 있다.
④ 개인정보 보호책임자는 개인정보 보호와 관련하여 이 법 및 다른 관계 법령의 위반 사실을 알게 된 경우에는 즉시 개선조치를 하여야 하며, 필요하면 소속 기관 또는 단체의 장에게 개선조치를 보고하여야 한다.
⑤ 개인정보처리자는 개인정보 보호책임자가 제2항 각 호의 업무를 수행함에 있어서 정당한 이유 없이 불이익을 주거나 받게 하여서는 아니 된다.
⑥ 개인정보 보호책임자의 지정요건, 업무, 자격요건, 그 밖에 필요한 사항은 대통령령으로 정한다.

4. 개인정보파일의 등록 및 공개

간단 점검하기

공공기관의 장이 개인정보파일을 운용하는 경우에는 개인정보파일의 명칭, 운용목적, 처리방법, 보유기간 등을 과학기술정보통신부장관에게 등록하여야 한다. ( ) 16. 서울시 7급

×

개인정보 보호법 제32조【개인정보파일의 등록 및 공개】① 공공기관의 장이 개인정보파일을 운용하는 경우에는 다음 각 호의 사항을 보호위원회에 등록하여야 한다. 등록한 사항이 변경된 경우에도 또한 같다.
1. 개인정보파일의 명칭
2. 개인정보파일의 운영 근거 및 목적
3. 개인정보파일에 기록되는 개인정보의 항목
4. 개인정보의 처리방법
5. 개인정보의 보유기간
6. 개인정보를 통상적 또는 반복적으로 제공하는 경우에는 그 제공받는 자
7. 그 밖에 대통령령으로 정하는 사항

② 다음 각 호의 어느 하나에 해당하는 개인정보파일에 대하여는 제1항을 적용하지 아니한다.
1. 국가 안전, 외교상 비밀, 그 밖에 국가의 중대한 이익에 관한 사항을 기록한 개인정보파일
2. 범죄의 수사, 공소의 제기 및 유지, 형 및 감호의 집행, 교정처분, 보호처분, 보안관찰처분과 출입국관리에 관한 사항을 기록한 개인정보파일
3. 조세범처벌법에 따른 범칙행위 조사 및 관세법에 따른 범칙행위 조사에 관한 사항을 기록한 개인정보파일
4. 공공기관의 내부적 업무처리만을 위하여 사용되는 개인정보파일
5. 다른 법령에 따라 비밀로 분류된 개인정보파일
③ 보호위원회는 필요하면 제1항에 따른 개인정보파일의 등록사항과 그 내용을 검토하여 해당 공공기관의 장에게 개선을 권고할 수 있다.
④ 보호위원회는 제1항에 따른 개인정보파일의 등록 현황을 누구든지 쉽게 열람할 수 있도록 공개하여야 한다.
⑤ 제1항에 따른 등록과 제4항에 따른 공개의 방법, 범위 및 절차에 관하여 필요한 사항은 대통령령으로 정한다.
⑥ 국회, 법원, 헌법재판소, 중앙선거관리위원회(그 소속 기관을 포함한다)의 개인정보파일 등록 및 공개에 관하여는 국회규칙, 대법원규칙, 헌법재판소규칙 및 중앙선거관리위원회규칙으로 정한다.

5. 개인정보 보호 인증

개인정보 보호법 제32조의2【개인정보 보호 인증】① 보호위원회는 개인정보처리자의 개인정보 처리 및 보호와 관련한 일련의 조치가 이 법에 부합하는지 등에 관하여 인증할 수 있다.
② 제1항에 따른 인증의 유효기간은 3년으로 한다.
③ 보호위원회는 다음 각 호의 어느 하나에 해당하는 경우에는 대통령령으로 정하는 바에 따라 제1항에 따른 인증을 취소할 수 있다. 다만, 제1호에 해당하는 경우에는 취소하여야 한다.
1. 거짓이나 그 밖의 부정한 방법으로 개인정보 보호 인증을 받은 경우
2. 제4항에 따른 사후관리를 거부 또는 방해한 경우
3. 제8항에 따른 인증기준에 미달하게 된 경우
4. 개인정보 보호 관련 법령을 위반하고 그 위반사유가 중대한 경우
④ 보호위원회는 개인정보 보호 인증의 실효성 유지를 위하여 연 1회 이상 사후관리를 실시하여야 한다.
⑤ 보호위원회는 대통령령으로 정하는 전문기관으로 하여금 제1항에 따른 인증, 제3항에 따른 인증 취소, 제4항에 따른 사후관리 및 제7항에 따른 인증 심사원 관리 업무를 수행하게 할 수 있다.
⑥ 제1항에 따른 인증을 받은 자는 대통령령으로 정하는 바에 따라 인증의 내용을 표시하거나 홍보할 수 있다.
⑦ 제1항에 따른 인증을 위하여 필요한 심사를 수행할 심사원의 자격 및 자격 취소 요건 등에 관하여는 전문성과 경력 및 그 밖에 필요한 사항을 고려하여 대통령령으로 정한다.

⑧ 그 밖에 개인정보 관리체계, 정보주체 권리보장, 안전성 확보조치가 이 법에 부합하는지 여부 등 제1항에 따른 인증의 기준·방법·절차 등 필요한 사항은 대통령령으로 정한다.

간단 점검하기

01 공공기관의 장은 대통령령으로 정하는 기준에 해당하는 개인정보파일의 운용으로 인하여 정보주체의 개인정보 침해가 우려되는 경우에는 그 위험요인의 분석하고 그 개선 사항을 도출하기 위하여 '개인정보 영향평가'를 하고 그 결과를 산업통상자원부장관을 거쳐 국무총리에게 보고하여야 한다. ( )

12. 국회직 9급

6. 개인정보 영향평가

개인정보 보호법 제33조【개인정보 영향평가】① 공공기관의 장은 대통령령으로 정하는 기준에 해당하는 개인정보파일의 운용으로 인하여 정보주체의 개인정보 침해가 우려되는 경우에는 그 위험요인의 분석과 개선 사항 도출을 위한 평가(이하 "영향평가"라 한다)를 하고 그 결과를 보호위원회에 제출하여야 한다. 이 경우 공공기관의 장은 영향평가를 보호위원회가 지정하는 기관(이하 "평가기관"이라 한다) 중에서 의뢰하여야 한다.

② 영향평가를 하는 경우에는 다음 각 호의 사항을 고려하여야 한다.

1. 처리하는 개인정보의 수
2. 개인정보의 제3자 제공 여부
3. 정보주체의 권리를 해할 가능성 및 그 위험 정도
4. 그 밖에 대통령령으로 정한 사항

③ 보호위원회는 제1항에 따라 제출받은 영향평가 결과에 대하여 의견을 제시할 수 있다.

④ 공공기관의 장은 제1항에 따라 영향평가를 한 개인정보파일을 제32조 제1항에 따라 등록할 때에는 영향평가 결과를 함께 첨부하여야 한다.

⑤ 보호위원회는 영향평가의 활성화를 위하여 관계 전문가의 육성, 영향평가 기준의 개발·보급 등 필요한 조치를 마련하여야 한다.

⑥ 제1항에 따른 평가기관의 지정기준 및 지정취소, 평가기준, 영향평가의 방법·절차 등에 관하여 필요한 사항은 대통령령으로 정한다.

⑦ 국회, 법원, 헌법재판소, 중앙선거관리위원회(그 소속 기관을 포함한다)의 영향평가에 관한 사항은 국회규칙, 대법원규칙, 헌법재판소규칙 및 중앙선거관리위원회규칙으로 정하는 바에 따른다.

⑧ 공공기관 외의 개인정보처리자는 개인정보파일 운용으로 인하여 정보주체의 개인정보 침해가 우려되는 경우에는 영향평가를 하기 위하여 적극 노력하여야 한다.

간단 점검하기

02 개인정보처리자는 개인정보가 유출되었음을 알게 되었을 때에는 지체 없이 해당 정보주체에게 유출로 인하여 발생할 수 있는 피해를 최소화하기 위하여 정보주체가 할 수 있는 방법 등에 관한 정보 등을 알려야 한다. ( )

18. 경찰행정

03 개인정보처리자는 개인정보가 유출되었음을 알게 되었을 때에는 지체 없이 방송통신위원회 위원장에게 신고하여야 한다. ( ) 17. 사회복지직

01 × **02** ○ **03** ×

7. 개인정보 유출 통지 등

개인정보 보호법 제34조【개인정보 유출 통지 등】① 개인정보처리자는 개인정보가 유출되었음을 알게 되었을 때에는 지체 없이 해당 정보주체에게 다음 각 호의 사실을 알려야 한다.

1. 유출된 개인정보의 항목
2. 유출된 시점과 그 경위
3. 유출로 인하여 발생할 수 있는 피해를 최소화하기 위하여 정보주체가 할 수 있는 방법 등에 관한 정보
4. 개인정보처리자의 대응조치 및 피해 구제절차
5. 정보주체에게 피해가 발생한 경우 신고 등을 접수할 수 있는 담당부서 및 연락처

② 개인정보처리자는 개인정보가 유출된 경우 그 피해를 최소화하기 위한 대책을 마련하고 필요한 조치를 하여야 한다.
③ 개인정보처리자는 대통령령으로 정한 규모 이상의 개인정보가 유출된 경우에는 제1항에 따른 통지 및 제2항에 따른 조치 결과를 지체 없이 보호위원회 또는 대통령령으로 정하는 전문기관에 신고하여야 한다. 이 경우 보호위원회 또는 대통령령으로 정하는 전문기관은 피해 확산방지, 피해 복구 등을 위한 기술을 지원할 수 있다.
④ 제1항에 따른 통지의 시기, 방법 및 절차 등에 관하여 필요한 사항은 대통령령으로 정한다.

8. 과징금의 부과 등

개인정보 보호법 제34조의2【과징금의 부과 등】① 보호위원회는 개인정보처리자가 처리하는 주민등록번호가 분실·도난·유출·위조·변조 또는 훼손된 경우에는 5억원 이하의 과징금을 부과·징수할 수 있다. 다만, 주민등록번호가 분실·도난·유출·위조·변조 또는 훼손되지 아니하도록 개인정보처리자가 제24조 제3항에 따른 안전성 확보에 필요한 조치를 다한 경우에는 그러하지 아니하다.
② 보호위원회는 제1항에 따른 과징금을 부과하는 경우에는 다음 각 호의 사항을 고려하여야 한다.
1. 제24조 제3항에 따른 안전성 확보에 필요한 조치 이행 노력 정도
2. 분실·도난·유출·위조·변조 또는 훼손된 주민등록번호의 정도
3. 피해확산 방지를 위한 후속조치 이행 여부
③ 보호위원회는 제1항에 따른 과징금을 내야 할 자가 납부기한까지 내지 아니하면 납부기한의 다음 날부터 과징금을 낸 날의 전날까지의 기간에 대하여 내지 아니한 과징금의 연 100분의 6의 범위에서 대통령령으로 정하는 가산금을 징수한다. 이 경우 가산금을 징수하는 기간은 60개월을 초과하지 못한다.
④ 보호위원회는 제1항에 따른 과징금을 내야 할 자가 납부기한까지 내지 아니하면 기간을 정하여 독촉을 하고, 그 지정한 기간 내에 과징금 및 제2항에 따른 가산금을 내지 아니하면 국세 체납처분의 예에 따라 징수한다.
⑤ 과징금의 부과·징수에 관하여 그 밖에 필요한 사항은 대통령령으로 정한다.

9. 금지행위

개인정보 보호법 제59조【금지행위】개인정보를 처리하거나 처리하였던 자는 다음 각 호의 어느 하나에 해당하는 행위를 하여서는 아니 된다.
1. 거짓이나 그 밖의 부정한 수단이나 방법으로 개인정보를 취득하거나 처리에 관한 동의를 받는 행위
2. 업무상 알게 된 개인정보를 누설하거나 권한 없이 다른 사람이 이용하도록 제공하는 행위
3. 정당한 권한 없이 또는 허용된 권한을 초과하여 다른 사람의 개인정보를 훼손, 멸실, 변경, 위조 또는 유출하는 행위

관련판례 **누설 ★★★**

구 개인정보보호법은 개인정보의 누설이나 권한 없는 처리 또는 타인의 이용에 제공하는 등 부당한 목적으로 사용한 행위를 처벌하도록 규정하고 있다(제23조 제2항, 제11조). 여기에서 '누설'이라 함은 아직 이를 알지 못하는 타인에게 알려주는 일체의 행위를 말하고, … 개인정보의 정보주체로부터 자신에 관한 개인정보의 취급을 위임받아 관련 사무를 수행하는 대리인은 위 조항에 의하여 처벌되는 누설이나 개인정보 이용 제공의 상대방인 '타인'에 해당하지 아니한다(대판 2015.7.9, 2013도13070).

#누설 #타인_알림_일체 #대리인_알림_누설× #노무대리인 #개인정보알림

5 정보주체의 권리 보장

1. 정보주체의 권리

> 개인정보 보호법 제4조【정보주체의 권리】 정보주체는 자신의 개인정보 처리와 관련하여 다음 각 호의 권리를 가진다.
> 1. 개인정보의 처리에 관한 정보를 제공받을 권리
> 2. 개인정보의 처리에 관한 동의 여부, 동의 범위 등을 선택하고 결정할 권리
> 3. 개인정보의 처리 여부를 확인하고 개인정보에 대하여 열람(사본의 발급을 포함한다. 이하 같다)을 요구할 권리
> 4. 개인정보의 처리 정지, 정정·삭제 및 파기를 요구할 권리
> 5. 개인정보의 처리로 인하여 발생한 피해를 신속하고 공정한 절차에 따라 구제받을 권리

간단 점검하기

개인정보의 처리에 관한 동의 여부·동의 범위 등을 선택하고 결정할 권리, 개인정보의 처리 여부를 확인하고 개인정보에 대하여 열람을 요구할 권리, 개인정보의 처리로 인하여 발생한 피해를 신속하고 공정한 절차에 따라 구제받을 권리는 개인정보 보호법상 정보주체의 권리에 속한다. ( )

12. 지방직 9급

○

2. 개인정보의 열람

(1) 개인정보 열람 요구

> 개인정보 보호법 제35조【개인정보의 열람】 ① 정보주체는 개인정보처리자가 처리하는 자신의 개인정보에 대한 열람을 해당 개인정보처리자에게 요구할 수 있다.

(2) 열람 요구 방법

> 개인정보 보호법 제35조【개인정보의 열람】 ② 제1항에도 불구하고 정보주체가 자신의 개인정보에 대한 열람을 공공기관에 요구하고자 할 때에는 공공기관에 직접 열람을 요구하거나 대통령령으로 정하는 바에 따라 보호위원회를 통하여 열람을 요구할 수 있다.

(3) 개인정보처리자의 의무

> 개인정보 보호법 제35조【개인정보의 열람】③ 개인정보처리자는 제1항 및 제2항에 따른 열람을 요구받았을 때에는 대통령령으로 정하는 기간 내에 정보주체가 해당 개인정보를 열람할 수 있도록 하여야 한다. 이 경우 해당 기간 내에 열람할 수 없는 정당한 사유가 있을 때에는 정보주체에게 그 사유를 알리고 열람을 연기할 수 있으며, 그 사유가 소멸하면 지체 없이 열람하게 하여야 한다.
>
> 개인정보 보호법 시행령 제41조【개인정보의 열람절차 등】④ 법 제35조 제3항 전단에서 "대통령령으로 정하는 기간"이란 10일을 말한다.

(4) 열람 제한 · 거절 사유

> 개인정보 보호법 제35조【개인정보의 열람】④ 개인정보처리자는 다음 각 호의 어느 하나에 해당하는 경우에는 정보주체에게 그 사유를 알리고 열람을 제한하거나 거절할 수 있다.
> 1. 법률에 따라 열람이 금지되거나 제한되는 경우
> 2. 다른 사람의 생명 · 신체를 해할 우려가 있거나 다른 사람의 재산과 그 밖의 이익을 부당하게 침해할 우려가 있는 경우
> 3. 공공기관이 다음 각 목의 어느 하나에 해당하는 업무를 수행할 때 중대한 지장을 초래하는 경우
>   가. 조세의 부과 · 징수 또는 환급에 관한 업무
>   나. 초 · 중등교육법 및 고등교육법에 따른 각급 학교, 평생교육법에 따른 평생교육시설, 그 밖의 다른 법률에 따라 설치된 고등교육기관에서의 성적 평가 또는 입학자 선발에 관한 업무
>   다. 학력 · 기능 및 채용에 관한 시험, 자격 심사에 관한 업무
>   라. 보상금 · 급부금 산정 등에 대하여 진행 중인 평가 또는 판단에 관한 업무
>   마. 다른 법률에 따라 진행 중인 감사 및 조사에 관한 업무

2. 개인정보의 정정 · 삭제

(1) 정정 · 삭제 요구

> 개인정보 보호법 제36조【개인정보의 정정 · 삭제】① 제35조에 따라 자신의 개인정보를 열람한 정보주체는 개인정보처리자에게 그 개인정보의 정정 또는 삭제를 요구할 수 있다. 다만, 다른 법령에서 그 개인정보가 수집 대상으로 명시되어 있는 경우에는 그 삭제를 요구할 수 없다.

(2) 정정 · 삭제 요구에 대한 처리(조사, 처리)

> 개인정보 보호법 제36조【개인정보의 정정 · 삭제】② 개인정보처리자는 제1항에 따른 정보주체의 요구를 받았을 때에는 개인정보의 정정 또는 삭제에 관하여 다른 법령에 특별한 절차가 규정되어 있는 경우를 제외하고는 지체 없이 그 개인정보를 조사하여 정보주체의 요구에 따라 정정 · 삭제 등 필요한 조치를 한 후 그 결과를 정보주체에게 알려야 한다.

간단 점검하기

자신의 개인정보를 열람한 정보주체는 개인정보처리자에게 직접 자신의 개인정보의 정정 또는 삭제를 요구할 수 없으며 개인정보 분쟁조정위원회를 통해서만 이를 요청할 수 있다. ( )

18. 경찰행정

③ 개인정보처리자가 제2항에 따라 개인정보를 삭제할 때에는 복구 또는 재생되지 아니하도록 조치하여야 한다.
④ 개인정보처리자는 정보주체의 요구가 제1항 단서에 해당될 때에는 지체 없이 그 내용을 정보주체에게 알려야 한다.
⑤ 개인정보처리자는 제2항에 따른 조사를 할 때 필요하면 해당 정보주체에게 정정·삭제 요구사항의 확인에 필요한 증거자료를 제출하게 할 수 있다.
⑥ 제1항·제2항 및 제4항에 따른 정정 또는 삭제 요구, 통지 방법 및 절차 등에 필요한 사항은 대통령령으로 정한다.

3. 개인정보의 처리정지 등

(1) 처리정지 요구

개인정보 보호법 제37조【개인정보의 처리정지 등】① 정보주체는 개인정보처리자에 대하여 자신의 개인정보 처리의 정지를 요구할 수 있다. 이 경우 공공기관에 대하여는 제32조에 따라 등록 대상이 되는 개인정보파일 중 자신의 개인정보에 대한 처리의 정지를 요구할 수 있다.

(2) 처리정지·거절 사유

개인정보 보호법 제37조【개인정보의 처리정지 등】② 개인정보처리자는 제1항에 따른 요구를 받았을 때에는 지체 없이 정보주체의 요구에 따라 개인정보 처리의 전부를 정지하거나 일부를 정지하여야 한다. 다만, 다음 각 호의 어느 하나에 해당하는 경우에는 정보주체의 처리정지 요구를 거절할 수 있다.

1. 법률에 특별한 규정이 있거나 법령상 의무를 준수하기 위하여 불가피한 경우
2. 다른 사람의 생명·신체를 해할 우려가 있거나 다른 사람의 재산과 그 밖의 이익을 부당하게 침해할 우려가 있는 경우
3. 공공기관이 개인정보를 처리하지 아니하면 다른 법률에서 정하는 소관 업무를 수행할 수 없는 경우
4. 개인정보를 처리하지 아니하면 정보주체와 약정한 서비스를 제공하지 못하는 등 계약의 이행이 곤란한 경우로서 정보주체가 그 계약의 해지 의사를 명확하게 밝히지 아니한 경우

(3) 개인정보처리자의 의무

개인정보 보호법 제37조【개인정보의 처리정지 등】③ 개인정보처리자는 제2항 단서에 따라 처리정지 요구를 거절하였을 때에는 정보주체에게 지체 없이 그 사유를 알려야 한다.
④ 개인정보처리자는 정보주체의 요구에 따라 처리가 정지된 개인정보에 대하여 지체 없이 해당 개인정보의 파기 등 필요한 조치를 하여야 한다.
⑤ 제1항부터 제3항까지의 규정에 따른 처리정지의 요구, 처리정지의 거절, 통지 등의 방법 및 절차에 필요한 사항은 대통령령으로 정한다.

4. 권리행사의 방법 및 절차

(1) 열람 등 요구의 대리

개인정보 보호법 제38조【권리행사의 방법 및 절차】① 정보주체는 제35조에 따른 열람, 제36조에 따른 정정 · 삭제, 제37조에 따른 처리정지, 제39조의7에 따른 동의 철회 등의 요구(이하 "열람 등 요구"라 한다)를 문서 등 대통령령으로 정하는 방법 · 절차에 따라 대리인에게 하게 할 수 있다.

(2) 법정대리인(만 14세 미만의 아동)의 요구

개인정보 보호법 제38조【권리행사의 방법 및 절차】② 만 14세 미만 아동의 법정대리인은 개인정보처리자에게 그 아동의 개인정보 열람 등 요구를 할 수 있다.

(3) 수수료 청구

개인정보 보호법 제38조【권리행사의 방법 및 절차】③ 개인정보처리자는 열람 등 요구를 하는 자에게 대통령령으로 정하는 바에 따라 수수료와 우송료(사본의 우송을 청구하는 경우에 한한다)를 청구할 수 있다.

(4) 권리행사 방법 등 공개 · 안내

개인정보 보호법 제38조【권리행사의 방법 및 절차】④ 개인정보처리자는 정보주체가 열람 등 요구를 할 수 있는 구체적인 방법과 절차를 마련하고, 이를 정보주체가 알 수 있도록 공개하여야 한다.
⑤ 개인정보처리자는 정보주체가 열람 등 요구에 대한 거절 등 조치에 대하여 불복이 있는 경우 이의를 제기할 수 있도록 필요한 절차를 마련하고 안내하여야 한다.

5. 손해배상책임

(1) 손해배상청구권과 입증책임 전환

개인정보 보호법 제39조【손해배상책임】① 정보주체는 개인정보처리자가 이 법을 위반한 행위로 손해를 입으면 개인정보처리자에게 손해배상을 청구할 수 있다. 이 경우 그 개인정보처리자는 고의 또는 과실이 없음을 입증하지 아니하면 책임을 면할 수 없다.

(2) 배상액

개인정보 보호법 제39조【손해배상책임】③ 개인정보처리자의 고의 또는 중대한 과실로 인하여 개인정보가 분실 · 도난 · 유출 · 위조 · 변조 또는 훼손된 경우로서 정보주체에게 손해가 발생한 때에는 법원은 그 손해액의 3배를 넘지 아니하는 범위에서 손해배상액을 정할 수 있다. 다만, 개인정보처리자가 고의 또는 중대한 과실이 없음을 증명한 경우에는 그러하지 아니하다.

간단 점검하기

01 개인정보의 열람청구와 삭제 또는 정정청구는 정보주체가 직접 하여야 하고 대리인에 의한 청구는 허용되지 않는다. ( ) 17. 국가직 7급, 09. 지방직 9급 · 국가직 9급

간단 점검하기

02 개인정보처리자가 개인정보보호법을 위반한 행위로 손해를 입힌 경우 정보주체는 손해배상을 청구할 수 있는데, 이때 개인정보처리자가 고의 · 과실이 없음에 대한 입증책임을 진다. ( ) 17. 사회복지직, 18 · 14. 국가직 9급

03 개인정보처리자의 고의 또는 중대한 과실로 인하여 개인정보가 유출된 경우로서 정보주체에게 손해가 발생한 때에는 법원은 그 손해액의 3배를 넘지 아니하는 범위에서 손해배상액을 정할 수 있다. ( ) 18. 서울시 7급

01 × 02 ○ 03 ○

(3) 법정손해배상의 청구

> 개인정보 보호법 제39조의2【법정손해배상의 청구】① 제39조 제1항에도 불구하고 정보주체는 개인정보처리자의 고의 또는 과실로 인하여 개인정보가 분실·도난·유출·위조·변조 또는 훼손된 경우에는 300만원 이하의 범위에서 상당한 금액을 손해액으로 하여 배상을 청구할 수 있다. 이 경우 해당 개인정보처리자는 고의 또는 과실이 없음을 입증하지 아니하면 책임을 면할 수 없다.
> ② 법원은 제1항에 따른 청구가 있는 경우에 변론 전체의 취지와 증거조사의 결과를 고려하여 제1항의 범위에서 상당한 손해액을 인정할 수 있다.
> ③ 제39조에 따라 손해배상을 청구한 정보주체는 사실심(事實審)의 변론이 종결되기 전까지 그 청구를 제1항에 따른 청구로 변경할 수 있다.

6 정보통신서비스 제공자 등의 개인정보 처리 등 특례

1. 개인정보의 수집·이용 동의 등에 대한 특례

(1) 동의를 요하는 경우

> 개인정보 보호법 제39조의3【개인정보의 수집·이용 동의 등에 대한 특례】① 정보통신서비스 제공자는 제15조 제1항에도 불구하고 이용자의 개인정보를 이용하려고 수집하는 경우에는 다음 각 호의 모든 사항을 이용자에게 알리고 동의를 받아야 한다. 다음 각 호의 어느 하나의 사항을 변경하려는 경우에도 또한 같다.
> 1. 개인정보의 수집·이용 목적
> 2. 수집하는 개인정보의 항목
> 3. 개인정보의 보유·이용 기간

(2) 동의 없이 수집·이용 가능한 경우

> 개인정보 보호법 제39조의3【개인정보의 수집·이용 동의 등에 대한 특례】② 정보통신서비스 제공자는 다음 각 호의 어느 하나에 해당하는 경우에는 제1항에 따른 동의 없이 이용자의 개인정보를 수집·이용할 수 있다.
> 1. 정보통신서비스(정보통신망 이용촉진 및 정보보호 등에 관한 법률 제2조 제1항 제2호에 따른 정보통신서비스를 말한다. 이하 같다)의 제공에 관한 계약을 이행하기 위하여 필요한 개인정보로서 경제적·기술적인 사유로 통상적인 동의를 받는 것이 뚜렷하게 곤란한 경우
> 2. 정보통신서비스의 제공에 따른 요금정산을 위하여 필요한 경우
> 3. 다른 법률에 특별한 규정이 있는 경우

(3) 개인정보 제공과 서비스 이용

> 개인정보 보호법 제39조의3【개인정보의 수집 · 이용 동의 등에 대한 특례】③ 정보통신서비스 제공자는 이용자가 필요한 최소한의 개인정보 이외의 개인정보를 제공하지 아니한다는 이유로 그 서비스의 제공을 거부해서는 아니 된다. 이 경우 필요한 최소한의 개인정보는 해당 서비스의 본질적 기능을 수행하기 위하여 반드시 필요한 정보를 말한다.

(4) 만 14세 미만 아동의 법정대리인 동의와 고지

> 개인정보 보호법 제39조의3【개인정보의 수집 · 이용 동의 등에 대한 특례】④ 정보통신서비스 제공자는 만 14세 미만의 아동으로부터 개인정보 수집 · 이용 · 제공 등의 동의를 받으려면 그 법정대리인의 동의를 받아야 하고, 대통령령으로 정하는 바에 따라 법정대리인이 동의하였는지를 확인하여야 한다.
> ⑤ 정보통신서비스 제공자는 만 14세 미만의 아동에게 개인정보 처리와 관련한 사항의 고지 등을 하는 때에는 이해하기 쉬운 양식과 명확하고 알기 쉬운 언어를 사용하여야 한다.
> ⑥ 보호위원회는 개인정보 처리에 따른 위험성 및 결과, 이용자의 권리 등을 명확하게 인지하지 못할 수 있는 만 14세 미만의 아동의 개인정보 보호 시책을 마련하여야 한다.

2. 개인정보 유출 등의 통지 · 신고에 대한 특례

> 개인정보 보호법 제39조의4【개인정보 유출 등의 통지 · 신고에 대한 특례】 ① 제34조 제1항 및 제3항에도 불구하고 정보통신서비스 제공자와 그로부터 제17조 제1항에 따라 이용자의 개인정보를 제공받은 자(이하 "정보통신서비스 제공자 등"이라 한다)는 개인정보의 분실 · 도난 · 유출(이하 "유출 등"이라 한다) 사실을 안 때에는 지체 없이 다음 각 호의 사항을 해당 이용자에게 알리고 보호위원회 또는 대통령령으로 정하는 전문기관에 신고하여야 하며, 정당한 사유 없이 그 사실을 안 때부터 24시간을 경과하여 통지 · 신고해서는 아니 된다. 다만, 이용자의 연락처를 알 수 없는 등 정당한 사유가 있는 경우에는 대통령령으로 정하는 바에 따라 통지를 갈음하는 조치를 취할 수 있다.
> 1. 유출 등이 된 개인정보 항목
> 2. 유출 등이 발생한 시점
> 3. 이용자가 취할 수 있는 조치
> 4. 정보통신서비스 제공자 등의 대응 조치
> 5. 이용자가 상담 등을 접수할 수 있는 부서 및 연락처
>
> ② 제1항의 신고를 받은 대통령령으로 정하는 전문기관은 지체 없이 그 사실을 보호위원회에 알려야 한다.
> ③ 정보통신서비스 제공자 등은 제1항에 따른 정당한 사유를 보호위원회에 소명하여야 한다.
> ④ 제1항에 따른 통지 및 신고의 방법 · 절차 등에 필요한 사항은 대통령령으로 정한다.

point check 개인정보 유출 통지 사실 비교

정보처리자 (제34조 제1항)	정보통신서비스 제공자 (제39조의4 제1항)
① 유출된 개인정보의 항목 ② 유출된 시점과 그 경위 ③ 유출로 인하여 발생할 수 있는 피해를 최소화하기 위하여 정보주체가 할 수 있는 방법 등에 관한 정보 ④ 개인정보처리자의 대응조치 및 피해구제절차 ⑤ 정보주체에게 피해가 발생한 경우 신고 등을 접수할 수 있는 담당부서 및 연락처	① 유출 등이 된 개인정보 항목 ② 유출 등이 발생한 시점 ③ 이용자가 취할 수 있는 조치 ④ 정보통신서비스 제공자등의 대응조치 ⑤ 이용자가 상담 등을 접수할 수 있는 부서 및 연락처

3. 개인정보의 보호조치에 대한 특례

개인정보 보호법 제39조의5【개인정보의 보호조치에 대한 특례】 정보통신서비스 제공자등은 이용자의 개인정보를 처리하는 자를 최소한으로 제한하여야 한다.

4. 개인정보의 파기에 대한 특례

개인정보 보호법 제39조의6【개인정보의 파기에 대한 특례】 ① 정보통신서비스 제공자등은 정보통신서비스를 1년의 기간 동안 이용하지 아니하는 이용자의 개인정보를 보호하기 위하여 대통령령으로 정하는 바에 따라 개인정보의 파기 등 필요한 조치를 취하여야 한다. 다만, 그 기간에 대하여 다른 법령 또는 이용자의 요청에 따라 달리 정한 경우에는 그에 따른다.

② 정보통신서비스 제공자등은 제1항의 기간 만료 30일 전까지 개인정보가 파기되는 사실, 기간 만료일 및 파기되는 개인정보의 항목 등 대통령령으로 정하는 사항을 전자우편 등 대통령령으로 정하는 방법으로 이용자에게 알려야 한다.

5. 이용자의 권리 등에 대한 특례

개인정보 보호법 제39조의7【이용자의 권리 등에 대한 특례】 ① 이용자는 정보통신서비스 제공자 등에 대하여 언제든지 개인정보 수집 · 이용 · 제공 등의 동의를 철회할 수 있다.

② 정보통신서비스 제공자 등은 제1항에 따른 동의의 철회, 제35조에 따른 개인정보의 열람, 제36조에 따른 정정을 요구하는 방법을 개인정보의 수집방법보다 쉽게 하여야 한다.

③ 정보통신서비스 제공자 등은 제1항에 따라 동의를 철회하면 지체 없이 수집된 개인정보를 복구 · 재생할 수 없도록 파기하는 등 필요한 조치를 하여야 한다.

6. 개인정보 이용내역의 통지

개인정보 보호법 제39조의8【개인정보 이용내역의 통지】① 정보통신서비스 제공자 등으로서 대통령령으로 정하는 기준에 해당하는 자는 제23조, 제39조의3에 따라 수집한 이용자의 개인정보의 이용내역(제17조에 따른 제공을 포함한다)을 주기적으로 이용자에게 통지하여야 한다. 다만, 연락처 등 이용자에게 통지할 수 있는 개인정보를 수집하지 아니한 경우에는 그러하지 아니한다.
② 제1항에 따라 이용자에게 통지하여야 하는 정보의 종류, 통지주기 및 방법, 그 밖에 이용내역 통지에 필요한 사항은 대통령령으로 정한다.

7. 손해배상의 보장

개인정보 보호법 제39조의9【손해배상의 보장】① 정보통신서비스 제공자 등은 제39조 및 제39조의2에 따른 손해배상책임의 이행을 위하여 보험 또는 공제에 가입하거나 준비금을 적립하는 등 필요한 조치를 하여야 한다.
② 제1항에 따른 가입 대상 개인정보처리자의 범위, 기준 등에 필요한 사항은 대통령령으로 정한다.

8. 노출된 개인정보의 삭제 · 차단

개인정보 보호법 제39조의10【노출된 개인정보의 삭제 · 차단】① 정보통신서비스 제공자 등은 주민등록번호, 계좌정보, 신용카드정보 등 이용자의 개인정보가 정보통신망을 통하여 공중에 노출되지 아니하도록 하여야 한다.
② 제1항에도 불구하고 공중에 노출된 개인정보에 대하여 보호위원회 또는 대통령령으로 지정한 전문기관의 요청이 있는 경우 정보통신서비스 제공자 등은 삭제 · 차단 등 필요한 조치를 취하여야 한다.

9. 국내대리인의 지정

개인정보 보호법 제39조의11【국내대리인의 지정】① 국내에 주소 또는 영업소가 없는 정보통신서비스 제공자등으로서 이용자 수, 매출액 등을 고려하여 대통령령으로 정하는 기준에 해당하는 자는 다음 각 호의 사항을 대리하는 자(이하 "국내대리인"이라 한다)를 서면으로 지정하여야 한다.
1. 제31조에 따른 개인정보 보호책임자의 업무
2. 제39조의4에 따른 통지 · 신고
3. 제63조 제1항에 따른 관계 물품 · 서류 등의 제출
② 국내대리인은 국내에 주소 또는 영업소가 있는 자로 한다.
③ 제1항에 따라 국내대리인을 지정한 때에는 다음 각 호의 사항 모두를 제30조에 따른 개인정보 처리방침에 포함하여야 한다.
1. 국내대리인의 성명(법인의 경우에는 그 명칭 및 대표자의 성명을 말한다)
2. 국내대리인의 주소(법인의 경우에는 영업소 소재지를 말한다), 전화번호 및 전자우편 주소
④ 국내대리인이 제1항 각 호와 관련하여 이 법을 위반한 경우에는 정보통신서비스 제공자 등이 그 행위를 한 것으로 본다.

10. 국외 이전 개인정보의 보호

개인정보 보호법 제39조의12 【국외 이전 개인정보의 보호】 ① 정보통신서비스 제공자 등은 이용자의 개인정보에 관하여 이 법을 위반하는 사항을 내용으로 하는 국제계약을 체결해서는 아니 된다.

② 제17조 제3항에도 불구하고 정보통신서비스 제공자등은 이용자의 개인정보를 국외에 제공(조회되는 경우를 포함한다) · 처리위탁 · 보관(이하 이 조에서 "이전"이라 한다)하려면 이용자의 동의를 받아야 한다. 다만, 제3항 각 호의 사항 모두를 제30조 제2항에 따라 공개하거나 전자우편 등 대통령령으로 정하는 방법에 따라 이용자에게 알린 경우에는 개인정보 처리위탁 · 보관에 따른 동의절차를 거치지 아니할 수 있다.

③ 정보통신서비스 제공자등은 제2항 본문에 따른 동의를 받으려면 미리 다음 각 호의 사항 모두를 이용자에게 고지하여야 한다.

1. 이전되는 개인정보 항목
2. 개인정보가 이전되는 국가, 이전일시 및 이전방법
3. 개인정보를 이전받는 자의 성명(법인인 경우에는 그 명칭 및 정보관리책임자의 연락처를 말한다)
4. 개인정보를 이전받는 자의 개인정보 이용목적 및 보유 · 이용 기간

④ 정보통신서비스 제공자등은 제2항 본문에 따른 동의를 받아 개인정보를 국외로 이전하는 경우 대통령령으로 정하는 바에 따라 보호조치를 하여야 한다.

⑤ 이용자의 개인정보를 이전받는 자가 해당 개인정보를 제3국으로 이전하는 경우에 관하여는 제1항부터 제4항까지의 규정을 준용한다. 이 경우 "정보통신서비스 제공자 등"은 "개인정보를 이전받는 자"로, "개인정보를 이전받는 자"는 "제3국에서 개인정보를 이전받는 자"로 본다.

11. 상호주의

개인정보 보호법 제39조의13 【상호주의】 제39조의12에도 불구하고 개인정보의 국외 이전을 제한하는 국가의 정보통신서비스 제공자 등에 대하여는 해당 국가의 수준에 상응하는 제한을 할 수 있다. 다만, 조약 또는 그 밖의 국제협정의 이행에 필요한 경우에는 그러하지 아니하다.

12. 방송사업자 등에 대한 특례

개인정보 보호법 제39조의14 【방송사업자 등에 대한 특례】 방송법 제2조 제3호가목부터 마목까지와 같은 조 제6호 · 제9호 · 제12호 및 제14호에 해당하는 자(이하 이 조에서 "방송사업자 등"이라 한다)가 시청자의 개인정보를 처리하는 경우에는 정보통신서비스 제공자에게 적용되는 규정을 준용한다. 이 경우 "방송사업자 등"은 "정보통신서비스 제공자" 또는 "정보통신서비스 제공자 등"으로, "시청자"는 "이용자"로 본다.

13. 과징금의 부과 등에 대한 특례

개인정보 보호법 제39조의15【과징금의 부과 등에 대한 특례】 ① 보호위원회는 정보통신서비스 제공자 등에게 다음 각 호의 어느 하나에 해당하는 행위가 있는 경우에는 해당 정보통신서비스 제공자 등에게 위반행위와 관련한 매출액의 100분의 3 이하에 해당하는 금액을 과징금으로 부과할 수 있다.

1. 제17조 제1항 · 제2항, 제18조 제1항 · 제2항 및 제19조(제39조의14에 따라 준용되는 경우를 포함한다)를 위반하여 개인정보를 이용 · 제공한 경우
2. 제22조 제6항(제39조의14에 따라 준용되는 경우를 포함한다)을 위반하여 법정대리인의 동의를 받지 아니하고 만 14세 미만인 아동의 개인정보를 수집한 경우
3. 제23조 제1항 제1호(제39조의14에 따라 준용되는 경우를 포함한다)를 위반하여 이용자의 동의를 받지 아니하고 민감정보를 수집한 경우
4. 제26조 제4항(제39조의14에 따라 준용되는 경우를 포함한다)에 따른 관리 · 감독 또는 교육을 소홀히 하여 특례 수탁자가 이 법의 규정을 위반한 경우
5. 이용자의 개인정보를 분실 · 도난 · 유출 · 위조 · 변조 또는 훼손한 경우로서 제29조의 조치(내부 관리계획 수립에 관한 사항은 제외한다)를 하지 아니한 경우(제39조의14에 따라 준용되는 경우를 포함한다)
6. 제39조의3 제1항(제39조의14에 따라 준용되는 경우를 포함한다)을 위반하여 이용자의 동의를 받지 아니하고 개인정보를 수집한 경우
7. 제39조의12 제2항 본문(같은 조 제5항에 따라 준용되는 경우를 포함한다)을 위반하여 이용자의 동의를 받지 아니하고 이용자의 개인정보를 국외에 제공한 경우

② 제1항에 따른 과징금을 부과하는 경우 정보통신서비스 제공자 등이 매출액 산정자료의 제출을 거부하거나 거짓의 자료를 제출한 경우에는 해당 정보통신서비스 제공자 등과 비슷한 규모의 정보통신서비스 제공자 등의 재무제표 등 회계자료와 가입자 수 및 이용요금 등 영업현황 자료에 근거하여 매출액을 추정할 수 있다. 다만, 매출액이 없거나 매출액의 산정이 곤란한 경우로서 대통령령으로 정하는 경우에는 4억원 이하의 과징금을 부과할 수 있다.

③ 보호위원회는 제1항에 따른 과징금을 부과하려면 다음 각 호의 사항을 고려하여야 한다.

1. 위반행위의 내용 및 정도
2. 위반행위의 기간 및 횟수
3. 위반행위로 인하여 취득한 이익의 규모

④ 제1항에 따른 과징금은 제3항을 고려하여 산정하되, 구체적인 산정기준과 산정절차는 대통령령으로 정한다.

⑤ 보호위원회는 제1항에 따른 과징금을 내야 할 자가 납부기한까지 이를 내지 아니하면 납부기한의 다음 날부터 내지 아니한 과징금의 연 100분의 6에 해당하는 가산금을 징수한다.

⑥ 보호위원회는 제1항에 따른 과징금을 내야 할 자가 납부기한까지 이를 내지 아니한 경우에는 기간을 정하여 독촉을 하고, 그 지정된 기간에 과징금과 제5항에 따른 가산금을 내지 아니하면 국세 체납처분의 예에 따라 징수한다.

⑦ 법원의 판결 등의 사유로 제1항에 따라 부과된 과징금을 환급하는 경우에는 과징금을 낸 날부터 환급하는 날까지의 기간에 대하여 금융회사 등의 예금이자율 등을 고려하여 대통령령으로 정하는 이자율에 따라 계산한 환급가산금을 지급하여야 한다.

⑧ 제7항에도 불구하고 법원의 판결에 의하여 과징금 부과처분이 취소되어 그 판결이유에 따라 새로운 과징금을 부과하는 경우에는 당초 납부한 과징금에서 새로 부과하기로 결정한 과징금을 공제한 나머지 금액에 대해서만 환급가산금을 계산하여 지급한다.

7 개인정보 분쟁조정위원회

1. 설치 및 구성

(1) 설치 · 구성

개인정보 보호법 제40조 【설치 및 구성】 ① 개인정보에 관한 분쟁의 조정(調停)을 위하여 개인정보 분쟁조정위원회(이하 "분쟁조정위원회"라 한다)를 둔다.
② 분쟁조정위원회는 위원장 1명을 포함한 20명 이내의 위원으로 구성하며, 위원은 당연직위원과 위촉위원으로 구성한다.

간단 점검하기

01 개인정보에 관한 분쟁의 조정을 위하여 위원장 1명을 포함한 20명 이내의 위원으로 구성된 개인정보보호심의위원회를 두고 있다. ( )
12. 지방직 9급

(2) 위원 · 위원장 위촉

개인정보 보호법 제40조 【설치 및 구성】 ③ 위촉위원은 다음 각 호의 어느 하나에 해당하는 사람 중에서 보호위원회 위원장이 위촉하고, 대통령령으로 정하는 국가기관 소속 공무원은 당연직위원이 된다.
1. 개인정보 보호업무를 관장하는 중앙행정기관의 고위공무원단에 속하는 공무원으로 재직하였던 사람 또는 이에 상당하는 공공부문 및 관련 단체의 직에 재직하고 있거나 재직하였던 사람으로서 개인정보 보호업무의 경험이 있는 사람
2. 대학이나 공인된 연구기관에서 부교수 이상 또는 이에 상당하는 직에 재직하고 있거나 재직하였던 사람
3. 판사 · 검사 또는 변호사로 재직하고 있거나 재직하였던 사람
4. 개인정보 보호와 관련된 시민사회단체 또는 소비자단체로부터 추천을 받은 사람
5. 개인정보처리자로 구성된 사업자단체의 임원으로 재직하고 있거나 재직하였던 사람

④ 위원장은 위원 중에서 공무원이 아닌 사람으로 보호위원회 위원장이 위촉한다.
⑤ 위원장과 위촉위원의 임기는 2년으로 하되, 1차에 한하여 연임할 수 있다.

간단 점검하기

02 개인정보분쟁조정위원회 위원장은 위원 중에서 공무원이 아닌 사람으로 개인정보 보호위원회 위원장이 위촉한다. ( ) 19. 소방직 9급

(3) 조정부 설치

개인정보 보호법 제40조 【설치 및 구성】 ⑥ 분쟁조정위원회는 분쟁조정 업무를 효율적으로 수행하기 위하여 필요하면 대통령령으로 정하는 바에 따라 조정사건의 분야별로 5명 이내의 위원으로 구성되는 조정부를 둘 수 있다. 이 경우 조정부가 분쟁조정위원회에서 위임받아 의결한 사항은 분쟁조정위원회에서 의결한 것으로 본다.

01 × 02 ○

(4) 의결

> 개인정보 보호법 제40조【설치 및 구성】⑦ 분쟁조정위원회 또는 조정부는 재적위원 과반수의 출석으로 개의하며 출석위원 과반수의 찬성으로 의결한다.

(5) 위원의 신분보장

> 개인정보 보호법 제41조【위원의 신분보장】위원은 자격정지 이상의 형을 선고받거나 심신상의 장애로 직무를 수행할 수 없는 경우를 제외하고는 그의 의사에 반하여 면직되거나 해촉되지 아니한다.

(6) 위원의 제척 · 기피 · 회피

> 개인정보 보호법 제42조【위원의 제척 · 기피 · 회피】① 분쟁조정위원회의 위원은 다음 각 호의 어느 하나에 해당하는 경우에는 제43조 제1항에 따라 분쟁조정위원회에 신청된 분쟁조정사건(이하 이 조에서 "사건"이라 한다)의 심의 · 의결에서 제척(除斥)된다.
> 1. 위원 또는 그 배우자나 배우자였던 자가 그 사건의 당사자가 되거나 그 사건에 관하여 공동의 권리자 또는 의무자의 관계에 있는 경우
> 2. 위원이 그 사건의 당사자와 친족이거나 친족이었던 경우
> 3. 위원이 그 사건에 관하여 증언, 감정, 법률자문을 한 경우
> 4. 위원이 그 사건에 관하여 당사자의 대리인으로서 관여하거나 관여하였던 경우
>
> ② 당사자는 위원에게 공정한 심의 · 의결을 기대하기 어려운 사정이 있으면 위원장에게 기피신청을 할 수 있다. 이 경우 위원장은 기피신청에 대하여 분쟁조정위원회의 의결을 거치지 아니하고 결정한다.
> ③ 위원이 제1항 또는 제2항의 사유에 해당하는 경우에는 스스로 그 사건의 심의 · 의결에서 회피할 수 있다.

2. 조정의 신청 및 상대방에게 고지

(1) 신청 · 고지

> 개인정보 보호법 제43조【조정의 신청 등】① 개인정보와 관련한 분쟁의 조정을 원하는 자는 분쟁조정위원회에 분쟁조정을 신청할 수 있다.
> ② 분쟁조정위원회는 당사자 일방으로부터 분쟁조정 신청을 받았을 때에는 그 신청내용을 상대방에게 알려야 한다.

(2) 공공기관의 의무

> 개인정보 보호법 제43조【조정의 신청 등】③ 공공기관이 제2항에 따른 분쟁조정의 통지를 받은 경우에는 특별한 사유가 없으면 분쟁조정에 응하여야 한다.

3. 처리기간 및 자료요청

(1) 처리기간

> 개인정보 보호법 제44조【처리기간】 ① 분쟁조정위원회는 제43조 제1항에 따른 분쟁조정 신청을 받은 날부터 60일 이내에 이를 심사하여 조정안을 작성하여야 한다. 다만, 부득이한 사정이 있는 경우에는 분쟁조정위원회의 의결로 처리기간을 연장할 수 있다.
> ② 분쟁조정위원회는 제1항 단서에 따라 처리기간을 연장한 경우에는 기간연장의 사유와 그 밖의 기간연장에 관한 사항을 신청인에게 알려야 한다.

(2) 자료요청

> 개인정보 보호법 제45조【자료의 요청 등】 ① 분쟁조정위원회는 제43조 제1항에 따라 분쟁조정 신청을 받았을 때에는 해당 분쟁의 조정을 위하여 필요한 자료를 분쟁당사자에게 요청할 수 있다. 이 경우 분쟁당사자는 정당한 사유가 없으면 요청에 따라야 한다.
> ② 분쟁조정위원회는 필요하다고 인정하면 분쟁당사자나 참고인을 위원회에 출석하도록 하여 그 의견을 들을 수 있다.

4. 조정 전 합의 권고

> 개인정보 보호법 제46조【조정 전 합의 권고】 분쟁조정위원회는 제43조 제1항에 따라 분쟁조정 신청을 받았을 때에는 당사자에게 그 내용을 제시하고 조정 전 합의를 권고할 수 있다.

5. 분쟁의 조정

(1) 조정안 작성 · 제시

> 개인정보 보호법 제47조【분쟁의 조정】 ① 분쟁조정위원회는 다음 각 호의 어느 하나의 사항을 포함하여 조정안을 작성할 수 있다.
> 1. 조사 대상 침해행위의 중지
> 2. 원상회복, 손해배상, 그 밖에 필요한 구제조치
> 3. 같거나 비슷한 침해의 재발을 방지하기 위하여 필요한 조치
>
> ② 분쟁조정위원회는 제1항에 따라 조정안을 작성하면 지체 없이 각 당사자에게 제시하여야 한다.

간단 점검하기

개인정보 분쟁조정위원회의 조정을 분쟁당사자가 수락하는 경우, 조정의 내용은 재판상 화해와 동일한 효력을 갖는다. ( ) 16. 서울시 7급

○

(2) 수락 여부 통지 · 효력

> 개인정보 보호법 제47조【분쟁의 조정】 ③ 제1항에 따라 조정안을 제시받은 당사자가 제시받은 날부터 15일 이내에 수락 여부를 알리지 아니하면 조정을 거부한 것으로 본다.
> ④ 당사자가 조정내용을 수락한 경우 분쟁조정위원회는 조정서를 작성하고, 분쟁조정위원회의 위원장과 각 당사자가 기명날인하여야 한다.
> ⑤ 제4항에 따른 조정의 내용은 재판상 화해와 동일한 효력을 갖는다.

6. 조정의 거부 및 중지

(1) 분쟁조정위원회의 조정 거부

> 개인정보 보호법 제48조【조정의 거부 및 중지】① 분쟁조정위원회는 분쟁의 성질상 분쟁조정위원회에서 조정하는 것이 적합하지 아니하다고 인정하거나 부정한 목적으로 조정이 신청되었다고 인정하는 경우에는 그 조정을 거부할 수 있다. 이 경우 조정거부의 사유 등을 신청인에게 알려야 한다.

(2) 소제기와 조정 중지

> 개인정보 보호법【조정의 거부 및 중지】② 분쟁조정위원회는 신청된 조정사건에 대한 처리절차를 진행하던 중에 한 쪽 당사자가 소를 제기하면 그 조정의 처리를 중지하고 이를 당사자에게 알려야 한다.

7. 집단분쟁조정

(1) 신청

> 개인정보 보호법 제49조【집단분쟁조정】① 국가 및 지방자치단체, 개인정보보호단체 및 기관, 정보주체, 개인정보처리자는 정보주체의 피해 또는 권리침해가 다수의 정보주체에게 같거나 비슷한 유형으로 발생하는 경우로서 대통령령으로 정하는 사건에 대하여는 분쟁조정위원회에 일괄적인 분쟁조정(이하 "집단분쟁조정"이라 한다)을 의뢰 또는 신청할 수 있다.
>
> 개인정보 보호법 시행령 제52조【집단분쟁조정의 신청 대상】법 제49조 제1항에서 "대통령령으로 정하는 사건"이란 다음 각 호의 요건을 모두 갖춘 사건을 말한다.
> 1. 피해 또는 권리침해를 입은 정보주체의 수가 다음 각 목의 정보주체를 제외하고 50명 이상일 것
>   가. 개인정보처리자와 분쟁해결이나 피해보상에 관한 합의가 이루어진 정보주체
>   나. 같은 사안으로 다른 법령에 따라 설치된 분쟁조정기구에서 분쟁조정 절차가 진행 중인 정보주체
>   다. 해당 개인정보 침해로 인한 피해에 대하여 법원에 소(訴)를 제기한 정보주체
> 2. 사건의 중요한 쟁점이 사실상 또는 법률상 공통될 것

(2) 조정절차 개시

> 개인정보 보호법 제49조【집단분쟁조정】② 제1항에 따라 집단분쟁조정을 의뢰받거나 신청받은 분쟁조정위원회는 그 의결로써 제3항부터 제7항까지의 규정에 따른 집단분쟁조정의 절차를 개시할 수 있다. 이 경우 분쟁조정위원회는 대통령령으로 정하는 기간 동안 그 절차의 개시를 공고하여야 한다.

간단 점검하기

국가 및 지방자치단체, 개인정보보호단체 및 기관, 정보주체, 개인정보처리자는 정보주체의 피해 또는 권리침해가 다수의 정보주체에게 같거나 비슷한 유형으로 발생하는 경우로서 일정한 사건에 대하여는 분쟁조정위원회에 집단분쟁조정을 의뢰 또는 신청할 수 있다. ( ) 13. 국회직 9급

○

(3) 제3자 추가

개인정보 보호법 제49조【집단분쟁조정】③ 분쟁조정위원회는 집단분쟁조정의 당사자가 아닌 정보주체 또는 개인정보처리자로부터 그 분쟁조정의 당사자에 추가로 포함될 수 있도록 하는 신청을 받을 수 있다.

(4) 대표당사자 선임

개인정보 보호법 제49조【집단분쟁조정】④ 분쟁조정위원회는 그 의결로써 제1항 및 제3항에 따른 집단분쟁조정의 당사자 중에서 공동의 이익을 대표하기에 가장 적합한 1인 또는 수인을 대표당사자로 선임할 수 있다.

(5) 보상계획서의 제출 권고

개인정보 보호법 제49조【집단분쟁조정】⑤ 분쟁조정위원회는 개인정보처리자가 분쟁조정위원회의 집단분쟁조정의 내용을 수락한 경우에는 집단분쟁조정의 당사자가 아닌 자로서 피해를 입은 정보주체에 대한 보상계획서를 작성하여 분쟁조정위원회에 제출하도록 권고할 수 있다.

(6) 소를 제기한 일부 정보주체의 절차 제외

개인정보 보호법 제49조【집단분쟁조정】⑥ 제48조 제2항에도 불구하고 분쟁조정위원회는 집단분쟁조정의 당사자인 다수의 정보주체 중 일부의 정보주체가 법원에 소를 제기한 경우에는 그 절차를 중지하지 아니하고, 소를 제기한 일부의 정보주체를 그 절차에서 제외한다.

간단 점검하기

개인정보분쟁조정위원회는 집단분쟁조정의 당사자인 다수의 정보주체 중 일부의 정보주체가 법원에 소를 제기한 경우에는 그 조정절차를 중지하고, 이를 당사자에게 알려야 한다. ( )

19. 소방직 9급

(7) 60일 이내 조정

개인정보 보호법 제49조【집단분쟁조정】⑦ 집단분쟁조정의 기간은 제2항에 따른 공고가 종료된 날의 다음 날부터 60일 이내로 한다. 다만, 부득이한 사정이 있는 경우에는 분쟁조정위원회의 의결로 처리기간을 연장할 수 있다.

⑧ 집단분쟁조정의 절차 등에 관하여 필요한 사항은 대통령령으로 정한다.

(8) 조정절차 등

개인정보 보호법 제50조【조정절차 등】① 제43조부터 제49조까지의 규정에서 정한 것 외에 분쟁의 조정방법, 조정절차 및 조정업무의 처리 등에 필요한 사항은 대통령령으로 정한다.

② 분쟁조정위원회의 운영 및 분쟁조정 절차에 관하여 이 법에서 규정하지 아니한 사항에 대하여는 민사조정법을 준용한다.

×

8 개인정보 단체소송

1. 단체소송의 대상(필요적 전심절차, 부작위청구소송)

개인정보 보호법 제51조【단체소송의 대상 등】 다음 각 호의 어느 하나에 해당하는 단체는 개인정보처리자가 제49조에 따른 집단분쟁조정을 거부하거나 집단분쟁조정의 결과를 수락하지 아니한 경우에는 법원에 권리침해 행위의 금지·중지를 구하는 소송(이하 "단체소송"이라 한다)을 제기할 수 있다.
1. 소비자기본법 제29조에 따라 공정거래위원회에 등록한 소비자단체로서 다음 각 목의 요건을 모두 갖춘 단체
   가. 정관에 따라 상시적으로 정보주체의 권익증진을 주된 목적으로 하는 단체일 것
   나. 단체의 정회원수가 1천명 이상일 것
   다. 소비자기본법 제29조에 따른 등록 후 3년이 경과하였을 것
2. 비영리민간단체 지원법 제2조에 따른 비영리민간단체로서 다음 각 목의 요건을 모두 갖춘 단체
   가. 법률상 또는 사실상 동일한 침해를 입은 100명 이상의 정보주체로부터 단체소송의 제기를 요청받을 것
   나. 정관에 개인정보 보호를 단체의 목적으로 명시한 후 최근 3년 이상 이를 위한 활동실적이 있을 것
   다. 단체의 상시 구성원수가 5천명 이상일 것
   라. 중앙행정기관에 등록되어 있을 것

2. 전속관할

개인정보 보호법 제52조【전속관할】 ① 단체소송의 소는 피고의 주된 사무소 또는 영업소가 있는 곳, 주된 사무소나 영업소가 없는 경우에는 주된 업무담당자의 주소가 있는 곳의 지방법원 본원 합의부의 관할에 전속한다.
② 제1항을 외국사업자에 적용하는 경우 대한민국에 있는 이들의 주된 사무소·영업소 또는 업무담당자의 주소에 따라 정한다.

3. 소송대리인의 선임(변호사 강제주의)

개인정보 보호법 제53조【소송대리인의 선임】 단체소송의 원고는 변호사를 소송대리인으로 선임하여야 한다.

4. 소송허가신청(단체가 법원에 신청)

개인정보 보호법 제54조【소송허가신청】 ① 단체소송을 제기하는 단체는 소장과 함께 다음 각 호의 사항을 기재한 소송허가신청서를 법원에 제출하여야 한다.
1. 원고 및 그 소송대리인
2. 피고
3. 정보주체의 침해된 권리의 내용

간단 점검하기

01 개인정보보호법 소정의 일정한 요건을 갖춘 소비자단체나 비영리단체는 개인정보처리자가 집단분쟁조정을 거부하거나 집단분쟁조정의 결과를 수락하지 아니한 경우에는 법원에 권리침해 행위의 금지·중지를 구하는 단체소송을 제기할 수 있다. ( ) 13. 국회직 9급

02 개인정보보호법에는 개인정보 단체소송을 제기할 수 있는 단체에 대한 제한을 두고 있지 않으므로 법인격이 있는 단체라면 어느 단체든지 권리침해 행위의 금지 중지를 구하는 소송을 제기할 수 있다. ( ) 18. 국가직 9급

03 소비자기본법에 따라 공정거래위원회에 등록한 소비자단체가 개인정보 단체소송을 제기하려면 그 단체의 정회원수가 1백명 이상이어야 한다. ( ) 16. 지방직 9급

01 ○ 02 × 03 ×

② 제1항에 따른 소송허가신청서에는 다음 각 호의 자료를 첨부하여야 한다.
1. 소제기단체가 제51조 각 호의 어느 하나에 해당하는 요건을 갖추고 있음을 소명하는 자료
2. 개인정보처리자가 조정을 거부하였거나 조정결과를 수락하지 아니하였음을 증명하는 서류

간단 점검하기

01 개인정보 단체소송을 허가하거나 불허가하는 법원의 결정에 대하여는 불복할 수 없다. ( ) 16. 지방직 9급

5. 소송허가요건

개인정보 보호법 제55조【소송허가요건 등】① 법원은 다음 각 호의 요건을 모두 갖춘 경우에 한하여 결정으로 단체소송을 허가한다.
1. 개인정보처리자가 분쟁조정위원회의 조정을 거부하거나 조정결과를 수락하지 아니하였을 것
2. 제54조에 따른 소송허가신청서의 기재사항에 흠결이 없을 것
② 단체소송을 허가하거나 불허가하는 결정에 대하여는 즉시항고할 수 있다.

6. 확정판결의 효력

개인정보 보호법 제56조【확정판결의 효력】원고의 청구를 기각하는 판결이 확정된 경우 이와 동일한 사안에 관하여는 제51조에 따른 다른 단체는 단체소송을 제기할 수 없다. 다만, 다음 각 호의 어느 하나에 해당하는 경우에는 그러하지 아니하다.
1. 판결이 확정된 후 그 사안과 관련하여 국가·지방자치단체 또는 국가·지방자치단체가 설립한 기관에 의하여 새로운 증거가 나타난 경우
2. 기각판결이 원고의 고의로 인한 것임이 밝혀진 경우

간단 점검하기

02 개인정보 단체소송에 관하여 개인정보 보호법에 특별한 규정이 없는 경우에는 행정소송법을 적용한다. ( ) 16. 지방직 9급

7. 민사소송법의 적용 등

개인정보 보호법 제57조【민사소송법의 적용 등】① 단체소송에 관하여 이 법에 특별한 규정이 없는 경우에는 민사소송법을 적용한다.
② 제55조에 따른 단체소송의 허가결정이 있는 경우에는 민사집행법 제4편에 따른 보전처분을 할 수 있다.
③ 단체소송의 절차에 관하여 필요한 사항은 대법원규칙으로 정한다.

01 × 02 ×

9 보칙

1. 적용의 일부 제외

개인정보 보호법 제58조【적용의 일부 제외】 ① 다음 각 호의 어느 하나에 해당하는 개인정보에 관하여는 제3장부터 제7장까지를 적용하지 아니한다.
1. 공공기관이 처리하는 개인정보 중 통계법에 따라 수집되는 개인정보
2. 국가안전보장과 관련된 정보 분석을 목적으로 수집 또는 제공 요청되는 개인정보
3. 공중위생 등 공공의 안전과 안녕을 위하여 긴급히 필요한 경우로서 일시적으로 처리되는 개인정보
4. 언론, 종교단체, 정당이 각각 취재·보도, 선교, 선거 입후보자 추천 등 고유 목적을 달성하기 위하여 수집·이용하는 개인정보

② 제25조 제1항 각 호에 따라 공개된 장소에 영상정보처리기기를 설치·운영하여 처리되는 개인정보에 대하여는 제15조, 제22조, 제27조 제1항·제2항, 제34조 및 제37조를 적용하지 아니한다.

③ 개인정보처리자가 동창회, 동호회 등 친목 도모를 위한 단체를 운영하기 위하여 개인정보를 처리하는 경우에는 제15조, 제30조 및 제31조를 적용하지 아니한다.

④ 개인정보처리자는 제1항 각 호에 따라 개인정보를 처리하는 경우에도 그 목적을 위하여 필요한 범위에서 최소한의 기간에 최소한의 개인정보만을 처리하여야 하며, 개인정보의 안전한 관리를 위하여 필요한 기술적·관리적 및 물리적 보호조치, 개인정보의 처리에 관한 고충처리, 그 밖에 개인정보의 적절한 처리를 위하여 필요한 조치를 마련하여야 한다.

2. 적용제외

개인정보 보호법 제58조의2【적용제외】 이 법은 시간·비용·기술 등을 합리적으로 고려할 때 다른 정보를 사용하여도 더 이상 개인을 알아볼 수 없는 정보에는 적용하지 아니한다.

3. 의견제시 및 개선권고

개인정보 보호법 제61조【의견제시 및 개선권고】 ① 보호위원회는 개인정보 보호에 영향을 미치는 내용이 포함된 법령이나 조례에 대하여 필요하다고 인정하면 심의·의결을 거쳐 관계 기관에 의견을 제시할 수 있다.

② 보호위원회는 개인정보 보호를 위하여 필요하다고 인정하면 개인정보처리자에게 개인정보 처리 실태의 개선을 권고할 수 있다. 이 경우 권고를 받은 개인정보처리자는 이를 이행하기 위하여 성실하게 노력하여야 하며, 그 조치 결과를 보호위원회에 알려야 한다.

③ 관계 중앙행정기관의 장은 개인정보 보호를 위하여 필요하다고 인정하면 소관 법률에 따라 개인정보처리자에게 개인정보 처리 실태의 개선을 권고할 수 있다. 이 경우 권고를 받은 개인정보처리자는 이를 이행하기 위하여 성실하게 노력하여야 하며, 그 조치 결과를 관계 중앙행정기관의 장에게 알려야 한다.

④ 중앙행정기관, 지방자치단체, 국회, 법원, 헌법재판소, 중앙선거관리위원회는 그 소속 기관 및 소관 공공기관에 대하여 개인정보 보호에 관한 의견을 제시하거나 지도·점검을 할 수 있다.

4. 침해 사실의 신고

개인정보 보호법 제62조【침해 사실의 신고 등】① 개인정보처리자가 개인정보를 처리할 때 개인정보에 관한 권리 또는 이익을 침해받은 사람은 보호위원회에 그 침해 사실을 신고할 수 있다.

5. 자료제출 요구 및 검사

개인정보 보호법 제63조【자료제출 요구 및 검사】① 보호위원회는 다음 각 호의 어느 하나에 해당하는 경우에는 개인정보처리자에게 관계 물품·서류 등 자료를 제출하게 할 수 있다.

1. 이 법을 위반하는 사항을 발견하거나 혐의가 있음을 알게 된 경우
2. 이 법 위반에 대한 신고를 받거나 민원이 접수된 경우
3. 그 밖에 정보주체의 개인정보 보호를 위하여 필요한 경우로서 대통령령으로 정하는 경우

6. 시정조치

개인정보 보호법 제64조【시정조치 등】① 보호위원회는 개인정보가 침해되었다고 판단할 상당한 근거가 있고 이를 방치할 경우 회복하기 어려운 피해가 발생할 우려가 있다고 인정되면 이 법을 위반한 자(중앙행정기관, 지방자치단체, 국회, 법원, 헌법재판소, 중앙선거관리위원회는 제외한다)에 대하여 다음 각 호에 해당하는 조치를 명할 수 있다.

1. 개인정보 침해행위의 중지
2. 개인정보 처리의 일시적인 정지
3. 그 밖에 개인정보의 보호 및 침해 방지를 위하여 필요한 조치

7. 고발 및 징계권고

개인정보 보호법 제65조【고발 및 징계권고】① 보호위원회는 개인정보처리자에게 이 법 등 개인정보 보호와 관련된 법규의 위반에 따른 범죄혐의가 있다고 인정될 만한 상당한 이유가 있을 때에는 관할 수사기관에 그 내용을 고발할 수 있다.

제 3 장 그 밖의 관련법률

제1절 행정규제기본법

1 행정규제의 개념

'행정규제'라 함은 국가 또는 지방자치단체가 특정한 행정목적을 실현하기 위하여 국민(국내법을 적용받는 외국인을 포함)의 권리를 제한하거나 의무를 부과하는 것으로서 법령 등 또는 조례·규칙에 규정되는 사항을 말한다. 그리고 여기서 '법령 등'이라 함은 법률·대통령령·총리령·부령과 그 위임에 의하여 정하여진 고시 등을 말한다.

행정규제기본법 제1조【목적】이 법은 행정규제에 관한 기본적인 사항을 규정하여 불필요한 행정규제를 폐지하고 비효율적인 행정규제의 신설을 억제함으로써 사회·경제활동의 자율과 창의를 촉진하여 국민의 삶의 질을 높이고 국가경쟁력이 지속적으로 향상되도록 함을 목적으로 한다.

제2조【정의】① 이 법에서 사용하는 용어의 뜻은 다음과 같다.

1. "행정규제"(이하 "규제"라 한다)란 국가나 지방자치단체가 특정한 행정 목적을 실현하기 위하여 국민(국내법을 적용받는 외국인을 포함한다)의 권리를 제한하거나 의무를 부과하는 것으로서 법령 등이나 조례·규칙에 규정되는 사항을 말한다.
2. "법령 등"이란 법률·대통령령·총리령·부령과 그 위임을 받는 고시(告示) 등을 말한다.
3. "기존규제"란 이 법 시행 당시 다른 법률에 근거하여 규정된 규제와 이 법 시행 후 이 법에서 정한 절차에 따라 규정된 규제를 말한다.
4. "행정기관"이란 법령 등 또는 조례·규칙에 따라 행정 권한을 가지는 기관과 그 권한을 위임받거나 위탁받은 법인·단체 또는 그 기관이나 개인을 말한다.
5. "규제영향분석"이란 규제로 인하여 국민의 일상생활과 사회·경제·행정 등에 미치는 여러 가지 영향을 객관적이고 과학적인 방법을 사용하여 미리 예측·분석함으로써 규제의 타당성을 판단하는 기준을 제시하는 것을 말한다.

② 규제의 구체적 범위는 대통령령으로 정한다.

시행령 제2조【행정규제의 범위 등】① 법 제2조 제2항에 따른 행정규제(이하 "규제"라 한다)의 구체적 범위는 다음 각 호의 어느 하나에 해당하는 사항으로서 법령 등 또는 조례·규칙에 규정되는 사항으로 한다.

1. 허가·인가·특허·면허·승인·지정·인정·시험·검사·검정·확인·증명 등 일정한 요건과 기준을 정하여 놓고 행정기관이 국민으로부터 신청을 받아 처리하는 행정처분 또는 이와 유사한 사항
2. 허가취소·영업정지·등록말소·시정명령·확인·조사·단속 등 행정의무의 이행을 확보하기 위하여 행정기관이 행하는 행정처분 또는 감독에 관한 사항

제3편 행정과정 2022 해커스공무원 장재혁 행정법총론 기본서

3. 고용의무 · 신고의무 · 등록의무 · 보고의무 · 공급의무 · 출자금지 · 명의대여 금지 그 밖에 영업 등과 관련하여 일정한 작위의무 또는 부작위의무를 부과하는 사항
4. 그 밖에 국민의 권리를 제한하거나 의무를 부과하는 행정행위(사실행위를 포함한다)에 관한 사항

② 법 제2조 제1항 제2호 및 법 제4조 제2항 단서에서 "고시 등"이라 함은 훈령 · 예규 · 고시 및 공고를 말한다.

2 행정규제의 기본원칙

1. 행정규제 법정주의

행정규제기본법 제4조 【규제 법정주의】 ① 규제는 법률에 근거하여야 하며, 그 내용은 알기 쉬운 용어로 구체적이고 명확하게 규정되어야 한다.
② 규제는 법률에 직접 규정하되, 규제의 세부적인 내용은 법률 또는 상위법령(上位法令)에서 구체적으로 범위를 정하여 위임한 바에 따라 대통령령 · 총리령 · 부령 또는 조례 · 규칙으로 정할 수 있다. 다만, 법령에서 전문적 · 기술적 사항이나 경미한 사항으로서 업무의 성질상 위임이 불가피한 사항에 관하여 구체적으로 범위를 정하여 위임한 경우에는 고시 등으로 정할 수 있다.
③ 행정기관은 법률에 근거하지 아니한 규제로 국민의 권리를 제한하거나 의무를 부과할 수 없다.

2. 행정규제의 원칙

행정규제기본법 제5조 【규제의 원칙】 ① 국가나 지방자치단체는 국민의 자유와 창의를 존중하여야 하며, 규제를 정하는 경우에도 그 본질적 내용을 침해하지 아니하도록 하여야 한다.
② 국가나 지방자치단체가 규제를 정할 때에는 국민의 생명 · 인권 · 보건 및 환경 등의 보호와 식품 · 의약품의 안전을 위한 실효성이 있는 규제가 되도록 하여야 한다.
③ 규제의 대상과 수단은 규제의 목적 실현에 필요한 최소한의 범위에서 가장 효과적인 방법으로 객관성 · 투명성 및 공정성이 확보되도록 설정되어야 한다.

3 규제개혁의 추진체제

1. 규제의 등록 · 공표제

중앙행정기관의 장은 소관 규제의 명칭 · 내용 · 근거 · 처리기관 등을 규제개혁위원회에 등록하여야 하며, 위원회는 등록된 규제사무목록을 작성하여 공표하고, 매년 6월 말까지 국회에 제출하여야 한다. 이는 규제정비작업이 규제의 현황에 대한 정보를 확보하기 위한 것으로서, 이를 통하여 규제의 총량관리와 투명성을 확보할 수 있을 것으로 기대된다.

행정규제기본법 제6조【규제의 등록 및 공표】① 중앙행정기관의 장은 소관 규제의 명칭 · 내용 · 근거 · 처리기관 등을 제23조에 따른 규제개혁위원회(이하 "위원회"라 한다)에 등록하여야 한다.
② 위원회는 제1항에 따라 등록된 규제사무 목록을 작성하여 공표하고, 매년 6월 말일까지 국회에 제출하여야 한다.
③ 위원회는 직권으로 조사하여 등록되지 아니한 규제가 있는 경우에는 관계 중앙행정기관의 장에게 지체 없이 위원회에 등록하게 하거나 그 규제를 폐지하는 법령 등의 정비계획을 제출하도록 요구하여야 하며, 관계 중앙행정기관의 장은 특별한 사유가 없으면 그 요구에 따라야 한다.
④ 제1항부터 제3항까지의 규정에 따른 규제의 등록 · 공표의 방법과 절차 등에 관하여 필요한 사항은 대통령령으로 정한다.

2. 규제개혁위원회

행정규제기본법 제23조【설치】정부의 규제정책을 심의 · 조정하고 규제의 심사 · 정비 등에 관한 사항을 종합적으로 추진하기 위하여 대통령 소속으로 규제개혁위원회를 둔다.

3. 신설규제 등의 심사

(1) 규제영향분석

행정규제기본법 제7조【규제영향분석 및 자체심사】① 중앙행정기관의 장은 규제를 신설하거나 강화(규제의 존속기한 연장을 포함한다. 이하 같다)하려면 다음 각 호의 사항을 종합적으로 고려하여 규제영향분석을 하고 규제영향분석서를 작성하여야 한다.
1. 규제의 신설 또는 강화의 필요성
2. 규제 목적의 실현 가능성
3. 규제 외의 대체 수단 존재 여부 및 기존규제와의 중복 여부
4. 규제의 시행에 따라 규제를 받는 집단과 국민이 부담하여야 할 비용과 편익의 비교 분석
5. 규제의 시행이 중소기업기본법 제2조에 따른 중소기업에 미치는 영향
6. 경쟁 제한적 요소의 포함 여부
7. 규제 내용의 객관성과 명료성
8. 규제의 신설 또는 강화에 따른 행정기구 · 인력 및 예산의 소요
9. 관련 민원사무의 구비서류 및 처리절차 등의 적정 여부

③ 중앙행정기관의 장은 제1항에 따른 규제영향분석의 결과를 기초로 규제의 대상 · 범위 · 방법 등을 정하고 그 타당성에 대하여 자체심사를 하여야 한다. 이 경우 관계 전문가 등의 의견을 충분히 수렴하여 심사에 반영하여야 한다.

간단 점검하기

01 행정규제기본법은 규제의 존속기한을 명시하여 규제일몰제를 도입하고 있다. ( ) 11. 지방직 9급

(2) 규제의 존속기간 명시

행정규제기본법 제8조【규제의 존속기한 및 재검토기한 명시】① 중앙행정기관의 장은 규제를 신설하거나 강화하려는 경우에 존속시켜야 할 명백한 사유가 없는 규제는 존속기한 또는 재검토기한(일정기간마다 그 규제의 시행상황에 관한 점검결과에 따라 폐지 또는 완화 등의 조치를 할 필요성이 인정되는 규제에 한정하여 적용되는 기한을 말한다. 이하 같다)을 설정하여 그 법령등에 규정하여야 한다.
② 규제의 존속기한 또는 재검토기한은 규제의 목적을 달성하기 위하여 필요한 최소한의 기간 내에서 설정되어야 하며, 그 기간은 원칙적으로 5년을 초과할 수 없다.

Level up 규제일몰제

1. 시간이 지나면 해가 지듯이 법률이나 각종 규제의 효력이 일정기간 지나면 자동적으로 없어지도록 하는 제도이다.
2. 입법이 제정 당시와 여건이 달라져 법률이나 규제가 필요 없게 된 이후에도 한번 만들어진 법률이나 규제는 좀처럼 없어지지 않는 폐단을 없애기 위하여 도입되었다.

(3) 규제의 신설·강화시 의견수렴

행정규제기본법 제9조【의견 수렴】중앙행정기관의 장은 규제를 신설하거나 강화하려면 공청회, 행정상 입법예고 등의 방법으로 행정기관·민간단체·이해관계인·연구기관·전문가 등의 의견을 충분히 수렴하여야 한다.

제2절 민원 처리에 관한 법률[1]

[1] 약칭: 민원처리법(이하 동일)

1 개설

1. 의의

민원 처리에 관한 법률은 민원 처리에 관한 기본적인 사항을 규정하여 민원의 공정한 처리와 민원행정제도의 합리적 개선을 도모함으로써 국민의 권익을 보호함을 목적으로 하는 법률이다.

민원처리법 제1조【목적】이 법은 민원 처리에 관한 기본적인 사항을 규정하여 민원의 공정하고 적법한 처리와 민원행정제도의 합리적 개선을 도모함으로써 국민의 권익을 보호함을 목적으로 한다.

간단 점검하기

02 민원 처리에 관한 법률은 민원처리에 관한 기본적인 사항을 규정하여 민원의 공정하고 적법한 처리와 민원행정제도의 합리적 개선을 도모함으로써 국민의 권익을 보호함을 목적으로 한다. ( ) 06. 서울시 9급

01 ○ 02 ○

2. 일반법적 지위

민원처리법 제3조【적용 범위】① 민원에 관하여 다른 법률에 특별한 규정이 있는 경우를 제외하고는 이 법에서 정하는 바에 따른다.

3. 민원의 정의와 종류

민원처리법 제2조【정의】이 법에서 사용하는 용어의 뜻은 다음과 같다.
1. "민원"이란 민원인이 행정기관에 대하여 처분 등 특정한 행위를 요구하는 것을 말하며, 그 종류는 다음 각 목과 같다.
   가. 일반민원
      1) 법정민원: 법령·훈령·예규·고시·자치법규 등(이하 "관계법령 등"이라 한다)에서 정한 일정 요건에 따라 인가·허가·승인·특허·면허 등을 신청하거나 장부·대장 등에 등록·등재를 신청 또는 신고하거나 특정한 사실 또는 법률관계에 관한 확인 또는 증명을 신청하는 민원
      2) 질의민원: 법령·제도·절차 등 행정업무에 관하여 행정기관의 설명이나 해석을 요구하는 민원
      3) 건의민원: 행정제도 및 운영의 개선을 요구하는 민원
      4) 기타민원: 법정민원, 질의민원, 건의민원 및 고충민원 외에 행정기관에 단순한 행정절차 또는 형식요건 등에 대한 상담·설명을 요구하거나 일상생활에서 발생하는 불편사항에 대하여 알리는 등 행정기관에 특정한 행위를 요구하는 민원
   나. 고충민원: 부패방지 및 국민권익위원회의 설치와 운영에 관한 법률 제2조 제5호에 따른 고충민원
2. "민원인"이란 행정기관에 민원을 제기하는 개인·법인 또는 단체를 말한다. 다만, 행정기관(사경제의 주체로서 제기하는 경우는 제외한다), 행정기관과 사법(私法)상 계약관계(민원과 직접 관련된 계약관계만 해당한다)에 있는 자, 성명·주소 등이 불명확한 자 등 대통령령으로 정하는 자는 제외한다.
5. "복합민원"이란 하나의 민원 목적을 실현하기 위하여 관계법령 등에 따라 여러 관계 기관(민원과 관련된 단체·협회 등을 포함한다. 이하 같다) 또는 관계 부서의 인가·허가·승인·추천·협의 또는 확인 등을 거쳐 처리되는 법정민원을 말한다.
8. "무인민원발급창구"란 행정기관의 장이 행정기관 또는 공공장소 등에 설치하여 민원인이 직접 민원문서를 발급받을 수 있도록 하는 전자장비를 말한다.

4. 복합민원의 처리

민원처리법 제31조【복합민원의 처리】① 행정기관의 장은 복합민원을 처리할 주무부서를 지정하고 그 부서로 하여금 관계 기관·부서 간의 협조를 통하여 민원을 한꺼번에 처리하게 할 수 있다.
② 제1항에 따른 복합민원의 처리 방법 및 절차 등에 필요한 사항은 대통령령으로 정한다.

간단 점검하기

01 민원이란 민원인이 행정기관에 대하여 처분 등 특정한 행위를 요구하는 것을 말한다. ( ) 06. 서울시 9급

02 민원인이란 행정기관에 민원을 제기하는 개인·법인 또는 단체를 말한다. ( ) 06. 서울시 9급

03 복합민원이란 하나의 민원 목적을 실현하기 위하여 관계법령 등에 따라 여러 관계기관 또는 관계부서의 인가·허가·승인·추천·협의 또는 확인 등을 거쳐 처리되는 법정민원을 말한다. ( ) 06. 서울시 9급

04 행정기관의 장이 무인민원 발급창구를 이용하여 민원사항을 처리한 결과를 교부할 수 있도록 하는 법적 근거가 있다. ( ) 12. 지방직 7급

01 ○ 02 ○ 03 ○ 04 ○

5. 민원실의 설치

민원처리법 제12조【민원실의 설치】 행정기관의 장은 민원을 신속히 처리하고 민원인에 대한 안내와 상담의 편의를 제공하기 위하여 민원실을 설치할 수 있다.

2 민원의 처리

1. 민원처리의 원칙

(1) 지연처리금지

민원처리법 제6조【민원 처리의 원칙】 ① 행정기관의 장은 관계법령 등에서 정한 처리기간이 남아 있다거나 그 민원과 관련 없는 공과금 등을 미납하였다는 이유로 민원 처리를 지연시켜서는 아니 된다. 다만, 다른 법령에 특별한 규정이 있는 경우에는 그에 따른다.

간단 점검하기

행정기관은 민원에 관해 관계법령 등에서 정한 처리기간이 남아 있는 경우 민원처리기간까지 지연시킬 수 있다.
( ) 11. 국회직 8급

(2) 절차강화금지

민원처리법 제6조【민원 처리의 원칙】 ② 행정기관의 장은 법령의 규정 또는 위임이 있는 경우를 제외하고는 민원 처리의 절차 등을 강화하여서는 아니 된다.

2. 민원처리 담당자의 의무

민원처리법 제4조【민원 처리 담당자의 의무】 민원을 처리하는 담당자는 담당 민원을 신속·공정·친절·적법하게 처리하여야 한다.

3. 민원인의 권리와 의무

민원처리법 제5조【민원인의 권리와 의무】 ① 민원인은 행정기관에 민원을 신청하고 신속·공정·친절·적법한 응답을 받을 권리가 있다.
② 민원인은 민원을 처리하는 담당자의 적법한 민원처리를 위한 요청에 협조하여야 하고, 행정기관에 부당한 요구를 하거나 다른 민원인에 대한 민원 처리를 지연시키는 등 공무를 방해하는 행위를 하여서는 아니 된다.

4. 처리기간 · 처리방법

(1) 법정민원의 처리기간 설정 · 공표

민원처리법 제17조【법정민원의 처리기간 설정 · 공표】 ① 행정기관의 장은 법정민원을 신속히 처리하기 위하여 행정기관에 법정민원의 신청이 접수된 때부터 처리가 완료될 때까지 소요되는 처리기간을 법정민원의 종류별로 미리 정하여 공표하여야 한다.

×

② 행정기관의 장은 제1항에 따른 처리기간을 정할 때에는 접수기관 · 경유기관 · 협의기관(다른 기관과 사전협의가 필요한 경우만 해당한다) 및 처분기관 등 각 기관별로 처리기간을 구분하여 정하여야 한다.
③ 행정기관의 장은 제1항 및 제2항에 따른 처리기간을 민원편람에 수록하여야 한다.

(2) 처리기간의 계산

민원처리법 제19조 【처리기간의 계산】 ① 민원의 처리기간을 5일 이하로 정한 경우에는 민원의 접수시각부터 "시간" 단위로 계산하되, 공휴일과 토요일은 산입(算入)하지 아니한다. 이 경우 1일은 8시간의 근무시간을 기준으로 한다.
② 민원의 처리기간을 6일 이상으로 정한 경우에는 "일" 단위로 계산하고 첫날을 산입하되, 공휴일과 토요일은 산입하지 아니한다.
③ 민원의 처리기간을 주 · 월 · 연으로 정한 경우에는 첫날을 산입하되, 민법 제159조부터 제161조까지의 규정을 준용한다.

간단 점검하기

민원의 처리기간을 5일 이하로 정한 경우 '일' 단위로 계산하고 초일(初日)을 산입하지 않는다. ( )

11. 국회직 8급

5. 민원편람의 비치

민원처리법 제13조 【민원편람의 비치 등 신청편의의 제공】 행정기관의 장은 민원실(민원실이 설치되지 아니한 기관의 경우에는 문서의 접수 · 발송을 주관하는 부서를 말한다)에 민원의 신청에 필요한 사항을 게시(인터넷 등을 통한 게시를 포함한다)하거나 편람을 비치하는 등 민원인에게 민원 신청의 편의를 제공하여야 한다.

6. 반복 및 중복 민원의 처리

민원처리법 제23조 【반복 및 중복 민원의 처리】 ① 행정기관의 장은 민원인이 동일한 내용의 민원(법정민원을 제외한다. 이하 이 조에서 같다)을 정당한 사유 없이 3회 이상 반복하여 제출한 경우에는 2회 이상 그 처리결과를 통지하고, 그 후에 접수되는 민원에 대하여는 종결처리할 수 있다.
② 행정기관의 장은 민원인이 2개 이상의 행정기관에 제출한 동일한 내용의 민원을 다른 행정기관으로부터 이송받은 경우에도 제1항을 준용하여 처리할 수 있다.
③ 행정기관의 장은 제1항 및 제2항에 따른 동일한 내용의 민원인지 여부에 대하여는 해당 민원의 성격, 종전 민원과의 내용적 유사성 · 관련성 및 종전 민원과 동일한 답변을 할 수 밖에 없는 사정 등을 종합적으로 고려하여 결정하여야 한다.

×

7. 다수인관련민원의 처리

민원처리법 제24조【다수인관련민원의 처리】① 다수인관련민원을 신청하는 민원인은 연명부(連名簿)를 원본으로 제출하여야 한다.
② 행정기관의 장은 다수인관련민원이 발생한 경우에는 신속·공정·적법하게 해결될 수 있도록 조치하여야 한다.
③ 다수인관련민원의 효율적인 처리와 관리에 필요한 사항은 대통령령으로 정한다.

3 민원처리의 절차

1. 민원의 신청

민원처리법 제8조【민원의 신청】민원의 신청은 문서(전자정부법 제2조 제7호에 따른 전자문서를 포함한다. 이하 같다)로 하여야 한다. 다만, 기타민원은 구술(口述) 또는 전화로 할 수 있다.

간단 점검하기

01 민원의 신청은 항상 종이문서로만 하여야 한다. ( ) 05. 대구9급

2. 불필요한 서류요구의 금지

민원처리법 제10조【불필요한 서류 요구의 금지】① 행정기관의 장은 민원을 접수·처리할 때에 민원인에게 관계법령등에서 정한 구비서류 외의 서류를 추가로 요구하여서는 아니 된다.
② 행정기관의 장은 동일한 민원서류 또는 구비서류를 복수로 받는 경우에는 특별한 사유가 없으면 원본과 함께 그 사본의 제출을 허용하여야 한다.

3. 다른 행정기관 등을 이용한 민원의 접수·교부

민원처리법 제14조【다른 행정기관 등을 이용한 민원의 접수·교부】① 행정기관의 장은 민원인의 편의를 위하여 그 행정기관이 접수하고 처리결과를 교부하여야 할 민원을 다른 행정기관이나 특별법에 따라 설립되고 전국적 조직을 가진 법인 중 대통령령으로 정하는 법인으로 하여금 접수·교부하게 할 수 있다.
② 제1항에 따른 접수·교부의 절차 및 접수·처리·교부 기관 간 송부방법 등에 필요한 사항은 대통령령으로 정한다.
③ 제1항에 따라 민원을 접수·교부하는 법인의 임직원은 형법이나 그 밖의 법률에 따른 벌칙을 적용할 때에는 공무원으로 본다.

4. 처리결과의 통지

민원처리법 제27조【처리결과의 통지】① 행정기관의 장은 접수된 민원에 대한 처리를 완료한 때에는 그 결과를 민원인에게 문서로 통지하여야 한다. 다만, 기타민원의 경우와 통지에 신속을 요하거나 민원인이 요청하는 등 대통령령으로 정하는 경우에는 구술 또는 전화로 통지할 수 있다.

간단 점검하기

02 행정기관의 장은 민원처리결과를 문서로 통지하여야 하나 신속을 요하는 경우 등에는 구술 또는 전화로 통지할 수 있다. ( ) 11. 국회직 8급

01 × 02 ○

② 행정기관의 장은 제1항에 따라 민원의 처리결과를 통지할 때에 민원의 내용을 거부하는 경우에는 거부 이유와 구제절차를 함께 통지하여야 한다.
③ 행정기관의 장은 제1항에 따른 민원의 처리결과를 허가서 · 신고필증 · 증명서 등의 문서(전자정부법 제2조 제7호에 따른 전자문서 및 같은 조 제8호에 따른 전자화문서는 제외한다)로 민원인에게 직접 교부할 필요가 있는 때에는 그 민원인 또는 그 위임을 받은 자임을 확인한 후에 이를 교부하여야 한다.

5. 무인민원발급창구를 이용한 민원의 교부

민원처리법 제28조【무인민원발급창구를 이용한 민원문서의 발급】① 행정기관의 장은 무인민원발급창구를 통하여 민원문서(다른 행정기관 소관의 민원문서를 포함한다)를 발급할 수 있다.
② 제1항에 따라 민원문서를 발급하는 경우에는 다른 법률에도 불구하고 수수료를 감면할 수 있다.
③ 제1항에 따라 발급할 수 있는 민원문서의 종류는 행정안전부장관이 관계 행정기관의 장과의 협의를 거쳐 결정 · 고시한다.

6. 정보통신망을 이용한 다른 행정기관 소관 민원의 접수 · 교부

민원처리법 제15조【정보통신망을 이용한 다른 행정기관 소관 민원의 접수 · 교부】① 행정기관의 장은 정보통신망을 이용하여 다른 행정기관 소관의 민원을 접수 · 교부할 수 있는 경우에는 이를 직접 접수 · 교부할 수 있다.
② 제1항에 따라 접수 · 교부할 수 있는 민원의 종류는 행정안전부장관이 관계 중앙행정기관의 장과 협의를 거쳐 결정 · 고시한다.

4 민원처리의 불복절차

1. 거부처분에 대한 이의신청

민원처리법 제35조【거부처분에 대한 이의신청】① 법정민원에 대한 행정기관의 장의 거부처분에 불복하는 민원인은 그 거부처분을 받은 날부터 60일 이내에 그 행정기관의 장에게 문서로 이의신청을 할 수 있다.
② 행정기관의 장은 이의신청을 받은 날부터 10일 이내에 그 이의신청에 대하여 인용 여부를 결정하고 그 결과를 민원인에게 지체 없이 문서로 통지하여야 한다. 다만, 부득이한 사유로 정하여진 기간 이내에 인용 여부를 결정할 수 없을 때에는 그 기간의 만료일 다음 날부터 기산(起算)하여 10일 이내의 범위에서 연장할 수 있으며, 연장 사유를 민원인에게 통지하여야 한다.
③ 민원인은 제1항에 따른 이의신청 여부와 관계없이 행정심판법에 따른 행정심판 또는 행정소송법에 따른 행정소송을 제기할 수 있다.
④ 제1항에 따른 이의신청의 절차 및 방법 등에 필요한 사항은 대통령령으로 정한다.

간단 점검하기

01 민원의 내용을 거부할 경우에는 그 이유를 함께 통지하여야 한다. ( ) 04. 교육행정직

간단 점검하기

02 법정민원에 대한 거부처부에 대하여 불복이 있는 경우 처분을 받은 날부터 180일 이내에 이의신청을 할 수 있다. ( ) 11. 국회직 8급

01 ○ 02 ×

2. 사전심사의 청구

민원처리법 제30조【사전심사의 청구 등】 ① 민원인은 법정민원 중 신청에 경제적으로 많은 비용이 수반되는 민원 등 대통령령으로 정하는 민원에 대하여는 행정기관의 장에게 정식으로 민원을 신청하기 전에 미리 약식의 사전심사를 청구할 수 있다.
② 행정기관의 장은 제1항에 따라 사전심사가 청구된 법정민원이 다른 행정기관의 장과의 협의를 거쳐야 하는 사항인 경우에는 미리 그 행정기관의 장과 협의하여야 한다.
③ 행정기관의 장은 사전심사 결과를 민원인에게 문서로 통지하여야 하며, 가능한 것으로 통지한 민원의 내용에 대하여는 민원인이 나중에 정식으로 민원을 신청한 경우에도 동일하게 결정을 내릴 수 있도록 노력하여야 한다. 다만, 민원인의 귀책사유 또는 불가항력이나 그 밖의 정당한 사유로 이를 이행할 수 없는 경우에는 그러하지 아니하다.
④ 행정기관의 장은 제1항에 따른 사전심사 제도를 효율적으로 운영하기 위하여 필요한 법적·제도적 장치를 마련하여 시행하여야 한다.

간단 점검하기

민원 처리에 관한 법률은 '민원 1회방문 처리제'를 규정하고 있다. ( )

05. 대구 9급

3. 민원 1회방문 처리제의 시행

민원처리법 제32조【민원 1회방문 처리제의 시행】 ① 행정기관의 장은 복합민원을 처리할 때에 그 행정기관의 내부에서 할 수 있는 자료의 확인, 관계 기관·부서와의 협조 등에 따른 모든 절차를 담당 직원이 직접 진행하도록 하는 민원 1회방문 처리제를 확립함으로써 불필요한 사유로 민원인이 행정기관을 다시 방문하지 아니하도록 하여야 한다.
② 행정기관의 장은 제1항에 따른 민원 1회방문 처리에 관한 안내와 상담의 편의를 제공하기 위하여 민원 1회방문 상담창구를 설치하여야 한다.
③ 제1항에 따른 민원 1회방문 처리제는 다음 각 호의 절차에 따라 시행한다.
1. 제2항에 따른 민원 1회방문 상담창구의 설치·운영
2. 제33조에 따른 민원후견인의 지정·운영
3. 복합민원을 심의하기 위한 실무기구의 운영
4. 제3호의 실무기구의 심의결과에 대한 제34조에 따른 민원조정위원회의 재심의(再審議)
5. 행정기관의 장의 최종 결정

○

법령집

공무원 행정기본법
조문해설집

판례집

공무원 행정법총론
판례집

워크북

공무원 한국사
워크북

기출문제집

공무원 영어/국어/한국사
기출문제집

공무원 행정학/행정법총론
기출문제집

공무원 세법/회계학
기출문제집

공무원 교정학
기출문제집

공무원 교육학
기출문제집

공무원 관세법
기출문제집

공무원 헌법
기출문제집

공무원 경제학
기출문제집

공무원 국제법
기출문제집

예상문제집

공무원 국어
영역별 문제집

공무원 국어
매일학습 문제집

공무원 영어/국어/한국사
적중문제집

공무원 국제법/국제정치학
단원별 핵심지문 OX

공무원 국제법/국제정치학
적중문제집

모의고사

공무원 영어
하프모의고사

공무원 경제학
하프모의고사

공무원 영어/국어/한국사
실전동형모의고사

공무원 행정학/행정법총론
실전동형모의고사

공무원 헌법
실전동형모의고사

공무원 경제학
실전동형모의고사

공무원 국제법/국제정치학
실전동형모의고사

공무원 영어/국어/한국사
봉투모의고사

공무원 필수과목 통합
봉투모의고사

PSAT

PSAT
입문서

7급 PSAT
언어논리/자료해석/상황판단
기본서

7급 PSAT
언어논리/자료해석/상황판단
유형별 문제집

7급 PSAT
실전동형모의고사

면접

공무원
면접마스터

◀ 넘겨서 해커스공무원 교재 더 보기